***ACCESO GRATIS** a la Lectura en la Nube*

Para visualizar el libro electrónico en la nube de lectura envíe junto a su nombre y apellidos una fotografía del código de barras situado en la contraportada del libro y otra del ticket de compra a la dirección:

ebooktirant@tirant.com

En un máximo de 72 horas laborables le enviaremos el código de acceso con sus instrucciones.

La visualización del libro en **NUBE DE LECTURA** excluye los usos bibliotecarios y públicos que puedan poner el archivo electrónico a disposición de una comunidad de lectores. Se permite tan solo un uso individual y privado.

FISCALIDAD DE LA VIVIENDA Y DEL ALOJAMIENTO TURÍSTICO

Procedimiento de selección de originales, ver página web:

www.tirant.net/index.php/editorial/procedimiento-de-seleccion-de-originales

FISCALIDAD DE LA VIVIENDA Y DEL ALOJAMIENTO TURÍSTICO

Dirección:

PABLO CHICO DE LA CÁMARA
ROSA FRAILE FERNÁNDEZ

tirant lo blanch
Valencia, 2026

EDITA: TIRANT LO BLANCH
C/ Artes Gráficas, 14 - 46010 - Valencia
TELFS.: 96/361 00 48 - 50
FAX: 96/369 41 51
Email: tlb@tirant.com
www.tirant.com
Librería virtual: www.tirant.es
DEPÓSITO LEGAL: V-1424-2026
ISBN: 979-13-7040-634-9

Si tiene alguna queja o sugerencia, envíenos un mail a: *atencioncliente@tirant.com*. En caso de no ser atendida su sugerencia, por favor, lea en *www.tirant.net/index.php/empresa/politicas-de-empresa* nuestro procedimiento de quejas.

Responsabilidad Social Corporativa: http://www.tirant.net/Docs/RSCTirant.pdf

Listado de autores por orden alfabético

Judith Arnal
Carmen Banacloche Palao
Alejandro Blázquez Lidoy
Juan Calvo Vérgez
Yohan Andrés Campos Martínez
Clotilde Celorico Palma
Pablo Chico de la Cámara
Julia María Díaz Calvarro
Ana Mª D'Ocón Espejo
Rosa Fraile Fernández
Javier Galán Ruiz
Yolanda García Calvente
César García Novoa
María Garre López
Juan Ignacio Gomar Sánchez
Marta González Aparicio
Ana González Pelayo
Juan José Hinojosa Torralvo
Saturnina Moreno González
Albert Navarro García
Daniel Ortiz Espejo
David Pérez-Bustamante
Fernando Pinto Hernández
Helena Pujalte Méndez-Leite
Jesús Ramos Prieto
Francisco Sanz-López
Fernando Serrano Antón
Mª Rosa Tapia Sánchez
Alejandro Torrescusa Cordero

Índice

PRIMERA PARTE: PERSPECTIVA GENERAL

SEGUNDA PARTE: CONTROL DEL FRAUDE FISCAL A TRAVÉS DEL SUMINISTRO DE INFORMACIÓN

TERCERA PARTE: FISCALIDAD DIRECTA ESTATAL

CUARTA PARTE: FISCALIDAD INDIRECTA ESTATAL

QUINTA PARTE: TRIBUTOS ESTATALES CEDIDOS A LAS CC.AA.

SEXTA PARTE: FISCALIDAD INTERNACIONAL

SÉPTIMA PARTE: FISCALIDAD LOCAL

PRIMERA PARTE:
PERSPECTIVA GENERAL

EVOLUCIÓN ECONÓMICA Y FISCAL DEL MERCADO INMOBILIARIO: DECÁLOGO DE PROPUESTAS PARA UN NUEVO MODELO DE POLÍTICA TRIBUTARIA EN FAVOR DE LA VIVIENDA

Pablo Chico de la Cámara
Catedrático de Derecho Financiero y Tributario
Universidad Rey Juan Carlos
ORCID 0000-0001-5721-7217

I. DATOS ECONÓMICOS DE INTERÉS

Como es sabido, el producto interior bruto (en adelante, PIB) mide el valor monetario de la producción de bienes y servicios finales de un país a lo largo de un periodo determinado (generalmente anual) siendo en el pasado año 2025 en España de 1.678.932 millones de euros incrementándose en 2,8 % en relación con el año anterior (2024), suponiendo una moderación de siete décimas respecto al crecimiento registrado del 2024 de 3,5%.

Si trufamos el citado porcentaje agrupándolo por sectores económicos cabe resaltar cómo en España el sector servicios (donde se encuadraría el sector de la construcción y de la promoción inmobiliaria) objeto de este original ha superado ya el 70 por 100 del total:

Figura 1: Gráfico del porcentaje participación en el PIB de los sectores económicos en España

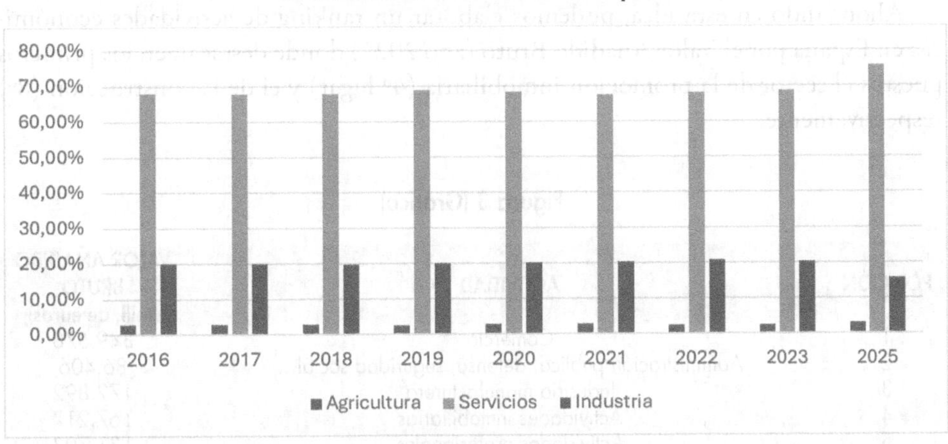

Fuente: Elaboración propia (datos extraídos de Statista).

Así mismo, si focalizamos en este análisis el peso de las actividades inmobiliarias sobre el PIB en España puede fácilmente comprobarse cómo se trata de una actividad económica estable y no cíclica, representando un motor muy importante para nuestra economía:

Figura 2 (Gráfico)

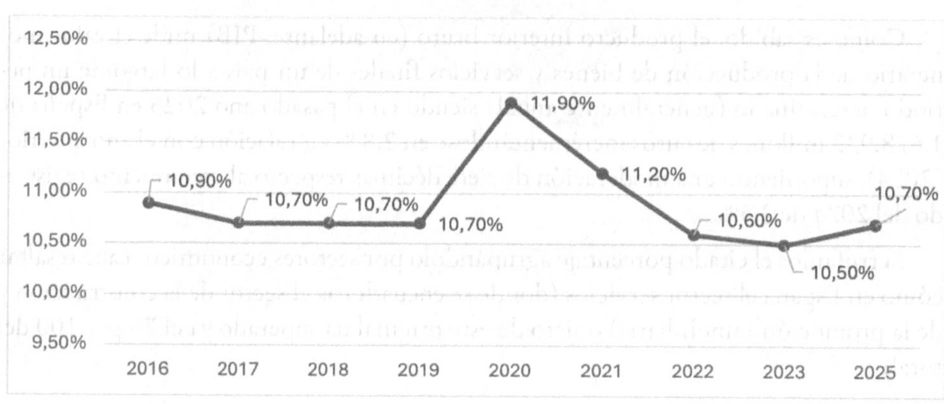

Fuente: Elaboración propia (datos extraídos de Statista).

Ahondando en esta idea, podemos elaborar un ranking de actividades económicas en España por el Valor Añadido Bruto (año 2025) donde destacan en los primeros puestos el sector de la promoción inmobiliaria (4º lugar) y el de la construcción (8º) respectivamente:

Figura 3 (Gráfico)

POSICIÓN	ACTIVIDAD	VALOR AÑADIDO BRUTO (mill. de euros)
1	Comercio	349.578
2	Administración pública, defensa, seguridad social...	86.406
3	Industria manufacturera	172.892
4	Actividades inmobiliarias	167.217
5	Actividades profesionales	131.703
6	Hostelería	97.783
7	Actividades sanitarias y servicios sociales	92.534
8	Construcción	82.843
9	Actividades financieras y seguros	80.723
11	Educación	73.484
11	Transporte, almacenamiento	65.272
12	Comunicaciones	58.830
13	Actividades administrativas y servicios auxiliares	56.843
14	Industria extractiva	54.418
15	Agricultura	43.892
16	Suministro energía eléctrica...	35.202
17	Actividades artísticas, recreativas de entretenimiento	24.216
18	Otros servicios	23.303
19	Suministro agua, saneamiento, residuos, contaminación	15.496
20	Personal domestico	11.634

Fuente: Elaboración propia (datos extraídos del INE).

En la siguiente tabla se detalla la evolución año tras año con porcentajes de los datos anteriores recogidos en el gráfico:

Figura 4 (Tabla)

AÑO	PROPIEDAD	PROPIEDAD SIN HIPOTECA	PROPIEDAD CON HIPOTECA	ALQUILER A PRECIO DE MERCADO	ALQUILER INFERIOR A PRECIO DE MERCADO	OTROS (CESIÓN
2004	83			5,8	4,1	7,1
2005	84,2			5,5	3,5	6,8
2006	83,5			5,9	3,2	7,4
2007	84,4			5,7	3,1	6,8
2008	84,4			6,1	3	6,5
2009	84,2			6,1	3,1	6,6
2010	84,1	52	32,1	6,6	2,8	6,5
2011	84,7	54,8	29,9	6,6	2,9	5,8
2012	84,2	54,7	29,5	6,8	2,6	6,4
2013	82,7	52,7	30	7,8	2,5	7
2014	81,8	52,7	29,1	8,5	2,5	7,1
2015	81,2	53,1	28,2	9	2,5	7,3
2016	81,2	53,2	28	9,7	2,3	6,7
2017	81	54,5	26,5	9,9	2,4	6,7
2018	80,4	54	26,3	10,5	2,6	6,6
2019	80,2	54,6	25,6	11,1	2,6	6,1
2020	79,6	51,8	27,8	10,5	2,9	7
2021	80,3	52,5	27,9	10,8	2,5	6,4
2022	80,3	52,9	27,5	10,9	2,6	6,2
2023	79,6	52,1	27,5	11,2	2,8	6,4
2024	79	53,2	25,8	11,7	3	6,2

Fuente: Elaboración propia (datos extraídos del INE).

Por otra parte, cabe resaltar que los precios medios del metro cuadrado en las viviendas libres han repuntando en estos últimos años sin que hasta la fecha pueda afirmarse que existen visos para pensar en un desaceleramiento, por cuanto no tenemos constancia de que haya habido un incremento exponencial de la oferta de inmuebles que sería la circunstancia determinante para que se produjera la deseada al menos contracción de los precios:

Figura 5 (Tabla)

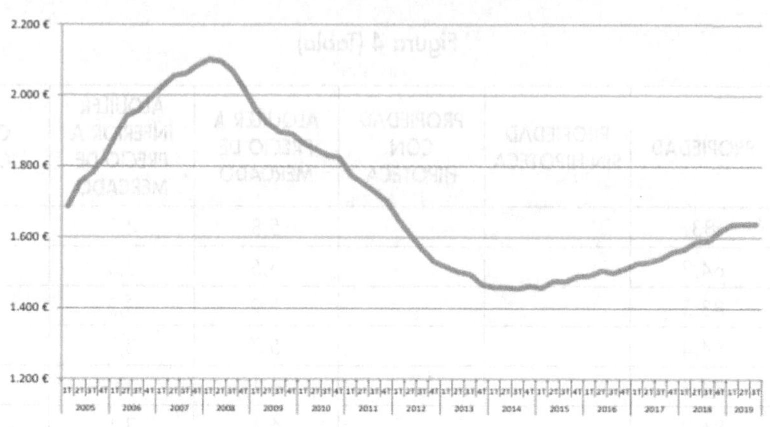

Fuente: Ministerio de Fomento

Así mismo, descendiendo ya a las estadísticas existentes hoy en día respecto de las viviendas familiares que existen en España por el uso y régimen de tenencia de vivienda principal pueden también desglosarse datos de interés respecto de la preferencia del ciudadano español por disponer de una vivienda "en propiedad" más que en régimen de alquiler, y respecto de los primeros, un poco más del 50 por 100 todavía se encuentra con una hipoteca "viva". Así las cosas, **el precio medio de la vivienda libre sigue en línea ascendente en los últimos años** como puede comprobarse en este gráfico:

Figura 6 (Gráfico)

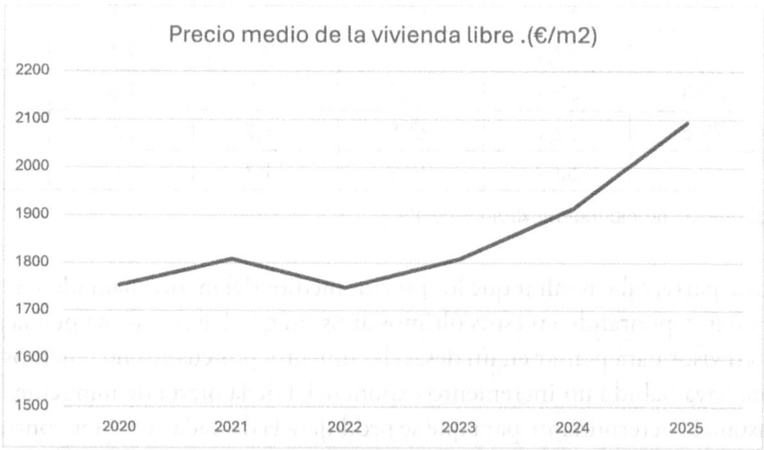

Fuente: Ministerio de Vivienda y Agenda Urbana/Elaboración propia

Incorporamos en este análisis económico, un ranking de los países con el mercado inmobiliario más alto por metro cuadrado del mundo en 2024 (cuantificado en dólares), y en el que todavía España afortunadamente no se encuentra entre los quince primeros:

Figura 7 (Gráfico)

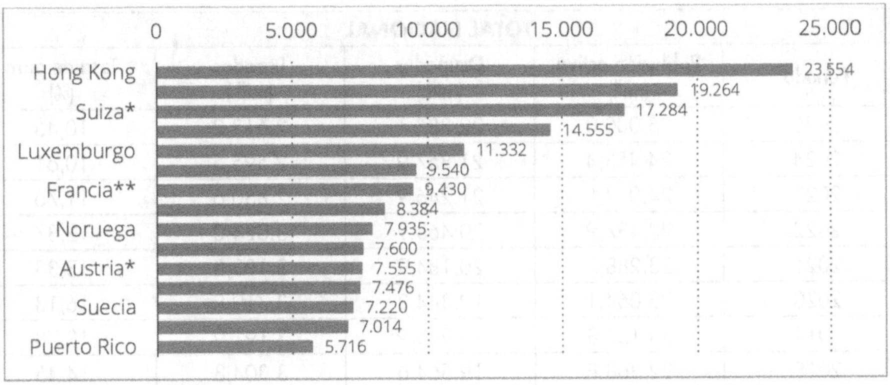

0 5.000 10.000 15.000 20.000 25.000
Hong Kong 23.554
19.264
Suiza* 17.284
14.555
Luxemburgo 11.332
9.540
Francia** 9.430
8.384
Noruega 7.935
7.600
Austria* 7.555
7.476
Suecia 7.220
7.014
Puerto Rico 5.716

Fuente: Statista

También cabe destacar el número sostenible de viviendas iniciadas y terminadas en estos últimos años:

Figura 8 (Gráfico)

Fuente: Elaboración propia (datos extraídos del Ministerio de Vivienda y Agenda Urbana)

Por otro lado, recogemos una comparativa de la población activa, ocupada y desempleada en el sector de la construcción donde llama la atención la demanda tan importante del sector, pues lejos de reducirse, sigue sin embargo creciendo la tasa de desocupación:

Figura 9 (Tabla)

TOTAL NACIONAL				
Periodo	**Población activa (mill)**	**Ocupados (mill.)**	**Parados (mill.)**	**Tasa de paro (%)**
2025	25.000,0	22.387,1	2.613,2	10,45
2024	24.453,4	21.857,9	2.595,5	10,61
2023	24.077,5	21.246,9	2.830,6	11,76
2022	23.487,9	20.463,9	3.024,0	12,87
2021	23.288,7	20.184,9	3.103,8	13,33
2020	23.064,1	19.344,3	3.719,8	16,13
2019	23.158,8	19.966,9	3.191,9	13,78
2018	22.868,8	19.564,6	3.304,3	14,45
2017	22.765,1	18.998,4	3.766,7	16,55
2016	22.745,9	18.508,1	4.237,8	18,63
SECTOR DE LA CONSTRUCCIÓN				
Periodo	**Población activa (mill.)**	**Ocupados (mill.)**	**Parados (miles.)**	**Tasa de paro (%)**
2025	1.648,2	1.557,08	91,16	5,53
2024	1.576,6	1.463,8	112,8	7,15
2023	1.509,1	1.398,0	111,1	7,36
2022	1.471,0	1.355,0	116,0	7,88
2021	1.451,2	1.315,2	136,0	9,37
2020	1.397,5	1.244,1	153,4	10,97
2019	1.414,9	1.277,9	137,4	9,71
2018	1.356,6	1.221,8	134,8	9,93
2017	1.287,6	1.128,3	150,3	11,67
2016	1.256,6	1.073,9	182,7	14,53

Fuente: Elaboración propia (datos extraídos del observatorio de la construcción - Fundación laboral de la construcción)

Pues bien, resulta de interés comprobar cómo ha evolucionado el Valor Añadido Bruto del sector de la construcción respecto del PIB español:

Figura 10 (Gráfico)

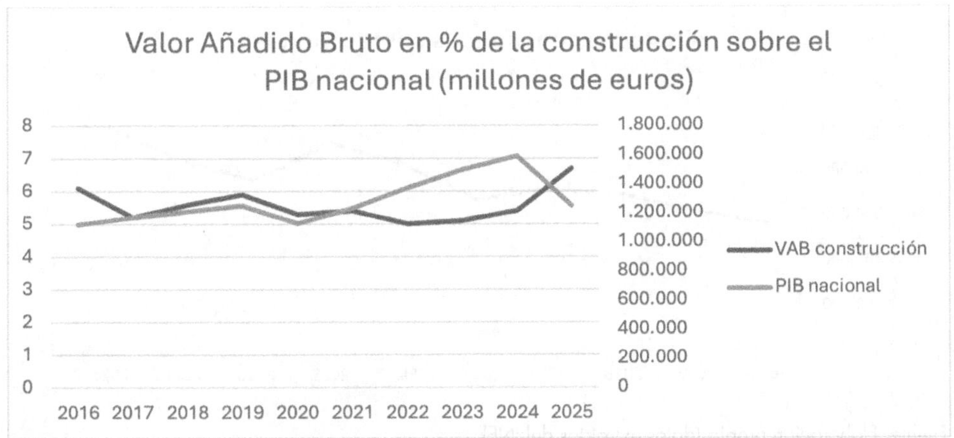

Fuente: Elaboración propia (Datos extraídos del observatorio de la construcción- Fundación laboral de la construcción).

Figura 11 (Gráfico)

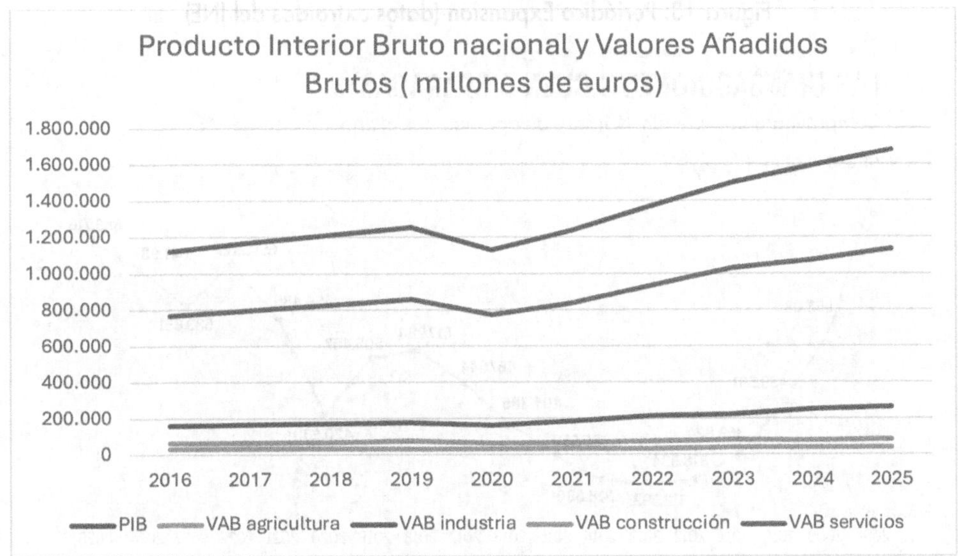

Fuente: Elaboración propia (Datos extraídos del INE)

Figura 12 (Gráfico)

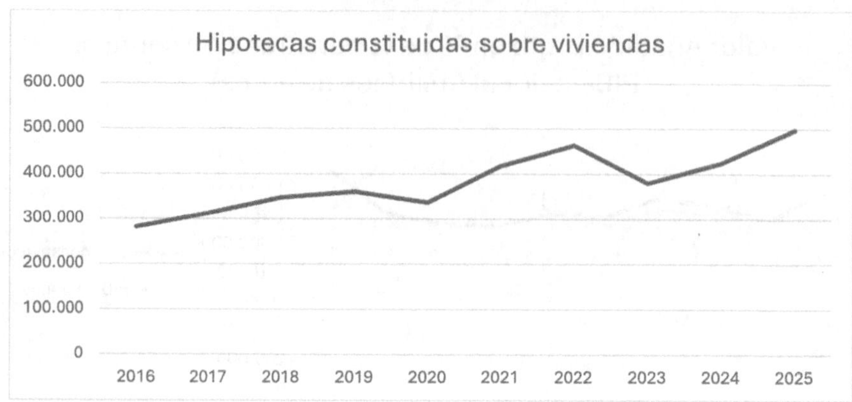

Fuente: Elaboración propia (datos extraídos del INE).

Recogemos también por su interés, un gráfico con el número de transacciones realizadas desde el "boom inmobiliario" hasta este pasado año 2025:

Figura 13: Periódico Expansión (datos extraídos del INE)

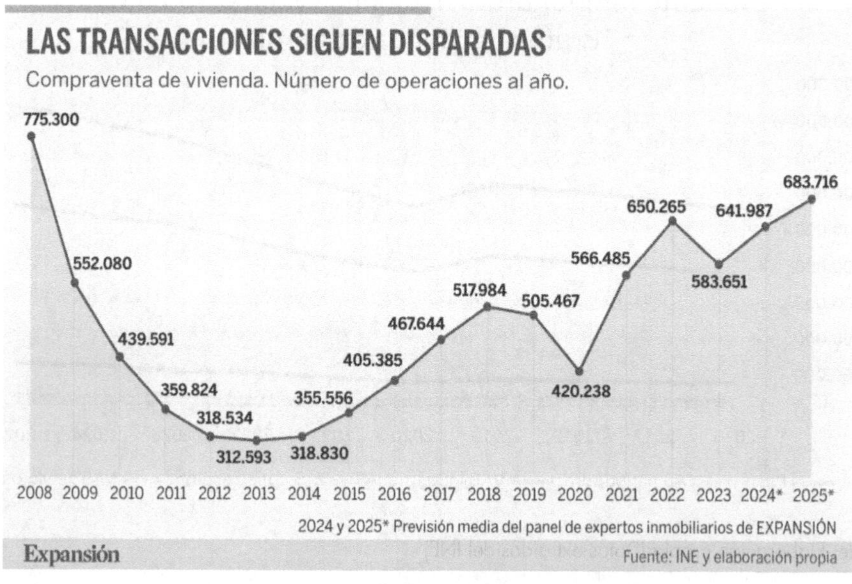

Ahondando en esta materia, dentro del número de compraventas de viviendas realizadas en esta última década, distinguiendo cuatro grupos, vivienda "nueva", "usada", "protegida" y "libre". Cabe observar en estos últimos años la generación de un ligero ascenso (aproximadamente 500.000 transacciones), si bien, en este pasado año 2025 se ha llegado incluso a romper la barrera de las 600.000 transacciones en vivienda libre:

Figura 14 (Gráfico)

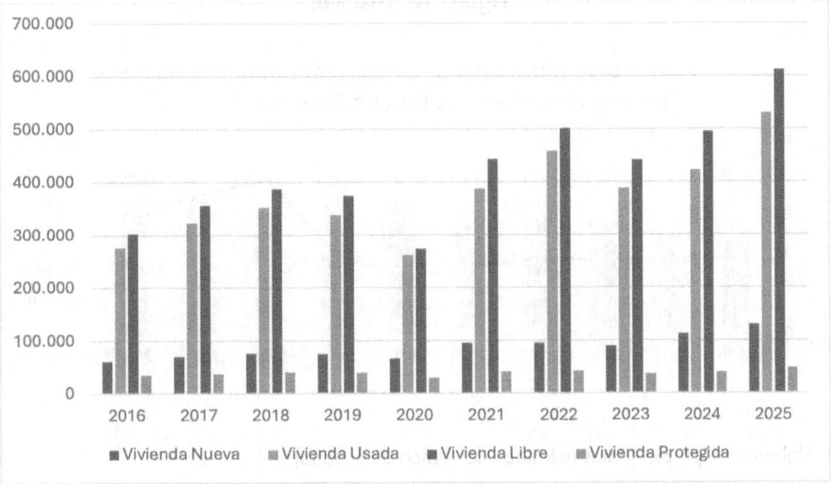

Fuente: Elaboración propia (datos extraídos del INE).

Así mismo, el número de hipotecas ha ido creciendo en los últimos años de forma exponencial en relación con las viviendas frente a otro tipo de bienes (como solares, y fincas rústicas):

Figura 15 (Gráfico)

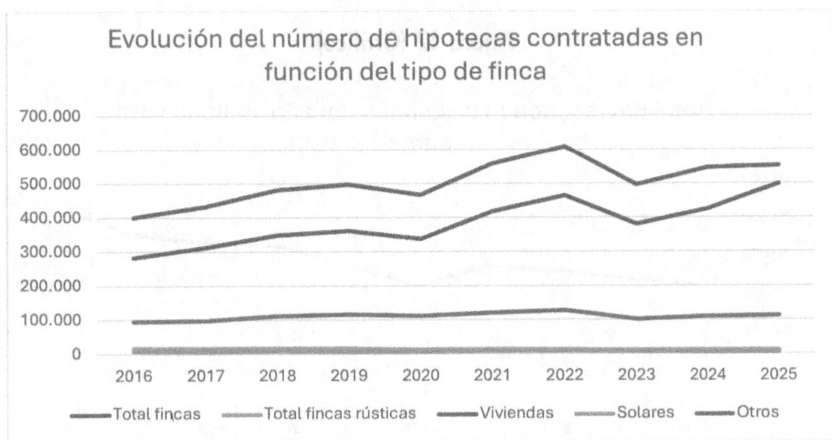

Fuente: Elaboración propia (datos extraídos del INE).

En relación con los tipos de interés, desde el año 2021, han experimentado una tendencia al alza, que se ha extendido durante dos años, para desde entonces empezar una corrección a la baja, lo que ha favorecido la inversión inmobiliaria:

Figura 16 (Gráfico)

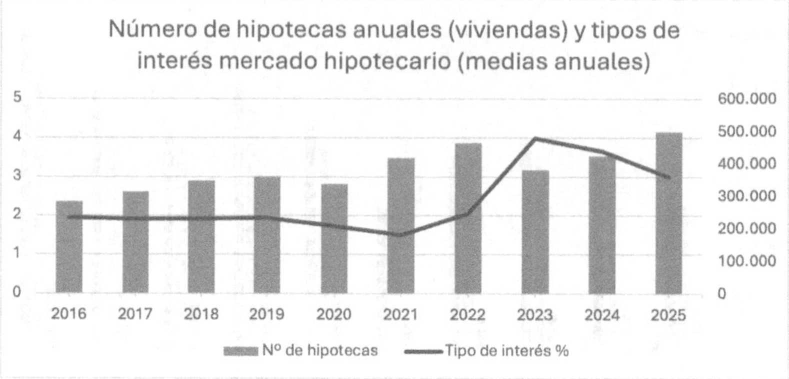

Número de hipotecas anuales (viviendas) y tipos de interés mercado hipotecario (medias anuales)
5
4
3
2
1
0
600.000
500.000
400.000
300.000
200.000
100.000
0
2016
2017
2018
2019
2020
2021
2022
2023
2024
2025
Nº de hipotecas
Tipo de interés %

Fuente: Elaboración propia (datos extraídos del Banco de España).

II. DATOS FISCALES DE INTERÉS

En relación con los impuestos que recaudan los distintos entes territoriales cabe destacar el crecimiento exponencial en la recaudación del IVA, aunque es de lamentar que no existan datos distribuidos por sectores para confirmar el repunte en la recaudación del sector constructor y promotor inmobiliario:

Figura 17 (Gráfico)

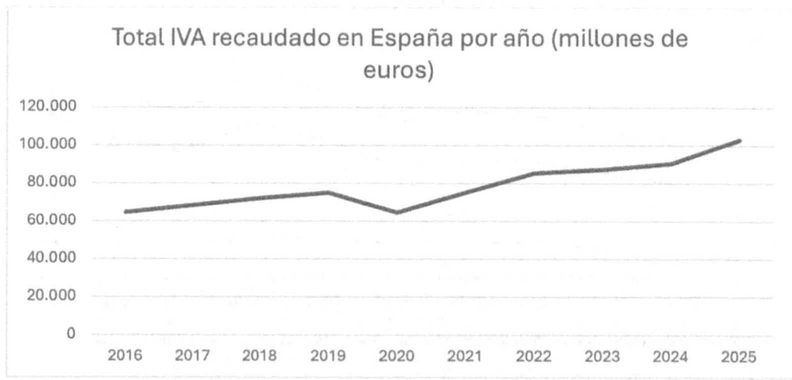

Total IVA recaudado en España por año (millones de euros)
120.000
100.000
80.000
60.000
40.000
20.000
0
2016
2017
2018
2019
2020
2021
2022
2023
2024
2025

Fuente: Elaboración propia (datos extraídos de la Dirección General de Tributos)

Así mismo, también en paralelo al IVA, se ha producido un incremento exponencial de la recaudación de TPO (respecto de las compraventas entre particulares), y de AJD en relación con la elevación a escritura pública de dichas transmisiones:

Figura 18 (Gráfico)

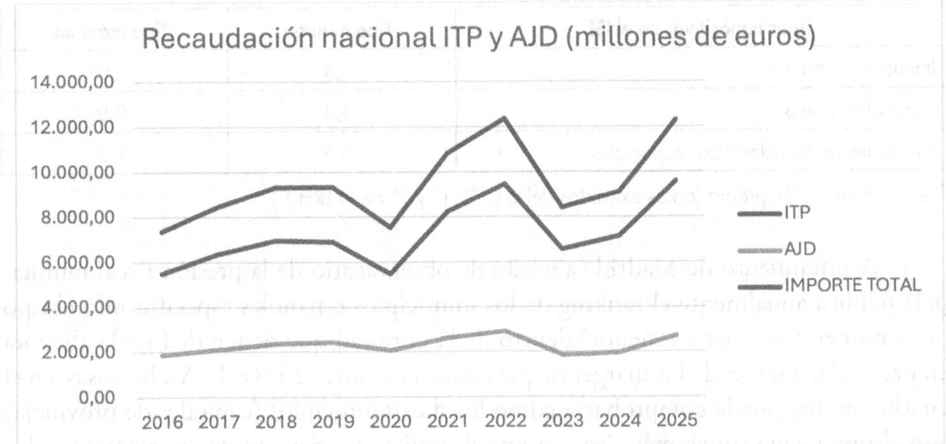

Recaudación nacional ITP y AJD (millones de euros)
14.000,00
12.000,00
10.000,00
8.000,00
6.000,00
4.000,00
2.000,00
0,00
2016 2017 2018 2019 2020 2021 2022 2023 2024 2025
ITP
AJD
IMPORTE TOTAL

Fuente: Elaboración propia (datos extraídos de la Dirección General de Tributos)

También cabe destacar una subida en la recaudación del **IBI** (que grava la titularidad de bienes inmuebles) gracias a la construcción de inmuebles durante los diez últimos años:

Figura 19 (Gráfico)

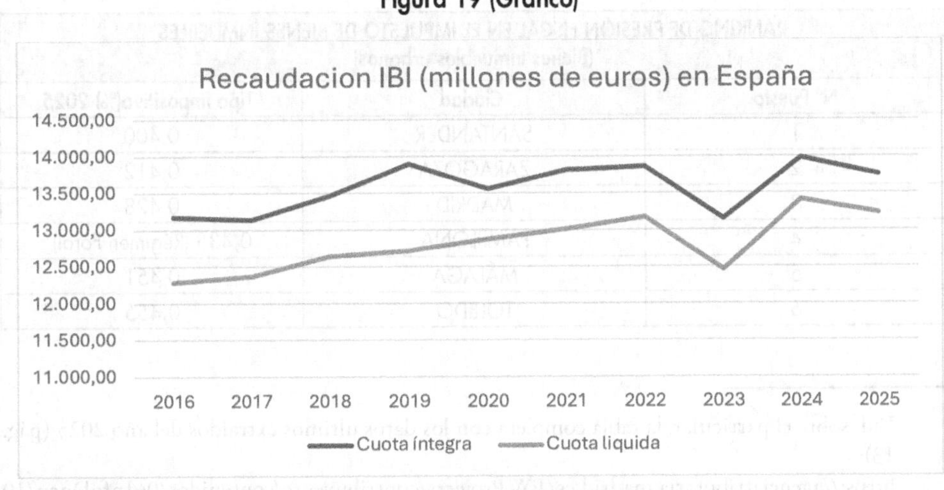

Recaudacion IBI (millones de euros) en España
14.500,00
14.000,00
13.500,00
13.000,00
12.500,00
12.000,00
11.500,00
11.000,00
2016 2017 2018 2019 2020 2021 2022 2023 2024 2025
Cuota íntegra
Cuota liquida

Fuente: Elaboración propia (datos extraídos del Ministerio de Hacienda)

Respecto a la esfera local, como es sabido los tipos de gravamen en el **IBI** están sujetos a una horquilla que oscila entre un tipo máximo y un mínimo distinguiéndose entre bienes inmuebles urbanos, rústicos, y de características especiales (BICES):

Figura 20 (Tabla)

Tipos impositivos en el IBI	Tipo mínimo	Tipo máximo
Inmuebles urbanos	0,4	1,10
Inmuebles rústicos	0,3	0,9
Inmuebles de características especiales	0,6	1,3

Fuente: Elaboración propia (datos extraídos del art. 72.1° y 2° de la LRHL)[1].

El Ayuntamiento de Madrid (a modo de observatorio de la presión fiscal municipal) publica anualmente el ranking de los municipios españoles especificando el tipo de gravamen (de mayor a menor) dentro de la potestad que tienen de fijar la alícuota en particular a través de los márgenes que establece el art. 72 LRHL. Así las cosas, en el citado ranking puede comprobarse como los diez municipios (capitales de provincia) con el tipo de gravamen más alto son por el siguiente orden aunque por desgracia los datos no están totalmente actualizados: 1) Girona; 2) Tarragona; 3) Lleida; 4) Melilla; 5) Ceuta; 6) Huelva; 7) Ciudad Real; 8) Huesca; 9) Cáceres; y 10) Badajoz.

También por su interés, hemos elaborado un ranking de la presión fiscal (de menor a mayor) de los municipios españoles que son capitales de Provincia:

Figura 21 (tabla)

RANKING DE PRESIÓN FISCAL EN EL IMPUESTO DE BIENES INMUEBLES (Bienes Inmuebles urbanos)		
Nº Puesto	Ciudad	Tipo impositivo(%) 2025
1	SANTANDER	0,400
2	ZARAGOZA	0,412
3	MADRID	0,428
4	PAMPLONA	0,435 (Régimen Foral)
5	MÁLAGA	0,451
6	TOLEDO	0,455

1 Vid. sobre el particular, la tabla completa con los datos últimos extraídos del año 2025 (pág. 13): https://agenciatributaria.madrid.es/FWProjects/contribuyente/contenidos/06InfoDocu/10MasInformacion/Ranking/RANKING2024.pdf

RANKING DE PRESIÓN FISCAL EN EL IMPUESTO DE BIENES INMUEBLES (Bienes Inmuebles urbanos)		
Nº Puesto	**Ciudad**	**Tipo impositivo(%) 2025**
7	PALMA DE MALLORCA	0,460
8	VITORIA	0,473
9	CÁCERES	0,500
10	ALICANTE	0,510
11	SEGOVIA	0,511
12	PONTEVEDRA	0,520
13	BADAJOZ	0,525
14	BURGOS	0,526
15	LOGROÑO	0,530
16	GUADALAJARA	0,535
17	A CORUÑA	0,551
18	SORIA	0,560
19	VALLADOLID	0,564
20	TERUEL	0,565
21	LUGO	0,571
22	VALENCIA	0,577
23	BILBAO	0,580
24	SANTANDER	0,581
25	OVIEDO	0,588
26	ZAMORA	0,593
27	OURENSE	0,600
28	JAEN	0,610
29	MURCIA	0,612
30	HUESCA	0,615
31	ALMERIA	0,620
32	SANTA CRUZ DE TENERIFE	0,628
33	LAS PALMAS DE GRAN CANARIA	0,630
34	LEÓN	0,635
35	SALAMANCA	0,640
36	GRANADA	0,652
37	SEVILLA	0,658
38	BARCELONA	0,660
39	CÓRDOBA	0,670
40	PALENCIA	0,681
41	AVILA	0,700
42	ALBACETE	0,720
43	CÁDIZ	0,740

RANKING DE PRESIÓN FISCAL EN EL IMPUESTO DE BIENES INMUEBLES (Bienes Inmuebles urbanos)		
Nº Puesto	**Ciudad**	**Tipo impositivo(%) 2025**
44	SAN SEBASTIAN	0,751
45	CIUDAD REAL	0,760
46	CEUTA	0,772
47	CASTELLON	0,780
48	MELILLA	0,795
49	CUENCA	0,810
50	HUELVA	0,910
51	TARRAGONA	0,953
52	LLEIDA	0,967
53	GIRONA	1,040

Fuente: Elaboración propia (datos extraídos del Ministerio de Hacienda).

Cabe apuntar que el legislador estatal trasladó un mensaje a los agentes económicos (a modo de "anuncio para navegantes") ciertamente desconcertante, pues tras un período "dulce" de incentivos fiscales, sin embargo, finalmente se eliminó dicha deducción por "adquisición de vivienda habitual" en el **IRPF** desde hace ya casi quince años por la Ley 16/2012, de 27 de diciembre, e implementándose diez años después de nuevo, pero limitada no propiamente a la "adquisición de un inmuebles", sino a la "rehabilitación de una vivienda habitual" y con ciertas condiciones para su reconocimiento:

Figura 21 (Tabla)

EVOLUCIÓN DE LA DEDUCCIÓN POR REHABILITACIÓN DE VIVIENDA		
Real Decreto Ley 5/2021	**Ley 16/2012 de 17 de diciembre**	**Real Decreto Ley 19/2021 de 5 de octubre**
Si Para todos con independencia de la base imponible	No El 1/01/2013: desaparece la deducción por rehabilitación	Si
Deducción: 20%		1. Deducción: 20% obras para reducir demanda de calefacción y refrigeración. 2. Deducción: 40% mejora consumo energía primaria no renovable. 3. Deducción: 60% obras rehabilitación energética
Base Máxima de la deducción: 9.040€ RD 5/2011: Deducción del 20%		1. Base máxima: 5.000€ anuales 2. Base máxima: 7.500€ anuales 3. Base máxima: 5.000€ anuales, con una base máxima acumulada de 15.000€

Fuente: Elaboración propia

También resulta reseñable el marco de inseguridad jurídica generado por el legislador de IRPF con la evolución de los incentivos fiscales a los arrendadores y arrendatarios. A efectos estatales, el legislador estatal también suprimió desde hace ya más de una década la deducción por alquiler a los arrendatarios, lo que ha llevado a que tengan que ser las distintas Comunidades Autónomas (a costa de una pérdida de su recaudación) las que hayan tenido que implementar en su región dichos incentivos en particular:

Figura 22 (Tabla). Evolución de los incentivos fiscales al arrendador y al arrendatario en España

<table>
<tr><th colspan="2"></th><th colspan="2">Ley 26/2014, de IRPF</th><th colspan="2">Ley 12/2023 de 24 de mayo</th></tr>
<tr><td colspan="2">Incentivos al arrendador</td><td colspan="2">Si
Reducción única del 60%</td><td colspan="2">Si
– 50% alquilada para vivienda habitual
– 60% alquilada vivienda rehabilitada
– 70% alquilada a jóvenes de entre 18 y 35 años; para alquiler social con renta inferior a la establecida o alojamiento de personas vulnerables económicamente.
– 90% cuando la renta de alquiler es un 5 inferior en relación a la última renta del anterior contrato.</td></tr>
<tr><td colspan="2">Incentivos al arrendatario</td><td colspan="2">No
Solo para contratos firmados antes del 1 de enero de 2015</td><td colspan="2">Si
.10,05% base imponible máxima inferior a 24.107,20 €
. base imponible inferior a 17.707,20 €/año= 9.040 €/año
. base imponible de 17.707,20€ a 24.107,20€=9.040€/año menos el resultado de multiplicar por 1,41 la diferencia entre la base imponible y 17.707,20€/año
. Más incentivos autonómicos con límite de edad.</td></tr>
<tr><td>Tipo de adquisición E Imposición indirecta</td><td>2010</td><td>2018</td><td>2020</td><td>2022</td><td>2025</td></tr>
<tr><td>Adquisición de Vivienda Protegida</td><td>4%</td><td>4%</td><td>4%</td><td>4%</td><td>4%</td></tr>
</table>

		Ley 26/2014, de IRPF		Ley 12/2023 de 24 de mayo	
Adquisición de Vivienda nueva Libre	8%	10 %	10%	10%	10%
Adquisición entre particulares	Exenta de IVA Sujeta a TPO	Exenta de IVA Sujeta a TPO	Exenta de IVA Sujeta a TPO	Exenta de IVA Sujeta a TPO	Exenta de IVA Sujeta a TPO
Rehabilitación de Vivienda	8%	10%	10%	10%	10%

Fuente: Elaboración propia

Así mismo, recogemos la evolución del tipo de gravamen en relación con **TPO** (con origen en la compraventa entre particulares), y **AJD** (como consecuencia de la elevación a escritura pública de dichos contratos privados):

Figura 23 (Tabla)

<table>
<tr><th></th><th colspan="3">TRANSMISIONES PATRIMONIALES ONEROSAS</th><th colspan="3">ACTOS JURÍDICOS DOCUMENTADOS</th></tr>
<tr><th rowspan="2">CCAA</th><th rowspan="2">TIPO GRAL. 2022</th><th rowspan="2">TIPO GRAL. VIGENTE (2026)</th><th>VIVIENDA HABITUAL (2022)</th><th rowspan="2">TIPO GRAL. 2022</th><th rowspan="2">TIPO VI-GENTE (2026)</th><th>VIVIENDA HABITUAL (2022)</th></tr>
<tr><th>TIPO REDUCIDO VIVIENDA HABITUAL (2026)</th><th>VIVIENDA HABITUAL (2026)</th></tr>
<tr><td rowspan="2">ANDALUCÍA[2]</td><td rowspan="2">7%</td><td rowspan="2">7%</td><td>6%</td><td rowspan="2">1,2%</td><td rowspan="2">1,2%</td><td>1%</td></tr>
<tr><td>6%(si valor<150.000€) / 3,5% (si valor <150.000€, jóvenes, FN, PCD, VVG)</td><td>0,1% si vivienda <150.000€ (jóvenes VG, zonas despobladas), si vivienda <250.000€(FN, PCD)
0,3% (VPO)</td></tr>
<tr><td rowspan="2">ARAGÓN[3]</td><td rowspan="2">8-10%</td><td rowspan="2">8-10% (por tramos según el valor del inmueble)</td><td>8-10%</td><td rowspan="2">1,5%</td><td rowspan="2">1,5%</td><td>1,5%</td></tr>
<tr><td>7% <30.000 euros ingresos y vivienda <122.000€
6%(FN, VPO)
4% /jóvenes, PCD)
3-5% (zonas despobladas)</td><td>0,1% si renta <31.500€ en jóvenes, en FN varia segun sus miembros, en PCD 3 veces el IPREM
0% si rentas < 9.000€</td></tr>
</table>

---

2 Alícuota para inversores del 2% para profesionales inmobiliarios que adquieran inmuebles para su posterior reventa (en un plazo de 5 años), siempre que el valor no exceda de los 500.000€) contemplado para el ITP y AJD.

3 Alícuota del 8% si el valor del inmueble es <400.000 euros; alícuota del 8,5% si valor 400.000,01 a 450.000 euros; alícuota del 9% si el valor oscila entre 450.000,01 – 500.000 euros; alícuota del 9,5% si el valor oscila entre 500.000,01 – 750.000 euros; y alícuota del 10% si el valor > de 750.000 euros.

<table>
<tr><th rowspan="3">CCAA</th><th colspan="3">TRANSMISIONES PATRIMONIALES ONEROSAS</th><th colspan="3">ACTOS JURÍDICOS DOCUMENTADOS</th></tr>
<tr><th rowspan="2">TIPO GRAL. 2022</th><th rowspan="2">TIPO GRAL. VIGENTE (2026)</th><th>VIVIENDA HABITUAL (2022)</th><th rowspan="2">TIPO GRAL. 2022</th><th rowspan="2">TIPO VIGENTE (2026)</th><th>VIVIENDA HABITUAL (2022)</th></tr>
<tr><th>TIPO REDUCIDO VIVIENDA HABITUAL (2026)</th><th>VIVIENDA HABITUAL (2026)</th></tr>
<tr><td rowspan="2">ASTURIAS[4]</td><td rowspan="2">8-10%</td><td rowspan="2">8-10% (por tramos según valor del inmueble)</td><td>8-10%</td><td rowspan="2">1,5%</td><td rowspan="2">1,2%</td><td>1,5%</td></tr>
<tr><td>4% si vivienda <150.000€(jóvenes, FN, PCD)
6% si vivienda > 150.000€ (jóvenes, FN, PCD)
4-6% zonas rurales o despobladas</td><td>0,3% si vivienda <180.000€(jóvenes, FN, PCD, VG)
0,1% en zonas rurales o despobladas</td></tr>
<tr><td rowspan="2">CANARIAS</td><td rowspan="2">6,5%</td><td rowspan="2">6,5%</td><td>5%</td><td rowspan="2">0,75%</td><td rowspan="2">0,75%</td><td>1,2%(< 200.000€)</td></tr>
<tr><td>5% si vivienda <150.000€ 0 <180.000€ (jóvenes, FN, PCD)
3-5% (zonas rurales o despobladas)</td><td>0,4%(jóvenes, FN, PCD)
0,1% (VPO)
0,075% (zonas rurales o despobladas)</td></tr>
<tr><td rowspan="2">CANTABRIA</td><td rowspan="2">10%</td><td rowspan="2">9-10% (según valor total)</td><td>8-10%(en función valor inmueble)</td><td rowspan="2">1,5%</td><td rowspan="2">1,5%</td><td>1,5%</td></tr>
<tr><td>7% si valor <300.000€
4%(jóvenes, FN, PCD. VPO)
3%(PCD >65%)
5% (rehabilitación)</td><td>0,15%(jóvenes)
0,10%(FN, FMP, PCD, zonas rurales)</td></tr>
<tr><td rowspan="2">CASTILLA-LA MANCHA[5]</td><td rowspan="2">9%</td><td rowspan="2">9%</td><td>6%(<180mil€)</td><td rowspan="2">1,5%</td><td rowspan="2">1,25-1,5% (según tipo de documento notarial)</td><td>0,75%(<180.000€)</td></tr>
<tr><td>6%(<180mil€)
5%(FN, PCD >65% FMP)</td><td>0,50%(jóvenes)
0,75%(VPO)
0,06-0,075% si renta conjunta <45.000€ (FN)</td></tr>
<tr><td rowspan="2">CASTILLA Y LEÓN[6]</td><td rowspan="2">8-10%</td><td rowspan="2">8-10% (según valor del inmueble)</td><td>8-10%</td><td rowspan="2">1,5%</td><td rowspan="2">1,5%</td><td>1,5%</td></tr>
<tr><td>4% si valor<150.000€ (jóvenes, FN, PCD >65%)
0,01% (jóvenes zona rural si renta <31.500€)</td><td>0,5%(FN/PCD)
0,01% (jóvenes, vivienda en municipio<10.000 habitantes o <3.000 si esta cerca de la capital, vivienda <150.000€, limite renta según IPREM)</td></tr>
</table>

4 Alícuota del 8% si el valor del inmueble es <300.000 euros; Alícuota del 9% si valor 300.000,01 a 500.000 euros; y, por último, alícuota del 10% si valor >500.000 euros.

5 Bonificación del 75% sobre la cuota en municipios de intensa o extrema despoblación. Esto puede dejar el tipo efectivo en torno al 2-2,5% y bonificación de 100% para la adquisición de locales para emprendedores en estas zonas.

6 Tarifa por escalones en el que la alícuota general para vivienda habitual es del 8% para los primeros 250.000€ del valor del inmueble y del 10% para la parte de valor que exceda los 250.000 euros.

<table>
<tr><th rowspan="3">CCAA</th><th colspan="3">TRANSMISIONES PATRIMONIALES ONEROSAS</th><th colspan="3">ACTOS JURÍDICOS DOCUMENTADOS</th></tr>
<tr><th rowspan="2">TIPO GRAL. 2022</th><th rowspan="2">TIPO GRAL. VIGENTE (2026)</th><th>VIVIENDA HABITUAL (2022)</th><th rowspan="2">TIPO GRAL. 2022</th><th rowspan="2">TIPO VIGENTE (2026)</th><th>VIVIENDA HABITUAL (2022)</th></tr>
<tr><th>TIPO REDUCIDO VIVIENDA HABITUAL (2026)</th><th>VIVIENDA HABITUAL (2026)</th></tr>
<tr><td rowspan="2">CATALUÑA[7]</td><td rowspan="2">10-11%</td><td rowspan="2">10-13% (según valor del inmueble)</td><td>10-11%</td><td rowspan="2">1,5%</td><td rowspan="2">1,5%</td><td>1,5%</td></tr>
<tr><td>10-13% (según valor del inmueble)
7%(VPO)
5%(jóvenes si renta < 36.000€/ PCD/FN/ FMP)
3-4% (zonas rurales)</td><td>0,5%(jóvenes, FN, PCD)
0,1%(VPO)
0% (instalaciones energías renovables)</td></tr>
<tr><td rowspan="2">EXTREMADURA[8]</td><td rowspan="2">8-11%</td><td rowspan="2">8-11% (según valor del inmueble)</td><td>7%</td><td rowspan="2">1,5%</td><td rowspan="2">1,2%</td><td>0,75%(en función valor inmueble)</td></tr>
<tr><td>7%(<200.000€ y renta <30.000€ individual o <55.000 conjunta)
6%(jóvenes)
3%(VPO)
3-4% (zonas despobladas)</td><td>0,1% (jóvenes, FN, PCD, VG, zonas <3.000 habitantes)
0,75% (VPO)</td></tr>
<tr><td rowspan="2">GALICIA</td><td rowspan="2">9%</td><td rowspan="2">8%</td><td>7% (<200mil€)</td><td rowspan="2">1.5%</td><td rowspan="2">1,5%</td><td>1%(<200mil€)</td></tr>
<tr><td>7% (si vivienda <200.000€)
3%(jóvenes, FN, PCD)
5% (zonas rurales)
0% ((jóvenes, FN, PCD zonas rurales)</td><td>0,5%si patrimonio <240.000€ (jóvenes, FN, PCD, VG)
1% si patrimonio <240.000€ colectivos distintos a los anteriores)
0% (jóvenes, FN PCD en zonas rurales o despobladas)</td></tr>
</table>

7 Alícuota del 10% hasta 600.000 euros; alícuota del 11% de 600.001€ hasta 900.000 euros; alícuota del 12% de 900.001 euros hasta 1.500.000 de euros y alícuota del 13% a partir de 1.500.000 de euros.
Alícuota agravada del 20% para adquisiciones realizadas por grandes tenedores (10 viviendas o 5 en zonas tensionadas).

8 Alícuota del 8% si el valor del inmueble es < 360.000 euros; tipo del 10% si el valor es de 360.000,01 euros hasta 600.000 euros; y del 11% si el valor es > a 600.000 euros.

CCAA	TRANSMISIONES PATRIMONIALES ONEROSAS			ACTOS JURÍDICOS DOCUMENTADOS		
	TIPO GRAL. 2022	TIPO GRAL. VIGENTE (2026)	VIVIENDA HABITUAL (2022) / TIPO REDUCIDO VIVIENDA HABITUAL (2026)	TIPO GRAL. 2022	TIPO VIGENTE (2026)	VIVIENDA HABITUAL (2022) / VIVIENDA HABITUAL (2026)
ISLAS BALEARES[9]	8-11,5%	8-13% (según valor del inmueble)	5%	1,5%	1,5% 2% si vivienda >1.000.000€	1,2%(<200mil€)
			4% si vivienda <270.151€ o <350.000 zonas tensionadas((jóvenes FN, FMP, PCD) 2%(VPO) 0%(jóvenes<30 años, PCD con renta individual <52.800€)			0,1% si empadronamiento y renta individual <33.000€ o conjunta <52.800€ (jóvenes, FN, PCD, VG VPO) 1,2% si primera vivienda habitual <270.151,20€ y no entran en los anteriores colectivos con requisito de empadronamiento y limite de renta
LA RIOJA	7%	7%	4%	0,5%	1%	0,5%
			5% (Gral. si vivienda <150.253€) 3% (jóvenes, FN, PCD, si renta individual<18.030€ y 30.050€ conjunta) 3% (VPO) 2% si renta individual <18.030€ o renta conjunta de <30.050€ (zonas despobladas o < 500 habitantes y familias con hijos menores-incentivo natalidad)			0,5%(jóvenes,FN,PCD) 0,10% (VPO) 0,4% zonas rurales o despobladas
MADRID[10]	6%	6%	6%	0,75%	0,75%	0,4-0,75%
			4%(FN) 0%(<35 años en municipios < 2.500 habitantes con residencia de al menos 3 años)			0,4-0,5% (VPP) 0,1% VPO régimen especial) 0% FN si vivienda <250.000€ y renta <30.000€ por cada miembro de la familia. 0% jóvenes si vivienda<250.000€ y renta individual <31.485€ o renta conjunta <47.227€

[9] Alícuota del 8% hasta 400.000 euros; alícuota del 9% de 400.001 euros hasta 600.000 euros; alícuota del 10% de 600.001 euros hasta 1.000.000 de euros; alícuota del 12% de 1.000.001 hasta 2.000.000 de euros, y alícuota del 13% de mas de 2.000.000 de euros.

[10] Deducción en el IRPF del 10% de la cuota para menores de 35 años si el valor de la vivienda es < 250.000 euros.
Bonificaciones en IRPF adicionales que permiten deducciones anuales por el pago de intereses de la hipoteca en municipios de menos de 2.500 habitantes.

<table>
<tr><th rowspan="3">CCAA</th><th colspan="3">TRANSMISIONES PATRIMONIALES ONEROSAS</th><th colspan="3">ACTOS JURÍDICOS DOCUMENTADOS</th></tr>
<tr><th rowspan="2">TIPO GRAL. 2022</th><th rowspan="2">TIPO GRAL. VIGENTE (2026)</th><th>VIVIENDA HABITUAL (2022)</th><th rowspan="2">TIPO GRAL. 2022</th><th rowspan="2">TIPO VIGENTE (2026)</th><th>VIVIENDA HABITUAL (2022)</th></tr>
<tr><th>TIPO REDUCIDO VIVIENDA HABITUAL (2026)</th><th>VIVIENDA HABITUAL (2026)</th></tr>
<tr><td rowspan="2">MURCIA[11]</td><td rowspan="2">8%</td><td rowspan="2">8%</td><td>8%</td><td rowspan="2">1,5%</td><td rowspan="2">1,5%</td><td>1,5%</td></tr>
<tr><td>4% si vivienda < 150.000€ (PCD)
3% si vivienda < 150.000€(jóvenes, FN)</td><td>0,1%(jóvenes,FN,PCD)
0,5%(VPO))</td></tr>
<tr><td rowspan="2">VALENCIA[12]</td><td rowspan="2">10%</td><td rowspan="2">10-11%</td><td>10%</td><td rowspan="2">1,5%</td><td rowspan="2">1,5%</td><td>0,10%</td></tr>
<tr><td>6% si vivienda <180.000€
3% si vivienda < 180.000€(jóvenes, FN, PCD, VG, VPO)
4% zonas despobladas si vivienda < 180.000€</td><td>0,10% si renta individual <30.000€ o renta conjunta < 47.000€(FN, PCD, VH, VPO, zonas rurales o despobladas))
0,20% si renta individual <30.000€ o renta conjunta <47.000€ (jóvenes)</td></tr>
<tr><td rowspan="2">NAVARRA[13]</td><td rowspan="2">6%</td><td rowspan="2">6%</td><td>5%(8)</td><td rowspan="2">0,5%</td><td rowspan="2">0,5%</td><td>0,5%</td></tr>
<tr><td>6% (jóvenes, FN)
0%(VPO, transmisiones entre cónyuges, daciones en pago)</td><td>0% (VPO)</td></tr>
<tr><td rowspan="2">PAÍS VASCO[14]</td><td rowspan="2">7%</td><td rowspan="2">7%</td><td>4%</td><td rowspan="2">0,5%</td><td rowspan="2">0,5%</td><td>0,5%</td></tr>
<tr><td>4% Gral.
2,5% (FN o vivienda <120 m2)
0% (VPO)</td><td>0% si vivienda<120m2 y <190m2 en unifamiliares y VPO</td></tr>
</table>

11 Alícuota del 2% para la adquisición de inmuebles destinados a ser sede de empresas o centros de trabajo en municipios con riesgo de despoblación.

Bonificaciones especiales adicionales si la vivienda se encuentra en zonas de rehabilitación protegida o cascos históricos específicos.

12 Alícuota del 11% para inmuebles con un valor superior a 1.000.000 de euros.

13 Deducciones en el IRPF del 15% de lo pagado en el año con un límite de 7.000 euros anuales en el general; el 18% de deducción en familias numerosas, y el 20% como máximo para jóvenes y alquiler con opción a compra.

El 6% para proyectos de rehabilitación y el 100% de exención para la transmisión de fincas rústicas destinadas a la explotación.

14 Alava: deducciones en el IRPF por vivienda habitual del 18-23% de lo invertido

Bizkaia: Tipo del 2,5% si la vivienda habitual < 120 m2, o si la vivienda unifamiliar < 190 m2 (para familias numerosas no se aplica el límite de superficie).

Gipuzkoa: Tipo del 2% para familias numerosas y para VPO; deducción del 18% de los invertido anualmente con un límite de 1.530 euros anuales; deducción del 23% para jóvenes menores de 30 años con un límite anual de 1.955 euros; Deducción del 18% por el dinero ahorrado en cuentas destinadas a compra de primera vivienda.

CCAA	TRANSMISIONES PATRIMONIALES ONEROSAS			ACTOS JURÍDICOS DOCUMENTADOS		
	TIPO GRAL. 2022	TIPO GRAL. VIGENTE (2026)	VIVIENDA HABITUAL (2022) / TIPO REDUCIDO VIVIENDA HABITUAL (2026)	TIPO GRAL. 2022	TIPO VIGENTE (2026)	VIVIENDA HABITUAL (2022) / VIVIENDA HABITUAL (2026)
CEUTA Y MELILLA[15]	6%	6%	2-4% (jóvenes, FN, PCD)	0,5%	0,5%	0,25% (Ceuta)
			4%(jóvenes, FN, PCD >33%)			0,25%

Fuente: Elaboración propia

ACRÓNIMOS				
FN	FMP	PCD	VVG	VPO/VPP
Familia numerosa	Familias monoparentales	Personas con discapacidad	Víctimas de violencia de género	Vivienda protegida

Así mismo, resulta también de gran interés, resaltar la evolución que han experimentado los **tipos reducidos** en **TPO** en las distintas Comunidades Autónomas:

Figura 24 (Tabla)

CCAA	Adquisición de vivienda por jóvenes y personas discapacitadas	Adquisición de vivienda por familias numerosas	Adquisición de vivienda de protección oficial
	2026	2026	20266
Andalucía	3,5%	3.5%	3,5%
Aragón	6%	6%	6%
Asturias	4-6%	4-6%	4-6%
Canarias	5%	5%	5%
Cantabria	4%	4%	4%
Cataluña	5%	5%	7%
Castilla-La Mancha	5%	5%	5%

15 Bonificación del 50% del tipo general quedando al 3% solo en Ceuta siempre que el bien inmueble esté radicado en la ciudad.
Bonificación del 10% por adquisición de vivienda habitual lo que reduce el tipo del 6% de Melilla y el 3% de Ceuta.

CCAA	Adquisición de vivienda por jóvenes y personas discapacitadas	Adquisición de vivienda por familias numerosas	Adquisición de vivienda de protección oficial
	2026	2026	20266
Castilla y León	4% 0,01% en zonas rurales	4% 0,01% zonas rurales	4%
Comunidad Valenciana	3%	3%	3%
Extremadura	7%	7%	4%
Galicia	3%	3%	3%
Islas Baleares	4%	4%	2%
La Rioja	3%	3%	3%
Madrid	6% (con bonificación del 10%) jóvenes 4% con discapacidad	4%	4%
Murcia	3%	4%	4%
Navarra	6%	6%	5-6%
País Vasco	4%	2,5%	
Ceuta y Melilla	4%	4%	4%

Fuente: Elaboración propia

En este sentido, completamos también este análisis con la evolución de los **tipos de gravamen reducidos** de **AJD** en función de cada CCAA:

Figura 25 (Tabla)

COMUNIDAD AUTÓNOMA	Adquisición de vivienda por jóvenes y discapacitados		Adquisición de vivienda por familias numerosas		Adquisición de vivienda de protección oficial	
	2016	2026	2016	2026	2016	2026
Andalucía	0,3% 0,1%	0,1%		0,1%		0,3%
Aragón		0,1%		0,1%		0,6%
Asturias		0,3%		0,3%	0,3%	0,3%
Canarias	0,4%	0,4%	0,4%	0,4%	0,4%	0,1%
Cantabria	0,3% 0,15%	0,15%	0,3%	0,10%	0,3%	0,15%
Cataluña	0,5%	0,5%		0,5%	0,1%	0,1%
Castilla la Mancha		0,5%		0,5%		0,5%

COMUNIDAD AUTÓNOMA	Adquisición de vivienda por jóvenes y discapacitados		Adquisición de vivienda por familias numerosas		Adquisición de vivienda de protección oficial	
	2016	2026	2016	2026	2016	2026
Castilla y León	0,5%	0,01 jóvenes 0,5% con discapaci-dad	0,5%	0,5%	0,5%	0,01%
Comunidad Valenciana	1%	0,1%	0,1%	0,1%		0.5%
Extremadura		0,1%		0,1%		0,75%
Galicia	0,5%	0,5%		0,5%		0,5%
Islas Baleares		0,1%		0,1%		0,1%
La Rioja	0,5%	0,5%	0,5%	0,5%		0,10%
Madrid					0,2%-0,5%	0,4-0,5%
Murcia	0,1%	0,1%	0,1%	0,1%		0,5%
Navarra		0,5 %		0,5%		
País Vasco						
Ceuta y Melilla	0,25%	0,25% Ceuta 0,50 Melilla	0,25%	0,25% Ceuta 0,50% Melilla		0,25%C 0,50%M

Fuente: Elaboración propia

Apuntamos también los **tipos incrementados** de **AJD** en el año 2026 en los supuestos de renuncia a la exención el IVA:

Figura 26 (Tabla)

Comunidad Autónoma	Tipo general	Tipo incrementado en AJD por renuncia a la exención en el IVA	Diferencia
Andalucía	1,2%	2%	+0,8%
Aragón	1,5%	2%	+0,5%
Asturias	1,2%	1,5%	+0,3%
Canarias	1%	1%	+0%
Cantabria	1,5%	2,5%	+1%
Castilla-La Mancha	1,5%	3%	+1,5%
Castilla y León	1,5%	2%	+0,5%

Comunidad Autónoma	Tipo general	Tipo incrementado en AJD por renuncia a la exención en el IVA	Diferencia
Cataluña	1,5%	2,5%	+1%
Extremadura	1,5%	3%	+1,5%
Galicia	1,5%	2%	+0,5%
Islas Baleares	1,5%	2,5%	+1%
La Rioja	1%	2%	+1%
Madrid	0,75%	1,5%	+0,75%
Murcia	1,5%	2%	+0,5%
Navarra	0,5%	2,0%	+1,5%
País Vasco	0,5%	2,0%	+1,5%
Valencia	1,5%	2,5%	+1%
Ceuta y Melilla	0,5%	0,5%	0%

Fuente: Elaboración propia

III. DECÁLOGO DE INCENTIVOS FISCALES PARA FAVORECER LA ADQUISICIÓN Y ARRENDAMIENTO DE VIVIENDA HABITUAL

Primera.– El grado de intervención pública es especialmente prolijo (con **distribución de competencias administrativas** entre el Estado, Comunidades Autónomas y Corporaciones Locales), lo que dificulta en muchas ocasiones la tramitación de planes urbanísticos que han de implementarse en los distintos municipios españoles.

Ahora bien, las competencias en materia de **IVA** son estatales por lo que si la Administración Central deseara favorecer directamente la adquisición de viviendas podría reducirse su presión fiscal del 10 por 100 actual al 4 por 100 equiparándose a la alícuota que grava la transmisión de viviendas calificadas administrativamente de protección oficial de régimen especial o de promoción pública (ex art. 91.Dos. 6º LIVA[16]), e incentivando esta forma de inversión inmobiliaria frente a los locales de negocio que están actualmente sometidos al 21 por 100.

16 Nótese que la Directiva del IVA (Directiva UE 2006/112/CE del Consejo, que ha sido modificada por la Directiva (UE) 2022/542, del Consejo, de 5 de abril) en su anexo III, apartado 10) permite a los Estados miembros establecer tipos reducidos, en supuestos de "suministro, construcción, renovación y transformación de viviendas proporcionadas en el marco de la política social". Vid. la normativa aplicable a través del siguiente enlace: www.boe.es/doue/2022/107/L00001-00012.pdf

Segunda.– Las Comunidades Autónomas son las que tienen soberanía tributaria en las adquisiciones de inmuebles entre particulares sujetas a **TPO**. Esto ha llevado a que cada legislador autonómico de acuerdo a la normativa vigente haya fijado un tipo de gravamen diferente creando cierta competencia "saludable" entre las distintas regiones[17]. Ahora bien, lejos de generar una competencia natural "a la baja", sin embargo algunas CCAA han ejercitado dicha libertad de soberanía tributaria como un instrumento ciertamente enérgico de recaudación, lo que explica que el Gobierno catalán haya decidido por ejemplo a mediados del año 2025 elevar de forma exponencial la presión fiscal de los inmuebles situados en dicha demarcación regional tras su aprobación por el Decreto Ley 5/2025, de 25 de marzo, de medidas urgentes en materia fiscal[18], estableciendo una progresividad en función del valor de mercado del inmueble (a través del denominado "valor de referencia" de acuerdo al art. 10.2 LITP y AJD), lo que ha generado un "efecto dominó" en otras Comunidades Autónomas pretendiendo igualmente aumentar su recaudación[19].

Sería deseable que el legislador estatal modificara la actual Ley de ITP y AJD (cuya redacción originaria procede del año 1993) con el fin de establecer una horquilla de tipos de gravamen para evitar que una Comunidad Autónoma pueda implementar en su región alícuotas ciertamente elevadas, o bien exenciones técnicas —a través de tipos "0"— que puedan generar indeseables distorsiones fiscales entre las distintas Administraciones territoriales.

Por otro lado, consideramos que no resulta conveniente que la presión fiscal no difiera entre las transmisiones de vivienda nueva y de segunda mano "usada", a fin de conseguir un efecto neutro entre los adquirentes. Actualmente, para aquellas Comunidades Autónomas que no hayan ejercido su soberanía tributaria de establecer un tipo

---

17 Téngase presente que el art. 11.a) LITP y AJD establece un tipo residual del 6 por 100 para aquellas CCAA que no hayan ejercido su competencia en esta materia. Así las cosas, cada CCAA dentro de su soberanía tienen plena libertad para establecer el tipo de gravamen que consideren.

18 Tal como aparece resaltado en la figura nº 24, a partir del 27 de junio del año 2025 se ha elevado la presión fiscal con carácter general de los inmuebles introduciendo una tarifa progresiva en función del valor de los inmuebles oscilando entre el 10 por 100 y 13 por 100.

No obstante, el tipo de gravamen es del 20 por 100 cuando concurra alguna de estas dos circunstancias:

1) Cuando el adquirente sea un **gran tenedor**, definido como:

- Titular de **más de 10 inmuebles residenciales** o
- Titular de **más de 1.500 m² de superficie construida residencial**, o
- Titular de **5 o más inmuebles residenciales en zonas tensionadas** (según declaración de la Generalitat).

2) Cuando se adquiera un **edificio entero de viviendas**, con o sin división horizontal.

19 Vid. la figura gráfica núm. 23 del original.

de gravamen diferente al recogido en el art. 11.1 LITP y AJD (6 por 100), la vivienda usada puede convertirse en un “estímulo económico” a favor frente a la mayor presión fiscal de la nueva por cuanto, actualmente el tipo de gravamen sobre la transmisión de vivienda libre es del 10 por 100.

En todo caso, es fundamental que la normativa urbanística, así como la tributaria tenga cierta estabilidad en beneficio de todos los operadores económicos (entre otros, inversores, pero también adquirentes particulares), al objeto de generar una deseable seguridad jurídica[20], e incentivar que dicho activo se destine a “vivienda”, pues no debe olvidarse que tiene una protección constitucional conforme al art. 47 de Nuestra Magna, evitando que se convierta en un fenómeno especulativo.

Así mismo, propugnamos el establecimiento de alícuotas reducidas tanto en la modalidad de TPO como en AJD para la adquisición de viviendas habituales pudiendo aplicarse para combatir la migración de jóvenes de los municipios “despoblados”, frenando su éxodo hacia las grandes urbes, al objeto de favorecer la llegada y asentamiento de los “nómadas digitales” en estos núcleos rurales. Ahora bien, una vez practicado dicho beneficio fiscal en IRPF si el adquirente no permaneciera tres años en dicha vivienda “habitual” (salvo por causas ajenas al administrado[21]), siempre podría la AEAT considerar que se ha incumplido dicho plazo, iniciando la apertura de un expediente administrativo para la recuperación (*clawback*) del beneficio fiscal.

Tercera.– El establecimiento indiscriminado de medidas anti desahucio en el pasado ha generado un “efecto anuncio” de retirada de inmuebles de propietarios particulares disparando desorbitadamente los precios por la falta de oferta de vivienda disponible en el mercado de alquiler. Las Administraciones Públicas (así como aquellas organizaciones no gubernamentales que reciban ayudas) deberían inyectar urgentemente fondos en el mercado para la puesta a disposición de **viviendas de protección pública en régi-**

---

20 Téngase presente que el contenido de la Ley 12/2023, de 24 de mayo, por el derecho a la vivienda, ha sido especialmente cuestionado, lo que explica que el Tribunal Constitucional haya tenido que pronunciarse sobre determinados aspectos a través de la STC 26/2025, de 29 de enero, declarando por ello nulos los artículos que regulaban la inadmisión de demandas de desahucio de grandes tenedores en caso de vulnerabilidad económica por considerarse una limitación desproporcionada del derecho a la justicia, así como la nulidad del precepto que establecía un límite obligatorio al precio del alquiler en zonas tensionadas de grandes tenedores de propiedades, por restringir de manera injustificada el derecho de propiedad.

21 En esta línea, el art. 41 bis LIRPF establece un *numerus apertus* de supuestos en los que se excluye al administrado de tener que permanecer en dicha vivienda habitual durante el plazo de tres años, a saber, fallecimiento del contribuyente, celebración de matrimonio, separación matrimonial, traslado laboral, obtención del primer empleo, o cambio de empleo, u otras análogas justificadas”.

men de alquiler con precios políticos o subvencionados con objeto de dar cobertura a esta acuciante necesidad.

Cuarta.– Deberían realizarse ciertos ajustes normativos en el IRPF, para que los ingresos derivados del arrendamiento de inmuebles por personas físicas con destino a vivienda (incluyendo igualmente los ingresos periódicos por el uso de habitaciones que se destinen a ese mismo fin residencial no turístico[22]) tributarán igualmente como **rendimientos de capital inmobiliario pero integrados en la base imponible del ahorro** (y no en la base imponible general como sucede actualmente) como instrumento de inversión (equiparándose al tratamiento tributario derivado de la ulterior venta de esos mismos activos inmobiliarios, o del rendimiento económico que genera la inversión de otros productos financieros percibidos por particulares —tales como dividendos intereses, etc—), lo que entendemos incentivaría especialmente la puesta en circulación de inmuebles en régimen de alquiler con destino a vivienda.

La atomización de porcentajes de reducción de la base imponible (introducidos por la Ley 12/2023, por el derecho a una vivienda —que oscilan entre el 50 y el 90 por 100—) en la aplicación del incentivo fiscal del arrendador genera grandes costes de gestión (en la comprobación tributaria para la AEAT[23]) y sin que pueda garantizarse suficientemente el cumplimiento del fin noble pretendido, a saber, un incremento exponencial de inmuebles puestos en circulación para el mercado de arrendamiento residencial doméstico).

---

22 Pese a algún TSJ, como el de Cataluña (STSJ 4 de marzo de 2020 —rec. 1082/2018—) que ha secundado la posición de la doctrina administrativa originaria (R. TEAC de 8 de marzo de 2018 (RG 5663/2017 posteriormente corregida por la R. TEAC de 28 de mayo de 2004 —RG 28/22382/2023—) que entiende que el incentivo fiscal en forma de reducción de la base imponible del art. 23.2 LIRPF resulta solo aplicable en aquellos casos de alquiler de todo el "inmueble", y no por habitaciones salvo que dicho inquilino permanezca en él más de un año; la mayoría de TSJ viene entendiendo que las "habitaciones de temporada" si pueden considerarse vivienda, frente a los inmuebles destinados al alojamiento turístico que efectivamente no serían objeto de dicho incentivo fiscal (vid. entre otras las SSTSJ Valencia de 16 de enero 2019 (rec. 291/2016); Madrid de 6 de octubre de 2021 (rec. 1558/2019), de 31-1-2023 (rec. 702/2020) y de 26-6-2023 (rec. 1234/2020); Castilla y León (Burgos) de 22 de julio de 2022 (rec. 82/2022); Galicia de 28 de febrero de 2024 (rec. 15500/2023), de 30 de abril de 2024 (rec. 15690/2023) y de 10 de mayo de 2024 (rec. 15723/2023); y de Valencia de 22 de febrero de 2024 (rec. 199/2023).

23 Esto explicaría que el gobierno haya trasladado a la opinión pública en estas últimas semanas que va a volver a modificar los incentivos fiscales recogidos en el art. 23.2 LIRPF para incentivar con una mayor bonificación fiscal a los propietarios de inmuebles desocupados para que se decidan finalmente a ponerlos en circulación en el mercado de alquiler.

Así mismo, el régimen especial de entidades dedicadas al arrendamiento de viviendas (*ex* arts. 48 y 49 LIS) debería expresamente permitir también el uso habitacional (con permanencia del inquilino de al menos nueve meses) para resultar todavía más eficaz incorporando en el mercado este tipo de viviendas residenciales no turísticas[24].

Quinta.– La modificación legislativa exigiendo el pago de **AJD** a las entidades financieras prestamistas en lugar de a los sujetos que suscriben un préstamo hipotecario no ha favorecido de *facto* la reducción de los costes de la transacciones inmobiliarias, pues aunque es cierto que dicho *input* fiscal descansa de *iure* sobre la entidad que concede el préstamo, posteriormente dicho coste (que además no es deducible fiscalmente —ex apartado m) del art. 15 LIS— lo que resulta ciertamente justificable por el principio de correlación de ingresos y gastos de una entidad mercantil) se traslada hábilmente al suscriptor del préstamo para compensar este imperativo legal bajo el subterfugio de tener que asumir otras comisiones que ha de abonar el prestatario hipotecario (bajo denominaciones sibilinas de "gastos de apertura del préstamo", "gastos de estudio y gestión", etc.).

Nótese que la DGT viene entendiendo[25] que el cambio de uso de vivienda residencial a turístico conllevará el pago de AJD siempre que dicha modificación comporte una variación del valor catastral del inmueble. Sin embargo, proponemos el establecimiento de una exención de dicho gravamen cuando se produzca el proceso inverso, a saber, el cambio de uso como "local comercial", o "turístico" a "residencial para su uso habitacional".

Sexta.– Así mismo, podría desgajarse del IRPF la imputación de rentas inmobiliarias creando un **impuesto cedido a las comunidades autónomas sobre inmuebles desocupados** y cuya recaudación quedase afecta a la creación de un fondo autonómico para la construcción de viviendas de protección pública para jóvenes[26]. Para combatir la inversión inmobiliaria especulativa y frenar el incremento exponencial de los precios, también podría estudiarse la imposición de un **gravamen a la especulación inmobiliaria** (*"flipping tax")*, cuando el vendedor transmitente (con independencia de su re-

---

24 En esta misma línea, la nueva DA 15ª del remozado régimen especial fiscal canario (introducido originariamente por la Ley 19/1994 —REF—) a través de la modificación operada por la Ley 6/2025, de 28 de julio, ha extendido también el régimen de arrendamiento "habitacional" a la reserva de inversiones canaria (RIC).

25 Vid. R. DGT de 23 de septiembre de 2025 (V1727-25).

26 Nótese que la creación *ex novo* de un impuesto desgajándolo del IRPF no resulta una medida insólita, pues el legislador estatal ya actuó en esta línea a través de la Ley 16/2012, de 27 de diciembre, en relación con el vigente gravamen especial sobre los premios de determinados loterías y apuestas regulado en la DA 33ª LIRPF.

sidencia en España o en el extranjero), tras acreditar que ha generado una ganancia de patrimonio con dicha operación económica, hubiese adquirido dicho inmueble en un plazo no superior a los dos años.

Séptima.– Nótese que un incentivo fiscal genérico en favor de la adquisición de inmuebles (sin vincularlo de forma permanente a su destino como vivienda), en un escenario económico de oferta inelástica, lo que provocará es un incremento de la demanda, con el consiguiente empobrecimiento del sujeto, que sin embargo, su poder adquisitivo seguirá siendo el mismo, al subir los precios de los inmuebles anualmente a "doble dígito" frente a los salarios que se incrementarán en el mejor de los casos al IPC. Una solución podría venir por aplicar la **exención por reinversión en vivienda habitual del art. 38 LIRPF** de forma proporcional al número de años en que haya estado destinado a dicho uso como vivienda habitual de su propietario o de sus inquilinos (para favorecer la puesta en el mercado de vivienda en régimen de alquiler), pues nótese que la normativa actual *ex* apartado 1º del art. 41 bis LIRPF[27], lo que exige es que se haya vivido habitualmente en esta vivienda su propietario, durante los tres años inmediatos a su transmisión, por lo que previamente podría haber estado deshabitada o destinada a un "uso turístico".

Así mismo, sería deseable adaptar totalmente la **exención** vigente **del art. 33.4.b) LIRPF** para mayores de sesenta y cinco años al momento en que el propietario se acoja al régimen de clases pasivas, pues no necesariamente su *retirement* puede darse en esa fecha, sino en una fecha anterior, cuando se acoja a una jubilación anticipada, o pase a una situación de incapacidad permanente absoluta o gran invalidez.

Octava.– Consideramos conveniente que el legislador tributario tuviese a bien implementar un beneficio fiscal por los importes que se destinen con ocasión de la apertura y mantenimiento durante un plazo de cinco años de una **primera cuenta vivienda para jóvenes** (menores de 35 años), permitiendo desgravarse paulatinamente y con ciertos límites cuantitativos anuales las aportaciones que se realicen hasta el período impositivo en que ésta se adquiera. Abogamos porque el incentivo fiscal se aplique como impulso

---

27 En efecto, el apartado 1º del art. 41 bis RIRPF prescribe que *"a los efectos previstos en los artículos 7.t), 33.4.b), y 38 de la Ley del Impuesto se considera vivienda habitual del contribuyente la edificación que constituya su residencia* ***durante un plazo continuado de, al menos, tres años.*** *No obstante, se entenderá que la vivienda tuvo el carácter de habitual cuando, a pesar de no haber transcurrido dicho plazo, se produzca el fallecimiento del contribuyente o concurran otras circunstancias que necesariamente exijan el cambio de domicilio, tales como celebración de matrimonio, separación matrimonial, traslado laboral, obtención del primer empleo, o cambio de empleo, u otras análogas justificadas".*

para la adquisición favoreciendo la toma de decisión de una persona joven en orden a allanar los pasos necesarios para afrontar la compra de su primera vivienda.

Novena.– En la **esfera local,** y pese a la política actual de aplicación de recargos sobre inmuebles desocupados en el IBI (art. 72.4 LRHL), somos más partidarios de implementar en dicho tributo **bonificaciones potestativas** para que los ayuntamientos puedan incentivar la titularidad de aquellos inmuebles destinados a vivienda habitual, ya sea de su propietario o de sus inquilinos, medida ésta que podría coadyuvar a que el propietario evite su infrautilización en beneficio de incrementar el parque de inmuebles en el mercado de alquiler. En todo caso, y como medida de fomento para favorecer la puesta a disposición de los ciudadanos de vivienda de "protección oficial" (o equiparables a esta nomenclatura de acuerdo con la normativa administrativa autonómica), actualmente sus titulares se benefician de una bonificación del 50 por 100 durante tres años siguientes al del otorgamiento de la calificación definitiva al amparo del art. 73.2 LRHL, pudiendo incluso los ayuntamientos potestativamente extenderla en el tiempo en favor de dichos sujetos (inciso final). Entendemos que podría ampliarse hasta los cinco años de forma obligatoria, dejando discrecionalmente al ayuntamiento la potestad de mantenerla por otros cinco años más hasta que su titular cumpla treinta y cinco años. Por último, se podría realizar un ajuste al art. 72.4 LRHL habilitando la posibilidad de que los ayuntamientos puedan incrementar la presión fiscal de aquellos bienes inmuebles urbanos de uso "turístico" (de acuerdo a la normativa vigente solo resulta hoy día posible para aquellos inmuebles que no tengan destino "residencial").

Así mismo, podría implementarse en la LRHL una bonificación potestativa para que los ayuntamientos pudieran establecer una reducción significativa de la cuota del impuesto sobre el **incremento del valor de los terrenos de naturaleza urbana** para aquellos inmuebles que se transmitan en favor de personas físicas adquirentes hasta un máximo de treinta y cinco años de edad.

Décima.– Desde la óptica del **derecho comunitario**, el art. 38.1 LIRPF debe interpretarse de forma expansiva admitiendo la exención por reinversión en vivienda habitual sobre inmuebles que se hayan adquirido o se adquieran en un plazo de dos años en cualquier Estado miembro de la UE, del EEE, o de terceros Estados en el que exista un acuerdo efectivo de intercambio de información. En efecto, el TJUE ha condenado a aquellos Estados miembros (hasta la fecha, Suecia, Portugal y Grecia) que limitaban la aplicación de la exención de la ganancia de patrimonio generada por reinversión de vivienda habitual en sus países de origen. En efecto, el Tribunal de Luxemburgo en una consolidada doctrina (SSTJUE de 26 de octubre de 2006, As. C-345/05, caso *Comisión v. Portugal*; de 18 de enero de 2007; As. C-104/06, caso *Comisión v. Suecia*; y de 20 de enero de 2011, As. C-155/09, caso *Comisión v. Grecia*) ha venido a reconocer un derecho subjetivo del residente a aplicarse la exención de la renta generada con ocasión de la transmisión de una vivienda habitual pudiéndose reinvertir dicho importe también en inmuebles localizados en cualquier Estado miembro.

Así, aunque la normativa de IRPF (arts. 38 LIRPF y 41 y 41 bis RIRPF) guarda silencio sobre la aplicación de la exención por reinversión, parece deducirse implícitamente que dicho inmueble calificado como vivienda habitual habría de estar localizado en España. Ahora bien, de acuerdo con dicha jurisprudencia comunitaria, al objeto de que nuestra normativa interna pueda resultar compatible con el Derecho comunitario debería realizarse una interpretación laxa permitiendo la exención siempre que acredite dicho sujeto que ha reinvertido la ganancia de patrimonio en un inmueble localizado en cualquiera de los veintisiete Estados miembros (o del EEE) donde tenga fijada ulteriormente su "vivienda habitual".

Nótese que a esta conclusión parece llegar la DGT en contestaciones de 12 de diciembre de 2018 (V3160-18) y de 18 de noviembre de 2021 (V2910-21) siempre que se trate de una vivienda habitual y el administrado sea residente en territorio español a efectos de aplicarse la exención en el IRPF. Ahora bien, en nuestra opinión, este segundo requisito podría generar tensión con el principio de libre circulación de personas (en relación con los trabajadores procedentes de la UE), y de libre circulación de capitales (aplicándose tanto a residentes de la UE como incluso a terceros Estados) al generar un desincentivo lógico a trasladarse al extranjero por cuanto ha de entenderse que debe reinvertirse en otro país en el mismo año que es residente en España "restringiéndose" el plazo de cadencia de dos años que tiene el residente para reinvertir en otro inmueble situado en España (o en el extranjero).

Por otro lado, debería realizarse un ajuste normativo en los arts. 25.2 LIRNR y 14 de su Reglamento estableciendo una obligación a los adquirentes de un inmueble de practicar una retención del tres por cien de la contraprestación acordada en la transmisión de dicho activo, pero restringiéndose a aquellos casos en los que el vendedor no sea nacional ni residente comunitario.

En efecto, téngase presente que de acuerdo a la normativa del IRNR el comprador que adquiera un inmueble cuyo titular sea un no residente que actúa sin establecimiento permanente en España estará obligado a retenerle un tres por cien del valor de transmisión e ingresarlo en un plazo de un mes a través del modelo 211.

Una interpretación desde la óptica de las libertades comunitarias, obligaría en nuestra opinión al legislador español a tener que excepcionar de dicha obligación en los casos en los que el transmitente sea residente de la Unión Europea. Así mismo, y teniendo presente que la libre circulación de capitales del art. 63 TFUE se aplica también sobre terceros Estados, también quedarían exonerados de dicha retención aquellos transmitentes que procedan del Espacio Económico Europeo, o de terceros Estados siempre que pueda acreditarse que existe una normativa efectiva sobre asistencia mutua en materia de intercambio de información tributaria con ese país.

Téngase presente que a la luz de la STJUE de 11 de diciembre de 2014 (C-678/11) se condenó a España por la obligación de tener que nombrar a un representante fiscal para aquellos supuestos en los que de acuerdo con el art. 10 LIRNR se actúa a través de un establecimiento permanente en nuestro país.

El Tribunal de Luxemburgo en la citada sentencia —al igual que ya hizo anteriormente con el caso portugués[28]— no justificó dicha medida restrictiva en las razones de interés general que alegaba el Reino de España, basadas en el control fiscal, en la lucha contra el fraude y en el equilibrio en el reparto de la soberanía tributaria, pues sostiene el Tribunal de Luxemburgo la Directiva 2011/16/UE, sobre cooperación administrativa en el ámbito fiscal, modificada por la Directiva 2016/16/UE, sobre intercambio automático obligatorio de información, así como la Directiva 2010/24/UE, sobre asistencia mutua, cumplen ya precisamente una función tuitiva y de control del crédito tributario, por lo que no se requiere *a priori* ningún instrumento adicional para garantizar que el no residente cumpla con sus obligaciones tributarias en el Estado de la fuente[29].

Esto explica que la Ley 11/2021, de 9 de julio, de medidas de lucha contra el fraude fiscal, haya dado una nueva redacción al art. 10 LIRNR exonerando de obligación de nombrar a un representante fiscal a todo establecimiento permanente que proceda de cualquier Estado miembro de la Unión Europea, así como del Espacio Económico Europeo al que le resulte aplicable la normativa sobre asistencia mutua en materia de información tributaria y recaudación en los términos que regula la LGT.

También resulta de interés mencionar la declaración por parte del TJUE[30] de nulidad de aquellas cláusulas abusivas impuestas a los consumidores en algunos contratos de compraventa por las que se obliga a asumir al adquirente una obligación que en realidad pesa sobre la entidad constructora transmitente, como es la del pago del Impuesto sobre

---

28 Vid. STJUE de 5 de mayo de 2011 —caso Comisión *versus* Portugal—, (C-267-09).

29 La justificación que han alegado el Reino de España y Portugal es que la obligación del nombramiento no es caprichoso, sino que tiene como virtualidad la necesidad de que exista un control fiscal para evitar que se dispersen dichas rentas. Sin embargo, dicha justificación no fue suficiente para el TJUE que en S. de 5 de mayo de 2011 (As. C-267/09, caso *Comisión v. Portugal*) declaró incompatible con la libre circulación de personas y de capitales la normativa portuguesa al exigir el nombramiento de un representante para el cumplimiento de las obligaciones tributarias del no residente. Así las cosas, señala el Tribunal de Luxemburgo que las Directivas 2011/16/UE, de 15 de febrero de 2011, de cooperación administrativa en el ámbito de la fiscalidad, y 2010/24/UE, del Consejo de 16 de marzo de 2010, sobre la asistencia mutua en materia de cobro de los créditos correspondientes a determinados impuestos, derechos y otras medidas, deben cumplir precisamente con esa medida de control fiscal por lo que la medida de obligar a nombrar a un representante del no residente resulta ciertamente desproporcionada.

30 Vid. STJUE de 16 de enero de 2014, caso Constructora Principado S.A. *versus* José Ignacio Menéndez Álvarez—, Asunto C-226/12.

el incremento de valor de los terrenos de naturaleza urbana[31]. Nótese que dicha mutación de las posiciones jurídico-subjetivas del tributo ya había sido anteriormente declarada abusiva por el Tribunal Supremo en la Sentencia 84/2011, de 25 de noviembre, a la luz del artículo 10 bis.1° de la Ley de Garantías y Derechos de los consumidores, pues se trata de una cláusula impuesta al comprador, no negociada individualmente y sin información sobre la generación del impuesto que beneficia al vendedor transmitente, que es sin embargo quien percibe el aumento del valor catastral del inmueble, por lo que es de justicia que sea el sujeto pasivo llamado a contribuir a la carga impositiva.

Por último, la Audiencia Nacional en Sentencia de 28 de julio de 2025 (R. 366/2021) ha declarado la incompatibilidad con la libre circulación de capitales contenida en el art. 63 del TFUE del art. 24.6 LIRPF cuando solo permite deducir gastos (v.gr. de mantenimiento, de comunidad de propietarios, suministros, amortización, seguro vivienda) a los no residentes que procedan de la UE, o del EEE, pero no de aquellos que procedan de terceros Estados (v.gr. Suiza, USA)[32]. En nuestra opinión, mientras no quede suficientemente garantizado que las Directivas de intercambio de información van a producir los mismos efectos respecto de los residentes de terceros Estados en orden a preservar la recaudación tributaria de los Estados miembros, la UE no debería reconocer estos mismos derechos de aquellos sujetos que proceden de terceros Estados frente a los de la UE y del EEE (Islandia, Liechtenstein y Noruega)[33].

---

31 En efecto, para el Tribunal de Luxemburgo, de acuerdo al artículo 3, apartado 1, de la Directiva 93/13/CEE (LCEur 1993, 1071) del Consejo, de 5 de abril de 1993, debe rechazarse como en el caso que nos ocupa de aquellos supuestos de cláusulas abusivas de contratos celebrados con los consumidores, en cuanto "la existencia de un «desequilibrio importante» no requiere necesariamente que los costes puestos a cargo del consumidor por una cláusula contractual tengan una incidencia económica importante para éste en relación con el importe de la operación de que se trate, sino que puede resultar del solo hecho de una lesión suficientemente grave de la situación jurídica en la que ese consumidor se encuentra, como parte en el contrato, en virtud de las disposiciones nacionales aplicables, ya sea en forma de una restricción del contenido de los derechos que, según esas disposiciones, le confiere ese contrato, o bien de un obstáculo al ejercicio de éstos, o también de que se le imponga una obligación adicional no prevista por las normas nacionales".

32 Por desbordar la extensión del original, para mayor detalle nos remitimos a nuestros trabajos anteriores sobre "Fiscalidad inmobiliaria de los no residentes", en la obra colectiva dirigida por J. E. Varona Alabern, *La fiscalidad de la vivienda en España,* Civitas, Madrid, 2012, págs. 749-791; y más recientemente, en la monografía *La fiscalidad de la promoción inmobiliaria: estudio integral de la tributación del proceso urbanístico y propuestas de mejora,* Tirant lo Blanch, Valencia, 2016, págs. 223 y ss.

33 Nótese que la actual redacción procede de la modificación realizada por la Ley 2/2010, de 1 de marzo, de transposición de directivas, equiparando el tratamiento existente para los residentes (arts. 23 LIRPF y 13 y ss. de su Reglamento) con los no residentes de la UE y del EEE con los que exista un efectivo intercambio de información tributaria entre Administraciones Tribu-

IV. REFERENCIAS BIBLIOGRÁFICAS

Adame Martínez, F.; (2012): "Las exenciones en operaciones interiores inmobiliarias", *Comentarios a la Ley y Reglamento del IVA,* tomo I, Thomson Reuters, Madrid.

Arias Abellán, M. D., (2014): "Las obras de ejecución del planeamiento urbanístico y sistema tributario", *Quincena Fiscal,* núm. 20.

Bahía Almansa, B., (2019): El tratamiento fiscal de la economía colaborativa en relación con el alojamiento de viviendas turísticas, Aranzadi, Pamplona.

Chico de la Cámara, P. (2012): "Fiscalidad inmobiliaria de los no residentes", *La fiscalidad de la vivienda en España,* Civitas, Madrid.

Chico de la Cámara, P.; (2016): La fiscalidad de la promoción inmobiliaria: estudio integral de la tributación del proceso urbanístico y propuestas de mejora, Tirant lo Blanch, Valencia.

García Calvente, Y, Ruiz Garijo, M y Soto Moya, M. M. (2016): Innovaciones sociales en materia de vivienda: perspectiva tributaria, Thomson Reuters Aranzadi, Pamplona.

Pérez-Bustamante, D. (2025): La asimetría fiscal en España desde la perspectiva de la escuela austriaca, Atelier, Barcelona.

Velasco Caballero, F. (2023): Derecho urbanístico en la Comunidad de Madrid, Marcial Pons, Madrid.

Verdún Fraile, E. (2012): "El concepto de edificación en el IVA", *Comentarios a la Ley y Reglamento del IVA,* tomo I, Thomson Reuters, Madrid.

VVAA, (2012): La fiscalidad de la vivienda en España, Civitas - Thomson Reuters, Madrid.

VVAA, (2013), *Propuestas de reforma del marco legislativo de la fiscalidad inmobiliaria,* Fundación Impuestos y competitividad, Praxis.

VVAA. (2025): *La fiscalidad de la vivienda en España,* IEE, Madrid.

tarias, en los términos que establece la Directiva 2011/16/UE, de 15 de febrero de 2011, de cooperación administrativa en materia fiscal. Así mismo, nótese que la Ley 13/2023, ha modificado la LGT para transponer a nuestro ordenamiento jurídico, la Directiva (UE) 2021/514 del Consejo de 22 de marzo de 2021 (más conocida como DAC 7), modificando la citada Directiva 2011/16/UE, relativa a la cooperación administrativa en el ámbito de la fiscalidad, al imponer nuevas obligaciones de suministro de información a los operadores de plataformas digitales.

ASPECTOS ECONÓMICOS DE LA INVERSIÓN INMOBILIARIA

Fernando Pinto Hernández
Profesor Titular de Economía Aplicada
Universidad Rey Juan Carlos
ORCID 0000-0003-1525-3206

Judith Arnal
Investigadora Asociada
Real Instituto Elcano // Centre for European Studies
ORCID 0009-0008-8323-2961

Francisco Sanz-López
Profesor Ayudante Doctor
Universidad Complutense de Madrid
ORCID 0009-0006-9869-9025

I. INTRODUCCIÓN

La inversión inmobiliaria constituye uno de los componentes más relevantes del comportamiento económico de los hogares y de numerosos agentes privados. La adquisición de vivienda no responde únicamente a una necesidad residencial, sino que se configura también como una decisión de carácter patrimonial, orientada a la conservación del valor, a la obtención de rentas periódicas o a la generación de ganancias de capital en el largo plazo. Esta dimensión inversora de la vivienda explica que su análisis trascienda el ámbito estrictamente habitacional y se sitúe en el centro de debates económicos, fiscales y regulatorios de primer orden.

En economías como la española, la importancia de la inversión inmobiliaria se refleja en distintos indicadores estructurales. En 2021 el 75,5 % de los hogares tenía su vivienda en propiedad frente a regímenes de alquiler u otras formas de tenencia[1], lo que pone de manifiesto la tradicional orientación hacia la propiedad como forma de tenencia residencial en España.

La inversión en vivienda residencial también constituye una parte relevante de la actividad económica. En términos de agregado macroeconómico, en 2023 la inversión residencial representó aproximadamente el 5,7 % del producto interior bruto (PIB) español, una cifra por debajo de los promedios históricos de décadas anteriores, pero aún significativa en comparación con otros componentes de la demanda agregada.

Por otra parte, el peso del sector de la construcción (que incluye actividades directamente vinculadas con el mercado inmobiliario) se mantiene como un componente relevante de la economía. Según estimaciones del sector, en 2024 la construcción representó alrededor del 5,3% del PIB español, contribuyendo de forma destacable al empleo y a la formación bruta de capital.

Desde el punto de vista del inversor, la vivienda presenta una combinación particular de características económicas. Se trata de un activo real, relativamente duradero, con una rentabilidad potencial que depende tanto de los flujos de renta generados por el alquiler como de la evolución de su precio en el tiempo. A diferencia de otros activos financieros, la inversión inmobiliaria se caracteriza por elevados costes de transacción, una liquidez limitada y una fuerte dependencia del contexto institucional y normativo. Estas características condicionan de manera decisiva la forma en que los agentes valoran la rentabilidad esperada y el riesgo asociado a este tipo de inversión.

La evolución del precio de la vivienda ha sido tradicionalmente uno de los principales factores que explican el atractivo de la inversión inmobiliaria. En determinados

---

1 Instituto Nacional de Estadística (INE). (2021). *Encuesta de Características Esenciales de la Población y Viviendas*. https://www.ine.es/prensa/ecepov_2021_feb.pdf. Recuperado el 30 de diciembre de 2015.

periodos, el precio medio de la vivienda ha experimentado incrementos acumulados del orden de aproximadamente el 100 % entre los años 1998 y 2007, reforzando la percepción de la vivienda como un activo capaz de generar ganancias de capital significativas, de acuerdo con las series históricas del Ministerio de Fomento y del Banco de España sobre precios de vivienda libre[2]. No obstante, la experiencia de los ciclos inmobiliarios recientes ha puesto de relieve que estas dinámicas no son lineales ni exentas de riesgo, y que la rentabilidad pasada no garantiza rendimientos futuros.

Junto a la evolución de los precios, el volumen de transacciones inmobiliarias constituye un indicador fundamental para comprender el comportamiento inversor. Un mercado con precios crecientes pero con un número reducido de compraventas puede limitar la capacidad efectiva de materializar las ganancias de capital, especialmente en contextos de cambio del ciclo económico. En los últimos años, el número anual de transacciones de vivienda en España se ha situado en torno a 716.183 operaciones en 2024, con incrementos interanuales relevantes en las compraventas de vivienda usada y nueva que reflejan un dinamismo notable del mercado. En este contexto general, la expansión del alojamiento turístico de corta duración ha introducido un nuevo elemento en el análisis económico de la inversión inmobiliaria. La posibilidad de destinar una vivienda a usos turísticos ha ampliado el conjunto de alternativas disponibles para el inversor y ha intensificado la competencia entre distintos usos del parque residencial. Las estimaciones oficiales sitúan el número de viviendas dedicadas a alojamiento turístico en torno a 381.837 unidades en mayo de 2025[3], concentradas principalmente en grandes áreas urbanas y zonas turísticas donde este tipo de alojamiento es más frecuente. Este fenómeno ha tenido implicaciones relevantes sobre el mercado del alquiler residencial y ha generado un debate intenso sobre el papel de la regulación y de la fiscalidad.

Desde una perspectiva económica, la decisión entre alquiler residencial y alojamiento turístico puede interpretarse como una elección entre dos estrategias de explotación de un mismo activo. Cada una de ellas presenta perfiles diferenciados de rentabilidad, riesgo y costes de gestión, así como un tratamiento fiscal específico. Cuando las diferencias en rentabilidad neta son sustanciales, los incentivos económicos pueden inducir una reasignación rápida del uso de las viviendas, incluso en ausencia de cambios en la oferta total. Este mecanismo resulta clave para comprender las tensiones observadas en determinados mercados locales de vivienda.

---

2 Ministerio de Vivienda y Agenda Urbana. (2025). *Transacciones inmobiliarias.* https://apps.fomento.gob.es/BoletinOnline2/?nivel=2&orden=34000000. Recuperado el 20 de diciembre de 2025.

3 Instituto Nacional de Estadística (INE). (2025). *Estadística experimental.* https://www.ine.es/experimental/viv_turistica/experimental_viv_turistica.htm. Recuperado el 30 de diciembre de 2025.

El objetivo de este capítulo es analizar los principales aspectos económicos de la inversión inmobiliaria, prestando especial atención a la formación de la rentabilidad, al papel del riesgo y a la influencia de la fiscalidad en las decisiones de los agentes. Asimismo, se incorpora el análisis del alojamiento turístico como una alternativa de uso del *stock* residencial, con el fin de evaluar sus efectos económicos sobre el mercado de la vivienda. El enfoque adoptado es fundamentalmente descriptivo y analítico, apoyado en datos agregados procedentes de fuentes oficiales, sin recurrir a modelos econométricos complejos.

Para ello, el capítulo se apoya en un número reducido de indicadores empíricos que permiten contextualizar el análisis. En particular, se utilizarán datos sobre la evolución del precio de la vivienda, el volumen de transacciones inmobiliarias y la expansión del alojamiento turístico, que se introducirán de forma puntual en los apartados correspondientes mediante figuras específicas. Estos datos servirán para ilustrar tendencias generales y reforzar los argumentos económicos desarrollados a lo largo del texto.

El capítulo se estructura del siguiente modo. En el epígrafe II se examina la inversión inmobiliaria como fenómeno económico, definiendo sus rasgos esenciales y el papel de la vivienda como activo. En el epígrafe III se analizan la rentabilidad esperada, el riesgo y los incentivos económicos que condicionan las decisiones de inversión. El epígrafe IV aborda la fiscalidad de la inversión inmobiliaria, distinguiendo entre las distintas figuras impositivas que afectan a la renta, al patrimonio y a las transacciones. El epígrafe V se centra en el alojamiento turístico y en la reasignación de usos residenciales. Finalmente, el capítulo concluye con una síntesis de los principales resultados y algunas reflexiones de política económica.

II. LA INVERSIÓN INMOBILIARIA COMO FENÓMENO ECONÓMICO

La inversión inmobiliaria puede analizarse, desde una perspectiva económica, como una decisión intertemporal de asignación de recursos a un activo real que genera flujos de renta y cuya valoración depende de expectativas futuras. A diferencia de otras formas de inversión, la vivienda presenta una combinación específica de características que condicionan tanto el comportamiento de los inversores como los efectos agregados sobre el mercado. Entre estas características destacan su durabilidad, su heterogeneidad, su escasa liquidez relativa y su fuerte dependencia del marco institucional y regulatorio[4].

[4] Piazzesi, M., Schneider, M., y Tuzel, S. (2007). "Housing, consumption and asset pricing". *Journal of Financial Economics, 83*(3), 531-569. https://doi.org/10.1016/j.jfineco.2006.01.006; Poterba, J. M. (1984). "Tax subsidies to owner-occupied housing: an asset-market approach". *The quarterly journal of economics, 99*(4), 729-752. https://doi.org/10.2307/1883123

El análisis económico de la inversión inmobiliaria exige, en primer lugar, distinguir entre la vivienda entendida como bien de consumo y la vivienda concebida como activo de inversión. Aunque en la práctica ambas dimensiones suelen coexistir, desde el punto de vista analítico resulta útil separar las decisiones puramente residenciales de aquellas motivadas por la obtención de rentabilidad. Esta distinción es especialmente relevante en contextos donde una parte significativa del parque de viviendas se adquiere con fines distintos al uso como residencia habitual, ya sea como segunda residencia, como activo para alquiler o como instrumento de diversificación patrimonial.

En términos agregados, la importancia de la inversión inmobiliaria se refleja en el volumen de recursos que los agentes económicos destinan a la adquisición de vivienda con fines distintos al uso principal. Las estimaciones disponibles indican que el porcentaje de viviendas no principales sobre el total del parque residencial se sitúa en torno al 30 por ciento en 2021, incluyendo segundas residencias y viviendas destinadas al alquiler, se cifra en aproximadamente 18,6 millones las viviendas principales sobre un total de 26,6 millones de viviendas[5]. Este dato pone de relieve que una parte sustancial del mercado inmobiliario responde a decisiones de inversión y no exclusivamente a necesidades habitacionales.

Desde esta perspectiva, la vivienda se configura como un activo que compite con otras alternativas de inversión, tanto financieras como reales. La comparación no se establece únicamente en términos de rentabilidad esperada, sino también en función del riesgo percibido, de la liquidez, del horizonte temporal y del tratamiento fiscal. En determinados contextos macroeconómicos, como periodos de tipos de interés reducidos o de elevada incertidumbre financiera, la vivienda puede resultar relativamente atractiva frente a activos financieros tradicionales, lo que incrementa la demanda de inversión inmobiliaria, tal como se ha puesto de manifiesto en los análisis macroeconómicos del Banco de España sobre decisiones de ahorro y composición de la riqueza de los hogares en los años posteriores a la crisis financiera y durante el periodo de tipos de interés bajos.

La vivienda, considerada como activo de inversión, genera valor económico a través de dos canales principales. El primero es el flujo de ingresos periódicos derivados del alquiler, ya sea residencial o turístico. El segundo es la variación del precio del activo a lo largo del tiempo, que se materializa en una ganancia o pérdida de capital en el momento de la transmisión. La combinación de ambos elementos determina la rentabilidad total de la inversión inmobiliaria, aunque su peso relativo puede variar significativamente según el contexto económico y la estrategia del inversor.

La rentabilidad asociada al alquiler suele expresarse en términos de rentabilidad bruta, calculada como el cociente entre los ingresos anuales por alquiler y el precio de

---

5 Instituto Nacional de Estadística (INE). (2021). *Censo de Población y Viviendas 2021. Características de los edificios y viviendas*. https://www.ine.es/censos2021/

adquisición del inmueble. En el mercado español, esta rentabilidad bruta se ha situado históricamente en un intervalo aproximado entre el 3 y el 6 por ciento en el periodo 2015-2023, con diferencias notables según la localización, el tipo de vivienda y el momento del ciclo[6]. Sin embargo, esta medida resulta insuficiente para evaluar la conveniencia de la inversión, ya que no tiene en cuenta los costes asociados ni la fiscalidad.

Para obtener una medida más realista, es necesario considerar la rentabilidad neta, descontando gastos de mantenimiento, seguros, periodos de vacancia, costes de gestión y la carga fiscal asociada a los rendimientos del capital inmobiliario. En función de estos factores, la rentabilidad neta puede situarse sensiblemente por debajo de la rentabilidad bruta, reduciéndose habitualmente entre 1 y 2 puntos porcentuales respecto a esta en el periodo reciente, según los análisis sobre inversión residencial y alquiler recogidos en los Informes Anuales del Banco de España[7]. La magnitud exacta de esta diferencia depende, entre otros elementos, del régimen fiscal aplicable y del perfil del inversor.

Junto a los flujos de renta, la evolución del precio de la vivienda desempeña un papel central en la decisión de inversión. En determinados periodos, el incremento del precio del activo ha constituido la principal fuente de rentabilidad para los inversores inmobiliarios. Los datos disponibles muestran que el índice de precios de la vivienda ha experimentado variaciones acumuladas del orden de aproximadamente el 100 por ciento en el periodo comprendido entre 1998 y 2007, con fases de fuerte expansión seguidas de correcciones significativas, según las series históricas de precios de la vivienda libre elaboradas por el Ministerio de Fomento y los análisis del ciclo inmobiliario del Banco de España[8]. Esta volatilidad pone de manifiesto que la ganancia de capital no es un componente garantizado de la rentabilidad inmobiliaria[9].

La evolución del índice de precios de la vivienda en España, presentada en la Figura 1, permite contextualizar empíricamente el papel de la valorización del activo en la rentabilidad de la inversión inmobiliaria y sirve como punto de partida para el análisis posterior del binomio rentabilidad-riesgo.

---

6 Instituto Nacional de Estadística (INE). (2025). *Índice de precios de vivienda*. https://www.ine.es/prensa/ipv_tabla1.htm. Recuperado el 30 de diciembre de 2025.

7 Banco de España. (2023). *Informe anual 2023*. https://www.bde.es/f/webbe/SES/Secciones/Publicaciones/PublicacionesAnuales/InformesAnuales/23/Fich/InfAnual_2023.pdf. Recuperado el 30 de diciembre de 2025.

8 Banco de España. (2023). *Informe anual 2023*. https://www.bde.es/f/webbe/SES/Secciones/Publicaciones/PublicacionesAnuales/InformesAnuales/23/Fich/InfAnual_2023.pdf. Recuperado el 30 de diciembre de 2025.

9 Glaeser, E. L. y Gyourko, J. (2002). "The impact of building restrictions on housing affordability". *Federal Reserve Bank of New York, Economic Policy Review, 2002*, 1-19.

Figura 1. Evolución del índice de precios de la vivienda en España

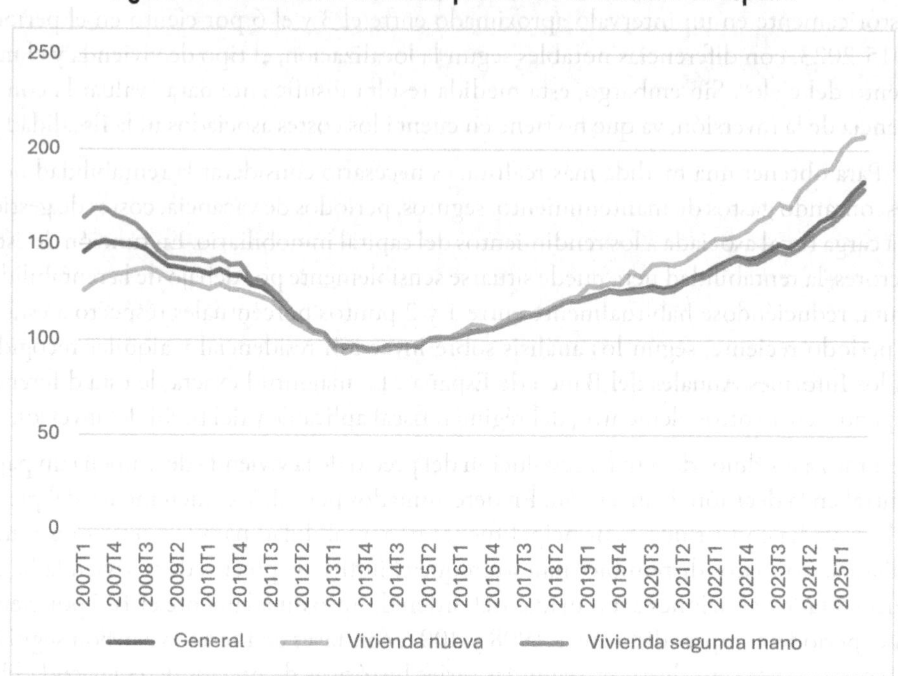

Fuente: elaboración propia a partir de datos del INE.

Otro rasgo esencial de la vivienda como activo de inversión es su limitada liquidez. A diferencia de los activos financieros negociados en mercados organizados, la compra y venta de vivienda implica procesos largos, costes elevados y una elevada dependencia de las condiciones del mercado en cada momento. Los costes de transacción, que incluyen impuestos indirectos, gastos notariales, registrales y de intermediación, pueden representar en conjunto entre el 8 y el 13 por ciento del valor del inmueble en España, según estimaciones recogidas en los informes institucionales del Banco de España y del Ministerio de vivienda y Agenda Urbana. Esta circunstancia condiciona tanto la decisión inicial de inversión como el momento óptimo de desinversión.

La liquidez efectiva del mercado inmobiliario puede aproximarse a través del volumen de transacciones. En los últimos años, el número anual de compraventas de vivienda en España se ha situado en torno a entre 650.000 y 720.000 operaciones en el periodo 2022-2024, con oscilaciones relevantes asociadas al ciclo económico, a las condiciones financieras y a cambios regulatorios[10]. Este indicador resulta clave para evaluar hasta

[10] Ministerio de Vivienda y Agenda Urbana. (2025). *Transacciones inmobiliarias*. https://apps.fomento.gob.es/BoletinOnline2/?nivel=2&orden=34000000. Recuperado el 20 de

qué punto las ganancias de capital observadas en términos de precios pueden materializarse en la práctica, cuestión que se abordará de forma específica en el siguiente epígrafe.

Finalmente, conviene subrayar la heterogeneidad del activo inmobiliario. La rentabilidad y el riesgo asociados a la inversión en vivienda varían de manera significativa en función de la localización, del tipo de inmueble y de su posible destino. Esta heterogeneidad adquiere especial relevancia cuando se considera la opción de destinar la vivienda al alojamiento turístico, ya que no todos los inmuebles presentan las mismas condiciones para competir en ese mercado. La interacción entre estas características del activo y los incentivos económicos será central en el análisis de la rentabilidad y de la reasignación de usos residenciales[11].

III. RENTABILIDAD, RIESGO E INCENTIVOS ECONÓMICOS

El análisis de la inversión inmobiliaria requiere avanzar desde la descripción del activo hacia la comprensión de los factores que determinan su rentabilidad esperada y el riesgo asociado. A diferencia de otras inversiones, la rentabilidad inmobiliaria no depende de un único componente, sino de la interacción entre flujos de renta, evolución del precio del activo, costes de transacción y condiciones institucionales. Esta complejidad obliga a adoptar un enfoque que tenga en cuenta tanto los rendimientos esperados como la incertidumbre que rodea su materialización.

Desde una perspectiva económica, la rentabilidad esperada de la inversión inmobiliaria puede descomponerse en dos elementos principales. Por un lado, los ingresos derivados de la explotación del inmueble, fundamentalmente a través del alquiler. Por otro lado, la ganancia o pérdida de capital asociada a la variación del precio de la vivienda entre el momento de la adquisición y el de la transmisión. La importancia relativa de cada uno de estos componentes varía en función del contexto macroeconómico, del horizonte temporal del inversor y del uso específico del inmueble.

La evaluación de la rentabilidad no puede realizarse de manera aislada, sino en comparación con alternativas de inversión disponibles para los agentes económicos. En este sentido, la vivienda compite con activos financieros como depósitos, bonos o acciones, así como con otros activos reales. En periodos en los que los rendimientos de los acti-

---

diciembre de 2025; Colegio de Registradores de España. (2025). *Estadísticas de la propiedad. https://www.registradores.org/actualidad/portal-estadistico-registral/estadisticas-de-propiedad#portlet_com_liferay_journal_content_web_portlet_JournalContentPortlet_INSTANCE_92PKQIzgTNBS.* Recuperado el 30 de diciembre de 2025.

11 Glaeser, E. L. y Gyourko, J. (2002). “The impact of building restrictions on housing affordability”. *Federal Reserve Bank of New York, Economic Policy Review, 2002*, 1-19.

vos financieros son reducidos, la inversión inmobiliaria puede resultar relativamente más atractiva, incluso aunque su rentabilidad neta sea moderada. Esta comparación intertemporal entre activos constituye uno de los principales motores de la demanda de inversión inmobiliaria[12].

La rentabilidad esperada de la inversión inmobiliaria depende, en primer lugar, de la capacidad del activo para generar ingresos recurrentes. En el caso del alquiler residencial, estos ingresos están condicionados por el nivel de las rentas, por la duración de los contratos y por la estabilidad de la demanda. En términos agregados, el nivel medio de las rentas de alquiler se ha situado en torno a 800 euros mensuales en el conjunto de España en el periodo 2022-2023, con variaciones significativas entre territorios y segmentos del mercado, según la Estadística de Alquiler del Instituto Nacional de Estadística[13]. Estas diferencias territoriales influyen de manera decisiva en la rentabilidad potencial de la inversión.

A los ingresos brutos deben descontarse una serie de costes que afectan directamente a la rentabilidad neta. Entre ellos se incluyen los gastos de mantenimiento, los costes de comunidad, los seguros, los periodos de vacancia y, en su caso, los costes de gestión. En conjunto, estos gastos pueden representar en torno al 20 por ciento anual de los ingresos brutos del alquiler, según estimaciones recogidas en los Informes Anuales del Banco de España[14] y en estudios institucionales sobre el mercado del alquiler[15]. La magnitud de estos costes varía según el tipo de inmueble, su antigüedad y el régimen de explotación elegido.

La fiscalidad constituye otro determinante clave de la rentabilidad neta. Los rendimientos del capital inmobiliario están sujetos a tributación, lo que reduce el ingreso disponible para el inversor. El tipo efectivo soportado depende de múltiples factores, entre ellos el nivel de renta del contribuyente, la posibilidad de aplicar deducciones o reducciones y el tratamiento específico del alquiler según su uso. La diferencia entre rentabilidad bruta y neta puede alcanzar entre 1 y 2 puntos porcentuales en determina-

---

12 Himmelberg, C., Mayer, C., & Sinai, T. (2005). "Assessing high house prices: Bubbles, fundamentals and misperceptions". *Journal of Economic Perspectives, 19*(4), 67-92. https://doi.org/10.1257/089533005775196769; Campbell, J. Y., y Cocco, J. F. (2007). "How do house prices affect consumption? Evidence from micro data". *Journal of Monetary Economics*, 54(3), 591-621. https://doi.org/10.1016/j.jmoneco.2005.10.016.

13 Instituto Nacional de Estadística. (2024). *Estadística de alquiler*. https://www.ine.es. Recuperado el 30 de diciembre de 2025.

14 Banco de España. (2023). *Informe anual 2023*. https://www.bde.es. Recuperado el 30 de diciembre de 2025.

15 Banco de España. (2022). *El mercado del alquiler de vivienda en España: evolución reciente y retos estructurales*. https://www.bde.es. Recuperado el 30 de diciembre de 2025.

dos supuestos, de acuerdo con simulaciones fiscales y análisis recogidos en los Informes Anuales del Banco de España y el INE[16]. Este aspecto será objeto de análisis detallado en el epígrafe dedicado a la fiscalidad.

Junto a los flujos de renta, la evolución del precio del activo constituye un elemento central de la rentabilidad esperada. En contextos de apreciación sostenida del precio de la vivienda, la expectativa de ganancia de capital puede llegar a dominar la decisión de inversión, incluso cuando la rentabilidad por alquiler es reducida. En los últimos años, la tasa de crecimiento interanual del precio de la vivienda se ha situado en torno al 8 por ciento en determinados periodos, particularmente entre 2022 y 2024[17], reforzando el atractivo de la inversión inmobiliaria desde una perspectiva patrimonial.

No obstante, la ganancia de capital es un componente especialmente incierto de la rentabilidad. A diferencia de los flujos de alquiler, que pueden estimarse con cierto grado de precisión, la evolución futura del precio de la vivienda depende de factores macroeconómicos, financieros y regulatorios difíciles de anticipar. La experiencia de correcciones abruptas en el precio del activo, como las observadas tras 2008, pone de manifiesto que la inversión inmobiliaria está expuesta a riesgos significativos.

El riesgo asociado a la inversión inmobiliaria adopta diversas formas. Además del riesgo de precio, existe riesgo de impago por parte del inquilino, riesgo de vacancia, riesgo regulatorio y riesgo fiscal. Cambios en la normativa de alquiler, en la regulación urbanística o en el tratamiento fiscal pueden alterar de forma sustancial la rentabilidad esperada de la inversión. Estos riesgos son especialmente relevantes en el caso del alojamiento turístico, donde la actividad está sujeta a regulaciones específicas que pueden variar de manera significativa entre territorios.

La liquidez del mercado inmobiliario constituye otro factor clave para la evaluación de la rentabilidad ajustada al riesgo. Un mercado con elevado volumen de transacciones permite a los inversores ajustar sus carteras con mayor facilidad y reduce el riesgo de no poder materializar la inversión en el momento deseado. En España, el número de compraventas de vivienda ha oscilado en torno a 650.000 operaciones anuales en el periodo 2022-2024, con descensos acusados en fases de desaceleración económica[18].

---

16 Agencia Estatal de Administración Tributaria. (2024). *Estadísticas de los declarantes del IRPF*. https://sede.agenciatributaria.gob.es/AEAT/Contenidos_Comunes/La_Agencia_Tributaria/Estadisticas/Publicaciones/sites/irpf/2023/home.html Recuperado el 30 de diciembre de 2025.

17 Instituto Nacional de Estadística (INE). (2025). *Índice de precios de vivienda*. https://www.ine.es/prensa/ipv_tabla1.htm. Recuperado el 30 de diciembre de 2025.

18 Ministerio de Vivienda y Agenda Urbana. (2025). *Transacciones inmobiliarias*. https://apps.fomento.gob.es/BoletinOnline2/?nivel=2&orden=34000000. Recuperado el 20 de diciembre de 2025; Colegio de Registradores de España. (2025). *Estadísticas de la propie-*

Figura 2. Evolución del volumen de transacciones inmobiliarias

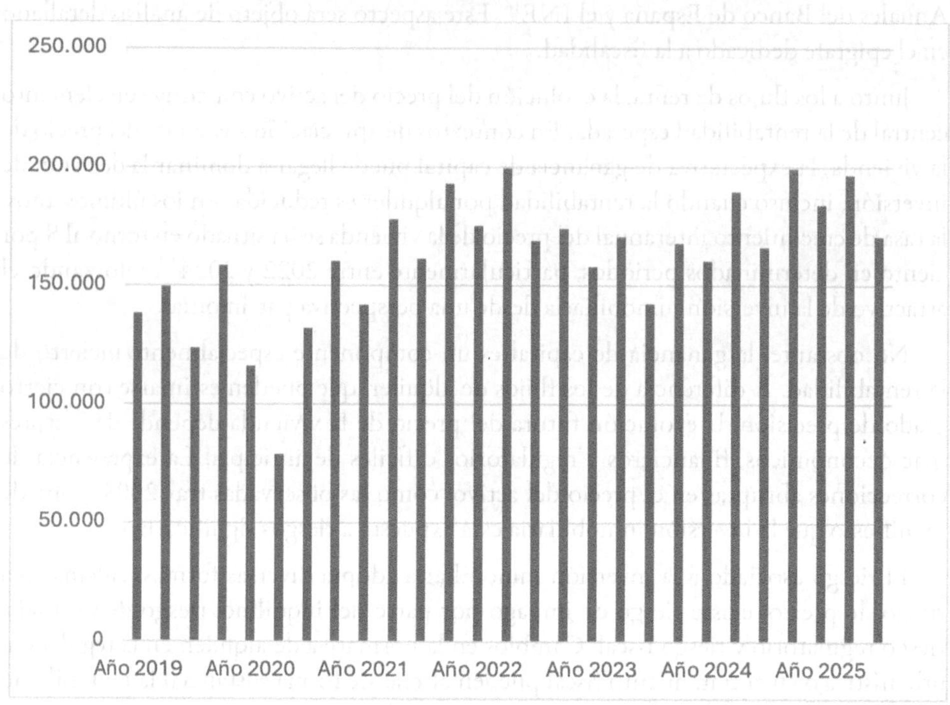

Fuente: elaboración propia a partir de datos del Ministerio de Transportes y Movilidad Sostenible.

Este indicador resulta fundamental para contextualizar la rentabilidad observada en términos de precios.

La interacción entre rentabilidad, riesgo y liquidez determina los incentivos económicos que enfrentan los inversores inmobiliarios. Cuando la rentabilidad esperada compensa adecuadamente el riesgo asumido y los costes de transacción, la inversión en vivienda resulta atractiva frente a otras alternativas. En caso contrario, los inversores pueden optar por retrasar la decisión de compra, desinvertir o reorientar el uso del activo hacia modalidades que ofrezcan un mejor perfil riesgo-rentabilidad.

En este punto, la posibilidad de destinar la vivienda al alojamiento turístico adquiere una relevancia especial. La explotación turística puede ofrecer, en determinados contextos, ingresos más elevados que el alquiler residencial, aunque también conlleva mayores costes de gestión y un perfil de riesgo distinto. La comparación entre ambas opciones

---

dad. *https://www.registradores.org/actualidad/portal-estadistico-registral/estadisticas-de-propiedad#portlet_com_liferay_journal_content_web_portlet_JournalContentPortlet_INSTANCE_92PKQIzgTNBS.* Recuperado el 30 de diciembre de 2025.

no puede realizarse únicamente en términos de ingresos brutos, sino que debe incorporar todos los elementos analizados en este epígrafe, incluidos el riesgo regulatorio y la fiscalidad.

El análisis de estos incentivos económicos constituye la base para comprender las decisiones de reasignación de usos residenciales que se observan en algunos mercados. Sin embargo, para evaluar plenamente estas dinámicas resulta imprescindible incorporar de manera sistemática el papel de la fiscalidad, que actúa como un elemento transversal en todas las fases del ciclo de inversión inmobiliaria. A este análisis se dedica el siguiente epígrafe.

IV. FISCALIDAD DE LA INVERSIÓN INMOBILIARIA

La fiscalidad constituye uno de los elementos centrales en el análisis económico de la inversión inmobiliaria, al incidir directamente sobre la rentabilidad neta de los activos y, por tanto, sobre los incentivos que guían las decisiones de los agentes. A diferencia de otros factores, como la evolución del precio o las condiciones macroeconómicas generales, la fiscalidad es el resultado de decisiones de política pública que pueden modificar de forma sustancial el atractivo relativo de distintas modalidades de inversión y de uso de la vivienda.

Desde un punto de vista analítico, la fiscalidad de la inversión inmobiliaria puede abordarse distinguiendo las distintas fases del ciclo de inversión. Estas fases incluyen la adquisición del inmueble, su tenencia, la obtención de rendimientos a través de su explotación y, finalmente, su transmisión. Cada una de estas etapas está sujeta a figuras impositivas específicas que, en conjunto, determinan la carga fiscal efectiva soportada por el inversor. El efecto económico de esta carga no depende únicamente de los tipos nominales, sino también de la base imponible, de las exenciones, de las deducciones aplicables y del grado de cumplimiento efectivo.

En términos generales, la carga fiscal asociada a la inversión inmobiliaria es percibida por los agentes como compleja y heterogénea. Esta percepción responde tanto a la coexistencia de impuestos de distinta naturaleza como a la diversidad de tratamientos fiscales en función del uso del inmueble, del perfil del contribuyente y del ámbito territorial. Desde una perspectiva económica, esta complejidad puede generar distorsiones en la asignación de recursos, al favorecer determinadas decisiones frente a otras no necesariamente más eficientes desde el punto de vista social[19].

---

19 James M. Poterba. (1992). "Taxation and Housing: Old Questions, New Answers," *NBER Working Paper* 3963. https://doi.org/10.3386/w3963.

La primera dimensión relevante de la fiscalidad inmobiliaria es la tributación de los rendimientos obtenidos a través de la explotación del inmueble. En el caso del alquiler residencial, los ingresos percibidos por el arrendador se integran en la base imponible correspondiente, reduciendo la rentabilidad neta de la inversión. El tipo efectivo soportado depende del nivel de renta del contribuyente, de la posibilidad de deducir determinados gastos y de la aplicación de reducciones específicas vinculadas al alquiler de vivienda habitual. En términos agregados, el tipo efectivo medio aplicado a los rendimientos del capital inmobiliario se sitúa en torno al 20 por ciento en el periodo 2019-2023, aunque con una elevada dispersión entre contribuyentes[20].

La capacidad de deducir gastos asociados al inmueble, como los gastos de conservación, reparación, seguros o intereses de financiación, mitiga parcialmente la carga fiscal sobre los rendimientos. No obstante, la magnitud de esta mitigación depende de la estructura de costes de cada inversión y del marco normativo vigente en cada momento. En determinados supuestos, la diferencia entre ingresos brutos y base imponible puede alcanzar en torno al 30 por ciento[26], lo que introduce un elemento adicional de heterogeneidad en la rentabilidad neta de las inversiones inmobiliarias.

Además de la tributación sobre la renta, la inversión inmobiliaria está sujeta a impuestos de carácter patrimonial que gravan la mera titularidad del activo. Estos impuestos, que se aplican con independencia de que el inmueble genere o no rendimientos, afectan directamente al coste de tenencia de la vivienda y, por tanto, a la rentabilidad ajustada al riesgo. El importe anual de estos gravámenes representa, en promedio, en torno al 0,6 por ciento del valor del inmueble en España en el periodo reciente, fundamentalmente a través del Impuesto sobre Bienes Inmuebles, aunque con diferencias significativas según la localización y el valor catastral, de acuerdo con la información del Catastro Inmobiliario[21] y los informes de fiscalidad patrimonial del Ministerio de Hacienda[22].

Desde el punto de vista económico, los impuestos patrimoniales introducen un coste fijo que puede resultar especialmente relevante en contextos de baja rentabilidad por alquiler o en periodos de vacancia prolongada. En estos casos, la carga fiscal puede actuar como un incentivo para modificar el uso del inmueble o para desinvertir, espe-

---

20 Agencia Estatal de Administración Tributaria. (2024). *Estadísticas de los declarantes del IRPF.* https://sede.agenciatributaria.gob.es/AEAT/Contenidos_Comunes/La_Agencia_Tributaria/Estadisticas/Publicaciones/sites/irpf/2023/home.html Recuperado el 30 de diciembre de 2025.

21 Dirección General del Catastro. (s. f.). *Estadísticas catastrales inmobiliarias.* Ministerio de Hacienda. https://www.catastro.meh.es. Recuperado el 30 de diciembre de 2025.

22 Ministerio de Hacienda. (2022). *Informe sobre la fiscalidad patrimonial en España.* https://www.hacienda.gob.es. Recuperado el 30 de diciembre de 2025.

cialmente si existen alternativas de explotación que permitan compensar dicho coste mediante mayores ingresos brutos.

La tributación sobre la renta y el patrimonio interactúa, además, con la fiscalidad aplicable en el momento de la transmisión del inmueble. Las ganancias patrimoniales generadas por la venta de la vivienda están sujetas a imposición, lo que reduce la rentabilidad final de la inversión. La cuantía efectiva de este gravamen depende del diferencial entre el precio de adquisición y el de transmisión, de los coeficientes de actualización aplicables y del tipo impositivo correspondiente. En operaciones de transmisión con plusvalías significativas, la carga fiscal asociada puede representar en torno al 20 a 25 por ciento de la ganancia obtenida en el periodo 2019-2024, de acuerdo con los tipos efectivos aplicables en el IRPF y los datos de la Agencia Tributaria.

La existencia de esta imposición sobre las ganancias patrimoniales introduce un efecto de bloqueo potencial, en la medida en que los inversores pueden retrasar la venta del activo para evitar o diferir la tributación. Desde una perspectiva económica, este comportamiento puede reducir la movilidad del parque de viviendas y afectar al volumen de transacciones, con implicaciones sobre la eficiencia del mercado inmobiliario, tal como se señala de forma recurrente en los Informes Anuales del Banco de España.

En conjunto, la tributación sobre la renta, el patrimonio y las ganancias patrimoniales configura un entramado fiscal que incide de manera directa en la rentabilidad neta de la inversión inmobiliaria. La magnitud y la estructura de esta carga fiscal resultan determinantes para comprender por qué determinadas modalidades de inversión o de uso del inmueble resultan más atractivas que otras. Este aspecto cobra una relevancia particular cuando se compara el alquiler residencial con el alojamiento turístico, dado que ambos pueden estar sujetos a tratamientos fiscales distintos.

El análisis de estas diferencias fiscales y de sus implicaciones económicas resulta imprescindible para evaluar los incentivos que guían la reasignación de usos residenciales. A este propósito se dedica el siguiente epígrafe, en el que se examina el alojamiento turístico como alternativa de explotación del activo inmobiliario y se analizan sus efectos sobre el mercado de la vivienda.

V. ALOJAMIENTO TURÍSTICO Y REASIGNACIÓN DE USOS RESIDENCIALES

La expansión del alojamiento turístico de corta duración ha introducido un cambio relevante en el funcionamiento de determinados mercados de vivienda, al ofrecer a los propietarios una alternativa de explotación distinta del alquiler residencial tradicional. Desde una perspectiva económica, este fenómeno puede interpretarse como la aparición de un uso alternativo del mismo activo inmobiliario, con un perfil diferenciado de ingresos, costes, riesgo y tratamiento fiscal. La posibilidad de elegir entre ambos usos modifica los incentivos de los inversores y puede dar lugar a procesos de reasignación del parque residencial.

El crecimiento del alojamiento turístico ha estado estrechamente vinculado al aumento de la demanda turística y al desarrollo de plataformas digitales que reducen los costes de intermediación y facilitan la comercialización del alojamiento. En términos agregados, el número de pernoctaciones en apartamentos turísticos en España ha experimentado un incremento acumulado de aproximadamente el 70 por ciento entre los años 2014 y 2023, con especial intensidad en determinadas áreas urbanas y zonas costeras[23]. Este aumento de la demanda ha elevado el atractivo económico de la explotación turística frente al alquiler residencial en algunos mercados locales.

Desde el punto de vista del inversor, la decisión de destinar una vivienda al alojamiento turístico responde fundamentalmente a una comparación de rentabilidades netas esperadas. En contextos de elevada demanda turística, los ingresos brutos obtenidos por noche pueden superar de manera significativa las rentas mensuales del alquiler residencial, incluso teniendo en cuenta la estacionalidad. En términos anuales, los ingresos brutos por explotación turística pueden situarse en torno a 25.000 euros por vivienda en zonas de alta demanda turística en el periodo 2019-2023, frente a aproximadamente 9.000 euros anuales en el caso del alquiler residencial comparable[24] y en informes sectoriales utilizados por el Banco de España en sus análisis del mercado inmobiliario[25].

No obstante, la explotación turística también conlleva costes de gestión superiores. A los gastos habituales de mantenimiento y conservación se añaden costes asociados a la rotación de huéspedes, la limpieza, la comercialización y, en muchos casos, la contratación de servicios profesionales de gestión. En conjunto, estos costes pueden representar entre el 30 y el 40 por ciento de los ingresos brutos en el alojamiento turístico, según estimaciones recogidas en los estudios de impacto turístico elaborados a partir de datos del Instituto Nacional de Estadística, reduciendo la diferencia de rentabilidad neta respecto al alquiler residencial. A pesar de ello, en determinados contextos urbanos la explotación turística continúa ofreciendo un perfil de rentabilidad ajustada al riesgo más atractivo.

---

23 Instituto Nacional de Estadística (INE). (2025). *Encuesta de ocupación en apartamentos turísticos*. https://www.ine.es/jaxiT3/Tabla.htm?t=2022 Recuperado el 30 de diciembre de 2025.

24 Instituto Nacional de Estadística (INE). (2025). *Índice de precios de vivienda*. https://www.ine.es/prensa/ipv_tabla1.htm. Recuperado el 30 de diciembre de 2025.

25 Banco de España. (2022). *El mercado inmobiliario en España: evolución reciente, riesgos y fuentes de información*. https://www.bde.es/f/webbe/GAP/Secciones/SalaPrensa/IntervencionesPublicas/DirectoresGenerales/economia/Arc/IIPP-2024-11-18-gavilan-es-or.pdf. Recuperado el 30 de diciembre de 2025.

El riesgo asociado al alojamiento turístico presenta características específicas. Además de la incertidumbre inherente a la demanda turística, existe un riesgo regulatorio particularmente elevado. La actividad está sujeta a autorizaciones administrativas, a limitaciones de uso y a normativas locales que pueden modificarse en respuesta a presiones sociales o a cambios en la orientación de la política pública. En algunos municipios, la introducción de restricciones ha reducido de forma significativa la rentabilidad esperada de la explotación turística, alterando los incentivos de los propietarios.

Desde una perspectiva agregada, la reasignación de viviendas hacia el uso turístico puede tener efectos relevantes sobre el mercado del alquiler residencial. En mercados con oferta relativamente rígida, la retirada de viviendas del alquiler tradicional puede contribuir a reducir la oferta disponible y ejercer presión al alza sobre las rentas. Diversos estudios institucionales han estimado que el incremento del parque de viviendas turísticas se asocia con aumentos de las rentas del alquiler del orden de entre el 5 y el 10 por ciento en determinadas zonas urbanas, aunque la magnitud del efecto varía significativamente según el contexto local, de acuerdo[26].

Este impacto no se distribuye de manera homogénea. La reasignación de usos residenciales tiende a concentrarse en áreas con alta densidad turística, buena accesibilidad y elevado atractivo urbano. En estas zonas, el porcentaje de viviendas destinadas a alojamiento turístico puede alcanzar valores próximos al 10 por ciento del parque total en determinados barrios en el periodo 2018-2023[27], mientras que en otras áreas el fenómeno es prácticamente inexistente. Esta concentración espacial explica que los efectos sobre el mercado de la vivienda sean percibidos de forma intensa en determinados barrios o municipios, pero resulten marginales a escala agregada.

La fiscalidad desempeña un papel relevante en este proceso de reasignación. Diferencias en el tratamiento fiscal entre el alquiler residencial y el alojamiento turístico pueden reforzar o atenuar los incentivos económicos a favor de uno u otro uso. Cuando la explotación turística se beneficia de un tratamiento fiscal relativamente más favorable, la rentabilidad neta ajustada al riesgo puede aumentar, incentivando la conversión de viviendas. Por el contrario, un diseño fiscal que internalice los costes asociados a la actividad turística puede contribuir a equilibrar los incentivos.

---

26 Barron, K., Kung, E., y Proserpio, D. (2021). "The effect of home-sharing on house prices and rents: Evidence from Airbnb". *Marketing Science*, 40(1), 23-47. https://10.1287/mksc.2020.1227.

27 Instituto Nacional de Estadística (INE). (2025). *Estadística experimental*. https://www.ine.es/experimental/viv_turistica/experimental_viv_turistica.htm. Recuperado el 30 de diciembre de 2025.

La interacción entre incentivos económicos, fiscalidad y regulación determina, en última instancia, la magnitud y la dirección de la reasignación de usos residenciales. Desde una perspectiva de eficiencia, el desafío consiste en diseñar un marco institucional que permita compatibilizar la actividad turística con el acceso a la vivienda, minimizando las distorsiones en la asignación de recursos. Este equilibrio resulta especialmente complejo en mercados locales con una fuerte presión de la demanda turística y una oferta de vivienda limitada en el corto plazo.

El análisis de estos efectos pone de manifiesto que el alojamiento turístico no puede evaluarse de manera aislada, sino en relación con el conjunto del mercado inmobiliario y con el marco fiscal que condiciona las decisiones de los agentes. Esta constatación conduce de forma natural a una reflexión más amplia sobre las implicaciones económicas y de política pública de la inversión inmobiliaria, cuestión que se aborda en el epígrafe siguiente.

VI. IMPLICACIONES ECONÓMICAS Y DE POLÍTICA PÚBLICA

El análisis de los aspectos económicos de la inversión inmobiliaria pone de manifiesto que las decisiones individuales de los agentes, aunque racionales desde el punto de vista privado, pueden generar efectos agregados relevantes sobre el funcionamiento del mercado de la vivienda. Estos efectos se manifiestan especialmente cuando existen rigideces en la oferta, diferencias significativas en los incentivos fiscales o una elevada concentración territorial de determinadas modalidades de uso, como el alojamiento turístico. En este contexto, la política pública desempeña un papel clave en la configuración de los incentivos y en la corrección de posibles distorsiones.

Desde una perspectiva de eficiencia económica, uno de los principales retos consiste en evitar que el marco fiscal y regulatorio induzca asignaciones ineficientes del parque residencial. Cuando la fiscalidad favorece de forma sistemática un determinado uso del inmueble, los inversores pueden reorientar sus decisiones no en función de la productividad social del activo, sino atendiendo exclusivamente a diferencias en la rentabilidad neta después de impuestos. Este comportamiento puede dar lugar a una utilización subóptima de la vivienda, especialmente en mercados locales con fuerte presión de la demanda residencial.

La evidencia disponible sugiere que los mercados de vivienda con mayor rigidez de la oferta son particularmente sensibles a cambios en los incentivos económicos. En estos contextos, incluso variaciones relativamente pequeñas en la rentabilidad neta pueden desencadenar procesos de reasignación de usos con efectos apreciables sobre las rentas del alquiler y sobre el acceso a la vivienda. En determinadas áreas urbanas, el aumento del precio del alquiler asociado a estos procesos se ha situado en torno al 5 a 10 por ciento en el periodo 2018-2023, según estimaciones recogidas en los Documentos

Ocasionales[28] y en los Informes Anuales del Banco de España[29] sobre el impacto del alojamiento turístico y de las restricciones de oferta en los mercados locales de vivienda, lo que plantea interrogantes sobre la sostenibilidad social de determinados equilibrios de mercado.

Desde el punto de vista distributivo, la inversión inmobiliaria presenta implicaciones relevantes. La revalorización del precio de la vivienda beneficia principalmente a los propietarios de activos inmobiliarios, mientras que el incremento de las rentas del alquiler afecta de manera más intensa a los hogares con menor capacidad de ahorro y menor acceso a la propiedad. La política fiscal puede contribuir a moderar o a amplificar estos efectos, en función de cómo se diseñen los impuestos sobre la renta, el patrimonio y las transacciones inmobiliarias.

En este sentido, un diseño fiscal coherente debería aspirar a equilibrar tres objetivos fundamentales. En primer lugar, garantizar una recaudación suficiente y estable. En segundo lugar, minimizar las distorsiones en las decisiones de inversión y de uso del parque residencial. En tercer lugar, contribuir a la equidad en el acceso a la vivienda, evitando que los incentivos fiscales refuercen dinámicas excluyentes en determinados mercados locales. El logro simultáneo de estos objetivos no es trivial y requiere una evaluación cuidadosa de los efectos económicos de cada instrumento.

La fiscalidad del alojamiento turístico merece una atención específica en este marco. La existencia de tratamientos fiscales diferenciados respecto al alquiler residencial puede alterar de manera significativa los incentivos de los propietarios. Un tratamiento más favorable puede incentivar la conversión de viviendas, mientras que una carga fiscal excesiva puede desalentar la actividad o fomentar comportamientos de economía sumergida. El diseño de la fiscalidad turística debe, por tanto, tener en cuenta tanto la rentabilidad de la actividad como sus externalidades sobre el mercado de la vivienda y el entorno urbano.

Asimismo, la coordinación entre fiscalidad y regulación resulta esencial. Las restricciones administrativas al alojamiento turístico, cuando no se acompañan de un diseño fiscal coherente, pueden generar efectos no deseados, como la segmentación del mercado o la aparición de fórmulas informales de explotación. Desde una perspectiva

---

[28] Las referencias utilizadas incluyen los **Documentos Ocasionales** y los **Informes Anuales** del Banco de España, fuentes habitualmente empleadas por la institución en el análisis del mercado inmobiliario, los riesgos macrofinancieros y la evolución del crédito.

[29] Banco de España. (2023). *Informe anual 2023. https://www.bde.es/wbe/es/publicaciones/informes-memorias-anuales/informe-anual/informe-anual-2023.html. Recuperado el 30 de diciembre de 2025*; Banco de España. (2024). *Informe anual 2024. https://www.bde.es/wbe/es/publicaciones/informes-memorias-anuales/informe-anual/informe-anual-2024.html.* Recuperado el 30 de diciembre de 2025.

económica, la combinación de instrumentos fiscales y regulatorios debe orientarse a internalizar los costes sociales asociados a determinadas actividades sin bloquear innecesariamente la asignación eficiente de recursos.

Por último, conviene subrayar la importancia de disponer de información estadística fiable y actualizada para el diseño de políticas públicas eficaces. La utilización de indicadores agregados sobre precios, transacciones y usos del parque residencial permite identificar tendencias y evaluar el impacto de las medidas adoptadas. En este sentido, la mejora de las estadísticas sobre vivienda y alojamiento turístico constituye un elemento clave para una formulación de políticas basada en la evidencia.

VII. CONCLUSIONES

La inversión inmobiliaria desempeña un papel central en la economía, tanto por su peso en la acumulación de capital como por sus implicaciones sociales y territoriales. El análisis desarrollado en este capítulo pone de relieve que la vivienda, considerada como activo de inversión, presenta una combinación específica de rentabilidad, riesgo y liquidez que la distingue de otras alternativas de inversión y que condiciona de manera decisiva el comportamiento de los agentes económicos.

La rentabilidad de la inversión inmobiliaria se configura a partir de la interacción entre los flujos de renta derivados del alquiler y la evolución del precio del activo. Ambos componentes están sujetos a incertidumbre y dependen de factores macroeconómicos, institucionales y fiscales. La experiencia reciente muestra que la percepción de la vivienda como activo seguro puede verse cuestionada en contextos de corrección de precios o de cambios regulatorios significativos, lo que subraya la importancia de incorporar el riesgo en el análisis económico de esta inversión.

La fiscalidad emerge como un elemento clave en la determinación de la rentabilidad neta y en la configuración de los incentivos de los inversores. Los impuestos sobre la renta, el patrimonio y las transacciones influyen de manera directa en las decisiones de adquisición, explotación y transmisión de los inmuebles. Un diseño fiscal complejo o incoherente puede generar distorsiones en la asignación del parque residencial y favorecer determinadas modalidades de uso no necesariamente más eficientes desde el punto de vista social.

La expansión del alojamiento turístico de corta duración ha intensificado estas dinámicas al introducir una alternativa de uso del *stock* de vivienda con un perfil diferenciado de rentabilidad y riesgo. En determinados mercados locales, la reasignación de viviendas hacia el uso turístico ha tenido efectos apreciables sobre la oferta de alquiler residencial y sobre el nivel de las rentas, lo que ha alimentado un debate intenso sobre el papel de la política pública en la regulación de estos fenómenos.

Desde una perspectiva económica, el reto principal consiste en diseñar un marco fiscal y regulatorio que permita compatibilizar la actividad inversora con el acceso a la vivienda y la eficiencia del mercado. Ello exige un equilibrio cuidadoso entre objetivos recaudatorios, consideraciones de equidad y la necesidad de evitar distorsiones en las decisiones de los agentes. La evidencia sugiere que las políticas basadas en un análisis riguroso de los incentivos económicos y apoyadas en datos fiables tienen mayores probabilidades de alcanzar estos objetivos.

En definitiva, el estudio de los aspectos económicos de la inversión inmobiliaria ofrece claves fundamentales para comprender las tensiones actuales en el mercado de la vivienda y para orientar el diseño de políticas públicas más eficaces. La incorporación sistemática del análisis económico en el debate sobre fiscalidad y regulación de la vivienda resulta imprescindible para abordar estos desafíos de manera equilibrada y sostenible.

VIII. REFERENCIAS BIBLIOGRÁFICAS

Barron, K., Kung, E., y Proserpio, D. (2021). "The effect of home-sharing on house prices and rents: Evidence from Airbnb". *Marketing Science*, 40(1), 23-47. https://10.1287/mksc.2020.1227.

Campbell, J. Y., y Cocco, J. F. (2007). "How do house prices affect consumption? Evidence from micro data". *Journal of Monetary Economics*, 54(3), 591-621. https://doi.org/10.1016/j.jmoneco.2005.10.016

Glaeser, E. L. y Gyourko, J. (2002). "The impact of building restrictions on housing affordability". *Federal Reserve Bank of New York, Economic Policy Review, 2002*, 1-19.

Himmelberg, C., Mayer, C., & Sinai, T. (2005). "Assessing high house prices: Bubbles, fundamentals and misperceptions". *Journal of Economic Perspectives, 19*(4), 67-92. https://doi.org/10.1257/089533005775196769

Piazzesi, M., Schneider, M., y Tuzel, S. (2007). "Housing, consumption and asset pricing". *Journal of Financial Economics, 83*(3), 531-569. https://doi.org/10.1016/j.jfineco.2006.01.006

Poterba, J. M. (1984). "Tax subsidies to owner-occupied housing: an asset-market approach". *The quarterly journal of economics, 99*(4), 729-752. https://doi.org/10.2307/1883123

James M. Poterba. (1992). "Taxation and Housing: Old Questions, New Answers," *NBER Working Paper* 3963. https://doi.org/10.3386/w3963.

REFERENCIAS DE DATOS OFICIALES

Agencia Estatal de Administración Tributaria. (2024). *Estadisticas de los declarantes del IRPF.* https://sede.agenciatributaria.gob.es/AEAT/Contenidos_Comunes/La_Agencia_Tributaria/Estadisticas/Publicaciones/sites/irpf/2023/home.html

Banco de España. (2022). *El mercado inmobiliario en España: evolución reciente, riesgos y fuentes de información.* https://www.bde.es/f/webbe/GAP/Secciones/SalaPrensa/IntervencionesPublicas/DirectoresGenerales/economia/Arc/IIPP-2024-11-18-gavilan-es-or.pdf. Recuperado el 30 de diciembre de 2025.

Banco de España. (2022). *Informe anual 2022.* https://www.bde.es/wbe/es/publicaciones/informes-memorias-anuales/informe-anual/informe-anual-2022.html

Banco de España. (2023). *Informe anual 2023.* https://www.bde.es/wbe/es/publicaciones/informes-memorias-anuales/informe-anual/informe-anual-2023.html

Banco de España. (2024). *Informe anual 2024.* https://www.bde.es/wbe/es/publicaciones/informes-memorias-anuales/informe-anual/informe-anual-2024.html

Colegio de Registradores de España. (2025). *estadísticas de la propiedad. https://www.registradores.org/actualidad/portal-estadistico-registral/estadisticas-de-propiedad#portlet_com_liferay_journal_content_web_portlet_JournalContentPortlet_INSTANCE_92PKQIzgTNBS.* Recuperado el 30 de diciembre de 2025.

Dirección General del Catastro. (s. f.). *Estadísticas catastrales inmobiliarias.* Ministerio de Hacienda. https://www.catastro.meh.es. Recuperado el 30 de diciembre de 2025.

Instituto Nacional de Estadística (INE). (2021). *Censo de población y viviendas 2021.* https://ine.es/dynt3/inebase/es/index.htm?padre=8952&capsel=8953 Recuperado el 20 de diciembre de 2025.

Instituto Nacional de Estadística (INE). (2021). *Encuesta de Características Esenciales de la Población y Viviendas. https://www.ine.es/prensa/ecepov_2021_feb.pdf.* Recuperado el 30 de diciembre de 2015.

Instituto Nacional de Estadística (INE). (2025). *Encuesta de ocupación en apartamentos turísticos.* https://www.ine.es/jaxiT3/Tabla.htm?t=2022 Recuperado el 30 de diciembre de 2025.

Instituto Nacional de Estadística (INE). (2024). *Estadística de alquiler.* https://www.ine.es. Recuperado el 30 de diciembre de 2025.

Instituto Nacional de Estadística (INE). (2025). *Estadística experimental.* https://www.ine.es/experimental/viv_turistica/experimental_viv_turistica.htm. Recuperado el 30 de diciembre de 2025. Cambiada la referencia de 2023.

Instituto Nacional de Estadística (INE). (2025). *Índice de precios de vivienda.* https://www.ine.es/prensa/ipv_tabla1.htm. Recuperado el 30 de diciembre de 2025. He juntado 2022 y 2023 ya que en la pag salen juntos.

Ministerio de Hacienda. (2022). *Informe sobre la fiscalidad patrimonial en España.* https://www.hacienda.gob.es. Recuperado el 30 de diciembre de 2025.

Ministerio de Vivienda y Agenda Urbana. (2025). *Transacciones inmobiliarias.* https://apps.fomento.gob.es/BoletinOnline2/?nivel=2&orden=34000000. Recuperado el 20 de diciembre de 2025.

Ministerio de Fomento. (1998-2007). *Serie histórica de precios de la vivienda libre.* Gobierno de España.

VIVIENDA VS ALOJAMIENTO TURÍSTICO: CLAVES PARA UNA DELIMITACIÓN JURÍDICA DESDE EL DERECHO PRIVADO

Mª Rosa Tapia Sánchez
Profesora Titular de Derecho Mercantil
Universidad Rey Juan Carlos
ORCID 0000-0001-7064-3130

I. MOTIVACIÓN DEL TEMA

El auge de las plataformas digitales de alquiler turístico ha propiciado la conversión de numerosas viviendas residenciales en alojamientos para visitantes de corta estancia. Este fenómeno ha generado una doble tensión. Por un lado, una tensión social, ante la preocupación de que la proliferación de viviendas de uso turístico reduzca la oferta de alquileres de larga duración y encarezca el acceso a una vivienda adecuada. Por otro lado, una tensión jurídica, al constatarse que el marco normativo tradicional no ofrece respuestas claras para delimitar cuándo nos hallamos ante un arrendamiento de vivienda o de temporada —propio del Derecho civil— y cuándo ante un alojamiento de carácter turístico regulado por el Derecho administrativo sectorial. La correcta delimitación entre ambas figuras resulta esencial, pues conlleva consecuencias jurídicas relevantes: determina la normativa aplicable (civil, administrativa, urbanística), los derechos y obligaciones de las partes (por ejemplo, las diferentes garantías y duraciones en arrendamientos urbanos frente a contratos de hospedaje), la protección de los consumidores y usuarios, el régimen de las comunidades de propietarios, el cumplimiento de obligaciones fiscales, etc. Asimismo, esta cuestión trasciende el ámbito privado y se ve complicada por la fragmentación normativa derivada del reparto competencial entre el Estado, las Comunidades Autónomas y las entidades locales, lo cual ha dado lugar a puntos de fricción y a una proliferación de regulaciones heterogéneas.

En este contexto, el presente capítulo analiza las claves para una delimitación jurídica entre la vivienda y el alojamiento turístico, integrando un enfoque desde el Derecho Privado, pero sin perder de vista las implicaciones urbanísticas y administrativas.

II. MARCO CONSTITUCIONAL Y PRINCIPIOS GENERALES

La dicotomía entre vivienda residencial y alojamiento turístico debe analizarse, en primer término, a la luz de los principios y derechos constitucionales implicados. De un lado, el artículo 47 de la Constitución consagra el *derecho de todos los españoles a disfrutar de una vivienda digna y adecuada*, que si bien no es un derecho fundamental de acción directa, sí impone a los poderes públicos un deber de orientar las políticas para garantizar la función social de la vivienda. El creciente fenómeno de destinar viviendas al alquiler turístico ha llevado a algunas Administraciones a justificar restricciones apoyándose en la necesidad de proteger ese derecho a la vivienda y evitar su encarecimiento en determinadas zonas. De otro lado, el artículo 33 de la Constitución reconoce el *derecho a la propiedad privada*, derecho que sin embargo no es absoluto: su función social delimita su contenido y puede dar pie a limitaciones por interés general. Cuando un propietario desea destinar su vivienda a un uso turístico, ejerce legítimamente su derecho de propiedad y su libertad de empresa (art. 38 CE) al desarrollar una actividad económica; pero al mismo tiempo, ese ejercicio puede ser restringido o condicionado normativamente para proteger otros intereses públicos, como el orden urbanístico, el acceso a la vivienda o la convivencia vecinal.

Encontrar el *equilibrio* entre esos intereses privados y colectivos es una tarea delicada. La respuesta jurídica debe respetar principios constitucionales estructurales, entre ellos el de seguridad jurídica (art. 9.3 CE), que exige que la regulación sea clara, coherente y no sobrecargada de cambios contradictorios. Sin embargo, la realidad hasta ahora ha sido la opuesta: la proliferación de normas locales y autonómicas, a veces divergentes, ha generado cierta incertidumbre jurídica para propietarios y usuarios. Por ello, cobra importancia también el principio de unidad de mercado (art. 139 CE), desarrollado en la *Ley 20/2013, de 9 de diciembre, de garantía de la unidad de mercado*. Dicha ley obliga a que las autoridades eviten la fragmentación del mercado por normas dispares y solo establezcan límites al acceso o ejercicio de actividades económicas cuando medien razones imperiosas de interés general debidamente justificadas. En la misma línea, la *Directiva 2006/123/CE de servicios* (y la *Ley 17/2009*, que la traspone al ordenamiento interno) impone que cualquier restricción a una actividad de servicios —como puede ser la explotación turística de viviendas— debe obedecer a motivos de interés general (protección de consumidores, orden público, entorno urbano, etc.) y superar un test de proporcionalidad y necesidad. Estos criterios han sido invocados frecuentemente en los procesos judiciales sobre regulación de viviendas turísticas[1].

Asimismo, entra en juego el principio de autonomía local (art. 140 CE). Los municipios, en ejercicio de sus competencias de planeamiento urbanístico y ordenanzas, han dictado medidas para regular o limitar los alojamientos turísticos en su término municipal. Estas potestades municipales están amparadas en la Constitución y en las leyes, pero deben ser compatibles con las competencias autonómicas y estatales y ejercerse respetando los principios antes mencionados (proporcionalidad, seguridad jurídica, no discriminación). El Tribunal Supremo ha confirmado, por ejemplo, que los Ayuntamientos pueden limitar o someter a condiciones la oferta de viviendas de uso turístico en suelo residencial cuando existan imperiosas razones de interés general que lo justifiquen (tales como la protección del entorno urbano o del mercado de vivienda), siempre que dichas medidas sean proporcionadas[2]. De este modo, el *marco constitucional* exige un complejo equilibrio entre el derecho a la vivienda y la calidad de vida urbana, sin anular la libertad de empresa de los oferentes de alojamientos turísticos.

---

1 Al respecto la STS 808/2025, de 24 de junio, sala de lo Contencioso-Administrativo, Recurso de casación núm. 2700/2023.

2 Pérez Guerra, R. Algunas consideraciones sobre el régimen jurídico-administrativo de los pisos turísticos: las viviendas turísticas versus a los apartamentos turísticos. Especial referencia a la Comunidad Autónoma de Andalucía, *en La administración al día*, 12/12/2025. La Administración al Día - Edición de 12/12/2025

III. DISTINCIÓN: VIVIENDA VS. ALOJAMIENTO TURÍSTICO

La dificultad de delimitar conceptualmente lo que debe entenderse por *vivienda* (a efectos residenciales) frente a qué debe considerarse *alojamiento turístico* radica en que ambas realidades pueden solaparse físicamente (un mismo inmueble puede ser utilizado como hogar permanente o arrendarse temporalmente a turistas), por lo que es necesario recurrir a criterios jurídicos para distinguirlas. En esencia, la diferencia suele establecerse atendiendo al uso y finalidad: la vivienda se destina a residencia habitual o permanente de personas, mientras que el alojamiento turístico implica una cesión temporal de un inmueble amueblado para una estancia de corta duración con finalidad lucrativa en el marco de una actividad turística. Ahora bien, esta distinción general debe precisarse acudiendo a los elementos fácticos que la jurisprudencia y la doctrina han identificado como relevantes.

1. CONCEPTO Y RÉGIMEN JURÍDICO DE LA VIVIENDA

En el Derecho español, el concepto legal de *vivienda* ha sido recogido en *la Ley 12/2023, de 24 de mayo, por el derecho a la vivienda*. El artículo 3.a) de dicha ley define la vivienda como "edificio o parte de un edificio de carácter privativo y con destino a residencia y habitación de las personas, que reúne las condiciones mínimas de habitabilidad exigidas legalmente". Se enfatiza, por tanto, su vocación de ser morada habitual o permanente de las personas, satisfaciendo necesidades de habitación digna. En coherencia con esta definición, el régimen jurídico civil aplicable a los arrendamientos de vivienda se encuentra en la *Ley 29/1994, de Arrendamientos Urbanos* (LAU), que en su artículo 2 considera *arrendamiento de vivienda* aquel destinado a satisfacer la *"necesidad permanente de vivienda del arrendatario*. Estos arrendamientos de vivienda habitual gozan de un estatuto protector (duración mínima, prórrogas obligatorias, limitaciones de renta en algunos casos, etc.) orientado a garantizar la estabilidad en el hogar del arrendatario.

Distinto del arrendamiento de vivienda (habitual) es el arrendamiento para uso distinto de vivienda, dentro del cual se incluye el llamado *arrendamiento de temporada*. Este se refiere a alquileres de inmuebles para una estancia temporal por motivos de trabajo, estudios, vacaciones u otros, *sin que el inmueble arrendado constituya la residencia permanente* del inquilino (art. 3.2 LAU). Los arrendamientos de temporada se rigen por lo pactado por las partes y, supletoriamente, por la LAU en lo no excluido, pero no disfrutan de la misma protección intensa que los arrendamientos de vivienda habitual.

Hasta 2013, muchos alquileres turísticos encajaban técnicamente en la categoría de arrendamiento de temporada y quedaban bajo el paraguas de la LAU. Sin embargo, ese panorama cambió con *la Ley 4/2013, de 4 de junio*, que introdujo una exclusión expresa en el ámbito de la LAU: añadió la letra e) al art. 5, disponiendo que *"la cesión tempo-*

ral de uso de la totalidad de una vivienda amueblada y equipada en condiciones de uso inmediato, comercializada o promocionada en canales de oferta turística o por cualquier otro modo de comercialización o promoción, y realizada con finalidad lucrativa, cuando esté sometida a un régimen específico derivado de su normativa sectorial turística" quedará excluida del ámbito de aplicación de la LAU. Es decir, la LAU deja fuera los alquileres de viviendas con fines turísticos siempre que existan normas sectoriales de turismo que las regulen. Con ello, a partir de 2013 la regulación civil de estos alquileres quedó desplazada por la normativa turística autonómica —en aquellas CCAA que la habían dictado— o continuó rigiéndose como arrendamiento de temporada civil en las CCAA que aún no habían legislado al respecto.

2. EL ALOJAMIENTO TURÍSTICO EN LA NORMATIVA SECTORIAL

Tradicionalmente, el arquetipo de alojamiento turístico han sido los establecimientos hoteleros (hoteles, hostales, pensiones) y extrahoteleros (campings, casas rurales, etc.), sujetos a regulación administrativa sobre requisitos de calidad, seguridad, clasificación por estrellas, precios, etc. En los últimos años, se han incorporado con gran fuerza las llamadas viviendas de uso turístico —también denominadas según la comunidad autónoma como *viviendas vacacionales, alojamientos vacacionales, viviendas con fines turísticos*, etc... A grandes rasgos, todas estas expresiones aluden a viviendas privadas que son cedidas temporalmente en alquiler a turistas, constituyendo una actividad económica de alojamiento alternativa al alojamiento hotelero tradicional.

Cada Comunidad Autónoma ha definido en su normativa sectorial qué debe entenderse por vivienda de uso turístico o figura análoga. A pesar de la disparidad terminológica, puede extraerse una definición común ampliamente aceptada por la doctrina[3], que define la vivienda de uso turístico como *"aquella que, amueblada y equipada para ser utilizada de inmediato, es cedida de modo temporal, habitual y lucrativo por su propietario a terceros a través de una previa comercialización o promoción mediante canales de distribución de la oferta turística".* Cumplidos esos requisitos, la vivienda deja de ser jurídicamente solo un domicilio para convertirse en un establecimiento de alojamiento turístico a efectos legales. Esto tiene implicaciones inmediatas: la explotación de la vivienda se sujeta a las exigencias y controles administrativos que impone la normativa sectorial de turismo de la Comunidad Autónoma correspondiente (registro, comunicación o licencia, estándares de calidad, seguros, hojas de reclamaciones, pago de tasas turísticas si las hay, etc.). Además, deja de aplicarse la LAU en cuanto a derechos del ocupante, y la relación con el usuario-poseedor pasa a regirse por las condiciones contractuales fijadas

[3] Guillén Navarro, N. A. (2015) "La vivienda de uso turístico y su incidencia en el panorama normativo español". *Revista Aragonesa de Administración Pública*, n. 45-46, pág. 119.

(que suelen ser de muy corta duración y sin estabilidad) y por la legislación de consumo y turismo.

Las normativas autonómicas, pese a su heterogeneidad, suelen coincidir en varios puntos clave[4]: (a) Objetivos: pretenden garantizar la protección de los turistas como consumidores, promover la calidad y sostenibilidad de la oferta. (b) Definición y categorías: definen qué se entiende por apartamento turístico (normalmente unidades en edificios explotados por empresa única) y por vivienda de uso turístico (cesión de viviendas independientes, a menudo por particulares), distinguiendo modalidades (viviendas turísticas en bloque completo vs. viviendas en edificios residenciales mezclados con vecinos, o alquiler de la vivienda completa vs. por habitaciones). (c) Requisitos de uso y equipamiento: se imponen condiciones mínimas de habitabilidad y servicios (ej. ventilación, mobiliario adecuado, extintores, aire acondicionado en algunas normativas, etc.). (d) Régimen de explotación: se puede exigir una declaración responsable o inscripción en un registro autonómico antes de iniciar la actividad, y en ciertos casos una licencia previa cuando así lo determine el planeamiento urbanístico. También se suele requerir la exhibición de un número de registro en la publicidad, así como el cumplimiento de obligaciones fiscales y de seguridad (comunicación de viajeros a policía, etc.). Esto ha obligado a conciliar esta actividad con el entorno residencial en el que se insertan, problema que ha tenido que afrontar tanto la normativa autonómica (al establecer, por ejemplo, límites de capacidad, requisitos de insonorización, etc.) como la normativa local.

Por otro lado, en la práctica, la distinción entre vivienda y alojamiento turístico no está exenta de *áreas grises*. Por ejemplo, ¿qué ocurre con un alquiler de temporada prolongada (varios meses) a un desplazado por trabajo? Formalmente es un arrendamiento de temporada civil, pero podría caber en definiciones amplias de turismo si el inquilino lo encontró por Airbnb. O el caso inverso: estancias cortas pero por motivos laborales (no ocio) ¿son "turísticas"? En cualquier caso, hoy se tiende a englobar bajo *viviendas de uso turístico (VUT)* las cesiones de corta estancia con fines de ocio o desplazamiento temporal, quedando los arrendamientos de temporada no turísticos para supuestos más excepcionales o para aquellas situaciones que *escapen* al régimen turístico (por no usar canales mercantiles, por exceder duración permitida, etc.).

Por último, conviene apuntar que en la delimitación conceptual subyace también una cuestión de política jurídica: determinar si la VUT debe seguir el tratamiento de una simple relación contractual privada (arrendaticia) o si, por su impacto económico y social, merece una consideración más próxima a la de una *actividad empresarial regulada*. La evolución normativa parece haber optado por lo segundo, dada la magnitud del fenómeno, incorporándolo al Derecho Administrativo del turismo. Esta decisión

4 Pérez Guerra, R. Algunas consideraciones...*cit*, pág. 2.

normativo-política tiene consecuencias que analizaremos a continuación en cuanto al reparto de competencias y la normativa aplicable.

IV. NORMATIVA APLICABLE

La delimitación entre vivienda y alojamiento turístico no solo es conceptual, sino que conlleva la aplicación de marcos normativos diferentes, tanto desde el nivel estatal hasta el local, pasando por el autonómico.

1. NORMATIVA ESTATAL

En la esfera estatal, tres bloques normativos inciden sobre esta materia: la legislación civil, la legislación sectorial turística básica (hoy prácticamente derogada en favor de la autonómica) y la legislación administrativa transversal (fiscal, de unidad de mercado, etc.).

En el ámbito civil, la ya mencionada *Ley de Arrendamientos Urbanos (LAU)* es la piedra angular. La reforma de 2013 de la LAU (Ley 4/2013) y la posterior de 2019 (RDL 7/2019) clarificaron que los arrendamientos de viviendas con fines turísticos, cuando estén sometidos a normativa específica, no se rigen por la LAU (art. 5.e LAU). Por tanto, el Estado, mediante norma civil, delimitó negativamente su ámbito para dejar espacio a la normativa turística. Conviene señalar que, en ausencia de normativa turística aplicable o si el alquiler turístico no cumple los requisitos para ser considerado *de su normativa sectorial*, puede teóricamente reconducirse a la LAU como arrendamiento de temporada, aunque esta es una situación cada vez menos frecuente dado el desarrollo normativo autonómico.

Junto a la LAU, en el ordenamiento estatal destaca la *Ley 12/2023, de 24 de mayo, por el derecho a la vivienda.* Si bien esta Ley se centra principalmente en vivienda residencial (arrendamientos urbanos, vivienda protegida, grandes tenedores, etc.), no es ajena al fenómeno turístico. En su Exposición de Motivos, la Ley 12/2023 reconoce la incidencia del alquiler vacacional en el mercado de vivienda en determinadas zonas tensionadas, y faculta a las Administraciones para tomar medidas en zonas declaradas de mercado residencial tensionado. Un ejemplo es la coordinación con normativas autonómicas: Cataluña declaró 140 municipios como "zonas de mercado residencial tensionado" al amparo de la Ley 12/2023[5]; y solapadamente aprobó restricciones a las nuevas VUT en muchos de ellos.

5 Sentencia 64/2025, de 13 de marzo de 2025. Recurso de inconstitucionalidad 798-2024. Interpuesto por más de cincuenta diputados del Grupo Parlamentario Popular en el Congreso

Por lo que respecta a la normativa sectorial turística estatal, tras la Constitución de 1978 y el reparto competencial, el turismo es competencia de las Comunidades Autónomas (art. 148.1.18ª CE), siendo escasas las normas estatales que lo regulan[6].

En materia fiscal y de prevención del fraude, el Estado ha intervenido directamente sobre la economía colaborativa del alquiler turístico mediante el Real Decreto 1070/2017, de 29 de diciembre. Este Real Decreto —modificando reglamentos tributarios— introdujo la obligación de informar a Hacienda de los alquileres turísticos a cargo de las plataformas intermediarias (formulario 179), con el fin de aflorar rentas hasta entonces opacas y luchar contra la evasión fiscal. Se considera esta medida como un paso importante para adecuar el control fiscal a la realidad de plataformas tipo Airbnb. Así, desde 2018 las plataformas deben suministrar periódicamente datos de los propietarios, ingresos, estancias, etc., de los alquileres turísticos que gestionan. Asimismo, algunas comunidades autónomas o entes locales han establecido tributos específicos sobre estancias turísticas (como la tasa turística catalana o balear), pero esos tributos se apoyan en leyes autonómicas con habilitación estatal básica en legislación tributaria.

2. NORMATIVA AUTONÓMICA

El grueso de la normativa sobre viviendas y alojamientos turísticos se halla en las Comunidades Autónomas, quienes en ejercicio de sus competencias han aprobado en la última década disposiciones para regular la actividad de alquiler turístico de viviendas. Esta proliferación normativa autonómica comenzó a partir de 2013, una vez que la reforma de la LAU mencionada dejó vía libre a la "ordenación específica" de los apartamentos y viviendas turísticas por las CCAA. El resultado ha sido un mosaico de normativas con notables diferencias de criterio, aunque con fundamentos comunes. Sería prolijo detallar cada normativa autonómica, pero apuntaremos como ejemplos

---

en relación con diversos preceptos del Decreto-ley del Gobierno de la Generalitat de Cataluña 3/2023, de 7 de noviembre, de medidas urgentes sobre el régimen urbanístico de las viviendas de uso turístico. Límites de los decretos-leyes: justificación de la concurrencia del presupuesto habilitante para el dictado de una norma de urgencia que, en determinados municipios, supedita la posibilidad de destinar viviendas para uso turístico a la previsión expresa en el planeamiento urbanístico y la obtención de licencia previa, limitada en número y vigencia. Voto particular.

6 Una norma estatal sectorial digna de mención es la Ley 4/2012, de 6 de julio, que regula los contratos de aprovechamiento por turno de bienes de uso turístico (time-sharing). Esta ley, que traspone directivas europeas, se aplica a una figura muy específica (multipropiedad vacacional) distinta del alquiler turístico habitual; no obstante, conviene citarla porque aporta definiciones de *"bienes de uso turístico"* y protección a consumidores en servicios vacacionales, integrando el elenco de normativa estatal sobre alojamientos turísticos atípicos

más representativos, la normativa en Andalucía[7], Cataluña[8], Comunidad de Madrid[9], Comunitat Valenciana[10], Islas Baleares[11] y Canarias[12].

Las normativas autonómicas presentan soluciones diversas en temas como: requisitos técnicos, necesidad de licencia o simple comunicación, posibilidad de alquiler por habitaciones, limitaciones por zonas, cupos, estancias máximas anuales, etc. Esta heterogeneidad normativa ha generado no solo desconcierto en los operadores sino un abundante contencioso que ha sido resuelto por los Tribunales Superiores de Justicia de cada autonomía y por el Tribunal Supremo. De hecho, el Tribunal Supremo, en lo que podríamos llamar una *primera fase* (2018-2019), declaró nulas aquellas restricciones más claramente desproporcionadas: p. ej., la estancia mínima de 5 días (Madrid), la exigencia de visado colegial de planos (Madrid), la prohibición absoluta de viviendas vacacionales en zonas turísticas (Canarias), la prohibición de alquiler parcial (Canarias, C. León) si la ley autonómica no la contemplaba, o ciertos requisitos técnicos excesivos. A la vez, confirmó otras medidas que consideró justificadas o amparadas por la ley (v.gr., en Galicia validó la prohibición de alquiler por habitaciones porque la Ley gallega la preveía).

---

7 En Andalucía se regularon las viviendas con fines turísticos mediante el Decreto 28/2016 (mod. 2022), exigiendo declaración responsable, límites de capacidad (15 plazas), permitiendo el alquiler por habitaciones con propietario residente y estableciendo requisitos de equipamiento y servicios. Fue una norma pionera, aunque algunos requisitos fueron anulados judicialmente por exceder la habilitación legal.

8 Cataluña diferenció entre viviendas de uso turístico y apartamentos turísticos (Ley de Turismo y Decreto 159/2012). Destaca la fuerte intervención urbanística, especialmente en Barcelona con el PEUAT (2017), y el Decreto-ley 3/2023, que condiciona nuevas VUT al planeamiento y a licencias limitadas. Este último fue validado por el Tribunal Constitucional (STC 64/2025).

9 En la Comunidad de Madrid, tras anularse la exigencia de estancia mínima de 5 noches (Decreto 79/2014), el Decreto 29/2019 introdujo la acreditación de compatibilidad urbanística y, en la práctica, un límite de 90 días anuales sin licencia terciaria, prohibiendo además el uso simultáneo residencial y turístico.

10 En la Comunitat Valenciana, el Decreto 10/2021 sustituyó al régimen anterior y clasificó las VUT según su convivencia con uso residencial. Permite la explotación por personas físicas y jurídicas y exige informe municipal previo de compatibilidad urbanística desde 2018.

11 En las Islas Baleares, la Ley 8/2012 estableció un sistema muy restrictivo: zonificación insular, cupos de plazas turísticas y, en Palma, prohibición del alquiler turístico en edificios plurifamiliares. El Tribunal Supremo (STS 2023) avaló estas prohibiciones si responden a razones imperiosas y cuentan con cobertura legal.

12 En Canarias, el Decreto 113/2015 prohibió inicialmente las VUT en zonas turísticas y el alquiler por habitaciones. El Tribunal Supremo anuló ambas prohibiciones por falta de justificación y cobertura legal, obligando a una posterior flexibilización del régimen.

En una *segunda fase*, más reciente, el foco se ha desplazado a las medidas urbanísticas locales sobre viviendas turísticas (planes especiales municipales), donde el Tribunal Supremo ha tenido que fijar doctrina acerca de qué pueden hacer los ayuntamientos. Las CCAA han ido incorporando en sus propias leyes de turismo habilitaciones expresas a los municipios para intervenir[13]. Este *diálogo normativo* entre niveles autonómico y local muestra la complejidad de la regulación, que debe encajar como piezas: la Comunidad Autónoma fija el régimen general de las viviendas turísticas, pero a menudo delega o condiciona la efectividad de ese régimen a lo que disponga el planeamiento municipal.

3. NORMATIVA LOCAL

El nivel local añade una capa adicional de regulación a través del planeamiento urbanístico y de las ordenanzas municipales. Los ayuntamientos no tienen competencia directa para regular la actividad turística en sí (que es autonómica), pero sí para ordenar los usos del suelo en su término y para velar por la convivencia y el medio ambiente urbano. A través de esas vías, numerosos municipios han intervenido para controlar la proliferación de viviendas turísticas en áreas residenciales.

La herramienta más utilizada ha sido la figura del Plan Especial urbanístico u otras modificaciones del Plan General de Ordenación Urbana (PGOU) que incorporan una regulación específica del *uso de vivienda turística*. Por ejemplo, el Ayuntamiento de Barcelona aprobó en 2017 el Plan Especial Urbanístico de Alojamientos Turísticos (PEUAT), que zonificó la ciudad en áreas de crecimiento cero (donde no se admiten nuevas licencias de alojamiento turístico, incluidas VUT) y áreas de decrecimiento o contención. Este plan fue impugnado, pero el Tribunal Superior de Justicia de Cataluña lo avaló en gran medida, y el Tribunal Supremo finalmente confirmó la legitimidad de aplicar la planificación urbanística para limitar la implantación de viviendas de uso turístico por motivos de protección del tejido residencial. Otros municipios han seguido caminos similares[14].

13 Por ejemplo, la Ley balear 8/2012, art. 75.3 (modificada en 2017), autorizó a los *Consells Insulars* y ayuntamientos a delimitar zonas donde se permite o prohíbe el alquiler turístico en viviendas, política que fue aceptada por el TS. O la Ley catalana 11/2020 facultó a los ayuntamientos a exigir licencia previa para nuevas VUT.

14 En San Sebastián se aprobó un plan especial en 2018 restringiendo las VUT a plantas bajas o primeras plantas de edificios y prohibiéndolas en ciertas áreas; Madrid en 2019 incluyó en su Plan General una disposición que equiparaba a "uso terciario-hospedaje" cualquier vivienda alquilada más de 90 días al año a turistas, exigiendo por tanto licencia de cambio de uso (y además estableció que en edificios residenciales, solo podrían obtener licencia si tenían acceso independiente del resto de vecinos, condición que en la práctica muy pocas cumplían). Esta

Además del planeamiento, algunos ayuntamientos han usado ordenanzas municipales para temas puntuales: por ejemplo, ordenanzas de convivencia ciudadana que sancionan comportamientos incívicos de turistas (ruido, fiestas) o fijan horarios de check-in, o incluso ordenanzas fiscales creando tasas por servicios ligados a VUT (limpieza, recogida basuras especial). Un caso peculiar es el de Sevilla, que en 2021 aprobó una ordenanza obligando a las VUT a instalar medidores de ruido y a inscribirse en un registro local, con multas por exceso de decibelios, buscando así minimizar el impacto en vecinos. Si bien estas ordenanzas inciden más en la gestión de la actividad que en su autorización, reflejan la creciente implicación local.

Desde el punto de vista del Derecho Privado, la consecuencia es que la autonomía de la voluntad del propietario para destinar su inmueble al alquiler turístico no es absoluta, sino que está sujeta a la limitación del *ius variandi* por las regulaciones urbanísticas.

V. COMPETENCIA NORMATIVA

La dispersión normativa en materia de vivienda y alojamiento turístico se explica fundamentalmente por el reparto competencial propio del Estado autonómico. La coexistencia de normas estatales, autonómicas y locales, no siempre armónicas entre sí, responde a que cada nivel de gobierno ostenta competencias sobre distintos aspectos del

regulación madrileña supuso un virtual veto a las VUT en la almendra central, y fue objeto de recursos; el TSJ de Madrid inicialmente dio la razón al ayuntamiento en 2020 en cuanto a la necesidad de licencia, pero está pendiente la evolución jurisprudencial posterior. Valencia, por su parte, aprobó el Plan Especial de Ciutat Vella 2020 que permitía VUT solo bajo ciertas modalidades (V1 —propietario residente, máx. 60 días/año— y V2 —edificios completos turísticos—) e imponía distancias mínimas de 150 m entre viviendas turísticas nuevas. Ese plan fue anulado parcialmente por el TSJ de la Comunidad Valenciana en 2022, al considerar injustificadas varias de esas limitaciones (como exigir que el propietario sea persona física residente, o limitar a 60 días, o la distancia fija) por falta de motivación suficiente en el plan. Tanto el Ayuntamiento como la Asociación de Apartamentos recurrieron en casación, y el Tribunal Supremo admitió el caso señalando como cuestión de interés aclarar en qué condiciones son válidas las restricciones urbanísticas a las VUT a la luz de la proporcionalidad y la no discriminación. Este proceso culminó con la Sentencia del Tribunal Supremo nº 109/2023, de 31 de enero de 2023, relativa a Palma de Mallorca, y otras sentencias de 2021-2023 que han ido delineando la doctrina: el planeamiento urbanístico puede limitar la implantación de viviendas turísticas si hay razones de interés general (p. ej. proteger el derecho a la vivienda, evitar molestias, preservar la identidad de barrios), pero las medidas deben ser coherentes y no arbitrarias (por ejemplo, no se puede permitir sin límite unos alojamientos terciarios —hoteles, oficinas— y prohibir solo las VUT sin justificación, porque sería discriminatorio). En el caso de Valencia, el TS en 2023 puso el acento en analizar si era proporcionado prohibir VUT de personas jurídicas o exigir residencia del propietario, etc., comparado con hoteles u otros usos.

fenómeno, lo que obliga a examinar no solo quién regula qué, sino también los límites recíprocos que deben respetarse.

El Estado conserva un papel esencial de marco general. Le corresponde la legislación civil y mercantil, así como las bases en materia de protección de consumidores y de ordenación general de la economía. En este contexto, la *Ley de Arrendamientos Urbanos* resulta decisiva al fijar las categorías básicas del arrendamiento y excluir expresamente las viviendas de uso turístico, delimitación que las Comunidades Autónomas no pueden contradecir. Asimismo, aunque el urbanismo es competencia autonómica, el Estado dicta legislación básica —como el *Texto Refundido de la Ley de Suelo y Rehabilitación Urbana (Real Decreto Legislativo 7/2015, de 30 de octubre)*— que establece categorías de uso, principios de la actividad urbanística y garantías procedimentales que condicionan el planeamiento y la intervención municipal sobre los usos turísticos.

Otro pilar estatal es la garantía de la unidad de mercado y de la libre prestación de servicios, articulada a través de las Leyes 17/2009 y 20/2013. Estas normas actúan de forma transversal como límite a regulaciones autonómicas o locales que impongan restricciones desproporcionadas a la actividad de alojamiento turístico. La actuación de la CNMC y del Consejo para la Unidad de Mercado ha sido relevante en este ámbito, logrando en ocasiones la eliminación de trabas consideradas injustificadas[15]. Junto a ello, la protección de los consumidores se rige por normativa estatal básica, de modo que los derechos de los usuarios de viviendas turísticas se garantizan con independencia de la diversidad regulatoria autonómica[16]. Finalmente, aunque de forma indirecta, la normativa estatal fiscal y de Seguridad Social incide en la actividad, especialmente cuando la explotación de viviendas turísticas adquiere carácter profesional o incluye servicios propios de la industria turística[17].

Las Comunidades Autónomas ostentan, no obstante, la competencia principal para regular el alojamiento turístico. En virtud de sus Estatutos, han asumido competencias amplias en turismo y urbanismo, y en ese marco han aprobado normas específicas sobre viviendas de uso turístico, definiendo modalidades, requisitos de funcionamiento,

15 De hecho, el Consejo de Unidad de Mercado ha conocido de conflictos sobre VUT interpuestos por la CNMC, y en algunos casos se logró la eliminación voluntaria de trabas (por ejemplo, ciertas CCAA retiraron la exigencia de segunda residencia para VUT tras advertencias de la CNMC, como sucedió con Asturias).

16 Un caso ilustrativo es la obligación de disponer de hojas de reclamaciones y exhibir un teléfono de atención, que viene exigido por normativa de consumo en casi todas partes (estatal o autonómica) y se aplica a las VUT como a cualquier servicio.

17 Por ejemplo, la cuestión de si un propietario que alquila múltiples viviendas turísticas debe darse de alta como autónomo y cotizar en Seguridad Social ha sido debatida en tribunales laborales. La Seguridad Social (estatal) ha considerado en casos que sí procede alta de autónomo cuando la actividad es sistemática y con servicios propios de industria turística.

registros administrativos y regímenes sancionadores[18]. Esta potestad explica que todas las Comunidades hayan legislado sobre la materia, aunque con soluciones muy dispares, condicionadas por sus prioridades económicas, sociales y territoriales. Si bien deben respetar las bases estatales y la libertad de mercado, disponen de un amplio margen para diseñar su propio modelo regulatorio.

En el ámbito urbanístico, aunque los Ayuntamientos elaboran los planes, lo hacen conforme a la legislación autonómica, lo que permite a las Comunidades integrar la cuestión de las viviendas turísticas en el planeamiento. Algunas han optado por reforzar la intervención municipal, exigiendo informes de compatibilidad urbanística o planeamiento habilitante; otras han establecido criterios más uniformes a escala regional. Esta diversidad se traduce en diferencias relevantes sobre si el uso turístico de una vivienda se considera compatible con el uso residencial o exige un cambio a uso terciario, generando escenarios jurídicos muy distintos según el territorio. De forma más indirecta, algunas Comunidades han invocado también su competencia en materia de vivienda para justificar restricciones a los usos turísticos en contextos de escasez residencial, aunque esta conexión presenta perfiles discutidos desde el punto de vista competencial.

Los Ayuntamientos, por su parte, carecen de competencia directa para regular la actividad turística, pero ejercen una influencia decisiva a través de sus atribuciones urbanísticas y de policía administrativa. Mediante el planeamiento, pueden condicionar o limitar la implantación de viviendas turísticas por razones de interés urbano, aprobar planes especiales o establecer moratorias de licencias mientras se redefine el modelo de ciudad. A ello se suman las licencias de actividad o de apertura, las ordenanzas de convivencia y medio ambiente urbano, y la disciplina urbanística, instrumentos que permiten controlar en la práctica el desarrollo de esta actividad. Estas potestades locales han sido clave para frenar procesos de saturación en determinadas ciudades, aunque también han generado conflictos por los cambios sobrevenidos en el marco regulatorio.

Todo este entramado competencial se encuentra sujeto a límites constitucionales transversales. La seguridad jurídica, la proporcionalidad, la interdicción de la arbitrariedad y la no discriminación operan como criterios de control de la validez de las regulaciones. La jurisprudencia ha anulado prohibiciones generales o restricciones carentes de justificación suficiente, pero ha avalado medidas de licencia, zonificación o contención cuando se fundamentan en razones imperiosas de interés general, como la protección del mercado de vivienda o del entorno urbano. Asimismo, se ha considerado que estas

---

18 Un ejemplo es la Ley 15/2018 de la Comunidad Valenciana, que modificó la Ley de Turismo y la Ley de Suelo para exigir ese informe municipal de compatibilidad previo a nuevas viviendas turísticas, integrando la perspectiva urbanística en la turística. Otro ejemplo: la ya citada reforma balear de 2017, que a través de la Ley turística dio potestad a Consells y Ayuntamientos para zonificar, lo que es en el fondo una norma de urbanismo turístico.

limitaciones no vulneran el contenido esencial del derecho de propiedad ni la libertad de empresa, siempre que no priven a la vivienda de su uso residencial y se apliquen de forma general y no confiscatoria.

VI. CONFLICTOS EN DERECHO PRIVADO

La coexistencia de la vivienda residencial y de la vivienda de uso turístico ha generado varios focos de conflicto jurídico-privado que pasamos a exponer.

1. ESTATUTO DE LAS PARTES CONTRATANTES

Un primer aspecto a dilucidar es qué categoría jurídica revisten quienes intervienen en el arrendamiento turístico de viviendas: ¿se trata de un simple contrato entre *particulares*, o entra en juego la protección al *consumidor* porque el propietario actúa como profesional? La respuesta puede variar caso por caso, pero la tendencia es considerar que cuando la explotación de viviendas turísticas se hace de forma habitual y con ánimo lucrativo, el propietario/gestor adquiere la condición de empresario, mientras que el huésped que alquila para fines turísticos es un consumidor. Esto encuadra la relación en el ámbito de la legislación de consumo, con las garantías que ello conlleva. Un turista que arrienda un apartamento para pasar unos días de vacaciones claramente lo hace en su esfera privada; en cambio, el propietario que ofrece su vivienda repetidamente a turistas, aunque sea persona física, en la práctica está realizando una actividad comercial de prestación de hospedaje, y más si la promociona en plataformas, con publicidad, tarifas, etc. Por tanto, numerosos servicios de viviendas turísticas han sido equiparados a servicios turísticos comerciales donde el cliente es consumidor: por ejemplo, las hojas de reclamaciones están pensadas para consumo, al igual que la normativa de precios (en algunas CCAA se obliga a exponer precios finalistas con IVA incluido, etc.).

Se plantea también qué ocurre si el propietario solo alquila esporádicamente, por ejemplo 2 semanas al año. ¿Sigue siendo empresario? Legalmente no se ha fijado umbral claro: en la práctica, en cuanto la persona se inscribe en el registro de turismo y obtiene ingresos recurrentes, la Administración lo trata como operador económico. La Agencia Tributaria también considera rendimientos de arrendamientos turísticos como actividades económicas si se dan ciertas condiciones (p. ej. contratar a una persona a tiempo completo para gestión o servicios). En ausencia de persona contratada, Hacienda los suele calificar como rendimientos de capital inmobiliario, pero en todo caso requieren tributación. Además, la Unión Europea ha impulsado que haya transparencia en la identidad de los anfitriones profesionales, de modo que plataformas como Airbnb distinguen ya si el anfitrión es "empresa" (por ejemplo, agentes inmobiliarios) o particular.

Este estatuto de las partes influye en varias cuestiones: a) Cláusulas contractuales abusivas: si el huésped es consumidor, se aplican los controles de abusividad típicos (p. ej. cláusulas de cancelación sin reembolso pueden ser examinadas bajo normativa de consumo, como hace a veces la autoridad de consumo). b) Responsabilidad por daños: un consumidor puede exigir responsabilidad civil al empresario por daños en la estancia en base a leyes de consumo con cierta inversión de la carga probatoria. c) Protección de datos: el gestor debe cumplir el GDPR al recopilar datos de clientes. d) Fiscalidad y Seguridad Social: si se considera actividad empresarial, se debería dar de alta en Hacienda (modelo 036) y, en teoría, en autónomos en la SS si se cumplen requisitos de habitualidad.

En conclusión, el *estatuto de las partes* se ha desplazado hacia una configuración *B2C* (business to consumer) en la mayoría de los alquileres turísticos, lo que es coherente con la idea de que se trata de un servicio incluido en la oferta turística. No obstante, hay que señalar que esto no elimina la naturaleza contractual privada: sigue siendo un contrato de arrendamiento de hospedaje entre dos sujetos, solo que uno con deberes y responsabilidades acrecentadas por su rol profesional. Para los propietarios que son comunidades de bienes o sociedades (caso de fondos de inversión que compran pisos para Airbnb), no hay duda de la profesionalidad. Para los propietarios individuales, queda a su apreciación pero con riesgo de ser calificados de empresarios si la administración lo detecta. Una propuesta normativa en este campo podría ser clarificar en la ley —posiblemente en la normativa de turismo o consumo— a partir de qué número de viviendas o de días alquilados se presume actividad empresarial, dando mayor seguridad.

2. NATURALEZA JURÍDICA DEL CONTRATO DE ALOJAMIENTO TURÍSTICO

El contrato por el cual un propietario o gestor cede temporalmente una vivienda amueblada a un turista a cambio de precio, ¿qué tipo contractual es? ¿Es un arrendamiento de vivienda, un arrendamiento de temporada, un contrato de hospedaje, un arrendamiento de servicios? La determinación de la naturaleza jurídica no es pacífica, pues tiene rasgos híbridos.

No es un arrendamiento de vivienda habitual (ya vimos que la LAU lo excluye si es turístico). Podría pensarse que es un arrendamiento de temporada común, pero la inclusión de servicios adicionales y la sujeción a normativa turística lo aproxima más al contrato de hospedaje clásico. El Código Civil español no define el contrato de hospedaje, pero tradicionalmente se entendía por tal aquel en que un hospedero (p. ej. hotelero) proporciona alojamiento (habitaciones) y en su caso comida u otros servicios a un huésped, mediante un precio global. Es un contrato atípico, mixto de arrendamiento de cosa y de servicios, con regulación dispersa (el CC sólo contiene algún artículo sobre responsabilidad del posadero por efectos de huéspedes, art. 1783 CC). Las *VUT*, al ofrecer generalmente solo el alojamiento (sin comidas, sin limpieza diaria obligatoria salvo quizás al final) podrían considerarse arrendamiento de cosa puro. Sin embargo, la realidad es que cada vez se ofrecen más *servicios anejos* (wifi, asesoría turística, a veces limpieza intermedia, etc.), y sobre todo se alquila en el marco de una empresa, lo cual asemeja la relación al hospedaje.

Algunos autores[19] defienden que el contrato de alquiler turístico es un contrato *sui generis* de empresa de hospedaje, distinto del típico arrendamiento urbano, y así debería reconocerlo la ley. De hecho, así lo tratan las normativas: la mayoría de leyes autonómicas de turismo incluyen a las VUT dentro de la categoría de *establecimientos de alojamiento turístico*, equiparándolas jurídicamente a efectos administrativos a un pequeño hotel o casa rural. No obstante, en el plano civil, subsiste la pregunta de qué régimen aplicar en caso de lagunas o disputas no cubiertas por la normativa turística administrativa, por ejemplo, si un huésped rompe algo o sufre un accidente, o si decide prolongar su estancia ilegalmente. Al respecto, debe tenerse en cuenta que para resolver estas situaciones las plataformas establecen mecanismos de resolución (arbitrajes, etc.).

Un problema práctico que pudiera plantearse se refiere a la situación de si un turista se niega a desalojar al vencer su reserva (*overstays*), ¿puede el propietario recurrir a la acción de desahucio de la LAU u otra, o debe llamarse a la policía por ocupación ilegal? Dado que no hay contrato de vivienda, no aplica el procedimiento especial de desahucio por falta de pago o fin de plazo (propio de LAU). Podría intentarse un desahucio por precario, alegando que ya no tiene título válido, o una reclamación posesoria. Pero la demora de un juicio haría la acción inútil si la estancia era corta. En la práctica, si es un moroso vacacional, algunos propietarios efectivamente llevan a cabo acciones alegando que el contrato de alojamiento es de naturaleza civil-mercantil y que al estar vencido, la persona deviene ocupante de hecho.

Otro elemento relevante es el régimen de cancelación anticipada del contrato. A diferencia de otros contratos celebrados a distancia, los servicios de alojamiento para una fecha o periodo concreto se encuentran expresamente excluidos del derecho de desistimiento de catorce días previsto en la normativa de protección de consumidores. En consecuencia, la reserva de una vivienda de uso turístico a través de plataformas como Airbnb no puede resolverse unilateralmente sin penalización, salvo que así se haya pactado contractualmente. Esta exclusión refuerza la calificación jurídica de la relación como prestación de un servicio de alojamiento turístico, y no como un arrendamiento civil ordinario, en el que el desistimiento presenta un régimen más flexible.

---

19 Hermosa Botello, J. M. B. (2024). *La dudosa constitucionalidad de la actual regulación autonómica de los alquileres turísticos*. Derecho Privado y Constitución, (45), 171-205. También Mesa Marrero, C. (2019). *Las viviendas de uso turístico y la cuestión competencial en materia civil*. InDret, (3), 1-43.

Así las cosas, la naturaleza contractual de la VUT se puede calificar como un contrato de alojamiento turístico (innominado en el Código Civil, pero típico en la práctica), con elementos propios de arrendamiento (entrega temporal de inmueble) y de prestación de servicios. Esto genera inseguridad jurídica en algunos aspectos, lo cual refuerza la propuesta de algunos autores[20], de que se elabore un marco normativo específico en el Código Civil o leyes especiales que regule estos contratos. Por ejemplo, cabría introducir en la LAU o en la legislación turística un capítulo sobre derechos y obligaciones de las partes en los alquileres turísticos, como existe en algunos países. Mientras esto no ocurra, es recomendable que las partes firmen contratos claros, supliendo la laguna legal con pactos: pero en la práctica, en las plataformas apenas hay un acuerdo de aceptación de condiciones estándar.

Por último, merece mención la cuestión de si el contrato de una plataforma con el viajero es un mero contrato de intermediación, siendo el contrato principal directamente con el anfitrión, o si la plataforma llega a ser parte del contrato de alojamiento. La justicia europea (caso *Airbnb Ireland, 2019*)[21] ha dicho que Airbnb es un prestador de servicios digitales, no una inmobiliaria, por lo que actúa como intermediario, no como arrendador. Sin embargo, en algunas circunstancias (v.gr., modalidad *Airbnb Plus* con servicios integrados) la distinción se difumina. En todo caso, desde el Derecho Privado clásico, la plataforma intermedia y la relación base es entre anfitrión y huésped.

3. LIMITACIONES IMPUESTAS POR LA PROPIEDAD HORIZONTAL

Uno de los ámbitos de mayor conflictividad jurídica en torno a las viviendas de uso turístico se sitúa en el seno de las comunidades de propietarios. El núcleo del debate reside en determinar hasta qué punto la comunidad puede limitar o excluir el destino turístico de los elementos privativos, en tensión con el derecho individual de propiedad y el interés colectivo en la convivencia, la seguridad y el uso residencial del inmueble.

Con anterioridad a la reforma legal, las posibilidades de intervención comunitaria se reconducían esencialmente al art. 7.2 LPH, que permite reaccionar frente a actividades molestas, insalubres, nocivas o ilícitas. En este marco, la jurisprudencia exigía la acreditación de una perturbación grave y continuada de la convivencia, lo que generó respuestas judiciales dispares: mientras algunas sentencias consideraron que el alquiler

---

20 Carrasco Perera, A. (2019). La cesión de viviendas para uso turístico: naturaleza jurídica y problemas contractuales. En M. Yzquierdo Tolsada (Dir.), Contratos civiles y mercantiles en la economía colaborativa, pág. 110. Cizur Menor: Aranzadi.

21 STJUE (Gran Sala) de 19 de diciembre de 2019, *Airbnb Ireland UC*, asunto C-390/18, ECLI:EU:C:2019:1112.

turístico no es intrínsecamente molesto[22], otras apreciaron que la elevada rotación de ocupantes podía alterar per se la normal convivencia y la seguridad del edificio[23].

Ante la expansión del fenómeno, el legislador intervino mediante el Real Decreto-ley 7/2019, introduciendo el actual art. 17.12 LPH, que habilitó a la junta de propietarios, por mayoría cualificada de tres quintos, para limitar o condicionar el ejercicio de la actividad de alquiler turístico y para establecer incrementos de hasta un 20 % en las cuotas de gastos comunes. No obstante, la utilización de la expresión "limitar o condicionar" generó dudas interpretativas acerca de si comprendía la prohibición total de la actividad. Esta cuestión fue resuelta por el Tribunal Supremo en 2024[24], al declarar que la facultad de "limitar" incluye la posibilidad de prohibir completamente el alquiler turístico, siempre que se respete la mayoría reforzada y las exigencias formales. El Alto Tribunal precisó, además, que estos acuerdos carecen de efectos retroactivos plenos, de modo que no perjudican a quienes ya desarrollaban lícitamente la actividad con anterioridad.

Posteriormente, la Ley Orgánica 1/2025 reforzó esta interpretación al modificar expresamente el art. 17.12 LPH para reconocer de forma explícita la facultad de la comunidad de "aprobar, limitar, condicionar o prohibir" los alquileres turísticos. Con ello se consolida normativamente la prevalencia de la autonomía colectiva del edificio frente al interés individual del propietario en destinar su vivienda a uso turístico. En la actualidad, las comunidades de propietarios disponen así de un doble instrumento: una vía preventiva, mediante acuerdos generales de prohibición o limitación, y una vía reactiva, a través de la acción de cesación del art. 7.2 LPH frente a comportamientos concretos que lesionen gravemente la convivencia. Ambas vías resultan compatibles y refuerzan el papel de la comunidad como instancia de autorregulación. En suma, el Derecho privado horizontal ha evolucionado hacia un modelo que reconoce a la comunidad un amplio margen de autogobierno en la ordenación del uso turístico del edificio, introduciendo un factor decisivo que debe ser necesariamente ponderado por quienes adquieren viviendas con finalidad inversora o de explotación turística.

---

22 Sentencia del Tribunal Superior de Justicia de Madrid (Sala de lo Civil y Penal) nº 291/2018, de 27 de junio (RJCA 2018/563)

23 Audiencia Provincial de Barcelona (Sección 13ª), Sentencia nº 86/2019, de 21 de febrero, (JUR 2019/107693). Audiencia Provincial de Madrid (Sección 21ª), Sentencia nº 459/2017, de 3 de noviembre, (JUR 2017/301512).

24 STS (Pleno, Sala 1ª) 1232/2024, de 3 de octubre (rec. 5973/2021), ECLI:ES:TS:2024:1232; STS (Pleno, Sala 1ª) 1233/2024, de 3 de octubre (rec. 6207/2021), ECLI:ES:TS:2024:1233.

4. PLANEAMIENTO URBANÍSTICO VS. AUTONOMÍA PRIVADA

El cuarto foco de conflicto se sitúa en la tensión entre las limitaciones derivadas del planeamiento urbanístico y la libertad del propietario para disponer económicamente de su bien. Desde la óptica del titular dominical, el destino de la vivienda al alquiler turístico puede presentarse como una manifestación de su derecho de propiedad y de la libertad de empresa; sin embargo, la prohibición o restricción de dicho uso por el planeamiento no constituye, en principio, una privación indemnizable, sino una delimitación legítima del contenido del derecho de propiedad.

En efecto, el Derecho urbanístico configura el estatuto jurídico del suelo en función de los usos asignados por el planeamiento, de modo que la exclusión de actividades terciarias en suelo residencial define el contenido normal del derecho y se integra en el ejercicio regular de la potestad planificadora. Solo la supresión singular de un aprovechamiento previamente consolidado podría abrir la vía indemnizatoria. En esta línea, tanto el Tribunal Supremo como el Tribunal Constitucional han avalado reiteradamente estas restricciones, amparándolas en la función social de la propiedad y en la necesidad de proteger intereses generales como el acceso a la vivienda o la convivencia urbana, en conexión con el art. 47 CE[25].

Las posibilidades de reacción del propietario afectado son, por ello, limitadas: o bien la impugnación directa de la norma urbanística, o bien la defensa casuística mediante interpretaciones restrictivas del ámbito prohibido[26], estrategias ambas de resultado incierto. A ello se añade la frecuente superposición de regímenes normativos, de modo que la obtención de un registro autonómico como vivienda de uso turístico no exime del cumplimiento del planeamiento municipal, prevaleciendo en la práctica la normativa urbanística como presupuesto habilitante del ejercicio de la actividad. Imaginemos la situación en que la Comunidad Autónoma otorgó registro de VUT a un piso (porque cumplía sus requisitos), pero luego el Ayuntamiento deniega licencia urbanística. ¿Quién prevalece? En principio, deben cumplirse ambas normativas: tener número de registro turístico no exime de cumplir planeamiento. Se han dado casos de expedientes sancionadores municipales contra pisos con registro turístico pero sin licencia urbanística, y los tribunales han sostenido que son esferas distintas y no hay doble sanción por mismo hecho porque una es por no tener licencia, otra sería por no registrarse Este contexto incrementa la incertidumbre jurídica para el propietario,

---

25 STC 61/1997, de 20 de marzo; STC 141/2014, de 11 de septiembre; STS (Sala 3ª) de 18 de julio de 2018 (rec. 3774/2016); STS (Sala 3ª) de 15 de junio de 2020 (rec. 4274/2018).

26 Por ejemplo, en ciudades con límites de días (como fue el de 90 días en Madrid), algún propietario podría alegar que alquila 85 días y por tanto es su "residencia con alquiler esporádico" y no actividad profesional —esa línea argumentativa se intentó en alguna parte, argumentando que si el propietario reside allí parte del año, no sería estrictamente uso terciario.

especialmente en escenarios de cambios normativos sobrevenidos, que la jurisprudencia suele reconducir al ejercicio legítimo del *ius variandi* regulatorio, sin reconocimiento general de responsabilidad patrimonial. Frente a ello, la autonomía privada ha tratado de adaptarse mediante fórmulas organizativas alternativas o la invocación de situaciones preexistentes, ocasionalmente amparadas por regímenes transitorios o moratorias. Algunos propietarios se agruparon para constituir *apartamentos turísticos en régimen de explotación única*, figura que a veces sorteaba restricciones (p.ej., si en un edificio todos los pisos son del mismo dueño y lo convierte en "apartotel", ya no es VUT dispersa sino un establecimiento turístico tradicional).

En conjunto, la experiencia reciente muestra una clara primacía del planeamiento urbanístico sobre la libertad individual de explotación turística, en coherencia con el principio de que el contenido del derecho de propiedad inmobiliaria queda delimitado por la legislación y los planes aplicables. Desde esta perspectiva, la interacción entre Derecho Privado y Derecho Público se revela esencial para articular un equilibrio razonable entre la actividad turística, el derecho a la vivienda y la calidad de vida urbana.

VII. REFERENCIAS BIBLIOGRÁFICAS

Carrasco Perera, A. (2019). La cesión de viviendas para uso turístico: naturaleza jurídica y problemas contractuales. En M. Yzquierdo Tolsada (Dir.), Contratos civiles y mercantiles en la economía colaborativa, 97-130.

De la Iglesia Chamarro, A. (2020). "Referendo y democracia". *Revista de Teoría y Derecho*, (101), 35-54.

Del Busto, E., Ceballos Martín, M. M., y Pérez Guerra, R. (2017). "Régimen jurídico de las viviendas de uso turístico: Comentario a la sentencia 291/2016 del TSJ de Madrid". *Suplemento Doctrinal elDial.com* DC240B.

Guillén Navarro, C. (2016). "Las viviendas de uso turístico en la normativa autonómica española". *Revista Andaluza de Administración Pública*, (95), 139-170.

Hermosa Botello, J. M. B. (2024). "La dudosa constitucionalidad de la actual regulación autonómica de los alquileres turísticos". *Derecho Privado y Constitución*, (45), 171-205.

Magro Servet, V. (2013). "Aspectos relevantes de la reciente reforma de la LAU por la Ley 4/2013, de 4 de junio". *Revista Aranzadi Doctrinal*, (4), 1-12.

Mesa Marrero, C. (2019). "Las viviendas de uso turístico y la cuestión competencial en materia civil". *InDret*, (3), 1-43.

Peñate, J. V. (2023, 25 de septiembre). *Las viviendas turísticas: regulación normativa y doctrina del Tribunal Supremo*. LegalToday. https://www.legaltoday.com/practica-juridica/derecho-civil/civil/las-viviendas-turisticas-regulacion-normativa-y-doctrina-del-tribunal-supremo-2023-09-25/ (consulta: 12 de diciembre de 2025).

Pérez Guerra, R. Algunas consideraciones sobre el régimen jurídico-administrativo de los pisos turísticos: las viviendas turísticas versus a los apartamentos turísticos. Especial referencia a la Comunidad Autónoma de Andalucía, *en La administración al día*, 12/12/2025. La Administración al Día - Edición de 12/12/2025.

Roca Fernández-Castanys, M. L. (2010). "Régimen jurídico-administrativo del derecho de admisión en establecimientos públicos. Especial referencia al caso andaluz". *Revista Aragonesa de Administración Pública*, (36), 265-296.

Roca Fernández-Castanys, M. L. (2017). "¿Matando a la gallina de los huevos de oro?: Algunos apuntes sobre la nueva regulación de las viviendas de uso turístico (especial referencia al caso andaluz)". *Revista Internacional de Derecho del Turismo*, (2), 1-21.

Romero Carrascal, S. (2008). *Archivos y delitos. La actuación de la Fiscalía de Patrimonio Histórico*. https://arxivers.com/congressos-i-jornades/ (recuperado el 12 de junio de 2014).

Valdés, A. (2021). "Prohibición estatutaria de pisos turísticos en comunidades de propietarios". *El Notario del Siglo XXI*, (95), 34-39.

Vallejo, C. & Gascón, E. (2020). "Los Ayuntamientos y la regulación de las viviendas de uso turístico: análisis jurisprudencial". *Actualidad Administrativa*, (6), 1-15.

EL DERECHO A LA VIVIENDA FRENTE A LA EJECUCIÓN TRIBUTARIA

Rosa Fraile Fernández
Profesor Titular Derecho Financiero y Tributario
Universidad Rey Juan Carlos
ORCID 0000-0003-3389-2714

I. EL DERECHO A LA VIVIENDA Y EL DEBER DE CONTRIBUIR

El derecho a disfrutar de una vivienda digna y adecuada constituye uno de los pilares del constitucionalismo social contemporáneo. Su reconocimiento no es una singularidad del ordenamiento español, sino la expresión de una tradición jurídica internacional que, desde la Declaración Universal de Derechos Humanos de 1948, ha situado la vivienda dentro del haz de condiciones materiales indispensables para asegurar un nivel de vida adecuado. Los instrumentos internacionales posteriores, en particular el Pacto Internacional de Derechos Económicos, Sociales y Culturales de 1966, consolidaron esta visión al imponer a los Estados la adopción de "medidas apropiadas para asegurar la efectividad" del derecho a una vivienda adecuada, subrayando su dimensión prestacional y su vinculación con la dignidad humana.

En el ámbito interno, el artículo 47 de la Constitución española, en adelante CE, recoge este mandato y lo proyecta sobre los poderes públicos, obligándolos a promover las condiciones necesarias para hacer efectivo el acceso a la vivienda y a impedir la especulación con el suelo. Sin embargo, como ocurre con otros derechos de naturaleza prestacional, piénsese en el derecho al trabajo del artículo 35 CE, su efectividad no puede entenderse como la existencia de un derecho subjetivo absoluto a obtener una vivienda por parte del Estado u otros entes públicos[1]. La propia lógica económica, basada en la gestión de recursos limitados frente a necesidades potencialmente ilimitadas, impide concebir la vivienda como un bien universalmente asegurable en términos materiales. Es por esto que se entiende que el derecho constitucional a la vivienda se configura como un mandato de optimización dirigido a los poderes públicos, cuya realización exige políticas públicas complejas, sostenidas y coherentes.

La escasez estructural de vivienda, agravada por diversos factores urbanísticos, financieros y demográficos, obliga a articular estrategias integrales que combinen inversión pública, planificación territorial, regulación del mercado inmobiliario y reformas normativas en ámbitos como los arrendamientos urbanos o la protección de la propiedad frente a situaciones de incumplimiento. En este contexto, las medidas fiscales pueden desempeñar un papel relevante, incentivando y desincentivando, según los casos; pero difícilmente pueden erigirse en el eje central de la política de vivienda sin incurrir en distorsiones o en una indebida traslación de responsabilidades públicas hacia los

1 Como señala Ortiz Espejo, D.; (2024) "Algunas medidas fiscales de apoyo a los jóvenes en relación con el acceso a la vivienda, la cuenta vivienda y bonificaciones en el IBI", *La atención a la juventud en el sistema tributario*, Tirant lo Blanch, pág. 560, el mandato incluye a todos los poderes públicos. El Estado, por supuesto, pero también las Comunidades Autónomas, que ostentan competencias de vivienda. Además, en virtud de las disposiciones de la Ley de Bases de Régimen Local, hay que incluir, entre los poderes públicos conminados a promover este derecho, también a la Administración local.

particulares. La efectividad del artículo 47 CE no puede descansar exclusivamente en gravámenes o incentivos, pues ello supondría desdibujar el papel constitucionalmente asignado a las Administraciones y tensionar otros derechos igualmente protegidos, como la propiedad privada (art. 33 CE) o la libertad de empresa (art. 38 CE), como señalamos cada vez que tenemos ocasión.

En este trabajo, es otra la vertiente del derecho a la vivienda la que queremos abordar, concretamente la que afecta a la posibilidad de perder la vivienda de la que un ciudadano es propietario, que emplea como vivienda habitual, pero que se emplea por la Administración tributaria como bien susceptible de ser ejecutado para hacer pago de la deuda tributaria. Sin apartarnos del constitucionalismo se debe recordar que artículo 31 CE impone a todos los ciudadanos el deber de contribuir al sostenimiento de los gastos públicos, un deber que se articula mediante un sistema tributario cuya eficacia requiere, en último término, de la posibilidad de ejecutar forzosamente los actos administrativos firmes.

La vivienda, incluso cuando se trata de la vivienda habitual del obligado tributario, no queda al margen de esta autotutela ejecutiva que empodera a la Administración Tributaria. La jurisprudencia ha reiterado que la ejecución forzosa constituye un instrumento legítimo para garantizar el cumplimiento de las obligaciones públicas, y que la privación de la vivienda puede resultar procedente cuando deriva de un acto administrativo dictado en aras del interés general y amparado por un título ejecutivo válido[2]. El principio de ejecutividad de los actos administrativos se integra en el principio de eficacia que recoge el artículo 103 CE y que permite a los poderes públicos cumplir con su función promotora de la realidad social conforme al artículo 9.2 CE.

La tensión entre el derecho constitucional a la vivienda y la potestad de ejecución forzosa revela, en definitiva, la complejidad del equilibrio entre derechos individuales, deberes constitucionales y exigencias del interés general. El cumplimiento de las obligaciones públicas que hacen posible la sostenibilidad del propio sistema debe servir a legitimar el ejercicio de la potestad de ejecución forzosa, incluso sobre la vivienda habitual, ahora bien, si el legislador impone ciertos límites a la ejecución de la vivienda al operador privado, quizá sea razonable que estas mismas limitaciones se exijan cuando el acreedor es público.

Obsérvese que la entrada en el domicilio constitucionalmente protegido requiere de autorización judicial. Sin embargo, su ejecución forzosa puede ser llevada a cabo por el procedimiento administrativo de apremio sin intervención judicial de ningún tipo. Quizá, señala Lafuente, sea el momento de cuestionarnos si la autorización judicial para

---

2 Lafuente Benaches, M.; (2015), "La protección de la vivienda frente a la potestad administrativa de ejecución forzosa con entrada domiciliaria", *Revista española de Derecho Administrativo*, núm. 168.

la entrada en domicilio puede servir a una finalidad aún más amplia aplicándose también cuando la decisión administrativa conlleva precisamente la privación del domicilio[3]. Asimismo, entendemos que ciertas cautelas que se exigen a los grandes tenedores de vivienda en el momento del desahucio podrían ser exigibles a la Hacienda pública estatal y autonómica, por motivo de su gran capacidad económica. Más allá de este planteamiento, hay que señalar que existen diferencias sustanciales en la cuantía mínima por la que puede aprobarse la adjudicación de un inmueble que sea vivienda habitual en el ámbito civil y en el tributario, no entendiendo por nuestra parte que exista causa alguna para tal diferenciación.

En las próximas páginas repasaremos el procedimiento de ejecución de inmuebles que prevé la Ley 58/2003, de 17 de diciembre, General Tributaria, en adelante LGT y que detalla el Real Decreto 939/2025, de 29 de julio, por el que se aprueba el Reglamento General de la Recaudación, en adelante RGR. Ello, por expresa disposición de la legislación tributaria, ha de combinarse con la legislación hipotecaria sobre la materia. En última instancia nos haremos eco de las diferencias entre la ejecución de vivienda que prevé la Ley 1/2000 de 7 de enero, de Enjuiciamiento Civil, en adelante LEC y la LGT, para finalizar exponiendo las conclusiones que estos asuntos nos merecen.

II. EL APREMIO TRIBUTARIO DE INMUEBLES, ESPECIAL REFERENCIA A LA VIVIENDA HABITUAL O FAMILIAR

1. EL PROCEDIMIENTO

La recaudación es la función tributaria de mayor importancia. Nos atrevemos a señalar tal premisa atendiendo a la propia finalidad del tributo que no es otra que la de alcanzar los recursos necesarios para satisfacer los intereses de gasto de los sujetos activos en materia financiera, (artículo 2 LGT). Así, si el fin fundamental del tributo es la obtención de ingresos, la recaudación tributaria es la finalidad general del sistema de procedimientos tributarios.

Como es bien sabido, la mayor parte de los tributos se recaudan de modo pacífico a través de la autoliquidación y posterior ingreso en tiempo y forma de la deuda tributaria por parte del obligado a su pago. No obstante, no debemos restar importancia a la función de la recaudación en periodo ejecutivo, aquel que se inicia una vez finalizado el periodo voluntario. Incardinado en el periodo ejecutivo se encuentra el procedimiento de apremio tributario, procedimiento ejecutivo de carácter administrativo que pretende el cobro forzoso de la deuda tributaria y otros conceptos como puedan ser, en su caso, las sanciones. La autotutela ejecutiva de la Administración permite que este procedimien-

3 Lafuente Benaches, M.; *ob. cit.*

to se lleve a cabo por sus propios medios, sin intervención judicial como se requiere para la ejecución de deudas entre sujetos privados. Lo anterior no quiere significar que toda Administración tributaria pueda, por sí misma, apremiar deudas contra cualquier elemento del patrimonio del deudor. En esta línea no hace mucho analizábamos las limitaciones de los Entes Locales para ejercer su autotutela ejecutiva fuera del ámbito municipal, y es que el artículo 8.3 del Real Decreto Legislativo 2/2004, de 5 de marzo, por el que se aprueba el texto refundido de la Ley Reguladora de las Haciendas Locales, coarta la autonomía del Ente local, imponiendo la obligación de solicitar auxilio a un ente superior a fin de desarrollar sus potestades ejecutivas fuera de su territorio[4]. Dejando al margen esta y alguna otra limitación, lo cierto es que, con carácter general, los diferentes niveles de la Administración tributaria local, autonómica y estatal, ejercen sus potestades de manera autónoma, desarrollando los procedimientos ejecutivos de apremio en ejercicio de sus competencias de recaudación.

El procedimiento de apremio constituye el mecanismo legal en manos de las Administraciones tributarias para el cobro de sus créditos coercitivamente. Se presenta como la muestra más clara de la capacidad que la ley otorga a la Administración para la obtención forzosa de los recursos económicos que le son debidos, siendo fácil advertir las facultades exorbitantes de que dispone la Hacienda Pública para la realización del crédito del que es titular, en el marco la autotutela ejecutiva que le corresponde[5]. La ejecución forzosa es, por tanto, una manifestación de la potestad de autotutela ejecutiva, derivada de la prerrogativa que ostenta la Administración para emitir declaraciones de voluntad dotadas de presunción de certeza y legalidad basados en su autotutela declarativa y que resultan inmediatamente ejecutivas[6]. Se habla de capacidad de autotutela en la ejecución, pues es el propio acreedor el que ostenta potestad suficiente para, por sus propios mecanismos, forzar al pago de su crédito sin necesidad de que intervenga autoridad judicial alguna que ordene la ejecución forzosa. Así pues, la autotutela administrativa supone tanto la realización del derecho efectuando la Administración las oportunas declaraciones, como efectuando ella misma ejecución de lo que previamente ha decidido[7].

---

4 Fraile Fernández, R.; (2024). "La autotutela ejecutiva fuera del término municipal", *Tributos locales*, núm. 166.

5 Martínez-Carrasco Pignateli, J. M.; (2006), "Fases de ejecución de los bienes en el procedimiento de apremio", *Quincena fiscal*, núm. 1.

6 Manteca Valdelande, V.; (2011), "La ejecución forzosa en el procedimiento administrativo", *Actualidad administrativa*, núm. 9.

7 Zabala Rodríguez Fornos, A.; Llopis Giner, F.; y Dago Elorza, I.; (1991), "Recaudación, aspectos sustantivos y procedimentales", *Comentarios al Real Decreto 1684/1990*, CIS, pág. 317.

El periodo ejecutivo se inicia por el mero transcurso del tiempo, no obstante, el procedimiento de ejecución, que no debe confundirse con el periodo ejecutivo, requiere de un acto expreso para su iniciación, la providencia de apremio notificada al obligado[8]. Esta providencia de apremio posee la misma fuerza ejecutiva que la sentencia judicial, y se constituye como el acto que ordena la ejecución del patrimonio del obligado al pago tal y como se desprende de los artículos 70 RGR y 177 LGT.

La LGT despacha el procedimiento de apremio en los artículos que discurren entre el 163 y el 173, quedando buena parte de los aspectos técnicos a su desarrollo a través del RGR. Tal y como indica el artículo 163.1 LGT, "el procedimiento de apremio es exclusivamente administrativo. La competencia para entender del mismo y resolver todas sus incidencias corresponde únicamente a la Administración tributaria", no siendo acumulable a otros procedimientos, según dispone el siguiente apartado del mismo precepto. Estamos, como no puede ser de otro modo, ante un procedimiento tributario que se inicia de oficio y que de oficio ha de ser impulsado en todos sus trámites.

Una vez se ha desarrollado el procedimiento, como veremos en los siguientes epígrafes desgranando las especialidades de la ejecución de inmuebles y en especial, de la vivienda habitual o familiar, este procedimiento debe terminar. Como es conocido, el procedimiento de apremio no caduca, por lo que, en esta ocasión, no se puede considerar la caducidad como una de las formas de terminación del procedimiento, pese a que nos hallemos ante un procedimiento que se inicia y se impulsa de oficio. Aquí opera la prescripción como límite temporal, no mermado por otros plazos más reducidos. El procedimiento de apremio finaliza, con carácter general, con el pago de la cantidad debida, aunque el artículo 173 LGT prevé además otros motivos de finalización: la declaración de fallidos de todos los obligados al pago y la extinción de la deuda por cualquier otra causa, como puede ocurrir en los casos de prescripción o cuando concurran formas alternativas de cumplimiento, como la compensación. Es, obviamente, la finalización por el pago de la cantidad debida el supuesto normal de finalización procedimental, pues implica la satisfacción del crédito en su totalidad, en cuyo caso se dictará acto administrativo que declare satisfecho el crédito inicial, así como los intereses, recargos y costas del procedimiento. Si el importe obtenido tras el procedimiento de apremio no resultase suficiente para cubrir toda la deuda, será preciso imputar el pago de las cuantías debidas por el obligado en función del orden establecido en el artículo 63 LGT. Llegado este caso, se habrá observado que el resultado de la enajenación no ha sido suficiente, por lo que habrá de seguirse lo dispuesto en el artículo 76.2 RGR y continuar

8 Señalan a este respecto Martín Queralt, J.; Lozano Serrano, C.; y Poveda Blanco, J.; (2011), *Derecho tributario*, 16ª edición, Thomson Reuters, pág. 197, que "bien puede sostenerse que la apertura de la vía de apremio exige dos requisitos. Uno material, que es la finalización del periodo voluntario sin haberse ingresado el tributo. Otro formal, que es la emisión por el Tesorero de la providencia de apremio, notificada al deudor."

ejecutando otros elementos patrimoniales del deudor. De no haber más patrimonio al que atacar, se declarara fallido al obligado al pago.

El artículo 76.2 RGR, antes referido, es el que establece que, si durante el procedimiento de apremio se observa que el resultado de la enajenación de los bienes trabados va a resultar insuficiente para cubrir la deuda, se debe proceder a emitir nuevas diligencias de embargo sobre otros bienes. Mientras existan otros bienes o derechos embargables que sean propiedad del obligado al pago, y que la Administración conozca, el procedimiento administrativo se dará por terminado salvo que se produzca la extinción de la deuda.

2. LA EJECUCIÓN DE GARANTÍAS

Una vez iniciado el procedimiento con la notificación al deudor de la providencia de apremio, si este no paga en el plazo otorgado en tal documento, se continuará con el procedimiento ejecutivo propiamente dicho. Nótese que, "cualquiera que sea la garantía prestada para asegurar el cobro de una deuda tributaria, no se podrá ejecutar hasta tanto las deudas no hayan sido apremiadas y hayan transcurrido los plazos previstos[9]".

Las garantías del crédito tributario se constituyen principalmente en dos contextos, cuando se desea aplazar o fraccionar la deuda tributaria y tal deuda supera los 50.000 euros[10] y cuando se pretende la suspensión de la ejecución en relación con la presentación de recursos contra las liquidaciones.

Si observamos la legislación en materia de aplazamiento o fraccionamiento del crédito, vemos como la preferencia del legislador se localiza en el aval solidario de entidad de crédito, sociedad de garantía recíproca o un certificado de seguro de caución. Alternativamente, si se justifica la imposibilidad de obtener las garantías anteriores o que su aportación compromete la viabilidad de la actividad económica, la Administración puede admitir hipoteca, prenda, fianza personal y solidaria u otra que se estime suficiente.

Así pues, la garantía hipotecaria no es en ningún caso la deseada por la Administración, pues su remate es siempre más complejo que la ejecución de los avales; no obstante, sí resulta una figura permitida legalmente.

Tal y como dispone el artículo 48 del RGR, la garantía debe cubrir el principal de la deuda más los intereses de demora y un porcentaje adicional, que será el 25 por ciento

9 Malvárez Pascual, L. A y Leandro Serrano, M.; (2012), *El procedimiento de recaudación tributaria*, CEF, pág. 654.

10 Orden HFP/311/2023, de 28 de marzo, por la que se eleva el límite exento de la obligación de aportar garantía a solicitudes de aplazamiento o fraccionamiento a 50.000 euros.

de la suma del principal e intereses de demora si nos hallamos en periodo voluntario y si se trata del periodo ejecutivo un 5 por ciento de la suma del importe aplazado (incluido el recargo ejecutivo) e intereses de demora. Esta garantía debe formalizarse en el plazo de dos meses a partir del día siguiente a la notificación del acuerdo de concesión del aplazamiento.

Junto con la garantía hipotecaria que pudiera ser acordada con motivo de la solicitud de la suspensión de la ejecución o del aplazamiento o fraccionamiento, existen otras garantías reales que recaen sobre inmuebles contempladas en la legislación tributaria. Así, además de la hipoteca legal tácita, el artículo 66 RGR prevé la posibilidad de constituir una hipoteca especial de manera voluntaria por parte del deudor, en aras de que esta posea la misma preferencia que la hipoteca legal tácita, pero por débitos anteriores o por mayor cantidad. "Esta hipoteca surtirá efecto desde la fecha en que quede inscrita, de conformidad con lo establecido en el artículo 145 de la Ley Hipotecaria" y no solo otorga prelación como la hipoteca legal tácita, sino que otorga derecho de ejecución en caso de incumplimiento. Esto es, la hipoteca legal tácita, que garantiza los débitos tributarios correspondientes al ejercicio en que se haya inscrito en el registro el derecho o se haya efectuado la transmisión de los bienes o derechos, así como las cuotas de IBI, no es una hipoteca que pueda ejecutarse en caso de impago. Su función es exclusivamente la de otorgar prelación y afectar al bien al que se vincula *erga homnes*. Así, como ya tuvimos ocasión de señalar[11], el propio artículo 78 LGT no establece el goce de una garantía hipotecaria tácita, sino que, bajo el título de "hipoteca legal tácita" establece un derecho de prelación que no recae sobre el patrimonio del deudor, sino sobre el bien afecto. Es por esta afección real que se le asigna la denominación de hipoteca. "Las Administraciones tendrán preferencia sobre cualquier otro acreedor o adquirente, aunque éstos hayan inscrito sus derechos". Así pues, se establece esta prerrogativa del crédito tributario, más que como recurso para la satisfacción del crédito, como herramienta que impide la satisfacción previa de terceros con cargo a dicho bien. Siguiendo el hilo de lo anterior, podemos concluir que la hipoteca especial, como hipoteca convencional, es ejecutiva ante el impago, del mismo modo que lo será cualquier otra hipoteca convencional pactada en ánimo de suspender la ejecución o aplazar el plazo del pago, a diferencia de la hipoteca legal que, como hemos indicado, sirve a otorgar prelación exclusivamente. Lo expuesto tiene razonada relación con el principio de proporcionalidad, pues sería contrario a este la ejecución de un bien inmueble por la falta de pago de los impuestos sobre transmisiones patrimoniales o actos jurídicos documentados relativos a su propia transmisión y, por tanto, basados en un porcentaje muy inferior del valor del inmueble, o por virtud de las deudas que quedan garantizadas en lo que al IBI se refiere.

---

11 Fraile Fernández, R.; (2022), "Las garantías del IBI ante transacciones y concurrencia", *Tributos Locales,* núm. 156.

Pues bien, una vez iniciado el procedimiento de apremio y constatado el impago, se procede a la ejecución de la garantía. El procedimiento varía según la naturaleza de la garantía, como es lógico. Tratándose de aval, se comunicará al avalista el deber de abonar lo debido en el plazo previsto en el artículo 62.5 LGT. Cuando se trata de la ejecución de prendas o hipotecas, tal y como dispone el artículo 74.3 RGR, se procederá a la enajenación de los bienes conforme queda previsto en el Reglamento para la actuación tributaria en caso de embargos de bienes de la misma naturaleza. Es decir, si existe hipoteca o prenda sobre un bien, mueble o inmueble, habremos de estar a la norma sobre ejecución de embargos que atenderemos en el próximo apartado.

Como colofón de este punto debemos añadir que no siempre se ejecutarán las garantías de la deuda tributaria pues, tal y como queda previsto en el artículo 168 LGT, la Administración puede optar por embargar y enajenar otros bienes o derechos antes de ejecutar la garantía cuando estime que no resulta proporcional esta ejecución. Volvemos a referirnos en este punto al principio de proporcionalidad, cuya relevancia es patente dado que abordamos en este trabajo la ejecución de las garantías sobre edificaciones, bienes que, por defecto, presentan un valor elevado.

3. EL EMBARGO DE LOS BIENES Y LA ANOTACIÓN REGISTRAL

El embargo de los bienes que quedarán afectos al pago de la deuda tributaria tras el impago, una vez ha trascurrido el periodo que otorga la providencia de apremio, es un paso fundamental en el procedimiento de ejecución tributario. Con el embargo se logra la sujeción de un bien específico y concreto a la satisfacción de la deuda en virtud de la traba que configura la diligencia de embargo; resultando un acto previo e imprescindible en la pretensión de cobro mediante ejecución de bienes. La práctica del embargo se realizará, preferiblemente, por acuerdo entre la Administración y el obligado tributario. En caso de ausencia de pacto o acuerdo en un orden concreto, se embargarán los bienes por el orden establecido en el artículo 169.3 LGT, donde los bienes inmuebles ocupan el cuarto lugar del listado, sin distinción alguna entre vivienda habitual u otro inmueble propiedad del deudor.

"Cada actuación de embargo se documentará en diligencia, que se notificará a la persona con la que se entienda dicha actuación", indica el artículo 170.1 LGT. Este embargo, documentado en diligencia y notificado no supone, por sí mismo, ningún impedimento a las actuaciones del titular de los bienes para constituir cargas y gravámenes sobre ellos o desprenderse de tales bienes mediante su enajenación. Por ello, una vez se ha dictado el embargo deben adoptarse las medidas que sirvan a mantener indemne la traba, es decir, que garanticen que estos bienes podrán ser realizados en el marco del procedimiento de apremio. Por ello continúa el citado artículo 170 LGT indicando en su punto 2 que, si "los bienes embargados fueran inscribibles en un registro público, la

Administración tributaria tendrá derecho a que se practique anotación preventiva de embargo en el registro correspondiente".

Obsérvese que se indica "anotación preventiva de embargo" que debe distinguirse claramente del embargo preventivo. En este caso lo que previene la anotación es que se perjudique el embargo, con independencia de que el embargo sea definitivo o preventivo. Esta anotación del embargo, tratándose de inmuebles, se realizará en el Registro de la Propiedad. Los efectos derivados de la anotación preventiva de embargo otorgan al acreedor ejecutante protección frente a terceros que, después de la fecha de la anotación, pudieran adquirir algún derecho sobre los bienes embargados inscritos en el Registro. Con ello el acreedor asegura que el producto obtenido de la ejecución de los bienes embargados se destine al pago de su crédito[12]. De este modo, los actos o contratos que el deudor ejecutado celebre posteriormente con terceros respecto de esos bienes no podrán obstaculizar la satisfacción del crédito, salvo que dichos adquirentes decidan asumir con su propio patrimonio las deudas consignadas en la anotación registral. Tal previsión se encuentra expresamente recogida en el artículo 44 de la Ley Hipotecaria[13], en adelante LH, que establece que el acreedor con anotación preventiva de embargo goza de la preferencia prevista en el artículo 1923 del Código Civil. Este último precepto dispone que tienen prioridad, frente a créditos posteriores, aquellos créditos que consten anotados preventivamente en el Registro de la Propiedad en virtud de mandamiento judicial por embargos, secuestros o ejecución de sentencias sobre los bienes afectados.

Afirma Silvestre López que el embargo es un "conjunto de actuaciones por el que un determinado bien o derecho de contenido o valor económico queda afectado o reservado para extinguir con él la totalidad o parte de una obligación pecuniaria ya declarada o que, previsiblemente, se va a declarar por un acto administrativo de futuro"[14]; como ya dijimos, el embargo no extingue la deuda, sino que afecta un bien o derecho a la futura extinción de dicha deuda[15]. La importancia de anotar el embargo radica en la publicidad y efectos *erga homnes* que implica esta anotación registral, aspecto que no es baladí si observamos el artículo 613 LEC. En él se puede apreciar que el embargo atribuye al ejecutante un derecho de realización de los bienes embargados. Con anterioridad a la traba, el ejecutante poseía un derecho de crédito, pero tras la traba posee un derecho de ejecución forzosa respecto de los concretos bienes trabados. Ahora bien, no es el momento del embargo el momento de su inscripción preventiva, sino aquel en

---

12 Garberí Llobregat, J.; y Buitrón Ramírez, G.; (2012). El proceso de ejecución forzosa en la Ley de Enjuiciamiento Civil, Cívitas.

13 Decreto de 8 de febrero de 1946 por el que se aprueba la nueva redacción oficial de la Ley Hipotecaria.

14 Silvestre López, J. L.; (2020), "El embargo, aspectos generales", *Fórum Fiscal*, núm. 261.

15 Fraile Fernández, R.; (2024), *ob. cit.*

que la descripción del inmueble haya quedado reseñada adecuadamente en la diligencia de embargo, tal y como dispone el artículo 587 LEC, aspecto de relevancia en caso de concurrencia de afectaciones sobre un mismo bien en un tiempo cercano.

Siguiendo lo dispuesto en el artículo 84 RGR, para que se practique la anotación preventiva de embargo en el Registro de la Propiedad, el órgano de recaudación competente expide un mandamiento al registrador conforme a la legislación hipotecaria, requiriendo además una certificación de las cargas existentes, con detalle de titulares, propietario actual y domicilio. Con dicha certificación se comprueba que se han realizado todas las notificaciones exigidas, y si faltase alguna se ordena su práctica. Ello tiene su relación con las disposiciones del artículo 85 RGR, en el que se exige que el mandamiento que se envíe al registro contenga la certificación de la providencia de apremio y de la diligencia de embargo del inmueble y la indicación de las personas a las que se ha notificado el embargo y el concepto en el que se les ha practicado dicha notificación. En los casos en que la liquidación apremiada corresponda a tributos cuyo pago previo sea necesario para inscribir en el Registro el acto o negocio que los originó, la fase de embargo se desarrolla con particularidades derivadas de la diferencia entre lo que consta inscrito y la realidad jurídica aún no reflejada, tal y como se describe en el artículo 84.3 RGR.

Como recuerda Martínez Lafuente, la documentación administrativa que acompaña al mandamiento de anotación preventiva de embargo se ha de someter a la calificación del titular del Registro, quien calificará lo recibido atendiendo a la legislación y a las directrices que emanan de la Dirección General de los Registros y del Notariado[16]. Si hubiese discrepancias entre las pretensiones de la Administración tributaria y el parecer del registrador, la Administración puede interponer recurso gubernativo ante la DGRN, que, de seguir sin ser del gusto de la Administración, puede ser recurrida ante la jurisdicción Civil. A este respecto, Hernando Orejana, no consideraba idóneo atribuir la competencia a la jurisdicción civil para resolver los litigios sobre la calificación de los documentos administrativos por los Registradores de la Propiedad"[17], apreciando, al igual que Antelo Martínez[18], que debería atribuirse esta competencia al orden Contencioso Administrativo. Creemos, como ya manifestó Martínez Lafuente[19], que con ello

---

16 Martínez Lafuente, A.; (2018), "El procedimiento tributario y el Registro de la Propiedad: actualización de referencias jurisprudenciales", *Impuestos*, núm. 19.

17 Hernando Orejana, L. C.; (2011), "Comentario a la Sentencia del Tribunal Supremo dictada en el recurso de casación en interés de ley de 16 de marzo de 2011 sobre las actuaciones ejecutivas fuera del término municipal", *Actualidad Administrativa*, núm. 16.

18 Antelo Martínez, J. C.; (2010) "Comentarios a la Sentencia de la A.P. de Alicante de 28 de diciembre de 2009", en *Notariosyregistradores.com*. Disponible en: https://www.notariosyregistradores.com/doctrina/ARTICULOS/2010-recaudadormunicipal.htm

19 Martínez Lafuente, A.; *ob. cit.* En la misma línea nos pronunciamos en Fraile Fernández, R.; (2024), *ob. cit.*

no se pone de relieve descoordinación entre Administraciones Públicas, sino el estricto cumplimiento de las funciones que la legislación atribuye a cada órgano y jurisdicción y es que, tal y como se manifiesta en la Resolución de 10 de septiembre de 2021, de la Dirección General de Seguridad Jurídica y Fe Pública, los asientos ya practicados quedan, por virtud del artículo 1 LH, bajo la salvaguarda de los tribunales del orden civil, no pudiendo cancelarlos de oficio el registrador, salvo con la conformidad de quien los instó.

La diligencia de embargo puede ser objeto de impugnación por el obligado al pago, ya que no constituye un simple trámite dentro del procedimiento de apremio, sino que produce efectos relevantes para el deudor y para terceros. Sin embargo, los motivos de oposición están legalmente tasados, en coherencia con la naturaleza ejecutiva del procedimiento, distinto de los procedimientos declarativos o cognitivos[20].

Tradicionalmente, la fase de embargo se ha considerado una fase "expropiativa", pues, a partir de este punto procedimental se deja de estar a los aspectos sustantivos que se relacionan con la obligación tributaria para poner el foco en la realización coactiva de los bienes para cubrir la deuda[21]. Los motivos admitidos de oposición son: la extinción de la deuda o prescripción del derecho, la falta de notificación de la providencia de apremio, el incumplimiento de las normas reguladoras del embargo y la suspensión del procedimiento de recaudación. La jurisprudencia añade la falta de motivación de la diligencia, cuando no identifica adecuadamente los bienes trabados, los límites legales aplicables o la referencia a la providencia de apremio[22]. Resta recordar que la oposición a la diligencia de embargo, como regla general, no suspende el procedimiento (art. 165 LGT), ni la ejecución del acto (arts. 212, 224 y 233 LGT), salvo que se acredite error aritmético, material o de hecho, supuesto en el que la suspensión se produce sin necesidad de garantía.

En lo que respecta al mandamiento de anotación preventiva de embargo que se remite al Registro, tal y como hemos señalado en párrafos previos, se exige su sujeción a lo dispuesto en la legislación hipotecaria. En este punto no es la LH, sino el Decreto de 14 de febrero de 1947 por el que se aprueba el Reglamento Hipotecario, en adelante RH, el que nos incumbe. Debemos destacar el artículo 144.1 RH, que exige la notificación de la diligencia de embargo al cónyuge cuando el bien inmueble tenga carácter ganancial o presuntivamente ganancial. Por su parte, el artículo 144.5 RH, según redacción dada al precepto tras la reforma del año 1998, indica que "cuando la Ley aplicable exija el consentimiento de ambos cónyuges para disponer de derechos sobre la vivienda habi-

20 Sánchez Ondal J. J. (2008); *"Presupuestos materiales y formales del procedimiento de apremio."* Recaudación ejecutiva y Hacienda Local, Thomson Cívitas, pág. 80.

21 Dago Elorza, I.; (2004), "Título III, Capítulo IV, Artículo 169", Comentarios a la nueva Ley General Tributaria, Aranzadi, pág. 1127.

22 De Miguel Arias, S.; (2010), "La anulación de las diligencias de embargo como consecuencia de su falta de motivación.", *Revista Aranzadi Doctrinal*, núm. 4.

tual de la familia, y este carácter constare en el Registro, será necesario para la anotación del embargo de vivienda perteneciente a uno solo de los cónyuges que del mandamiento resulte que la vivienda no tiene aquél carácter o que el embargo ha sido notificado al cónyuge del titular embargado." Esto es, incluso cuando no exista sociedad de gananciales o el bien no tenga el carácter de ganancial, si se constituye como vivienda habitual de la familia debe notificarse el embargo también al cónyuge no titular del inmueble. Obsérvese que el RH hace mención a la Ley aplicable para establecer este requisito solo cuando dicha ley aplicable exija en consentimiento de ambos cónyuges. Pues bien, la disposición de la vivienda familiar queda limitada *ex* artículo 1320 Cod. Civ, al señalar que los derechos sobre la vivienda familiar y los muebles de uso ordinario de la familia requieren del consentimiento de ambos cónyuges para que pueda disponerse de ellos. Se trata de un precepto que protege a la familia de la disposición de un activo de gran relevancia patrimonial, vinculando sea cual fuere el régimen económico del matrimonio[23].

4. EL AVALÚO DE LOS BIENES

La valoración de los bienes embargados se regula en el artículo 97 RGR, que atribuye a los órganos de recaudación competentes la obligación de tasarlos a precios de mercado y conforme a criterios habituales, pudiendo recurrir a servicios técnicos de la Administración o a expertos externos. Coincidimos en que es una "fórmula que es correcta pero imprecisa"[24]. Dada la delicadeza de esta parte procesal, es pertinente que se garanticen los derechos del deudor, lo que obliga a la Administración a actuar de modo neutral, imparcial y objetivo, habiendo de seguir en todo momento las normas establecidas reglamentariamente a este respecto, especialmente en lo que a publicidad y notificación se refiere[25]. La valoración debe notificarse al obligado al pago, quien dispone de quince días para presentar tasación contradictoria realizada por perito. Si la diferencia entre ambas valoraciones no supera el 20% de la menor, prevalece la más alta; si excede dicho porcentaje, se convocará al obligado para intentar acuerdo, y en caso de no alcanzarse, se solicitará nueva valoración pericial dentro de los límites de las anteriores, que será definitiva. Además, el órgano de recaudación debe comprobar la subsistencia y cuantía de las cargas inscritas con anterioridad, recabando información de los acreedores.

---

23 Berrocal Lanzarot, A. I.; (2017). Aspectos relevantes entorno a la vivienda familiar, *Revista crítica de Derecho Inmobiliario*, núm. 762.

24 Zabala Rodríguez Fornos, A.; Llopis Giner, F.; y Dago Elorza, I; ob. cit., pág. 443.

25 En este sentido se pronuncia Fernández Fernández, L. M.; (2008), "El desarrollo del procedimiento de apremio", *Recaudación ejecutiva y Hacienda Local"*, Thomson Cívitas, pág. 178.

Valorado el bien, es preciso fijar el tipo de subasta. El tipo de subasta es lo que se conoce como el valor de salida y tiene relevancia de cara a entender cuál es el importe mínimo por el que puede ser enajenado el inmueble, como se observará más adelante. Este tipo de subasta se determina en función de la valoración y de las cargas existentes: si no hay gravámenes, será el importe de la tasación; si los hay, se aplicará la diferencia entre el valor del bien y las cargas, o el importe de los débitos y costas según corresponda. En caso de bienes ya subastados sin adjudicación, se aplicarán coeficientes correctores (0,8 en segunda subasta y 0,6 en posteriores). Prevé la norma, actualmente en su apartado 8, que si se detectan cargas simuladas que dificulten la efectividad del débito, se dará traslado al órgano jurídico competente para determinar las medidas oportunas, sin suspender entretanto el procedimiento de apremio.

5. LA SUBASTA

Solicitados, en su caso, los títulos de propiedad, y entregados estos a la Administración, se habrán de formar los lotes, si procede, para la enajenación de los bienes. Y una vez hayan sido efectuadas la valoración y formación de lotes, se procederá a la enajenación de los bienes trabados siguiendo el orden establecido en la LGT, según indica el artículo 99 RGR.

Con carácter general, el órgano de recaudación competente ordenará la enajenación mediante subasta; debiendo documentarse esta orden de manera precisa. El acuerdo de enajenación será notificado al deudor y al resto de los considerados interesados, entre otros, y en lo que concierne a lo que a este texto interesa, conforme al artículo 101 RGR, habrá que comunicarlo al cónyuge si se trata de un bien ganancial o de la vivienda familiar habitual. En el acuerdo de enajenación habrán de constar los datos correspondientes al deudor y al bien a subastar, así como los relacionados con la propia subasta, para cuya celebración habrán de transcurrir al menos quince días desde la notificación y publicidad del anuncio de esta, según se dispone en los artículos 100 y 101 RGR.

Como señala Gutiérrez Bengoechea, "en sentido estricto, el término subasta representa la fase del procedimiento de apremio en la que mediante pública licitación se fija el precio por el que los bienes van a ser transmitidos. Pero también, y por extensión, el conjunto de actuaciones anteriores; avalúos y publicidad, así como aquellas que son consecuencia de la propia subasta, aprobación del remate, tradición de bienes y distribución del precio obtenido"[26].

26 Gutiérrez Bengoechea, M.; (2016). "Régimen fiscal de las transmisiones de inmuebles realizadas a través de procesos de ejecución forzosa: especial referencia a las personas físicas", *Revista española de Derecho Financiero*, núm. 169.

Si el proceso de subasta finaliza favorablemente, es decir, se produce la enajenación de los bienes, una vez resulte pagado el remate por el adjudicatario, la Administración expedirá documento público de venta en que constara la emisión del informe favorable acerca del cumplimiento de todas las formalidades legales y la extinción de la anotación preventiva de embargo, como consta en el artículo 104.6 RGR.

Se puede suspender el procedimiento en cualquier momento anterior a la adjudicación de los bienes. Para ello se habrán de abonar las cantidades correspondientes al principal de la deuda por la que se inició el proceso, así como los intereses, recargos y costas del procedimiento de apremio, conforme dispone el artículo 101.2 RGR en consonancia con el artículo 169.1 LGT.

También hemos de reconocer la existencia de otros procesos para la realización de los bienes. Así, es posible la enajenación mediante subasta pública que constituye la opción principal, pero también podrán enajenarse los bienes a través de concurso, por medio de adjudicación directa e incluso por adjudicación de los bienes objeto de la traba a la Hacienda Pública tal y como se señala en el artículo 100.1 RGR. Asimismo, hemos de mencionar que el acuerdo de enajenación únicamente podrá impugnarse si las diligencias de embargo se han tenido por notificadas por no haber comparecido el obligado tributario o su representante, siendo admisibles como motivos de impugnación únicamente los motivos en que puede fundamentarse la oposición a la diligencia de embargo, pues así lo dispone el artículo 172.1 LGT en su segundo inciso.

Hemos señalado que si la subasta finaliza favorablemente se produce la enajenación de los bienes, ahora bien, qué se entiende por resultado favorable es una cuestión que no puede quedar al albur de quien ha tomado la iniciativa de la ejecución de los bienes.

Naturalmente la Administración presenta interés en que los bienes se adjudiquen a terceros y pueda percibir el líquido, no teniendo predisposición por adquirir para sí misma los inmuebles. Conforme se observa en el artículo 103 RGR cualquier persona con capacidad de obrar puede participar, salvo aquellos que tengan impedimento legal o estén directamente vinculados al procedimiento, como el personal del órgano de recaudación, los tasadores o los depositarios. La participación se realiza exclusivamente mediante pujas electrónicas en el Portal de Subastas, previa identificación segura del licitador. Es el artículo 103 bis RGR el que establece el depósito obligatorio que deben constituir los licitadores para ser admitidos, que, tratándose de bienes inmuebles será del 5% del precio de salida. Este depósito cumple una función de garantía, pues asegura la seriedad de las pujas y se reserva en caso de incumplimiento del adjudicatario, aplicándose a la cancelación de la deuda.

El artículo 104 RGR describe el desarrollo de la subasta quedando el artículo 104 bis RGR a la regulación de la finalización, adjudicación y pago. La Mesa debe reunirse en un plazo máximo de quince días tras la fase de ofertas para adjudicar los bienes o declarar la subasta desierta. Se establece que, si la mejor oferta alcanza al menos el 50% del tipo de subasta, el bien se adjudicará al licitador correspondiente. Si la oferta es inferior al 50%, la Mesa decidirá, atendiendo al interés público, si procede la adjudicación o la declaración de desierta, sin que exista un precio mínimo obligatorio. El adjudicatario debe completar el pago en los quince días siguientes a la notificación, bajo apercibimiento de perder el depósito, que se aplicará a la deuda. La adjudicación se formaliza mediante certificación del acta, que constituye documento público de venta y permite cancelar las cargas posteriores en el Registro de la Propiedad. Asimismo, se prevé la entrega al deudor del sobrante, si lo hubiera, y la posibilidad de nuevas enajenaciones en caso de bienes no adjudicados.

III. ASPECTOS DIFERENCIALES CON EL PROCEDIMIENTO DE EJECUCIÓN CIVIL

Una de las principales novedades impulsadas en nuestro ordenamiento jurídico por la Ley 37/2011, de 10 de octubre, de medidas de agilización procesal, y concretamente a través de la disposición adicional sexta de la LEC, fue la introducción en el ámbito del Derecho procesal del concepto de "vivienda habitual" a efectos de la ejecución forzosa de los bienes inmuebles. De esta forma que a distinguirse entre la realización de los bienes inmuebles en general, y la realización forzosa de la vivienda habitual del demandado en particular, pues hasta entonces no existía procesalmente ninguna diferencia o especialidad cualquiera que fuese la naturaleza del bien o quién fuese el acreedor[27].

Fue con la Ley 1/2013, de 14 de mayo, de medidas para reforzar la protección a los deudores hipotecarios, reestructuración de deuda y alquiler social, dictada en plena crisis económica para dar cumplimiento a la jurisprudencia del TJUE en materia protección de los consumidores, cuando el concepto de vivienda habitual pasó a convertirse en un factor de absoluta relevancia en toda ejecución judicial en la que se pretenda la realización de bienes raíces. Ya entonces se incorporó para el supuesto de ejecución de vivienda habitual que las costas del procedimiento exigibles al deudor ejecutado no puedan superar el 5% de la cantidad que se reclame en la demanda ejecutiva. Eso sí, estamos ante una incorporación realizada en el artículo 575 LEC y, por tanto, solo aplicable cuando la ejecución forzosa proceda en virtud de un título ejecutivo del que, directa o indirectamente, resulte el deber de entregar una cantidad de dinero líquida, pensado especialmente ante ejecuciones de garantías hipotecarias.

---

27 Font de Mora Rullán, J.; (2018) "Cuestiones prácticas sobre la acreditación del carácter o condición de "vivienda habitual" a efectos de la ejecución de inmuebles: especial referencia a su prueba a la luz de la jurisprudencia", *Revista de Derecho V Lex*, núm. 167.

Son los artículos 655 y siguientes de la LEC los que se encargan de regular la subasta de bienes inmuebles en el procedimiento civil. Dejamos al margen de este acercamiento los aspectos especiales relativos a la ejecución de la garantía hipotecaria, pues esta se fundamenta en una acción real, en que el acreedor hipotecario cobra su deuda únicamente mediante el bien hipotecado. Este procedimiento está diseñado para ser especial y ágil, ya que la hipoteca debe estar inscrita en el Registro de la Propiedad y deben haberse fijado elementos específicos ya en el momento de la inscripción, nos referimos a la inclusión de datos de relevancia como la fijación del valor de tasación del bien para la subasta. Debe recordarse que, en el marco de una ejecución ordinaria, lo que se ejercita es una acción personal frente al deudor, permitiendo al acreedor, por tanto, ejecutar todos los bienes del deudor que no tengan la consideración de bienes inembargables. Naturalmente, esto incluye la posibilidad de obtener el embargo bienes inmuebles, entre los cuales puede clasificarse a la vivienda habitual del deudor, que, como cualquier otro bien inmueble, puede ser enajenada mediante subasta judicial.

Actualmente, conforme al artículo 670 LEC, cuando se subasta un bien inmueble, sea del tipo que sea, si la mejor puja es igual o superior al 70% del valor de subasta se produce la aprobación automática. Esto supone que sin más trámites el Letrado de la Administración de Justicia, en adelante LAJ, aprueba el remate a favor del mejor postor al día siguiente. Si la mejor puja es inferior al 70% se abren algunas posibilidades para proteger al deudor al que se le permite presentar en el plazo de 10 días a un tercero para que mejore la oferta. Si no se ejerce esta prerrogativa o no tiene éxito, el LAJ aprobará el remate a favor del mejor postor siempre que la cantidad ofrecida sea igual o superior al 50%. Incluso en algunos casos, podría obtenerse el remate por un precio inferior al porcentaje señalado[28].

Lo expuesto atiende a la ejecución de inmuebles en general, ahora bien, no se debe dejar pasar que el citado precepto establece una serie de especialidades de relevancia que resultan aplicables cuando el inmueble que se subasta constituye la vivienda habitual

---

28 "No obstante, también se aprobará el remate por la cantidad suficiente para lograr la completa satisfacción del derecho del ejecutante, sin que pueda ser inferior al 40 por ciento del valor de subasta. En este caso, la adjudicación del bien supondrá la terminación de la ejecución por completa satisfacción del ejecutante, quedando liberados el resto de bienes que pudieran garantizar el pago de lo reclamado. Si la mejor postura no cumpliera estos requisitos, el letrado o letrada de la Administración de Justicia responsable de la ejecución, oídas las partes, resolverá sobre la aprobación del remate a la vista de las circunstancias del caso y teniendo en cuenta especialmente la conducta del deudor en relación con el cumplimiento de la obligación por la que se procede, las posibilidades de lograr la satisfacción del acreedor mediante la realización de otros bienes, el sacrificio patrimonial que la aprobación o no aprobación del remate suponga para el deudor, para el propio ejecutante o para terceros acreedores con sus derechos inscritos, y el beneficio que de ella obtenga el acreedor." Según dispone el cuarto párrafo *in fine* del artículo 670.3 LEC.

del deudor. La principal puntualización a este respecto es que, en ningún caso resultará adjudicada la vivienda habitual del ejecutado por un valor inferior al 60%, siendo el mínimo general que opera en estos casos el del 70% del valor fijado en subasta, el que denominamos tipo de subasta.

Antes de la reforma operada por la Ley Orgánica 1/2025, de 2 de enero, de medidas en materia de eficiencia del Servicio Público de Justicia, en adelante LO 1/2025, si la subasta quedaba desierta, el acreedor hipotecario podía pedir la adjudicación de la vivienda habitual por un importe igual al 70% del valor de subasta, o por el 60% si la cantidad adeudada era inferior a ese porcentaje. La interpretación jurisprudencial había venido asentándose en la idea de que la adjudicación por un importe inferior al 70% solo se justificaba si con esa adjudicación quedaba completamente extinguido el crédito del ejecutante, como ya señaló el Tribunal Supremo en sus sentencias núm. 366/3016, de 3 de junio de 2016, número de recurso 1304/2014, y sentencia núm. 497/2016, de 19 de julio de 2016, recurso número 125/2014.

Con la nueva redacción dada a la LEC por la LO 1/2025, que resulta de aplicación a los procedimientos incoados a partir del 3 de abril de 2025, si la deuda del ejecutante es superior al 60% pero inferior al 70% del valor del bien, el ejecutante deberá adjudicarse el bien por el importe de su deuda por todos los conceptos, es decir, no por el 60%, sino por el porcentaje que, en su caso, se sitúe entre el 60% y el 70% y que se corresponda con el importe de su crédito. Si la subasta no ha quedado desierta, sino que el ejecutante es el mejor postor, pero ofrece un precio inferior a los porcentajes mínimos, el LAJ aprobará el remate a favor del ejecutante, pero por el 70% del valor de subasta o, si la deuda fuera menor, por el importe total de la deuda con un mínimo del 60% del valor de subasta.

Así pues, cuando el inmueble a subastar no es vivienda habitual este puede ser adjudicado por un 50% del valor e incluso, en casos extremos, por un importe inferior. Siendo la vivienda habitual del ejecutado la que se presenta a ejecución, como mínimo se adjudicará por el 60% del valor y solo en caso de que con ello quede cubierta toda la deuda. De no ser así, habrá de alcanzarse el 70%. Esta colisión entre dos realidades jurídicas hay quien la considera injustificada, entendiendo que no deberían poder rematarse inmuebles por un precio tan inferior a su valor[29]. Desde nuestro punto de vista, la satisfacción de los acreedores es deber del deudor y solo cuando se trata de bienes de especial relevancia deben hacerse distingos. Consideramos que la vivienda habitual del deudor merece siempre una especial consideración y vemos en todo punto correcto que no se permita su ejecución por valores injustificadamente bajos.

La determinación de si el inmueble es o no la vivienda habitual del ejecutado, es una competencia que, por regla general, corresponde al LAJ. Naturalmente, ello queda

29 López Picó, R.; (2022), La subasta judicial electrónica, Aranzadi.

al margen si previamente ha recaído un pronunciamiento judicial expreso resolviendo sobre dicha cuestión[30]. Contra el criterio del LAJ cabe recurso de reposición.

Otros aspectos que pueden manejarse en lo que a las diferencias entre unos y otros procedimientos se refiere es el relativo a la exención en ganancias que prevé el artículo 33.1.d de la Ley 35/2006, de 28 de noviembre, del Impuesto sobre la Renta de las Personas Físicas y de modificación parcial de las leyes de los Impuestos sobre Sociedades, sobre la Renta de no Residentes y sobre el Patrimonio, en adelante Ley del IRPF[31]. De su lectura se aprecia que, ante la dación en pago en la ejecución hipotecaria, siendo la vivienda habitual del deudor la que se entrega y no disponiendo este de otros bienes para satisfacer la deuda y evitar esta enajenación de la vivienda, quedará exenta de IRPF la ganancia patrimonial que se pudiera haber puesto de manifiesto con ello. Además, prevé el precepto esta exención cuando esta ganancia se ponga de manifiesto en cualquier otra ejecución de la vivienda habitual ya sea la vivienda ejecutada notarial o judicialmente.

Coincidimos con Gutiérrez Bengoechea cuando señala que sería de justicia que la exención en las ganancias se extendiese también a las subastas o ejecuciones administrativas, "ya que todas responden a un incumplimiento del deudor frente a un acreedor con independencia que éste sea privado o público"[32]. Nos parece que, si el deudor tributario pierde su vivienda a manos de la Administración y no dispone de otros bienes con los que satisfacer la deuda por la que se produjo la ejecución, exactamente igual de precaria es su situación económica que cuando su acreedor es un acreedor privado.

IV. CONCLUSIONES Y PROPUESTAS

Pretendiendo ser breves en este punto, queremos remarcar las diferencias que el legislador ha impuesto al acreedor cuando lo que pretende ejecutar para el pago del

---

30 Font de la Mora Rullán, J.; *ob. cit.*

31 La transcripción del artículo 33.1.d de la Ley del IRPF es la siguiente: quedarán exentas las ganancias que se pongan de manifiesto "d) Con ocasión de la dación en pago de la vivienda habitual del deudor o garante del deudor, para la cancelación de deudas garantizadas con hipoteca que recaiga sobre la misma, contraídas con entidades de crédito o de cualquier otra entidad que, de manera profesional, realice la actividad de concesión de préstamos o créditos hipotecarios.

Asimismo, estarán exentas las ganancias patrimoniales que se pongan de manifiesto con ocasión de la transmisión de la vivienda en que concurran los requisitos anteriores, realizada en ejecuciones hipotecarias judiciales o notariales.

En todo caso será necesario que el propietario de la vivienda habitual no disponga de otros bienes o derechos en cuantía suficiente para satisfacer la totalidad de la deuda y evitar la enajenación de la vivienda."

32 Gutiérrez Bengoechea, M.; *ob. cit.*

débito es la vivienda habitual del deudor. Pensamos que el derecho a la vivienda, derecho constitucionalmente protegido, debe ser un obstáculo a la subasta de este bien para el pago de las deudas en los mismos términos sea cual fuere el acreedor. El deber de contribuir al sostenimiento de los gastos públicos no nos parece que sea suficiente como para perjudicar la solución habitacional del deudor tributario con mayor ligereza que cuando el actuante es un acreedor privado. Podemos comprender las trabas que se imponen a los grandes tenedores, incluso a los acreedores que lo son por la concesión de préstamos con garantía hipotecaria, empero no puede defenderse que deba perjudicarse en mayor medida el crédito del prestador de servicios que no ha cobrado que el crédito tributario, pues fácilmente el acreedor tributario podrá prescindir del ingreso concreto con menor desgaste que el acreedor privado.

No cabe duda de la relevancia de la vivienda a efectos patrimoniales, como tampoco cabe duda de su relevancia a efectos, sociales, familiares y, en definitiva, como derecho de la personalidad.

Defendemos siempre el deber de pagar el tributo que por justicia corresponda, como también defendemos el deber de abonar la deuda contraída con los acreedores de buena fe.

Comprendemos que el legislador se ve compelido por la opinión pública para suavizar las exigencias de cobro de terceros cuando estas se van a hacer viables contra la vivienda habitual del deudor. Y conocemos, aunque no comprendemos, que la tendencia a mantener una iniciativa legislativa favorable a los intereses recaudatorios de la Hacienda Pública aleja a este acreedor de ser tratado como los demás en el momento de legislar.

Sabemos, aunque no hemos hecho referencia a ello, que el artículo 10.5 de la Ley 20/2007, de 11 de julio, del Estatuto del Trabajador Autónomo prevé que si el bien a embargar al trabajador por cuenta propia es su vivienda habitual y esta va a ser embargada por deudas con la Seguridad Social o deudas tributarias relacionadas con su actividad empresarial, será preciso demostrar que no existían otros bienes embargables suficientes para cubrir el débito y se retrasa la ejecución hasta que transcurran un mínimo de dos años desde que se notificó la primera diligencia de embargo por la misma deuda. Aunque estamos ante una norma de especial relevancia para el trabajador autónomo, no tiene efectos sobre la generalidad de los deudores tributarios.

Creemos que se debe reformular la normativa sobre subasta y remate en el ámbito tributario. No parece que deba permitirse la adjudicación por el 50% del valor de la vivienda en el marco de los apremios tributarios, mientras se exige, como criterio general, el 70% cuando estamos ante ejecución de la vivienda habitual en el proceso civil.

Pensamos que la reforma que se propone no tendría excesiva relevancia a nivel de la recaudación global, empero produciría una mayor seguridad al ciudadano y una suerte de rasero similar sea quien fuere el ejecutante, justificando el sacrificio que se exige al acreedor privado con la imposición de las mismas cautelas cuando se trata de acreedor público.

Asimismo, nos parece que la norma sobre suspensión de lanzamientos sobre la vivienda habitual para personas con especial vulnerabilidad debería ser trasladable a la legislación tributaria de forma que se prohibiera la ejecución de la vivienda habitual por parte de la Hacienda Pública cuando nos encontramos con deudores tributarios que, por su especial vulnerabilidad, perdiendo la vivienda no puedan permitirse el pago del alquiler de una nueva solución habitacional por motivos temporales justificados.

V. REFERENCIAS BIBLIOGRÁFICAS

Antelo Martínez, J. C.; (2010) "Comentarios a la Sentencia de la A.P. de Alicante de 28 de diciembre de 2009", en *Notariosyregistradores.com.* Disponible en: https://www.notariosyregistradores.com/doctrina/ARTICULOS/2010-recaudadormunicipal.htm

Berrocal Lanzarot, A. I.; (2017). Aspectos relevantes entorno a la vivienda familiar, *Revista crítica de Derecho Inmobiliario*, núm. 762.

Dago Elorza, I.; (2004), "Título III, Capítulo IV, Artículo 169", *Comentarios a la nueva Ley General Tributaria*, Aranzadi.

De Miguel Arias, S.; (2010), "La anulación de las diligencias de embargo como consecuencia de su falta de motivación", *Revista Aranzadi Doctrinal*, núm. 4.

Font de Mora Rullán, j.; (2018). "Cuestiones prácticas sobre la acreditación del carácter o condición de "vivienda habitual" a efectos de la ejecución de inmuebles: especial referencia a su prueba a la luz de la jurisprudencia", *Revista de Derecho V Lex*, núm. 167.

Fernández Fernández, L. M.; (2008), "El desarrollo del procedimiento de apremio", *Recaudación ejecutiva y Hacienda Local,* Thomson Cívitas, pág. 178.

Fraile Fernández, R.; (2022), "Las garantías del IBI ante transacciones y concurrencia", *Tributos Locales*, núm. 156.

Fraile Fernández, R.; (2024). "La autotutela ejecutiva fuera del término municipal", *Tributos locales*, núm. 166.

Garberí Llobregat, J.; y Buitrón Ramírez, G.; (2012). El proceso de ejecución forzosa en la Ley de Enjuiciamiento Civil, Cívitas.

Gutiérrez Bengoechea, M.; (2016). "Régimen fiscal de las transmisiones de inmuebles realizadas a través de procesos de ejecución forzosa: especial referencia a las personas físicas", *Revista española de Derecho Financiero*, núm. 169.

Hernando Orejana, L. C.; (2011), "Comentario a la Sentencia del Tribunal Supremo dictada en el recurso de casación en interés de ley de 16 de marzo de 2011 sobre las actuaciones ejecutivas fuera del término municipal", *Actualidad Administrativa*, núm. 16.

Lafuente Benaches, M.; (2015). "La protección de la vivienda frente a la potestad administrativa de ejecución forzosa con entrada domiciliaria", *Revista española de Derecho Administrativo*, núm. 168.

López Picó, R.; (2022). *La subasta judicial electrónica*, Aranzadi, Navarra.

Malvárez Pascual, L. A y Leandro Serrano, M.; (2012), *El procedimiento de recaudación tributaria*, CEF, pág. 654.

Manteca Valdelande, V.; (2011), "La ejecución forzosa en el procedimiento administrativo", *Actualidad administrativa*, núm. 9.

Martín Queralt, J.; Lozano Serrano, C.; y Poveda Blanco, J.; (2011), *Derecho tributario*, 16ª edición, Thomson Reuters.

Martínez Lafuente, A.; (2018), "El procedimiento tributario y el Registro de la Propiedad: actualización de referencias jurisprudenciales", Impuestos, núm. 19.

Martínez-Carrasco Pignateli, J. M.; (2006), "Fases de ejecución de los bienes en el procedimiento de apremio", *Quincena fiscal*, núm. 1.

Ortiz Espejo, D.; (2024) "Algunas medidas fiscales de apoyo a los jóvenes en relación con el acceso a la vivienda, la cuenta vivienda y bonificaciones en el IBI", *La atención a la juventud en el sistema tributario*, Tirant lo Blanch.

Sánchez Ondal J. J. (2008); *"Presupuestos materiales y formales del procedimiento de apremio."* Recaudación ejecutiva y Hacienda Local, Thomson Cívitas.

Silvestre López, J. L.; (2020), "El embargo, aspectos generales", *Fórum Fiscal*, núm. 261

Zabala Rodríguez Fornos, A.; Llopis Giner, F.; y Dago Elorza, I.; (1991), "Recaudación, aspectos sustantivos y procedimentales", *Comentarios al Real Decreto 1684/1990*, CIS.

SEGUNDA PARTE:

CONTROL DEL FRAUDE FISCAL A TRAVÉS DEL SUMINISTRO DE INFORMACIÓN

LAS OBLIGACIONES DE LOS OPERADORES DE PLATAFORMAS DIGITALES EN LA DAC 7: APUNTES DESDE LOS PRINCIPIOS DE SEGURIDAD JURÍDICA Y PROPORCIONALIDAD[1]

Saturnina Moreno González
Catedrática de Derecho Financiero y Tributario
Universidad de Castilla-La Mancha - Centro Internacional de Estudios Fiscales
ORCID 0000-0001-7611-6737

[1] Este trabajo se integra en los proyectos de investigación «The protection of taxpayers'rights in the EU Law» (Project: 101175282: ERASMUS-JMO-2024-HEI-TCH-RSCH), «Administración electrónica, inteligencia artificial y tributos» (PID2022-139650OB-100, financiado por MICIU/AEI/10.13039/501100011033) y «La protección de los derechos y garantías de los contribuyentes en el Derecho internacional y doméstico» (2025-GRIN-3835, cofinanciado por UCLM y FEDER/UE).

EMPRESA Y DE PROPIEDAD Y LA LIBRE PRESTACIÓN DE SERVICIOS. 2. SANCIONES Y OTRAS MEDIDAS COERCITIVAS APLICABLES EN CASO DE INCUMPLIMIENTO. V. A MODO DE CONCLUSIÓN. VI. REFERENCIAS BIBLIOGRÁFICAS.

I. INTRODUCCIÓN. EL PAPEL FISCAL DE LOS OPERADORES DE PLATAFORMA DIGITALES EN UN CONTEXTO GLOBAL Y DIGITAL

La transformación radical del comercio, de los modelos de negocio y de los hábitos de consumo motivada por el desarrollo de las tecnologías disruptivas tiene uno de sus máximos exponentes en el protagonismo alcanzado por las plataformas digitales en las operaciones de entrega de bienes y prestaciones de servicios realizadas de forma directa o como meras intermediarias entre vendedores y usuarios. La denominada «economía de plataforma»[2] representa una parte sustancial del modelo económico digital, con un impacto económico y social indudables, especialmente en determinados ámbitos como el alojamiento a corto plazo, el transporte, la financiación participativa y prestación de servicios personales[3].

Sin perjuicio de la existencia de otros muchos desafíos regulatorios (en materia de protección de consumidores, concesión de licencias, empleo y seguridad social, salud y seguridad, etc.), desde la óptica del Derecho tributario la «economía de plataforma» platea retos significativos en dos planos distintos. De un lado, la preocupación global por cómo lograr gravar en la fuente los beneficios de las multinacionales tecnológicas

---

2 Es conveniente diferenciar entre la «economía colaborativa» y la «economía de plataforma». Pese a que la Comisión Europea, en su Comunicación «Una Agenda Europea para la economía colaborativa», COM (2016) 356 final, de 2 de junio de 2016, pág. 3, emplea un concepto amplio de «economía colaborativa», identificándola con los «modelos de negocio en los que se facilitan actividades mediante plataformas colaborativas que crean un mercado abierto para el uso temporal de mercancías o servicios ofrecidos a menudo por particulares», la «economía de plataforma» es un fenómeno que trasciende las características propias de las transacciones económicas colaborativas que se articulan alrededor de transacciones entre particulares, con o sin ánimo de lucro. De ahí que, siguiendo a Montesinos Oltra (2021, pág. 88), la economía de plataforma pueda definirse como una economía de mercado intermediada por plataformas digitales.

3 Pese a la dificultad de ofrecer datos precisos sobre el volumen total de transacciones que se producen a través de las plataformas digitales, éstas se han convertido en actores importantes en diversos sectores de la economía y se espera que su protagonismo y peso en la economía digital seguirá creciendo. Conforme a los datos ofrecidos por la Comisión, el valor total de los servicios transaccionados en plataformas digitales en 2018 en la UE-27 puede estimarse en 34.300 millones de euros, mientras que el valor total de los bienes transaccionados en plataformas en línea entre particulares se estima en 20.700 millones de euros. Los sectores de servicios más importantes son el alojamiento a corto plazo, el transporte y la financiación colaborativa, con un total de transacciones en la UE-27 en 2018 que asciende a 15.300 millones de euros, 6.300 millones de euros y 6.600 millones de euros, respectivamente. *Commission Staff Working Document Impact Assessment: Tax fraud and evasion - better cooperation between national tax authorities on exchanging information*, SWD (2020) 131 final, 15 de julio de 2020, págs. 33-35.

cuando estas no tienen presencia física suficiente en el territorio donde prestan sus servicios, en un contexto de fuerte globalización y ausencia de armonización del impuesto sobre sociedades. De otro, los riesgos recaudatorios derivados del incremento exponencial de las entregas de bienes y prestaciones de servicios entre particulares a través de plataformas digitales. La proliferación de transacciones económicas realizadas a través de plataformas digitales que escapan al conocimiento y control de las administraciones tributarias dificulta considerablemente que las manifestaciones de capacidad económica que afloran en este entorno queden sometidas a tributación, en especial cuando las plataformas digitales y los vendedores se encuentran en Estados distintos de donde se llevan a cabo el consumo de bienes y las prestaciones de servicios[4].

En ese segundo plano emerge el papel de los operadores de plataformas digitales como potenciales colaboradores de las administraciones tributarias en aras de garantizar el cumplimiento fiscal de los contribuyentes, sea mediante el establecimiento de nuevas obligaciones de información con trascendencia tributaria (ámbito en el que se centra el objeto de esta contribución), sea colaborando en la recaudación de los eventuales gravámenes que deben soportar aquellos con ocasión de las entregas de bienes y prestaciones de servicios a través de dichas plataformas.

Para mejorar el cumplimiento tributario de quienes obtienen rentas a través de plataformas digitales, distintos países procedieron a introducir medidas legislativas o directrices administrativas en virtud de las cuales los intermediarios digitales debían facilitar información a las administraciones tributarias[5]. En el caso de España debe citarse el ejemplo normativo de la declaración informativa trimestral de la cesión de uso de viviendas con fines turísticos, establecida desde 2018 para los intermediarios en la cesión de uso de este tipo de viviendas[6]. Sin embargo, la configuración de estas obli-

---

4 Antón Antón (2019), pág. 185.

5 La Comisión europea ha identificado un total de doce Estados miembros con normas jurídicas u orientaciones administrativas a este respecto. SWD (2020) 131 final, págs. 34-35.

6 El artículo 93 de la Ley General Tributaria fue empleado como precepto habilitante para establecer, a través del Real Decreto 1070/2017, de 29 de diciembre, el deber de información sobre la cesión del uso de viviendas con fines turísticos a cargo de los sujetos que intermedian en tales operaciones inmobiliarias, residenciado en el artículo 54 ter del Reglamento General de de las actuaciones y los procedimientos de gestión e inspección tributaria (aprobado por Real Decreto 1065/2007, de 27 de julio). La Sentencia del Tribunal Supremo de 23 de julio de 2020 (rec. 80/2018) anuló la citada obligación informativa al haberse establecido sin notificar previamente a la Comisión Europea la intención de aprobar una norma susceptible de afectar al principio de libre circulación de los servicios de la sociedad de la información establecido en la Directiva 2000/31/CE. Posteriormente, a través del Real Decreto 366/2021, de 25 de mayo, se reintrodujo la obligación de información en los mismos términos que en la regulación anterior. Sobre las dudas de legalidad y proporcionalidad de aquel deber de información *vid.* Sánchez López (2019), págs. 19-44.

gaciones de información afrontaba importantes obstáculos, en particular, el hecho de que los sujetos obligados a facilitarla no tuvieran en muchos casos presencia física en los países en los que prestan servicios[7].

La ineficacia de las respuestas nacionales, unido a la insuficiencia de los instrumentos supranacionales entonces existentes de intercambio de información tributaria, condujo a la búsqueda de soluciones normativas coordinadas dirigidas a exigir la colaboración de los operadores de plataforma digitales en la obtención de información temprana y de calidad sobre las rentas obtenidas por los vendedores y prestadores de servicios a través de ellas y, paralelamente, de conseguir una cooperación administrativa más eficaz y eficiente mediante el intercambio automático de la información recabada con la finalidad de que los distintos Estados puedan gravar las rentas obtenidas a través de estos modelos de negocio.

Así, la OCDE y la Unión Europea han establecido marcos regulatorios paralelos que ordenan la colaboración de los actores que intervienen en la denominada economía de plataforma. En el ordenamiento europeo, la Directiva (UE) 2021/514 del Consejo, de 22 de marzo de 2021, supuso la sexta de un total de ocho modificaciones, hasta el momento, de la Directiva 2011/16/UE, de 15 de febrero, relativa a la cooperación administrativa en el ámbito de la fiscalidad (DAC 1, por sus siglas en inglés). Entre otras reformas relevantes[8], la Directiva 2021/514 (más conocida como DAC 7) ha establecido la obligación a cargo de los operadores de plataforma digitales de comunicar determinada información relativa a los vendedores registrados en ellas y que la utilicen para arrendar bienes inmuebles, prestar servicios personales, vender bienes materiales o prestar servicios de transporte. No obstante, esa obligación de comunicación de información está precedida de otras obligaciones complementarias, en especial de la obligación de los operadores de plataforma de obtener y verificar la información conforme a determinados procedimientos de diligencia debida —en los que también se prevé la colaboración de los vendedores sujetos a comunicación— y que suponen implicar a los operadores de plataforma en el desempeño de tareas de «cierto control tributario respecto de los usuarios» que hasta ahora eran propias de la Administración tributaria[9]. Asimismo, la DAC 7 contempla una serie de medidas coercitivas dirigidas tanto a operadores de plataforma como a vendedores sujetos a comunicación incumplidores,

[7] Manchacoses García (2019), pág. 197.

[8] En particular, la codificación del concepto de «pertinencia previsible» a efectos de los intercambios de información previa solicitud y el reforzamiento de las disposiciones relativas a la cooperación administrativa transfronteriza mediante la presencia de funcionarios en el territorio de otro Estado miembro, los controles simultáneos y las inspecciones conjuntas.

[9] Martínez Muñoz (2023), § III.2, pág. 12.

independientes del régimen de infracciones y sanciones que los Estados miembros establezcan para garantizar el efecto útil de aquella.

Los Estados miembros debían adoptar y publicar las disposiciones normativas y administrativas oportunas para la transposición de la Directiva antes del 31 de diciembre de 2022, a fin de que sus disposiciones fueran aplicables, con carácter general, a partir del 1 de enero de 2023. El legislador español cumplió fuera de plazo, a través de la Ley 13/2023, de 24 de mayo, en materia de intercambio de información e inspecciones conjuntas[10], y el Real Decreto 117/2024, de 30 de enero, por el que se desarrollan las normas y los procedimientos de diligencia debida en el ámbito del intercambio automático obligatorio de información comunicada por los operadores de plataformas[11]. Los modelos de declaración censal (040) e informativa (238), así como las condiciones y el procedimiento para su presentación se regulan en la Orden HAC/72/2024, de 1 de febrero.

El marco normativo resultante de la transposición de la DAC 7 en España es analizado en otro trabajo de esta obra colectiva[12], por lo que, a excepción de alguna referencia concreta en la última parte del trabajo, no será objeto de estudio en esta contribución, cuyo interés y objeto se centra en ofrecer algunas reflexiones sobre el alcance y contenido de las obligaciones de diligencia debida y comunicación de información establecidas por la norma europea y la adopción de medidas sancionadoras y otras medidas coercitivas aplicables en caso de incumplimiento a la luz de los principios de seguridad jurídica y proporcionalidad, sirviéndonos para ello de la jurisprudencia previa del Tribunal de Justicia de la Unión Europea (en adelante, TJUE). A tal fin, tras exponer brevemente los objetivos, alcance y contenido de la pluralidad de obligaciones informativas establecidas en la DAC 7, se mostrarán algunos problemas hermenéuticos derivados de la abstracción y amplitud de distintos conceptos y elementos estructurales de la norma eu-

---

10 Mediante la introducción de una nueva disposición adicional vigésima quinta en la Ley 58/2003, de 17 de diciembre, General Tributaria (LGT). En esta disposición se contienen las directrices generales de las obligaciones de información y de diligencia debida de los operadores de plataforma, así como de los vendedores, el régimen de infracciones y sanciones derivadas de dicho incumplimiento y de otro tipo de medidas coercitivas para asegurar el cumplimiento, el deber de conservación durante diez años de las declaraciones exigibles, registros, pruebas documentales y cualquier otra información y la obligación del operador de plataforma de comunicar a los vendedores, personas físicas, que la información facilitada será transmitida a la Administración tributaria, para posterior intercambio automático.

11 La disposición final primera del citado Real Decreto modifica e introduce nuevos artículos en el Reglamento General de gestión e inspección. Entre ellos destaca la regulación de la «obligación de información de determinadas actividades por los operadores de plataforma», contenida en el nuevo artículo 54 ter del citado Reglamento.

12 Asimismo, Ruiz Hidalgo (2024), págs. 209-263.

ropea y se reflexionará, asimismo, sobre el respeto del principio de proporcionalidad en tanto que límite a la adopción de medidas que suponen una injerencia en los derechos y libertades individuales reconocidos en el Derecho primario de la Unión, así como con el principio de proporcionalidad en materia sancionadora.

II. OBJETIVOS, ALCANCE Y CONTENIDO DE LA PLURALIDAD DE OBLIGACIONES DE LOS OPERADORES DE PLATAFORMAS DIGITALES EN LA DAC 7

1. OBJETIVOS DE LA DIRECTIVA Y ESPECIALIDADES FRENTE A LAS NORMAS TIPO DE LA OCDE

La DAC 7 forma parte del Plan de acción de la Comisión Europea para una tributación más justa y sencilla[13]. Su objetivo principal es garantizar la equidad tributaria y salvaguardar los ingresos fiscales de los Estados miembros, mediante la prevención de la evasión fiscal derivada de la no comunicación de las rentas obtenidas por los usuarios a cambio de la prestación de servicios o la venta de bienes a través de plataformas digitales que a menudo operan en varios países[14].

Junto a ello, la Directiva pretende garantizar un funcionamiento equitativo y coherente del mercado interior por medio de la implantación de un «requisito normalizado de comunicación de información» aplicable en toda la Unión que reemplace los diferentes enfoques nacionales, superando la fragmentación existente, así como reducir la carga administrativa y costes de cumplimiento para las plataformas digitales[15].

La DAC 7 se inspira en las «normas tipo» de comunicación de información por operadores de plataformas sobre vendedores en la economía colaborativa y de trabajo esporádico o por encargo aprobadas en 2020 por el Marco Inclusivo BEPS de la OCDE/G20[16], y complementadas en 2021 (tras la aprobación de la DAC 7) a través del acuer-

---

13 COM (2020) 312 final, pág. 1.

14 A este respecto, *vid*. la Exposición de Motivos de la Propuesta de Directiva de 15 de julio de 2020, COM (2020) 314 final, págs. 2-3. Asimismo, considerando 6 de la DAC 7.

15 *Vid*. considerandos 7, 9, 10 y 13 de la DAC 7.

16 OECD (2020), *Model Rules for Reporting by Platform Operators with respect to Sellers in the Sharing and Gig Economy*, OECD, Paris. www.oecd.org/tax/exchange-of-tax-information/model-rules-for-reporting-by-platform-operators-with-respect-tosellers-in-the-sharing-and-gig-economy.htm (recuperado el 28/12/2025).

do multilateral entre autoridades competentes sobre el intercambio automático de información sobre los ingresos derivados de las plataformas digitales (DPI MCAA)[17].

Las normas tipo de la OCDE y la DAC 7 comparten objetivos y presentan importantes similitudes. No obstante, exhiben algunas diferencias[18] que permiten advertir un ámbito de aplicación y alcance de las normas tipo más limitados que los de la DAC 7. Así, las normas tipo contemplaban inicialmente como actividades relevantes de los vendedores sujetos a comunicación de información el arrendamiento de inmuebles y la prestación de servicios personales; no obstante, se ha previsto la ampliación de su ámbito de aplicación a la venta de bienes y el arrendamiento de medios de transporte, mediante la rúbrica del módulo opcional incluido en el DPI MCAA. Asimismo, las normas tipo solo contemplan la obligación de informar para los operadores de plataforma residentes a efectos fiscales en uno de los Estados contratantes o que, aun no teniendo la residencia fiscal, se hayan constituido conforme a la normativa del Estado contratante o tengan en ese Estado su sede de dirección efectiva. De esta forma, a diferencia de la DAC 7, la obligación no alcanza a los operadores de plataforma no residentes que presenten otros puntos de conexión territorial distintos a los mencionados. Por otra parte, las normas tipo excluyen de la obligación de informar a aquellos operadores de plataforma de menor tamaño, cuya cifra de ingresos en el año anterior sea inferior a un millón de euros y lo notifiquen a la Administración tributaria del Estado donde deben comunicar la información. La lógica que subyace a esta exclusión es evitar que, dado el tamaño relativamente pequeño y los recursos limitados de que disponen, este tipo de plataformas afronten cargas de cumplimiento desproporcionadas. Sin embargo, esta ex-

[17] OECD (2021), *Model Reporting Rules for Digital Platforms: International Exchange Framework and Optional Module for Sale of Goods*, OECD, Paris. www.oecd.org/tax/exchange-of-tax-information/model-reporting-rules-for-digital-platforms-internationalexchange-framework-and-optional-module-for-sale-of-goods.pdf. A 8 de octubre de 2025, el acuerdo ha sido firmado por 32 jurisdicciones, incluida España (https://www.oecd.org/content/dam/oecd/en/topics/policy-issues/tax-transparency-and-international-co-operation/dpi-mcaa-signatories.pdf. Junto a las normas tipo y al DPI MCAA, la OCDE ha publicado el esquema XML y la guía del usuario de información sobre plataformas digitales (DIP). OECD (2022), *Model Rules for Reporting by Digital Platform Operators XML Schema: User Guide for Tax Administrations*, OECD, Paris, https://www.oecd.org/tax/exchange-of-tax-information/model-rules-for-reporting-by-digital-platform-operators-xmlschema-user-guide-for-tax-administrations.pdf. Por otra parte, la OCDE mantiene y actualiza periódicamente una lista de preguntas frecuentes que contribuyen a clarificar la interpretación de las normas tipo y ayudan a garantizar la coherencia en su aplicación. OECD (2023), *Model Reporting Rules for Digital Platforms: Frequently Asked Questions*, https://www.oecd.org/content/dam/oecd/en/topics/policy-issues/tax-transparency-and-international-co-operation/model-reporting-rules-for-digital-platforms-faqs.pdf. Recuperados el 28/12/2025.

[18] En relación con las similitudes y diferencias existentes entre ambos marcos regulatorios vid. Beretta (2021), págs. 31-38; Zilli (2022), págs. 521-536; Ruiz Hidalgo (2024), págs. 122-139.

clusión no se ha acogido finalmente en la DAC 7 por considerar que la introducción de un umbral específico en función del tamaño de la plataforma puede tener un efecto desincentivador del crecimiento de las plataformas pequeñas y medianas (*bunching effect*) y que, de adoptarse, podría suponer un aumento de los costes de cumplimiento para las plataformas una vez superado el umbral[19]. Así pues, el legislador europeo ha dado prioridad al objetivo de evitar comportamientos tendentes a eludir el cumplimiento de la norma que a la adopción de medidas mitigadoras de los costes de cumplimiento para las pequeñas y medianas empresas, pese a que este tipo de costes tiene un impacto superior sobre las empresas de menor tamaño[20].

2. APROXIMACIÓN A LAS OBLIGACIONES DE REGISTRO, DILIGENCIA DEBIDA Y COMUNICACIÓN DE INFORMACIÓN DE LOS OPERADORES DE PLATAFORMA

La DAC 7 incorpora un nuevo artículo 8 *bis quarter* en la Directiva 2011/16/UE titulado «[á]mbito de aplicación y condiciones del intercambio automático obligatorio de información comunicada por los operadores de plataformas». La regulación contenida en este precepto se completa con el Anexo V —también introducido por la DAC 7 bajo el título «procedimientos de diligencia debida, requisitos de comunicación de información y otras normas para operadores de plataforma»—, donde se regula en detalle el alcance subjetivo y objetivo y el contenido de las distintas obligaciones formales a cargo de los operadores de plataforma. La DAC 7 también modifica el artículo 25 *bis* de la DAC 1 para prever el establecimiento por parte de los Estados miembros de regímenes de sanciones nacionales eficaces, proporcionales y disuasorios de posibles incumplimientos, que pueden complementarse con la adopción de otro tipo de medidas coercitivas previstas en la Sección IV, letras A y F, del Anexo V y sobre las que volverá más adelante.

---

19 SWD (2020) 131 final, págs. 45-47. Como argumento adicional a los mencionados en el texto para no incluir un *carve-out* en función del tamaño de la plataforma, la memoria de impacto alude a los límites que la existencia previa de diferentes obligaciones unilaterales de comunicación de información imponía a la expansión de las plataformas pequeñas y medianas en la UE y el beneficio que, frente a esa situación, supone el establecimiento de una obligación de información normalizada.

20 SWD (2020) 131 final, pág. 40. Asimismo, *European Parliament, Overview on the tax compliance costs faced by European enterprises - with a focus on SMEs*, pág. 2 https://www.europarl.europa.eu/RegData/etudes/STUD/2023/642353/IPOL_STU(2023)642353_EN.pdf (recuperado el 28/12/2025).

La obligación de suministro de información se extiende tanto a los «operadores de plataforma»[21] residentes o que presenten determinados puntos de conexión con la Unión Europea, como a los no residentes o sin conexión territorial con ella[22]. El ámbito objetivo de la obligación comprende las actividades realizadas de forma independiente y onerosa por los «vendedores activos»[23] registrados en la «plataforma»[24] consis-

---

[21] La Sección I.A.2 del Anexo V define a los operadores de plataforma obligados como aquellas «entidades» (por tanto, quedan excluidas las personas físicas) que celebran contratos con los vendedores para poner toda o parte de una plataforma a disposición de tales vendedores. La Sección I.C.1 define el término «entidad», como «una persona jurídica o instrumento jurídico, como una sociedad de capital, una sociedad de personas, un fideicomiso o una fundación. Una entidad es una entidad vinculada de otra entidad si una de las dos entidades controla a la otra o si ambas entidades están sujetas a un control común (...)».

[22] En puridad, respecto a la obligación de comunicar información a cargo de los operadores de plataforma pueden diferenciarse tres escenarios. El primero es el de los operadores de plataforma residentes a efectos fiscales en un Estado miembro de la Unión o que, aun careciendo de residencia fiscal, cumpla alguno de los siguientes puntos de conexión: estar constituido con arreglo a la legislación de un Estado miembro, tener la sede de dirección efectiva en un Estado de la Unión o un establecimiento permanente en un Estado miembro. El segundo es el de los operadores de plataforma sin residencia fiscal ni presencia de alguno de los puntos de conexión antes indicados en la Unión, pero que «facilitan» la realización de una actividad pertinente por parte de vendedores sujetos a comunicación de información o que conlleve el arrendamiento de bienes inmuebles ubicados en un Estado miembro. El último es el de los «operadores de plataforma cualificados externos a la Unión» definidos como aquellos que tienen su residencia a efectos fiscales en un «territorio cualificado no perteneciente a la Unión» o, de carecer de residencia fiscal en él, estar constituido con arreglo a su legislación o tener su lugar de administración (incluida su administración efectiva). Los territorios cualificados externos a la Unión son aquellos que han suscrito un acuerdo de cualificación con las autoridades competentes de todos los Estados miembros que figuran como territorios sujetos a la comunicación de información en una lista publicada por el territorio no perteneciente a la Unión. Tales acuerdos deben contemplar el intercambio automático de información equivalente a la especificada en la directiva, equivalencia que deberá confirmarse mediante un acto de ejecución de la Comisión. En el último supuesto, el operador de plataforma queda eximido de la obligación, puesto que la obtención de datos también puede alcanzarse a través del acuerdo de intercambio de información suscrito con el territorio externo cualificado en los términos que establece la directiva (Sección I.A, números 4 a 7, del Anexo V).

[23] El «vendedor activo» es definido como todo vendedor (persona física o entidad) registrado en la plataforma que realiza una actividad pertinente durante el período de referencia o que recibe el pago o abono de una contraprestación en relación con dicha actividad durante tal período (Sección I.B.2 del Anexo V).

[24] La Sección I.A.1 del Anexo V define el concepto de «plataforma» como cualquier *software* —incluidos los sitios web o partes de ellos y las aplicaciones, entre ellas las aplicaciones móviles— que sea accesible para los usuarios y que permita a los vendedores ponerse en contacto con otros usuarios para llevar a cabo una actividad pertinente (arrendamiento de bienes inmuebles

tentes en el arrendamiento de bienes inmuebles y medios de transporte, prestación de servicios personales y venta de bienes (denominadas «actividades pertinentes»)[25], con independencia de su ámbito geográfico (actividades transfronterizas y no transfronterizas o internas) y de la condición jurídica del vendedor las lleva a cabo (persona física o entidad)[26]. No obstante, se prevén determinados supuestos de exención en relación con diversas tipologías de vendedores[27]. La información recabada y suministrada por los operadores de plataformas digitales de forma temprana a la autoridad competente del Estado miembro será comunicada, a su vez, por esta última, de forma automática mediante un formulario electrónico normalizado en el plazo de dos meses a partir de la finalización del año de referencia, a la autoridad competente del Estado de residencia del vendedor sujeto a comunicación de información y, en todo caso, al Estado en que se ubiquen los bienes inmuebles (cuando el vendedor preste servicios de arrendamiento inmobiliario)[28]. La información comunicada podrá ser utilizará para la determinación,

y medios de transporte, venta de bienes, prestación de servicios personales), de forma directa o indirecta, para esos usuarios, independientemente de la modalidad de recaudación y pago de la contraprestación en relación con la actividad pertinente. Ahora bien, el término plataforma no incluye el *software* que, sin ninguna otra intervención para llevar a cabo la actividad pertinente, permita exclusivamente el procesamiento de pagos (pasarelas de pago), el desarrollo de actividades publicitarias o promoción de una actividad pertinente, o que sirva para redirigir o transferir a los usuarios a las plataformas donde finalmente se presta la actividad pertinente.

25 Sección I.A.8 del Anexo V. No se consideran «actividades pertinentes» las llevadas a cabo por un vendedor que actúe como empleado del operador de plataforma o de una entidad vinculada con dicho operador. La Propuesta de Directiva [COM (2020) 314 final] incluía como quinto tipo de actividad pertinente los servicios de financiación participativa basada tanto en inversiones como en préstamos, pero fue eliminada en la redacción final de la norma.

26 Considerandos 10 y 11 de la DAC 7.

27 El operador de plataforma no queda obligado a comunicar información relativa a los «vendedores excluidos», definidos en la Sección I.B.4 del Anexo V como todo «vendedor» que: a) sea una «entidad estatal»; b) sea una «entidad» cuyo capital social se negocia regularmente en un mercado de valores reconocido o una «entidad» vinculada a una «entidad» cuyo capital se negocia regularmente en un mercado reconocido; c) sea una «entidad» a la que el «operador de plataforma» haya facilitado, en el año, más de 2.000 operaciones de arrendamiento referidas a un determinado «bien inmueble comercializado»; o d) sea un vendedor (persona física o entidad) de bienes (lo que excluye a los proveedores de servicios, como el alquiler de vehículos) al que la plataforma haya facilitado menos de treinta operaciones anuales que, en conjunto, no superen los 2.000 €. Como apunta Rozas Valdés (2022, págs. 133-134), mientras la lógica de las tres primeras exclusiones obedece a que la información presumiblemente se haya obtenido de las propias entidades o carezca de trascendencia tributaria, la cuarta es un umbral o franquicia que desprecia aquella información que por su dimensión cuantitativa se considera fiscalmente irrelevante.

28 Art. 8 *bis quarter*, apartados 2 y 3.

administración y aplicación de los impuestos directos, del Impuesto sobre el Valor Añadido (IVA) y otros impuestos indirectos[29].

Ahora bien, la obligación de suministro de información de los operadores de plataforma a la autoridad competente reposa sobre obligaciones previas de registro y de recopilación y verificación de la información relevante del vendedor objeto de comunicación de información, conforme a determinadas normas y procedimientos de diligencia debida. Por consiguiente, la DAC 7 impone a los «operadores de plataforma obligados a comunicar información» tres grandes obligaciones cuyas líneas generales se esbozan a continuación[30].

En lo que atañe a la *obligación de registro,* los operadores de plataforma residentes o que presenten cierta conexión con más de un Estado miembro de la Unión (constitución, sede de dirección, existencia de establecimiento permanente) elegirán aquel Estado en el que deseen cumplir los requisitos de comunicación de información y lo notificarán a las autoridades competentes del Estado miembro de su elección. Sin embargo, la obligación de registrase solo se prevé de forma expresa en la Directiva para aquellos operadores de plataforma no residentes en ningún Estado miembro de la UE y que no presenten ninguno de los puntos de conexión antes mencionados (siempre que no sean operadores cualificados externos a la UE), pero que «faciliten» la realización de actividades pertinentes por parte de vendedores sujetos a comunicación de información o de una actividad pertinente que conlleve el arrendamiento de bienes inmuebles ubicados en un Estado miembro. Con la finalidad de evitar cargas excesivas a estos operadores de plataforma extranjeros, se exige el registro ante la autoridad competente de un único Estado miembro de su elección, cuando inicien su actividad como tales operadores, para lo que deberán proporcionar a dicho Estado de registro único una serie de datos e información[31]. El Estado de registro le asignará un número de identificación indivi-

---

29 Considerando 30 de la DAC 7.

30 Para un examen detallado del régimen jurídico de las obligaciones de diligencia debida, comunicación de información y registro de los operadores de plataforma derivado de la DAC 7 se remite a Fernández Pavés (2023), págs. 577-604; y Ruiz Hidalgo (2024). Junto a esas tres obligaciones principales, la DAC 7 establece otras dos obligaciones adicionales: la obligación de los operadores de plataforma de *conservar registros* de las medidas adoptadas y cualquier información empleada para aplicar los procedimientos de diligencia debida y los requisitos de comunicación de información durante un período no inferior a cinco años ni superior a diez años tras la expiración del periodo de referencia con el que están relacionados; y la obligación de comunicar a los vendedores personas físicas que la información recopilada sobre ella será transferida y a facilitarle toda la información que tenga derecho a recibir con suficiente antelación para que pueda ejercer su derecho a la protección de sus datos personales antes de que sea comunicada.

31 El operador de plataforma obligado a comunicar información proporcionará su nombre, dirección postal, direcciones electrónicas, incluidos los sitios web, cualquier NIF que se le haya

dual y lo notificará por vía electrónica a las autoridades competentes de todos los Estados miembros y a la Comisión europea a efectos de ser incluido en el registro central que esta gestiona y que es accesible a las autoridades competentes de todos los Estados miembros[32]. El hecho de que un operador de plataforma quede «excluido» de la obligación de informar, porque en su modelo empresarial no cuente con vendedores sujetos a comunicación de información en los términos de la Directiva, no le exime del deber de registrarse en el caso de que no tenga su residencia fiscal en algún Estado miembro a efectos de la comprobación de que efectivamente queda excluido del cumplimiento de tal obligación[33].

Por su parte, *las obligaciones de diligencia debida* suponen la realización de actuaciones dirigidas a la recopilación y verificación de determinados datos e información sobre los vendedores activos (personas físicas y entidades) y actividades onerosas realizadas a través de la plataforma que trascienden de las obligaciones puramente informativas y obligarán a los operadores de plataforma a revisar procesos y protocolos de actuación con sus clientes. Tales actuaciones comprenden, como primer paso, la determinación de los vendedores no sujetos a revisión, para lo que se basarán bien en sus propios registros disponibles (exclusiones para grandes arrendadores de inmuebles o venta de bienes de pequeña cuantía), en la información públicamente disponible o, en su caso, en la propia confirmación del vendedor (entidades estatales o cotizadas). Tras ello, el operador de plataforma debe recopilar una amplia gama de datos sobre los «vendedores sujetos a comunicación de información», desagregada en función de que sea una persona física o entidad[34], y, en el supuesto en que la «actividad pertinente» desarrollada consista

expedido y una declaración con información sobre su identificación a efectos del IVA en la Unión. También facilitará los Estados miembros de residencia de los vendedores sujetos a comunicación de información (Sección IV.F.2 del Anexo V).

32 Registro central cuya creación se prevé, a más tardar, el 31 de diciembre de 2022 (art. 8 *bis quarter*, apartado 6). La Sección IV.F.5 del Anexo V prevé la eliminación de ese registro central, previa solicitud del Estado miembro de registro único, de los operadores de plataforma en los que concurran las siguientes circunstancias: a) que hayan notificado a su Estado de registro que ya no realizan ninguna actividad como operador de plataforma; b) que existen motivos para suponer que la actividad del operador de plataforma ha cesado; c) que el operador de plataforma deje de cumplir las condiciones y requisitos establecidos para ser considerado como operador de plataforma extranjero obligado a comunicar información; y d) que los Estados miembros hayan revocado el registro único ante su autoridad competente.

33 Ruiz Hidalgo (2024), pág. 94.

34 La información a recopilar comprende: el nombre y apellidos (personas físicas) o razón social (entidades); la dirección principal; todo NIF expedido a dicho vendedor, con indicación de cada Estado miembro de emisión (o, en su ausencia, tratándose de vendedores personas físicas, el lugar de nacimiento del vendedor); el número de identificación a efectos del IVA de dicho vendedor, de conocerse; la fecha de nacimiento (personas físicas); y, tratándose de entidades, el

en el arrendamiento de bienes inmuebles, la recopilación de información sobre tales bienes[35].

Una vez recopilada, la información debe ser verificada por el operador de plataforma utilizando toda la información y documentos disponibles en sus archivos, o la información que pueda extraer en sus registros de búsqueda electrónica, así como cualquier interfaz puesta a disposición de forma gratuita por un Estado miembro o por la Unión Europea (con el fin de comprobar la validez del NIF o del número de identificación a efectos del IVA). Asimismo, cuando el operador de plataforma tenga motivo para creer, con base en la información facilitada, que algunos elementos de información pueden ser incorrectos, pedirá al vendedor que los rectifique y que los acredite mediante documentos, datos o información que sean fiables y procedan de fuentes independientes.

Junto a lo anterior, el operador de plataforma deberá determinar el Estado o Estados miembros de residencia del «vendedor»[36], aspecto de especial relevancia para establecer a quién ha de facilitarse la información pertinente a través del correspondiente intercambio automático de información.

---

número de registro de la empresa y la existencia de uno o varios establecimientos permanentes desde los que se ejercen actividades pertinentes en la Unión, con indicación, en su caso, de cada Estado miembro en el que estén ubicados los distintos establecimientos permanentes (Sección II.2.B, apartados 1 y 2 del Anexo V). No obstante, el operador de plataforma únicamente deberá recopilar el nombre y apellidos o la razón social del vendedor sujeto a comunicación de información en caso de que la identidad y residencia del vendedor se haya confirmado directamente a través de un servicio de identificación puesto a disposición por un Estado miembro o por la Unión (Sección II.2.B.3). Asimismo, no quedará obligado a obtener el NIF o el número de registro de la empresa cuando el Estado miembro de residencia del vendedor no los expida, o no requiera la recopilación del NIF expedido al vendedor (Sección II.2.B.4).

35 En estos casos, además de la información descrita en la nota anterior, el operador de plataforma recopilará la dirección de cada «bien inmueble comercializado» y, cuando se haya expedido, el correspondiente número de inscripción catastral o su equivalente con arreglo a la legislación nacional del Estado miembro en que esté ubicado. Cuando el operador de plataforma haya facilitado más de 2.000 actividades pertinentes mediante el arrendamiento de un bien inmueble comercializado para una misma entidad (vendedor), deberá recopilar los documentos, datos o información que acrediten que el «bien inmueble comercializado» pertenece al mismo propietario (Sección II.2.E del Anexo V).

36 El operador de plataforma considerará que un «vendedor» es residente en el Estado miembro donde se encuentre su «dirección principal» y también en el Estado miembro de expedición del NIF cuando este sea diferente del Estado miembro de la «dirección principal» del «vendedor». Cuando el vendedor (entidad) haya facilitado información en relación con la existencia de un establecimiento permanente desde el que se ejerce una actividad pertinente, considerará que el vendedor es residente también en el Estado miembro correspondiente indicado por el vendedor (Sección II.2.D del Anexo V).

Con carácter general, el operador de plataforma debe completar estas amplias actuaciones de diligencia debida antes del 31 de diciembre del «periodo de referencia» (que coincide con el año natural). No obstante, podrá basarse en procedimientos de diligencia debida realizados con respeto a períodos previos, si la información obtenida y verificada sobre el vendedor se ha realizado en los últimos treinta y seis meses y no tenga motivo para creer que la información obtenida es, o ha pasado a ser, poco fiable o incorrecta[37].

Esas obligaciones de recopilación y verificación de la información sobre la identidad y residencia de los vendedores registrados en la plataforma generan las correspondientes obligaciones de proporcionarla a cargo de los vendedores activos registrados, originando, en palabras de DE MIGUEL CANUTO, «una relación obligacional de naturaleza pública entre particulares: el operador de plataforma y el vendedor obligado»[38].

El cumplimiento de estas obligaciones entre particulares es indispensable para que pueda proporcionarse una información completa, veraz y fiable a la autoridad competente. De ahí lo llamativo que resulta que tales obligaciones queden difuminadas tanto en el preámbulo de la DAC 7, como en el propio tenor del artículo 8 *bis quarter*, y se regulen esencialmente en la Sección II del Anexo V, bajo el título «[p]rocedimientos de diligencia debida» y en la Sección IV, dedicada a la «aplicación efectiva» de los procedimientos de diligencia debida y requisitos de comunicación de información por parte de los Estados miembros, al establecer la obligación del operador de plataforma de adoptar determinadas medidas coercitivas (cierre de la cuenta o retención de pagos) frente al vendedor incumplidor. Coincido plenamente con Barreiro Carril en que «hubiera sido deseable una identificación más clara en la Directiva de las diversas obligaciones que surgen entre los particulares» en el marco de las actuaciones de diligencia debida, otorgándoles mayor visibilidad y distinguiéndolas de una forma más clara de los procedimientos de actuación de tales obligaciones[39].

Finalmente, *la obligación de comunicar información* del operador de plataforma se caracteriza por un contenido minucioso que comprende: a) información y datos sobre el propio operador de plataforma (nombre, dirección del domicilio social, NIF y, en su caso, número de registro único, razón o razones sociales de las plataformas con respecto a las cuales se informa); b) información sobre los vendedores sujetos a comunicación de información[40]; c) el «identificador de cuenta financiera» en el que se pague o abone la contraprestación, siempre que esté a disposición del operador; d) el nombre del titular

---

37 Sección II.F.3 del Anexo V.

38 De Miguel Canuto (2021), § III, pág. 4.

39 Barreiro Carril (2023), pág. 649.

40 *Vid*. nota a pie de página 34.

de la cuenta financiera en que se ingrese la contraprestación —cuando sea distinto del nombre del vendedor sujeto a comunicación de información—, si está a disposición del operador de plataforma, así como cualquier otra información de identificación financiera de que disponga dicho operador con respecto a ese titular; e) cada Estado miembro donde el vendedor está sujeto a comunicación; f) la contraprestación total pagada o abonada durante cada trimestre del período de referencia y el número de actividades pertinentes para las que se ha pagado o abonado; g) todas las tasas comisiones o impuestos retenidos o cobrados por el operador de plataforma durante cada trimestre del período de referencia.

En el supuesto de que la actividad pertinente sea el arrendamiento de bienes inmuebles, junto a la información anterior, el operador de plataforma debe facilitar: a) la dirección de cada bien inmueble comercializado, determinado conforme a lo dispuesto en este sentido por la Directiva, y el correspondiente número de inscripción catastral o su equivalente en la legislación nacional del Estado miembro en que está ubicado, de conocerse; b) la contraprestación pagada o abonada durante cada trimestre del período de referencia y el número de actividades realizadas respecto de cada bien inmueble comercializado; y c) en caso de que se conozca, el número de días que se ha alquilado cada bien inmueble comercializado durante el período de referencia y el tipo de cada bien inmueble comercializado.

La comunicación de la información se realizará a más tardar el 31 de enero del año siguiente al año natural en que el vendedor sea identificado como vendedor sujeto a comunicación de información. A efectos de simplificación, dicha información podrá comunicarse en el Estado miembro en el que previamente el operador de plataforma se haya registrado[41].

Empleando las palabras de Sánchez Huete, las obligaciones informativas preventivas previstas en la DAC 7 se caracterizan por ser especialmente «extensas e intensas». Extensas por la amplitud de su alcance territorial (abarcan tanto operaciones transfronterizas como internas), subjetivo (los vendedores sujetos a comunicación de información

41 La Directiva prevé la posibilidad de que el operador de plataforma no tenga la obligación de comunicar la información exigida, siempre que demuestre que esa misma información ha sido comunicada por otro operador de plataforma obligado a comunicar información. Quedan también eximidos de la obligación de informar los «operadores de plataforma cualificados externos a la Unión» en la medida en que hayan suministrado una información equivalente a la prevista en la directiva sobre las actividades pertinentes realizadas por los vendedores sujetos a comunicación de información con residencia en algún Estado de la Unión Europea en virtud de un acuerdo de intercambio de información vigente entre las autoridades competentes de ese país y de un Estado miembro de la Unión que prevea expresamente el intercambio automático de información equivalente a la prevista en la directiva (Sección III, apartados 1 y 4, del Anexo V).

pueden ser personas físicas o entidades) y objetivo (contenido prolijo de la información a comunicar). Intensas porque, aunque en muchos casos los datos exigidos habrán sido obtenidos por el operador de plataforma con ocasión de la contratación de sus servicios con los vendedores, también deben recabar otros datos no necesarios a efectos negociales (como la fecha de nacimiento del vendedor persona física, o, la identificación del establecimiento o establecimientos permanentes donde se realicen actividades pertinentes en la UE y su estado de ubicación cuando el vendedor sea una entidad). Además, deben realizar tareas de verificación de la información sobre el vendedor que implican efectuar cierta labor de investigación y control sobre la fiabilidad o no de la información, pudiendo solicitar al vendedor su rectificación, así como determinar el estado de residencia del vendedor con base en los criterios establecidos en la Directiva, lo que implica cierta labor de calificación jurídica[42]. De este modo, se produce un fenómeno de privatización o externalización de facultades propias de la Administración tributaria hacia estos operadores económicos, huero de las garantías propias de tales facultades, bajo la amenaza de sanción y otras medidas coercitivas en caso de incumplimiento[43].

III. LAS DIFICULTADES HERMENÉUTICAS DE ALGUNOS CONCEPTOS Y ELEMENTOS ESTRUCTURALES DE LA DIRECTIVA Y EL PRINCIPIO DE SEGURIDAD JURÍDICA

Como es sabido, el principio de seguridad jurídica constituye un principio fundamental del Derecho de la UE que, conforme a la jurisprudencia comunitaria «exige, por una parte, que las normas de Derecho sean claras y precisas y, por otra, que su aplicación sea previsible para los justiciables, en especial cuando puedan tener consecuencias desfavorables. Dicho principio exige, en concreto, que una normativa permita a los interesados conocer con exactitud el alcance de las obligaciones que les impone y que estos puedan conocer sin ambigüedad sus derechos y obligaciones y adoptar las medidas oportunas en consecuencia»[44].

---

42 Sánchez Huete (2021), § V, pág. 8.

43 A juicio de Sánchez Huete (2021, § V, pág. 10), «[e]l anterior panorama supone privatizar tareas propias de la inspección de tributos —obtención de información—, sin las garantías connaturales al uso de tales facultades». Para Ruiz Hidalgo (2022, pág. 218), se produce una «privatización de la gestión tributaria». López Martínez (2023), § IV, pág. 10; y Martínez Muñoz (2023) § IV, págs. 15-16 aluden al traslado a los operadores de plataforma de funciones e investigación y/o verificación que no les corresponden.

44 STJUE de 29 de abril de 2021, *Banco de Portugal y otros*, C-504/19, § 51 y jurisprudencia allí citada.

En el ámbito tributario, el respeto al principio de seguridad jurídica ha sido objeto de atención tanto en la evaluación de medidas nacionales[45] como comunitarias[46]. Aunque normalmente se aplica de forma autónoma, en algunas ocasiones se ha valorado como parte de la prueba de proporcionalidad aplicada por el Tribunal de Justicia[47]. Asimismo, es un principio estrechamente conectado con el principio de legalidad como requisito legitimador de las limitaciones al ejercicio de los derechos y libertades fundamentales reconocidos en la Carta de Derechos Fundamentales de la Unión Europea (CDFUE)[48].

En este sentido, la abstracción y vaguedad de algunos conceptos estructurales y elementos clave de la Directiva dificultan conocer con exactitud el alcance subjetivo y objetivo de las obligaciones informativas establecidas por la norma europea, planteando la cuestión de una posible vulneración del principio de seguridad jurídica.

Por razones de espacio, seguidamente se expondrán, sin ánimo de exhaustividad, algunas de las dificultades hermenéuticas suscitadas por los conceptos de «plataforma», «actividad relevante», «servicios personales», «arrendamiento de bienes inmuebles» y «contraprestación».

De forma previa, es preciso destacar que la DAC 7 no se ha acompañado de unas directrices, notas explicativas, comentarios o ejemplos que complementen la definición de los conceptos que incorpora a fin de facilitar y delimitar la labor de los legisladores nacionales en su transposición. No obstante, como ya se ha indicado, la Directiva se inspira en las normas tipo de la OCDE sobre comunicación de información por operadores de plataforma sobre vendedores en la economía colaborativa y de trabajo esporádico y por encargo, publicadas por primera vez en 2020. De hecho, el considerando 16 de su preámbulo afirma que, aunque el ámbito de aplicación de las normas tipo no coincide exactamente con el de la Directiva en lo que respecta a los vendedores sujetos a comunicación de información y las plataformas digitales que deben comunicar dicha información, se espera que aquellas «dispongan la comunicación de información equivalente en relación con actividades pertinentes que entren dentro del ámbito de aplicación tanto de la presente Directiva como de las normas tipo, que se podrán seguir ampliando para incluir también otras actividades pertinentes».

---

45 Por ejemplo, STJUE de 27 de enero de 2022, *Comisión/Reino de España*, C-788/19, § 39.

46 SSTJUE de 8 de diciembre de 2022, *Orde van Vlaamse Balies*, C-694/20, § 35; y 29 de julio de 2024, *Belgian Association of Tax Lawyers and others*, C-623/22, § 44.

47 STJUE de 5 de julio de 2012, *SIAT*, C-318/10, § 58.

48 *Vid.* 52.1 CDFUE. SSTJUE de 17 de diciembre de 2015, *WebMindLicenses*, C-419/14, § 81; y 17 de enero de 2019, *Petar Dzivev y otros*, C-310/16, § 40.

Ello nos traslada a la cuestión sobre el posible empleo de las normas tipo, sus comentarios y demás documentación aclaratoria a efectos de la interpretación de los conceptos de la DAC 7 y de las normas de transposición, pese a su carácter no vinculante. Aunque los actos de la Unión deben interpretarse recurriendo a los métodos ordinarios de interpretación del Derecho en el contexto de las fuentes y del propio ordenamiento jurídico de la UE[49], el Tribunal de Justicia ha admitido que, en los casos en que las directivas europeas empleen conceptos que se correspondan con los empleados en las normas y prácticas internacionales pertinentes, estos últimos pueden emplearse como herramientas adicionales de interpretación[50], siempre que no contravengan las disposiciones o finalidad de la propia directiva y el resto del ordenamiento jurídico de la Unión.

El concepto de «plataforma»[51] —y estrechamente relacionado con él, la noción de «operador de plataforma»— es clave para dilucidar el alcance subjetivo de las obligaciones informativas su interpretación es problemática, ya que la DAC 7 guarda silencio sobre cuáles son las características del modelo empresarial del operador de plataforma que no incluye «vendedores sujetos a comunicación de información» y, por tanto, quedan excluidos de la obligación de informar. Ello puede dar lugar a contradicciones en la transposición efectuada por parte de los distintos Estados miembros, puesto que los ordenamientos nacionales pueden contar con regímenes distintos respecto de la denominada «economía colaborativa». Del mismo modo, surgen dudas sobre el alcance de la definición de «plataforma» en los casos en que el modelo de negocio permite a los vendedores conectarse con otros usuarios con el fin de llevar a cabo una actividad pertinente de forma indirecta, así como en los modelos de negocio híbridos (donde la plataforma actúa tanto por cuenta y en nombre propio, como por cuenta y en nombre de tercero)[52], siendo preciso un análisis individualizado para diferenciar los casos que entran y los que quedan fuera del alcance de la norma. Asimismo, la forma de aplicación (alternativa o acumulativa) de las operaciones excluidas de la definición de plataforma (procesamiento de pagos, publicidad o promoción de actividades pertinentes, redirección o transferencia de usuarios) no está del todo clara[53].

---

49 STJUE de 12 de febrero de 2009, *Belgische Staat y Cobelfret NV*, C-138/07, §. 55.

50 SSTJUE de 29 de julio de 2024, *Belgian Association of Tax Lawyers and others*, C-623/22, §. 44; y 25 de noviembre de 2021, *État luxembourgeois (Información sobre un grupo de contribuyentes)*, C-437/19, § 69 a 71.

51 *Vid*. nota al pie 24.

52 Para un examen más profundo de esta cuestión *vid*. Ruiz Hidalgo (2024), págs. 75-80.

53 A juicio de Beretta (2021, págs. 31 y 33), una entidad que realice dos o incluso las tres actividades excluidas de la noción de plataforma seguirá sin calificarse como tal. En sentido opuesto, Kallay Čičin-Šain y Vázquez (2023, págs. 45-46), para quienes el ejercicio acumulado de las actividades excluidas puede afectar a su posición, aproximándola a las interfaces digitales multilaterales que permiten a los usuarios encontrar a otros usuarios e interactuar con ellos.

Por su parte, el término «actividad pertinente» no incluye las actividades llevadas a cabo por un vendedor que actúe como empleado del operador de plataforma o de una entidad vinculada del operador de plataforma. A la luz del tenor del precepto, se han identificado incertidumbres en relación, por ejemplo, con situaciones en las que entidades de un grupo faciliten la venta de bienes o servicios que pertenecen a otra entidad del mismo grupo a terceros; o respecto a las plataformas de contratación intragrupo en las que terceros proveedores de servicios se registran en un sitio web gestionado por una entidad del grupo para prestar servicios o vender bienes a otras entidades del mismo grupo[54].

En lo que atañe a la tipología de actividades pertinentes, el concepto de «servicio personal»[55] empleado en la Directiva no deja claro si los servicios de tipo estandarizado que los usuarios solicitan, pero sobre los que no pueden influir, quedan incluidos en él. Además, la DAC 7 no proporciona criterios para clasificar las actividades como servicios u otro tipo de actividad, generando dificultades respecto a actividades específicas, como, por ejemplo, la generación de contenidos pregrabados[56].

La DAC 7 no proporciona una definición de «arrendamiento de bienes inmuebles» (*rental of immovable property* o *location de biens immobiliers* en las versiones lingüísticas inglesa y francesa), por lo que es necesario acudir a las normas de transposición nacionales para contrastar los distintos enfoques de los legisladores nacionales en relación con su significado[57]. La DAC 7 menciona el «arrendamiento» como figura más común en las cesiones de bienes inmuebles. Algunos Estados han optado por reproducir la literalidad del precepto de la Directiva —incorporando aclaraciones adicionales en guías interpretativas— (v. gr. Bélgica)[58], otros aluden al «arrendamiento o cesión temporal de uso de bienes inmuebles» (v. gr. España)[59], y otros se refieren a la «concesión temporal de derechos de uso y otros derechos de cualquier tipo sobre bienes inmuebles»

---

54 En este sentido, Vázquez (2024), pág. 306.

55 Servicio que «conlleva la realización de trabajos por horas o por servicio por parte de uno o varios particulares, que actúan de forma independiente o en nombre de una "entidad", y que se lleva a cabo a petición de un usuario, ya sea en línea o físicamente fuera de línea, tras haber sido facilitado a través de una plataforma» (Sección I.11 del Anexo V).

56 *Vid.* Vázquez (2024), págs. 306-307. En parecidos términos, mostrando las dificultades de interpretación suscitadas en la transposición al ordenamiento belga, Desmyttere (2023), pág. 479.

57 Desmyttere (2023), pág. 478.

58 *Loi transposant la directive (UE) 2021/514 du Conseil du 22 mars 2021 modificant la directive 2011/16 (UE) relative à la coopération administrative dans le domaine fiscale*, 21 de diciembre de 2022. Su artículo 4 da nueva redacción al artículo 321 *quater* del *Code des impôts sur les revenues* 1992 (*Obligations des opérateurs de plateformes déclarants*).

59 Sección I.7 del Anexo al Real Decreto 117/2024, de 30 de enero.

(Alemania)[60]. Planteamiento, este último, próximo a las aclaraciones contenidas en las normas tipo de la OCDE, donde el alquiler de propiedad inmobiliaria incluye tanto los alquileres a corto como a largo plazo de bienes inmuebles, independientemente de la naturaleza de los derechos (propiedad, arrendamiento, alquiler, usufructo u otros) que el vendedor tenga sobre el bien inmueble alquilado[61].

Junto a ello, en relación con la noción de «bien inmueble», la Directiva adopta un enfoque amplio al señalar que en él se incluyen los bienes inmuebles de uso residencial, de uso comercial y cualquier otro tipo de bien inmueble, así como plazas de aparcamiento. Sin embargo, desde la perspectiva del derecho civil nacional, ciertos bienes pueden calificarse como bienes inmuebles debido a su destino o uso específico (v.gr., máquinas o utensilios que se requieran para la explotación del bien inmueble)[62], lo que puede dar lugar a problemas de interpretación, si bien posiblemente esta circunstancia no plantee grandes problemas prácticos, dado que las obligaciones informativas contempladas en la Directiva están menos relacionadas con esta tipología específica de bienes inmuebles[63].

Sobre este particular, la obligación informativa del 54 ter del RGGI, en la redacción previa a la transposición de la DAC 7, quedaba circunscrita a la cesión de uso de viviendas con fines turísticos. Por tanto, el concepto de bien inmueble quedaba acotado a la totalidad o parte de una vivienda amueblada y equipada en condiciones de uso inmediato para su cesión temporal. Además, el concepto se delimitaba mediante la aplicación de una serie de exclusiones en función de los usos de la vivienda en cuestión. Así, se excluía la aplicación de tal obligación a los arrendamientos cuyo destino primordial fuera satisfacer una necesidad permanente de vivienda del arrendatario (art. 2.2 Ley 29/1994, de 24 de noviembre, de Arrendamientos Urbanos), el subarriendo parcial de vivienda a que se refiere el artículo 8 de dicha norma, determinados alojamientos turísticos (albergues de juventud, casas rurales, campings, etc.), el derecho de aprovechamiento por turno de bienes inmuebles y concretos usos que no se consideraban "turísticos" por razón de la actividad laboral o desempeño de cargo público[64].

---

60 *Gesetz über die Meldepflicht und den automatischen Austausch von Informationen meldender Plattformbetreiber in Steuersachen (PStTG),* promulgada el 20 de diciembre de 2022. Se considera actividad relevante, siempre que se realice a cambio de una remuneración "die zeitlich begrenzte Überlassung von Nutzungen und anderen Rechten jeder Art an unbeweglichem Vermögen", https://www.gesetze-im-internet.de/psttg/index.html (recuperado el 03/01/202).

61 OCDE, normas tipo 2020, § 16.

62 Artículo 334 del Código Civil.

63 En este sentido, en relación con el Derecho civil belga, Desmyttere (2023), pág. 478.

64 Sánchez Huete (2022), pág. 149.

Con la nueva obligación informativa, dada la amplitud con la que se concibe la noción de bien inmueble y en ausencia de orientaciones adicionales en la normativa que la transpone al Derecho español, a priori cabe colegir la indiferencia de la naturaleza del bien inmueble, de sus características constructivas o de equipamiento, de sus usos o destino, de la duración de la cesión temporal o de la prestación o no de servicios adicionales a efectos del cumplir con las obligaciones informativas —siempre que concurran el resto de requisitos para estar en presencia de una actividad pertinente (que medie contraprestación y no se trate de un vendedor excluido)—. No obstante, sería deseable que la Administración tributaria española proporcionase, al igual que hacen sus homólogas de otros Estados miembros, indicaciones más elaboradas a este respecto[65].

Junto a lo ya indicado, la inclusión de los bienes inmuebles dentro del alcance de la actividad pertinente «venta de bienes» (*sale of goods; vente de biens*) no es pacífica[66]. La ausencia de mayor concreción sobre qué se entiende por bien «material» (*«tangible» property*; *bien «corporel»*) a efectos de la aplicación de la Directiva favorece interpretaciones dispares basadas en los derechos nacionales[67] que, en unos casos, consideran la venta de bienes inmuebles como una actividad pertinente, tal y como entienden las autoridades fiscales francesas[68] o belgas[69], y en otros, la excluyen explícitamente, como han hecho la autoridad danesa[70].

Por último, para que una actividad sea pertinente a efectos informativos, el vendedor debe recibir una «contraprestación» por los bienes o servicios proporcionados al usuario de la plataforma, concepto al que se dota de un significado amplio, al definirse como «todo tipo de compensación» que se «pague o abone» a un vendedor, sin perjuicio de la forma en que ese pago o abono se efectúe[71]; por consiguiente, cabe entender que este puede efectuarse en moneda fiduciaria, en criptomonedas o incluso en especie. En este punto puede suscitarse si, a efectos informativos, existe contraprestación

---

65 *Vid.*, en particular, las abundantes aclaraciones y ejemplos prácticos facilitados por la autoridad fiscal federal belga en *FAQ: DAC 7 - Obligations des opérateurs de plateformes numériques (misa à jour au 15.09.2024)*, apartado 5.2.

66 *Vid.*, a este respecto, Desmyttere (2023), págs. 478-479.

67 En parecidos términos, Desmyttere (2023), pág. 480.

68 BOI-INT-AEA-30-10 - INT - Accords et échange automatique de renseignements - Obligations des opérateurs de plateforme de mise en relation par voie électronique - Champ d'application | bofip.impots.gouv.fr (recuperado el 28/12/2025).

69 https://www.minfin.fgov.be/myminfin-web/pages/public/fisconet/document/9017d742-f6c5-46b6-a1d8-7d3f1ec7ad08 (recuperado el 03/01/2026)

70 *A.B.1.2.8.6 Indberetningspligt for digitale platformsoperatører. Om salg af Varer* (A.B.1.2.8.6.4.6), https://info.skat.dk/data.aspx?oid=2365729&chk=220354 (recuperado el 03/01/2026).

71 Secciones I.A.10 y III.6 del Anexo V.

en especie en los supuestos de intercambio temporal de bienes inmuebles (en especial, viviendas) realizado con la colaboración de las plataformas, al menos en algunas de sus modalidades[72].

No obstante, el mayor desafío respecto a este concepto esencial en la determinación del alcance de las obligaciones informativas se refiere a cómo debe interpretarse el requisito de que el operador de plataforma «conozca o pueda razonablemente conocer» el importe de la contraprestación, dado que no todas las plataformas tienen el mismo nivel de conocimiento de la transacción que facilitan, dada la existencia de diferentes modelos de negocio. En particular, la incertidumbre surge respecto al alcance de la obligación para el operador de plataforma de conocer el importe de la contraprestación, esto es, si está obligado a verificar activamente el importe que el usuario ha pagado finalmente al vendedor por la actividad en cuestión, especialmente cuando el precio se negocia en línea, pero el importe final del bien o servicio se realice *offline* y, por tanto, puede ser superior o inferior (por aplicación de descuentos o propinas) al reflejado en la plataforma[73]. En este mismo orden de ideas, el legislador europeo no proporciona orientaciones sobre en qué situaciones puede entenderse que el operador de plataforma tiene un conocimiento razonable sobre el importe de la contraprestación. Ese silencio puede abrir la puerta a interpretaciones divergentes entre los distintos Estados miembros que contravengan el objetivo de la Directiva de crear unas condiciones de competencia equitativas. También aquí, la labor explicativa y aclaratoria está siendo asumida por la OCDE a través de los comentarios a las normas tipo y las respuestas a preguntas frecuentes sobre tales reglas[74].

---

[72] Como apunta Campos Martínez (2020), pág. 61, pese a que las ofertas a nivel de plataformas son de diversa índole, en la actualidad hay dos grandes modalidades de intercambio temporal de viviendas. «De un lado, la modalidad directa, asociada al concepto tradicional, en donde, con intermediario o no, una persona física cede temporalmente el disfrute de un inmueble propio o sobre el que ostenta la titularidad del derecho de disfrute a cambio de un derecho de la misma naturaleza sobre un inmueble ajeno, el cual por regla general se ejecuta de manera simultánea. Y de otro, la modalidad indirecta, la cual se genera con la colaboración de las plataformas al crear grupos de intercambio de viviendas, en donde su característica principal es que el intercambio en ningún caso es recíproco ni simultáneo y la contraprestación generada por la cesión del disfrute del bien se asocia a un derecho similar indeterminado de acceder al disfrute de uno de los bienes inmuebles integrados dentro del grupo, en donde por efectos de operatividad se le reconocen una serie de puntos que son usados como moneda de cambio a la hora de ejercer su derecho».

[73] *Vid.* Desmyttere (2023), pág. 480. En parecidos términos, Vázquez (2024), pág. 307.

[74] De acuerdo con las preguntas frecuentes sobre las normas tipo de la OCDE (apartados 8 y 9), el importe de la contraprestación puede ser razonablemente conocido por el operador de plataforma cuando, en virtud de las obligaciones contractuales asumidas con respecto a los servicios o actividades permanentes pertinentes, aquel recibe o retiene una tarifa, comisión

Los ejemplos anteriores son una simple muestra de las abundantes dudas hermenéuticas que afectan a las obligaciones informativas recientemente introducidas y a la determinación de su alcance subjetivo y objetivo. En este orden de ideas, cabría cuestionar si los conceptos y nociones estructurales de la Directiva son lo suficientemente claros, precisos y previsibles, dando cumplimento al principio de seguridad jurídica.

Ese interrogante no es nuevo. Entre la doctrina científica se advirtió en su día que el carácter abierto y vaguedad de los conceptos jurídicos y nociones clave de la DAC 6[75] podrían conducir a una falta de previsibilidad de las obligaciones impuestas a los intermediarios (y, en su caso, a los contribuyentes), a quienes se les exige importantes dosis de transparencia, pero sin tener certidumbre sobre el alcance de unas obligaciones cuyo incumplimiento es objeto de sanción[76]. Sin embargo, el Tribunal de Justicia se ha mostrado comprensivo con el uso de términos abiertos y evolutivos en el Derecho de la UE[77].

De forma relevante, en la sentencia de 29 de julio de 2024, *Belgian Association of Tax Lawyers*, C-623/22, el Tribunal de Justicia ha rechazado la vulneración del principio de seguridad jurídica en relación con el principio de legalidad en materia penal (art. 49.1 CDFUE) derivada de la falta de claridad y precisión de distintos conceptos y nociones de la DAC 6. Para el Tribunal de Justicia, la circunstancia de que una normativa emplee

---

o impuesto en referencia a los importes pagados por los usuarios en relación con los servicios pertinentes. Asimismo, la contraprestación será razonablemente conocida en situaciones en las que el operador de plataforma se comprometa a proporcionar un reembolso u otras formas de protección al comprador en relación con la actividad correspondiente. Del mismo modo, la contraprestación sería razonablemente conocida cuando la plataforma proporcione una funcionalidad que comunique al usuario y al vendedor los términos del acuerdo con respecto a los servicios o actividades pertinentes, incluido el importe de la contraprestación subyacente. Por otra parte, conforme a las preguntas frecuentes, en los casos en los que el conocimiento de la contraprestación por parte del operador de plataforma se produzca en una etapa posterior a la prestación del servicio o realización de la actividad relevante también deberá ser objeto de comunicación.

75 Directiva 2018/822, de 25 de mayo de 2018, por la que se prevé el intercambio automático de información en relación con los mecanismos transfronterizos potencialmente agresivos.

76 Me permito remitir al lector a Moreno González (2019), págs. 21-72, y bibliografía allí citada.

77 En la Sentencia de 8 de diciembre de 2022, *Orde van Vlaamse Balies*, C-694/20, ap. 35, el Tribunal de Justicia afirmó que el requisito de previsibilidad no impide que las limitaciones al derecho al respeto de la vida privada y familiar (art. 7 CDFUE) se formulen «en términos suficientemente abiertos para poder adaptarse a supuestos diferentes y a los cambios de situación». Por otra parte, el Tribunal de Justicia reconoció su propio papel, afirmando que puede precisar «mediante su interpretación, el alcance concreto de la limitación a la luz tanto del propio tenor de la normativa de la Unión de que se trate como de su sistema general y de los objetivos que persigue».

conceptos amplios que deben aclararse gradualmente no impide reconocer su claridad y precisión siempre que permitan prever qué acciones y omisiones pueden ser objeto de sanciones de carácter penal. A juicio del Tribunal, el aspecto relevante es si la ambigüedad o vaguedad aparentes de esos conceptos puede disiparse recurriendo a los métodos ordinarios de interpretación del Derecho. Además, el grado de previsibilidad requerido depende en gran medida del contenido del texto de que se trate, el ámbito que cubra y el número y condición de sus destinatarios[78].

Aunque las conclusiones del Tribunal de Justicia se efectúan en el contexto de la DAC 6, proporcionan indicaciones sobre la dirección que podrían seguir, en su caso, futuras decisiones en relación con las nociones utilizadas en la DAC 7. No obstante, no debe perderse de vista que la incertidumbre existente sobre el alcance subjetivo y objetivo de las obligaciones de diligencia debida e informativas derivadas de la DAC 7 afecta a un mayor número de situaciones y destinatarios.

Sea como fuere, el carácter abierto y la imprecisión de algunos de los conceptos y elementos nucleares de la DAC 7 suscitan problemas hermenéuticos que están siendo afrontados por los Estados miembros mediante sus propias normas y la publicación de orientaciones administrativas. Una situación que puede dar lugar a interpretaciones divergentes que comprometan, en última instancia, el establecimiento de un requisito estandarizado de comunicación de información a nivel europeo. En aras de la seguridad jurídica, y, sobre todo, para alcanzar el objetivo de simplicidad pretendido, sería conveniente que la Comisión proporcionase aclaraciones adicionales sobre los conceptos más relevantes de la Directiva mediante la publicación de orientaciones que podrían adoptar la forma de notas explicativas[79].

IV. LAS OBLIGACIONES DE DILIGENCIA DEBIDA Y COMUNICACIÓN DE INFORMACIÓN Y LAS CONSECUENCIAS DERIVADAS DE SU INCUMPLIMIENTO A LA LUZ DEL PRINCIPIO DE PROPORCIONALIDAD

1. LOS DERECHOS DE LIBERTAD DE EMPRESA Y DE PROPIEDAD Y LA LIBRE PRESTACIÓN DE SERVICIOS

El establecimiento de las nuevas obligaciones de recopilación, verificación, comunicación y conservación de datos e información a cargo de los operadores de plataformas digitales ha suscitado la cuestión de su potencial impacto sobre los derechos y libertades

[78] C-623/22, aps. 44 y 45.

[79] En parecidos términos, Kallay Čičin-Šain y Vázquez (2023), pág. 44.

fundamentales de estos operadores económicos, obligados a cumplirlas bajo amenaza de sanción en caso de incumplimiento. En particular, con el derecho de libertad de empresa (art. 16 CDFUE), el derecho de propiedad (art. 17 CDFUE), así como con la libre prestación de servicios (art. 56 TFUE)[80].

Po ello, las líneas que siguen se destinan a ofrecer algunas reflexiones sobre el respeto del principio de proporcionalidad como límite al ejercicio de las competencias y prerrogativas públicas que interfieren con los derechos y libertades de los particulares, exigiendo que tales actuaciones sean adecuadas, necesarias y proporcionadas a sus objetivos y lo menos intrusivas posible para los ciudadanos y entidades, así como al principio de proporcionalidad en materia sancionadora. Principio de proporcionalidad que exige, como paso previo, identificar los intereses públicos y privados contrapuestos y que se destina a verificar la existencia de un «justo equilibro» (*fair balance*) entre unos y otros, es decir la concurrencia de una relación de proporcionalidad entre la finalidad de interés público a la que se orienta la medida limitativa o restrictiva del derecho o libertad individual y los medios que se han empleado al objeto de evitar un menoscabo excesivo del derecho o libertad afectados en relación con el objetivo u objetivos perseguidos[81].

No obstante, lo cierto es que el análisis de proporcionalidad efectuado por el TJUE no es siempre uniforme y depende en gran medida del contexto y circunstancias específicas de cada caso (importancia de los objetivos de interés general pretendidos, gravedad de la injerencia, naturaleza de los derechos afectados). De igual forma, el Tribunal de Justicia, con algunas salvedades[82], suele ser más comedido en su análisis de proporcionalidad cuando la medida objeto de control ha sido adoptada por el legislador comunitario, reconociéndole una amplia facultad discrecional a la hora de tomar decisiones de naturaleza política, económica y social, y realizar apreciaciones complejas. De manera que sólo el carácter «manifiestamente inadecuado» de la medida adoptada en relación con el objetivo que tiene previsto conseguirse, puede afectar a su legalidad[83].

---

80 Para un análisis más profundo del que aquí puede ofrecerse, *vid.* Kallay Čičin-Šain y Vázquez (2023), 66-85; y Perrou (2023), págs. 198-205. La conformidad de la DAC 7 con el derecho fundamental a la protección de datos de carácter personal de los vendedores, personas físicas, sujetos a comunicación (art. 8 CDFUE) que queda fuera del objeto de este trabajo. Sobre el particular remitimos al lector a Olivares Olivares (2022).

81 SSTJUE de 22 de noviembre de 2022, *WM, Sovim SA y Luxembourg Business Registers*, C-37/20, § 64; 26 de abril de 2022, *Polonia/Parlamento y Consejo*, C-401/19, § 65; 65, 21 de junio de 2022, *Ligue des droits humains*, C-817/19, § 115 y 116, entre otras.

82 SSTJUE de 22 de noviembre de 2022, *WM, Sovim SA y Luxembourg Business Registers*, C-37/20; y 8 de diciembre de 2022, *Orde van Vlaamse Balies y otros*, C-694/20.

83 SSTJUE de 17 de diciembre de 2015, C-157/14, *Neptune Distribution SNC*, § 76; 12 de julio de 2005, C-154 y 155/04, *The Queen, on the application of Alliance for Natural Health v. Se-*

Conforme a la jurisprudencia del Tribunal de Justicia, la libertad de empresa protege diversos tipos de intereses relacionados con todo el ciclo de vida de una empresa. Así, la protección conferida por el artículo 16 de la Carta implica la libertad para ejercer una actividad económica o mercantil, la libertad contractual —que incluye, en particular, la libre elección de clientes y proveedores y la libertad para determinar el precio de las prestaciones— y la libre competencia[84]. De especial relevancia en el contexto de las obligaciones impuestas a los operadores de plataformas digitales es la protección del «derecho de toda empresa a poder disponer libremente, dentro de los límites de la responsabilidad que asume por sus propios actos, de los recursos económicos, técnicos y financieros de que dispone»[85].

En la jurisprudencia del TJUE, el derecho a la libertad de empresa aparece en ocasiones conectado con el derecho de propiedad. Este último fue reconocido por el Tribunal de Justicia en la ya lejana sentencia *Nold*[86], a partir de las tradiciones constitucionales de los Estados miembros y de diversos tratados internacionales, entre los que destaca el Convenio Europeo de Derechos Humanos y su Protocolo Número 1, de 20 de marzo de 1952[87].

De la jurisprudencia del Tribunal Europeo de Derechos Humanos (TEDH) se desprende que el derecho de los particulares al disfrute pacífico de sus bienes o posesiones no solo veda «cualquier confiscación de bienes sin una causa de utilidad pública que la justifique, sino que garantiza también los "intereses patrimoniales" de las personas naturales o jurídicas en caso de que puedan verse atacados por medidas estatales —de cualquiera de los poderes sea el legislativo, el ejecutivo o el judicial— más allá de las afectaciones del derecho de propiedad que dicho precepto permite»[88].

---

cretary of State for Health, § 52; 10 de diciembre de 2002, *British Ammerican Tobacco (Investments) e Imperial Tobacco*, C-491/01, § 123, entre otras.

84 SSTJUE de 22 de enero de 2013 (Gran Sala), *Sky Österreich GmbH*, C-283/11, § 41-43; de 17 de octubre de 2013, *Schaible*, C-101/12, § 25.

85 SSTJUE de 30 de junio de 2016, *Lidl GmbH*, C-134/15, § 27; y 27 de marzo de 2014, *UPC Telekabel Wien*, C-314/12, EU:C:2014:192, § 49.

86 Sentencia de 14 de mayo de 1974, asunto 4/73, § 13 y 14.

87 De acuerdo con el artículo 1 del Protocolo, «[t]oda persona física o moral tiene derecho al respeto de sus bienes. Nadie podrá ser privado de su propiedad más que por causa de utilidad pública y en las condiciones previstas por la Ley y los principios generales del Derecho Internacional». No obstante, lo anterior se entiende sin perjuicio del derecho de los Estados a aprobar las leyes que consideren oportunas para reglamentar el «uso de los bienes de acuerdo con el interés general o para garantizar el pago de los impuestos u otras contribuciones o de las multas».

88 González-Cuellar Serrano y Ortiz Calle (2025), pág. 56.

Habida cuenta de la intensidad de las obligaciones de diligencia debida y comunicación de información introducidas por la DAC 7, que obligan a los operadores de plataforma a destinar recursos y desarrollar procesos técnicos para su cumplimiento, con el consiguiente incremento de costes —en particular, para los pequeños y medianos operadores de plataforma— cabe plantear su interferencia con los derechos mencionados.

Sin embargo, en la jurisprudencia del Tribunal de Justicia, la libertad de empresa y el derecho a la propiedad no constituyen prerrogativas absolutas y deben tomarse en consideración en relación con su función en la sociedad, pudiendo quedar sometidas a un amplio abanico de intervenciones del poder público que establezcan limitaciones en aras del interés general[89]. Esta circunstancia tiene particular reflejo en el modo en que el Tribunal de Justicia aplica el principio de proporcionalidad en este ámbito, admitiendo la imposición de limitaciones al ejercicio de tales derechos siempre que dichas restricciones respondan efectivamente a objetivos de interés general perseguidos por la Unión y no constituyan, teniendo en cuenta el objetivo perseguido, una intervención *desmesurada e intolerable* que lesione la propia esencia de tales derechos[90].

En el estado actual de evolución de la jurisprudencia comunitaria parece difícil que la carga administrativa y costes de cumplimiento derivados de las amplias obligaciones de información y diligencia debida previstas en la DAC 7 contravengan la libertad de empresa y el derecho a la propiedad. No obstante, la conclusión anterior debe ser matizada respecto a las normas sobre imposición de sanciones y otras medidas coercitivas previstas en la Directiva, allí donde el amplio margen de apreciación del que disponen los Estados miembros en su regulación conduzca a una aplicación de las medidas sancionadoras o coercitivas desproporcionadas en relación con el objetivo de interés general que se pretende con su aplicación[91].

---

89 Sentencia *Sky Österreich GmbH*, C-283/11, § 45-47. Como ya se ha indicado, el artículo 1 del Protocolo Primero del CEDH admite limitaciones al derecho de propiedad por motivos de interés general, entre los que se incluye el pago de impuestos. En las ocasiones en las que el TEDH ha constatado una violación del derecho a la propiedad en el ámbito tributario, las vulneraciones han procedido de una aplicación retroactiva de una legislación nacional que consideraba sujetas al Impuesto sobre el Valor Añadido prestaciones de servicios previamente exentas (STEDH de 16 de julio de 2002, asunto *Dangeville c. Francia*, núm. 136677/97) o de retrasos significativos por parte de una administración tributaria nacional en el ingreso de cantidades debidas al demandante en concepto de pagos a cuenta en el Impuesto sobre Sociedades (SSTEDH de 3 de julio de 2003, asunto *Buffalo S.R.L. en liquidación c. Italia, núm. 38746/97*; de 9 de marzo de 2006, asunto *Eko-Elda AVEE c. Grecia, núm. 10162/02*).

90 STJUE de 6 de septiembre de 2012, *Deutsches Weintor eG*, C-544/10, § 54, y jurisprudencia allí citada.

91 *Vid.* Vázquez (2024), págs. 316-317.

Las reflexiones previas sobre la incidencia de la DAC 7 en los derechos fundamentales de los operadores de plataforma deben completarse con algunas ideas sobre su conciliación con la libre prestación de servicios (art. 56 TFUE) a la luz de las sentencias del Tribunal de Justicia en los asuntos *Airbnb/Bélgica*[92] y *Airbnb/Italia*[93].

En ambas sentencias, el Tribunal de Justicia se enfrentó a la cuestión de si las obligaciones de comunicar información (previo requerimiento o por suministro) impuestas a los intermediarios en el ámbito del alojamiento turístico o alquileres de corta duración eran compatibles con la libre prestación de servicios establecida en el artículo 56 del TFUE.

Como punto de partida, el Tribunal de Justicia destacó el carácter neutral de las obligaciones informativas impuestas, a las que quedaban sometidos todos los intermediarios en las operaciones descritas, con independencia del lugar en que estuvieran establecidos y del medio, digital o convencional, por el que realizasen la intermediación[94]. El hecho de que, como consecuencia de la evolución de los medios tecnológicos y la actual configuración del mercado de prestación de servicios de intermediación inmobiliaria, los intermediarios que prestan sus servicios mediante un portal telemático puedan hacer frente a una obligación de transmisión de datos a la Administración tributaria

---

92 STJUE de 27 de abril de 2022, *Airbnb Ireland UC contra Región de Bruselas Capital*, C-674/20. La sentencia responde a una cuestión prejudicial planteada por el Tribunal Constitucional de Bélgica en relación con el impuesto regional sobre los establecimientos de alojamiento turístico. La Ley reguladora de este impuesto obligaba a los intermediarios (personas físicas y jurídicas) que operasen en el mercado del alojamiento turístico (tanto por medios tradicionales como digitales) a comunicar a la autoridad pública, previo requerimiento por escrito, los datos de identificación del operador y de los establecimientos de alojamiento turístico situados en la Región de Bruselas-Capital para los que actuasen como intermediarios o a los que promocionasen, así como el número de pernoctaciones y de unidades de alojamiento explotadas durante el año anterior.

93 STJUE de 22 de diciembre de 2022, *Airbnb Ireland UC y Airbnb Payments UK contra Agencia delle Entrate*, C-83/21. La sentencia responde a la cuestión prejudicial planteada por el Consejo de Estado de Italia en relación con el régimen fiscal de los arrendamientos de corta duración introducido en aquel país, a partir del 1 de junio de 2017. En virtud de esta normativa, las personas que desarrollasen actividades de intermediación inmobiliaria, o aquellas que gestionen portales telemáticos, poniendo en contacto a quienes buscan un inmueble con quienes disponen de unidades inmobiliarias para arrendar, debían transmitir los datos relativos a los contratos celebrados con su intermediación e ingresos brutos derivados de ellos a más tardar el 30 de junio del año siguiente a aquel al que se refieran los citados datos. Asimismo, la normativa italiana establecía obligaciones de retención y de designación de representante fiscal a cargo de los intermediarios de alquileres a corto plazo.

94 *Airbnb/Bélgica*, § 40; *Airbnb/Italia*, § 43.

más frecuente e importante que la que recae sobre otros intermediarios no suponía la existencia de una discriminación *de facto*[95].

Negó, asimismo, que las obligaciones informativas controvertidas fueran contrarias a la libre prestación de servicios, por entender, de acuerdo con su jurisprudencia previa, que las normativas nacionales cuestionadas son aplicables «a todos los operadores que ejercen su actividad en territorio nacional», no tienen por objeto «regular las condiciones de ejercicio de la prestación de servicios de las empresas en cuestión» y sus efectos restrictivos sobre la libre prestación de servicios son «demasiado aleatorios e indirectos para poder considerar que la obligación establecida puede constituir un obstáculo a esta libertad»[96].

A este respecto, el Tribunal de Justicia subrayó que el artículo 56 del Tratado de Funcionamiento «no se refiere a medidas cuyo único efecto consiste en generar costes adicionales para la prestación en cuestión y que afectan del mismo modo a la prestación de servicios entre Estados miembros y a la interna de un Estado miembro»[97]. Aun admitiendo que la obligación impuesta a todos los prestadores de servicios de intermediación inmobiliaria vinculados a la búsqueda, recopilación, comunicación y almacenamiento de los datos de que se trata pueden generar costes adicionales, el Tribunal advirtió que, especialmente en el caso de servicios de intermediación prestados por vía digital, esos datos son memorizados y digitalizados por intermediarios como las demandantes en los litigios principales, de modo que, en cualquier caso, el coste adicional que genera tal obligación para dichos intermediarios parece ser reducido[98].

Una primera lectura de la jurisprudencia mencionada en el contexto de la DAC 7 puede llevar a concluir que las obligaciones informativas establecidas en esta última no comportan restricciones a la libre prestación de servicios garantizada por el artículo 56 TFUE. Sin embargo, comparto con Čičin-Šain y Vázquez[99] que esta conclusión podría ser prematura en atención a dos circunstancias. En primer lugar, la DAC 7 no se aplica de la misma manera a todos los intermediarios que operan en el territorio nacional, sino que se dirige únicamente a los intermediarios digitales, estableciendo una diferencia de trato en función de los medios, digitales o tradicionales, de intermediación. En segundo lugar, es cuestionable que, dada la cantidad y calidad de la información que debe recabarse, verificarse y comunicarse en virtud de la DAC 7, tales obligaciones informativas no afecten a las condiciones de ejercicio de la prestación de servicios, obligando a des-

95 *Airbnb/Bélgica*, § 44; *Airbnb/Italia*, § 47.

96 *Airbnb/Bélgica*, § 42; *Airbnb/Italia*, § 45.

97 *Airbnb/Bélgica*, § 46; *Airbnb/Italia*, § 49.

98 *Airbnb/Bélgica*, § 47; *Airbnb/Italia*, § 50.

99 Kallay Čičin-Šain y Vázquez (2023), pág. 80

tinar recursos materiales, financieros y humanos y a desarrollar procesos técnicos o a externalizarlos cuando el operador de plataforma no pueda desplegarlos internamente.

En cualquier caso, aun cuando hipotéticamente se admitiera la existencia de una restricción a la libre prestación de servicios, tal restricción encontraría justificación en los importantes objetivos de lucha o prevención contra el fraude fiscal, eficacia de los controles fiscales y de la recaudación tributaria. Asimismo, el control de proporcionalidad de las obligaciones de información y diligencia debida establecidas en la DAC 7 posiblemente partiría de la premisa de que los costes adicionales de cumplimiento de esas obligaciones para los operadores de plataforma digitales, dada su forma de operar, son limitados, aunque sea discutible que esa inferencia sea válida en todos los casos —singularmente en los de los operadores de menor tamaño o cifra de negocio—, habida cuenta que, como ya se ha comprobado con anterioridad, los operadores de plataforma asumen obligaciones que van más allá de las simplemente informativas, debiendo realizar tareas de cierta investigación y comprobación de la información relativa a los vendedores, asumiendo funciones propias de la Administración tributaria de forma permanente y a gran escala[100].

2. SANCIONES Y OTRAS MEDIDAS COERCITIVAS APLICABLES EN CASO DE INCUMPLIMIENTO

Para garantizar la aplicación efectiva de las nuevas obligaciones de registro, diligencia debida y comunicación de información, la DAC 7 ordena a los Estados miembros introducir un régimen de infracciones y sanciones, aplicable en caso de incumplimiento de las distintas obligaciones, que sea eficaz, proporcionado y disuasorio. El amplio margen de libertad dejado a los Estados miembros conlleva la aparición de disparidades en la tipificación de las infracciones y en las sanciones establecidas en las regulaciones nacionales correspondientes[101]. Diferencias que pueden incidir en la elección por los operadores de plataforma como Estado de registro y comunicación de información de aquel que cuente con un marco sancionador más laxo. De hecho, la Comisión europea,

---

100 La reflexión que queda en el aire, como advierte el Abogado General Bobek en las conclusiones presentadas el 2 de septiembre de 2021 al asunto C-175/20, SIA «SS», es si «debe permitirse a las autoridades públicas que subcontraten efectivamente parte del ejercicio de la función pública, obligando a las empresas privadas a soportar los costes por desarrollar lo que constituye en esencia una misión de la Administración pública». Cuestión que «adquiere relevancia en los casos de transferencias de datos permanentes y a gran escala que supuestamente llevan a cabo empresas privadas por el bien común sin compensación alguna» (§ 92).

101 *Vid. Implementation status of DAC7 per EU Member State*, https://research.ibfd.org/#/hdoc?url=/home/content/dac8-dac7-dac6-implementation-status (recuperado el 04/01/2025).

en su reciente informe de 19 de noviembre de 2025 sobre la evaluación de la DAC, ha reconocido como una de las principales cuestiones pendientes para la aplicación eficaz de ésta, en línea con los informes previos del Tribunal de Cuentas Europeo, el riesgo de que las sanciones aplicadas por los Estados miembros no tengan el efecto disuasorio suficiente para garantizar el pleno cumplimiento de los requisitos de comunicación de información[102].

En lo que atañe al canon de proporcionalidad debe comenzarse por recordar que este principio, junto con el de legalidad penal, es uno de los pilares fundamentales del *ius puniendi*, dentro del cual se integra el Derecho administrativo sancionador y hoy está expresamente recogido en el artículo 49.3 de la Carta de Derechos Fundamentales. Conforme a una extensa jurisprudencia del Tribunal de Justicia, «ante la falta de armonización de la legislación de la Unión en el ámbito de las sanciones aplicables, en caso de inobservancia de los requisitos fijados por un régimen establecido mediante dicha legislación, los Estados son competentes para establecer las sanciones que consideren adecuadas. Sin embargo, están obligados a ejercer esa competencia respetando el Derecho de la Unión y sus principios generales y, por consiguiente, respetando el principio de proporcionalidad»[103]. En consecuencia, la observancia del canon de proporcionalidad en materia sancionadora obliga a tomar en necesaria consideración la legislación nacional de transposición de la DAC 7 y si esta prevé un régimen sancionador acorde con la naturaleza y gravedad de las infracciones cometidas[104].

El legislador español, a través de la disposición adicional vigésima quinta de la LGT, ha establecido un régimen específico de infracciones y sanciones para los incumplimientos de las obligaciones de registro, diligencia debida y suministro de información. Dicho régimen está integrado por tres infracciones tributarias.

La primera, calificada como muy grave, es la ausencia absoluta de registro en la UE del operador de plataforma externo a la Unión obligado a comunicar información, siempre que de ello derive la falta de recepción por la Administración tributaria española de la información que hubiera debido recibir en plazo relativa a los vendedores sujetos a comunicación de información residentes en territorio español o a bienes inmuebles situados en este territorio[105]. Pese a que la infracción supone el incumplimiento de una

---

102 COM (2025) 695 final.

103 SSTJUE de 7 de diciembre de 2000, *Andrade*, C-213/99, § 20; de 6 de febrero de 2014, *Factorie*, C-424/12, § 50; 17 de marzo de 2017, *Bensada Benallal*, C-161/15, § 24 y jurisprudencia allí citada.

104 STJUE de 8 de mayo de 2008, *Ecotrade*, C-95/07, § 65 a 67; 20 de julio de 2013, *Rodopi-M 91*, C-259/12, § 38.

105 Disposición adicional vigésima quinta, apartado 2, de la LGT; y artículo 54 ter, apartado 8, del Reglamento General de Gestión e Inspección.

obligación de carácter formal, su calificación como muy grave se explica por la relevancia del bien jurídico protegido y se sanciona con multa pecuniaria del triple de la que hubiera correspondido por la falta de suministro de dicha información conforme a lo establecido en el Título IV de la LGT[106]. En relación con esta primera infracción, junto a los problemas de tipicidad asociados a una criticable y compleja técnica de remisión normativa, entre la doctrina científica se ha planteado la posible severidad excesiva de una sanción que castiga el incumplimiento de una obligación de naturaleza formal[107], de modo que, aunque pueda entenderse que la sanción es eficaz para garantizar la aplicación de las disposiciones nacionales y tiene un claro efecto disuasorio, no parecería guardar la debida proporción con el daño causado a la Administración tributaria[108].

Las otras dos infracciones tributarias están relacionadas con el incumplimiento de las normas y procedimientos de diligencia debida. De un lado, se considera infracción tributaria grave el incumplimiento de estas normas y procedimientos por parte de los operadores de plataforma y es sancionada con una multa pecuniaria fija de 200 € por cada vendedor respecto de que se incumplieron las obligaciones derivadas de los procedimientos indicados[109]. De otro, constituye infracción tributaria grave, sancionada con una multa pecuniaria fija de 300 €, la no comunicación por parte de los vendedores a los operadores de plataforma de la información obligatoria en plazo o la comunicación falsa, incompleta o inexacta de la misma, en cumplimiento de las obligaciones derivadas de la aplicación por el operador de los procedimientos de diligencia debida[110]. Junto a

106 Conforme a la tipificación de las infracciones y sanciones por incumplimiento de la obligación de suministrar información contenida en el artículo 198 LGT, en el caso de incumplimiento o cumplimiento incompleto, inexacto o falso de datos no expresados en magnitudes dinerarias, la sanción consiste en una multa pecuniaria de 20 € por cada dato o conjunto de datos referidos a una misma persona o entidad que hubiera debido incluirse en la declaración con un mínimo de 300 euros y un máximo de 20.000 euros.

107 Ruiz Hidalgo (2022, pág. 229). Desproporcionalidad que, como señala esta autora, se exacerbaría si se adoptase por todos los Estados miembros. En parecidos términos, Sánchez Pino (2023), pág. 623, quien además critica que no se prevea un límite máximo al importe de la sanción.

108 Martínez Muñoz (2023), § IV.2, pág. 14. En este sentido, la STJUE de 27 de enero de 2022, *Comisión/Reino de España*, C-788/19, declaró desproporcionado y contrario al Derecho de la UE el régimen español de sanciones por incumplimiento de la obligación de presentar la declaración de bienes en el extranjero (modelo 720), «al sancionar el incumplimiento o el cumplimiento imperfecto o extemporáneo de la obligación informativa relativa a los bienes y derechos situados en el extranjero con multas de cuantía fija cuyo importe no guarda proporción alguna con las sanciones previstas para infracciones similares en un contexto nacional y cuyo importe total no está limitado» (ap. 63).

109 Disposición adicional vigésima quinta, apartado 3, de la LGT.

110 Disposición adicional vigésima quinta, apartado 4, de la LGT.

la incertidumbre generada por la ausencia de precisión respecto a las conductas típicas del operador de plataforma[111], las principales dudas de adecuación con el principio de proporcionalidad se han advertido en relación con la infracción tributaria relativa al vendedor, no tanto por su cuantía, sino por el hecho de imponerse la misma sanción a todas las conductas relacionadas con el incumplimiento del vendedor, sin tener en cuenta su mayor o menor gravedad de la irregularidad cometida[112].

Sin perjuicio de lo anterior, desde la perspectiva europea, hubiera sido meritorio, como apunta RUIZ HIDALGO, que la DAC 7 hubiera previsto criterios homogéneos en la tipificación de las infracciones y, a su vez, establecido límites a las sanciones atendiendo a la gravedad de la infracción, pese a la competencia de los Estados miembros en la regulación del régimen sancionador[113]. Precisamente, esta reserva competencial se está mostrado, hasta el momento, como un importante obstáculo a los intentos de aproximación, como muestra el rechazo por parte del Consejo de la propuesta de la Comisión, encauzada a través de la DAC 8[114], de establecer sanciones mínimas para las infracciones denunciables. Sin embargo, los esfuerzos de coordinación deberían proseguir, aunque por ahora la Comisión parezca decantarse por el inicio de procesos de evaluación de los regímenes de sanciones vigentes y la identificación de formas de mejorarlos en colaboración con los Estados miembros.

Por último, con independencia del régimen sancionador que se establezca en cada Estado miembro, la DAC 7 —a diferencia de las normas tipo de la OCDE— también contempla dos tipos de medidas coercitivas para garantizar la aplicación efectiva y el cumplimiento de las obligaciones que corresponden a vendedores y operadores de pla-

111 Ante el carácter abierto de las obligaciones que se infieren de las normas y procedimientos de diligencia debida a cargo del operador de plataforma hay que recordar que no habrá lugar a sanción si el operador de plataforma acredita la inexistencia de dolo o culpa, demostrando una actuación diligente y probando que su incumplimiento se debe a la falta de colaboración del vendedor o cualquier otra circunstancia ajena a su voluntad. En este sentido Ruiz Hidalgo (2022), pág. 230; Sánchez Pino (2023), pág. 626; López Martínez (2023), § IV, pág. 8.

112 En parecidos términos Ruiz Hidalgo (2022), pág. 233; Sánchez Pino (2023), pág. 630; López Martínez (2023), § IV, pág. 8. A este respecto, la jurisprudencia comunitaria es tajante al recordar la necesidad de que la legislación nacional respete el principio de proporcionalidad en la determinación de la sanción, permitiendo ponderar distintas circunstancias, como la mayor o menor gravedad de la irregularidad cometida y la frecuencia del comportamiento ilícito. *Vid.* SSTJUE de 27 de abril de 2017, *Tibor Farkas*, C-564/17, § 63-64; 3 de marzo de 2020, *Google Ireland Limited*, C-482/18, § 99; 15 de abril de 2021, *Grupa Warzywna*, C-935/19, § 32, 25 y 37.

113 Ruiz Hidalgo (2024), pág. 255.

114 Directiva (UE) 2023/2226 del Consejo, de 17 de octubre de 2023, centrada en el intercambio automático de información sobre criptoactivos y cuentas financieras.

taforma y cuyas graves consecuencias pueden ocasionar un perjuicio muy superior al resultante de la aplicación del régimen sancionador[115].

El primer tipo de medidas deberá adoptarse en los supuestos en los que un vendedor no proporcione al operador de plataforma la información exigida en virtud de la Directiva. Después de dos recordatorios tras la solicitud inicial del operador de plataforma, pero no antes de que transcurran sesenta días, este último cerrará la cuenta del vendedor e impedirá que vuelva a registrarse en la plataforma o retendrá el pago de la contraprestación al vendedor hasta que facilite la información solicitada[116].

La finalidad de esta medida coercitiva es garantizar que la información proporcionada sea veraz y precisa para poder ser transmitida a las autoridades fiscales y asegurar un intercambio de esa información que sea eficaz. Sin cuestionar el objetivo de interés general pretendido con su establecimiento ni su eficacia para la concesión de dicho fin, el respeto del principio de proporcionalidad requerirá constatar la existencia de las garantías y cauces procedimentales que protejan los derechos y libertades afectados, tarea que corresponde a los Estados miembros dada la autonomía de la que disponen para implementar esta medida.

La LGT, en la transposición realizada, se ha limitado a reproducir los términos de la Directiva, sin ofrecer el desarrollo necesario para su aplicación efectiva, lo que genera incertidumbre sobre las consecuencias de su incumplimiento, más aún cuando el Real Decreto 117/2024 no precisa cómo se ha de aplicar este deber por parte del operador de plataforma[117].

Además, con la aplicación de estas medidas coercitivas el operador de plataforma asume funciones propias de la Administración pública, pero sin que se haya regulado expresamente el procedimiento específico a seguir para su imposición y donde queden claramente reflejados las obligaciones y los derechos de ambas partes, especialmente del vendedor. Más allá de reiterar la necesidad de dos recordatorios y el transcurso de 60 días desde la notificación inicial, el legislador no aclara si el operador puede optar libremente por el cierre de la cuenta del vendedor o la retención del pago de la contraprestación —con los consiguientes problemas desde la óptica del principio de igualdad— o si deben adoptarse de forma consecutiva[118]. Tampoco precisa el cauce procesal a través del cual se deberán solventar los litigios que puedan surgir entre el operador y

115 Ruiz Hidalgo (2024), pág. 234.

116 Sección IV. A.2 del Anexo V.

117 Sánchez Pino (2023), pág. 632.

118 Siempre, claro está, que el operador de plataforma participe en el pago de las transacciones entre el vendedor y los usuarios de la plataforma.

el vendedor[119]. Desde esta perspectiva, en palabras de Ruiz Hidalgo, hubiera sido deseable que el legislador español hubiera regulado estas medidas con mayor detalle y hubiera contemplado su carácter cautelar —con independencia de que no se adopte por un órgano de la Administración sino por el operador de plataforma— y su sujeción a control administrativo, coadyuvando a una mayor colaboración de los vendedores con los operadores de plataforma, a la par que el respeto de los derechos y garantías de los agentes afectados[120].

El segundo tipo de medida coercitiva contemplada en la DAC 7 está dirigida a los operadores de plataforma extracomunitarios que incumplan la obligación de informar en el Estado donde se hayan registrado. En este supuesto, la norma europea prevé la revocación y, por consiguiente, la imposibilidad de seguir operando en todo el territorio de la Unión[121]. Pese a la parquedad en la regulación de la medida, coincido con Ruiz Hidalgo en que, dadas las rigurosas consecuencias comerciales que esta acarrea, su adopción debería ser excepcional y basarse en un incumplimiento previo total o reiterado[122], conclusión que, a mi juicio, es coherente con la concepción de esta medida coercitiva en la propia Directiva «como último recurso». Por lo demás, las únicas garantías expresamente previstas en la norma europea se limitan a requerir que las medidas necesarias para efectuar la revocación se adopten, después de dos recordatorios por parte del Estado miembro de registro único, a más tardar en un plazo de 90 días, pero no antes de que se cumplan 30 días tras el segundo recordatorio.

Al igual que lo sucedido con las medidas coercitivas frente a los vendedores, el legislador español no ha desarrollado la aplicación de esta medida dirigida a los operadores de plataforma extracomunitarios registrados en España, limitándose a reiterar las garantías previstas en la norma europea. No obstante, la revocación del registro sí se contempla expresamente como una medida cautelar, de modo que el operador podrá cursar el alta de nuevo se ofrece a la Administración tributaria garantías adecuadas de que se compromete a cumplir la obligación de información, incluidos aquellos suministros de información pendientes de cumplir.

Por último, pese a que la Directiva y la normativa española no contemplan los dos tipos de medidas coercitivas brevemente expuestas como infracciones tributarias, lo

---

119 En este sentido, De Miguel Canuto (2021, §, pág. 5) y Sánchez Pino (2023), pág. 632, apuntan que, dado que este tipo de relaciones entre particulares no se contemplan expresamente en la normativa tributaria, los litigios entre operadores de plataforma y vendedores deben resolverse ante la jurisdicción civil.

120 Ruiz Hidalgo (2022), pág. 235. En parecidos términos Sánchez Pino (2023), pág. 632-633; y López Martínez (2023), § IV, pág. 9.

121 Sección IV.F.7 el Anexo V.

122 Ruiz Hidalgo (2022), pág. 223.

cierto es que los bienes jurídicos que se pretenden proteger con ellos son semejantes a los preservados con la imposición de sanciones pecuniarias. De admitir la naturaleza materialmente sancionadora de tales medidas coercitivas, su aplicación simultánea podría dar lugar a una concurrencia de sanciones sobre los mismos hechos, sujetos y fundamentos, lo que debería evitarse para no contravenir el principio *non bis in idem*[123], cuya vertiente material es una manifestación de los principios de legalidad y proporcionalidad con la que se pretende evitar una reacción punitiva desproporcionada que quiebre la garantía de previsibilidad de las sanciones.

V. A MODO DE CONCLUSIÓN

Las reflexiones vertidas a lo largo de este trabajo en clave de seguridad jurídica y proporcionalidad sobre el alcance y contenido de las obligaciones de registro, diligencia debida y comunicación de información establecidas por la DAC 7 y la imposición de medidas sancionadoras y otras medidas coercitivas asociadas a su incumplimiento reflejan las tensiones estructurales que se afrontan en el escenario europeo entre dos lógicas normativas: la prevención y lucha contra el fraude fiscal, la evasión y elusión fiscales y la protección de las libertades y los derechos fundamentales ubicados en la cúspide del Derecho de la Unión.

En efecto, la DAC 7 se enmarca en un conjunto de directivas adoptadas por la Unión Europea en la última década tendentes a fortalecer la cooperación administrativa transfronteriza mediante el intercambio automático de información, para prevenir y luchar de forma más eficaz contra el fraude, la evasión y la elusión fiscales, así como la planificación fiscal agresiva en un contexto global y digital. Unas normas que contribuyen a fortalecer las potestades de las administraciones tributarias de los Estados miembros, favoreciendo la prevención y el control del cumplimiento efectivo de las obligaciones tributarias y, en última instancia, la protección de los ingresos fiscales nacionales. Sin embargo, esta intensificación de la cooperación administrativa descansa sobre exigencias crecientes de transparencia que, en el caso de la DAC 7, trascienden de un simple deber de comunicación de información sobre terceros con trascendencia tributaria, estableciendo amplias obligaciones de recopilación, verificación y comunicación temprana de información a cargo de los operadores de plataformas digitales que aconsejan una reflexión desde la perspectiva del principio de proporcionalidad y el ejercicio pacífico y sin obstáculos de los derechos y libertades fundamentales consagrados por el Derecho de la Unión.

---

123 Ruiz Hidalgo (2022), pág. 236. Para evitar esta situación, la autora entiende que sería deseable que ambas medidas tuvieran carácter cautelar y que se adoptasen por la Administración tributaria, bien en un procedimiento *ad hoc* o en el procedimiento sancionador.

Asimismo, las obligaciones de diligencia debida y comunicación de información establecidas con carácter obligatorio trasladan al operador de plataforma la realización de tareas de investigación y comprobación propias de la Administración tributaria, bajo la amenaza de sanción y otras medidas coercitivas en caso de incumplimiento. Una regulación que, en su trasposición al ordenamiento español, hubiera precisado de un mayor y mejor desarrollo en garantía del respeto a los derechos de los interesados y de las más exigencias de seguridad jurídica y proporcionalidad.

Sin perjuicio de lo anterior y desde una perspectiva más general, las obligaciones de diligencia debida y comunicación de información a cargo de los operadores de plataformas digitales en el marco de la DAC 7 conviven con obligaciones similares impuestas en otros marcos normativos, especialmente con las establecidas en el ámbito del IVA. El cumplimiento acumulado de estas obligaciones da lugar a solapamientos en cuanto a la información que debe almacenarse y facilitarse, lo que resta eficacia a las medidas y supone una carga innecesaria y excesiva para las plataformas. En este escenario, y a pesar de la complejidad de la tarea dadas, debería tenderse al mayor alineamiento posible entre ellas[124].

Finalmente, desde la óptica de la legitimidad de la pluralidad de obligaciones informativas establecidas por la DAC 7, un aspecto de particular relevancia es que la información recopilada y comunicada gracias a ellas sea utilizada y explotada de manera eficaz por las autoridades fiscales receptoras. Para poder responder a este interrogante habrá que esperar a disponer de una información estadística más completa, dado que los primeros intercambios automáticos de información en aplicación de la DAC 7 se produjeron en febrero de 2024. No obstante, en su reciente informe de 19 de noviembre de 2025, en relación con la evaluación de todas las modificaciones realizadas en la Directiva de cooperación administrativa hasta la DAC 6, la Comisión reconoce que debe aumentarse el uso sistemático de los datos recibidos en el marco de la Directiva en los procedimientos seguidos a nivel nacional en materia tributaria.

VI. REFERENCIAS BIBLIOGRÁFICAS

Antón Antón, A. (2019). «El ordenamiento tributario frente a los retos de los modelos de economía colaborativa surgidos en el contexto de la economía digital». *Retos y oportunidades de la Administración tributaria en la era digital*, Aranzadi.

Barreiro Carril, M. C. (2023). «Los operadores de plataformas digitales y la DAC 7: mucho más que una obligación de información». *La digitalización de los procedimientos tributarios y el intercambio automático de información*. Aranzadi.

---

124 Sobre las similitudes y diferencias entre ambas obligaciones de reporte y las diferentes opciones de política fiscal para conseguirlo *Vid.* Merkx, Janssen y Leenders (2022), págs. 202-218.

Beretta, G. (2021). «The New Rules for Reporting by Shaing and Gig Economy Platforms Under the OECD and EU Initiatives», *EC Tax Review*, (1), 31-38.

Campos Martínez, Y. (2020). «La tributación del alojamiento colaborativo: el intercambio temporal de viviendas con fines turísticos como supuesto más conflictivo», *Revista de Contabilidad y Tributación*, (455), 49-88.

De Miguel Canuto, E. (2021). «Rol fiscal de las plataformas digitales en el intercambio de información». *Quincena Fiscal*, (15), BIB\2021\4595.

Desmyttere, F. (2023). «Digital Platform Reporting (DAC7): Fundamental Considerations Regarding the Notion of "Relevant Activity" - A Belgian Case Study». *European Taxation*, Vol. 63, (11), 475-486.

Fernández Pavés, M. J. (2023). «Análisis de la nueva obligación de información para las plataformas digitales». *La digitalización en los procedimientos tributarios y el intercambio automático de información*, Aranzadi.

González-Cuellar Serrano, M. L.; Ortiz Calle, E. (2025). «La lesión al derecho a la propiedad establecido en el Convenio Europeo de Derechos Humanos derivada de la limitación de efectos de las sentencias de inconstitucionalidad». *Crónica Tributaria*, (194), 49-87.

Kallay Čičin-Šain Cicin-Sain, N.; Vázquez, J. M. (2023). «Tax reporting by online platforms: operational and fundamental implications of DAC7 and the OECD Model rules». *The Implications of Online Platforms and Technology for Taxation, IBFD.*

López Martínez, J. (2023). «Las obligaciones de colaboración de los operadores de plataforma. Un paso más en la privatización de la gestión tributaria que trasciende los deberes de información tributaria». *Quincena Fiscal*, (22), BIB\2023\3075.

Manchacoses García, E. (2019). «Las plataformas digitales: protagonistas actuales del Derecho tributario». *Aspectos jurídicos y fiscales de la economía colaborativa*, Tirant lo Blanch.

Martínez Muñoz, Y. (2023). «Las plataformas digitales y su colaboración en la aplicación de los tributos: una cuestión de proporcionalidad». *Revista Española de Derecho Financiero*, (197), BIB\2023\419.

Merkx, M.; Janssen, A; Leenders, M. (2022). «Platforms, a Convenient Source of Information Under DAC7 and the VAT Directive: A Proposal for More Alignment and Efficiency». *EC Tax Review*, (4), 202-218.

Montesinos Oltra, S. (2021). «Economía de plataforma y economía colaborativa: reflexiones a partir del análisis del régimen tributario del alojamiento en viviendas de uso turístico». *Aspectos jurídicos y fiscales de la economía colaborativa*. Tirant lo Blanch.

Moreno González, S. (2019). «La Directiva sobre revelación de mecanismos transfronterizos de planificación fiscal agresiva y su transposición en España: transparencia, certeza jurídica y derechos fundamentales». *Nueva Fiscalidad* (2), 21-72.

Olivares Olivares, B. (2022). «Los nuevos deberes de información de los operadores de plataformas digitales». *La tributación del comercio electrónico. Modelos de negocio altamente digitalizados*, La Ley.

Perrou, K. (2023). «Sanctions Imposed on Digital Platforms under DAC7 and the Freedom to Conduct Business». *European Taxation*, Vol. 63 (5), 198-205.

Rozas Valdés, J. A. (2022). «Colaboración social y coordinación tributaria en la DAC 7» *Tecnología y fiscalidad en el siglo XXI*, Atelier.

Ruiz Hidalgo, C. (2024). *Las obligaciones informativas de las plataformas digitales ante la Administración Tributaria*, Aranzadi.

Ruiz Hidalgo, C. (2022). «La obligación de informar por parte de plataformas digitales: apuntes acerca de las medidas sancionadoras previstas en la Directiva 2021/514 y en las Reglas Modelo de la OCDE». *Cuestiones actuales y conflictivas de la fiscalidad internacional*, CISS.

Sánchez Huete, M. A. (2021). «Obligación informativa de los intermediarios y economía colaborativa». *Quincena Fiscal* (15), BIB2021\4586.

Sánchez Huete, M. A. (2022). «Aspectos tributarios de la cesión de viviendas en la economía colaborativa». *Retos tecnológicos. Nueva fiscalidad*, Atelier.

Sánchez López, M. E. (2019). «Reflexiones en torno al deber de información impuesto a los intermediarios de alquileres turísticos». *Quincena Fiscal*, (14), 19-44.

Sánchez Pino, A. J., "Régimen sancionador por incumplimiento de las obligaciones de información de los operadores de plataformas digitales", en Pita Grandal, A. M./ Malvárez Pascual, L. A.; Ruiz Hidalgo, C. (dirs), La digitalización en los procedimientos tributarios y el intercambio automático de información, Aranzadi, 2023.

Vázquez, J. M. (2024). «DAC7 rules for platforms: a proportionality and legal certainty assessment». *Exchange of information in the EU*, Edward Elgar Publishing.

Zilli, G. (2022). «The OECD Model Rules and DAC 7: A Critical Assessment of Selected Design and Enforcement Issues», *European Taxation*, Vol. 62, (12), 521-536.

CONTROL DEL FRAUDE FISCAL EN LOS ALOJAMIENTOS TURÍSTICOS Y SUMINISTRO DE INFORMACIÓN POR LOS OPERADORES DE PLATAFORMAS DIGITALES: EL TRÁNSITO DE UN ESCENARIO INTERNO A OTRO EUROPEO E INTERNACIONAL[1]

Jesús Ramos Prieto
Catedrático de Derecho financiero y tributario
Universidad Pablo de Olavide de Sevilla
ORCID 0000-0002-3793-5120

SUMARIO: I. INTRODUCCIÓN. II. LA EXTENSIÓN DE LAS OBLIGACIONES DE INFORMACIÓN A LAS OPERADORES DE PLATAFORMAS COMO ESTRATEGIA PREFERENTE DE LUCHA CONTRA EL FRAUDE FISCAL EN LOS ALOJAMIENTOS TURÍSTICOS. 1. EL NECESARIO CONTROL FISCAL DE UNA NUEVA FÓRMULA DE CESIÓN DEL USO DE VIVIENDAS A TRAVÉS DE PLATAFORMAS EN LÍNEA. 2. LA RELEVANCIA DE LA OBTENCIÓN DE INFORMACIÓN EN LA APLICACIÓN DEL SISTEMA TRIBUTARIO Y LA LUCHA CONTRA EL FRAUDE: ALGUNOS EJEMPLOS RECIENTES.

1 Este trabajo ha sido realizado en el marco del Proyecto de investigación PID2022-136767OA-I00 "Retos en la tributación de las plataformas digitales" (Proyecto TRIPLADIG), financiado, convocatoria de 2022 de ayudas a «Proyectos de Generación de Conocimiento» correspondientes al Programa Estatal para Impulsar la Investigación Científico-Técnica y su Transferencia, Subprograma Estatal de Generación de Conocimiento.

III. ANTECEDENTES: LA OBLIGACIÓN INFORMATIVA DE LOS INTERMEDIARIOS SOBRE LA CESIÓN DE USO DE VIVIENDAS CON FINES TURÍSTICOS (2018-2024). 1. LOS ALQUILERES TURÍSTICOS A TRAVÉS DE PLATAFORMAS DIGITALES COMO OBJETIVO DE LOS PLANES DE CONTROL TRIBUTARIO. 2. LA OBLIGACIÓN INFORMATIVA SOBRE LA CESIÓN DEL USO DE VIVIENDAS CON FINES TURÍSTICOS. 2.1. PRIMER INTENTO (FRUSTRADO) DE INTRODUCIR ESTA OBLIGACIÓN (REAL DECRETO 1070/2017). 2.2. SEGUNDA REGULACIÓN DE ESTA OBLIGACIÓN (REAL DECRETO 366/2021). VALORACIÓN CRÍTICA. III. RÉGIMEN ACTUAL: LA OBLIGACIÓN DE SUMINISTRO DE INFORMACIÓN SOBRE ACTIVIDADES COMO EL ARRENDAMIENTO DE INMUEBLES POR LOS OPERADORES DE PLATAFORMAS. 1. CONTEXTO EUROPEO E INTERNACIONAL. 2. TRANSPOSICIÓN DE LA DIRECTIVA (UE) 2021/514 E IMPLANTACIÓN DE LOS INSTRUMENTOS DE LA OCDE. 3. ALCANCE Y CARACTERÍSTICAS DE LA OBLIGACIÓN DE INFORMACIÓN SOBRE LOS ARRENDAMIENTOS DE INMUEBLES POR LOS OPERADORES DE PLATAFORMAS. 3.1. UNA DECLARACIÓN INFORMATIVA ANUAL CONFIGURADA SOBRE CUATRO PILARES. 3.2. OPERADORES OBLIGADOS A COMUNICAR INFORMACIÓN A LA ADMINISTRACIÓN TRIBUTARIA ESPAÑOLA. 3.3. CONTENIDO DE LA DECLARACIÓN INFORMATIVA. IV. CONCLUSIONES. V. REFERENCIAS BIBLIOGRÁFICAS.

I. INTRODUCCIÓN

Este trabajo realiza un acercamiento a la transposición al ordenamiento jurídico español de la Directiva (UE) 2021/514 del Consejo de 22 de marzo de 2021, por la que se modifica la Directiva 2011/16/UE relativa a la cooperación administrativa en el ámbito de la fiscalidad, conocida comúnmente como DAC7 por cuanto supone la séptima modificación relevante de esta última Directiva (así nos referiremos a ella en las páginas siguientes). El complejo contenido de esa disposición europea, que regula nuevas obligaciones formales (registro, diligencia debida, comunicación de información y conservación documental) de los operadores de plataformas digitales y mecanismos de intercambio automático y obligatorio de información entre las autoridades fiscales nacionales ya ha sido analizado en otras aportaciones a esta obra colectiva. Por este motivo, nuestro estudio se centrará en la evolución que ha experimentado nuestra legislación tributaria interna en la materia, desde que a finales de 2017 se dieron los primeros pasos para el establecimiento de obligaciones de información por parte de las plataformas digitales sobre la cesión del uso de viviendas con fines turísticos hasta el ineludible alineamiento que se alcanzó en 2023 con el marco normativo más amplio diseñado por la citada DAC7 respecto del papel fundamental asignado hoy en día a los operadores de plataformas desde la perspectiva del control fiscal.

II. LA EXTENSIÓN DE LAS OBLIGACIONES DE INFORMACIÓN A LAS OPERADORES DE PLATAFORMAS COMO ESTRATEGIA PREFERENTE DE LUCHA CONTRA EL FRAUDE FISCAL EN LOS ALOJAMIENTOS TURÍSTICOS

1. EL NECESARIO CONTROL FISCAL DE UNA NUEVA FÓRMULA DE CESIÓN DEL USO DE VIVIENDAS A TRAVÉS DE PLATAFORMAS EN LÍNEA

Es bien conocida la honda preocupación social y política generada por la imparable proliferación de los alojamientos turísticos o de los alquileres de corta estancia por otras razones de ocio, trabajo, estudios, salud, etc., que se ha producido en nuestro país durante los últimos años. Con seguridad ni a finales de 2006, momento de la aprobación por las instituciones de la Unión Europea de la denominada Directiva de servicios[2], ni tampoco en los meses de noviembre y diciembre de 2009, que fue cuando se procedió a la transposición de la mayor parte de su contenido a nuestro ordenamiento jurídico

2 Directiva 2006/123/CE del Parlamento Europeo y del Consejo, de 12 de diciembre de 2006, relativa a los servicios en el mercado interior.

interno[3], casi nadie estaba en condiciones de augurar la magnitud que iba a alcanzar este fenómeno. En esos años aún no había tomado cuerpo ni ocupado posiciones avanzadas en el mercado turístico y de alquiler un modelo emergente de negocio que permite poner a disposición de los consumidores, a partir de la intervención de los nuevos operadores de plataformas digitales que comenzaron a aparecer en escena en aquel momento, fórmulas de hospedaje para periodos cortos distintas a las tradicionalmente ofertadas por el sector hotelero.

Casi dos décadas más tarde, la irrupción masiva de los alquileres turísticos o de breve duración contratados a través de plataformas digitales ha traído consigo problemas de diversa índole, especialmente en materia de acceso a la vivienda por determinados colectivos como los jóvenes en las ciudades más afectadas por el turismo. La alarma social generada ha llevado a los poderes públicos a reaccionar reforzando las exigencias, restricciones y limitaciones a que está sometida este tipo de actividad económica al amparo de las denominadas "razones imperiosas de interés general", concepto acuñado por la jurisprudencia del Tribunal de Justicia de la Unión Europea y que, como recoge el artículo 4.8 de la Directiva 2006/123/CE, abarca entre otros muchos ámbitos los objetivos de política social y la protección del entorno urbano. La necesidad de paliar la escasez de viviendas destinadas al arrendamiento encaja en tales objetivos y, por consiguiente, justifica la adopción de medidas bajo el doble requisito de que no sean discriminatorias y que resulten proporcionadas al objetivo perseguido.

Un claro exponente de este cambio de paradigma a la hora de modular la libre prestación de servicios dentro del mercado interior nos lo ofrece el Reglamento (UE) 2024/1028 del Parlamento Europeo y del Consejo de 11 de abril de 2024, sobre la recogida y el intercambio de datos relativos a los servicios de alquiler de alojamientos de corta duración y por el que se modifica el Reglamento (UE) 2018/1724[4]. Esta dispo-

---

3 Principalmente mediante la Ley 17/2009, de 23 de noviembre, sobre el libre acceso a las actividades de servicios y su ejercicio, y la Ley 25/2009, de 22 de diciembre, de modificación de diversas leyes para su adaptación a la Ley sobre el libre acceso a las actividades de servicios y su ejercicio.

4 La problemática generada se refleja con claridad en el considerando 1 de dicho Reglamento: "El volumen de los servicios de alquiler de alojamientos de corta duración está aumentando considerablemente en toda la Unión como consecuencia del crecimiento de la economía de plataformas. Si bien los servicios de alquiler de alojamientos de corta duración crean muchas oportunidades para los huéspedes, los anfitriones y todo el ecosistema turístico, su rápido crecimiento ha suscitado preocupaciones y planteado retos, en particular para las comunidades locales y las autoridades públicas, como su contribución a la disminución del número de viviendas destinadas al arrendamiento de larga duración disponibles y al aumento de los precios de los alquileres y la vivienda. El presente Reglamento se centra en uno de los principales retos, a saber, la falta de información fiable sobre los servicios de alquiler de alojamientos de corta duración, como la identidad del anfitrión, el lugar donde se ofrecen dichos servicios y su du-

sición deja patente en su artículo 2.3 que es independiente de la aplicación de otros actos jurídicos de la Unión que regulen aspectos de la prestación de servicios por parte de plataformas en línea de alquiler de corta duración, como sucede con las modificaciones introducidas por la DAC7 en la Directiva 2011/16/UE que después comentaremos.

Este Reglamento (UE) 2024/1028 contiene un conjunto de reglas comunes y uniformes que los Estados miembros deben observar en orden a imponer a las plataformas en línea de alquiler de corta duración, que ofrezcan su soporte a los llamados anfitriones o prestadores de servicios de alquiler de esta naturaleza[5], obligaciones de recogida y transmisión a través de una ventanilla única digital de determinados datos sobre los alquileres publicitados en sus respectivos sitios web. La transmisión y recepción de esos datos con la colaboración de las plataformas presupone, con carácter previo, un procedimiento preceptivo de registro público, ya sea a escala nacional, regional o local, iniciado mediante una declaración del anfitrión y tramitado en línea para cada alojamiento amueblado (denominado unidad) que vaya a destinarse a alquiler de corta duración localizado en su territorio[6].

En concreto, cuando se anuncie a través de plataformas digitales ofertas de alojamiento correspondientes a inmuebles ubicados en espacios incluidos en la lista de zonas del Estado miembro para las que las autoridades nacionales competentes exijan esta aportación de datos, los prestadores de plataformas tendrán que recoger y transmitir con frecuencia mensual y de manera automatizada (es decir, por medios de comunicación de máquina a máquina, sin intervención humana) datos sobre la actividad de cada inmueble (número de noches por las que se alquila, número de huéspedes por noche y país de residencia de cada huésped, de conformidad con el Reglamento (UE)

ración. La falta de dicha información dificulta que las autoridades evalúen el impacto real de estos servicios y elaboren y apliquen respuestas políticas adecuadas y proporcionadas".

5 El artículo 3 del Reglamento (UE) 2024/1028 define el anfitrión como "una persona física o jurídica que presta, o tiene la intención de prestar, un servicio de alquiler de alojamiento de corta duración a cambio de una remuneración a través de una plataforma en línea de alquiler de corta duración, ya sea con carácter profesional o no profesional, de forma regular o temporal". Y el "servicio de alquiler de alojamientos de corta duración" como "el arrendamiento por un período breve de una unidad, a cambio de una remuneración, ya sea con carácter profesional o no profesional, de forma regular o temporal, tal como se define con más detalle en el Derecho nacional".

6 Para la puesta en marcha del Reglamento (UE) 2024/1028 en nuestro país se aprobó el Real Decreto 1312/2024, de 23 de diciembre, por el que se regula el procedimiento de Registro Único de Arrendamientos y se crea la Ventanilla Única Digital de Arrendamientos para la recogida y el intercambio de datos relativos a los servicios de alquiler de alojamientos de corta duración.

nº 692/2011[7]), así como sobre el número de registro correspondiente facilitado por el anfitrión, la dirección específica del alojamiento y la URL del anuncio[8].

Uno de los componentes de ese interés general que hay que salvaguardar en un contexto tan inestable es, lógicamente, la variable tributaria. La consolidación de fórmulas novedosas de cesión temporal del uso de viviendas ha supuesto una versión actualizada, de la mano del avance imparable de la economía digital, de manifestaciones de capacidad económica sobre las que nuestro sistema tributario siempre había puesto su foco: la obtención de renta por parte del cedente y el consumo de servicios de alojamiento por los cesionarios o usuarios, gravados respectivamente a través de impuestos directos e indirectos. Pero el hecho diferencial que implica que esa riqueza gravable discurra ahora con la ayuda del sustrato tecnológico que proporciona la intervención de las plataformas ha supuesto un reto para la Administración tributaria, obligada a garantizar que el cambio de formato no conlleve que los protagonistas puedan sortear con facilidad la tributación que debiera corresponderles, incurriendo en conductas defraudatorias lesivas para la recaudación y que quiebren la neutralidad fiscal frente al tratamiento otorgado a los formatos de hospedaje más tradicionales.

2. LA RELEVANCIA DE LA OBTENCIÓN DE INFORMACIÓN EN LA APLICACIÓN DEL SISTEMA TRIBUTARIO Y LA LUCHA CONTRA EL FRAUDE: ALGUNOS EJEMPLOS RECIENTES

Como expondremos en las próximas páginas, la estrategia adoptada para afrontar el desafío de que se cumplan de modo adecuado las obligaciones tributarias derivadas de los alojamientos turísticos o de corta estancia formalizados con la intermediación de plataformas especializadas se ha centrado en una redefinición y ampliación de los mecanismos de obtención e intercambio de información por parte de la Hacienda Pública.

En teoría, cabría la opción de dejarlo todo a expensas del cumplimiento voluntario por parte de los titulares de viviendas cuyo uso se cede por periodos de breve duración, pero es fácil intuir que esta solución no resultaría operativa a la vista del fraude masivo que se ha producido tradicionalmente en los alquileres vacaciones. De ahí que se haya

---

7 Reglamento (UE) nº 692/2011 del Parlamento Europeo y del Consejo de 6 de julio de 2011, relativo a las estadísticas europeas sobre el turismo y por el que se deroga la Directiva 95/57/CE del Consejo.

8 Como excepción, el artículo 9.2 del Reglamento (UE) 2024/1028 permite que las plataformas pequeñas o microplataformas en línea de alquiler de corta duración que no hayan alcanzado una media mensual de 4.250 o más anuncios en el trimestre anterior transmitan esa información al final del trimestre, bien por medios de comunicación de máquina a máquina, bien manualmente con arreglo al Derecho nacional.

dirigido el punto de mira hacia los propios operadores de plataforma, convirtiéndolos en sujetos de nuevas obligaciones tributarias formales. En este sentido, las Administraciones tributarias han tomado conciencia de que la intermediación de plataformas digitales ha abierto nuevas posibilidades de rastreo y seguimiento de esas operaciones de nuevo formato, mediante la obtención automatizada y el tratamiento masivo de datos (identificación de las partes, precio del alquiler, duración del alojamiento, etc.), en comparación con la suerte de limbo de impunidad fiscal en que se hallaban esas mismas operaciones en su formato más tradicional, ajeno al mundo digital.

En contra de lo que tal vez pudiera pensarse en una primera aproximación, esta apuesta decidida por reforzar las obligaciones de información no es un avance restringido a esta área. En los últimos años hemos asistido a medidas de un alcance similar respecto de otros activos, negocios o formas de pago cuya tributación ha suscitado igualmente dificultades a la Administración tributaria, como los bienes y derechos situados en el extranjero, las monedas virtuales o los pagos asociados a números de teléfono móvil (Bizum y sistemas análogos).

En efecto, la doctrina ha venido insistiendo de manera constante en la trascendencia de la obtención de información como potestad fundamental para la aplicación de los sistemas modernos y asegurar la efectividad del deber de contribuir al sostenimiento de los gastos públicos[9]. Pero en los tiempos actuales, marcados por la globalización económica, el incesante desarrollo de las tecnologías de la información y comunicación, la expansión de nuevos modelos de negocio propios de la economía digital y, en el espacio de la Unión Europea, por la libre circulación de personas, bienes, capitales y servicios, la información sobre las operaciones imponibles, debidamente seleccionada y depurada, es una herramienta clave e indispensable para la ejecución de acciones administrativas de control fiscal. De ahí que nuestras autoridades fiscales estén plenamente convencidas desde hace muchos años de la relevancia tanto de la aportación voluntaria de toda clase de datos, informes, antecedentes y justificantes con trascendencia tributaria por parte de los obligados tributarios, como de la necesidad de intensificar la cooperación con otras Administraciones nacionales y extranjeras, abriendo cauces fluidos para compartir sus respectivas fuentes informativas en beneficio mutuo.

La obtención, el manejo y procesamiento y la transmisión de esos datos es, por tanto, un pilar que sustenta la correcta aplicación de nuestro sistema tributario, preservando

---

9 Como exponentes de la abundante bibliografía sobre el tema nos remitimos a los trabajos de López Martínez, J. (1992). *Los deberes de información tributaria*. Marcial Pons-Instituto de Estudios Fiscales; Herrera Molina, P. M. (1993). *La potestad de información tributaria sobre terceros*. La Ley; Lago Montero, J. M. (1998). *La sujeción a los diversos deberes y obligaciones tributarios*. Marcial Pons; y Sesma Sánchez, B. (2001). *La obtención de información tributaria*. Aranzadi.

su capacidad recaudatoria y previniendo y combatiendo el fraude fiscal. Así lo demuestra la amplitud progresiva del alcance de las obligaciones de información establecidas con fundamento en el artículo 31.1 de nuestra Constitución por la Ley 58/2003, de 17 de diciembre, General Tributaria[10], desglosadas con alto grado de detalle por el Reglamento General de las actuaciones y los procedimientos de gestión e inspección tributaria y de desarrollo de las normas comunes de los procedimientos de aplicación de los tributos (en adelante, RGGI)[11], aprobado por el Real Decreto 1065/2007, de 27 de julio. Tales obligaciones abarcan datos y referencias tanto relativos al cumplimiento de las obligaciones tributarias propias como deducidos de las relaciones económicas, profesionales o financieras de los obligados tributarios con terceros.

La evidencia más clara de que la información constituye una herramienta cardinal para la gestión, inspección y recaudación de los tributos la hallamos en la proliferación de modalidades singulares de suministro de datos que hemos presenciado durante los últimos tres lustros. El elenco de declaraciones informativas que aparece en la sede electrónica de la Agencia Estatal de Administración Tributaria ha experimentado un crecimiento continuo y resulta, por este motivo, cada vez más abrumador: hoy en día se acerca a sesenta modelos diferentes, bastantes de ellos de enrevesada complejidad, que comportan una abrumadora acumulación de obligaciones formales para los obligados tributarios. Muy lejanos quedan ya otras etapas en que el protagonismo lo asumían declaraciones informativas más tradicionales como la declaración anual de operaciones con terceras personas (modelo 347) o la declaración recapitulativa de operaciones intracomunitarias (modelo 349), entre otras.

Sin ánimo de ser exhaustivos y al margen de la introducción a finales de 2017, como después comentaremos, de una declaración informativa anual de la cesión de uso de viviendas con fines turísticos, las afirmaciones anteriores pueden ilustrarse con algunos de los ejemplos más significativos. Cabe mencionar, en primer lugar, la controvertida obligación de informar sobre bienes y derechos (cuentas, inmuebles, títulos, activos,

---

10 Obligaciones de información reguladas con carácter general en los artículos 93 y 94 de dicho texto legal y, de modo específico, en sus disposiciones adicionales decimoctava (bienes y derechos situados en el extranjero), vigésimo segunda (cuentas financieras), vigésima tercera y cuarta (mecanismos transfronterizos de planificación fiscal) y vigésima quinta (declaración informativa de los operadores de plataforma obligados en el ámbito de la asistencia mutua). Esta regulación en la norma de cabecera de nuestro Derecho Tributario supone una concreción en dicho sector del ordenamiento jurídico del deber general de colaboración establecido en el artículo 18 de la Ley 39/2015, de 1 de octubre, del Procedimiento Administrativo Común de las Administraciones Públicas, aplicable de manera supletoria a las actuaciones y procedimientos en materia tributaria conforme a lo establecido por su disposición adicional primera.

11 Artículos 30 a 54 ter.

valores o derechos representativos del capital social, fondos propios o patrimonio de todo tipo de entidades o de la cesión a terceros de capitales propios, etc.) situados en el extranjero a través del modelo 720, introducida en la disposición adicional decimoctava de la Ley General Tributaria por la Ley 7/2012, de 29 de octubre[12]. Era previsible el varapalo recibido por su desmesurado régimen sancionador de parte del Tribunal de Justicia de la Unión Europea (Sentencia de 27 de enero de 2022, *Comisión/España*, asunto C-788/19), que haciendo suyo un sentir casi generalizado apreció una restricción desproporcionada a la libre circulación de capitales (artículo 63 del Tratado de Funcionamiento de la Unión Europea). Tras este pronunciamiento su regulación tuvo que ser revisada en profundidad por la Ley 5/2022, de 9 de marzo, con el fin de adecuarla a las exigencias del principio de proporcionalidad que rige en materia de sanciones. De paso, se ha extendido esta obligación formal a quienes tengan la condición de beneficiarios o autorizados o de alguna otra forma ostenten poder de disposición sobre monedas virtuales localizadas en el extranjero (modelo 721)[13].

En el caso de los grupos empresariales transnacionales con un importe neto de cifra de negocios superior a 750 millones de euros en los doce meses previos al inicio del periodo impositivo del Impuesto sobre Sociedades, ha tenido un notable impacto la declaración de información país por país o *Country-by-Country Report* (modelo 231), incorporada a nuestro ordenamiento jurídico en el artículo 14 del vigente Reglamento del Impuesto (Real Decreto 634/2015, de 10 de julio) para desarrollar la acción 13 del Marco Inclusivo BEPS de la OCDE y el G20 contra la erosión de la base imponible y el traslado de beneficios y su consiguiente reflejo en la normativa europea a través de la denominada DAC4[14].

No acaba ahí la lista de deberes informativos de reciente implantación. También fue preciso trasponer a nuestro Derecho interno la obligación de información sobre mecanismos transfronterizos de planificación fiscal regulada por la Directiva (UE) 2018/822 del Consejo, de 25 de mayo de 2018, que modifica la Directiva 2011/16/UE por lo que se refiere al intercambio automático y obligatorio de información en el ámbito de la fiscalidad en relación con los mecanismos transfronterizos sujetos a co-

---

12 Orden HAP/72/2013, de 30 de enero, por la que se aprueba el modelo 720, declaración informativa sobre bienes y derechos situados en el extranjero, modificada por la Orden HFP/1180/2023, de 26 de octubre.

13 Orden HFP/886/2023, de 26 de julio, por la que se aprueba el modelo 721 "Declaración informativa sobre monedas virtuales situadas en el extranjero", y se establecen las condiciones y el procedimiento para su presentación, modificada por la Orden HAC/1504/2024, de 26 de diciembre.

14 Directiva (UE) 2016/881 del Consejo, de 25 de mayo de 2016, que modifica la Directiva 2011/16/UE en lo que respecta al intercambio automático obligatorio de información en el ámbito de la fiscalidad.

municación de información (se trata de la denominada DAC6). A tal efecto la Ley 10/2020, de 29 de diciembre, incorporó una nueva disposición adicional vigésima tercera a la Ley General Tributaria, desarrollada en los artículos 45 a 49 ter del RGGI. Por exigencias del ordenamiento europeo entra así en escena una nueva declaración informativa de mecanismos transfronterizos (modelo 234). Sin embargo, pronto fue necesario introducir algunos ajustes significativos de la mano de la Ley 13/2023, de 24 de mayo, a raíz de la suscripción por parte de nuestro país de nuevos instrumentos en el ámbito de la OCDE (acuerdo multilateral entre autoridades competentes sobre intercambio automático de información relativa a los mecanismos de elusión del estándar común de comunicación de información y las estructuras extraterritoriales opacas). También ha sido determinante la apreciación por la Sentencia del Tribunal de Justicia de la Unión Europea (Gran Sala) de 8 de diciembre de 2022, *Orde van Vlaamse Balies y otros*, asunto C-694/20, de una vulneración del del derecho al respeto de la vida privada (artículo 7 de la Carta de los Derechos Fundamentales de la Unión Europea) en el caso de los abogados, a causa de la obligación que la Directiva impuso a los intermediarios amparados por el secreto profesional de notificar el ejercicio de dicho secreto al resto de intermediarios[15].

Concluimos este rápido repaso con una mención al ensanchamiento de las obligaciones de información sobre los pagos, donde el cerco se ha estrechado de manera patente por varios flancos. En primer lugar, a las personas y entidades residentes en España y a los establecimientos permanentes en territorio español de personas o entidades residentes en el extranjero que proporcionen servicios relacionados con monedas virtuales (salvaguarda de claves criptográficas privadas en nombre de terceros para mantener, almacenar y transferir monedas virtuales, cambio entre monedas virtuales y dinero de curso legal o entre diferentes monedas virtuales o intermediación en la realización de dichas operaciones) se les exige en el momento presente que informen a la Administración tributaria sobre los saldos y operaciones referentes a las mismas, a través de los modelos 172 y 173[16].

---

15 El examen por parte del Tribunal de Justicia de la Directiva (UE) 2018/822, a la luz de los principios de igualdad de trato, no discriminación, seguridad jurídica, legalidad en materia penal y del derecho al respeto de la vida privada, se ha completado en las posteriores Sentencias de 29 de julio de 2024, *Belgian Association of Tax Lawyers y otros*, asunto C-623/22, 26 de septiembre de 2024, *Ordre des avocats du Barreau de Luxembourg*, asunto C-432/23.

16 Obligación regulada en la disposición adicional decimotercera, apartados 6 y 7, de la Ley del IRPF (Ley 35/2006, de 28 de diciembre), introducidos por la Ley 11/2021, de 9 de julio. Véase Orden HFP/887/2023, de 26 de julio, por la que se aprueban el modelo 172 "Declaración informativa sobre saldos en monedas virtuales" y el modelo 173 "Declaración informativa sobre operaciones con monedas virtuales", y se establecen las condiciones y el procedimiento para su presentación, modificada por la Orden HAC/1504/2024, de 26 de diciembre.

En segundo lugar, el aumento de las compras transfronterizas que ha propiciado el crecimiento sostenido del comercio electrónico ha llevado a incorporar a la normativa reguladora del IVA una obligación a cargo de los proveedores de servicios de pago, que han de mantener registros suficientemente detallados de los pagos transfronterizos realizados y remitirlos a la Administración tributaria[17]. Esta nueva declaración informativa, materializada en el modelo 379 para los proveedores cuyo Estado miembro de origen o acogida sea España[18], constituye una reacción al fraude cometido por ciertas empresas en operaciones en que, siendo de aplicación el principio de tributación en destino en el IVA, el destinatario es un consumidor final no sujeto a obligaciones contables. Con ella se busca dotar a los Estados miembros de consumo de instrumentos adecuados para poder detectar estos pagos, en la medida en que representen un indicio de que el empresario o profesional beneficiario ejerce una actividad económica no declarada.

Por último, en fecha muy reciente la mirada se ha vuelto hacia las entidades dedicadas al tráfico bancario o crediticio, que ya estaban obligadas a presentar una declaración informativa anual acerca de los cobros efectuados mediante tarjetas de crédito o débito por empresarios o profesionales cuando el importe neto anual de los mencionados cobros excediera de 3.000 euros[19]. Tras los cambios introducidos a partir de 2026 en los artículos 38 bis y ter del RGGI[20], esta obligación no solo ha ampliado su ámbito subjetivo de aplicación[21], sino que, además, se ha desdoblado en dos modalidades del

---

17 Directiva (UE) 2020/284 del Consejo de 18 de febrero de 2020 por la que se modifica la Directiva 2006/112/CE en lo que respecta a la introducción de determinados requisitos para los proveedores de servicios de pago. Su trasposición se efectuó a través de los artículos 166 ter a 166 quinquies de la Ley 37/1992, de 28 de diciembre, del Impuesto sobre el Valor Añadido, introducidos por el artículo 33 de la Ley 11/2023, y los artículos 62.ter y 81 bis del Reglamento del impuesto (aprobado por el Real Decreto 1624/1992, de 29 de diciembre), añadidos por el Real Decreto 1171/2023, de 27 de diciembre.

18 Orden HFP/1415/2023, de 28 de diciembre, por la que se aprueba el modelo 379 "Declaración informativa sobre pagos transfronterizos" y se determinan la forma y procedimiento para su presentación.

19 Artículo 38 bis del RGGI, en la redacción introducida por el Real Decreto 1/2010, de 8 de enero, vigente hasta 31 de diciembre de 2025.

20 Real Decreto 253/2025, de 1 de abril.

21 Junto a las entidades bancarias o de crédito se incluyen ahora: a) Las demás entidades que, de acuerdo con la normativa vigente, presten el servicio de gestión de cobros a través de tarjetas, con soporte físico o virtual, que ofrezcan funciones de efectivo, débito, débito diferido, crédito y dinero electrónico, en cualquier moneda, así como a través de pagos asociados a un número de teléfono móvil, a empresarios y profesionales establecidos en España; b) Las entidades de dinero electrónico, las entidades de pago y demás entidades que faciliten la instalación de terminales de venta y la ejecución de operaciones de cobro por empresarios y profesionales establecidos en España; c) Las sucursales en territorio español de las entidades anteriores de otros

modelo 170[22]. Por un lado, se mantiene una declaración informativa anual, cuyo objeto son las operaciones realizadas con todo tipo de tarjetas (excluidas aquellas cuyo importe total de cargos y cuyo importe total de abonos registrados en el ejercicio hayan sido inferiores a 25.000 euros), con soporte físico o virtual, que ofrezcan funciones de efectivo, débito, débito diferido, crédito y dinero electrónico, en cualquier moneda. Por otro lado, se añade una declaración informativa mensual de las operaciones realizadas por los empresarios o profesionales adheridos al sistema de gestión de cobros a través de cualquier tipo de tarjetas o asociados a números de teléfono móvil (como Bizum o sistemas equivalentes).

Sirva esta breve descripción para evidenciar la creciente trascendencia de la obtención de información y de su intercambio interadministrativo desde el punto de vista de la efectividad del sistema tributario. Este tiene que ir adaptándose de manera continua a los cambios de la realidad económica: nuevas prácticas negociales o bancarias o de interacción entre los usuarios y nuevas fórmulas de pago demandan la búsqueda de alternativas para combatir conductas defraudatorias, mediante la explotación de otras fuentes de datos o de un mejor aprovechamiento de las ya disponibles. Eso y no otra cosa es lo que ha venido sucediendo con el suministro de información y la cooperación administrativa durante los últimos años.

Por supuesto, todo tiene sus límites. Y las obligaciones de información los tienen claramente definidos, aunque no sea este un aspecto que tengamos que abordar en este trabajo[23]. De una parte, su alcance ha de respetar los derechos fundamentales reconocidos en la Constitución (intimidad personal y familiar, secreto de las comunicaciones, inviolabilidad del domicilio y protección de datos) y otras garantías reconocidas en el artículo 93 de la Ley General Tributaria (secreto estadístico, secreto del protocolo notarial, secreto bancario y secreto profesional). De otra parte, no debe olvidarse la limitación de costes indirectos derivados del cumplimiento de obligaciones formales, recogida por el artículo 3.2 de la Ley General Tributaria entre los principios generales de aplicación del sistema tributario[24].

Estados miembros de la Unión Europea o de terceros países, así como las mismas entidades que operen en España en régimen de libre prestación de servicios, por los servicios de gestión de cobro y de instalación de terminales de venta a empresarios y profesionales establecidos en España.

22 El modelo 170 en sus dos modalidades se regula en la Orden EHA/97/2010, de 25 de enero, y en la Orden HAC/747/2025, de 27 de junio.

23 Véase al respecto Sánchez López, M. E. (2001). *Los deberes de información tributaria desde la perspectiva constitucional*. Centro de Estudios Políticos y Constitucionales; y De la Peña Amorós, M. M. (2020). *El deber de información*. Dykinson, págs. 87 y siguientes.

24 Sobre este principio, que ya estaba presente en la norma de creación de la Agencia Estatal de Administración Tributaria (artículo 103.3 de la Ley 31/1990, de 27 de diciembre, de Presu-

III. ANTECEDENTES: LA OBLIGACIÓN INFORMATIVA DE LOS INTERMEDIARIOS SOBRE LA CESIÓN DE USO DE VIVIENDAS CON FINES TURÍSTICOS (2018-2024)

Con anterioridad a la aprobación de la DAC7 por el Consejo y a su transposición al Derecho interno, en España ya se habían dado algunos avances para someter a un mayor control los alojamientos turísticos concertados con la colaboración de las plataformas digitales. Se trató de medidas adoptadas de manera unilateral por nuestro país en la línea seguida por otros países del entorno y que, por tanto, tenían una virtualidad limitada. No obstante, conviene hacer una breve alusión a ella en cuanto antecedentes de las normas vigentes en la actualidad.

1. LOS ALQUILERES TURÍSTICOS A TRAVÉS DE PLATAFORMAS DIGITALES COMO OBJETIVO DE LOS PLANES DE CONTROL TRIBUTARIO

Los planes anuales de control tributario y aduanero, cuyas directrices generales se hacen públicas por mandato de la Ley General Tributaria (artículo 116), denotan desde hace una década la preocupación de los responsables institucionales de la Agencia Estatal de Administración Tributaria por controlar la tributación de los alojamientos turísticos, que junto a las viviendas vacías o arrendadas se han convertido en un objetivo prioritario de sus actuaciones.

Así, en los planes de control tributario correspondientes a los ejercicios 2015 y 2016 encontramos una alusión explícita, dentro de la esfera de la economía sumergida, a la puesta en marcha de actuaciones en el sector de servicios enfocadas al descubrimiento de actividades y rentas ocultas, en especial respecto de los particulares que estuviesen cediendo de forma opaca total o parcialmente viviendas por internet u otras vías[25]. Ya entonces la Agencia Tributaria empezaba a percatarse de que la exploración del ciberespacio le ofrecía nuevas oportunidades para sacar a la luz alquileres no declarados por los titulares de inmuebles.

Con posterioridad, una vez implantada la obligación informativa sobre la cesión de viviendas con fines turísticos (modelo 179) a que nos referiremos a continuación, en el plan de control de 2019 se incluyó una primera mención a la información que debía obtenerse con ella como herramienta para un alcanzar un mejor control de los rendi-

puestos Generales del Estado para 1991) y en el estatuto del contribuyente de 1998 (artículo 2.2 de la Ley 1/1998, de 26 de febrero, de Derechos y Garantías de los Contribuyentes), véase Rego Blanco, M. D. (2016). "Significado, alcance y materialización del principio de limitación de costes indirectos tributarios". *Quincena Fiscal*, núm. 20, págs. 19-36.

25 BOE núm. 60, de 11 de marzo de 2015, y núm. núm. 46, de 23 de febrero de 2016.

mientos del capital inmobiliario en el IRPF[26]. Esta alusión, que se reiteró en el plan de 2022 con relación a la campaña de declaración del IRPF correspondiente al ejercicio 2021[27], se amplió en los planes de 2023 y 2024, donde se apuntó ya con claridad a la economía de las plataformas digitales como un ámbito prioritario de vigilancia por la Administración tributaria ante el notable crecimiento de las transacciones realizadas a través de estos canales[28].

Una vez iniciada esa senda llegamos al plan de control de 2025[29], último aprobado en el momento de redactar este trabajo, donde en el marco del seguimiento prioritario de la economía de las plataformas aparece ya destacada como una línea de actuación la atención singular a los distintos operadores en el mercado del arrendamiento turístico a través de plataformas. A la vista de la proliferación de inmuebles ofrecidos en alquiler se insiste, por un lado, en intensificar la identificación de los posibles titulares de las rentas no declaradas, tanto propietarios (personas físicas o jurídicas, residentes o no en territorio español) como personas o entidades que actúen como intermediarios en la gestión arrendaticia. Y se subraya, por otro lado, la necesidad de explotar la información proporcionada por las Comunidades Autónomas en relación con su censo de viviendas turísticas y la disponible por el intercambio de información internacional DAC7 sobre las plataformas de alquiler por internet.

2. LA OBLIGACIÓN INFORMATIVA SOBRE LA CESIÓN DEL USO DE VIVIENDAS CON FINES TURÍSTICOS

2.1. Primer intento (frustrado) de introducir esta obligación (Real Decreto 1070/2017)

El Real Decreto 1070/2017, de 29 de diciembre, representó la primera tentativa de implantar a partir de 2018 una obligación de informar sobre la cesión del uso de viviendas con fines turísticos situadas en territorio español, dirigida específicamente a las personas o entidades, en particular las plataformas colaborativas, que intermedien en este tipo de operaciones. Para ello su artículo primero (apartado 11) introdujo un nuevo artículo 54 ter en el RGGI de 2007, invocando fines de prevención del fraude fiscal como justificación de esta medida. Se obligaba así a estos intermediarios a la presenta-

26 BOE núm. 15, de 17 de enero de 2019.

27 BOE núm. 26, de 31 de enero de 2022.

28 BOE núm. 49, de 27 de febrero de 2023, y núm. 53, de 29 de febrero de 2024.

29 BOE núm. 65, de 17 de marzo de 2025.

ción de una declaración informativa trimestral (modelo 179) con el alcance subjetivo y objetivo que se detallan a continuación en la tabla[30].

Definición de la cesión de uso de vivienda con fines turísticos	• Cesión temporal del uso de la totalidad o parte de vivienda amueblada y equipada en condiciones de uso inmediato. • Cualquier canal de comercialización o promoción. • Finalidad gratuita u onerosa. • Exclusiones: – Arrendamientos de vivienda y subarriendos parciales de vivienda definidos por la Ley 29/1994, de 24 de noviembre, de Arrendamientos Urbanos. – Alojamientos turísticos con normativa específica. – Derecho de aprovechamiento por turnos de inmuebles. – Determinados usos y contratos previstos en el art. 5 de la Ley 29/1994.
Definición de intermediario	• Personas o entidades que presten servicio de intermediación entre cedente y cesionario, a título oneroso o gratuito. • En especial, las plataformas colaborativas que tengan consideración de prestador de servicios de la sociedad de la información, con independencia: – De que presten o no el servicio subyacente. – De que impongan condicionantes a cedentes o cesionarios (precio, seguros, plazos u otras cláusulas contractuales)
Contenido de la declaración informativa	Información obligatoria: • Identificación del titular de la vivienda cedida (y del titular del derecho que ampara la cesión si es un sujeto distinto). • Identificación del inmueble (referencia catastral). • Identificación de personas o entidades cesionarias (conservación de copia del documento identificativo). • Número de días de disfrute de la vivienda. • Importe recibido por el titular cedente o, en su caso, indicación del carácter gratuito de la cesión. Información opcional: • Número de contrato en virtud del cual se intermedia en la cesión de uso de la vivienda. • Fecha de intermediación en la operación. • Identificación del medio de pago utilizado (transferencia, tarjeta de crédito o débito u otro).

Sin embargo, este novedoso modelo de declaración informativa tuvo un recorrido muy corto, dado que el precepto añadido al RGGI por el artículo primero del Real Decreto 1070/2017 fue anulado por la Sentencia de la Sala Tercera del Tribunal Supremo núm. 1106/2020, de 23 de julio[31]. Este pronunciamiento, que estimó el recurso contencioso administrativo interpuesto por la Asociación Española de la Economía Digital,

30 Orden HFP/544/2018, de 24 de mayo, por la que se aprueba el modelo 179, "Declaración informativa trimestral de la cesión de uso de viviendas con fines turísticos".

31 Recurso contencioso-administrativo núm. 80/2018.

contiene algunas consideraciones de interés sobre la configuración de esta obligación informativa en aspectos como la compatibilidad con la reserva de ley en materia tributaria de su establecimiento mediante norma de rango reglamentario, la trascendencia tributaria de los datos requeridos (identificación del titular de la vivienda y de las personas cesionarias, número de días de disfrute, referencia catastral), su carácter necesario y proporcionado desde el prisma de la lucha contra el fraude fiscal o la pertinencia del deber de los cedentes de conservación de una copia del documento de identificación de las personas beneficiarias del servicio. Pero no fue ahí donde radicó la causa por la que el precepto reglamentario fue expulsado de nuestro ordenamiento jurídico, sino en un vicio procedimental que lo hacía incompatible con el Derecho de la Unión Europea, como ya había aclarado en un litigio similar pocos meses antes el Tribunal de Justicia en la Sentencia de 19 de diciembre de 2019, *Airbnb Ireland UC*, asunto C-390/18. En ella el Tribunal de Luxemburgo precisó que, de acuerdo con el Derecho europeo, merece la calificación de servicio de la sociedad de la información "un servicio de intermediación, prestado a cambio de una remuneración, que tiene por objeto poner en contacto mediante una plataforma electrónica a potenciales arrendatarios con arrendadores, profesionales o no profesionales, que proponen servicios de alojamiento de corta duración y que, además, ofrece otras prestaciones accesorias de ese servicio de intermediación"[32].

Sobre esta base nuestro Alto Tribunal concluyó que una norma como el artículo 54 ter del RGII introducido en 2017 constituye un "reglamento técnico" a efectos de la Directiva (UE) 2015/1535 del Parlamento Europeo y del Consejo, de 9 de septiembre de 2015, por la que se establece un procedimiento de información en materia de reglamentaciones técnicas y de reglas relativas a los servicios de la sociedad de la información. Como medida restrictiva de la libre prestación de servicios de la sociedad de la información, el proyecto normativo debió haber sido objeto de comunicación inmediata y previa a la Comisión durante su tramitación, pues así lo exige de manera taxativa el artículo 5.1 de dicha Directiva (UE) 2015/1535[33]. El incumplimiento de este trámite por parte del Gobierno español determinó la invalidez de la modificación

---

32 La noción de servicio de la sociedad de la información se infiere de dos preceptos: el artículo 2.a) de la Directiva 2000/31/CE del Parlamento Europeo y del Consejo, de 8 de junio de 2000, relativa a determinados aspectos jurídicos de los servicios de la sociedad de la información, en particular el comercio electrónico en el mercado interior; y el artículo 1.1.b) de la Directiva (UE) 2015/1535 del Parlamento Europeo y del Consejo, de 9 de septiembre de 2015, por la que se establece un procedimiento de información en materia de reglamentaciones técnicas y de reglas relativas a los servicios de la sociedad de la información.

33 Se muestra contrario a esta interpretación Pérez Merino, C. (2022). "Las formas importan: la obligación de información a la Administración tributaria sobre la cesión de viviendas turísticas". *Quincena Fiscal*, núm. 3.

reglamentaria, a pesar de que el Tribunal Supremo pareciera admitir la legitimidad de esta obligación informativa desde la óptica del Derecho interno[34].

2.2. *Segunda regulación de esta obligación (Real Decreto 366/2021). Valoración crítica*

Tras ese varapalo judicial, el Gobierno tomó buena nota del toque de atención y cumplió el trámite de comunicación a la Comisión al promover una nueva modificación del RGGI, que se plasmó finalmente en la reintroducción del artículo 54 ter a través de la disposición final segunda del Real Decreto 366/2021, de 25 de mayo.

No hubo ninguna variación significativa con respecto a la versión anulada por el Tribunal Supremo. Bajo la invocación del objetivo de prevención del fraude fiscal, se perfiló el alcance subjetivo y objetivo de la obligación de información de las plataformas que actuasen como intermediarios en los alojamientos turísticos en términos idénticos a como lo había hecho más de tres años antes el Real Decreto 1070/2017, mediante una declaración trimestral (modelo 179)[35].

La doctrina académica realizó en su día interesantes aportaciones sobre el régimen jurídico de esta obligación informativa, que se mantuvo en vigor hasta finales de 2024, suscitándose un interesante debate en torno a varios extremos controvertidos[36].

En primer lugar, varios autores evidenciaron dudas razonables acerca de la operatividad y eficacia real de una medida, adoptada por nuestro país de manera unilateral mediante la modificación de la normativa interna, respecto de las plataformas digitales operadas por entidades no residentes en España, que son precisamente las que tienen

---

[34] El Tribunal Supremo concluyó, a la luz de la doctrina del Tribunal de Justicia, que "estamos ante una disposición general que establece una serie de obligaciones a las entidades colaborativas prestadoras de servicio de la información, que aun siendo legítimas desde el punto de vista del ordenamiento jurídico interno, suponen un reglamento técnico de desarrollo de la Ley de trasposición de la directiva de información, y en consecuencia debería haber notificado el Estado español a la Comisión Europea la intención de aprobar la norma reglamentaria".

[35] Orden HAC/612/2021, de 16 de junio, por la que se aprueba el modelo 179, "Declaración informativa trimestral de la cesión de uso de viviendas con fines turísticos" y se establecen las condiciones y el procedimiento para su presentación.

[36] Seguimos en este punto la clarificadora síntesis efectuada por Sanz Gómez, R. (2025). "«Aún sé lo que hicisteis el último verano». La evolución de las obligaciones de información de las plataformas de alojamiento turístico". *Tributación de las plataformas digitales: retos ante un nuevo paradigma*. Aranzadi, págs. 154 y siguientes.

mayor presencia en el ámbito de los alquileres turísticos como grandes corporaciones transnacionales[37].

Tampoco hubo unanimidad en cuanto a si la obligación de información por suministro periódico de datos dimanante del artículo 54 ter del Reglamento contaba o no con cobertura legal suficiente en los artículos 29.2.f) y 93.1 de la Ley General Tributaria, que habilita con amplitud a la Administración para exigir a cualquier persona o entidad datos con trascendencia tributaria deducidos de sus relaciones económicas con terceros[38].

Por último, no faltaron voces críticas con la extensión de esta obligación formal, que implicaba que las plataformas digitales tuvieran que recabar de sus clientes datos de los que en principio no tenían por qué disponer, como el derecho del cedente en relación con la vivienda cedida, la titularidad de la vivienda o la referencia catastral de la misma y que, además, comportaba un deber de conservación de la copia del documento identificativo de las personas usuarias. Hubo también división de opiniones en cuanto al equilibrio entre los datos reclamados y el fin de prevención del fraude fiscal aducido como justificación, pero la Sentencia del Tribunal Supremo núm. 1106/2020 antes comentada zanjó el tema confirmando la observancia del principio de proporcionalidad.

---

37 Véase Antón Antón, A., Bilbao Estrada, I. (2016). "El consumo colaborativo en la era digital: un nuevo reto para la fiscalidad". *Documentos de Trabajo del Instituto de Estudios Fiscales*, núm. 26, págs. 34-35; Sánchez Huete, M. A. (2017). "Cuestiones tributarias y economía colaborativa". *Quincena Fiscal*, núm. 18; y Correcher Mato, C. J. (2019). "Reflexiones sobre el artículo 54 *ter* RGGIT: un nuevo deber de información directamente aplicable al sector del alojamiento colaborativo". *Crónica Tributaria*, núm. 171, págs. 119-120.

38 A favor de la compatibilidad del establecimiento de esta obligación de información a través de una norma reglamentaria, a la vista de la amplitud de la habilitación contenida en el artículo 93.1 de la Ley General Tributaria, Sánchez López, M. E. (2019). "Reflexiones en torno al deber de información impuesto a los intermediarios de alquileres turísticos". *Quincena Fiscal*, núm. 14; y Sanz Gómez, R. (2025). "«Aún sé lo que hicisteis...", *op. cit.*, págs. 160-163. En contra, Lucas Durán, M. (2017). "Problemática jurídica de la economía colaborativa: especial referencia a la fiscalidad de las plataformas". *Anuario de la Facultad de Derecho*, núm. 10, pág. 162, Correcher Mato, C. J. (2019). "Reflexiones sobre el artículo 54 *ter...", op. cit.*, pág. 109, Pérez Merino, C. (2022). "Las formas importan...", *op. cit.*, y Martínez Muñoz, Y. (2023). "Las plataformas digitales y su colaboración en la aplicación de los tributos: una cuestión de proporcionalidad". *Revista Española de Derecho Financiero*, núm. 197.

III. RÉGIMEN ACTUAL: LA OBLIGACIÓN DE SUMINISTRO DE INFORMACIÓN SOBRE ACTIVIDADES COMO EL ARRENDAMIENTO DE INMUEBLES POR LOS OPERADORES DE PLATAFORMAS

1. CONTEXTO EUROPEO E INTERNACIONAL

La aprobación de la Directiva (UE) 2021/514, designada habitualmente como DAC7, ha supuesto un salto cualitativo muy ostensible con respecto a las obligaciones impuestas a los operadores de plataformas digitales con el fin de mejorar los niveles de cumplimiento tributario. Esta disposición europea ha venido acompañada de iniciativas análogas de organismos internacionales como la OCDE, donde también se han alcanzado acuerdos y adoptado reglas para avanzar en materia de suministro de información por parte de las plataformas y de intercambio automático de los datos, en particular con motivo de los trabajos desarrollados por la OCDE y el G20 a través del Marco inclusivo sobre la erosión de bases imponibles y transferencia de beneficios (BEPS)[39].

Detrás de esta acumulación de normas y acuerdos subyace la preocupación básica de los Estados por lograr una adecuada tributación de los nuevos modelos de negocio generados por la economía digital y, en particular, de las actividades desarrolladas en el seno de la economía de plataforma como uno de sus componentes de mayor peso. Ante ese cambio de paradigma y el riesgo cierto de los ingresos obtenidos por las interfaces y por sus usuarios escapen de gravamen o minoren sustancialmente su carga fiscal, generando distorsiones con respecto a modelos comerciales tradicionales y abriendo fisuras a la economía sumergida, se ha impulsado un incremento de la transparencia en las relaciones entre las jurisdicciones fiscales y un reforzamiento de los mecanismos de cooperación administrativa e intercambio de información entre las autoridades tributarias nacionales.

Conviene advertir que la regulación adoptada en nuestro Derecho interno que hemos examinado en el apartado II se fundaba en un planteamiento mucho más modesto. Se trataba, según hemos constatado, de una declaración informativa exigida de forma unilateral por nuestro país (si bien, en una línea similar a la seguida por otros Estados del entorno) y con un ámbito subjetivo y objetivo de aplicación bastante más restringido, al quedar acotada en exclusiva a las plataformas que interviniesen como intermediarios respecto de la cesión temporal de uso de alojamientos turísticos. Por el contrario, la DAC7 (y en idéntico sentido los acuerdos de la OCDE) ha ido bastante más lejos al diseñar un marco armonizado para el conjunto de los Estados miembros de la Unión

---

39 Recuérdese que el Plan BEPS presentado por la OCDE en 2013 ya contemplaba como primera de sus quince acciones abordar los retos de la economía digital para la imposición.

Europea. Junto a otras cuestiones que no procede estudiar aquí (como las mejoras generales introducidas en los mecanismos de intercambio de información y de cooperación administrativa o el régimen de las inspecciones conjuntas), el artículo 8 bis quater y el anexo V agregados a la Directiva 2011/16/UE y la nueva redacción del artículo 25 incorporan, tanto para los designados como "operadores de plataforma obligados a comunicar información" como para los vendedores (entendidos como los usuarios registrados en una plataforma que comercializan a través de ella bienes o servicios), un prolijo y abigarrado conjunto de normas y procedimientos de diligencia debida. Además, se hace recaer sobre las plataformas una carga importante de obligaciones de registro y suministro de información respecto de las denominadas "actividades pertinentes". Estas son aquellas realizadas a cambio de contraprestación, o sea, a título oneroso, por vendedores que se hayan puesto en contacto con otros usuarios a través del software proporcionado por una plataforma digital y que incluyen, en particular, las operaciones siguientes:

a) Arrendamiento de bienes inmuebles, ya sean de uso residencial o comercial y cualquier otro tipo de bien inmueble, así como plazas de aparcamiento;

b) Servicios personales, que conllevan la realización de trabajo por horas o por servicio por parte de uno o varios particulares, que actúan de forma independiente o en nombre de una entidad, y que se llevan a cabo a petición de un usuario, en línea o físicamente, tras haber sido facilitado a través de una plataforma;

c) Venta de bienes materiales;

d) Arrendamiento de cualquier medio de transporte.

Como puede apreciarse, el ámbito de aplicación de la DAC7 excede con creces de los alojamientos turísticos, que solo suponen una parte de las operaciones incluidas en la letra a) anterior, dado que la Directiva abarca otros sectores básicos de la economía de plataforma. Por otro lado, el análisis general de esta Directiva ya ha sido abordado en otros trabajos de esta obra colectiva y en numerosos estudios doctrinales[40], por lo que

---

40 Para una aproximación crítica a la DAC7 y una localización de ulteriores referencias bibliográficas puede consultarse la monografía de Ruiz Hidalgo, C. (2023). *Las obligaciones informativas de las plataformas digitales ante la Administración Tributaria*. Aranzadi. Véanse asimismo los trabajos de Ruiz Hidalgo, C. (2023). "El cumplimiento de las plataformas digitales como obligados tributarios: análisis de la Directiva 2021/514, las reglas modelo de la OCDE y el derecho español"; Fernández Pavés, M. J. (2023). "Análisis de la nueva obligación de información para las plataformas digitales"; y Barreiro Carril, M. C. (2023). "Los operadores de plataformas digitales y la DAC7: mucho más que una obligación de información", todos ellos recogidos en la obra colectiva *La digitalización en los procedimientos tributarios y el intercambio automática de información*. Aranzadi. Sobre aspectos más concretos pueden verse los estudios de Siota Álvarez, M. (2023). "El intercambio de información tributaria entre los estados de los usuarios de las plataformas digitales en la DAC 7". *Los modelos de negocio en la era digital: tratamiento contable y fiscal e implicaciones en el procedimiento tributario y las garantías de los*

nuestras consideraciones se centrarán básicamente en su reflejo en nuestro ordenamiento interno y en su incidencia en los alquileres inmobiliarios de corta duración.

2. TRANSPOSICIÓN DE LA DIRECTIVA (UE) 2021/514 E IMPLANTACIÓN DE LOS INSTRUMENTOS DE LA OCDE

Al introducirse en nuestra legislación interna una obligación informativa específica sobre determinadas actividades por parte de los operadores de plataformas se ha procedido tanto a la transposición (extemporánea) de la DAC7[41], como a la incorporación de dos instrumentos desarrollados en el seno de la OCDE: el Acuerdo Multilateral entre Autoridades competentes sobre intercambio automático de información sobre rentas obtenidas a través de plataformas digitales[42], por un lado; y las normas tipo o modelo de reglas de comunicación de información por operadores de plataformas respecto de los vendedores en el ámbito de la economía colaborativa y la economía de trabajo esporádico[43].

Con el fin de dar entrada al contenido de esas normas e instrumentos, la Ley 13/2023, de 24 de mayo, agregó una nueva disposición adicional vigésima quinta en la Ley General Tributaria, aunque ordenando su aplicación a partir del 1 de enero de 2023 para respetar formalmente el calendario marcado por la DAC7. A diferencia de lo acontecido con la extinta obligación de información sobre la cesión del uso de viviendas con fines turísticos, ahora sí se recogen expresamente a través de una norma con rango legal las obligaciones formales de registro y de suministro de información a cargo de los operadores de plataformas, que además deberán aplicar las normas y procedimientos de diligencia debida en sus relaciones con los vendedores o usuarios, generando a su vez obligaciones para estos. Pero más allá de esas declaraciones genéricas, la concreción de esas obligaciones, normas y procedimientos se remite en bloque al desarrollo reglamentario.

Como excepción, motivada por la necesidad de respetar las estrictas exigencias del principio de legalidad en materia sancionadora, se han definido diversas especialidades

contribuyentes. Aranzadi, y De la Peña Amorós, M. M. (2025). "Suministro de información por plataformas digitales". *Tributación de las plataformas digitales: retos ante un nuevo paradigma*. Aranzadi.

41 En virtud de su artículo 2.1, la fecha límite para la transposición de la DAC7 fue el 31 de diciembre de 2022, debiendo los Estados miembros aplicar las disposiciones legales, reglamentarias y administrativas aprobadas para darle cumplimiento a partir de 1 de enero de 2023.

42 BOE núm. 224, de 19 de septiembre de 2023.

43 OECD (2020), *Model Rules for Reporting by Platform Operators with respect to Sellers in the Sharing and Gig Economy*, OECD Publishing, Paris, https://doi.org/10.1787/d7973047-en

en materia de infracciones y sanciones por incumplimiento de las referidas obligaciones (apartados 2 a 4 de la disposición adicional vigésima quinta). Aunque no podemos abordar aquí este aspecto, debemos apuntar que el tratamiento de alguna de esas infracciones, como la ausencia absoluta de registro en la Unión Europea de un operador de plataforma, en la que medida en que esta conducta prive a la Administración tributaria española de información relativa a usuarios residentes en España o inmuebles ubicados en nuestro país, ha generado algunas dudas en cuanto a su compatibilidad con el principio de proporcionalidad[44]. Esta valoración responde al rigor punitivo que denota la sanción prevista para esta infracción muy grave (multa pecuniaria del triple de la que hubiera correspondido de castigarse la falta de suministro de datos conforme a los artículos 198 y 199 de la Ley General Tributaria)[45].

También se han previsto las medidas aplicables en el supuesto de que se acredite la existencia de irregularidades en la aplicación de las directrices sobre diligencia debida (cierre de cuenta del vendedor que no facilite al operador de plataforma los datos preceptivos y baja cautela en el censo correspondiente del operador de plataforma que no cumpla su obligación de información), así como el deber de conservación y mantenimiento a disposición de la Administración de la documentación (declaraciones, pruebas documentales, registros y cualquier otra información) durante un plazo de diez años.

En un nuevo incumplimiento del plazo de transposición de la Directiva, el desarrollo reglamentario se aprobó a través del Real Decreto 117/2024, de 30 de enero. Además de regular las normas y procedimientos de diligencia debida que deben aplicar los operadores de plataformas obligados a comunicar información (artículos 4 a 8), ha dado nueva redacción al artículo 54 ter del RGGI de 2007, dedicado ahora a la obligación de información de determinadas actividades por los operadores de plataformas.

La transposición de la DAC7 efectuada en nuestro país ha estado muy apegada a la letra de la Directiva, con mínimas variaciones de redacción y sistemática[46]. No en vano,

---

44 Sobre el tema véase Ruiz Hidalgo, C. (2023). *Las obligaciones informativas de las plataformas digitales…, op. cit.*, págs. 255-257.

45 El artículo 25 bis de la Directiva 2011/16/UE, en la redacción dada por la DAC7, habilita a los Estados miembros para establecer el régimen de sanciones aplicable a las infracciones de las disposiciones nacionales de transposición del artículo 8 bis quater, aunque bajo la condición de que las sanciones previstas sean "eficaces, proporcionadas y disuasorias".

46 Interesantes consideraciones críticas sobre el marco normativo instaurado en nuestro país para la transposición de la DAC7 se formulan en el trabajo de López Llopis, E. (2025). "La Directiva DAC7 y las nuevas obligaciones de información para los operadores de plataformas: un estudio del marco normativo introducido en España por la Ley 13/2023". *Tributación de las plataformas digitales: retos ante un nuevo paradigma*. Aranzadi, págs. 339 y siguientes. En particular, incide esta autora en deficiencias como la excesiva complejidad, la pluralidad de

se ha reproducido en su literalidad, haciendo uso del entrecomillado, la terminología de la norma europea, muy técnica y hasta cierto punto alambicada y rimbombante. Basta con repasar el glosario de términos que aparece recogido en la sección I del anexo V, en el que figuran expresiones tan llamativas como "vendedor" para referirse a personas o entidades que realizan "actividades pertinentes" o "actividades pertinentes cualificadas" que pueden consistir no solo en ventas o transmisiones de bienes propiamente dichas, sino también en la prestación de ciertos servicios personales o de arrendamiento de inmuebles o de vehículos o medios de transporte[47]. Asimismo, resulta llamativa la propia noción de "normas y procedimientos de diligencia debida", un tanto alejada de nuestro lenguaje jurídico tradicional y acuñada para aludir genéricamente a las obligaciones de los operadores de plataforma (que pueden también cumplir a través de un tercero, sin que ello les exonere de responsabilidad) de obtener, recopilar y verificar dentro de un determinado plazo los datos de diversa naturaleza que deben proporcionarle los "vendedores no excluidos".

En suma, la DAC7 y sus normas internas de aplicación nos sumergen en una jerga de acusado carácter tecnocrático, de la que aún cabría poner más ejemplos, que nadie se ha tomado la molestia de adaptar o, al menos, suavizar y aproximar al mundo del Derecho para hacer menos ardua la labor del intérprete de las normas.

3. ALCANCE Y CARACTERÍSTICAS DE LA OBLIGACIÓN DE INFORMACIÓN SOBRE LOS ARRENDAMIENTOS DE INMUEBLES POR LOS OPERADORES DE PLATAFORMAS

3.1. Una declaración informativa anual configurada sobre cuatro pilares

La obligación de suministro de información, bosquejada en la Ley General Tributaria y configurada con detalle en el artículo 54 ter del RGGI, se sustancia en una declaración informativa anual formalizada en el modelo normalizado 238[48], de ámbito y

tecnicismos y de remisiones normativas, la redacción confusa y la artificiosa pretensión de acomodar nuestra normativa interna a dos iniciativas diferentes (DAC7 y normas tipo de la OCDE) sobre la base de una regulación común. Como alternativa pone de modelo a seguir la transposición realizada en Alemania a través de un texto único.

47 La utilización impropia del término vendedores es criticada por Sanz Gómez, R. (2025). "«Aún sé lo que hicisteis...", *op. cit.*, pág. 171.

48 Orden HAC/72/2024, de 1 de febrero, por la que se aprueban el modelo 040 "Declaración censal de alta, modificación y baja en el registro de operadores de plataforma extranjeros no cualificados y en el registro de otros operadores de plataforma obligados a comunicar información" y el modelo 238 "Declaración informativa para la comunicación de información por

contenido más amplio que su antecesora trimestral sobre la cesión de uso de viviendas con fines turísticos (modelo 179) y que se apoya sobre cuatro pilares.

El primero de esos pilares lo integran las obligaciones impuestas a los "operadores de plataforma obligados a comunicar información", que han de obtener, recopilar y verificar dentro de un determinado plazo los datos de diversa naturaleza que deben proporcionarle los usuarios calificados como vendedores. Tales obligaciones se traducen en las actuaciones preceptivas de distinta índole que deben realizar tanto los propios operadores de plataforma como sus clientes al aplicar las denominadas normas y procedimientos de diligencia debida[49].

A estos efectos se entiende por operador de plataforma a una entidad que celebra contratos con vendedores para poner toda o parte de aquella a su disposición. Y por plataforma cualquier software, incluidos los sitios web y las aplicaciones (comprendidas las aplicaciones móviles), accesible a los usuarios y que desarrolle bien funciones de intermediación activa, posibilitando la puesta en contacto de vendedores con otros usuarios para realizar a título oneroso y de manera directa o indirecta el arrendamiento de inmuebles de uso residencial, de uso comercial y de cualquier otro tipo (incluidas las plazas de aparcamiento) como una de las actividades consideradas pertinentes, bien funciones de recaudación y pago de la contraprestación que deba satisfacer un usuario por el alquiler. En sentido inverso, quedan excluidas aquellas variantes de software que solo permitan operaciones de procesamiento de pagos, de oferta o promoción de la actividad o de redirigir o transferir usuarios a una plataforma.

El segundo pilar se construye con la obligación de los referidos operadores de plataformas de suministrar a la Administración tributaria información sobre el arrendamiento de inmuebles como actividad pertinente realizado por "vendedores sujetos a

---

parte de operadores de plataformas", y se establecen las condiciones y el procedimiento para su presentación.

49 Hay que tener presente que la Directiva contempla también el supuesto del denominado "operador de plataforma excluido", que es aquel que pueda acreditar que tiene un tipo de plataforma que no realiza funciones de intermediación en la realización de operaciones relevantes de venta de bienes o de prestación de servicios. Se define en el anexo V como aquel que "haya demostrado por adelantado y con una periodicidad anual, a satisfacción de la autoridad competente del Estado miembro, a la que de lo contrario tendría que haber comunicado información (...), que el conjunto del modelo empresarial de la plataforma es tal que esta no tiene «vendedores sujetos a comunicación de información»". Conforme al apartado 5 del artículo 8 bis quater de la Directiva, esa autoridad competente que haya recibido esa prueba lo notificará a las autoridades competentes de los demás Estados miembros, así como cualquier cambio posterior. En el caso español, el artículo 54 ter, apartado 2, del RGGI exige a estos operadores la presentación anual de una declaración negativa en la que se comunique a la Administración tributaria española su condición.

comunicación de información". Este último concepto abarca a los usuarios activos residentes en un Estado miembro o que cedan en alquiler bienes inmuebles ubicados en un Estado miembro. Ha de tratarse de una persona o entidad que constituya un "vendedor activo", cualidad que se predica de quien esté registrado como usuario de la plataforma en cualquier momento durante el año natural (que se toma como periodo de referencia para realizar la declaración informativa) y que realice una actividad relevante de alquiler o reciba el pago o abono de una contraprestación por dicha actividad. Hay que tener en cuenta, no obstante, que en este tipo de cesiones de uso de bienes de naturaleza inmobiliaria queda fuera, a título de "vendedor excluido", toda aquella entidad a la que el operador de plataforma haya facilitado, en el período de referencia, más de 2.000 operaciones de arrendamiento con respecto a un bien inmueble comercializado.

Finalmente, el tercer y cuarto pilares guardan relación con el ámbito territorial de referencia para delimitar obligación de información y se asocian, por una parte, a la cooperación administrativa y el intercambio automático entre las Administraciones tributarias de los diferentes Estados miembros y de otros países terceros de los datos comunicados por los operadores de plataforma, de una parte; y, por otra parte, a la limitación de los costes indirectos derivados del cumplimiento de estas obligaciones formales para dichos operadores, puesto que se delimita un amplio espacio territorial donde la cooperación administrativa y el intercambio automático de información hacen factible que los datos se suministren al menos una vez a un solo Estado, que debe transmitirlos a los demás Estados, evitando así que deban comunicarse a varias Administraciones tributarias diferentes.

En concreto, ese espacio comprende como es lógico la totalidad de los Estados miembros de la Unión. Pero abarca también otros Estados extra-UE, calificados en el anexo V de la Directiva como "territorio cualificado no perteneciente a la Unión", por ser jurisdicciones con las que la totalidad de los Estados miembros donde se hayan realizado operaciones sobre las que deba informarse tenga suscrito un acuerdo o instrumento de intercambio automático (denominado "acuerdo de cualificación vigente entre autoridades competentes") que cubra información proporcionada por los operadores de plataforma equivalente a la exigida por la DAC7. Aparece así la figura del "operador de plataforma cualificado externo a la Unión", localizado en un territorio no comunitario y que intermedia en actividades que son objeto de un intercambio automático de datos en virtud del referido acuerdo[50]. En aplicación del principio de limitación de costes indirectos, estos operadores cualificados no están sujetos a la obligación de información en

50 El "operador de plataforma cualificado externo a la Unión" puede ser residente a efectos fiscales en un "territorio cualificado no perteneciente a la Unión" o, si no lo es, estar constituido con arreglo a la legislación de ese territorio o tener en él su lugar de administración (incluida su administración efectiva).

la medida en que, como decimos, todas las actividades que realicen están cubiertas por el intercambio automático de información contemplado en el acuerdo suscrito entre las autoridades de su país y los distintos Estados miembros de la Unión.

Tampoco están obligados a facilitar información los operadores de plataforma localizados fuera de la Unión si las operaciones en que intermedien son objeto de un acuerdo entre su Estado de residencia (considerado jurisdicción socia) y un Estado miembro que ya prevé el intercambio automático de información equivalente sobre los "vendedores sujetos a comunicación de información" residentes en ese Estado miembro.

3.2. Operadores obligados a comunicar información a la Administración tributaria española

De conformidad con las cuatro variables que acabamos de describir, el apartado 3 del artículo 54 ter del RGGI distingue dos grupos de operadores de plataforma como sujetos obligados a presentar declaración informativa anual (modelo 238) ante la Agencia Estatal de Administración Tributaria.

En un primer grupo figura cualquier operador que sea una entidad con residencia fiscal en España o que no residiendo en territorio español ni en ningún otro Estado miembro cumpla alguno de estos tres criterios de conexión con nuestro país:

- Constitución conforme a legislación española;
- Localización en España de su sede de dirección (incluida su dirección efectiva);
- Disposición de un establecimiento permanente en España, siempre que se trate de un "operador de plataforma cualificado externo a la Unión".

Piénsese, por ejemplo, en una sociedad mercantil residente en España que gestione una plataforma de alquiler de inmuebles en varios Estados miembros de la Unión Europea y en otros países terceros. En la hipótesis de que un operador de plataforma cumpla con alguno de esos criterios de conexión en España y en otro Estado miembro o jurisdicción socia, se le reconoce la facultad de elección donde cumplirá la obligación de suministro de información. Si opta por presentar la declaración informativa anual ante la Agencia tributaria española deberá notificarlo al otro Estado miembro o jurisdicción social.

Las entidades englobadas en este primer grupo tienen que presentar declaración de alta, modificación o baja en el Registro de otros operadores de plataforma obligados a comunicar información, conforme a lo dispuesto en los artículos 9 ter, 10 ter y 11 ter del RGGI (añadidos por el Real Decreto 117/2024).

El segundo grupo, mucho más restringido, incluye a los operadores de plataforma que, no siendo residentes ni cumpliendo ninguno de los criterios de conexión ni en España ni en ningún otro Estado miembro, sean residentes en terceros países y faciliten a los usuarios través de su plataforma la realización de arrendamientos de inmuebles, siempre que el arrendador sea un residente en territorio español o sea en él donde radique el inmueble cuyo uso se ceda. Estas entidades extra-UE deben presentar ante la Agencia Estatal de Administración Tributaria declaración de alta, modificación o baja en el Registro de operadores de plataforma extranjeros no cualificados, de conformidad con los artículos 9 bis, 10 bis y 11 bis del RGGI (igualmente añadidos por el Real Decreto 117/2024).

3.3. Contenido de la declaración informativa

La declaración informativa que se ha de presentar anualmente ante la Administración tributaria española debe contener los datos especificados en el artículo 54 ter del RGGI y en el anexo II de la Orden HAC/72/2024, de 1 de febrero. Como se aprecia en la tabla-resumen que incluimos a continuación, estas normas reglamentarias ordenan en tres bloques los contenidos requeridos por el apartado 2 del artículo 8 bis quater de la DAC7:

- Datos del propio operador de plataforma;
- Datos referentes a cada vendedor exigidos con carácter general para todas las actividades denominadas pertinentes canalizadas a través de la plataforma;
- Datos específicos relativos a cada vendedor para las actividades de arrendamiento o cesión temporal de uso de inmuebles realizadas con el soporte de la plataforma.

Datos del operador de plataforma digital	• Denominación o razón social de la entidad. • NIF y, en su caso, número de identificación individual asignado por la AEAT. • Identificación de la plataforma (nombre comercial). • Estado miembro o jurisdicción social de cumplimiento de la obligación de información, en caso de que el operador cumpla criterios de conexión en más de un Estado miembro o jurisdicción socia.
Datos de cada arrendador exigidos con carácter general para todas las actividades pertinentes	• Arrendadores que sean entidades: – Razón social. – País de residencia y dirección. – NIF y, en su caso, NIF IVA. – Número de registro o identificación de la empresa. • Arrendadores que sean personas físicas: – Nombre y los apellidos. – País de residencia y dirección. – NIF y, en su caso, NIF IVA. – Fecha y lugar de nacimiento.

Datos de cada arrendador exigidos con carácter general para todas las actividades pertinentes (continuación)	• Identificador de la cuenta financiera a la que se paga o abona la contraprestación, siempre y cuando esté a disposición del operador de plataforma y la autoridad competente del Estado miembro en el que el arrendador es residente no haya notificado a las autoridades competentes de todos los demás Estados miembros que no pretende utilizar el identificador de cuenta financiera para estos fines. • Cuando sea distinto del nombre del arrendador, además del identificador de cuenta financiera, el nombre del titular de la cuenta financiera a la que se paga o abona la contraprestación, en la medida en que esté a disposición del operador de plataforma, así como cualquier otra información de identificación financiera de que disponga tal operador. • Cada Estado miembro en que el arrendador sea residente; • Contraprestación total pagada o abonada durante cada trimestre del período de declaración y el número de actividades pertinentes por las que se ha pagado o abonado. • Tasas, comisiones o impuestos retenidos o cobrados por el operador de plataforma durante cada trimestre del período de referencia.
Datos de cada vendedor exigidos con carácter específico para las actividades de arrendamiento o cesión temporal del uso de inmuebles	• Dirección del inmueble y número de referencia catastral o número de registro equivalente en la legislación del Estado donde esté ubicado. • Número de días en que ha estado arrendado o cedido cada inmueble durante el período de referencia y tipo de inmueble, si se conociera.

IV. CONCLUSIONES

La transposición de la DAC7 a nuestro ordenamiento tributario interno ha supuesto un cambio de escenario decisivo con respecto a las posibilidades de nuestra Administración tributaria de obtener información de las plataformas digitales que presten su soporte técnico a usuarios que actúen como arrendadores en servicios de alquiler turístico o de corta duración.

Como ya quedado expuesto en páginas precedentes, partíamos de una regulación unilateral en el seno del RGGI no exenta de controversia y de avatares, anulada en su primera versión por el Tribunal Supremo en 2020 por un motivo puramente procedimental y que tuvo que reeditarse en 2021. Con ella se dio carta de naturaleza a una obligación informativa sobre la cesión del uso de viviendas con fines turísticos, de alcance y eficacia limitadas teniendo en cuenta que buena parte de las grandes plataformas con mayor cuota de mercado en el sector son entidades no residentes en territorio español.

Pocos años después y gracias al impulso de la Unión Europea y de la OCDE, desde ese modesto puerto de partida hemos arribado a un marco normativo multilateral mucho más complejo y ambicioso, que incrementa de manera ostensible las posibilidades de la Agencia Estatal de Administración Tributaria de obtener información sobre estas operaciones por una doble vía: bien por suministro directo de las operadores de plataforma obligados a presentar declaración informativa en España o bien, alternativamente, a través de los mecanismos de cooperación administrativa e intercambio autonómico de información fiscal promovidos por la Directiva (UE) 2021/514. Tras la modificación operada por la DAC7 estos mecanismos se extienden en este ámbito no solo a los Estados miembros, sino también a otros Estados extra-UE como los denominados territorios cualificados, que tengan suscrito con todos los Estados miembros donde se hayan realizado operaciones sobre las que deba informarse un acuerdo o instrumento de intercambio automático que cubra información proporcionada por los operadores de plataforma equivalente. Ello permite a los operadores de plataforma cumplir con esta obligación de suministro de datos con menores coste.

Como aspectos positivos de la transposición realizada en España debe destacarse que se haya dado un anclaje más directo y explícito a esta obligación informativa en la Ley General Tributaria y que, además, se haya efectuado una delimitación más adecuada de los datos que las plataformas deben recabar de los usuarios y sobre los que deben informar a la Administración tributaria, obviando datos sobre los inquilinos o cesionarios que no resultan indispensables en una herramienta concebida para prevenir el fraude fiscal en el ámbito de la imposición sobre la renta. En el débito ya hemos apuntado que se han suscitado dudas respecto de la adecuación de alguno de los elementos del régimen sancionador al principio de proporcionalidad.

Resulta innegable que la DAC7 ha diseñado una maquinaria deslumbrante de control para la lucha contra el fraude fiscal en el campo de la economía de las plataformas digitales, impulsada por un engranaje que combina la ampliación de las obligaciones de información de las plataformas con la puesta en valor de los mecanismos de intercambio automático de información entre autoridades fiscales nacionales.

Sin embargo, no es oro todo lo que reluce. Como bien nos ha prevenido la doctrina académica, esta Directiva adolece de falta de concreción en algunos de los conceptos fundamentales que delimitan su ámbito objetivo y subjetivo de aplicación, circunstancia que en parte resulta explicable por la polivalencia y la mutabilidad de los modelos de negocio desarrollados por las plataformas digitales. Para preservar la seguridad jurídica podría subsanarse esa imprecisión en la transposición al Derecho interno de los Estados miembros. Sin embargo, en la misma línea que otros Estados miembros nuestro país ha optado por una regulación de mínimos, muy apegada a la letra de la norma europea, que no supone ningún avance ni clarificación en este sentido. Tampoco pueden pasarse por alto otros puntos controvertidos de la Directiva respecto a la protección de los datos de carácter personal, la indudable carga fiscal indirecta que se traslada hacia las plataformas con las normas y procedimientos de diligencia debida (que implican la obtención y verificación de una información que no siempre tienen disponible en su práctica comercial), la coordinación con las obligaciones formales impuestas a las plataformas en el ámbito del IVA y, por supuesto, la proporcionalidad del sistema en su conjunto atendiendo a los objetivos perseguidos. Habrá que esperar a una futura evaluación por parte de la Comisión de los resultados de la aplicación de la Directiva 2011/16/UE que incluya las modificaciones incorporadas por la DAC7 para identificar las posibles líneas de revisión que se planteen[51].

Quisiera terminar estas líneas recordando la imagen taurina que utilicé para ilustrar la complejidad del asunto con ocasión de mi exposición oral en el Congreso internacional "Fiscalidad de la vivienda y del alojamiento turístico", celebrado en la Universidad Rey Juan Carlos durante los días 26 y 27 de septiembre de 2025. Con la Directiva conocida como DAC7 la Unión Europea ha criado en un periodo asombrosamente breve un bravo e inquietante miura, que muy probablemente contará con el visto bueno del Tribunal de Justicia (a la sazón, el veterinario de la plaza). Una vez expirado el plazo de transposición, al contemplar la salida al ruedo del miura por la puerta de chiqueros y tomar conciencia de las numerosas incertidumbres y dificultades que genera su lidia, los Estados miembros (es decir, los diestros) no se han sentido suficientemente entrenados para ejecutar una faena lucida y merecedora de premio a un toro tan complicado. Así ha sucedido con España, que se ha limitado a cumplir con una faena de aliño (en forma de regulación de mínimos), dotada incluso de cierta gracia en algunos muletazos y capotazos merecedores de ovación por parte del respetable, pero sin atreverse a coger aún el estoque para afrontar la suerte suprema. Pero esta actitud no resuelve el problema. El miura sigue ahí, en medio del ruedo, planteando dudas a los operadores de plataforma y a las Administraciones tributarias, en una situación que habría que revertir antes de los pertinentes avisos de la presidencia para evitar males mayores. En el ínterin, la Agencia Tributaria (el empresario de la plaza) ha comenzado a sacar provecho económico del toro como herramienta para mejorar la conciencia cívico-tributaria de los contribuyentes, lanzándoles advertencias durante la pasada campaña de declaración del IRPF correspondiente al ejercicio 2024 para hacerles ver que "ahora sabemos que has alquilado tu vivienda a través de una plataforma, porque esta nos ha informado al respecto o lo ha hecho a la autoridad competente de otros Estado miembro de la Unión Europea, que nos ha facilitado de manera automática esa información a nosotros". Ya se sabe, el empresario casi siempre gana...

51 De momento, el Informe de la Comisión al Parlamento Europeo y al Consejo sobre la evaluación de la Directiva 2011/16/UE, de 19 de diciembre de 2025, COM (2025) 695 final, no ha podido tomar en consideración las novedades incorporadas por la DAC7. El examen va referido al periodo 2018-2023, en tanto que los primeros intercambios relevantes de información suministrada por las plataformas digitales tuvieron lugar en febrero de 2024, lo que ha imposibilitado disponer de datos estadísticos completos para esos años.

V. REFERENCIAS BIBLIOGRÁFICAS

Antón Antón, A., Bilbao Estrada, I. (2016). "El consumo colaborativo en la era digital: un nuevo reto para la fiscalidad". *Documentos de Trabajo del Instituto de Estudios Fiscales*, núm. 26.

Barreiro Carril, M. C. (2023). "Los operadores de plataformas digitales y la DAC7: mucho más que una obligación de información". *La digitalización en los procedimientos tributarios y el intercambio automática de información*. Aranzadi, págs. 637-665.

Correcher Mato, C. J. (2019). "Reflexiones sobre el artículo 54 *ter* RGGIT: un nuevo deber de información directamente aplicable al sector del alojamiento colaborativo". *Crónica Tributaria*, núm. 171, págs. 87-128.

De la Peña Amorós, M. M. (2020). *El deber de información*. Dykinson.

De la Peña Amorós, M. M. (2025). "Suministro de información por plataformas digitales". *Tributación de las plataformas digitales: retos ante un nuevo paradigma*. Aranzadi, págs. 277-311.

Fernández Pavés, M. J. (2023). "Análisis de la nueva obligación de información para las plataformas digitales". *La digitalización en los procedimientos tributarios y el intercambio automática de información*. Aranzadi, págs. 577-609.

Herrera Molina, P. M. (1993). *La potestad de información tributaria sobre terceros*. La Ley.

Lago Montero, J. M. (1998). *La sujeción a los diversos deberes y obligaciones tributarios*. Marcial Pons.

López Llopis, E. (2025). "La Directiva DAC7 y las nuevas obligaciones de información para los operadores de plataformas: un estudio del marco normativo introducido en España por la Ley 13/2023". *Tributación de las plataformas digitales: retos ante un nuevo paradigma*. Aranzadi, págs. 313-354.

López Martínez, J. (1992). *Los deberes de información tributaria*. Marcial Pons-Instituto de Estudios Fiscales.

López Martínez, J. (2023). "Las obligaciones de colaboración de los operadores de plataforma. Un paso más en la privatización de la gestión tributaria que trasciende a los deberes de información tributaria". *Quincena Fiscal*, núm. 22.

Martínez Muñoz, Y. (2023). "Las plataformas digitales y su colaboración en la aplicación de los tributos: una cuestión de proporcionalidad". *Revista Española de Derecho Financiero*, núm. 197, págs. 111-150.

Pérez Merino, C. (2022). "Las formas importan: la obligación de información a la Administración tributaria sobre la cesión de viviendas turísticas". *Quincena Fiscal*, núm. 3.

Rego Blanco, M. D. (2016). "Significado, alcance y materialización del principio de limitación de costes indirectos tributarios". *Quincena Fiscal*, núm. 20, págs. 19-36.

Ruiz Hidalgo, C. (2023). "El cumplimiento de las plataformas digitales como obligados tributarios: análisis de la Directiva 2021/514, las reglas modelo de la OCDE y el derecho español". *La digitalización en los procedimientos tributarios y el intercambio automática de información*. Aranzadi, págs. 553-576.

Ruiz Hidalgo, C. (2023). *Las obligaciones informativas de las plataformas digitales ante la Administración Tributaria*. Aranzadi.

Sánchez Huete, M. A. (2017). "Cuestiones tributarias y economía colaborativa". *Quincena Fiscal*, núm. 18, págs. 89-116.

Sánchez López, M. E. (2001). *Los deberes de información tributaria desde la perspectiva constitucional*. Centro de Estudios Políticos y Constitucionales.

Sánchez López, M. E. (2019). "Reflexiones en torno al deber de información impuesto a los intermediarios de alquileres turísticos". *Quincena Fiscal*, núm. 14, págs. 19-44.

Sanz Gómez, R. (2025). "«Aún sé lo que hicisteis el último verano». La evolución de las obligaciones de información de las plataformas de alojamiento turístico". *Tributación de las plataformas digitales: retos ante un nuevo paradigma*. Aranzadi, págs. 145-184.

Sesma Sánchez, B. (2001). *La obtención de información tributaria*. Aranzadi.

Siota Álvarez, M. (2023). "El intercambio de información tributaria entre los estados de los usuarios de las plataformas digitales en la DAC 7". *Los modelos de negocio en la era digital: tratamiento contable y fiscal e implicaciones en el procedimiento tributario y las garantías de los contribuyentes*. Aranzadi, págs. 483-506.

TRANSPOSICIÓN DE LA DAC 7 EN PORTUGAL

Clotilde Celorico Palma

Doctor en Derecho, Profesor Universitario en Instituto Superior de Contabilidade e Administração de Lisboa/ISCAL, Portugal, Consultor Fiscal, Árbitro Fiscal, Consultor del Fondo Monetario Internacional

ORCID 0000-0002-8742-6885

SUMARIO: I. BREVE CARACTERIZACIÓN DE LA DAC 7. II. LA TRANSPOSICIÓN DE LA DAC 7 EN PORTUGAL. III. LOS PROBLEMAS DE LA DAC7. IV. PRINCIPALES CONCLUSIONES. V. REFERENCIAS BIBLIOGRÁFICAS.

I. BREVE CARACTERIZACIÓN DE LA DAC 7

La historia de las Directivas conocidas como DAC ya tiene más de una década y va camino de su segunda.

La Directiva 2011/16/UE del Consejo, de 15 de febrero de 2011, relativa a la cooperación administrativa en el ámbito de la fiscalidad, también conocida como DAC, establece las normas y procedimientos para una cooperación eficaz entre las autoridades tributarias de los Estados miembros en el ámbito de la fiscalidad directa[1].

Véase el siguiente gráfico de la evolución de las DAC según la Comisión Europea[2]:

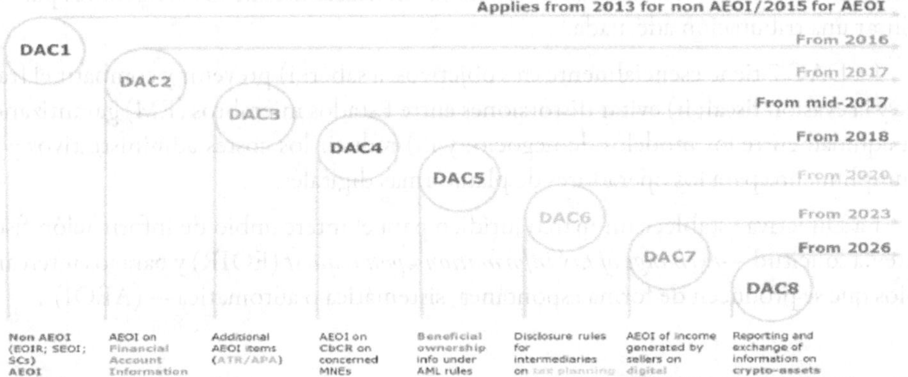

1 Sobre la evolución del intercambio de información en Portugal, véase el artículo del autor, (julio de 2012). *Tax secrecy and tax transparency - the relevance of confidentiality in tax law Portuguese report* coautor dos Santos, António Carlos presentado en la Rust conference 2012, Áustria, (2012). "A quebra do sigilo bancário para efeitos tributários em Portugal", coautor dos Santos, António Carlos *Sigilos bancário e fiscal: homenagem ao jurista José Carlos Moreira Alves*, 2ª edição, Brasil, y (2013/2014). "Os princípios da proteção da confiança legítima e da não retroatividade das normas tributárias em tempos de crise: o caso português", coautor dos Santos, António Carlos. *Revista do Instituto do Direito Brasileiro da Faculdade de Direito da Universidade de Lisboa - RIDB 16º número (2013/4).*
European Comission, Directorate-General Taxation and Customs Union (2024). *DAC Evaluation - Factual Summary Report on Public Consultation,* Ref. Ares (2024)9092074-18/12/2024, pág. 2.

2 European Comission, Directorate-General Taxation and Customs Union (2024). *DAC Evaluation - Factual Summary Report on Public Consultation,* Ref. Ares (2024)9092074-18/12/2024, pág. 2.

La DAC ha evolucionado a lo largo de los años según las necesidades, cubriendo cada vez más aspectos necesarios en un mundo digital. Ahora contamos con el DAC 9 para el cumplimiento de las obligaciones del Pilar 2 del ejercicio BEPS[3].

El artículo 27 de la DAC estipula que la Comisión debe presentar un informe sobre su aplicación al Parlamento Europeo y al Consejo cada cinco años. La primera evaluación de la DAC se publicó en 2019 y abarcó el período comprendido entre 2013 y 2017. Las conclusiones de la evaluación dieron lugar a modificaciones legislativas de la DAC mediante la DAC7 y la DAC8.

La Directiva (UE) 2021/514 del Consejo de 22 de marzo de 2021 (DAC7), busca aumentar la transparencia fiscal de las plataformas digitales, exigiéndoles que informen anualmente a las autoridades fiscales sobre las transacciones de los vendedores para facilitar una tributación adecuada.

La DAC 7 tiene esencialmente tres objetivos, a saber: i) prevenir y combatir el fraude y la evasión fiscal; ii) evitar distorsiones entre Estados miembros (EM) garantizando la equidad entre los modelos de negocio; y iii) reducir los costes administrativos y de cumplimiento para los operadores de plataformas digitales.

La Directiva establece un marco jurídico para el intercambio de información fiscal previa solicitud —*exchange of tax information upon request* (EOIR) y para los intercambios que se producen de forma espontánea, sistemática o automática— (AEOI)[4].

---

3 Respecto a la evolución de la DAC, véase Celorico Palma, Clotilde (3 de agosto de 2024). "A Declaração do G20 sobre cooperação fiscal internacional - Rumo a uma maior justiça fiscal?". *Jornal Público,* (5 de marzo de 2024). "IVA - Por uma maior transparência nas transações eletrónicas". *Jornal Público,* (octubre de 2023). "Algumas notas sobre as DACs e o incremento da transparência fiscal". *Revista Contabilista* nº 282, (5 de noviembre de 2023). "Rumo a uma maior transparência fiscal numa economia digital". *Jornal Público,* (10 de mayo de 2023). "A relevância da transparência e da troca de informações e o Fórum Global da OCDE sobre Transparência e Troca de Informações para Fins Fiscais". *Jornal Público,* Batista de Oliveira, Maria Odete (2012). *O intercâmbio de informação tributária: nova disciplina comunitária, estado actual da prática administrativa, contributos para uma maior significância deste instrumento.* Almedina, e Ferreira, Helena. (2014). "Relatório nacional para o Congresso Anual de 2014 da European Association of Tax Law Professors (EATLP) - *"Portugal".", in New Exchange of Information versus Tax solutions of equivalent effect* - 2014 EATLP Congress, Istanbul, [em co-autoria], (noviembre de 2016). "Novo standard sobre a troca de informações - a troca automática de informações obrigatória". *Revista Finanças Públicas e Direito Fiscal,* Ano 8, Nº 4, y (2020)."Da troca automática de informações no âmbito do imposto sobre o rendimento das pessoas singulares: os novos contextos da troca automática de informações de contas financeiras". *Temas de IRS: Princípios Constitucionais, Tributação e Garantias* / coordenação Paula Rosado Pereira, Almedina.

4 Sobre las obligaciones que surgen de la DAC 7 véase Vázquez, Juan Manuel (august 2025). *Tax Reporting by Digital Plataforms under DAC7.* Wolters Kluwer, y (october 2025). *DAC7 Rules*

También incluye herramientas avanzadas de cooperación (inspecciones administrativas, presencia en oficinas administrativas y participación en investigaciones administrativas, controles simultáneos y auditorías conjuntas) y una arquitectura informática específica financiada por el programa *Fiscalis*[5].

Los operadores cubiertos por la Directiva son plataformas digitales residentes fiscales en un Estado miembro de la Unión Europea (UE) o que operan en dicho territorio. La legislación es aplicable a plataformas como *Amazon, Airbnb, Facebook Marketplace*, etc., que facilitan la compraventa de bienes y servicios.

Las plataformas deben informar anualmente a la Hacienda Pública sobre las transacciones de sus usuarios (vendedores). Las plataformas digitales deben presentar los informes DAC7 a la Hacienda Pública. La DAC 7 establece que las plataformas y aplicaciones deben proporcionar información a las autoridades fiscales sobre las transacciones relevantes realizadas por los usuarios. Es decir, deberán recopilar, verificar, almacenar y comunicar esta información a la autoridad fiscal de su país de origen. Sin embargo, a medida que se fortalezca la cooperación entre entidades, la información sobre la actividad relevante (un número determinado de transacciones) también se compartirá con la autoridad fiscal del país del usuario. Por ejemplo, la información comunicada a *Airbnb* por un usuario portugués se comunicará a la autoridad irlandesa, donde se encuentra la plataforma. Esta autoridad, a su vez, la compartirá con las autoridades fiscales de Portugal. La idea es que las distintas autoridades fiscales puedan comparar estos datos con la información sobre ingresos que los contribuyentes presentan anualmente.

Las plataformas que no informen sobre la actividad relevante de los usuarios (por número de ventas o valor monetario) se arriesgan a multas, que en Portugal pueden llegar hasta los 22.500 euros.

Los cambios introducidos por la DAC7 entraron en vigor el 1 de enero de 2023. Los primeros informes DAC7 se presentaron antes del 31 de enero de 2024. Esta Directiva afecta a varias plataformas digitales en áreas como la venta de bienes, alquileres, prestación de servicios y alquileres de transporte, a partir del 1 de enero de 2024.

---

for Digital Plataforms: Comparing EU Member States Implementation. Wolters Kluwer.

5 Reglamento (UE) 2021/847 del Parlamento y del Consejo de 20 de mayo 2021 por el que se establece el Programa «Fiscalis» para la cooperación en el ámbito de la fiscalidad.

II. LA TRANSPOSICIÓN DE LA DAC 7 EN PORTUGAL

A diferencia de lo que ocurrió en España y Bélgica, por ejemplo, en Portugal no teníamos ninguna normativa sobre el intercambio de información dirigida a las plataformas digitales de alojamiento turístico[6].

La DAC7 se transpuso en Portugal mediante la Ley nº 36/2023, publicada el 26 de julio de 2023 que entró en vigor el 1 de enero de 2023[7].

La Ley n.º 36/2023 modifica otros regímenes, como el Régimen General de Infracciones Fiscales (RGIT - *Regime Geral das Infracções Tributárias e Aduaneiras*) y el Régimen Complementario de los Procedimientos de Inspección Tributaria y Aduanera (RCPITA - *Regime Complementar do Procedimento de Inspecção Tributária e Aduaneira*).

A finales de 2022, fecha límite para la transposición de la Directiva, solo cinco países (Austria, Dinamarca, Francia, Hungría y Eslovaquia) habían completado el proceso[8].

La mayoría de los demás Estados miembros ya habían completado el proceso de transposición de la directiva a su legislación nacional. Solo Portugal, Malta, Grecia, Letonia, Chipre y Rumanía no tenían siquiera un proyecto de ley pendiente en sus parlamentos nacionales.

El 16 de febrero de 2023, el Consejo de ministros de Portugal aprobó el proyecto de Ley que establece el régimen para el intercambio automático de información comunicada por las plataformas en el ámbito de la DAC7. El asunto se presentó a la Asamblea de la República (*Assembleia da República*) el 28 de febrero de 2023 y, tras varias etapas y debates, se aprobó en términos generales el 6 de abril de 2023. Mientras tanto, se solicitaron las dictámenes de tres entidades: la Comisión Nacional de Protección de Datos (*Comissão Nacional de Protecção de Dados/CNPD*), la Orden de Expertos Contables (*Ordem dos Contabilistas Certificados/OCC*) y la Autoridad Tributaria y Aduanera (*Autoridade Tributária e Aduaneira/AT*). El texto final del proyecto de ley que transpone

---

6 Acerca de la transposición de la DAC 7 en Portugal véase Meneses, Álvaro Silveira de. Costa Monteiro Pedro. Freitas Soares, Rosa & Marques Rocha, Miguel (october 2025). "CHAPTER 17 Portugal" *DAC7 Rules for Digital Plataforms: Comparing EU Member States Implementation*. Wolter Kluwer y Vázquez, Juan Manuel *op. cit.*

7 Acerca del tema véase Lampreia, Joaquim Pedro y Telles Ferreira, Carolina (**21 de marzo de 2024**). "Portugal's late transposition of DAC7 and retroactive application of the law". *International Tax Review.*

8 Acerca de la implementación de la Directiva en los Estados miembros véase Vázquez, Juan Manuel (october 2025). *DAC7 Rules for Digital Plataforms: Comparing EU Member States Implementation, op. cit.*

la Directiva se publicó el 31 de mayo de 2023. La transposición, aunque tardía, es conforme con la Directiva[9].

Según la Ley de transposición, los operadores de plataformas en línea deben comunicar la información desde el 1 de enero de 2023 hasta el 29 de febrero de 2024, fecha límite para que finalice el año. El incumplimiento de la comunicación oportuna se sanciona con una multa de entre 500 y 22.500 €.

Se consideran plataformas "cualquier software, incluidos sitios web" y "aplicaciones móviles" que permiten a los vendedores conectarse con los usuarios.

Los usuarios de la plataforma se describen como "vendedores", y se detalla que aquellos con menos de 30 actividades relevantes (transacciones) o que no hayan superado los 2.000 € en transacciones no estarán sujetos a informes. Un vendedor puede ser una persona física o una empresa.

Las plataformas deberán recopilar información sobre los usuarios más activos en ventas, como nombre, número de identificación fiscal (NIF) y país emisor del NIF, dirección, nombre del titular de la cuenta a la que se envían los ingresos de las transacciones, fecha de nacimiento (para vendedores individuales), importe total devengado por trimestre y cualquier comisión, tarifa o impuesto retenido.

Las plataformas que no presenten la información requerida o lo hagan fuera de plazo (la notificación debe realizarse antes del 31 de enero del año siguiente al año natural en que se realizaron las transacciones), se arriesgan a una multa de entre 500 y 22.500 €. Las omisiones o inexactitudes también pueden conllevar una multa de entre 250 y 11.250 €, al igual que el incumplimiento de los procedimientos de diligencia debida, el registro y la conservación de documentos destinados a demostrar el cumplimiento, conducta que también puede sancionarse con una multa de entre 250 y 11.250 €. En el borrador inicial de esta transposición, también existía una cláusula que podía penalizar a los usuarios por omisiones o inexactitudes, que también podía oscilar entre 250 y 11.250 €, pero fue eliminada.

En este intento de identificar las situaciones de economía sumergida, la Directiva de la UE y su transposición a la legislación portuguesa atribuyen la mayor responsabilidad a las plataformas. Se les exigió que solicitaran esta información a las personas y confirmaran su fiabilidad, pero la responsabilidad de su fiabilidad recae en ellas.

---

9 Según el *Single Market Scoreboard*, el retraso medio de Portugal en la transposición de directivas es de 26,3 meses, mientras que la media de la UE es de 18,3. https://single-market-scoreboard.ec.europa.eu/countries/portugal_en recuperado el 2 de octubre de 2025.

Además, según la base de datos de decisiones de infracción de la Comisión Europea, se han enviado 132 requerimientos formales a Portugal por la transposición tardía de directivas. https://ec.europa.eu/implementing-eu-law/search-infringement-decisions/?lang_code=pt&langCode=EN recuperado el 2 de octubre de 2025.

Dado que las empresas pueden ser sancionadas por omisiones o inexactitudes en la información recopilada, algunos escenarios son más probables que otros. En teoría, las omisiones serán inicialmente menos frecuentes, asumiendo que las inexactitudes serán más frecuentes, casos en los que los datos no se declaran correctamente. Por ejemplo, presentar un NIF que corresponde a otra persona. Las declaraciones deben realizarse de forma seria y completa.

El Ministerio de Hacienda explica que la AT detectará posteriormente omisiones o inexactitudes en la información declarada durante el análisis, cruzando la información declarada por los operadores de la plataforma con, por ejemplo, en el caso de las ganancias, los ingresos declarados por los usuarios. Sin embargo, señala que la obligación de los usuarios de declarar sus ganancias ya se deriva de la legislación fiscal vigente. El texto de la transposición en Portugal también establece mecanismos para que las plataformas respondan a los usuarios que no cumplan con la solicitud de datos. Si un vendedor no proporciona la información requerida después de dos advertencias, enviadas tras la solicitud inicial del operador de la plataforma declarante, y transcurrido un plazo de 60 días desde dicha solicitud, el operador de la plataforma declarante deberá cerrar la cuenta del vendedor e impedir que se vuelva a registrar en la plataforma. O bien, deberá suspender el pago de la contraprestación al vendedor hasta que este proporcione la información solicitada.

Véase en este contexto la Nota Informativa de la Orden de Contables Públicos Certificados (OCC) "*DAC 7 - Regime de comunicação de informações pelos operadores de plataformas (Lei nº 36/2023), de 3 de agosto de 2023*," cuyas principales tablas, reproducimos a continuación en castellano para mayor detalle[10]:

Obligaciones de recopilación de información de los operadores de plataformas en relación con los vendedores

Obligación	Contenido de la obligación	Otros deberes
Recopilación de información relativa a los vendedores	**Vendedor que sea persona física** • Nombre y apellidos; • Dirección principal; • Cualquier número de identificación fiscal (NIF) asignado al vendedor, indicando el correspondiente • Estado miembro u otra jurisdicción de emisión y, en ausencia de NIF, el lugar de nacimiento del vendedor;	**Deber reforzado de diligencia** El operador debe garantizar la fiabilidad de la información disponible públicamente u obtenida de fuentes independientes (por ejemplo, bases de datos comerciales) relativa a los vendedores cuando no la solicite a estos, incluyendo solicitar su corrección a los vendedores cuando le proporcionen datos considerados incorrectos.

10 *Ordem dos Contabilistas Certificados* (2023). *DAC 7 - Regime de comunicação de informações pelos operadores de plataformas (Lei nº 36/2023), de 3 de agosto de 2023*, https://occ.pt/index.php/pt-pt/noticias/dac-7-regime-de-comunicacao-de-informacoes-pelos-operadores-de-plataformas, recuperado el 2 de octubre de 2025.

Obligación	Contenido de la obligación	Otros deberes
	• El número de identificación a efectos del IVA del vendedor, si se dispone de él; • La fecha de nacimiento **Vendedor que sea una entidad** • La denominación social; • La dirección principal; • Cualquier NIF expedido al vendedor, indicando el Estado miembro u otra jurisdicción de expedición correspondiente; • El número de identificación a efectos del IVA del vendedor, si se dispone de él; • El número de registro mercantil. • Información, si está disponible, sobre la existencia de cualquier establecimiento permanente a través del cual se ejerzan actividades relevantes en la Unión Europea, con indicación de cada Estado miembro en el que se encuentren dichos establecimientos permanentes.	Deber de determinar el Estado miembro o la jurisdicción de residencia del vendedor De acuerdo con las normas establecidas en la ley **Deber de recopilar información sobre los bienes inmuebles alquilados** • dirección de cada propiedad anunciada • artículo matricial de cada propiedad anunciada • si el vendedor es una entidad (y no una persona física) con más de 2000 actividades de alquiler relevantes, el operador de la plataforma debe recopilar los documentos, datos o información que demuestren que la propiedad anunciada es propiedad del mismo propietario **Posibilidad de aplicar procedimientos de diligencia debida solo a los vendedores activos**

Obligaciones de comunicación de los operadores de plataformas

Situación	Descripción
Actividad relevante que debe comunicarse	El arrendamiento de bienes inmuebles, en particular los destinados a vivienda y a fines comerciales, así como cualquier otro bien inmueble y plaza de aparcamiento; • La prestación de un servicio personal; • La venta de bienes; • El alquiler de cualquier medio de transporte.
Vendedor sujeto a comunicación de actividad relevante	Vendedor activo, que no sea un vendedor excluido y sea residente en un Estado miembro u otra jurisdicción sujeta a comunicación, o que haya arrendado bienes inmuebles situados en un Estado miembro u otra jurisdicción sujeta a comunicación. «Vendedor excluido» es el vendedor: i) que sea una entidad pública; ii) que sea una entidad cuyas participaciones en el capital social se negocien regularmente en un mercado regulado de valores, o una entidad vinculada a otra cuyas participaciones en el capital social se negocien regularmente en un mercado regulado de valores; iii) que sea una entidad (no persona física) a la que el operador de la plataforma haya facilitado, mediante el arrendamiento de bienes inmuebles, más de 2 000 actividades relevantes en relación con una propiedad anunciada, durante el período sujeto a comunicación; o iv) Al que el operador de la plataforma haya facilitado, mediante la venta de bienes, menos de 30 actividades relevantes, y el importe total de la contraprestación pagada o abonada a dicho vendedor no haya superado los 2.000,00 € durante el período sujeto a comunicación.

Obligaciones de comunicación de los operadores de plataformas

Situación	Descripción
Información del operador de la plataforma informante	a) El nombre; b) La dirección del domicilio social; c) El número de identificación fiscal; y d) La denominación comercial de la plataforma o plataformas en relación con las cuales el operador de la plataforma informante realiza la comunicación.
Información de cada vendedor sujeto a comunicación que haya ejercido una actividad relevante que no implique el arrendamiento de bienes inmuebles	**Vendedor que sea persona física** • Nombre y apellidos; • Dirección principal; • Cualquier número de identificación fiscal (NIF) asignado al vendedor, indicando el respectivo • Estado miembro u otra jurisdicción de emisión y, en ausencia de NIF, el lugar de nacimiento del vendedor; • El número de identificación a efectos del IVA del vendedor, si está disponible; • La fecha de nacimiento Vendedor que sea una entidad • La denominación social; • La dirección principal; • Cualquier NIF expedido al vendedor, indicando el Estado miembro u otra jurisdicción de expedición correspondiente; • El número de identificación a efectos del IVA del vendedor, si está disponible; • El número de registro mercantil; • Información, si está disponible, sobre la existencia de cualquier establecimiento permanente a través del cual se ejerzan actividades relevantes en la Unión Europea, con indicación de cada Estado miembro en el que se encuentren dichos establecimientos permanentes. **Sea cual sea el vendedor (persona física o jurídica)** • El identificador de la cuenta financiera en la que se paga o se abona la contraprestación, en la medida en que esté a disposición del operador de la plataforma informante. Si es diferente del nombre del vendedor sujeto a comunicación, el nombre del titular de la cuenta financiera en la que se paga o se abona la contraprestación, en la medida en que esté a disposición del operador de la plataforma informante, así como cualquier otra información de identificación financiera relativa a dicho titular de la cuenta, además del identificador de la cuenta financiera, a disposición del operador de la plataforma informante; • Cada Estado miembro y cada otra jurisdicción sujeta a comunicación en la que el vendedor sujeto a comunicación sea residente; • El importe total de la contraprestación pagada o abonada en cada trimestre del período sujeto a comunicación y el número de actividades relevantes en relación con las cuales se haya pagado o abonado la contraprestación; • Cualquier tasa, comisión o impuesto retenido o cobrado por el operador de la plataforma informante en cada trimestre del período sujeto a comunicación.

Situación	Descripción
Información de cada vendedor sujeto a comunicación que haya ejercido una actividad relevante que implique el arrendamiento de bienes inmuebles	**Vendedor que sea persona física** • El nombre y apellidos; • La dirección principal; • Cualquier número de identificación fiscal (NIF) expedido al vendedor, indicando el respectivo • Estado miembro u otra jurisdicción de expedición y, en ausencia de NIF, el lugar de nacimiento del vendedor: • El número de identificación del IVA del vendedor, si está disponible; • La fecha de nacimiento. **Vendedor que sea una entidad** • La denominación social; • La dirección principal; • Cualquier NIF emitido al vendedor, indicando el Estado miembro correspondiente u otra jurisdicción de emisión; • El número de identificación del IVA del vendedor, si está disponible; • El número de registro mercantil; • Información, si está disponible, sobre la existencia de cualquier establecimiento permanente a través del cual se ejerzan actividades relevantes en la Unión Europea, con indicación de cada Estado miembro en el que se encuentren dichos establecimientos permanentes. **Sea cual sea el vendedor (persona física o jurídica)** • El identificador de la cuenta financiera en la que se paga o se abona la contraprestación, en la medida en que esté a disposición del operador de la plataforma informante. Si es diferente del nombre del vendedor sujeto a comunicación, el nombre del titular de la cuenta financiera en la que se paga o se abona la contraprestación, en la medida en que esté a disposición del operador de la plataforma informante, así como cualquier otra información de identificación financiera relativa a dicho titular de la cuenta, además del identificador de la cuenta financiera, a disposición del operador de la plataforma informante; • Cada Estado-Miembro y cada otra jurisdicción sujeta a comunicación en la que el vendedor sujeto a comunicación sea residente; • La dirección de cada propiedad anunciada y, si está disponible, su número de registro o equivalente; • Cualquier tasa, comisión o impuesto retenido o cobrado por el operador de la plataforma informante en cada trimestre del período sujeto a comunicación; • El número de días de alquiler de cada propiedad anunciada durante el período sujeto a comunicación y el tipo de cada propiedad anunciada, cuando esta información esté disponible.
Infracciones tributarias	La falta de presentación o la presentación fuera del plazo legal de la declaración de registro y de la comunicación a la administración tributaria de la información que los operadores de plataformas informantes están obligados a proporcionar, en el plazo legalmente establecido, se castiga con una multa de entre 500 € y 22 500 €.

Otros aspectos del régimen de troca de informaciones

Situación	Descripción
Incumplimiento por parte del vendedor de la obligación de proporcionar la información requerida al operador de la plataforma, tras dos avisos enviados tras la solicitud inicial del operador de la plataforma informante y transcurrido un plazo de 60 días desde dicha solicitud inicial.	• El operador de la plataforma informante debe cerrar la cuenta del vendedor e impedir que este se registre de nuevo en la plataforma, o • Suspender el pago de la contraprestación destinada al vendedor mientras este no facilite la información solicitada.
Obligación de conservación de los registros por parte de los operadores de plataformas informantes	10 años, contados a partir del término del período sujeto a comunicación al que se refieren los registros.
Registro único: si el operador de la plataforma reúne los requisitos para ser declarante en más de un Estado-Miembro	Elección de un Estado miembro para el cumplimiento de las obligaciones de comunicación y notificación de dicha elección a las autoridades competentes de dichos Estados-Miembros.
Procedimientos de diligencia debida (no se trata de una obligación de comunicación)	Nuevos vendedores: hasta el 31 de diciembre del periodo sujeto a comunicación. Vendedores registrados en la plataforma el 1 de enero de 2023: hasta el 31 de diciembre del segundo periodo sujeto a comunicación.
Infracciones Tributarias	El incumplimiento de los procedimientos de diligencia debida, registro y conservación de los documentos destinados a acreditar el cumplimiento por parte de los operadores de las plataformas informantes, se sancionará con una multa de entre 250 € y 11.250 €.

Aplicación de ley en el tiempo

Situación	Descripción
Producción de efectos	1 de enero de 2023
Obligación de diligencia	Hasta el 31 de diciembre del período sujeto a la comunicación
Obligación de diligencia con relación a los vendedores registrados en la plataforma en el 1 de enero de 2023	Hasta el 31 de diciembre de 2024
Comunicación de la información por parte del operador de la plataforma declarante	31 de enero del año siguiente al año civil en lo que el vendedor haya sigo identificado como vendedor sujeto a la comunicación
Comunicación de las informaciones del año 2023 por el operador de la plataforma declarante	31 de enero de 2024

El Informe de 2024 sobre la Lucha contra el Fraude y la Evasión Fiscal y Aduanera, elaborado por la Secretaría de Estado de Asuntos Tributarios (*Relatório sobre o combate à fraude e evasão fiscais e aduaneiras 2024, Secretaria de Estado dos Assuntos Fiscais*)[11], indica que, en 2024, mediante el intercambio automático de información y en el marco de la DAC1, la DAC2, la DAC4, el CRS y la FATCA, Portugal recibió y envió información a 101 y 89 jurisdicciones, respectivamente.

Esto representa un aumento en el número de jurisdicciones en relación con el intercambio automático de información con Portugal en los últimos años.

La Inspección Tributaria (Inspecção Tributária/ITA) supervisa el cumplimiento de la DAC 7 en Portugal. Actualmente, no existen datos públicos en Portugal sobre la aplicación de la DAC 7. No es posible saber qué acciones ha llevado a cabo por la ITA. Según el Informe de 2024 sobre la Lucha contra el Fraude y la Evasión Fiscal y Aduanera, *"...las inspecciones se centraron en la lucha contra el fraude de alta complejidad y la economía sumergida, con especial atención a la detección, identificación y corrección de conductas evasivas y fraudulentas, así como de esquemas de planificación fiscal abusiva. Como es bien sabido, la AT es consciente del potencial del uso de herramientas de IA para combatir el fraude y la evasión fiscal, y está vigilante ante la desmaterialización de la economía y los nuevos modelos de negocio que surgen en el mercado, invirtiendo en la formación continua de sus recursos humanos y en la desmaterialización de sus servicios."*[12]

III. LOS PROBLEMAS DE LA DAC7

Tal como hemos señalado al principio, la DAC 7 ha sido duramente criticada debido a su complejidad, incluyendo varios conceptos no definidos, sus deficiencias y los elevados costes de cumplimiento que surgen de su implementación[13].

---

11 Disponible en chrome-extension://efaidnbmnnnibpcajpcglclefindmkaj/https://app.parlamento.pt/webutils/docs/doc.pdf?path=3x3hrKU2EkxTbuXV6HXVzMhVBQT%2FFWvhxdm7XkRFbfYUZIOjxlJYR2OgEMPl1V5T4BLo99Chl5KZFg2H3gP5Q%2F6ClZdBGlIZOej0jRidsYtVSloP9zGP6nkn1l7uSIi4bcsalGhAQHwevVRAbAJBqUu6zrZeYtwro8pd0NuHdStnVyYhpIl0Fz2I9wWi5%2Fjs9dJqiOgMT%2FFv%2F0kj2khe2C3LoU7p2rXb6NyO4ViQnPc9zByCJWD9M218jOMlZ4xwTd0r9k7jk0YsDwjTvZaqCLVMYYEr1V928d0FhOt4E8Nd0HXj3ALkg6D2FBDKjua4jgSzPIcu8xvNbX5O93seSjRGOok5WLzA0cKhOSYaKzgT7uA5pG5nz4FwjJYcmPzTYn5tgBrb%2FfF01UWVxZ5rGsSa2vblZ0XyrtFWlkXbWslCeoKEgFuRik%2FJfZ%2BsJrveXSCRKosRF%2Bw1S8HoHUygV3AvLZnbvbeaAbppclAPVV3HBVNzj8uQImGtMtR%2BZd5IXJBpVINLjuKqXs9Ql8NpNLMNrfXtrFMXH5GLgvQ4AzszwZ1qJQqJlRUBX9t1%2FHIQX7DS%2FkJgCM1Md7bSFNpfGzV6ncFge5%2BrTWmHp4tbuGS70qCurv8XdxuSJxEp6EO0nZtqNI5xNTrRDfcNL6iaqw%3D%3D&fich=RCFEFA+2024_VFSEAF.pdf&Inline=true, recuperado el 2 de octubre de 2025.

12 Véase el *Relatório sobre o combate à fraude e a evasão fiscais e aduaneiras 2024*, pág. 16.

13 Acerca de los costes de cumplimiento véase Lopes Mota, Cidália (2010). *Quanto Custa Pagar Impostos em Portugal? Os custos de cumprimento da tributação do rendimento.* Almedina.

Varios conceptos clave del Anexo V de la Directiva son poco claros, lo que pone en peligro la seguridad jurídica que debe sustentar las normas tributarias y la buena relación entre las autoridades tributarias y los contribuyentes, como el concepto de actividades relevantes para la aplicación de las normas. Contrariamente a lo establecido en el preámbulo de la Directiva, las obligaciones previstas van mucho más allá de las meras obligaciones de información, poniendo incluso en peligro la protección de datos, elevando la obligación de supervisión de las autoridades tributarias a un nivel desproporcionadamente alto, yendo claramente más allá de lo necesario.

Como hemos visto, las normas introducidas por esta Directiva exigen a los operadores de plataformas digitales de terceros que recopilen, verifiquen, almacenen y comuniquen sistemáticamente datos personales y transaccionales específicos sobre los vendedores de la plataforma a las autoridades tributarias de los Estados miembros, y que estos datos se intercambien automáticamente entre ellas. Si bien no se discute que las normas de la DAC7 para las plataformas digitales persigan un objetivo legítimo (por ejemplo, la lucha contra la evasión fiscal) que, a primera vista, justificaría una intrusión pública en la esfera privada tanto de los vendedores de la plataforma como de los operadores de plataformas de terceros, una cuestión fundamental que se plantea es si dicha intrusión no excede lo necesario para el interés público[14].

Se trata esencialmente de una cuestión de medios y fines, es decir, de proporcionalidad y de intrusión excesiva en la esfera de los contribuyentes[15]. En este contexto, es importante lograr un equilibrio adecuado entre el interés público y la creciente demanda de una protección adecuada y proporcionada de los derechos fundamentales de los contribuyentes, algo que, en nuestra opinión, no se ha logrado con esta Directiva.

En este sentido, es evidente que requiere una revisión, teniendo en cuenta varios aspectos.

Como señala *Accountacy Europe*[16],

"*DAC 7— Automatic exchange transations by digital plataforms*

---

14 Acerca del tema véase Pistone, Pasquale. Roeleveld, Jennife., Hattingh, Johann. Félix Nogueira, João y West, Craig (July 2019). *Fundamentals of Taxation - An Introduction to Tax Policy, Tax Law and Tax Administration*, IBFD.

15 En este sentido véase Vázquez, Juan Manuel (october 2025). *Tax Reporting by Digital Plataforms under DAC7, op. cit.* En lo que respecta al principio de proporcionalidad en particular, véase Félix Nogueira, João (January 2010). *Direito Fiscal Europeu - O Paradigma da Proporcionalidade: A proporcionalidade como critério central da compatibilidade de normas tributárias internas com as liberdades fundamentais*, Wolter Kluwer.

16 (September 2025). *The accountacy profession's to streamline yhe EU tax system*. Tax. pág. 5.

Our members have reported that the requirements under this element of DAC 7 are very demanding, not only for the platforms that provide information but also for tax authorities to analyse.

We believe the following changes be considered by the EC:

. exclude normal business to business transactions between registered business from DAC 7 reporting. Reporting such transactions risks duplication data exchanged under real-time reporting systems. The EC should consider the necessity of this additional data in ligth of its knowledge of MS progress with domestic real-time reporting systems and the likely impact of the VAT int the Digital Age provisions.

. introduce a one-stop-shop reporting facility so a member of a group can report the transations for all of its subsidiaries

. set up a unified reporting template applicable in all MS"

Como vimos, Portugal fue uno de los países que transpuso la DAC 7 más tarde y con efectos retroactivos. La Ley de transposición impuso una carga legal excesiva a los operadores de plataformas en línea. Portugal impuso a estes operadores las consecuencias de su propio retraso.

La transposición, aunque tardía, es conforme con la Directiva.

Como señalan Joaquim Pedro Lampreia y Carolina Telles Ferreira, entre otras cuestiones que puedan surgir, "*In this regard, the late transposition of DAC7 creates the possibility for individuals to open proceedings against the Portuguese state (vertical direct effect), but not against other individuals (horizontal direct effect).*

Considering that the information required from online platform operators relates to the sellers that use the platform, the obligation falling on the former is dependent on the information provided by the latter.

Will online platform operators be responsible if they are not able to obtain the information from the sellers regarding past events? The answer must be negative, since online platform operators have no legal mechanism to collect the information from the sellers and cannot cancel the service retroactively. This, in turn, means that no penalty should apply in these circumstances, given that it is not possible to demonstrate a wrongful conduct by the operator."[17]

La DAC 7 representa una evolución natural y necesaria de las DAC. Sin embargo, requiere una revisión, ya que se han identificado algunas debilidades y complejidades.

Aunque la Ley de Transposición entró en vigor el 27 de julio de 2023, los operadores de plataformas en línea estában obligados a comunicar la información de sus vendedo-

17 *In op. cit.*

res a partir del 1 de enero de 2023, lo que les obligó a recopilar y proporcionar información sobre eventos pasados.

Entre los expertos fiscales, la mayoría cree que las plataformas se adaptarán, pero también que las cargas financieras podrán aumentar debido a la carga administrativa adicional. Además de las preocupaciones sobre la protección de datos, planteadas en el dictamen de la CNPD, la principal preocupación se refiere a los costes de implementar esta obligación, dado que ahora será necesario recopilar, supervisar y posteriormente presentar toda la información a la Autoridad Tributaria.

Algunos creen que algunas plataformas cerrarán porque no pueden asumir los costes de la protección de datos, el software y los mecanismos para garantizar las declaraciones y, en última instancia, el cumplimiento de la normativa.

IV. PRINCIPALES CONCLUSIONES

La DAC 7 representa una importante evolución natural y necesaria de las DAC.

Sin embargo, requiere una revisión, ya que se han identificado algunas deficiencias, complejidades y elevados costes de cumplimiento. Las obligaciones previstas van mucho más allá de las meras obligaciones de información, poniendo incluso en peligro la protección de datos, elevando la obligación de supervisión de las autoridades tributarias a un nivel desproporcionadamente alto, yendo claramente más allá de lo necesario.

Sin duda, todo esto requerirá que las plataformas sean mucho más diligentes. Dada la popularidad de las plataformas en línea, existe cierta inquietud entre los usuarios. Los expertos creen que quienes las usan esporádicamente no deberían tener motivos para hacerlo. Al legislador le preocupa excluir del ámbito de esta obligación a los usuarios/vendedores que no tienen una actividad relevante, ya que solo realizan ventas esporádicamente. Sin embargo, la pregunta surge con respecto a los usuarios que utilizan estas plataformas para realizar actividades comerciales sin, en ocasiones, proporcionar el marco fiscal adecuado ni emitir la factura correspondiente, lo que contribuye a una economía paralela que la Autoridad Tributaria, hasta ahora, ha tenido dificultades para controlar.

V. REFERENCIAS BIBLIOGRÁFICAS

Accountacy Europe (September 2025). *The accountacy profession's to streamline yhe EU tax system*, Tax.

Batista de Oliveira, Maria Odete (2012). *O intercâmbio de informação tributária: nova disciplina comunitária, estado actual da prática administrativa, contributos para uma maior significância deste instrumento*, Almedina.

European Comission, Directorate-General Taxation and Customs Union (2024). *DAC Evaluation - Factual Summary Report on Public Consultation,* Ref. Ares (2024)9092074-18/12/2024.

Félix Nogueira, João (January 2010). *Direito Fiscal Europeu - O Paradigma da Proporcionalidade: A proporcionalidade como critério central da compatibilidade de normas tributárias internas com as liberdades fundamentais,* Wolter Kluwer.

Ferreira, Helena (2020)."Da troca automática de informações no âmbito do imposto sobre o rendimento das pessoas singulares: os novos contextos da troca automática de informações de contas financeiras". *Temas de IRS: Princípios Constitucionais, Tributação e Garantias* / coordenação Paula Rosado Pereira, Almedina.

Ferreira, Helena (noviembre de 2016). "Novo standard sobre a troca de informações - a troca automática de informações obrigatória", *Revista Finanças Públicas e Direito Fiscal,* Ano 8, Nº 4.

Ferreira, Helena (2014). "Relatório nacional para o Congresso Anual de 2014 da European Association of Tax Law Professors (EATLP) - *"Portugal". New Exchange of Information versus Tax solutions of equivalent effect* - 2014 EATLP Congress, Istanbul, [en coautoria].

Lampreia, Joaquim Pedro y Telles Ferreira, Carolina (**21 de marzo de 2024**). "Portugal's late transposition of DAC7 and retroactive application of the law". *International Tax Review.*

Lopes Mota, Cidália (2010). *Quanto Custa Pagar Impostos em Portugal? Os custos de cumprimento da tributação do rendimento.* Almedina.

Meneses, Álvaro Silveira de. Costa Monteiro Pedro. Freitas Soares, Rosa & Marques Rocha, Miguel (october 2025). "CHAPTER 17 Portugal" *in DAC7 Rules for Digital Plataforms: Comparing EU Member States Implementation.* Wolter Kluwer.

Ordem dos Contabilistas Certificados (2023). *DAC 7 - Regime de comunicação de informações pelos operadores de plataformas (Lei nº 36/2023), de 3 de agosto de 2023,* https://occ.pt/index.php/pt-pt/noticias/dac-7-regime-de-comunicacao-de-informacoes-pelos-operadores-de-plataformas, recuperado el 2 de octubre de 2025.

Palma, Clotilde Celorico (3 de agosto de 2024). "A Declaração do G20 sobre cooperação fiscal internacional - Rumo a uma maior justiça fiscal?". *Jornal Público.*

Palma, Clotilde Celorico (5 de marzo de 2024). "IVA - Por uma maior transparência nas transações eletrónicas". *Jornal Público.*

Palma, Clotilde Celorico (octubre de 2023). "Algumas notas sobre as DACs e o incremento da transparência fiscal". *Revista Contabilista* nº 282.

Palma, Clotilde Celorico (5 de noviembre de 2023). "Rumo a uma maior transparência fiscal numa economia digital". *Jornal Público.*

Palma, Clotilde Celorico (10 de mayo de 2023). "A relevância da transparência e da troca de informações e o Fórum Global da OCDE sobre Transparência e Troca de Informações para Fins Fiscais". *Jornal Público.*

Palma, Clotilde Celorico (julio de 2012). *Tax secrecy and tax transparency - the relevance of confidentiality in tax law Portuguese report* coautor dos Santos, António Carlos presentado en la Rust conference 2012, Áustria.

Palma, Clotilde Celorico (2012). "A quebra do sigilo bancário para efeitos tributários em Portugal", coautor dos Santos, António Carlos *Sigilos bancário e fiscal: homenagem ao jurista José Carlos Moreira Alves,* 2ª edição, Brasil.

Palma, Clotilde Celorico (2013/2014). "Os princípios da proteção da confiança legítima e da não retroatividade das normas tributárias em tempos de crise: o caso português", coautor dos Santos, António Carlos. *Revista do Instituto do Direito Brasileiro da Faculdade de Direito da Universidade de Lisboa - RIDB 16º número (2013/4).*

Pistone, Pasquale. Roeleveld, Jennife. Hattingh, Johann. Félix Nogueira, João y West, Craig (July 2019). *Fundamentals of Taxation - An Introduction to Tax Policy, Tax Law and Tax Administration*, IBFD.

Secretaria de Estado dos Assuntos Fiscais de Portugal - *Relatório sobre o combate à fraude e evasão fiscais e aduaneiras 2024*, chrome-extension://efaidnbmnnnibpcajpcglclefindmkaj/https://app.parlamento.pt/webutils/docs/doc.pdf?path=3x3hrKU2EkxTbuXV6HXVzMhVBQT%2FFWvhxdm7XkRFbfYUZIOjxlJYR2OgEMPl1V5T4BLo99Chl5KZFg2H3gP5Q%2F6ClZdBGlIZOej0jRidsYtVSloP9zGP6nkn1l7uSIi4bcsalGhAQHwevVRAbAJBqUu6zrZeYtwro8pd0NuHdStnVyYhpIl0Fz2I9wWi5%2Fjs9dJqiOgMT%2FFv%2F0kj2khe2C3LoU7p2rXb6NyO4ViQnPc9zByCJWD9M218jOMlZ4xwTd0r9k7jk0YsDwjTvZaqCLVMYYEr1V928d0FhO-t4E8Nd0HXj3ALkg6D2FBDKjua4jgSzPIcu8xvNbX5O93seSjRGOok5WLzA0cKhOSYaKzgT7uA5pG5nz4FwjJYcmPzTYn5tgBrb%2FfF01UWVxZ5rGsSa2vblZ0XyrtFWlkXbWslCe-oKEgFuRik%2FJfZ%2BsJrveXSCRKosRF%2Bw1S8HoHUygV3AvLZnbvbeaAbppclAPVV3HBVNzj8uQImGtMtR%2BZd5IXJBpVINLjuKqXs9Ql8NpNLMNrfXtrFMXH5GLgvQ4AzszwZ1qJQqJlRUBX9t1%2FHIQX7DS%2FkJgCM1Md7bSFNpfGzV6ncFge5%2BrTWmHp4tbuGS70qCurv8XdxuSJxEp6EO0nZtqNI5xNTrRDfcNL6iaqw%3D%3D&fich=RCFEFA+2024_VFSEAF.pdf&Inline=true, recuperado el 2 de octubre de 2025.

Vázquez, Juan Manuel (august 2025). *Tax Reporting by Digital Plataforms under DAC7.* Wolters Kluwer.

Vázquez, Juan Manuel (october 2025). *DAC7 Rules for Digital Plataforms: Comparing EU Member States Implementation.* Wolters Kluwer.

TERCERA PARTE:
FISCALIDAD DIRECTA ESTATAL

INNOVACIONES EN MATERIA DE INVERSIÓN INMOBILIARIA TURÍSTICA: ANÁLISIS TRIBUTARIO A LA LUZ DEL DERECHO A UNA VIVIENDA DIGNA

Yolanda García Calvente
Catedrática de Derecho Financiero
Universidad de Granada
ORCID 0000-0001-5845-5014

I. INTRODUCCIÓN

El acceso a una vivienda digna, 48 años después de que la Constitución vigente incluyera el derecho correspondiente en el artículo 47 del Capítulo II del Título I, sigue siendo una de las principales preocupaciones de la sociedad española. Según este precepto: "Todos los españoles tienen derecho a disfrutar de una vivienda digna y adecuada. Los poderes públicos promoverán las condiciones necesarias y establecerán las normas pertinentes para hacer efectivo este derecho, regulando la utilización del suelo de acuerdo con el interés general para impedir la especulación. La comunidad participará en las plusvalías que genere la acción urbanística de los entes públicos".

Como ejemplo de ello podemos comprobar cómo en el *Estudio sobre miedos e* incertidumbres publicado por el CIS en 2025, un 32,8% de las personas encuestadas manifiestan tener miedo a no encontrar vivienda para alquilar o comprar[1]. Además, desde noviembre de 2024, la vivienda aparece en los barómetros del CIS como el principal problema de España: en noviembre de 2025 se batió un récord de menciones al respecto, al figurar en un 39,9% de las menciones de los cuestionarios, por delante de problemas tan relevantes como los políticos (19,2%) o la inmigración (18,9%)[2]. La vivienda no es un derecho fundamental, sino un principio rector apoyado en instrumentos internacionales, en jurisprudencia y, aunque nos adentremos en el ámbito de lo extrajurídico, en un amplio consenso sobre la necesidad de protegerlo.

El derecho al que aludimos se apoya en un bien material que sirve para garantizarlo: según el diccionario de la RAE, es vivienda "el lugar cerrado y cubierto construido para ser habitado por personas". Y aquí surge el problema, porque, aunque la finalidad de la construcción sea habitar un espacio (lugar cerrado), éste es susceptible de otros usos que, tal como estamos comprobando en los últimos tiempos, impiden o dificultan el primero. Así ocurre con los usos turísticos, con lo que llegamos al tema objeto de este trabajo: el análisis tributario de las innovaciones en materia de inversión inmobiliaria turística desde la perspectiva del derecho a una vivienda digna.

El turismo, uno de los principales motores de la economía española, carece de la protección constitucional que ampara a la vivienda. El único precepto en el que se le menciona de forma expresa es el 148.1.18, que dispone que las Comunidades Autónomas podrán asumir competencias en materia de: "promoción y ordenación del turismo dentro de su ámbito territorial". Sin embargo, en los últimos años, la creciente turisti-

1 https://www.cis.es/es/estudios/estudio-sobre-miedos-e-incertidumbres?chartType=bar&cuestionario=18011&muestra=26371&pregunta=657760&variable=1096410

2 https://www.cis.es/documents/20117/13661534/es3530mar.pdf/799f45de-d73b-07b0-b8ec-5f9c0be5498d?version=1.0&t=1764843554448

ficación de los centros urbanos ha derivado en una competencia directa por el espacio residencial, que compromete el acceso efectivo a la vivienda.

Si tratamos de esquematizar el problema que deriva de la fricción estructural entre el mercado turístico y el mercado residencial, con efectos adversos sobre el derecho a la vivienda, la conclusión es la siguiente: nuestro texto constitucional otorga una protección reforzada al derecho a la vivienda, al considerarlo un principio rector. Sin embargo, al no haberse optado por incluirlo entre los derechos fundamentales, los distintos usos que pueden tener los inmuebles que se usan para vivienda colisionan y conviven en un espacio excesivamente reducido. Y esos usos no están prohibidos, resultando difícil establecer límites claros y eficaces. Entre esos usos, el turístico es sin duda el que mayores conflictos genera, sobre todo en los últimos tiempos, en los que la denominada democratización del turismo ha ampliado enormemente el número de personas que se desplazan a localidades distintas de aquellas en las que residen por placer.

Llegados a este punto, la fiscalidad es uno de los factores que pueden servir para incrementar la protección al derecho a una vivienda digna o suponer un hándicap. Como sabemos, la vivienda soporta una presión fiscal considerable, pese a que en algunos tributos se vincule con exenciones importantes. Y no me refiero sólo a la vivienda destinada a usos diferentes del de proveer de morada estable a la ciudadanía, también la vivienda habitual es objeto de un tratamiento tributario que podría mejorarse.

En este capítulo, partiendo del contexto apuntado, se analiza la compatibilidad entre el derecho constitucional a una vivienda digna y el sector turístico, centrándose la atención en la fiscalidad de los modelos más innovadores, cuyo elevado número muestra la rentabilidad del sector inmobiliario turístico. En todos estos casos el beneficio de la inversión debe armonizarse con la necesidad de garantizar un acceso justo y equitativo a la vivienda[3].

El objetivo de este trabajo no es elaborar un análisis jurídico tributario exhaustivo del tema planteado, sino aportar ideas y reflexiones que contribuyan al debate previo a la adopción o a la modificación de las políticas públicas que inciden en la fiscalidad aplicable a la materia. Para ello, este capítulo se estructura en tres apartados, que se añaden a

---

[3] Además del ordenamiento jurídico interno se estudian algunas referencias de derecho comparado, aunque en relación con un tema como éste es complicado extrapolar resultados. En España, según los últimos datos publicados, la actividad turística alcanzó los 184.002 millones de euros en 2023, un 12,3% del PIB, lo que supuso 0,9 puntos más que en 2022, y generó más de 2,5 millones de puestos de trabajo, el 11,6% del empleo total. Queda claro que el turismo es uno de los pilares fundamentales de nuestra economía, y que su relevancia como sector estratégico es difícilmente comparable con la de otros países. Por ese motivo en este trabajo se ha optado por analizar países con situaciones semejantes a la nuestra, como es el caso de Italia, Grecia y Portugal, países en los que el sector aporta entre el 12% y el 15% del PIB y genera una parte significativa del empleo.

esta Introducción, dedicándose el primero a la compatibilidad entre el derecho a una vivienda digna y el sector turístico desde la perspectiva del concepto de "financiarización de la vivienda", mucho más presente en la literatura foránea que en la que se origina en nuestro país. A continuación, se prestará atención a uno de los modelos de innovación en materia de inversión inmobiliaria turística, incluido en el denominado "Sector Living": el denominado Build to Rent, construir para alquilar. El cuarto apartado recoge las conclusiones del trabajo y formula propuestas y apuntes para la reflexión.

II. FINANCIARIZACIÓN DE LA VIVIENDA: COMPATIBILIDAD ENTRE EL DERECHO CONSTITUCIONAL A UNA VIVIENDA DIGNA Y EL SECTOR TURÍSTICO

1. LA FINANCIARIZACIÓN DE LA VIVIENDA A TRAVÉS DE LA HISTORIA

La existencia de propietarios que, al no necesitar ocupar personalmente una vivienda, la alquilan o la ceden a otras personas no es fenómeno exclusivo del tiempo en el que vivimos. No olvidemos que la Antigüedad aplaudía la condición de rentista[4], y ya en las sociedades clásicas —como Grecia y Roma— era frecuente que quienes poseían varias propiedades obtuvieran ingresos arrendándolas. BEARD nos cuenta cómo: "El mercado del alquiler en los suburbios proporcionaba un mísero alojamiento a los pobres, pero con lucrativos beneficios para los caseros sin escrúpulos. El propio Cicerón había invertido cuantiosas sumas de dinero en propiedades de baja calidad y una vez bromeó diciendo, más por superioridad que por vergüenza, que incluso las ratas habían hecho las maletas y se habían marchado de uno de sus ruinosos bloques de alquiler"[5].

En la Edad Media los señores urbanos y los comerciantes hacían lo mismo con casas situadas en los centros de las ciudades, y gran parte del campesinado residía en construcciones propiedad del señor feudal correspondiente. En los estudios sobre vivienda rural en la época medieval suele citarse al gran historiador Marc Bloch, y en concreto su obra La sociedad feudal[6], en la que se nos explica cómo la mayoría del campesinado europeo vivía en casas propiedad del señor feudal, a cambio de rentas en trabajo, especie o dinero.

Con el desarrollo de la economía moderna e iniciada la consolidación de la propiedad privada, esta práctica se generalizó aún más. De hecho, contar con viviendas

---

4 VVAA.(2003): *Historia de la vida privada*, pág. 123.

5 Beard, M.: *SPQR. Una historia de la Antigua Roma*. (2016), pág. 34.

6 Bloch, M.(1998): *La Sociedad Feudal*. También Duby, G. (1968): *Economía rural y vida campesina en el occidente medieval*.

"sobrantes" y destinarlas al alquiler se convirtió en una forma estable de inversión y de gestión patrimonial. Así, por ejemplo, en la Florencia de los siglos XIII y XIV, familias enriquecidas con el comercio o la banca (Strozzi, Albizzi o Medici), completaban sus actividades con la posesión de inmuebles en el centro urbano que no habitaban, y que eran alquiladas a artesanos, comerciantes menores o profesionales. Estas casas, tal como ilustra GOLDTHWAITE, eran conocidas como *case da pigione*, constituían una fuente estable de ingresos y formaban parte de la estrategia patrimonial de las élites urbanas[7]. Según este autor, la documentación notarial florentina muestra contratos de arrendamiento muy similares a los actuales, lo que evidencia que el alquiler urbano era una práctica consolidada.

Como puede deducirse de esta breve e incompleta incursión histórica, la figura del propietario que no habita su inmueble y lo pone a disposición de terceros es tan antigua como la propia organización urbana y ha acompañado a todas las etapas de la historia de la vivienda. Sin embargo, es frecuente encontrar referencias a la denominada "financiarización" de la vivienda que dan a entender que éste es un fenómeno moderno y que concluyen que la vivienda ha pasado de ser exclusivamente un bien de uso a convertirse en un activo financiero[8], y más concretamente en uno de los principales objetivos de inversión tanto de particulares, como sobre todo de fondos y plataformas digitales. Lo cierto es que, aunque el interés por la vivienda como inversión no es un fenómeno novedoso, sí se ha producido una actualización de la figura del propietario "inversor no residente", y en esta tendencia tiene una gran importancia la expansión de los usos turísticos de la vivienda, que dada su rentabilidad incentiva una utilización de la vivienda que tensiona la relación entre la función económica del inmueble y su dimensión social como bien esencial[9].

Las viviendas turísticas suponen en España alrededor de un 1,4 % del parque total de viviendas. Dependiendo de la fuente que utilicemos y del mes que elijamos, contamos con entre 368.000 y 400.000 unidades. Según el Instituto Nacional de Estadística (INE), en mayo de 2025 existían 381.837 viviendas turísticas en España[10]. Con el fin de comprender correctamente el significado y la trascendencia de estos números, interesa tener en cuenta que, según el Censo de Viviendas del INE, el número de viviendas totales era, en 2021 (último dato con el que contamos), 26.623.708. De ellas, un 14,4 % estaban vacías (3.387.328), un 9,4 % se consideraban viviendas de uso esporádico (2.514.511) y el resto estaban ocupadas (19.327.945).

---

7 Goldthwaite (1980). Véase también: Klapisch-Zuber (1990).

8 Cfr. por ejemplo: Aalbers, M. (2019).

9 En relación con este tema me remito al siguiente trabajo: Aalbers, M. (2017).

10 Medición del número de viviendas turísticas en España y su capacidad. Estadísticas Experimentales. Actualización de mayo de 2025. Madrid: INE, 2025.

Como vemos tenemos datos de distinta naturaleza y origen: el número de viviendas turísticas, aunque procede también del INE, forma parte de una estadística experimental basada en web scraping de plataformas como Airbnb, Booking o Vrbo. Es decir, esta cifra procede de la identificación por parte del INE de aquellos anuncios activos en páginas centradas en el alquiler turístico que cumplen criterios normativos de vivienda turística. El Censo de Viviendas del INE, que no está actualizado, no distingue entre viviendas turísticas y no turísticas, sino entre viviendas principales, secundarias, vacías y en otros usos. El motivo, según el propio Censo de 2021, tiene que ver con las limitaciones de los registros administrativos, que "en la actualidad no permiten llegar tan lejos".

Aunque en los últimos años se han aprobado normas autonómicas que obligan a registrar las viviendas turísticas, esta proliferación normativa no permite de momento disponer de datos ciertos sobre su número. Cada comunidad autónoma ha aprobado su propio registro, con definiciones de vivienda turística que no coinciden, distintos requisitos y procedimientos de inscripción variados, que impiden la construcción de un registro estatal unificado. Si unimos a ello la persistencia de actividad no declarada podremos entender que el INE recurra a métodos alternativos —como el análisis de anuncios en plataformas digitales— para estimar su volumen real[11]. No obstante, es de

---

11 Andalucía
- Decreto 28/2016, de 2 de febrero, de las viviendas con fines turísticos.

Aragón
- Decreto 80/2015, de 5 de mayo, de viviendas de uso turístico.

Asturias
- Decreto 48/2016, de 10 de agosto, de viviendas vacacionales y viviendas de uso turístico.

Baleares (Illes Balears)
- Ley 6/2017, de 31 de julio, de modificación de la Ley de Turismo.
- Decreto 20/2015, de 17 de abril, regulador del alquiler turístico.

Canarias
- Decreto 113/2015, de 22 de mayo, de viviendas vacacionales.

Cantabria
- Decreto 225/2019, de 28 de noviembre, de viviendas de uso turístico.

Castilla-La Mancha
- Decreto 34/2016, de 20 de julio, de ordenación de apartamentos turísticos y viviendas de uso turístico.

Castilla y León
- Decreto 3/2017, de 16 de febrero, de viviendas de uso turístico.

Cataluña
- Decreto 159/2012, de 20 de noviembre, de establecimientos de alojamiento turístico y viviendas de uso turístico.

Comunidad Valenciana
- Decreto 92/2009, de 3 de julio, regulador de los apartamentos turísticos.

Extremadura
- Decreto 26/2018, de 23 de febrero, de viviendas de uso turístico.

esperar que los avances tecnológicos (probables) y la convicción (deseable) por parte de quienes tienen competencias normativas para ello de la necesidad de contar con datos exactos, permitan que un plazo temporal no muy extenso contemos con información que permita realizar análisis más profundos. Por el momento, podemos quedarnos con la idea de que, aunque un 1.4 % de viviendas turísticas sobre el total pueda parecer una cifra relativamente pequeña, ésta aumenta exponencialmente y además se concentra en determinados puntos geográficos en los que el impacto que generan es muy importante.

Centrándonos en el concepto de financiarización, encontramos una definición útil a los efectos que nos interesan en JOVER: "Se trata de entender el suelo y la vivienda como activos financieros en los que invertir para obtener beneficios"[12]. Y de ello se derivan dos consecuencias muy importantes: aumento del precio de la vivienda, ya que el acceso a la misma debe competir con la rentabilidad que genera la inversión inmobiliaria turística, y gentrificación. Aunque los efectos que se provocan son más[13], me centraré en estos dos por ser, desde mi punto de visto, los que guardan una mayor relación con el derecho a la vivienda. En realidad, ambos van unidos y son dos caras de una misma moneda. El incremento de precios provoca la expulsión de quienes residían tradicionalmente en determinadas zonas de la ciudad y atrae a turistas o a "capital refugio"[14].

Galicia
- Decreto 12/2017, de 26 de enero, de viviendas de uso turístico.

La Rioja
- Decreto 10/2017, de 17 de marzo, de viviendas de uso turístico.

Madrid
- Decreto 79/2014, de 10 de julio, de apartamentos turísticos y viviendas de uso turístico.
- Modificado por Decreto 29/2019, de 9 de abril.

Murcia
- Decreto 256/2019, de 10 de octubre, de viviendas de uso turístico.

Navarra
- Decreto Foral 230/2011, de 14 de septiembre, de apartamentos y viviendas turísticas.

País Vasco
- Decreto 101/2018, de 3 de julio, de viviendas y habitaciones de uso turístico.

Ceuta
- Decreto 2/2023, de 10 de febrero, de viviendas de uso turístico.

Melilla
- Orden de 2016 sobre viviendas de uso turístico (normativa más limitada y pendiente de actualización).

12 Jover, J. (2025).

13 La financiarización de la vivienda produce efectos que trascienden el encarecimiento del mercado y los procesos de gentrificación, y tienen que ver, sobre todo, con las alteraciones estructurales de la función social de los espacios destinados a residencia.

14 *El concepto de capital refugio alude a la tendencia del dinero a desplazarse hacia activos percibidos como seguros en contextos de incertidumbre económica o geopolítica. En el ámbito inmobi-*

2. GENTRIFICACIÓN TURÍSTICA Y POLÍTICA DE VIVIENDA

El término "gentrificación" se usó por primera vez en el año 1964 en la obra titulada: *London: Aspects of Change*. La autora de la expresión fue la socióloga Ruth Glass, quien la utilizó en el siguiente contexto: "One by one, many of the working-class quarters of London have been invaded by the middle classes —upper and lower. Once this process of "gentrification" starts in a district it goes on rapidly until all or most of the original working-class occupiers are displaced and the whale social carácter of the district is changed". Gentrification deriva de Gentry, y éste a su vez tiene su origen remoto en el latín (Gens). Aunque con este término se identifica a un estrato social muy concreto y localizado en Gran Bretaña, en el contexto en el que se utiliza en este trabajo y en los estudios utilizados para su preparación, Gentry se identifica con "clase media".

Cuando GLASS utilizó este término por primera vez, lo hizo (y así se deduce claramente de la redacción del párrafo en el que se introduce) buscando nombre al fenómeno por el que personas pertenecientes a la clase social más favorecida desplazan en el espacio a los miembros de la clase trabajadora. Evidentemente, no se trata de un desplazamiento mediante uso de medios físicos sino derivado de las consecuencias sociales y económicas de la llegada a un barrio tradicionalmente obrero de personas con un mayor poder adquisitivo. Y ello provoca un cambio evidente[15].

liario, esta lógica convierte la vivienda en un activo de protección patrimonial, capaz de atraer inversión incluso en ciclos adversos. Este comportamiento refuerza la financiarización del parque residencial y contribuye a la presión alcista sobre los precios, especialmente en mercados urbanos y turísticos donde la vivienda opera simultáneamente como bien de uso y como depósito de valor.

15 Se ha escrito mucho sobre las causas de la elección de zonas de la ciudad deterioradas por parte de quienes pueden permitirse vivir en lugares más favorecidos. Parte de la doctrina centra la atención en la demanda, mientras otro sector lo hace en la oferta. En la actualidad, ambas han ido convergiendo hacia teorías en las que se tienen en cuenta factores de todo tipo. Como afirma SEQUERA: "La integración de las explicaciones culturales y del capital ha sido vital para el desarrollo de los estudios sobre gentrificación, ya que ambas razones, las culturales y las económicas, están cada vez más íntimamente relacionadas, o las dos son cada vez más difícilmente extrapolables. Lo cierto es que el concepto de gentrificación se analiza desde posiciones políticas muy marcadas, y no es infrecuente encontrar el término relacionado con otros como el de *neoliberalismo, capitalismo*, expulsión o *exclusión*, dotándolo de un marcado matiz negativo. No obstante, también lo encontramos junto con ideas de cariz positivo como las de *regeneración urbana* o *renovación*. Hay quien opina que en los últimos tiempos se está intentando que la gentrificación deje de ser considerada un fenómeno evocador de desigualdades de clase, de políticas capitalistas y de injusticias creadas por los mercados capitalistas y las políticas relacionadas con el suelo urbano para acercarla a conceptos menos susceptibles de generar recelos en quienes forman parte de la parte activa de la gentrificación. No hay que olvidar que entre quienes llegan a las zonas gentrificadas hay personas de diversas ideologías, y que de entrada no

Autores como SMITH explican cómo uno de los elementos centrales de la gentrificación es la "diferencia de renta" o "rent gap"[16]. Esta teoría hace referencia a la diferencia entre la renta potencial que puede generar el suelo en cuestión y la que se deriva del uso actual y explica el interés que generan determinadas zonas entre personas con niveles adquisitivos capaces de asimilar compras, rehabilitaciones, etc y en condiciones por tanto de buscar rentabilidad en la gentrificación[17]. No hay que olvidar que, como bien apunta CORTINA, "el pobre es, en cada caso, el que no resulta rentable"[18]. Por tanto, desalojar de su hábitat natural a quienes carecen de los medios necesarios para vivir libremente y atraer a quienes son rentables es sin duda una opción "interesante" desde un punto de vista estrictamente económico[19].

Pero además del rent gap y las posibilidades de "reinversión de capital"[20], existen otras causas/condiciones para la gentrificación. Por ejemplo, debe existir una voluntad colectiva de uso del espacio urbano objeto de este fenómeno por parte de personas con un nivel adecuado de ingresos. Hablamos de "uso" porque la intención con la que se llega al mismo puede ser tanto la de encontrar un lugar en el que vivir como la de invertir. Y en nuestro caso, teniendo en cuenta el objetivo de este trabajo, estamos hablando básicamente en turismo. En este caso, existe rent gap, pero también dos tipos distintos de sujetos interviniendo en el fenómeno: quien adquiere con idea de invertir y quien contribuye a que la inversión sea rentable. También es importante tener en cuenta el papel del Estado, ya que el interés en determinadas zonas no suele ser exclusivo de los particulares, sino que se produce tras actuaciones de "regeneración urbanística" incenti-

---

es una buena estrategia de márquetin aquélla que pone el acento en la injusticia, la exclusión y el desplazamiento. Sequera, J. (2014).

16 Smith, N. (1987). y Smith, N. (2002). Disponible on line en: https://d3n8a8pro7vhmx.cloudfront.net/crenshawsubway/pages/113/attachments/original/1502477730/New_Globalism_New_Urbanism_Gentrification_as_Global_Urban_Strategy_-_Neil_Smith.pdf Explica este autor: "The emerging globalization of gentrification, like that of cities themselves, represents the victory of certain economic and social interests over others, a reassertion of (neoliberal) economic assumptions over the trajectory of gentrification".

17 En palabras de Sequera: "En definitiva, la gentrificación se produce cuando la diferencia es lo suficientemente amplia para que los promotores puedan comprar a bajo precio, pagar los costos del constructor y cuando sea beneficioso realizar una rehabilitación, para vender el producto final por un precio que deja una importante plusvalía. Y así comenzar un nuevo ciclo de uso o, lo que es lo mismo, un nuevo ciclo de acumulación y reproducción de capital". *Op. cit.*, pág. 5.

18 Cortina, A. (2017).

19 Respecto a la definición de pobreza nos adscribimos al enfoque de las capacidades elaborado por Nusbaum y evidentemente también a los postulados de Sen. Cfr.: Nusbaum, M. (2012) y Sen, A. (2000).

20 Sequerra, J.: (2014).

vadas por previsiones en materia de gasto público (subvenciones a la rehabilitación, por ejemplo, o inversiones en infraestructuras) o por la vía del ingreso (incentivos fiscales).

La gentrificación a la que nos enfrentamos actualmente suele calificarse como "gentrificación 4.0", tal como expone GARCÍA AMAYA[21]. Como explica esta autora, este proceso se relaciona con la cuarta ola de gentrificación, vinculada a la financiarización de la vivienda:

"Este modelo de gentrificación se caracteriza por el desplazamiento de la población original y su sustitución por una "no-población", ya sea por turistas o por una mera inversión inmobiliaria como capital refugio (Ardura y Sorando, 2018). En este proceso, los gentrificados no son únicamente los residentes de bajos ingresos y la clase trabajadora, sino que también la clase media es desplazada por la presión de los inversores (Cocola-Gant, 2016a). Este tipo de gentrificación, inexistente en épocas anteriores, se ha desarrollado en paralelo con el auge de las plataformas de alquiler vacacional, ya que, hasta ese momento, el alojamiento turístico no había supuesto una disminución significativa del uso de viviendas, más allá de sustituciones puntuales de edificios residenciales por hoteles, con o sin demolición previa. Por otro lado, la gentrificación producida por la concentración de oferta de viviendas turísticas también acelera la gentrificación "clásica", ya que una vez se produce el incremento de los precios de vivienda (venta y alquiler) en una zona, únicamente las clases altas pueden permitirse mudarse a ella (Cocola-Gant, 2019). Pero además, la gentrificación turística no solo expulsa a los inquilinos, sino también a los residentes, ya que estos experimentan, por una parte, presión para vender por parte de los inversores y un deterioro de la calidad de vida. La subida de los precios de venta y las molestias producidas por el turismo pueden ser un aliciente para la "expulsión voluntaria" de los residentes (Cocola-Gant y Gago, 2019)".

Las líneas precedentes permiten introducir el análisis de los modelos innovadores de inversión inmobiliaria turística a los que se dedica el apartado siguiente. El objetivo de este trabajo no es describirlos para dar cuenta de su existencia, sino contextualizarlos en un marco socio económico, y también político, que nos permite llevar a cabo un análisis crítico tanto de sus efectos negativos como también, en su caso, de los positivos. Porque, aunque en la literatura abundan tanto los trabajos que advierten sobre el daño que provoca el sector inmobiliario turístico en el derecho a la vivienda como aquellos que cuentan sus ventajas en términos de rentabilidad, creo que es necesario aportar una visión que, partiendo de la primacía del derecho a una vivienda digna, se aleje del recurso fácil a la criminalización de un sector clave en nuestra economía. Como indican Arnandis i Agramunt y García Marco: "La saturación turística ha sido reconocida en la normativa española sectorial desde la década de los 60 del siglo XX. Siendo en este momento cuando se inició el desarrollismo turístico, la saturación fue considerada un

21 García Amaya, AM. (2025). Véase también: De Mattos, C. A. (2016).

efecto no deseado y relacionado con la falta de oferta turística. Es con la entrada del siglo XXI que la regulación del turismo en algunas CCAA reconoce estos efectos adversos, presentando el turismo no solo como un espacio de oportunidad, especialmente de desarrollo económico, sino también como un espacio de conflicto: el exceso de oferta, visitantes y la sobreexplotación de los recursos"[22].

III. MODELOS INNOVADORES DE INVERSIÓN INMOBILIARIA TURÍSTICA: EL MODELO BUILDT O RENT EN PERSPECTIVA TRIBUTARIA

El sector inmobiliario turístico es, como sabemos, el resultado de la intersección entre el sector turístico y el inmobiliario e incluye un número muy importante de recursos turísticos en continua evolución. De las tradicionales empresas de alojamiento hoteleras y extra-hoteleras, segundas viviendas vacacionales, o de los derechos de aprovechamiento por turno de bienes inmuebles, se pasó a figuras que gozan hoy de una importante implantación (alojamiento colaborativo, apartamentos turísticos, etc), y asistimos hoy a una sucesión de innovaciones complejas con las que convivimos, muchas veces desconociendo sus características y régimen jurídico.

Sabemos también que este sector incide sobre los precios del suelo y de la vivienda, que plantea numerosos problemas urbanísticos y medioambientales, generan o destruyen empleos, condicionan la situación económica de las zonas geográficas consideradas turísticas y, en los últimos años además está generando malestar social. En efecto, el turismo, y especialmente el que compite con la necesidad de vivienda para uso residencial, genera «efectos perversos» que deben ser tenidos en cuenta en la previsión de cualquier medida relacionada con él. Obviamente, los aspectos tributarios de este sector son muy importantes, pero no lo es menos la necesidad de aclarar previamente el régimen jurídico de cada una de las figuras que forman parte de la inversión inmobiliaria turística. En este momento, los modelos con mayor interés en el mercado son los incluidos en el denominado sector Living, del que forma parte el modelo Buildt o Rent, así como el coliving, o los alquileres flexibles, que tienen como elemento común la oferta de servicios comunes y su capacidad de adaptación a estilos de vida dinámicos.

Entre los sectores que integran la inversión inmobiliaria turística, el denominado sector Living es uno de los más atractivos. En su origen nace desvinculado de la actividad turística, pero con el paso del tiempo, fórmulas destinadas al alojamiento de estudiantes, los inmuebles multifamiliares, las viviendas de uso compartido, las casas asequibles o los activos de uso sanitario, han evolucionado para satisfacer también ne-

22 Arnandis i Agramunt, R. y García Marco, B.: (2025).

cesidades de un turismo en el que convive el concepto más tradicional del mismo con el resultado de una evolución sociológica de gran interés. Bajo esta fórmula se agrupan en la actualidad distintos formatos residenciales que podríamos denominar como alternativos a las fórmulas más tradicionales. Entre los que guardan mayor relación con el sector inmobiliario turístico encontramos el Build to Rent (BTR), en el que se centra este trabajo. No obstante, también se incluyen otros como el Flex Living, el Coliving o los Serviced Apartments. También incluidos en el sector Living pero más alejados del sector turístico cabe mencionar productos como el Senior Living, Multifamily, Student Housing, Senior Cohousing o Living sostenible.

La figura del Buildt o Rent nace enfocada en la vivienda, tal como se comprueba acudiendo a la literatura comparada y al ejemplo de países como Canadá[23], Estados Unidos, Reino Unido, Suiza, Alemania o los países escandinavos[24]. Sin embargo, en nuestro país está desarrollándose bajo el paraguas del sector turístico, lo que puede deberse a múltiples factores. Entre ellos encontramos razones históricas, sociológicas y también económicas que se entrelazan y fortalecen la situación descrita. El modelo español se basa en la vivienda en propiedad, y ello ha provocado que la rentabilidad y la seguridad del alquiler destinado a vivienda no tengan la consideración necesaria. Entre otras consecuencias, ello ha empujado a los inversores hacia segmentos más lucrativos como el turístico. La relevancia del turismo en nuestra economía y en nuestra cultura ha normalizado la ocupación de espacios residenciales en espacios exclusivos del alojamiento temporal. Así, la elevada rentabilidad comparada del alquiler turístico, unida a un parque público débil y a la ausencia de un marco regulatorio estatal estable para el alquiler residencial, ha incentivado que el *Build to Rent* se desarrolle prioritariamente en torno a usos turísticos o cuasi turísticos. En definitiva, un instrumento que se ha mostrado eficaz en otros países para ampliar la oferta de vivienda en alquiler se ha orien-

---

23 País pionero en las cooperativas de vivienda con usos compartidos, que representan más del 30% del parque inmobiliario. Como desarrollé en un trabajo publicado en 2014, el origen de la proliferación de cooperativas de vivienda se sitúa en los años setenta, y en varios programas federales de la época. Pero fue sobre todo el empuje de la sociedad civil el que permitió su éxito. Las cooperativas de vivienda canadienses se caracterizan por ser permanentes: la propiedad es de la cooperativa, no de los miembros, por lo que ni aportan capital ni pueden convertirse en propietarios. No tienen ánimo de lucro, y no reparten beneficios entre sus miembros. Además, se consideran mixtas porque acogen aproximadamente a un cincuenta por ciento de ocupantes que reciben ayuda directa de las instituciones públicas para poder pagar el precio del alquiler. Su principal objetivo es solucionar los problemas de vivienda de los colectivos más desfavorecidos (mayores, inmigrantes, trabajadores con bajo nivel de ingresos, etc) y se rigen por el principio «un miembro un voto». García Calvente, Y. (2014).

24 Me remito a dos trabajos que analizan la evolución del BTR y profundizan en los aspectos positivos y negativos que le son consustanciales: Nethercote, M. (2020). y Carvalho, R.; Liu, T.; Zhang, F.; Yu, R.; Oh, E. (2023).

tado en España hacia el mercado de corta estancia, reforzando la tensión entre inversión inmobiliaria y función social de la vivienda.

Lo anterior no significa negar la existencia o la posibilidad de un desarrollo del BTR en España desvinculado del sector turístico: de hecho, desde 2018 aproximadamente han ido surgiendo proyectos en esta línea. La mayoría con capital privado (Hines Cuatro Vientos[25], Aedas Homes + Axa IM[26] o Via Célere[27], en Madrid, residencial "Marina 97"[28] o Culmia[29] en Barcelona, etc), pero también los hay fruto de la colaboración público-privada, como el Plan Vive Madrid. Pero, al menos aquellos que dependen exclusivamente de capital privado no han tenido el éxito esperado, en parte como consecuencia del coste de financiación, que se ha ido incrementando hasta hacer peligrar la rentabilidad esperada. Otros factores a tener en cuenta son la legislación urbanística, las facilidades o dificultades a la inversión extranjera, la normativa aplicable a los arrendamientos y la fiscalidad. En este marco, las opciones de futuro de este mercado son dos: una, la entrada en el mismo de inversión pública, a través de planes de vivienda asequible como el ya mencionado Plan Vive Madrid[30]. La segunda, la inversión inmobiliaria turística.

En relación con la fiscalidad, lo cierto es que el marco fiscal español no favorece suficientemente la inversión a largo plazo en alquiler residencial, especialmente si lo comparamos con Reino Unido[31], Países Bajos o Alemania. En nuestro país, los estímulos al alquiler han sido tradicionalmente escasos y además, debido a la coyuntura política de los últimos años, no somos vistos como un país estable fiscalmente. Reino Unido, y sobre todo Australia, cuentan con regímenes fiscales específicos para promover fórmulas de alquiler como el BTR que incluyen exenciones o reducciones en la imposición sobre las sociedades, bonificaciones en los tributos que gravan las transmisiones patri-

25 https://cincodias.elpais.com/companias/2025-07-31/hines-paga-155-millones-por-un-solo-activo-de-viviendas-en-alquiler-en-madrid.html

26 https://www.ejeprime.com/residencial/axa-vende-a-inversores-institucionales-una-de-sus-carteras-de-viviendas-en-alquiler-en-espana

27 https://www.viacelere.com/noticias/via-celere-lanza-una-de-las-mayores-carteras-de-build-to-rent-con-2-431-viviendas/

28 https://roigconstruccions.com/project/edificio-built-to-rent-barcelona/

29 https://www.culmia.com/en/business-lines/housing-rental/

30 Para un sector doctrinal, cuando el mercado del alquiler pasa a estar dominado por inversores institucionales —fondos, aseguradoras, SOCIMI, gestoras internacionales— en lugar de pequeños propietarios, se refuerzan desigualdades ya existentes respecto de quién controla el capital y quién controla el territorio urbano.

31 https://www.gov.uk/guidance/build-to-rent

moniales, incentivos a la construcción de vivienda asequible y, sobre todo, estabilidad normativa.

1. LA EXPERIENCIA AUSTRALIANA: BUILD TO RENT MISUSE TAX

El caso de Australia es especialmente interesante: inicialmente incluido en el Treasury *Laws Amendment (Responsible Buy Now Pay Later and Other Measures) Bill 2024*[32], en 2024 se aprobó como proyecto de ley independiente el *Build to Rent Misuse Tax) Act 2024*[33]. La separación permitió un debate más especifico sobre el BTR, lo que se consideró procedente dada la incidencia de esta materia en la política de vivienda. Esta norma tiene por objeto aumentar la oferta de viviendas de alquiler, incluidas las viviendas asequibles, mejorando los incentivos para que los inversores institucionales apoyen la construcción de nuevos proyectos de BTR. Con tal fin, se aumenta la tasa de deducción por obras de capital del 2,5 % al 4 % anual para los nuevos proyectos de BTR que cumplan determinados requisitos. Además, se reduce la tasa final de retención fiscal sobre los pagos de fondos elegibles procedentes de inversiones MIT para nuevos desarrollos BTR elegibles del 30 % al 15 %. Por otro lado, se garantiza la integridad de estas ventajas fiscales al prever la aplicación de un impuesto por uso indebido en caso de que una entidad reclame indebidamente una o ambas ventajas fiscales.

En relación con esta figura, en nuestro país no contamos con nada similar: de producirse un incumplimiento como el que se prevé en Australia, y en función de la naturaleza de este, se aplicaría una sanción o, en su caso, cabría practicar una regularización tributaria. Sin embargo, existes ejemplos similares al comentado, como por ejemplo el previsto en el Low-Income Tax Credit, que funciona como un mecanismo de recuperación obligatoria (recapture rule). Aunque no se utiliza la denominación de impuesto, el efecto económico es muy similar al *misuse tax* australiano. En Reino Unido se utiliza lo que se denomina *clawback,* en concreto, y sobre todo en relación con beneficios vinculados al mercado de la vivienda, una de sus formas, conocida como Withdrawal *of reliefs*, que designa la retirada retroactiva de un beneficio fiscal cuando el contribuyente deja de cumplir las condiciones que justificaban ese beneficio.

Podríamos concluir que el Misuse Tax australiano es un impuesto en su forma, pero una sanción en su función: se estructura como un tributo autónomo aprobado por ley, consta de hecho imponible, base y tipo, no requiere probar previamente la comisión de una infracción, pero en realidad no grava una manifestación de capacidad económica

---

32 https://www.aph.gov.au/Parliamentary_Business/Bills_LEGislation/Bills_Search_Results/Result?bId=r7199

33 https://www.aph.gov.au/Parliamentary_Business/Bills_Legislation/Bills_Search_Results/Result?bId=r7198

sino el incumplimiento de los requisitos del régimen BTR (uso indebido de un beneficio), y su cuantía está pensada para disuadir comportamientos oportunistas. ¿Cuál es la razón por la que se acude a esta fórmula y no a la de la sanción y reintegro? Pues, aunque este aspecto no se aclara en la norma, las razones pueden ser varias: evitar el procedimiento sancionador con todo lo que ello conlleva, asegurar una recaudación rápida (se liquida automáticamente cuando se produce el hecho imponible, tiene prioridad recaudatoria), dificultar las posibles impugnaciones, en definitiva, dotarlo de efecto disuasorio, pero disminuyendo las garantías para el contribuyente y facilitando la gestión y recaudación.

En el ámbito interno también se ha planteado esta pregunta, y parece existir cierta unanimidad en que una posible explicación es evitar la necesidad de modificar las liquidaciones de múltiples titulares de participaciones o perseguir a los inversores extranjeros[34]. En concreto, los beneficios previstos en esta norma que fue aprobada el 24 de noviembre de 2024 son los siguientes:

---

34 Las críticas internas también son abundantes. Tal como exponen algunos autores, cuya opinión traduzco a continuación, la norma contiene algunas rarezas: Utilizar el tipo marginal personal máximo para calcular el ahorro fiscal (y, por tanto, el impuesto por uso indebido) en los casos en que el edificio es propiedad de alguien que no sea una empresa puede tener sentido en el improbable caso de que el propietario sea un particular; no tiene sentido cuando el propietario es un fondo de pensiones. Dado que los fondos de pensiones industriales y minoristas son precisamente el tipo de entidades a las que esta medida pretende atraer, utilizar el tipo personal máximo es un claro castigo. Se planteará un problema relacionado para cualquier entidad exenta de impuestos, como las organizaciones benéficas dedicadas a la vivienda, que inviertan indirectamente en proyectos BTR. Las organizaciones benéficas no estarán protegidas contra el coste del «impuesto por uso indebido» que se impone a los fideicomisarios de los fideicomisos en los que invierten. La legislación está redactada de manera que estas dos obligaciones se acumulan, pero no hay interacción entre los dos pasos. Es decir, la legislación no ajusta el importe del pago del fondo si el importe de la deducción por construcción (utilizada como base para decidir los «ingresos netos del fideicomiso») es excesivo. En cambio, la parte del pago original del fondo que se gravó al 15 % está sujeta a un impuesto adicional del 15 %. Un enfoque alternativo podría haber concluido que la parte del pago del fondo que representa los ingresos netos del fideicomiso debe ser mayor, ya que los ingresos netos son mayores. Otra cuestión que se esconde detrás de este proceso es: ¿qué ocurre desde el punto de vista del impuesto sobre la renta? No hay nada en el proyecto de ley que anule las normas habituales del impuesto sobre la renta cuando se ha activado el impuesto por uso indebido. Si los ingresos imponibles del propietario se han subestimado y la ATO considera que el déficit no es razonablemente discutible, es de suponer que la ATO emitirá una liquidación modificada añadiendo el déficit a los ingresos imponibles o a los ingresos netos, y el propietario (o los partícipes) deberán pagar un impuesto sobre la renta adicional, más una multa del 25 % y los intereses del déficit. Parece que se da por sentado que la ATO no aplicará una doble imposición, pero la enmienda al artículo 170 (10AA) se ha incluido en la ley precisamente para permitir a la ATO modificar las liquidaciones del impuesto sobre la renta de forma indefinida. Incluso si la ATO

- Acceso a un tipo impositivo reducido del 15 % en el impuesto de retención (WHT) sobre los fondos de inversión gestionados (MIT) para los alquileres y las ganancias de capital relacionados con viviendas que formen parte de un proyecto BTR elegible (denominado «proyectos BTR activos» en el proyecto de ley modificado) y las ganancias de capital por la enajenación de participaciones en entidades que posean un proyecto BTR activo (en la medida en que se refieran a viviendas de un proyecto BTR activo) a partir del 1 de julio de 2024; y
- Un aumento de la tasa de deducción de las obras de capital del 2,5 % al 4 % para los desarrollos BTR activos con respecto a las obras de capital que se iniciaron después de las 7:30 p. m. AEST del 9 de mayo de 2023.

Aunque los incentivos son bienvenidos, según un Informe elaborado por Deloitte, que se resume a continuación, es probable que algunos aspectos del proyecto de ley modificado reduzcan su atractivo[35]. Entre estos aspectos se incluyen los siguientes:

- Una vivienda no elegible compromete el conjunto: La regla «uno fuera, todos fuera», que considera que todo un desarrollo de BTR no es elegible para las concesiones cuando una sola vivienda deja de cumplir los criterios de elegibilidad. El Comisionado tiene la facultad discrecional de ignorar determinadas infracciones, pero sigue existiendo el riesgo de estar sujeto al severo «impuesto por uso indebido».
- Incertidumbre sobre los rendimientos: La posibilidad de cambiar «periódicamente» el descuento sobre el alquiler de mercado y los requisitos de ingresos de los inquilinos introducirá incertidumbre en los rendimientos financieros que pueden generar los desarrollos BTR, lo que repercutirá en las evaluaciones de viabilidad.
- Impacto desmesurado del impuesto por uso indebido: El impuesto por uso indebido de los proyectos BTR, que se aplica al propietario de un proyecto BTR

no aplica la «doble imposición» durante el periodo de cumplimiento de 15 años, la siguiente pregunta es si se producirá un cambio del impuesto por uso indebido al impuesto sobre la renta para los proyectos BTR. La exposición al impuesto por uso indebido (tanto por reclamar en exceso la deducción por construcción como por pagar de menos el MITWT) se limita al periodo de cumplimiento de 15 años. Sin embargo, las disposiciones eliminan el acceso a las concesiones a partir del año 16 si el proyecto ha dejado de cumplir los requisitos del BTR. En ese momento, es de suponer que la ATO insistirá en que se apliquen sanciones fiscales si se reclama incorrectamente el tipo del 4 % y el MITWT reducido. https://www.hsfkramer.com/notes/taxaustralia/2024-06/some-thoughts-on-the-build-to-rent-bill

35 https://www.taxathand.com/article/38218/Australia/2024/Build-to-rent-measures-pass-through-both-houses-of-parliament?utm_source=copilot.com

cuando este deja de cumplir los requisitos durante el «período de cumplimiento BTR» de 15 años. El impuesto por uso indebido se calcula sobre la base de las concesiones máximas potencialmente disponibles más un aumento del 8 % (no las concesiones reales reclamadas), incluidas las concesiones máximas disponibles para los propietarios anteriores. El impuesto por uso indebido supone que se disponía del beneficio máximo de la concesión, incluso si se pudiera demostrar que el beneficio real era menor (por ejemplo, no se obtuvieron beneficios del MIT WHT porque no había inversores no residentes).

- Tipo impositivo punitivo: El tipo punitivo del 45 % al que se aplica el impuesto por uso indebido al fideicomisario o a la entidad responsable de un fideicomiso, que generalmente están sujetos a un tipo impositivo máximo del 30 % sobre las distribuciones a inversores extranjeros.
- Doble imposición cuando se aplica el impuesto por uso indebido: Imposibilidad de aumentar la base imponible de los activos que han visto «recuperadas» sus deducciones por obras de capital concesionales en virtud del impuesto por uso indebido.
- Concesión del impuesto sobre las ganancias de capital (CGT) limitada a la vivienda en sí: La concesión del MIT WHT solo se aplica a las ganancias de capital por la enajenación de viviendas y, por lo tanto, excluye las ganancias de capital de terrenos adyacentes o partes del edificio que no sean viviendas.
- Momento de la elección: Teniendo en cuenta el requisito de presentar una elección ante el Comisionado para constituir una promoción BTR con el fin de acceder a las concesiones, parece que no es posible que una promoción BTR se considere una promoción BTR activa hasta que se promulgue la legislación y el Comisionado reciba la elección en el formulario aprobado. No hay posibilidad de presentar una elección con efecto retroactivo y, dado que aún no se conocen los requisitos para las viviendas asequibles y las condiciones de arrendamiento, esto puede retrasar aún más la fecha de entrada en vigor de cualquier elección.
- Coste administrativo significativo: Diversos requisitos administrativos, entre ellos la obligación de que el vendedor y el comprador notifiquen al Comisionado en un plazo de 28 días cualquier cambio en la propiedad, incluida la enajenación de participaciones en una entidad que posea un desarrollo BTR. No parece haber ninguna concesión para las transferencias de participaciones en entidades cotizadas.

En definitiva, se trata de una norma compleja y con una trascendencia económica que no hace prever cambios radicales en la oferta de vivienda asequibles, pero supone un paso importante hacia la correcta consideración de los incentivos fiscales en el marco de la política de vivienda.

2. UNA INTRODUCCIÓN A LA FISCALIDAD DEL BTR EN ESPAÑA

Mientras en Australia se avanza, aunque se haga con muchas dudas, en España no sólo no contamos con un régimen fiscal específico para el BTR, sino que las SOCIMI han perdido parte de su atractivo y la tributación de plusvalías y rentas se considera poco competitiva[36]. A ello debemos unir una legislación compleja como consecuencia de la distribución de competencias en esta materia y un régimen demasiado volátil, sobre todo cuando hablamos de fórmulas que requieren horizontes de inversión a largo plazo.

La existencia de una fiscalidad favorable al BTR residencial es, no obstante, objeto de crítica por parte de algunos autores, entre los que podemos mencionar a LAXTON, quien en una reciente tesis dedicada a este tema expone lo siguiente[37]:

"Encouraged by favourable fiscal rules and the deregulation of the tenure, the growth of the private rented sector forms just one significant part in accounts of the further ceding of public control over land and public housing. (...)The UK's highly favourable tax environment concerning capital gains made on land (there remain no land value gains taxes except in exceptional circumstances) the establishment of capital gains tax exempt Real Estate Investment Trusts (REITs) in 2007, and the political dimension of rent-seeking, with some of the largest land rentiers providing the largest donations to the governing Conservative Party, underlines the claim that the UK currently represents a 'rentiers paradise' (Christophers, 2020). Although providing a small fraction of the residential housing market, a host of these institutional rentiers have now turned their attention to the UK private rented sector and the emerging BTR market (discussed in more detail in Chapter 5)".

Centrándonos en la fiscalidad del BTR, conviene precisar que en relación con esta cuestión hay que distinguir la tributación aplicable al proceso de promoción y construc-

---

36 En relación con esta figura, tal como indica Bueno Maluenda: "La experiencia de la SOCIMI ha logrado alcanzar hasta la fecha gran parte de los objetivos perseguidos con la norma, pero no siendo su finalidad exclusiva la de cubrir la demanda de vivienda en uso habitacional, el mercado y la política empresarial han sido y serán las que determinen los sectores hacia los que se oriente la actividad del arrendamiento de bienes inmuebles. Por su parte, el régimen EDAV, único cuyo objeto social se incardina directamente en la política de incremento de la oferta de vivienda residencial, al contrario de lo que podría suponerse, ha reducido su atractivo fiscal, de la misma forma que ha sucedido también con las SOCIMI con la intensificación del gravamen de rentas anteriormente exentas. Da la impresión de que el legislador va en la dirección contraria a sus objetivos de política de acceso a la vivienda. Los incentivos fiscales podrían servir para fomentar una inversión (residencial) frente a las otras (comerciales, turísticas, etc.) por lo que de lege ferenda se podría fomentar de forma más intensa y coordinada los incentivos fiscales en la actividad del arrendamiento residencial". Bueno Maluenda, C. (2025).

37 Laxton, A. M. (2022).

ción de los inmuebles que serán objeto de alquiler de la prevista para el arrendamiento en sí, que a su vez es distinta si el alquiler se instrumentaliza a través de plataformas o de forma tradicional. Y, dado el objetivo de este trabajo, no incluiré en estas páginas una descripción detallada de la tributación del BTR turístico, sino algunas reflexiones críticas que parten de los trabajos que se han publicado sobre esta cuestión.

Y, aunque no ha pasado de ser una propuesta, es importante hacer referencia a la Proposición de Ley para impulsar el alquiler de viviendas a precios asequibles, presentada por el Grupo Parlamentario Socialista el 22 de mayo de 2025 y admitida a trámite el 30 de mayo de 2025[38], cuyo objetivo era reequilibrar un mercado tensionado mediante una combinación de incentivos fiscales y mecanismos de movilización del parque infrautilizado. Su planteamiento parte de la premisa de que la insuficiencia estructural de vivienda en alquiler no puede corregirse únicamente mediante regulación de precios, sino que exige estimular la oferta estable y asequible a través de reducciones significativas en el IRPF, especialmente en zonas tensionadas y para colectivos prioritarios como los jóvenes. La iniciativa incorpora, además, instrumentos orientados a activar vivienda vacía y a reforzar la colaboración pública-privada en la producción de alquiler asequible, al tiempo que introduce medidas para desincentivar comportamientos especulativos y limitar la presión inversora sobre el parque residencial. En conjunto, la Proposición de Ley configura un marco que busca reorientar los incentivos del mercado hacia usos residenciales de largo plazo, contrarrestando la deriva hacia modalidades más lucrativas —como el alquiler turístico o la inversión de corto recorrido— y reforzando la función social de la vivienda en un contexto de creciente competencia entre usos.

Cuando analizamos el arrendamiento de la obra construida nos encontramos con una tributación que diferencia el alquiler de vivienda del destinado a usos turísticos, y ello es consecuencia de la distinta consideración, tanto jurídica como económica, pero también social, de ambos usos. Para un análisis profundo y detallado de la fiscalidad de las viviendas de uso turístico me remito al excelente trabajo de López Llopis *Tributación del arrendamiento de vivienda para uso turístico en España*[39]. El arrendamiento de vivienda habitual se califica como rendimiento del capital inmobiliario y como tal puede beneficiarse de reducciones significativas en el IRPF —en particular, la reducción del 60 % sobre el rendimiento neto cuando el inmueble se destina a residencia permanente

---

38 https://www.congreso.es/public_oficiales/L15/CONG/BOCG/B/BOCG-15-B-229-1.PDF

39 López Llopis, E. (2025). Esta autora argumente además la ausencia de un marco estatal homogéneo y la coexistencia de normativas autonómicas dispares generan un entorno de inseguridad jurídica que favorece estrategias de optimización fiscal y dificulta la supervisión efectiva de la actividad. Integradas en el análisis más amplio de la financiarización y de la competencia entre usos residenciales y turísticos, estas conclusiones permiten comprender cómo la fiscalidad actúa como un vector que incentiva la conversión de vivienda en alojamiento turístico y agrava las tensiones sobre el mercado del alquiler estable.

del arrendatario—. El alquiler turístico se considera actividad económica, especialmente cuando incorpora servicios propios de la industria hotelera, y ello implica diversas obligaciones formales (por ejemplo, censales, presentación de modelos informativos...), repercusión del IVA y en definitiva una carga fiscal más compleja que permite, no obstante, la toma en consideración de un volumen de gastos más elevado. El hecho de que el alquiler residencial esté orientado al fomento de la oferta de vivienda habitual hace además que su tributación se considere más estable. Sin embargo, la rentabilidad neta del alquiler turístico es mayor en términos económicos, y evita además algunas de las consecuencias más temidas de los incumplimientos de quienes arriendan. Esta situación favorece que parte del capital —incluido el institucional— se desplace hacia el alquiler turístico en detrimento del alquiler estable, lo que contribuye a tensionar el mercado de vivienda: la competencia entre usos residenciales y turísticos es evidente y exige políticas públicas adecuadas para garantizar un acceso asequible y seguro a la vivienda.

Resulta evidente, por tanto, que el alquiler turístico, incluyendo el BTR enfocado al turismo, es más rentable que el BTR residencial, y que a ello contribuye el marco fiscal aplicable, mucho más atractivo en el primer caso.

IV. CONCLUSIONES Y PROPUESTAS

El análisis desarrollado a lo largo de este capítulo permite constatar que la relación entre el derecho constitucional a una vivienda digna y el desarrollo del sector turístico —especialmente en su vertiente inmobiliaria— constituye uno de los principales retos de las políticas públicas contemporáneas. La vivienda, como bien esencial para el ejercicio de derechos fundamentales y como soporte material de la vida cotidiana, se encuentra sometida a tensiones crecientes derivadas de su progresiva integración en lógicas de mercado global, de inversión financiera y de explotación turística. Esta convergencia de usos y finalidades, lejos de ser un fenómeno coyuntural, responde a transformaciones estructurales que afectan a la función social del espacio residencial y a la capacidad de los poderes públicos para garantizar el acceso efectivo a la vivienda.

El fenómeno turístico ha evolucionado mucho en los últimos años, y se ha convertido además en un ámbito de conflicto y movilización. Tal como afirman Sánchez Cabrera y Ferrandis Martínez en un trabajo muy reciente, entre los principales factores de la movilización ciudadana en contra de determinadas manifestaciones turísticas se encuentran las siguientes: "a) La aparición de una serie de actores normalmente externos al territorio, visibilizado en forma de empresas y capitales que pretenden transformarlo. b) La intensidad y carácter de estas transformaciones, con la capacidad de provocar importantes perturbaciones en el marco de los recursos territoriales, el patrimonio personal y colectivo, la salud o la seguridad ciudadana. c) La ausencia de directrices claras en materia de ordenación territorial, capaces de adecuar y coordinar los diferentes planes y proyectos. d) La pérdida de confianza de la sociedad en los políticos y en las administraciones públicas. Contribuye a ello los escenarios de corrupción sistémica que puede anidar con cierta facilidad entre los tomadores de decisiones, en plena connivencia con otros grupos de interés. Estos factores ayudan a comprender la creciente preocupación ciudadana y la aparición de movilizaciones en defensa del territorio"[40].

En primer lugar, la revisión histórica y conceptual realizada muestra que la financiarización de la vivienda no es un fenómeno estrictamente contemporáneo, pero sí ha adquirido en las últimas décadas una intensidad y una escala sin precedentes. La vivienda ha pasado a operar simultáneamente como "bien de uso", "activo financiero", "capital refugio" y "producto turístico", lo que genera una competencia directa entre finalidades difícilmente conciliables sin una intervención pública decidida. La expansión de los usos turísticos —especialmente a través de plataformas digitales— ha acelerado esta dinámica, intensificando la presión sobre el mercado residencial y alterando la función social de la vivienda en áreas urbanas de alta demanda.

En segundo lugar, los datos disponibles confirman que el impacto del alojamiento turístico sobre el mercado residencial es significativo y creciente. Aunque el porcentaje de viviendas turísticas sobre el total pueda parecer reducido, su "concentración geográfica" y su "rentabilidad comparativa" generan efectos desproporcionados: incremento de precios, reducción de la oferta de alquiler de larga duración, desplazamiento de residentes y aceleración de procesos de gentrificación. Estos efectos no se distribuyen de manera homogénea, sino que se manifiestan con especial intensidad en zonas urbanas centrales, destinos turísticos consolidados y barrios sometidos a procesos de revalorización inmobiliaria.

En tercer lugar, el análisis comparado evidencia que España comparte rasgos con otros países mediterráneos altamente dependientes del turismo, pero presenta una singularidad estructural: la vivienda es simultáneamente un pilar cultural, un instrumento de ahorro familiar y un sector económico estratégico. Esta triple dimensión explica la fragmentación normativa existente, la dificultad para establecer límites claros y la resistencia social y política a reformas profundas. La ausencia de un marco estatal homogéneo en materia de vivienda turística y la diversidad de registros autonómicos dificultan la obtención de datos fiables y la adopción de políticas coherentes.

En cuarto lugar, la fiscalidad se revela como un instrumento decisivo para orientar los usos del parque residencial. Puede "corregir externalidades", "desincentivar usos especulativos", "favorecer la vivienda habitual" y "promover modelos de alquiler asequible". Sin embargo, también puede reforzar dinámicas de exclusión si se diseña sin tener en cuenta la función social de la vivienda. La experiencia comparada —incluida la aus-

40 Sánchez Cabrera, J. V. y Ferrandis Martínez, A. (2025).

traliana con su *Build to Rent Misuse Tax*— demuestra que los incentivos fiscales deben ir acompañados de "condiciones estrictas", "mecanismos antiabuso" y "evaluación continua", evitando que la innovación inmobiliaria se convierta en un vector adicional de financiarización intensiva.

En quinto lugar, el estudio del modelo *Build to Rent* muestra que la innovación inmobiliaria puede contribuir a ampliar la oferta de alquiler, pero también plantea riesgos si no se acompaña de garantías sociales. El BTR puede ser una herramienta útil para incrementar la oferta de vivienda en alquiler, pero solo si se integra en una estrategia más amplia que priorice el acceso a la vivienda, establezca límites claros a la rentabilidad y garantice la permanencia de residentes en zonas tensionadas.

Partiendo de estas conclusiones, pueden formularse las siguientes propuestas. En primer lugar, es imprescindible avanzar hacia una "definición estatal homogénea de vivienda turística", acompañada de criterios comunes de registro, requisitos mínimos y mecanismos de coordinación entre administraciones. La creación de un "registro estatal interoperable" permitiría disponer de datos fiables y facilitaría la planificación de políticas públicas.

La segunda propuesta tiene que ver con la necesidad de que contemos con una fiscalidad orientada a la función social de la vivienda. Nuestro sistema tributario debe diferenciar claramente entre vivienda habitual, vivienda turística y vivienda de inversión. En relación con el Buildt o Rent, su desarrollo en el ámbito turístico debe condicionarse a la reserva obligatoria de un porcentaje de viviendas a precios asequibles, especialmente en suelos públicos o en operaciones urbanísticas con participación pública. La innovación inmobiliaria debe orientarse hacia la ampliación del parque de alquiler asequible, no hacia su sustitución por productos de inversión. Además, la planificación urbana debe incorporar indicadores de "presión turística", "densidad de viviendas turísticas", "impacto en precios" y "desplazamiento residencial", permitiendo establecer límites dinámicos y revisables en función de la evolución del mercado.

Es necesario, sobre todo, promover medidas que eviten la expulsión indirecta de residentes, como programas de rehabilitación con garantías de permanencia, incentivos al alquiler de larga duración y mecanismos de transparencia en operaciones de inversión inmobiliaria de gran escala.

En definitiva, la protección del derecho a una vivienda digna exige considerar que el turismo es un sector estratégico para la economía española, pero su desarrollo no puede producirse a costa de la función social de la vivienda ni del desplazamiento de residentes. La fiscalidad, adecuadamente diseñada, puede desempeñar un papel central en la construcción de un modelo urbano más justo, sostenible y compatible con los principios constitucionales.

V. REFERENCIAS BIBLIOGRÁFICAS

Aalbers, M. B. (2017). "The Variegated Financialization of Housing." *International Journal of Urban and Regional Research*, (41), 542-554.

Aalbers, M. B. (2019). "Financialization." The International Encyclopedia of Geography. https://doi.org/10.1002/9781118786352.wbieg0598.pub2. Recuperado el 10 de diciembre de 2025.

Arnandis i Agramunt, R., y García Marco, B. (2025). "¿Es posible limitar el turismo?: Una revisión a la normativa regional sectorial española sobre la saturación turística." *Cuadernos Geográficos de la Universidad de Granada* (64), 30-50.

Beard, M. (2016). SPQR. Una historia de la Antigua Roma. Crítica.

Bloch, M. (1988). La sociedad feudal. Akal.

Bueno Maluenda, C.: "Las sociedades de inversión inmobiliaria: en particular, las SOCIMI y las entidades dedicadas al arrendamiento de vivienda (EDAV)". *Tratado de Derecho de la Vivienda*. Editorial BOE.

Christophers, B. (2015). "The Limits to Financialization." *Dialogues in Human Geography*. (5).183-200.

Cocola-Gant, A. (2016). "Holiday Rentals: The New Gentrification Battlefront." *Sociological Research Online*. (21). 1-9.

Cocola-Gant, A. (2019). "Tourism Gentrification." *Handbook of Gentrification Studies*. Cheltenham. 281-293.

Cocola-Gant, A. y Gago, A. (2019). "Airbnb, Buy-to-Let Investment and Tourism-Driven Displacement: A Case Study in Lisbon." *Urban Studies*. (58). 111-129.

Cortina, A. (2017). Aporofobia, el rechazo al pobre. Un desafío para la democracia. Paidós.

De Mattos, C. A. (2016). "Financiarización, valorización inmobiliaria del capital y mercantilización de la metamorfosis urbana." *Sociologías*. (18). 24-52. https://doi.org/10.1590/15174522-018004202. Consultado el 9 de diciembre de 2025.

Duby, G. (1968). Economía rural y vida campesina en el occidente medieval. Península.

García Amaya, A. M. (2025). Turista busca vivienda: el papel de la vivienda de uso turístico en los procesos de transformación de la ciudad de Valencia. Tesis doctoral, Universitat Politècnica de València. https://riunet.upv.es/handle/10251/220686. Consultado el 8 de diciembre de 2025.

Glass, R. (1964). London: Aspects of Change. MacGibbon & Kee.

Goldthwaite, R. A. (1980). The Building of Renaissance Florence: An Economic and Social History. Johns Hopkins University Press.

Instituto Nacional de Estadística (INE). (2025). Medición del número de viviendas turísticas en España y su capacidad. *Estadísticas Experimentales*. https://www.ine.es/experimental/viv_turistica/experimental_viv_turistica.htm. Consultado el 3 de febrero de 2026.

Jover, J. (2025). "Un movimiento global por el derecho a la vivienda frente a la financiarización." *Metropolitics*. https://metropolitics.org/Unmovimiento-global-por-el-derecho-a-la-vivienda-frente-a-la-financiarizacion.html. Conultado el 18 de diciembre de 2025.

Klapisch-Zuber, C. (1990). La maison et le nom: Stratégies et rituels dans l'Italie de la Renaissance. Éditions de l'EHESS.

Lapavitsas, C. (2013). Profiting Without Producing: How Finance Exploits Us All. Verso.

Nussbaum, M. (2012). Las fronteras de la justicia. Consideraciones sobre la exclusión. Paidós.

Sen, A. (2000). Desarrollo y libertad. Planeta.

Sequera, J. (2014). Gentrificación, una perspectiva crítica. Traficantes de Sueños.

Smith, N. (1987). "Gentrification and the Rent Gap." *Annals of the Association of American Geographers* (77). 462-465.

Smith, N. (2002). "New Globalism, New Urbanism: Gentrification as Global Urban Strategy." Antipode (34). 427-450.

VV. AA. (2003). Historia de la vida privada. Tomo 1. Del Imperio romano al año mil. Taurus.

VVAA. (2008). "Financialization: New Routes to Profit, New Risks to Society." *CRESC Working Paper Series*. (53).

EL DEBILITAMIENTO DE LA FINALIDAD EXTRAFISCAL EN LA REDUCCIÓN DE LOS RENDIMIENTOS NETOS POSITIVOS DERIVADOS DEL ALQUILER DE VIVIENDA EN EL IRPF

Yohan Andrés Campos Martínez
Profesor Contratado Doctor Interino
Universidad de Castilla La Mancha
Centro Internacional de Estudios Fiscales
ORCID 0000-0002-1676-4924

I. EL ORIGEN Y EVOLUCIÓN DE LA REDUCCIÓN COMO MEDIDA EXTRAFISCAL

Uno de los muchos y valiosos aportes que se introdujeron con la Ley 46/2002, de 18 de diciembre, de reforma parcial del Impuesto sobre la Renta de las Personas Físicas y por la que se modifican las Leyes de los Impuestos sobre Sociedades y sobre la Renta de no Residentes[1], fue la introducción de un beneficio fiscal a través del cual se empezaba a reconocer la posibilidad que tienen los arrendadores de reducir un tanto por ciento (el cual se ha venido modificando y modulando con el tiempo) sobre los rendimientos obtenidos con ocasión al arrendamiento de bienes inmuebles destinados a vivienda[2].

La introducción de esta medida, además de mejorar y simplificar el cálculo del rendimiento neto del capital inmobiliario, encontraba su fundamento en crear una herramienta que ayudara a incrementar la oferta de las viviendas arrendadas y minorara el precio de los alquileres[3]. De este modo, desde su inicio, el beneficio fiscal pretendía ser una respuesta a la consecución de objetivos extrafiscales determinados por criterios económicos o sociales que tiene como eje la búsqueda del cumplimiento de fines específicos y la satisfacción de intereses públicos recogidos en la Constitución[4].

Así, la evolución histórica y el devenir normativo de la mencionada reducción siempre ha girado en torno a aquellos objetivos extrafiscales orientados a racionalizar las políticas de impulso del acceso a la vivienda. Prueba de ello, lo podíamos encontrar con el reconociendo que se hizo del derecho a la reducción del 100% del importe del rendimiento neto en el caso de arrendamiento de viviendas a jóvenes entre 18 y 35 años en la Ley 35/2006, de 28 de noviembre del Impuesto sobre la Renta de las Personas Físicas y de modificación parcial de las leyes de los Impuestos sobre Sociedades, sobre la Renta de no Residentes y sobre el Patrimonio (LIRPF)[5] y que a la postre

---

1 BOE núm. 303, de 19 de diciembre de 2002 (Ref. BOE-A-2002-24711).

2 En el art. 21.2. de La Ley 40/1998, de 9 de diciembre, sólo se reconocía la reducción por rendimientos irregulares superior a dos años. Por ello, con la reforma, de 2002, la norma estableció la posibilidad de reducir en un 50% el rendimiento neto calculado en los supuestos de arrendamiento de bienes inmuebles destinados a vivienda.

3 Conforme al Preámbulo de la Ley 46/2002, de 18 de diciembre.

4 Así, el art. 2.1 Ley 58/2003, de 17 de diciembre, General Tributaria (LGT).

5 Se exigía en su momento que el arrendatario tuviera una edad comprendida entre 18 y 30 años, unos rendimientos netos del trabajo o de actividades económicas en el período impositivo superiores al indicador público de renta de efectos múltiples y, que el arrendatario hubiere comunicado anualmente al arrendador, en la forma que reglamentariamente se determine, el cumplimiento de estos requisitos.

terminaría desapareciendo para el año 2015 ante la necesidad de recaudo[6]. En igual sentido, lo podíamos ver con el aumento en el porcentaje de la reducción, la cual pasó del 50% al 60%, bajo la misma premisa de implementar políticas de impulso del acceso a la vivienda[7]. O, en último caso, con Ley 12/2023, de 24 de mayo, por el derecho a la vivienda (Ley de Vivienda) que ha terminado modulando los porcentajes de la reducción (50%, 60%, 70% y 90%, según requisitos)[8] con el objetivo de establecer una mejora de la regulación del IRPF para estimular el alquiler de vivienda habitual a precios asequibles.

No obstante, a pesar de que las normas que regulan la reducción siempre mencionan los fines extrafiscales que la rigen, la concreción de estos objetivos no ha sido nada fácil. El alcance y la aplicación efectiva del beneficio fiscal siempre se han visto en entredicho con ocasión una gama de conceptos jurídicos indeterminados y elementos procedimentales y requisitos sobre los cuales gira su reconocimiento y que vienen siendo interpretados por la Administración Tributaria (AATT) y regulados en las normas con carácter restrictivo.

Tal es así que, en la actualidad, para acceder a este beneficio fiscal, el arrendador debe cumplir, en primer lugar, una serie de requisitos generales que delimitan su aplicación: *la consideración como inmueble destinado a vivienda habitual, los elementos del cálculo de los rendimientos netos positivos (ingresos - gastos deducibles) y la imposibilidad de aplicar la reducción si se encuentran que los ingresos no se han declarado o se han aplicado gastos de manera indebida en la autoliquidación y se descubren un procedimiento de verificación de datos, de comprobación limitada o de inspección*[9]. En segundo término, se deben atender a determinadas condiciones específicas que delimitan el porcentaje concreto de reducción aplicable: *rehabilitación del inmueble, ubicación en zona tensionada, calificación como vivienda de nuevo alquiler, arrendamiento a jóvenes, cesión a la Administración o a entidades sin ánimo de lucro para programas de*

---

[6] Se elimina la reducción del 100% por el art. 1.13 de la Ley 26/2014, de 27 de noviembre.

[7] En ese sentido se regula en el Preámbulo y en el art. 69. Uno de la Ley 39/2010, de 22 de diciembre, de Presupuestos Generales del Estado para el año 2011.

[8] Así la Disposición final segunda. Incentivos fiscales aplicables en el Impuesto sobre la Renta de las Personas Físicas a los arrendamientos de inmuebles destinados a vivienda, de la Ley 12/2023, de 24 de mayo, que modifica el art. 23.2 de la LIRPF.

[9] Conforme a la redacción dada al art. 23.2 LIRPF por la Ley 11/2021, de 9 de julio (Ley Antifraude), de medidas de prevención y lucha contra el fraude fiscal, de transposición de la Directiva (UE) 2016/1164, del Consejo, de 12 de julio de 2016, por la que se establecen normas contra las prácticas de elusión fiscal que inciden directamente en el funcionamiento del mercado interior, de modificación de diversas normas tributarias y en materia de regulación del juego.

acceso a la vivienda, o aplicar una reducción de al menos un 5 % en la cuota del alquiler, entre otros supuestos[10].

En este contexto, el entramado de requisitos configurado por la evolución normativa del beneficio fiscal pone de manifiesto no solo la persistencia de problemas estructurales ya endémicos, sino también la aparición de nuevos obstáculos que dificultan su efectiva materialización. Todo ello termina por desvirtuar los objetivos extrafiscales que lo inspiran. Por esta razón, resulta imprescindible profundizar en su estudio, a fin de advertir las consecuencias derivadas de una aplicación cada vez más restrictiva.

Así, a través de este documento pretendemos ofrecer un estudio sobre el debilitamiento que sufre este beneficio fiscal. En primer lugar, analizando cuáles son los problemas tradicionales que se han tenido que superar para tener acceso a este, para luego adentrarnos en las singularidades normativas que se deben sortear con las recientes modificaciones que han introducido la Ley Antifraude y la Ley de Vivienda. Singularidades que parecen haber terminado lastrando la finalidad extrafiscal sobre la cual se creó el beneficio y que se ha utilizado como justificación para la existencia de la reducción: incrementar la oferta de las viviendas arrendadas y minorar el precio de los alquileres.

II. LOS PROBLEMAS TRADICIONALES PARA LA APLICACIÓN EFECTIVA DE LA REDUCCIÓN

1. EL CONCEPTO DE ARRENDAMIENTO DE BIENES INMUEBLES DESTINADOS A VIVIENDA

Una de las principales dificultades para aplicar la reducción analizada radica en que se reserva únicamente a los arrendamientos destinados a vivienda. Ello exige, en primer lugar, delimitar qué debe entenderse por "arrendamiento de vivienda" y, en segundo término, examinar los problemas que genera su interpretación.

La norma tributaria no define dicho concepto. Por ende, según el art. 12.1 LGT, el cual hace referencia al apartado 1 del artículo 3 del Código Civil, los términos no definidos en la normativa fiscal deben interpretarse conforme a su sentido jurídico, técnico o usual. Esto invita a interpretar el concepto de vivienda conforme a su delimitación legal y no de acuerdo con su sentido literal[11]. De este modo, a pesar de que parecen haber diversas normas que ofrecen una perspectiva más amplia de lo que se puede llegar

[10] De acuerdo con la redacción dada al art. 23.2 LIRPF por la Ley de Vivienda.

[11] En ese sentido el TSJ de Andalucía en Sentencia de 15 de febrero de 2016, Rec. nº 1253/2010 y el TSJ de Baleares en Sentencia de 20 de octubre de 2010, Rec. nº 498/2007.

a considerar una vivienda[12], la norma escogida por la administración como referencia para delimitar el concepto ha sido la LAU[13].

Así, según el art. 2 LAU, se entiende por arrendamiento de vivienda aquel que recae sobre una edificación habitable cuyo destino primordial sea satisfacer la necesidad permanente de vivienda del arrendatario, incluyendo los anejos (garajes, trasteros, etc.) cuando sean accesorios (art. 2 LAU y 22.2 LIRPF)[14]. Por exclusión, el art. 3 LAU niega tal consideración a los arrendamientos por temporada (turísticos o no) y a aquellos destinados a actividades industriales, comerciales, profesionales o recreativas. Además, el art. 5 LAU enumera otros supuestos excluidos (viviendas militares, universitarias, de servicio, agrícolas, turísticas, entre otras).

Con base en estas disposiciones y haciendo uso de las facultades interpretativas (art. 12 LGT) y de calificación (art. 13 LGT), la AATT ha venido configurando una delimitación restrictiva sobre lo que se considera vivienda, excluyendo determinados supuestos que resultan conflictivos, incluso, en el ámbito civil. De ahí que se cuestione la suficiencia de la LAU como norma de referencia para delimitar el concepto de vivienda, pues excluye supuestos que podrían quedar comprendidos en él si se atendiera a los objetivos extrafiscales que fundamentan la reducción[15]. Por regla general, se ha negado la reducción por entender que no satisfacen la necesidad permanente de vivienda del arrendatario en supuestos de arrendamientos de temporada[16], sean turísticos[17]

---

12 Algunos autores, como Fraile Fernández, proponen atender a la normativa sobre edificación para su definición. Así, se entendería el concepto de vivienda todo inmueble legalmente habitable. El autor entiende aplicables normas, tales como el Real Decreto 314/2006, de 17 de marzo, por el que se aprueba el Código Técnico de la Edificación, que deriva del mandato de la Ley 38/1999, de 5 de noviembre de Ordenación de la Edificación; y el Real Decreto Legislativo 7/2015, de 30 de octubre, por el que se aprueba el Texto refundido de la Ley del Suelo y Rehabilitación Urbana. Fraile Fernández, R. (2018). "Interpretación de la norma tributaria. ¿Por qué no aplicar la reducción del 60% al alquiler vacacional?". *Revista Quince Fiscal*, (18), Aranzadi, pág. 3.

13 Resolución TEAC de 8 de marzo de 2018, 00/05663/2017/00/00.

14 Así, la DGT en CV0173-14, 27 de enero y CV1865-08, de 16/10/2008.

15 En ese sentido, Sánchez Manzano, J. D. (2024). "La doctrina administrativa en torno a la reducción por arrendamientos de vivienda. Los arrendamientos de temporada. Particular alusión a los arrendamientos a estudiantes en el marco de los rendimientos del capital inmobiliario en el IRPF", *Quincena Fiscal*, (14), Sección Estudios, Aranzadi.

16 Entre otras, la DGT en CV1163-04 y CV1167-04 de 3 de mayo de 2004. Así como en, CV-1754-09, de 27 de julio de 2009; CV1523-10, de 7 de junio de 2010 y CV3190-15, de 21 de octubre de 2015.

17 En ese sentido, la DGT en, CV0373-07, de 26 de febrero de 2007; CV2277-06, de 16 de noviembre de 2006; CV0862-08, de 24 de abril de 2008 y; CV1691-08, de 16 de septiembre de 2008, entre otras.

o no, los de casas rurales[18] o aquellos concertados con personas jurídicas que destinan la vivienda a sus empleados[19]. Excluyendo por obvias razones los supuestos de alquiler turístico, encontramos casos en los que la interpretación de "temporalidad" y de la identificación del sujeto arrendatario se han convertido en un foco de inseguridad jurídica.

Para analizar la problemática que subyace en dicha interpretación debemos aclarar dos cuestiones fundamentales. En primer lugar, debe señalarse que el concepto de arrendamiento de "vivienda" no equivale al de vivienda habitual ni al de domicilio fiscal, categorías bien delimitadas en normas tributarias pero que consideramos irrelevantes aquí[20]. De allí que, en segundo lugar, sea necesario aclarar que estamos ante un concepto civil que busca delimitar las obligaciones y derechos de arrendatario y arrendador en unas concretas situaciones asociadas al arrendamiento de una edificación. En consecuencia, el concepto parece descansar en dos notas: habitabilidad y vocación de permanencia. Mientras la primera no plantea grandes problemas (mínimas condiciones de salubridad y seguridad)[21], la segunda ha distado de tener una interpretación pacifica en el ámbito civil, muchos menos en sede tributaria.

En la práctica la AATT ha venido interpretando esa vocación de permanencia aplicando la LAU de manera restrictiva centrándose en el tiempo de duración del contrato. Así, con apoyo del TEAC[22], se ha venido denegando la reducción en supuestos de arrendamientos de corta duración que, sin tener una finalidad de turismo u ocio, son considerados "de temporada" por tener una duración inferior a un año[23]. Tal y como hemos mencionado, ello ha terminado afectando, por ejemplo, a contratos de estudiantes o trabajadores desplazados por periodos inferiores a un año[24]. En estos casos, se ha

18 Así, la DGT en, CV1213-05, de 23 de junio de 2005; CV0017-07, de 9 de enero de 2007 y; CV0824-09, de 16 de abril de 2009.

19 De conformidad con la DGT en CV2277-06, de 16 de noviembre de 2006; CV0862-08 de 24 de abril de 2008; CV1691-08, de 16 de septiembre de 2008; CV0063-11, de 18 de enero de 2011 y; CV0983-17, de 20 de abril de 2017.

20 De allí que, compartimos la posición de Fraile Fernández, cuando expresa que la normativa del IRPF está llena de referencias a la vivienda habitual y el domicilio, desarrollándolos plenamente a nivel legal como reglamentarios, por ello, si el legislador hubiera querido darles alcance a estos conceptos para el caso del arrendamiento de viviendas así lo hubiera recogido. Fraile Fernández, R. (2018), *op. cit.*, pág. 4.

21 Tal y como se delimitan en los mencionados Código Técnico de la Edificación y en la Ley del Suelo y Rehabilitación Urbana.

22 Resolución TEAC de 8 de marzo de 2018, 00/05663/2017/00/00.

23 En ese sentido, la DGT en CV-1754-09, de 27 de julio de 2009; CV1523-10, de 7 de junio de 2010, CV3190-15, de 21 de octubre de 2015 y, CV0444-24, de 18 de marzo de 2024.

24 Sánchez Manzano, J. D. (2024). "La doctrina administrativa en torno a la reducción por arrendamientos de vivienda. Los arrendamientos de temporada. Particular alusión a los arren-

considerado que se tendrá derecho a la reducción por considerarlo arrendamiento de vivienda si estamos ante un arrendamiento que va más allá de la mera temporada. Es decir, cuando se va a alquilar por un período superior a un año y tenga como finalidad primordial satisfacer la necesidad permanente de vivienda del arrendatario[25], sin que importe su condición (estudiante o trabajador desplazado)[26].

Esta posición es controvertida, pues, en el ámbito civil, el objetivo de la LAU a la hora de delimitar un arrendamiento de vivienda no parece enfocarse en el efecto temporal del arrendamiento, más sí en poder diferenciar los arrendamientos que tengan como destino el uso de la edificación para fines diferentes a los de vivienda y los que no, pues sobre los primeros es que versarán las obligaciones y derechos en ella consagrada. Por ello, si bien es cierto que el art. 9 LAU establece la duración mínima del contrato de 1 año cuando las partes no lo determinen, también se recoge que su duración puede ser libremente pactada, permitiendo la existencia de un contrato de arrendamiento de vivienda de cualquier plazo. Lo cierto es que, tal y como lo expresa la Audiencia Provincial de Cantabria, "(...) es pacífica la jurisprudencia que establece que la calificación de arrendamiento de temporada no deriva del plazo concertado, sino de la finalidad de la ocupación, (...), porque el requisito de la temporalidad no está relacionado con el plazo acordado, sino con la causa y finalidad de la ocupación (...)"[27]. De igual manera, la Audiencia Provincial de Cáceres, ha señalado que, "(...) la temporada no se concibe como un lapso temporal determinado por las partes, sino que se contempla como temporadas preconstituidas que, habitualmente, se corresponden con periodos vacacionales, como expresamente indica el precepto refiriéndose a la temporada de «verano»"[28].

Por ende, habremos de ser críticos con la posición defendida por la AATT. Especialmente porque cada vez son más los Tribunales Superiores de Justicia (TSJ) que señalan que no es necesario que el contrato tenga una duración determinada para aplicar la reducción del art. 23.2 LIRPF. En primer lugar, porque los entiende que la LIRPF no remite expresamente a la LAU para definir el concepto[29]. En segundo lugar, porque se considera pacífico el concepto de vivienda vinculado al inmueble en el que una o varias

damientos a estudiantes en el marco de los rendimientos del capital inmobiliario en el IRPF", ob. cit.,

25 En estos casos se admitía la reducción del alquiler de una vivienda a estudiantes porque la duración del contrato de arrendamiento establecía un plazo de dos años. Así la DGT en CV1236-18 de 11 de mayo de 2018 y CV0093-19 de 15 de enero de 2019.

26 En ese sentido la DGT en CV2810-19 de 11 de octubre de 2019.

27 Así, la SAP de Cantabria 827/2011, de 28 de septiembre de 2011, rec. 534/2010, FJ. Cuarto.

28 En ese sentido la SAP de Cáceres 834/2015, de 20 de noviembre de 2015, rec. 479/2015, FJ. Cuarto.

29 Así, la STSJ de Galicia 150/2024, de 28 de febrero de 2024, rec. 15500/2023.

personas residen. Por ende, no es comprensible que la Administración haya pretendido restringirlo incorporando al mismo la palabra "habitual", término que no emplea el artículo y que, por ello, no sería aplicable[30]. Así, concluyen, en tercer lugar, que, la Ley no condiciona la reducción a la duración del arrendamiento, ya que solo exige que el arrendatario destine el inmueble a vivienda[31].

A ello se suma un elemento que resulta contradictorio. La reducción sí se permite en supuestos en los que se ofrece un contrato de alquiler a un estudiante o trabajador desplazado temporal mayor a un año, mientras se limita su acceso en aquellos contratos realizados por un periodo inferior. Especialmente, cuando en ambos casos lo que se busca es un lugar en donde desarrollar los aspectos propios del ámbito de la personalidad, es decir, satisfacer una necesidad de vivienda con una vocación de permanencia determinada por sus condiciones escolares, académicas o laborales.

Evidentemente esto es un problema derivado de una deficiente interpretación de las normas acudiendo al sentido técnico-jurídico de la institución, que se supone se recoge de manera plena en la LAU, cuando no es así. Lo anterior queda en evidencia cuando entendemos que, los contratos de arrendamiento vivienda que tenga una duración inferior a un año no están dentro del ámbito de aplicación de la LAU, rigiendo para ellos el código civil[32]. De allí que, el contrato de arrendamiento de vivienda no pierde su condición y naturaleza jurídica, ni como contrato de arrendamiento, ni en su destino como uso de vivienda, mucho menos en su vocación de permanencia, si dura menos de un año.

Este mismo problema de interpretación alcanza otro supuesto que se ha visto rodeado de gran controversia y que parece haberse zanjado recientemente de manera favorable: la exclusión de supuestos en los que el arrendatario formal era una persona jurídica (empresa o entidad), pese a que el destino real del inmueble era vivienda para personas físicas. Durante años, la Administración negó la reducción bajo el argumento de que no se cumplía la exigencia de encontrarnos ante un contrato de alquiler de vivienda "permanente del arrendatario"[33]. Sin

---

30 En ese sentido la STSJ de Madrid 10348/2021, de 6 de octubre de 2021, rec. 1558/2019.

31 Junto a las dos decisiones referenciadas, se suma la STSJ de Castilla y León (Burgos) 3200/2022, de 22 de junio, rec. 83/2022.

32 Tal y como lo recoge la ya mencionada SAP de Cantabria 827/2011, de 28 de septiembre de 2011, rec. 534/2010, FJ. Cuarto.

33 La AATT defendía que, "(...) con independencia de la posterior utilización de la vivienda por parte de la empresa, no constituye la vivienda del arrendatario, por lo que se debe entender, a los exclusivos efectos de este Impuesto, que se trata de un arrendamiento distinto del de vivienda". En ese sentido la DGT en CV0063-11, de 18 de enero de 2011; CV0437-12, de 27 de febrero de 2012 y; CV2797-16, de 21 de junio de 2016. Incluso se había manifestado en ese sentido el TEAR de Madrid en Resoluciones 28/3266/09 y 28/6853/09, de 29 de marzo de 2010.

embargo, los TEAR (entre otros, Madrid[34], Valencia[35], Cataluña[36] y Andalucía[37]), y los TSJ de varias comunidades autónomas (entre otros, Madrid[38], Galicia[39] y Cataluña[40]) corrigieron esta posición, recordando que el mero recurso al concepto de arrendamiento de vivienda plasmado en la LAU no era suficiente para negar el derecho, más aún cuando se plantean requisitos que la norma no exige. Por ello, señalan que lo relevante es el destino efectivo del inmueble. Lo anterior parecía haber sido completamente resuelto por el TEAC en resolución de 8 de septiembre de 2016, a través del cual se unificó criterio señalando que, mientras se respete la finalidad de vivienda, la condición del arrendatario no impide aplicar la reducción[41].

Ahora bien, persiste cierta incertidumbre ya que en estos casos se exige que el inmueble alquilado por una persona jurídica con destino como uso de vivienda para sus empleados, debe venir acompañada de una identificación plena del inquilino para determinar que la edificación va a tener un uso de vivienda y procede la aplicación de la reducción[42]. Esto puede afectar a contratos con personas jurídicas cuando no es posible identificar plenamente al usuario de la vivienda, como ocurre en los alquileres a fundaciones o entidades sociales que destinan inmuebles a colectivos vulnerables. La Administración, en consultas vinculantes[43], ha exigido identificar nominativamente al inquilino, lo que en muchos casos resulta impracticable.

---

34 Resolución 28/3266/09 y 28/6853/09, de 29 de marzo 2010.

35 Resolución 46/348/2011, de 30 de septiembre de 2011

36 Resolución 43/540/2012, de 30 de junio de 2015

37 Resolución de 18 de enero de 2013.

38 Así, las STSJ de Madrid de 18 de abril, rec. 1121/2010 y; de 23 de abril de 2013, rec. 1150/2010.

39 STSJ de Galicia de 3 de junio de 2015, rec. 15500/2014.

40 Entre otras, las STSJ de Cataluña de 17 de julio de 2012, rec. 612/2009 y; de 21 de febrero de 2014, rec. 744/2011.

41 Resolución TEAC, de 8 de septiembre de 2016, 28/22382/2023/00/00. En el mismo sentido se pronunciaba el TSJ de Madrid en Sentencia de 2 de junio de 2004.

42 En ese sentido, la TSJ de Cataluña señala también que, "ha quedado plenamente identificada la finalidad del arrendamiento en los términos expresados en la norma, constando el uso exclusivo de la vivienda para una persona física determinada, al expresar los términos del contrato que el objeto del arrendamiento se destinará a vivienda habitual del director general de la compañía y su familia". STSJ de Cataluña de 21 de febrero de 2014, rec. 744/2011.

43 Así lo había venido considerando la DGT en CV-1650-13, de 20 de mayo de 2013 y CV 1317-20, de 08 de mayo de 2020.

Esta interpretación resulta contraria al espíritu de las políticas de vivienda y a lo establecido en la nueva redacción dada al art. 23.2 LIRPF por la Ley de Vivienda. En ella, se crean incentivos a los alquileres sociales, que abarcan aquellas cesiones o alquileres de vivienda a entidades sin ánimo de lucro especializadas en la atención a hogares o colectivos vulnerables. En donde, aquellos propietarios que pongan su vivienda a disposición de entidades del tercer sector que vayan a estar destinadas a la vivienda o alojamiento de personas u hogares vulnerables se podrían acoger a una generosa reducción del rendimiento neto obtenido a través del acuerdo con la entidad[44].

Un último ejemplo paradigmático sobre esta interpretación restrictiva y contradictoria con los objetivos extrafiscales en los que se soporta el beneficio fiscal lo constituyen los arrendamientos de vivienda en zonas rurales. Aunque cumplen los requisitos de habitabilidad y permanencia, habría de quedar fuera del ámbito de la LAU, que se aplica a fincas urbanas. Ello impediría aplicar la reducción, contradiciendo las políticas públicas de lucha contra la despoblación y los planes europeos de recuperación que incentivan la residencia en entornos rurales. Estas políticas pretenden luchar contra la despoblación dentro de un gran plan europeo enfocado a favorecer la transición ecológica, la conectividad del medio rural, la igualdad de oportunidades, el desarrollo del territorio, el impulso de un turismo sostenible y del tejido productivo local, así como fomentar la deslocalización de los servicios públicos y promover la cultura[45]. Si a ello le sumamos las oportunidades generadas por la tecnología y las nuevas modalidades de trabajo a distancia, el hecho de impedir el acceso a la reducción bajo una delimitación restrictiva del concepto de contrato de alquiler de vivienda puede generar una discriminación que impida alcanzar los objetivos y fundamentos extrafiscales sobre los que se soporta el beneficio fiscal.

Estos ejemplos, plantean la necesidad de interpretar el concepto de la manera más amplia posible conforme al espíritu de las normas que son válidamente usadas como herramientas interpretativas a nivel tributario. Por ello, habremos de considera que estamos ante un arrendamiento de vivienda como concepto usado para la aplicación de la reducción cuando el destino de la edificación sea su uso como hogar por parte de una persona determinada o no, la cual tenga una vocación de permanencia que no depende de la duración del contrato sino del uso dado a la misma.

44 Calvo Vérgez, J. (2021). "La aplicación en el IRPF de la reducción por alquiler de vivienda en los supuestos de comprobación". *Revista Quincena Fiscal*, (12), Aranzadi, págs. 10 y 11.

45 En el Plan de Recuperación y Resiliencia español se planeaban destinar más de 10.000 millones de euros para ello. Ver en: https://www.lamoncloa.gob.es/presidente/actividades/Documents/2020/07102020_PlanRecuperacion.pdf.

2. LOS PROBLEMAS CON LA CUANTIFICACIÓN DE LOS RENDIMIENTOS NETOS POSITIVOS DEL CAPITAL INMOBILIARIO: EL ETERNO DILEMA DE LOS GASTOS DEDUCIBLES

Una vez se logre interpretar que estamos ante un contrato de "arrendamiento de vivienda", el siguiente elemento sobre el que debemos tener cuidado es la obligación que recae en el arrendador de calcular, en sus autoliquidaciones, los rendimientos de capital inmobiliario originados del contrato conforme el art. 22 y 23 LIRPF.

Recordemos que la reducción se calcula de acuerdo con el porcentaje del rendimiento neto positivo que haya liquidado el contribuyente en su autoliquidación. Es decir, para poder aplicar la reducción, el arrendador deberá incorporar los rendimientos íntegros obtenidos del capital inmobiliario y proceder a reducir el importe de los gastos fiscalmente deducibles necesarios para su obtención y que se correspondan con el periodo durante el que el inmueble estuvo generando los rendimientos (art. 23 LIRPF). Esto será relevante, no sólo para efecto matemático de la cuantía a la que se tiene derecho como reducción, sino que también, por cuanto, conforme a la redacción dada por la Ley Antifraude, no se podrá aplicar la reducción respecto de la parte de los rendimientos netos positivos derivada de ingresos no incluidos o de gastos indebidamente deducidos en la autoliquidación del contribuyente y que se regularicen en alguno de los procedimientos citados en el párrafo anterior, incluso cuando esas circunstancias hayan sido declaradas o aceptadas por el contribuyente durante la tramitación del procedimiento.

Es por ello por lo que habremos de delimitar en primer lugar la obtención de los rendimientos íntegros. Si bien, este apartado no genera mayor controversia, es necesario entender como tales, a todos aquellos que se obtengan por el titular de bienes inmuebles (rústicos o urbanos), así como de derechos reales que recaigan sobre tales bienes, como consecuencia del arrendamiento, la constitución o la cesión de derechos o facultades de uso o disfrute sobre los mismos, siempre que los inmuebles no se encuentren afectos a actividades económicas realizadas por su propio titular.

Así, se desprende que, no se incluyen las rentas obtenidas por la transmisión de los inmuebles que, se considerarán como ganancia o pérdida patrimonial (art. 37.1.f LIRPF), ni las derivadas del subarriendo que se consideran como rendimiento del capital mobiliario, pues el subarrendador no es titular del inmueble ni de ningún derecho real que recaiga sobre el mismo (art. 25.4.c LIRPF) y; en el mismo sentido, no se habrán de incluir las rentas obtenidas mediante la ordenación por cuenta propia de medios de producción y de recursos humanos o de uno de ambos, con la finalidad de intervenir en la producción o distribución de bienes o servicios, en donde el bien está afecto a dicha ordenación, se considerará que estamos ante un rendimiento de actividades económicas (art. 27 LIRPF)[46]. Ahora, en cuanto a su cuantificación, el rendimiento íntegro del capital inmobiliario se obtiene a partir de todos los importes que deba satisfacer el arrendatario, cesionario o subarrendatario al titular del inmueble o de derechos reales sobre él (art. 22 LIRPF), excluido únicamente el IVA o el IGIC. Ello incluye rentas principales y cantidades accesorias como mobiliario o gastos repercutidos (IBI, comunidad, suministros), que a su vez deben computarse también como gasto deducible[47], siendo relevantes en el cálculo de los límites a intereses, financiación y reparaciones, los cuales no puede exceder del rendimiento íntegro obtenido (art. 23.1.a.1. LIRPF).

Ahora bien, en cuanto a la posibilidad de deducir "todos los gastos necesarios" y así obtener el rendimiento neto positivo requerido, el art. 23.1 LIRPF y el art. 13 RIRPF, enumeran de manera abierta partidas como intereses, tributos, gastos de conservación o amortizaciones. A diferencia de lo que ocurre en el ámbito de las rentas del trabajo, no existe una lista cerrada. Así, la jurisprudencia y la doctrina administrativa han entendido que el concepto de gasto necesario no equivale a gasto inexcusable, sino a aquel que, aun prescindible en abstracto, guarda una relación objetiva con la generación de los rendimientos y resulta normal en el ámbito en que se incurre[48].

Pese a la apariencia de flexibilidad, la aplicación práctica de esta regla dista de ser pacífica. Buena muestra es la controversia sobre el valor de adquisición a efectos de calcular la amortización de inmuebles heredados. La AEAT defendía que debía atenderse al valor catastral[49], mientras que el Tribunal Supremo[50], corrigiendo este criterio, fijó doctrina estableciendo que debe considerarse el valor declarado en el Impuesto sobre Sucesiones y Donaciones o el comprobado por la Administración. La cuestión es trascendente, pues condiciona directamente la cuantía deducible por amortización y, con ello, la base sobre la que se proyecta la reducción del art. 23.2 LIRPF.

En definitiva, aunque el ordenamiento reconoce al contribuyente la posibilidad de minorar los ingresos íntegros mediante los gastos deducibles para reflejar con mayor precisión su capacidad económica real, la interpretación restrictiva de la Administra-

---

46 El art. 27.2 LIRPF establece un criterio objetivo para determinar cuando el arrendamiento de un inmueble se entiende realizado como una actividad económica. Se considerará como tal si en la ordenación de la actividad se está haciendo uso, al menos de una persona con contrato laboral a jornada completa, sin que se necesario justificar la necesidad de la contratación desde el punto de vista económico. En ese sentido la STS 3472/2025, de 14 de julio de 2025, Recurso de Casación 2197/2023.

47 En ese sentido la DGT en CV1865-99, de 14 de octubre de 1999.

48 Garcia Berro, F. (2020). "Capítulo III. El Impuesto sobre la Renta de las Personas Físicas (II)". en Pérez Royo, F. (Dir.), *Curso de Derecho Tributario. Parte Especial,* 14ª Ed., Tecnos, pág. 157.

49 Por ejemplo, la DGT en CV 0112-18, de 19 de enero.

50 STS 1130/2021, de 25 de septiembre, Recurso de Casación 5664/2019.

ción y la existencia de categorías jurídicas imprecisas generan una notable inseguridad. Ello evidencia que uno de los principales obstáculos para la efectiva aplicación de la reducción del art. 23.2 LIRPF no reside tanto en la propia norma que la regula, sino en la complejidad del cálculo del rendimiento neto que la condiciona.

Muestra de ello, es que persisten otras dos fuentes de conflicto en las que nos habremos de centrar: en primer lugar, la deducibilidad de los gastos soportados antes del arrendamiento efectivo, cuyo nexo con la obtención de ingresos suele ser cuestionado por la Administración; y, en segundo lugar, la clásica controversia entre gastos de conservación y reparación, deducibles, frente a los de ampliación o mejora, que no lo son. La dificultad radica en fijar criterios objetivos de diferenciación, lo que genera un elevado volumen de litigiosidad.

2.1. La aplicación de los gastos previos al arrendamiento del bien

La normativa del IRPF establece que solo podrán deducirse los gastos en que se incurra cuando el inmueble esté efectivamente arrendado o subarrendado. Sin embargo, surgen controversias respecto de los gastos soportados por el arrendador con carácter preparatorio o previo al arrendamiento, en particular aquellos destinados a la reparación y conservación del inmueble, sujetos al límite de los rendimientos íntegros obtenidos. A ello se suman dudas sobre la deducibilidad de desembolsos como IBI, tasas locales, suministros, cuotas de comunidad, amortización o intereses de capitales ajenos, que pueden considerarse necesarios para mantener la vivienda en condiciones de habitabilidad y, en definitiva, lista para generar rentas.

La regla general admite la deducibilidad de estos gastos si se acredita la correlación entre el desembolso y la futura obtención de rendimientos de capital inmobiliario, lo que exige demostrar que los actos se orientan exclusivamente a posibilitar un arrendamiento (a través del arrendamiento o de la constitución o cesión de derechos de uso o disfrute) y no al disfrute personal del inmueble, aunque sea temporal[51].

En relación con los gastos de reparación y conservación, la doctrina administrativa ha sido uniforme: deben correlacionarse con la futura obtención de ingresos y no podrán exceder de los rendimientos íntegros del ejercicio, pudiendo imputarse el exceso en los cuatro años siguientes. La DGT ha admitido la deducción de conceptos como sustitución de caldera (CV0391-21, de 25/02/21), reparación de aire acondicionado, pintura (CV3146-18, de 11/12/2018) o acuchillado de suelos, y cualquier gasto de obras o reformas que no puedan asociarse al concepto de mejoras (CV0332-21, de 24/02/21), incluso si se realizan antes del arrendamiento y sin que sea necesario que las mismas se

---

51 Entre otras, la DGT en CV0070-05, de 26 de enero de 2005; CV0391-21, de 25 de febrero de 2021 y; CV1401-21, de 13 de mayo de 2021.

hayan realizado por un empresario o profesional[52]. En sentido contrario, excluye adquisiciones de mobiliario y electrodomésticos (CV0770-09, de 14/04/09) o, muebles de la cocina u otros elementos que se vayan a instalar (CV0070-05, de 26/01/2005) que, en su caso, deberán amortizarse conforme al art. 13 RIRPF.

Otros gastos previos, como los derivados de servicios de gestión inmobiliaria (búsqueda de inquilinos, asesoramiento técnico o jurídico, puesta a punto de la vivienda), se consideran deducibles si se cumple la correlación con ingresos futuros (CV0015-13, de 3/01/13). Lo mismo ocurre con las primas de seguros vinculados al inmueble (responsabilidad civil, incendio, robo, cristales), que pueden computarse como gasto (CV0391-21, de 25/02/21). En todos estos casos, el arrendador deberá acreditar la expectativa de alquiler por medios de prueba admitidos en derecho, cuya valoración corresponde a la AEAT en sus procedimientos de aplicación de tributos comprobación (CV0332-21, de 24/02/21).

En relación con la deducibilidad de los gastos por intereses y amortización, la doctrina no es tan favorable. El TEAC, en resolución de 2 de febrero de 2006 (00/01620/2003/00/00.2003), unificó criterio señalando que la deducción de estos gastos no procede mientras el inmueble no se encuentre efectivamente arrendado. De ahí que solo resulten deducibles los intereses y la amortización durante los periodos en los que el bien genere rendimientos (CV0322-19, de 15/02/19), correspondiendo imputar renta inmobiliaria en los lapsos de vacancia. De igual modo, el IBI, tasas locales, gastos de comunidad y suministros solo pueden deducirse proporcionalmente al tiempo en que el inmueble esté arrendado, según la Sentencia del TS de 25 de febrero de 2021[53]. Esta limitación se justifica por la necesaria correlación entre gasto e ingreso.

No obstante, ciertos pronunciamientos judiciales apuntan en otra dirección. El TSJ del País Vasco, en Sentencia de 14 de octubre de 2015[54], sostuvo que los inmuebles destinados a arrendamiento generan gastos cuya única finalidad es mantenerlos en condiciones de habitabilidad, aun cuando no se logre el arrendamiento inmediato. Según este criterio, la correlación no exige la existencia efectiva de ingresos, sino la orientación objetiva de los gastos a posibilitarlos en el futuro[55]. Aunque dicho fallo se dictó en relación con arrendamientos como actividad económica, su razonamiento podría pro-

52 La DGT aclara que es posible la deducción, siempre y cuando los gastos efectuados tienen que ser acreditados por el propietario, por los medios de prueba admitidos en derecho, estando a lo dispuesto al artículo 106 de la LGT. DGT en CV3082-23, de 24 de noviembre,

53 STS 910/2021, de 25 de febrero, rec. 1302/2020, FJ Cuarto y Sexto.

54 STSJ PV 3454/2015, de 14 de octubre, rec. 685/2014, FJ. Quinto.

55 Así también lo ha recogido Salcedo, J. M. (2017). "¿Son deducibles los gastos que genera un inmueble mientras no está alquilado?". *Revista de Administración de Fincas*, (161), CGCAFE, pág. 47.

yectarse sobre arrendamientos de vivienda ordinarios, en particular en contextos en que el propietario acredite esfuerzos efectivos para poner el inmueble en alquiler.

Esta interpretación se podría llegar a armonizar con la obligación de imputar rentas inmobiliarias en el IRPF por los periodos sin arrendamiento. Permitir la deducibilidad de determinados gastos en tales periodos compensaría la rigidez del sistema y daría respuesta a la crítica de que la imputación de rentas desconoce la capacidad económica real del contribuyente, que sí soporta desembolsos necesarios, aunque el inmueble permanezca vacío[56].

De este modo, esta tensión generada por las situaciones controvertidas en la limitación de los gastos deducibles previos al alquiler habrá de terminar incidiendo directamente en la determinación del rendimiento neto y, en consecuencia, en la aplicación de la reducción del art. 23.2 LIRPF, cuyo alcance se ve condicionado por la restrictiva interpretación administrativa.

2.2. *Los gastos de conservación y reparación frente a los de ampliación y mejora*

Este aspecto tampoco es ajeno a la generación de controversias jurídicas. Como se ha señalado, los gastos de reparación y conservación se consideran deducibles, incluso si se realizan antes del arrendamiento, siempre que exista la necesaria correlación con la futura generación de rendimientos. El problema surge al diferenciarlos de los gastos de ampliación o mejora, que no son deducibles conforme al art. 13 RIRPF, al tratarse de inversiones sujetas a amortización según el art. 14 RIRPF.

La LIRPF no define estos conceptos, por lo que debe acudirse a criterios técnicos. En ese sentido, la Resolución del Instituto de Contabilidad y Auditoría de Cuentas (ICAC) de 1 de marzo de 2013[57] sobre inmovilizado material y de inversiones inmobiliarias distingue: *reparación*, la reposición de un activo en condiciones de funcionamiento; *conservación*, las actuaciones que mantienen su capacidad productiva; *mejora*, las actividades que aumentan su eficiencia (norma Segunda 2.2.1); y *ampliación*, la incorporación de nuevos elementos que incrementan su capacidad (norma segunda 2.2.3).

Debido a lo anterior, la fórmula escogida por regla general para delimitar uno u otra partida, la podemos encontrar recogida en diversas Consultas Vinculantes de la

---

56 Recordemos que la imputación de rentas inmobiliarias fue declarada constitucional por STC 295/2006, de 11 de octubre, FJ. Sexto. Ello, con ocasión a la existencia de una renta potencia, en donde, para su cálculo, no se tiene en cuenta ningún gasto en el que incurra el arrendador.

57 BOE nº. 58, de 8 de marzo de 2013, Ref. BOE-A-2013-2557.

DGT[58], en donde se señala que habremos de entender como gastos de reparaciones y conservaciones los destinadas a mantener la vida útil del inmueble y su capacidad productiva o de uso, mientras que los vinculados al concepto de ampliación o mejora se centran en un aumento de la capacidad o habitabilidad del inmueble y/o en un alargamiento de su vida útil. No obstante, dicha delimitación dista de ser pacífica ya que se evidencia gran subjetividad en su interpretación, de allí que contamos con numerosa jurisprudencia y doctrina administrativa que ha venido interpretando estos conceptos.

Entre los gastos calificados como reparación y conservación encontramos: arreglo de cubiertas, sustitución de solería[59], reformas de carpintería de puertas y ventanas, impermeabilización[60], cambios de grifería e instalaciones eléctricas, reparación de muros y pintura[61], saneamiento de tuberías y paredes[62], alicatado[63], eliminación de humedades[64], conversión de un ático[65], así como actuaciones más complejas como el micropilotaje para evitar daños estructurales[66]. También se incluyen la colocación de ventanas de aluminio, instalación eléctrica y reforma total del cuarto de baño[67], la sustitución del tejado o la pintura de fachada[68], siempre que tengan como finalidad mantener el uso normal del inmueble.

Por el contrario, se han calificado como mejoras o ampliaciones, y, por tanto, como inversiones amortizables, actuaciones que en apariencia también podrían considerarse de reparación o conservación: sustitución de lavabos y tuberías con embaldosado, conexión al alcantarillado público[69], remodelación integral de un edificio en ruina[70] o nueva tabicación[71]. Asimismo, la DGT considera mejoras la consolidación estructural

---

58 Así, podemos encontrar la posición de la DGT en CV0398-18, de 15 de febrero de 2018; CV0427-19, de 28 de febrero de 2019 y; CV0121-21, de 28 de enero de 2021, entre otras.

59 TSJ Andalucía de 29 de marzo de 2003

60 TSJ Canarias de 6 de febrero de 2004

61 STSJ Castilla-La Mancha de 10 de octubre de 2003

62 Se ha considerado como gastos de reparación y conservación por la DGT en la CV1180-11, de 12 de mayo de 2011.

63 STSJ Castilla y León de 23 de marzo de 2001

64 STSJ Galicia de 31 de octubre de 2002

65 STSJ Cataluña de 16 de mayo de 2002

66 STSJ Murcia de 13 de noviembre de 2002

67 SAN de 3 de octubre de 2002.

68 STSJ País Vasco de 26 de noviembre de 2003.

69 TSJ Baleares de 30 de abril de 2003

70 STSJ Galicia de 28 de octubre de 2003

71 STSJU Galicia de 28 de octubre de 2003, de 14 y de 17 de noviembre de 2003

(CV1484-97, de 3/07/97), el calzamiento de pilares, la estabilización de cimentaciones[72] o el aislamiento térmico de paredes, incluso cuando persiguen eliminar problemas de humedad y moho, en tanto implican un incremento de la eficiencia del inmueble (CV 1207-16, de 28/03/16.

La línea divisoria, como se aprecia, no siempre resulta clara. En supuestos evidentes, la calificación es sencilla: reparar la avería de una piscina adscrita al inmueble constituye gasto de conservación; construir una piscina nueva es una mejora. Sin embargo, la complejidad se acentúa en situaciones intermedias en las que la frontera entre conservar la funcionalidad del inmueble y aumentar sus prestaciones se difumina. Así, al menos, se puede ver en un caso especial analizado por el TSJ de Cataluña en Sentencia de 16 de julio de 2007[73]. En este, se consideró como gasto de reparación y conservación los acometidos para mantener la vida útil del inmueble o su capacidad de uso, al tratarse de vivienda construida en la posguerra (1940-1950) y recupera la vivienda del deterioro por el uso y el transcurso del tiempo.

En definitiva, esta dificultad interpretativa genera una relevante inseguridad jurídica para el contribuyente. La necesidad de delimitar el gasto deducible de manera correcta no solo incide en la determinación del rendimiento neto del capital inmobiliario, sino que condiciona también la aplicación de la reducción del art. 23.2 LIRPF. Esto sucede por cuanto, con la redacción del mencionado artículo tras la Ley Antifraude, el arrendador, al aplicar como deducible un gasto de reparación o conservación conforme a una interpretación razonable, puede llegar a perder el derecho a la reducción si la Administración, de forma "*subjetiva*", lo recalifica como uno de mejora o ampliación. De este modo, el alcance de los beneficios fiscales vinculados al arrendamiento de vivienda queda indirectamente restringido.

III. LOS NUEVOS PROBLEMAS EN LA APLICACIÓN EFECTIVA DE LA REDUCCIÓN

Junto a los problemas tradicionales de la reducción prevista en el art. 23.2 LIRPF, se han sumado dos modificaciones legislativas que complican aún más su aplicación. La primera procede de la Ley Antifraude, que impide al contribuyente aplicar la reducción cuando, en un procedimiento de comprobación, la AATT detecte ingresos omitidos o gastos "*indebidos*", aun cuando estos sean declarados o reconocidos durante la tramitación. La segunda deriva de la Ley de Vivienda, que introduce un sistema escalonado de porcentajes (50%, 60%, 70% o 90%) en función de requisitos específicos para cada

---

72 La DGT en CV0057-11, de 18 de enero de 2011 y CV427-19, de 28 de febrero de 2019.

73 STSJ de Cataluña 815/2007, de 16 de julio, rec. 1520/2003

modalidad de reducción, muchos de ellos pueden llegar a ser controvertidos debido a la interpretación restrictiva que hemos visto en los problemas tradicionales.

1. LA LEY ANTIFRAUDE Y LA PÉRDIDA AUTOMÁTICA DEL BENEFICIO

Antes de vigencia de la Ley Antifraude, el art. 23.2 LIRPF disponía que la reducción sería aplicable exclusivamente sobre los rendimientos *"declarados por el contribuyente"*. Esta acepción, abrió un gran debate jurídico que sería el motivo real de la nueva redacción dada al artículo por la Ley Antifraude.

En su momento, con el propósito de evitar situaciones susceptibles de fraude, la AATT, respaldada por el TEAC[74], llegó a considerar que no procedía aplicar la reducción si los ingresos no habían sido liquidados total o parcialmente por el contribuyente en su declaración-liquidación o, si los gastos minorados no correspondían con los permitidos a nivel normativo, descubriéndose estas irregularidades por la misma Administración dentro de algunos de los procedimientos de aplicación de tributos. Incluso, se denegaba el derecho al beneficio fiscal si el contribuyente los reconocía dentro de los procedimientos abiertos[75]. Sin embargo, la jurisdicción contenciosa[76] entendió que esa interpretación iba más allá de lo que disponía la literalidad del precepto[77], pues el concepto de "declaración" del art. 119.1 LGT incluye cualquier manifestación presentada ante la Administración, y debía permitirse una regularización íntegra que contemplara también los beneficios fiscales. Así lo avaló el TS[78], invocando los principios de buena administración y tributación íntegra[79].

---

[74] Clave en este asunto fue Resolución del TEAC, de 2 de marzo de 2017, 6326/2016/00/00, dictada en recurso extraordinario para unificación de criterio.

[75] Puerta Arrúe, Á. (2021). "La ocultación de los alquileres en el impuesto sobre la renta de las personas físicas Análisis de la STS de 15 de octubre de 2020, rec. núm. 1434/2019". *Revista de Contabilidad y Tributación*, (457), CEF, abril, págs. 105 y 106.

[76] Por todas las STSJ de Madrid 3604/2012, de 11 de abril, rec. 425/2010; 11438/2014, de 3 de octubre, rec. 964/2012; 8100/2019, de 29 de mayo, rec. 425/2018.

[77] Calvo Vérgez recuerda que los beneficios fiscales deben aplicarse "(...) atendiendo única y exclusivamente a lo dispuesto en la ley, y no atendiendo a interpretaciones restrictivas de lo establecido en una norma legal efectuadas por la Administración tributaria". Calvo Vérgez, J. (2021). "La aplicación en el IRPF de la reducción por alquiler de vivienda en los supuestos de comprobación". *ob. cit.*, págs. 9 y 10.

[78] En ese sentido, lo reconocía el Tribunal Supremo en Sentencias 3264/2020, de 15 de octubre, RJ. 1534/2019 y 4336/2020, de 17 de diciembre, RJ. 4786/2019.

[79] Puebla AgramunT, N. (2019). "La reducción por alquiler en el IRPF". *NuriaPuebla Blog*, 8 de octubre, disponible en: https://www.nuriapuebla.com/blog/la-reduccion-por-alquiler-en-el-irpf/.

Con la Ley Antifraude este debate se cerró y el precepto se endureció. En el contexto normativo vigente, resulta imposible sostener dicha interpretación, puesto que ahora se exige por parte del artículo que los rendimientos netos positivos deben haber sido integrados y calculados por los contribuyentes en sus autoliquidaciones. Además, se aclara que, en ningún caso se habrá de aplicar la reducción respecto de la parte de los rendimientos netos positivos derivada de ingresos no incluidos o de gastos indebidamente deducidos en la autoliquidación del contribuyente y que se regularicen en alguno de los procedimientos citados en el párrafo anterior, incluso cuando esas circunstancias hayan sido declaradas o aceptadas por el contribuyente durante la tramitación del procedimiento[80].

La consecuencia práctica es que cualquier discrepancia interpretativa con la Administración puede traducirse ahora en la pérdida del beneficio fiscal, incluso sin ánimo defraudatorio. Pensemos en un arrendador que califica como reparación un gasto razonablemente dudoso (p. ej., aislamiento de paredes) y la Administración lo reinterpreta como mejora. Aquí, aunque el contribuyente lo haya declarado en su autoliquidación y exista correlación con el ingreso por arrendamiento, perdería la reducción en su totalidad o en la parte que le corresponda al gasto discutido. El beneficio queda así condicionado a la interpretación restrictiva que haga la AATT sobre conceptos jurídicos muy conflictivos (arrendamiento de vivienda, gastos de mejora o reparación), afectando su alcance extrafiscal.

2. LA LEY DE VIVIENDA Y LOS REQUISITOS QUE MODULAN LOS PORCENTAJES

A partir del 1 de enero de 2024[81], la Ley de Vivienda ha modificado el art. 23.2 LIPF modulando los porcentajes de reducción de la siguiente manera (clasificación propia conforme a la norma):

---

80 Para más profundidad sobre este debate jurídico ver, Campos Martínez, Y. A. (2022). “Los principios de buena administración e íntegra regularización frente al endurecimiento de las condiciones para ejercer el derecho a la reducción en los rendimientos netos positivos de los arrendamientos de vivienda a la luz de la ley 11/2021”. en Collado Yurrita, M. Á. y Sanz Díaz-Palacios, A. (dirs), *Los derechos de los contribuyentes y la prevención y lucha contra el fraude fiscal*, Atelier, págs. 207 a 240.

81 Habiéndose publicado la norma el 25 de mayo de 2023 en el BOE (núm. 124, de 25/05/2023) y siendo su vigencia el 26 de mayo de 2024, los arrendadores con contratos firmados antes del 26 de mayo de 2023, podrán seguir aplicando la reducción del 60% vigente hasta el 31 de diciembre de 2023. En ese mismo sentido, si estamos ante un contrato firmado después del 26 de mayo de 2023 y finalice a 31 de diciembre de 2023, se mantiene el mismo porcentaje de deducción. Así, se puede ver en: https://sede.agenciatributaria.gob.es/Sede/irpf/novedades-impuesto/novedades-normativa-2023/principales-novedades-ley-12-2023-mayo.html

Reducción general: del 50%, aplicable a arrendamientos de vivienda habitual sin más condiciones.

Reducción por rehabilitación: del 60%, para viviendas objeto de rehabilitación finalizada en los dos años anteriores al contrato.

Reducción arrendamientos en zonas tensionadas: Dos reducciones. Una, del 70% cuando se alquile por primera vez en zonas tensionadas a jóvenes de 18 a 35 años, o en supuestos de alquiler a la Administración o a entidades sin ánimo de lucro, para fomentar el alquiler con finalidad social, con una renta inferior a la prevista en el programa de ayudas al alquiler, la vivienda se destina a personas en situación de vulnerabilidad económica, o, está sujeta a programas públicos de vivienda o limitaciones oficiales de renta. O, la otra, del 90% para nuevos contratos en dichas zonas si se reduce la renta al menos un 5% respecto del contrato anterior.

Tal y como podemos ver, aunque la graduación persigue incentivar políticas de acceso a la vivienda, el objetivo parece quedar en entredicho, no sólo porque con ocasión a los nuevos tipos de reducción reconocidos, los beneficios fiscales pueden ser insuficiente[82], sino porque también, los requisitos pueden generan conflictos prácticos similares a los ya existentes con el concepto de "arrendamiento de vivienda" o con los gastos deducibles. Por ejemplo, un arrendador que reduzca el alquiler en un 5% en una zona tensionada podría perder toda o parte de la reducción del 90% si la AATT recalifica algún gasto como improcedente, aunque no hubiera ánimo defraudatorio y se hubiera aplicado haciendo una interpretación razonable de la norma con ocasión a la controversia jurídica que lo pudiera rodear. Lo mismo sucedería con la reducción del 60% ligada a rehabilitación, cuando sobre los gastos incurridos haya una sombra de duda sobre su condición de reparaciones o mejoras.

Además, ciertos requisitos pueden llegar a ser poco efectivos. En el caso de arrendamientos a jóvenes de 18 a 35 años, bajo la interpretación asumida por la AATT, se exigen contratos superiores a un año para poder acceder al beneficio fiscal. Sin embargo, en este grupo predominan estudiantes o trabajadores desplazados que demandan contratos de menor duración, lo que excluye en la práctica a gran parte de los contratos de arrendamiento que se firman con este colectivo.

---

82 En ese sentido, Quintanar Ferrer, explica que, el supuesto beneficio buscado por los nuevos tipos de reducción no alcanzaría el objetivo programado. Para el autor, las medidas son insuficientes, "si tenemos en cuenta que no compensa la pérdida de rentabilidad del propietario de viviendas en ZMRT afectado por las dos limitaciones de renta de la LAU". Quintanar Ferrer, E. (2024): "El arrendamiento estable y permanente de viviendas: efectos de las políticas públicas, impacto de la fiscalidad y promoción a través de beneficios fiscales autonómicos", *Quincena Fiscal*, (18), Sección Estudios, Aranzadi.

De igual modo, en el caso de los arrendamientos a entidades sin fines de lucro destinados a colectivos vulnerables, la aplicación de la reducción del 70% se ve seriamente comprometida. Ello obedece a que la norma exige la identificación previa de la persona física que va a habitar la vivienda, condición de imposible cumplimiento en la mayoría de estos supuestos. En efecto, el contrato se suscribe con la entidad y no con el beneficiario final, siendo frecuente que los usuarios de la vivienda roten en el marco de programas de acogida o inserción social. A ello se suma que, por razones de protección de datos y confidencialidad, el arrendador no pueda llegar a disponer de la información sobre la identidad de los ocupantes. De este modo, aun cumpliéndose la finalidad social que persigue el beneficio fiscal, se bloquea en la práctica el acceso a la reducción, desincentivando el alquiler en estos supuestos.

IV. CONCLUSIÓN: EL FIN EXTRAFISCAL DEL BENEFICIO FISCAL HA SUCUMBIDO ANTE UNA TÉCNICA TRIBUTARIA DEFICIENTE

La evolución del artículo 23.2 de la LIRPF evidencia cómo, con ocasión de sucesivas reformas legislativas, se ha desvirtuado progresivamente la finalidad extrafiscal que originariamente justificaba la reducción vinculada al arrendamiento de viviendas. Lo que nació como un incentivo para estimular la oferta de vivienda en alquiler y, con ello, favorecer el acceso a un derecho de relevancia constitucional, ha terminado convirtiéndose en un beneficio de difícil, incierta y restrictiva aplicación debido a la deficiente técnica normativa empleada por el legislador.

La primera quiebra de coherencia se advierte con la interpretación restrictiva que hace la AATT sobre conceptos fundamentales tales como el de "arrendamiento de vivienda" o lo que se considera como gasto deducible por reparación/conservación o, su contrapuesto, el gasto por mejora o ampliación.

La segunda distorsión deriva de la reforma introducida por la Ley Antifraude. Bajo el loable objetivo de combatir prácticas elusivas, se optó por condicionar el acceso a la reducción al cumplimiento estricto de la autoliquidación, excluyendo de plano la posibilidad de aplicar el beneficio cuando la Administración, en un procedimiento de comprobación, considere que los ingresos no se declararon correctamente o que los gastos aplicados no son deducibles. Esta restricción implica, en la práctica, que el arrendador pierda la reducción incluso en supuestos en que ha actuado de buena fe y con una interpretación razonada de la norma (por ejemplo, al calificar un gasto como de reparación cuando la Administración lo entiende como mejora). De este modo, la medida no sólo sanciona conductas fraudulentas, sino también discrepancias técnicas o interpretativas que nada tienen que ver con el fraude. El resultado es una clara desincentivación del alquiler como fuente de rentas, lo cual rompe con el fundamento extrafiscal que da sentido a la reducción.

La tercera incongruencia normativa la encontramos con la Ley de Vivienda, que introdujo un sistema de reducciones moduladas (50%, 60%, 70% o 90%) supeditadas a una multiplicidad de requisitos específicos. A primera vista, el esquema parece diseñado para reforzar el carácter social del beneficio, vinculando mayores reducciones a supuestos de alquiler social, rehabilitación o arrendamiento en zonas tensionadas. Sin embargo, la complejidad técnica de los requisitos, así como su colisión con realidades prácticas del mercado del alquiler, generan un escenario de inseguridad jurídica que dificulta enormemente la efectividad del incentivo.

No es difícil advertir las paradojas que se derivan de esta regulación. Arrendadores que, con pleno ánimo de colaborar en las políticas públicas de vivienda, destinan inmuebles a jóvenes en zonas tensionadas o a entidades sin ánimo de lucro, pueden ver denegada la reducción porque sus contratos no alcanzan la duración mínima exigida o porque resulta materialmente imposible identificar de antemano a la persona física que habitará la vivienda. A ello se suma la problemática persistente de la deducibilidad de ciertos gastos, especialmente la delgada línea entre reparaciones y mejoras, que expone al contribuyente a perder la reducción pese a haber cumplido, en esencia, con los objetivos perseguidos por la norma.

En definitiva, la conjunción de ambas reformas ha erosionado la finalidad extrafiscal de la reducción: en lugar de incentivar el mercado de alquiler, lo ha vuelto más incierto, riesgoso y poco atractivo para los contribuyentes. La técnica legislativa empleada ha desplazado el eje de la reducción desde un instrumento de política social hacia un terreno marcadamente sancionador y restrictivo, donde el temor a perder el beneficio pesa más que el estímulo de ofrecer vivienda en alquiler.

La consecuencia última es que la reducción del artículo 23.2 LIRPF, lejos de cumplir su función promotora del acceso a la vivienda, se ha transformado en un mecanismo complejo, restrictivo y alejado de su fundamento original. Mientras no se adopte una regulación más clara, coherente y alineada con los objetivos extrafiscales que le dan sentido, difícilmente podrá afirmarse que este beneficio fiscal cumple hoy el papel para el cual fue concebido.

V. REFERENCIAS BIBLIOGRÁFICAS

Campos Martínez, Y. A. (2022). "Los principios de buena administración e íntegra regularización frente al endurecimiento de las condiciones para ejercer el derecho a la reducción en los rendimientos netos positivos de los arrendamientos de vivienda a la luz de la ley 11/2021", en Collado Yurrita, M. A. y Sanz Díaz-Palacios, A. (dirs) *Los derechos de los contribuyentes y la prevención y lucha contra el fraude fiscal*, Atelier.

Calvo Vérgez, J. (2021). "La aplicación en el IRPF de la reducción por alquiler de vivienda en los supuestos de comprobación". *Revista Quincena Fiscal*, (12), Aranzadi.

Fraile Fernández, R. (2018). "Interpretación de la norma tributaria. ¿Por qué no aplicar la reducción del 60% al alquiler vacacional?". *Revista Quincena Fiscal*, (18), Aranzadi.

García Berro, F. (2020). "Capítulo III. El Impuesto sobre la Renta de las Personas Físicas (II)", en PÉREZ ROYO, F. (Dir.), *Curso de Derecho Tributario. Parte Especial*, 14ª Ed., Tecnos.

Puebla Agramunt, N. (2019). "La reducción por alquiler en el IRPF". *NuriaPuebla Blog*, 8 de octubre, disponible en: https://www.nuriapuebla.com/blog/la-reduccion-por-alquiler-en-el-irpf/.

Puerta Arrúe, Á. (2021). "La ocultación de los alquileres en el impuesto sobre la renta de las personas físicas Análisis de la STS de 15 de octubre de 2020, rec. núm. 1434/2019". *Revista de Contabilidad y Tributación*, (457), CEF.

Quintanar Ferrer, E. (2024): "El arrendamiento estable y permanente de viviendas: efectos de las políticas públicas, impacto de la fiscalidad y promoción a través de beneficios fiscales autonómicos", *Quincena Fiscal*, (18), Sección Estudios, Aranzadi.

Salcedo, J. M. (2017). "¿Son deducibles los gastos que genera un inmueble mientras no está alquilado?". *Revista de Administración de Fincas*, (161), CGCAFE.

Sánchez Manzano, J. D. (2024). "La doctrina administrativa en torno a la reducción por arrendamientos de vivienda. Los arrendamientos de temporada. Particular alusión a los arrendamientos a estudiantes en el marco de los rendimientos del capital inmobiliario en el IRPF", *Quincena Fiscal*, (14), Sección Estudios, Aranzadi.

LA SOCIMI COMO HERRAMIENTA DE GESTIÓN DEL PATRIMONIO INMOBILIARIO: ASPECTOS FISCALES

Marta González Aparicio
Profesora Titular de Derecho Financiero y Tributario
Universidad de León
ORCID 0000-0001-7080-5697

I. ORIGEN Y EVOLUCIÓN NORMATIVA DE LAS SOCIMI EN ESPAÑA

La creación de las Sociedades Anónimas Cotizadas de Inversión en el Mercado Inmobiliario (SOCIMI) se produjo con la aprobación de la Ley 11/2009, de 26 de octubre, cuyo propósito era estimular el mercado del arrendamiento urbano a través de un vehículo societario cotizado que aportara transparencia y liquidez. El legislador español se inspiró en modelos consolidados en el derecho comparado, en particular en los *Real Estate Investment Trusts* (REIT) estadounidenses y en las *Sociétés d'Investissements Immobiliers Cotées* (SIIC) francesas, que habían demostrado su eficacia en la canalización de capital hacia el sector inmobiliario[1].

La norma de 2009 respondía a una doble motivación: por un lado, revertir el tradicional desequilibrio del mercado inmobiliario español, caracterizado por la prevalencia de la propiedad frente al alquiler; y por otro, ofrecer un marco estable, con seguridad jurídica y fiscal, que resultara atractivo tanto para los inversores nacionales como para los internacionales. En el Preámbulo de la Ley se define a las SOCIMI como "sociedades cuya actividad principal es la inversión, directa o indirecta, en activos inmobiliarios de naturaleza urbana para su alquiler, incluyendo tanto viviendas, como locales comerciales, residencias, hoteles, garajes u oficinas, entre otros". La finalidad de esta figura se vinculaba, además, al cumplimiento del mandato del artículo 47 de la Constitución Española, que exige a los poderes públicos promover el acceso a una vivienda digna.

No obstante, el diseño original no consiguió atraer la inversión esperada. Hubo que esperar a la reforma de la Ley 16/2012, de 27 de diciembre, que introdujo medidas tributarias para reforzar las finanzas públicas y estimular la actividad económica, para que las SOCIMI se consolidaran. Esta modificación flexibilizó las condiciones de acceso al régimen y, sobre todo, instauró un tratamiento fiscal más competitivo, con un tipo del 0 % en el Impuesto sobre Sociedades (IS) y un esquema de imposición trasladado a los socios.

A partir de ese momento, el crecimiento de las SOCIMI fue progresivo y sostenido, pasando de ser un instrumento apenas utilizado a convertirse en uno de los principales

---

[1] Falcón y Tella, R. (2009): "El nuevo régimen especial de las SOCIMI o S-REITs", *Quincena Fiscal,* núm. 12. Para un examen del US-REIT, de las SIIC francesas y de otras experiencias en distintos estados de la Unión Europea, se recomienda consultar: Stoschek, U. (2018): "Principales regímenes REIT en Estados Unidos y la Unión Europea", *Tratado de las SOCIMI. Un análisis multidisciplinar del REIT español,* Aranzadi, págs. 353 y ss.; Viñuales Sanabria, L. M. (2010): "SOCIMI, ¿El REIT de nueva generación? Un estudio comparado", *Crónica Tributaria,* núm. 135, págs. 247 y ss.; Casas Agudo, D. (2010): "Régimen tributario de las sociedades de inversión inmobiliaria cotizadas (SOCIMI) en el ordenamiento italiano", *Revista Española de Derecho Financiero,* núm. 146, págs. 371-408.

vehículos de inversión inmobiliaria en España. Actualmente, nuestro país se sitúa entre los de mayor proliferación de estas sociedades en Europa, empleadas tanto por grandes fondos como por patrimonios familiares e inversores institucionales extranjeros[2]. No obstante, las SOCIMI también han suscitado un intenso debate político y social. Su régimen fiscal ventajoso ha sido cuestionado por entenderse, en algunos casos, como un estímulo a la especulación o como un incentivo desconectado del arrendamiento residencial asequible.

II. CONFIGURACIÓN SOCIETARIA Y REQUISITOS DE ACCESO

Para la aplicación del régimen fiscal especial de las SOCIMI no basta con el mero ejercicio de una opción tributaria en sentido estricto, sino que resulta imprescindible la concurrencia de una configuración societaria específica, diseñada normativamente para canalizar la inversión inmobiliaria al arrendamiento de los inmuebles. Como punto de partida es preciso destacar que la SOCIMI es, ante todo, una sociedad mercantil sometida a un intenso régimen jurídico-privado, al que se anuda un tratamiento fiscal singular, de modo que el acceso y mantenimiento del régimen especial en el IS aparece condicionado, de forma decisiva, al cumplimiento de exigencias de naturaleza mercantil[3]. Esta afirmación resulta especialmente pertinente en relación con los requisitos de acceso al régimen fiscal especial, en la medida en que estos no pueden comprenderse adecuadamente sin atender a la lógica estructural y funcional de la figura societaria diseñada por la Ley 11/2009.

Desde el punto de vista estrictamente formal, la sociedad debe comunicar su opción por la aplicación del régimen fiscal especial a la Delegación de la Agencia Estatal de Administración Tributaria correspondiente, comunicación que ha de efectuarse antes del inicio de los tres últimos meses del período impositivo en el que se pretenda aplicar dicho régimen. Ahora bien, la normativa introduce una relevante flexibilización al no exigir que todos los requisitos legales estén plenamente cumplidos en el momento de ejercitar la opción. Así se indica en la Disposición transitoria primera de la Ley

---

2 Esta tendencia expansiva se refleja en: VV. AA. (2024): *IX Estudio SOCIMI 2024*, Armanext. (https://informes.armanext.com/estudios/IX-Estudio-SOCIMI-2024.pdf —recuperado el 01/12/2025—), donde cifra el número de SOCIMIs activas en 145.
En este sentido: Torio, L. (2025): "El Gobierno cambiará el régimen fiscal de las socimis para que sólo aplique al alquiler asequible", *El Economista*, 13/01/2025. https://www.eleconomista.es/vivienda-inmobiliario/noticias/13168189/01/25/el-gobierno-cambiara-el-regimen-fiscal-de-las-socimis-para-que-solo-aplique-al-alquiler-asequible.html. Recuperado el 01/12/2025.

3 De Juan Casadevall, J. (2024): "El régimen fiscal de las SOCIMI", *La fiscalidad del arrendamiento de vivienda y otras figuras afines*, Aranzadi, págs. 236 y ss.

11/2009, que permite optar por el régimen fiscal especial aun cuando no se cumplan inicialmente todos los requisitos exigidos, siempre que estos se satisfagan dentro de los dos años siguientes a la fecha de la opción. Esta previsión responde a una lógica claramente incentivadora, orientada a facilitar la adaptación progresiva de determinadas estructuras societarias preexistentes al modelo SOCIMI.

Ahora bien, la propia norma establece con claridad las consecuencias del incumplimiento definitivo de esta condición: si transcurrido el plazo de dos años los requisitos no se han cumplido que, en esencia, se condensan en que la sociedad pasará a tributar por el régimen general del IS desde el propio período impositivo en que se manifieste el incumplimiento, debiendo además ingresar la diferencia entre la tributación resultante del régimen general y la efectivamente satisfecha bajo el régimen especial en los períodos anteriores, con los correspondientes intereses de demora, recargos y, en su caso, sanciones.

La correcta delimitación de qué requisitos deben cumplirse desde el inicio y cuáles pueden diferirse durante el plazo de dos años no se deduce de forma expresa y sistemática del tenor literal de la Ley, lo que ha obligado a la DGT a desempeñar un papel interpretativo fundamental, al igual que en tantos otros aspectos del régimen especial de las SOCIMI[4]. Así, Consultas como la V5219-16, de 7 de diciembre, han precisado que el régimen transitorio no ampara un incumplimiento generalizado e indiscriminado, sino únicamente aquellos requisitos cuya propia naturaleza permite un cumplimiento progresivo, como sucede, por ejemplo, con determinados coeficientes de inversión o con la composición del activo.

Junto a ello, la referida Disposición transitoria primera introduce una regulación diferenciada en función de la naturaleza del socio, lo que refuerza la idea de que el régimen de las SOCIMI pivota sobre un diseño de transparencia fiscal orientado al inversor final. Así, cuando los socios sean contribuyentes del Impuesto sobre la Renta de las Personas Físicas (IRPF) o del Impuesto sobre la Renta de No Residentes (IRNR) sin establecimiento permanente, el régimen fiscal especial previsto en el artículo 10 de la Ley solo resultará aplicable si la sociedad cumple los requisitos legales en el momento de la presentación de la autoliquidación. No obstante, si el cumplimiento se produce

4 Afirma López Pombo que "la complejidad del régimen SOCIMI, su asentamiento sobre pilares distintos al del régimen general del IS y su configuración sobre «grandes principios», más que sobre reglas detalladas hace que cuestiones tan complejas como el requisito de inversión o de objeto social principal o el régimen de entrada y salida del régimen SOCIMI o el gravamen especial del 19% presenten algunas áreas grises (...) la Dirección General de Tributos (DGT) ha ido dotando de color, en su labor de organismo interpretador de la normativa tributaria, algunas de estas áreas grises, esculpiendo esos «grandes principios»". López Pombo, D. (2024): "SOCIMI. Cuestiones de interpretación de su régimen fiscal", *La tributación en el Impuesto sobre Sociedades,* La Ley, pág. 747.

con posterioridad, pero dentro del plazo máximo de dos años, el socio podrá solicitar la rectificación de la autoliquidación para beneficiarse del régimen especial. Por el contrario, cuando los socios sean sujetos pasivos del IS o contribuyentes del IRNR con establecimiento permanente, el régimen especial se aplica desde el inicio, aun cuando la sociedad no cumpla todavía los requisitos, previéndose igualmente la posibilidad de rectificación si finalmente estos no se alcanzan en el plazo legal.

Como se ha indicado previamente, transcurrido el plazo de dos años sin que se hayan cumplido los requisitos exigidos, se produce, en principio, la pérdida del derecho a aplicar el régimen fiscal especial. No obstante, esta consecuencia debe matizarse a la luz del artículo 13.e) de la Ley de las SOCIMI, que introduce una cláusula de subsanación de notable relevancia práctica. Conforme a dicho precepto, el incumplimiento de cualquiera de los requisitos exigidos determinará la pérdida del régimen especial, salvo que se reponga la causa del incumplimiento dentro del ejercicio inmediato siguiente, con la excepción expresa del plazo de mantenimiento de los inmuebles previsto en el artículo 3.3, cuyo incumplimiento no conlleva, por sí solo, la exclusión del régimen. Esta previsión opera, en la práctica, como un periodo adicional de regularización, que se suma al plazo de dos años previsto en la Disposición transitoria primera, y que atenúa el rigor del régimen sancionador asociado a la pérdida de la condición de SOCIMI. Ahora bien, cuando la pérdida del régimen se produce de forma definitiva, la norma establece una consecuencia particularmente severa desde el punto de vista estratégico: la imposibilidad de volver a optar por el régimen fiscal especial hasta que hayan transcurrido al menos tres años desde la finalización del último período impositivo en que fue de aplicación.

Como se puede observar, el acceso al régimen fiscal especial de las SOCIMI pone de manifiesto, de manera especialmente clara, la estrecha interdependencia entre configuración mercantil y tratamiento tributario, confirmando que nos encontramos ante un régimen fiscal condicionado, no tanto por la realización de determinadas operaciones aisladas, como por la asunción estable y continuada de un determinado modelo societario.

1. CONDICIONES INICIALES PARA OPTAR AL RÉGIMEN

Las condiciones que deben cumplirse desde el momento inicial de la opción por el régimen fiscal especial de las SOCIMI se vinculan estrechamente a tres elementos estructurales: el objeto social, la configuración del capital social (el tipo de acciones) y la obligación de distribución de beneficios. Se trata de requisitos que responden a una lógica común y claramente identificable: evitar que el acceso al régimen fiscal especial permita diferir indebidamente la tributación efectiva en sede de los socios, bien mediante la postergación del reparto obligatorio de dividendos, bien a través de la creación de estructuras societarias en cascada (cadenas de SOCIMI o sub-SOCIMI) que desvirtúen el principio de transparencia fiscal que inspira el régimen[5].

1.1. Objeto social

El artículo 2 de la Ley 11/2009 establece que las SOCIMI deben contar con un objeto social exclusivo, considerado un elemento esencial del régimen jurídico y fiscal que las regula. La exigencia de exclusividad busca impedir que estas sociedades se utilicen para fines ajenos a la inversión inmobiliaria a largo plazo y asegurar la coherencia entre los incentivos fiscales y la finalidad económica perseguida.

De acuerdo con el artículo 2.1, las actividades que integran ese objeto social son, principalmente: la adquisición y promoción de bienes inmuebles urbanos para su arrendamiento[6]; la tenencia de acciones o participaciones en Instituciones de Inversión Colectiva Inmobiliaria reguladas en la Ley 35/2003; la participación en el capital de otras SOCIMI o de entidades no residentes con idéntico objeto social y sometidas a un régimen equivalente en cuanto a la obligación de distribuir beneficios o; la tenencia de participaciones en entidades, residentes o no, cuyo objeto principal sea la adquisición de inmuebles urbanos para su arrendamiento y que cumplan con las reglas de distribución obligatoria de beneficios previstas en la Ley 11/2009. Estas últimas entidades, conocidas como sub-SOCIMI, deben tener la totalidad de su capital en manos de SOCIMI u otras entidades similares, sin posibilidad de participar a su vez en otras sociedades. Si son residentes en España, podrán optar también por el régimen fiscal especial conforme al artículo 8 de la Ley[7].

---

5 López Pombo, D. (2024): "SOCIMI. Cuestiones de interpretación de su régimen fiscal", ob. cit. pág. 757

6 En los últimos años parece estar cogiendo fuerza la propuesta de modificación del objeto social de las SOCIMI para su extensión al sector agrícola, ganadero y forestal. Concretamente, se propone la modificación del artículo 2.1.a) de la Ley 11/2009, en el siguiente sentido:" a) La adquisición y promoción de bienes inmuebles de naturaleza urbana, agrícola, ganadera y forestal para su arrendamiento". Fernández Hernando, A. (2022): "Las socimi agrarias, una ocasión histórica para España", *Cinco Días,* 25/03/2022. https://cincodias.elpais.com/cincodias/2022/03/24/opinion/1648124210_563614.html (recuperado el 1/12/2025); VV. AA.: *Las SOCIMI salen al campo,* Armadata asesores, 2022 (https://informes.armanext.com/estudios/Las-SOCIMI-salen-al-campo.pdf (recuperado el 01/12/2025).

7 En relación con las denominadas sub-SOCIMI, el artículo 2 de la Ley 11/2009 permite que las SOCIMI sean titulares de participaciones en entidades residentes o no residentes cuyo objeto social principal sea la adquisición de bienes inmuebles urbanos para su arrendamiento y que estén sometidas a un régimen equivalente, en particular en lo relativo a la política obligatoria de distribución de beneficios, sin que resulte imprescindible que dichas entidades opten necesariamente por el régimen fiscal especial SOCIMI. A juicio de López Pombo, el hecho

Estas actividades podrán realizarse tanto directamente como indirectamente, a través de la participación en entidades cuyo objeto social se limite a desarrollar, exclusivamente, estas mismas actividades. Este elemento de "actividad mediata" está expresamente reconocido por la ley, lo que permite estructurar grupos de sociedades bajo la forma de un *holding* inmobiliario que, en su conjunto, cumpla con los requisitos del régimen.

Cabe subrayar que el artículo 2.2 establece que "el objeto social podrá incluir también la realización de actividades accesorias, entendiendo por tales aquellas que, en su conjunto, representen menos del 20% de los ingresos del ejercicio". Esta previsión introduce un margen de flexibilidad razonable que permite a la SOCIMI realizar otras actividades económicas siempre que no desvirtúen la finalidad principal de la entidad. La Ley no limita, cualitativamente, el objeto de estas actividades, estableciendo únicamente el referido límite cuantitativo del 20%, con lo que, si la SOCIMI desarrolla una actividad ajena al mercado inmobiliario pero que no general más del 20% de las rentas de la sociedad, podría continuar aplicando el régimen fiscal especial[8].

---

de que una sub-SOCIMI no aplique el régimen SOCIMI no impide que sus participaciones tengan la consideración de activos aptos a efectos del cumplimiento de los requisitos de objeto social e inversión de la SOCIMI titular, siempre que se respeten las exigencias legales relativas al objeto principal, a la distribución obligatoria de beneficios y a la estructura de capital. López Pombo, D. (2024): "SOCIMI. Cuestiones de interpretación de su régimen fiscal", ob. cit. págs. 748-749.

8 Esta limitación exclusivamente cuantitativa también se deriva de lo dispuesto por la DGT, entre otras, en la Consulta Vinculante V2584-14, de 2 de octubre, donde se preguntaba si "las actividades de mantenimiento de los edificios arrendados y de construcción de los edificios que promueva o rehabilite para su arrendamiento pueden ser ejercidas directamente por las SOCIMIs como actividades accesorias a las principales de arrendamiento y promoción de inmuebles", a lo que la DGT responde que "el mantenimiento de edificios arrendados y la construcción de edificios para su arrendamiento no generan ingresos distintos a los propios del arrendamiento, por lo que se circunscriben en el ámbito de la actividad de promoción de bienes inmuebles para arrendar, siendo por tanto, válido que etas actividades sean ejercidas por la propia entidad consultante", negando, de esta forma, tal carácter accesorio. En otras Consultas más cercana en el tiempo, las V1256-23, de 12 de mayo y V1885-23, de 29 de junio, donde se preguntaba si la explotación de activos inmobiliarios en propiedad "a través de contratos que combinan, de forma principal, la cesión de espacios privados en un entorno compartido, conjuntamente con los servicios de oficina accesorios necesarios para su disfrute (principalmente, electricidad, agua, acceso a internet, mensajería, seguridad, correo, escáner e impresora), cumple con los requisitos previstos en el artículo 3 de la Ley de SOCIMI". Señala la DGT que "en virtud de los contratos de cesión de espacios de coworking que la entidad consultante suscribirá con sus clientes, no solo ofrecerá a estos el alquiler de espacios o despachos, sino que además prestará servicios adicionales de acceso a internet, mensajería, seguridad, correo, escáner, impresora o suministros etc. Se trata, por tanto, de un contrato mixto de arrendamiento de inmueble y de servicios que tiene por finalidad dotar al arrendatario de la infraestructura necesaria (material y personal) para que éste pueda desarrollar su actividad yendo más allá del

La exigencia de exclusividad en el objeto social responde a la lógica de que las ventajas fiscales del régimen deben estar estrictamente condicionadas al cumplimiento de un fin económico definido, que no es otro que la generación de rentas estables procedentes del arrendamiento de inmuebles urbanos. Se pretende evitar así que la SOCIMI se utilice como vehículo para operaciones especulativas de compra-venta, promoción no destinada al arrendamiento o inversiones financieras sin vinculación directa con el mercado inmobiliario.

Este diseño legal se alinea con el modelo de los REIT internacionales, en los que también se impone una dedicación exclusiva o principal al negocio de la propiedad inmobiliaria arrendada. En suma, el artículo 2 de la Ley 11/2009 garantiza que el régimen se reserve para aquellas sociedades que ejercen una actividad patrimonial estable, profesionalizada y vinculada estructuralmente al alquiler, sirviendo así al objetivo público de fomento del mercado de la vivienda en alquiler[9].

Desde el punto de vista temporal, se ha planteado en la doctrina si el requisito relativo al porcentaje mínimo de rentas del ejercicio constituye uno de los requisitos que deben cumplirse necesariamente desde el inicio. Algunos autores sostienen que, durante el plazo de dos años previsto en la Disposición transitoria primera, cabe un incumplimiento de dicho porcentaje, en la medida en que el requisito inicial se refiere propiamente a la adopción y definición mercantil del objeto social en los estatutos, conforme al artículo 2.1 de la Ley de las SOCIMI[10].

No obstante, esta interpretación presenta ciertas debilidades, en tanto que podría permitir que una sociedad optase por el régimen fiscal especial aun desarrollando, de facto, una actividad completamente ajena a la exigida por el régimen de las SOCIMI. Una aplicación excesivamente laxa de esta tesis conduciría a una desnaturalización del objeto social exclusivo, vaciando de contenido la finalidad económica del régimen y

---

simple arrendamiento. Por ello, las rentas derivadas de la prestación de este conjunto de servicios adicionales, que no se circunscriben al mero arrendamiento de un inmueble, no pueden considerarse subsumidas entre las rentas previstas en el apartado 2 del artículo 3 de la Ley 11/2009"

9 Algunas voces abogan por la flexibilización del requisito vinculado al objeto de la actividad, como la de Paternáin Osacar y Montejo Alonso, que, atendiendo a la complejidad de los mercados inmobiliarios, entienden que sería conveniente que la Ley 11/2009 permita la adquisición indirecta de inmuebles destinados al arrendamiento "a través de fórmulas alternativas como la compra de la deuda que pesa sobre el inmueble o la inversión en sociedades no propiedad de SOCIMI al 100%. Paternáin Osacar, S. y Montejo Alonso, B. (2018): "El siguiente paso: una propuesta de flexibilización del modelo de SOCIMI a la luz del derecho comparado", *Tratado de las SOCIMI. Un análisis multidisciplinar del REIT español,* ob. cit. págs. 387-389.

10 López Pombo, D. (2024): "SOCIMI. Cuestiones de interpretación de su régimen fiscal", ob. cit. pág. 755

permitiendo un uso oportunista de la opción fiscal, resultado difícilmente conciliable con la lógica del sistema y con el principio de coherencia entre forma mercantil y beneficio tributario.

1.2. Tipo de acciones

El artículo 4 de la Ley 11/2009 exige que las acciones emitidas por una SOCIMI tengan carácter nominativo, excluyéndose expresamente las acciones al portador. Este requisito responde a la necesidad de garantizar la identificación permanente de los accionistas, circunstancia de especial relevancia en el ámbito fiscal, dado que la tributación efectiva del régimen se desplaza, en gran medida, a la esfera del socio. La Dirección General de Tributos (DGT), en su Consulta Vinculante V0346-14, de 11 de febrero, ha precisado que el hecho de que las acciones estén representadas mediante anotaciones en cuenta no desvirtúa su carácter nominativo, si bien la determinación última de esta cuestión corresponde al ámbito mercantil.

1.3. Distribución obligatoria de beneficios

Un rasgo central del régimen de las SOCIMI es la obligación de repartir entre los accionistas la mayor parte de los beneficios obtenidos. El artículo 6 de la Ley 11/2009 establece esta exigencia como condición para disfrutar del tipo impositivo reducido. El fundamento es trasladar la carga tributaria de la sociedad —que tributa al 0 % en el IS, con carácter general—, a los socios, que deberán declarar en sus respectivos impuestos los rendimientos percibidos.

Los porcentajes mínimos de distribución son los siguientes: el 100 % de los dividendos o participaciones en beneficios procedentes de entidades participadas; el 80 % de las rentas derivadas del arrendamiento de inmuebles y de actividades accesorias o; el 50 % de las plusvalías obtenidas por la transmisión de inmuebles o de participaciones en entidades del artículo 2.1, siempre que haya transcurrido el plazo de mantenimiento exigido en el artículo 3.3[11]. En este último supuesto, la Ley establece que el importe no

---

[11] La Ley 11/2009 exige que los inmuebles que formen parte del activo de una SOCIMI permanezcan arrendados durante un mínimo de tres años, como condición esencial para que los beneficios derivados de su explotación puedan acogerse al régimen fiscal especial. Este período de mantenimiento también se aplica a las participaciones en entidades con objeto análogo. En el cómputo de dicho plazo puede incluirse el tiempo en que el inmueble haya estado efectivamente ofrecido en arrendamiento, aunque con un límite máximo de un año. La fecha desde la que se empieza a contar dicho plazo varía según la naturaleza y el momento de incorporación del bien al patrimonio de la sociedad: si el inmueble ya pertenecía a la SOCIMI antes de aplicar el régimen fiscal especial, el cómputo comienza desde el inicio del primer período impositivo en que se aplica el régimen, siempre que ya estuviera arrendado u ofrecido en arrendamiento;

distribuido (hasta el 50% restante) debe ser reinvertido en otros inmuebles afectos al arrendamiento o en participaciones en entidades similares, dentro de un plazo de tres años desde la fecha de transmisión. Si no se realiza la reinversión en dicho plazo, deberá procederse a su distribución en el ejercicio en que venza dicho plazo.

Esta obligación de reparto está concebida para garantizar la transparencia fiscal del régimen. Al no tributar, en principio, por el beneficio generado en sede de la sociedad (salvo aplicación del tipo del 15% por incumplimiento del reparto mínimo), se impone la necesidad de que los socios tributen efectivamente por los rendimientos recibidos. El modelo se basa, por tanto, en una fiscalidad en cascada, coherente con el principio de imposición en destino y con el funcionamiento de los REIT internacionales.

La forma en que se puede efectuar el pago de ese dividendo ha planteado algunos problemas, abordados por la DGT en distintas Consultas Vinculantes. Así, por una parte, la DGT ha tratado la admisibilidad del dividendo a cuenta en las Consultas Vinculantes V1450-15, de 11 de mayo y V1905-16, de 29 de abril, donde se admite la distribución del dividendo a cuenta, pues tal reparto no se opone a la finalidad de la norma, que es garantizar la distribución del beneficio del ejercicio a los accionistas, con el objeto de determinar la tributación efectiva en sede de los socios. Por otra parte, en lo que se refiere al pago del dividendo, el artículo 6 de la Ley 11/2009 establece que el dividendo deberá ser pagado dentro del mes siguiente a la fecha del acuerdo de distribución. En el supuesto de dividendos a cuenta, se cumpliría dicho plazo si el dividendo se paga dentro del mes siguiente a la fecha del acuerdo de distribución de las cantidades a cuenta.

Otra de las cuestiones abordadas por la DGT se refiere a si dicha exigencia de reparto puede cumplirse mediante la entrega de acciones liberadas, conocida como *scrip dividend.* Aunque la Administración tributaria se ha pronunciado en distintas Consultas Vinculantes (como la V0346-14, de 11 de febrero o la V4400-16, de 17 de octubre), no ha establecido un criterio claro. A este respecto algunos autores ponen de relieve los problemas de encaje que esta técnica presenta en el régimen de las SOCIMI. Concretamente, en el caso de accionistas personas físicas residentes en España y de no residentes sin establecimiento permanente, la opción por recibir acciones liberadas no tiene, conforme a la literalidad de la normativa del IRPF, la consideración de dividendo o participación en beneficios, lo que impide considerar cumplida la obligación de distribución exigida por el artículo 6 de la Ley SOCIMI. Distinta puede ser la situación de

si fue promovido o adquirido con posterioridad, el cómputo se inicia cuando se arrende o se ofrezca en arrendamiento por primera vez. En cuanto a las participaciones en otras entidades, el plazo mínimo de mantenimiento es igualmente de tres años, contados desde su adquisición o desde el inicio de aplicación del régimen. El cumplimiento de estos plazos es determinante para poder beneficiarse de los tipos de reparto obligatorio de beneficios establecidos en la Ley.

los accionistas sujetos pasivos del IS, pues, atendiendo a la Resolución del ICAC de 5 de marzo de 2019, la recepción de acciones totalmente liberadas podría generar un ingreso financiero en sede del accionista, permitiendo sostener que, al menos desde una óptica contable, se produce efectivamente la distribución de beneficios. Con todo, se advierte de que los plazos y requisitos mercantiles aplicables a los aumentos de capital con cargo a reservas complican notablemente la utilización del *scrip dividend* como mecanismo ordinario de cumplimiento de la obligación de reparto en el régimen de las SOCIMI, reforzando la idea de que esta técnica debe analizarse con cautela para no desnaturalizar el principio de tributación efectiva en sede del socio que inspira el régimen[12].

Si no se realiza la distribución conforme a los porcentajes previstos, se pierde el beneficio fiscal, y la parte del beneficio no distribuido pasará a tributar al tipo general del IS, conforme a lo previsto en el artículo 9.2 de la Ley 11/2009.

De esta forma, la obligación de distribución de beneficios constituye uno de los pilares del régimen fiscal y económico de las SOCIMI, en la medida en que justifica el tipo impositivo reducido en sede societaria, traslada la imposición a los socios conforme a su régimen personal (IRPF, IS— o IRNR), y refuerza la transparencia del vehículo como canal de inversión colectivo.

2. REQUISITOS CON POSIBILIDAD DE CUMPLIMIENTO DIFERIDO

2.1. Cotización

La cotización de las acciones constituye una seña de identidad del régimen de las SOCIMI. El artículo 4 de la Ley 11/2009 impone que las acciones estén admitidas a negociación en un mercado regulado o en un sistema multilateral de negociación (SMN). Con ello se persigue asegurar transparencia, liquidez, supervisión y disciplina de mercado en este tipo de sociedades que disfrutan de ventajas fiscales[13]. A estos efectos, la admisión puede producirse en un mercado regulado español o de otro Estado

---

12 Arbues Bote, I. y Rodríguez Cid, E. (2018): "Distribución de resultados", en Calzada Criado, D. y Lucas Chinchilla, J. L. (dirs.): *Tratado de las SOCIMI. Un análisis multidisciplinar del REIT español,* ob. cit. págs. 228-229; López Pombo, D. (2024): "SOCIMI. Cuestiones de interpretación de su régimen fiscal", ob. cit. págs. 789-790.

13 El artículo 4 de la Ley 11/2009, en su redacción original, resultaba mucho más restrictivo a este respecto, pues exigía que las acciones de las SOCIMI estuvieran admitidas a negociación en un mercado regulado español o en el de cualquier otro Estado miembro de la Unión Europea o del Espacio Económico Europeo de forma ininterrumpida durante todo el período impositivo. Esta rigidez fue una de las causas del "rotundo fracaso", de su configuración inicial, siendo flexibilizado este requisito por la Ley 16/2012. De Juan Casadevall, J. (2024): "El régimen fiscal de las SOCIMI", ob. cit. pág. 242.

miembro de la UE, o en un SMN español o europeo, como el *BME Growth* (antiguo MAB), diseñado para compañías en expansión[14]. Esta obligación de cotización no es meramente formal: su incumplimiento impide el acceso al régimen fiscal especial previsto en los artículos 8 y siguientes de la Ley. Además, la admisión a negociación debe mantenerse de forma continua mientras la sociedad esté acogida a dicho régimen. El fundamento económico de esta exigencia es doble. Por un lado, permite dotar a los inversores de liquidez, al facilitar la transmisión de participaciones en un entorno regulado. Por otro, implica que la sociedad está sujeta a normas estrictas de información financiera, gobierno corporativo y control, lo que reduce los riesgos de opacidad o de utilización instrumental del régimen fiscal.

En este sentido, la previsión del artículo 4 permite efectuar una remisión a las normas del mercado de valores y, en el caso de las SOCIMI cotizadas en sistemas multilaterales como el *BME Growth*, a la Circular 1/2025[15], que recoge los requisitos y procedimiento aplicables a la incorporación y exclusión en el segmento de negociación *BME Growth* de BME MTF Equity. 2/2013 del MAB, En esta Circular se regulan requisitos específicos de incorporación, permanencia, difusión mínima del capital (*free float),* información periódica y obligación de designar un asesor registrado. Para que una SOCIMI pueda incorporarse a *BME Growth*, se exige es que las acciones de la SOCIMI estén suficientemente repartidas entre inversores minoritarios, es decir, entre accionistas que no controlen más del 5% del capital social. Esto se conoce como "difusión del valor".

Concretamente, para cumplir este requisito de difusión, se exige que esos accionistas minoritarios posean, como mínimo, una de estas dos condiciones: o que las acciones en manos de esos pequeños accionistas tengan un valor estimado de mercado de al menos 2 millones de euros; o bien, que esos accionistas posean, en conjunto, al menos el 25% del total de acciones emitidas por la SOCIMI. De esta forma, se trata de asegurar

14 Aunque el *BME Growth* constituye, en términos del valor de los activos, el principal sistema multilateral de negociación utilizado por las SOCIMI en España, no es el único mercado en el que estas sociedades pueden cumplir el requisito legal de cotización. En la actualidad, las SOCIMI se encuentran también admitidas a negociación en otros sistemas multilaterales como *Euronext Access, BME Scaleup* y *Portfolio Stock Exchange,* así como, en menor medida, en mercados regulados como el Mercado Continuo español o la Bolsa de Luxemburgo. De acuerdo con los datos del IX Estudio SOCIMI 2024, a 31 de diciembre de 2024 existían 145 SOCIMI cotizadas, de las cuales solo 5 lo estaban en mercados regulados, mientras que la mayoría se distribuían entre BME Growth (71), Euronext Access (35), BME Scaleup (19) y Portfolio (15), lo que evidencia una creciente diversificación de plataformas de cotización. VV. AA.: IX Estudio SOCIMI 2024, ob. cit. (https://informes.armanext.com/estudios/IX-Estudio-SOCIMI-2024.pdf).

15 Accesible en el siguiente enlace: https://www.bmegrowth.es/docs/normativa/esp/circulares/2025/20250408_CIRC_INCORPORACION__BME_Growth_FIBRA-LIMPIA.pdf

que la SOCIMI no esté en manos de unos pocos grandes inversores, sino que tenga un número razonable de accionistas minoritarios desde el inicio de su cotización en el *BME Growth*, garantizando así la liquidez y el atractivo del valor en el mercado.

En cualquier caso, aunque la obligación de cotizar constituye una garantía estructural del régimen de las SOCIMI, este requisito continúa siendo un freno a que los pequeños y medianos accionistas opten por esta figura, observándose una preponderancia de los inversores institucionales. Esto que choca con lo que era la idea primigenia de su creación, que no era sino fomentar el mercado inmobiliario a través del ahorro minorista, razón por la que algunos autores abogan por la posibilidad de aceptar la existencia de SOCIMI que no estén admitidas a negociación en un mercado oficial o en un sistema multilateral[16].

2.2. Capital social mínimo

El régimen jurídico de las SOCIMI exige, conforme al artículo 5 de la Ley 11/2009, que estas sociedades dispongan de un capital social mínimo de cinco millones de euros, íntegramente desembolsado. Esta cifra, rebajada respecto al umbral de quince millones establecido en la redacción original de la ley, fue modificada por la Ley 16/2012, con el fin de flexibilizar el acceso al régimen y favorecer su utilización por sociedades de menor tamaño, incluyendo patrimonios familiares o grupos empresariales con inmuebles en arrendamiento[17].

La exigencia de un capital social mínimo cumple varias finalidades. En primer lugar, garantiza una dimensión económica suficiente para operar en el mercado inmobiliario con vocación profesional, evitando que el régimen sea utilizado por entidades meramente instrumentales o con una actividad irrelevante. En segundo lugar, sirve como criterio de solvencia mínima para la protección de acreedores, inversores y operadores del mercado, especialmente en atención a la exigencia paralela de cotización. Y, en tercer

---

16 Por ejemplo, en el US-REIT, para poder ser un REIT no hay obligación de cotización. Esta propuesta también se acoge por: Paternáin Osacar, S. y Montejo Alonso, B. (2018): "El siguiente paso: una propuesta de flexibilización del modelo de SOCIMI a la luz del derecho comparado", *Tratado de las SOCIMI. Un análisis multidisciplinar del REIT español,* ob. cit. págs. 386-387.

17 Este requisito referente al capital social se aplica de manera heterogénea en otros países. Por ejemplo, en Estados Unidos y en Países Bajos, no hay requisitos de capital mínimo. Sin embargo, en Francia y Alemania el capital mínimo son 15 millones de euros y en Reino Unido son 700.000 libras. Stoschek, U. (2018): "Principales regímenes REIT en Estados Unidos y la Unión Europea", *Tratado de las SOCIMI. Un análisis multidisciplinar del REIT español,* ob. cit., págs. 353 y ss.

lugar, se configura como condición formal imprescindible para poder optar al régimen fiscal especial.

Es importante destacar que la Ley no establece requisitos específicos en cuanto a la naturaleza de las aportaciones realizadas para constituir el capital social. Por tanto, puede ser suscrito en dinero o en especie, lo que resulta particularmente relevante en la práctica, ya que muchas SOCIMI se constituyen mediante la aportación no dineraria de inmuebles urbanos procedentes de patrimonios preexistentes o de reestructuraciones de grupos empresariales.

El importe mínimo de capital debe mantenerse de forma continua, ya que su reducción por debajo del umbral legal puede suponer, conforme al artículo 13 de la Ley 11/2009, la pérdida del régimen fiscal especial, con las consecuencias que ello conlleva, incluida la imposición retroactiva de los beneficios no distribuidos en ejercicios anteriores.

Desde un punto de vista práctico, el nivel moderado del capital social, particularmente en comparación con otros vehículos como las Instituciones de Inversión Colectiva de carácter inmobiliario (IIC inmobiliarias), ha contribuido al éxito y extensión del modelo SOCIMI, especialmente entre grupos familiares o medianas empresas con activos inmobiliarios estabilizados y una gestión orientada al largo plazo[18].

2.3. *Requisitos de inversión y mantenimiento*

Uno de los elementos esenciales que define el régimen de las SOCIMI es su vinculación estructural con el arrendamiento de inmuebles urbanos, lo cual se traduce en una serie de requisitos cuantitativos que deben cumplirse tanto respecto a la composición del activo como en relación con los ingresos obtenidos. Estas condiciones están reguladas en el artículo 3 de la Ley 11/2009, y su cumplimiento es imprescindible para poder optar y mantenerse en el régimen fiscal especial[19].

---

18 Fúster Gómez hace referencia al escaso éxito de las IIC en España, vinculándolo, en parte, a la limitación de los tipos de activos de inversión. Además, señala esta autora otras dos importantes diferencias entre ambos instrumentos que favorecen la elección de las SOCIMIS: el momento de obtención de rentabilidad por el socio y el nivel de liquidez. Fúster Gómez, M. (2012): "Situación actual de la fiscalidad del mercado inmobiliario: los vehículos de inversión inmobiliaria no financieros (Parte 1ª)", *Quincena Fiscal,* núm. 4.

19 Desarrolla detalladamente estos requisitos: Marco, A. (2018): "Principales aspectos mercantiles y regulatorios de las SOCIMI", *Tratado de las SOCIMI. Un análisis multidisciplinar del REIT español,* ob. cit. págs. 72 y ss.

En primer lugar, al menos el 80% del valor del activo de la sociedad debe estar compuesto por[20] inmuebles urbanos destinados al arrendamiento; participaciones en el capital o en el patrimonio de otras entidades (residentes o no residentes) que tengan el mismo objeto social y cumplan requisitos análogos y terrenos para su promoción, siempre que la promoción se inicie en un plazo máximo de tres años desde la adquisición. Este porcentaje se refiere al valor contable consolidado de los activos, calculado según los criterios contables aplicables y sin perjuicio de los ajustes que puedan derivarse de normas fiscales específicas[21]. La finalidad de esta exigencia es asegurar que la mayor parte del patrimonio de la SOCIMI esté efectivamente vinculado a la actividad de arrendamiento inmobiliario, excluyendo activos financieros o inmovilizados no afectos a dicha finalidad[22].

---

20 Para un examen detallado del tipo de activos válidos, véase: Sánchez Recio, A., Bravo Gutiérrez, C. y Conde Varela, B. (2018): "Requisitos de inversión", *Tratado de las SOCIMI. Un análisis multidisciplinar del REIT español,* ob. cit. págs. 119 y ss.

21 Respecto al cálculo del porcentaje del 80% en grupos integrados exclusivamente por las SOCIMI y el resto de entidades a que se refiere el apartado 1 del artículo 2 de la Ley 11/2009, señala la DGT, en la Consulta Vinculante V2167-23, de 21 de julio, que, "en el caso de que la sociedad sea dominante de un grupo según los criterios establecidos en el artículo 42 del Código de Comercio, con independencia de la residencia y de la obligación de formular cuentas anuales consolidadas, el porcentaje del test de activos se debe calcular obligatoriamente sobre el balance consolidado".

22 En relación con el tipo de activos válidos en relación con el cumplimiento de las exigencias del artículo 3.1 de la Ley 11/2009, es abundante la doctrina de la DGT. Resultan especialmente interesantes las consideraciones efectuadas por la DGT en la Consulta V1905-16, de 29 de abril, relacionados con el sector hotelero. En esta Consulta se cuestionaba si cabía aplicar el régimen especial de las SOCIMIS en el siguiente caso: "Está previsto que la entidad D y otras entidades del grupo cedan en arrendamiento los inmuebles donde se ubican hoteles, junto con los elementos necesarios para su explotación (mobiliario, enseres, elementos de decoración y material dotacional o de funcionamiento...). En algunos casos las cesiones tendrán lugar en virtud de simples contratos de arrendamiento de inmuebles, mientras que, en otras ocasiones, las cesiones tendrán lugar mediante contratos de arrendamiento de industria si los hoteles se ceden junto con el mobiliario y demás enseres necesarios para el desarrollo de la actividad hotelera. En todos los casos, no obstante, la arrendataria integrará el establecimiento hotelero en su estructura y lo gestionará en su nombre y por cuenta propia. También es posible, dentro de la política general del grupo, que los contratos de arrendamiento que suscriba la entidad D y otras entidades del grupo, incorporen un componente variable para la determinación de la renta.". La DGT contestó que "En el caso de contratos de arrendamiento de los edificios de los hoteles, conjuntamente con los elementos necesarios para su explotación (mobiliario, enseres, material dotacional y de funcionamiento), en favor de terceros, en la medida en que son elementos destinados a acondicionar el interior de los hoteles, directamente relacionados con la actividad arrendaticia, se considera que las rentas generadas por dichos contratos son aptas a los efectos del régimen de rentas previsto en el artículo 3.2 de la Ley 11/2009. Asimismo, en

En segundo lugar, al menos el 80% de los ingresos del ejercicio deben proceder del arrendamiento de inmuebles urbanos afectos a dicha actividad o; de dividendos o participaciones en beneficios distribuidos por entidades participadas que cumplan los mismos requisitos. Esta regla de ingresos complementa la de activos y refuerza la idea de que la SOCIMI no solo debe tener un patrimonio predominantemente inmobiliario, sino que debe obtener rendimientos regulares y recurrentes derivados del arrendamiento, ya sea de forma directa o indirecta a través de participadas.

Adicionalmente, el artículo 3.3 de la Ley establece que los inmuebles que formen parte del activo de la sociedad y que estén destinados al arrendamiento deben permanecer arrendados durante, al menos, tres años continuados. A efectos del cómputo, se sumará el tiempo en que los inmuebles han estado ofertados para el arrendamiento, con el máximo de un año. Este requisito de mantenimiento se refiere a cada inmueble individualmente considerado[23] y pretende evitar que la SOCIMI realice operaciones

---

la medida en que el hotel se arrendará conjuntamente con dichos elementos, y siempre que no haya diferenciación respecto a los mismos en el precio pagado por el arrendatario, pueden considerarse incluidos en los activos aptos a la hora de computar el requisito de activos que establece el apartado 1 del artículo 3 de la Ley 11/2009. Todo ello con independencia de que la renta a cobrar sea fija o incluya un componente variable, entendiéndose, en todo caso, que la renta debe considerarse como una renta derivada del arrendamiento de inmuebles, en aplicación del artículo 3.2 de la Ley 11/2009". No obstante, como acertadamente señalan Viñuales y Pons "No debe llevar a error la contestación de la DGT: en ningún momento admite la posibilidad de que una sociedad que explote el negocio hotelero que alberga un determinado inmueble cumpla el requisito del objeto social principal de una SOCIMI, sino que se limita a señalar que el hecho de que un inmueble se arriende junto con los elementos necesarios para su funcionamiento como hotel no desvirtúa la naturaleza jurídica del contrato de arrendamiento, como tampoco la desvirtúa el hecho de que la renta incluya un componente variable". Viñuales, L. y Pons, E. (2018): "Accionariado y objeto social de las SOCIMIS", *Tratado de las SOCIMI. Un análisis multidisciplinar del REIT español,* ob. cit. pág. 109.

23 Según la DGT, no es necesario que todas las unidades individualizadas de un bien inmueble en arrendamiento, estén arrendadas durante un periodo de los 3 años. Así lo indica la DGT en las Consultas Vinculantes V0112-14, de 20 de enero o V3766-15, de 30 de noviembre, donde señala que "no se considera que el hecho de que alguna de las unidades individuales (pisos, locales, etc) que conforman la promoción o bloque haya podido estar vacante suponga el incumplimiento del requisito señalado, siempre que el conjunto de dichas unidades haya permanecido sustancialmente arrendado durante, al menos tres años, sumándose el tiempo en que haya estado ofrecido en arrendamiento con un máximo de un año". Sin embargo, este criterio administrativo parece haber sido puesto duda por algunos tribunales, como el Tribunal Superior de Justicia de Madrid, que en su Sentencia número 593/2024, de 17 de septiembre de 2024, (ECLI:ES:TSJM:2024:10967), referente al cumplimiento del requisito del arrendamiento durante tres años, pero en este caso para la aplicación de la exención en el ITPAJD. El Tribunal entiende que tal requisito ha de entenderse exigible no de manera plena o completa, sino de manera sustancial; y no respecto de cada uno de los inmuebles individualmente con-

especulativas de compraventa con beneficios fiscales, consolidando así su carácter de instrumento de inversión estable.

Cabe matizar que, en el caso de terrenos para la promoción de bienes inmuebles de naturaleza urbana destinados al arrendamiento que figuraran en el patrimonio de la entidad antes del momento de acogerse al régimen especial de las SOCIMI, el plazo de tres años para iniciar la promoción se computaría desde la fecha de inicio del primer período impositivo en que se aplique el régimen fiscal especial, tal y como ha indicado la DGT en la Consulta Vinculante V4191-16, de 3 de octubre. Asimismo, si se produce una transmisión antes de cumplir ese periodo mínimo de arrendamiento, se considera que no se cumple con el requisito, salvo que medie causa justificada, lo que puede acarrear la pérdida del régimen fiscal o la regularización del beneficio no distribuido.

2.4. Denominación social

De acuerdo con el artículo 5.4 de la Ley 11/2009, la sociedad que opte por el régimen debe incluir en su denominación «Sociedad Cotizada de Inversión en el Mercado Inmobiliario, Sociedad Anónima» o su abreviatura «SOCIMI, S.A.». No obstante, la DGT (Consulta V2759-13, 19 de septiembre) precisa que a las entidades del art. 2.1.c) (las llamadas sub-SOCIMI) no les resultan aplicables los requisitos de capital y denominación social previstos para la SOCIMI principal.

III. RÉGIMEN FISCAL ESPECIAL DE LA SOCIMI Y DE LOS SOCIOS

El atractivo de las SOCIMI para los inversores, y en particular para los grupos familiares con patrimonio inmobiliario, se encuentra estrechamente ligado a su régimen fiscal especial, regulado en la Ley 11/2009 y desarrollado tras la reforma operada en 2012. Dicho régimen constituye el eje diferenciador de estas entidades frente a otros vehículos de inversión inmobiliaria, al establecer una tributación reducida o incluso nula en sede de la propia sociedad y trasladar la carga impositiva al socio, en coherencia con la lógica de neutralidad que inspira la figura.

siderados, sino del conjunto o complejo inmobiliario. Rechaza el criterio administrativo por considerar que no se trata de supuestos equivalentes. No obstante, esta divergencia de criterios en tanto se alude a un mismo requisito (el arrendamiento durante tres años), entendemos que resulta discutible, tal y como se desarrollará en el apartado en el que se aborde la exención en el ITAJD.

1. RÉGIMEN FISCAL ESPECIAL DE LAS SOCIMI

1.1. Tributación al tipo del 0% en el IS

Las SOCIMI que opten por la aplicación del régimen fiscal especial previsto en la Ley 11/2009 tributan al tipo de gravamen del 0% en el IS. Esta tributación nula constituye el eje vertebrador del régimen especial y recuerda, en su lógica, a los *pass-through bussines* del derecho anglosajón, y especialmente a los REIT estadounidenses[24], en los que también se exonera de tributación a la entidad que actúa como canal de inversión colectiva en activos inmobiliarios de alquiler. No obstante, este tipo 0% se encuentra condicionado a una serie de limitaciones y requisitos que restringen el acceso a otros beneficios fiscales. Así, en caso de que la SOCIMI genere bases imponibles negativas, no podrá aplicar el régimen de compensación previsto en el artículo 26 de la Ley 27/2014, de 27 de noviembre, del Impuesto sobre Sociedades (LIS)[25]. De igual modo, queda excluida del régimen de deducciones y bonificaciones recogido en los capítulos II, III y IV del Título VI de dicha Ley.

El legislador impone además una cláusula anti-abuso basada en el principio de permanencia de los activos arrendados, al que nos referimos en el apartado 2.2.3 de este trabajo. Si se incumple el requisito de mantenimiento durante al menos tres años, la SOCIMI pierde el beneficio de tributar al 0% respecto de las rentas derivadas de dichos inmuebles. En ese caso, deberá regularizar su situación tributando conforme al régimen general del IS y al tipo general de gravamen, aplicando dicha regularización con efectos retroactivos sobre todos los ejercicios en que se hubiera beneficiado indebidamente del

---

24 En Estados Unidos, para aplicar la exoneración de tributación en el IS, es necesario que el REIT distribuya el 100% de sus ingresos ordinarios y plusvalías. La parte no distribuida tributaría en el IS.

25 Respecto a la prohibición de compensación, señala la DGT, en la Consulta Vinculante V4191-16, de 3 de octubre, que dicho límite "debe entenderse referido respecto de la base imponible negativa en caso de que resulte de aplicación del tipo de gravamen del cero por ciento. Esto es, teniendo en cuenta una interpretación integradora de la norma, debe entenderse que la base imponible negativa que pudiera surgir por aquella parte de la misma que se corresponda con rentas a las que resulte de aplicación el régimen general y al tipo general del Impuesto sobre Sociedades a que se refiere el apartado 1 del artículo 9 de la Ley 11/2009, fueran negativas, deben tener derecho al régimen general de compensación previsto en el artículo 26 de la LIS. Tal compensación se efectuará, en su caso, con las rentas positivas que tributen de acuerdo con el régimen general y al tipo general, en períodos impositivos posteriores en los que resultara de aplicación el régimen fiscal especial de SOCIMI (o con las rentas positivas de los períodos impositivos posteriores si la entidad pasara a tributar por otro régimen distinto en el que fuera posible). En este sentido, en caso de que la base imponible total resulte negativa, la parte de la misma que tributa al tipo general, en caso de ser negativa, podrá compensarse con el límite de la base imponible negativa total".

régimen especial. Esta regularización también se aplicará si la sociedad opta por abandonar el régimen fiscal especial antes de que transcurra dicho plazo.

Estas regularizaciones se instrumentan conforme a lo dispuesto en el artículo 137.3 de la LIS (anteriormente artículo 125.3), lo que implica su integración en la autoliquidación del período impositivo en que se produce el incumplimiento, con los correspondientes intereses de demora, recargos y, en su caso, sanciones.

Como se puede observar, la aplicación del tipo del 0% conlleva, en la práctica, la neutralización de la doble imposición económica que normalmente se produce en estructuras societarias: primero en la entidad (IS) y después en el socio (IRPF, IS o IRNR). En el régimen de las SOCIMI, esa primera capa de imposición desaparece, permitiendo que la totalidad del beneficio contable pueda ser distribuido sin merma fiscal en origen.

Conviene subrayar que esta tributación al 0% no es automática ni incondicionada. La Ley impone controles efectivos para asegurar que no se utilice el régimen con fines ajenos a su finalidad económica, a través de mecanismos correctores —que se desarrollarán en los siguientes apartados—, como los gravámenes especiales de los artículos 9.2 y 9.4. No obstante, en su configuración principal, el tipo cero convierte a las SOCIMI en uno de los vehículos más eficientes desde el punto de vista fiscal del ordenamiento español. Esta ventaja tributaria ha sido determinante para la proliferación de SOCIMI, tanto de gran dimensión como de carácter familiar, y explica el interés de patrimonios, fondos y grupos empresariales por canalizar su actividad de arrendamiento inmobiliario a través de esta forma societaria.

1.2. Gravamen especial por infra-tributación del socio y por beneficios no distribuidos

El régimen fiscal especial de las SOCIMI, si bien se caracteriza por la aplicación de un tipo de gravamen del 0% en el IS, incorpora una serie de gravámenes especiales destinados a preservar la tributación efectiva de las rentas inmobiliarias en sede del socio. Tales mecanismos pretenden evitar que las ventajas fiscales asociadas a la SOCIMI resulten en una elusión de la carga impositiva en el nivel de los partícipes, especialmente en casos de infra tributación o ausencia de distribución de resultados.

El artículo 9.2 de la Ley 11/2009 establece un gravamen especial del 19% sobre el importe íntegro de los dividendos o participaciones en beneficios distribuidos por la SOCIMI a aquellos socios cuya participación sea igual o superior al 5% del capital social y que, en sede del socio, estén exentos o tributen a un tipo de gravamen inferior al 10%[26]. Este gravamen, que tiene la naturaleza de cuota del IS, recae sobre la propia

[26] La Ley no precisa si el tipo debe ser efectivo o nominal. Algunos autores, como De Juan Cadadevall, consideran que esta falta de concreción supone que el tipo a considerar es el nominal.

entidad distribuidora y debe entenderse como un correctivo al principio de neutralidad fiscal, para evitar situaciones de doble no imposición[27]. Excepcionalmente, no será exigible dicho gravamen cuando el socio beneficiario sea a su vez una entidad que aplica el régimen de la Ley 11/2009, o cuando se trate de entidades no residentes que posean al menos el 5% del capital y tributen efectivamente por dichos dividendos al menos al 10%. El devengo de este gravamen se produce el día del acuerdo de distribución de resultados adoptado por la junta general, debiendo ser autoliquidado e ingresado en el plazo de dos meses desde dicha fecha.

Adicionalmente, se impone un gravamen especial del 15% sobre aquellos beneficios obtenidos en el ejercicio que no hayan sido objeto de distribución, en la medida en que procedan de rentas no sujetas al tipo general del IS ni acogidas al régimen de reinversión contemplado en la propia Ley. Este gravamen también tiene la consideración de cuota del IS y actúa como incentivo para el cumplimiento de la obligación de reparto de beneficios inherente al régimen de SOCIMI. El devengo del gravamen tiene lugar en la fecha de adopción del acuerdo de aplicación del resultado por la junta general, y al igual que el anterior, deberá ser autoliquidado e ingresado en el plazo de dos meses[28].

De Juan Casadevall, J. (2024): "El régimen fiscal de las SOCIMI", ob. cit. pág. 258. Sin embargo, la DGT, en Consultas Vinculantes como la Consulta V0346-14, de 11 de febrero o la Consulta V1429-14, de 29 de mayo, ha determinado que el tipo a considerar sería el efectivo. Señala la DGT que "En cuanto a cómo determinar si la tributación del dividendo es inferior al 10% o no, deberá tenerse en cuenta la tributación efectiva del dividendo aisladamente considerado, sin tener en cuenta otro tipo de rentas que pudieran alterar dicha tributación, como pudiera resultar, por ejemplo, la compensación de bases imponibles negativas en sede del socio".

27 Sin embargo, como apunta De Juan Casadevall, este gravamen especial puede "acarrear una indeseable doble imposición económica. Sería el caso de los socios que soportan una carga impositiva inferior al 10% en el dividendo distribuido, que tendrán que adicionar al impuesto soportado, el gravamen especial subyacente del 19%". Además, destaca este autor el problema existente en relación con la carga de la prueba de este umbral de tributación del 10%. De Juan Casadevall, J. (2024): "El régimen fiscal de las SOCIMI" ob. cit. págs. 258-259.

28 Un ejemplo ilustrativo de la aplicación de ambos gravámenes especiales es el siguiente: la entidad SOCIMI ALFA, S.A., acogida al régimen fiscal especial previsto en la Ley 11/2009, que en el ejercicio 2024 obtiene un beneficio contable de 10 millones de euros, procedente íntegramente del arrendamiento de inmuebles urbanos. En la junta general celebrada el 30 de junio de 2025, la entidad acuerda distribuir dividendos por importe de 8 millones de euros y retener 2 millones. Entre sus accionistas figura la entidad luxemburguesa Fondo LUX S.à.r.l., titular del 10% del capital social, que tributa en su país por los dividendos obtenidos con una exención plena, resultando una tributación efectiva del 0%. En aplicación del artículo 9.2 de la Ley 11/2009, al concurrir los requisitos de participación significativa (≥ 5%) y baja o nula tributación efectiva (< 10%), procede exigir a la SOCIMI un gravamen especial del 19% sobre el importe íntegro de los dividendos distribuidos a dicho socio, lo que representa una cuota adicional del IS por importe de 152.000 euros (19% de 800.000 euros). Asimismo, al no haberse

2. RÉGIMEN FISCAL ESPECIAL DE LOS SOCIOS

El régimen fiscal especial de las SOCIMI no se agota en la propia entidad, sino que se extiende también a sus socios, conforme al artículo 10 de la Ley 11/2009. Este régimen tiene como objetivo trasladar la tributación desde la entidad hacia los accionistas. No obstante, la aplicación del mismo varía sustancialmente según la naturaleza del socio, su residencia fiscal y el tipo de renta percibida (dividendos o plusvalías)[29].

- **Tributación de los dividendos distribuidos:** los dividendos distribuidos por una SOCIMI con cargo a beneficios o reservas sometidos al régimen fiscal especial tienen el siguiente tratamiento[30]:

  a) Socios contribuyentes del IS o del IRNR con establecimiento permanente: no podrán aplicar la exención prevista en el artículo 21 de la LIS sobre los dividendos recibidos. Es decir, estos rendimientos tributan íntegramente en la base imponible de la entidad receptora, sin posibilidad de aplicar la exención por doble imposición.

  b) Socios personas físicas (IRPF): los dividendos tributan conforme a lo previsto en el artículo 25.1.a) de la Ley 35/2006 del IRPF, esto es, como rendimientos del capital mobiliario integrados en la base del ahorro y sujetos a la escala de gravamen progresiva correspondiente (actualmente entre el 19 % y el 28 %, en función del importe total de rendimientos del ahorro).

  c) Socios no residentes sin establecimiento permanente (IRNR): la renta obtenida tributa conforme al artículo 24.1 del TRLIRNR, sin posibilidad de aplicar la exención por dividendos prevista en convenios o en la Directiva matriz-filial, salvo que se cumplan los requisitos adicionales de gravamen mínimo efectivo del 10 %.

---

distribuido la totalidad de los beneficios y no destinarse los 2 millones restantes a reinversión conforme al régimen legal, resulta exigible el gravamen especial del 15% sobre beneficios no distribuidos, ascendiendo este a 300.000 euros. Ambos gravámenes deben ser autoliquidados por la SOCIMI e ingresados en el plazo de dos meses desde la fecha del acuerdo de aplicación del resultado.

29 Calvo, R., Pons, E. (2018): "Régimen fiscal especial de los socios", en Calzada Criado, D. Y Lucas Chinchilla, J. L. (Dirs.): *Tratado de las SOCIMI. Un análisis multidisciplinar del REIT español,* ob. cit. págs. 269 y ss.

30 Con ello, no resultará de aplicación del régimen especial de las SOCIMI a los socios, por los beneficios o reservas distribuidos que hubieran tributado conforme a otro régimen distinto. Así lo señala la DGT en la Consulta Vinculante V3767-15, de 30 de noviembre.

- **Tributación de las plusvalías en la transmisión de acciones:** las ganancias patrimoniales derivadas de la transmisión o reembolso de acciones en SOCIMI se someten al siguiente régimen:

  a) **Socios contribuyentes del IS o del IRNR con establecimiento permanente:** no se podrá aplicar la exención por doble imposición prevista en el artículo 21 LIS respecto de las rentas positivas obtenidas en la transmisión.

  b) **Socios personas físicas (IRPF):** la ganancia o pérdida patrimonial se calcula conforme al artículo 37.1.a) de la Ley del IRPF, como diferencia entre el valor de transmisión y el valor de adquisición, teniendo en cuenta las reglas de imputación temporal y los gastos accesorios.

  c) **Socios no residentes sin EP con participación ≥ 5 %:** no podrán aplicar la exención prevista en el artículo 14.1.i) del TRLIRNR. Esta limitación se justifica por el deseo del legislador de evitar la elusión del gravamen final sobre las plusvalías.

Como se puede observar, la configuración del régimen fiscal especial aplicable a los socios de las SOCIMI revela una clara orientación hacia el principio de neutralidad en sede de la entidad, trasladando la tributación al inversor final. No obstante, la aplicación de este principio genera resultados dispares según la naturaleza y residencia del socio, lo que plante algunos interrogantes.

En particular, en el caso de que los socios de una SOCIMI sean otras sociedades residentes en España y sujetas al IS, el artículo 10 de la Ley 11/2009 excluye expresamente la posibilidad de aplicar la exención prevista en el artículo 21 de la LIS. Esta exención, que también existe en muchos sistemas fiscales de nuestro entorno, constituye una de las piezas clave del régimen fiscal español, ya que permite que las sociedades que posean al menos un 5% de participación en el capital de otras entidades, como sería el caso de una SOCIMI, y mantengan dicha participación de forma continuada durante un determinado periodo, queden exentas de tributar en un 95% por los dividendos y plusvalías obtenidos. Ahora bien, al privar a los socios residentes de esta exención, se genera una situación paradójica: los socios no residentes en España pueden llegar a beneficiarse de un tratamiento fiscal más favorable que el que se aplica a las entidades españolas. En consecuencia, hay buenas razones para afirmar que el diseño del artículo 10 de la Ley 11/2009 favorece de forma notable a los capitales foráneos. El régimen actual podría incentivar fórmulas de planificación fiscal agresiva por parte de grandes inversores no residentes, en detrimento de sociedades residentes que quedan excluidas de la exención ordinaria por participación significativa.

Por otro lado, los socios con una participación igual o superior al 5 % que perciban dividendos o participaciones en beneficios están obligados a comunicar a la entidad emisora, en un plazo de diez días desde su percepción, si dichas rentas están sujetas a un tipo de gravamen de al menos el 10 %. Si no se efectúa esta notificación, se presume que los dividendos están exentos o tributan por debajo de dicho umbral, activándose el ya referido gravamen especial del 19 % a cargo de la SOCIMI. Este gravamen especial se configura como una medida antiabuso, aplicable cuando las rentas obtenidas por el socio no alcanzan un nivel mínimo de tributación efectiva. Además, las entidades no residentes a que se refiere el artículo 2.1.b) deben acreditar, igualmente, que los dividendos percibidos tributan en sede propia o de sus socios al menos al 10 %, bajo pena de aplicación del mismo gravamen especial.

3. BENEFICIOS FISCALES DE LAS SOCIMI EN EL ITPAJD

El régimen fiscal de las SOCIMI contempla relevantes incentivos en el ámbito del Impuesto sobre Transmisiones Patrimoniales y Actos Jurídicos Documentados (ITPAJD). En particular, el artículo 45.I.B.22 del Real Decreto Legislativo 1/1993, de 24 de septiembre, por el que se aprueba el Texto refundido de la Ley del Impuesto sobre Transmisiones Patrimoniales y Actos Jurídicos Documentados (TRLITPAJD), prevé dos tipos de beneficios fiscales: por una parte, la exención en la modalidad de operaciones societarias por la constitución, aumento de capital y aportaciones no dinerarias; por otra, una bonificación del 95% de la cuota por la adquisición de viviendas destinadas al arrendamiento o de terrenos para su promoción con idéntico fin, condicionada al cumplimiento del requisito de mantenimiento de los inmuebles durante al menos tres años, conforme al artículo 3.3 de la Ley 11/2009.

En relación con este beneficio, se han planteado dos cuestiones importantes. La primera de ellas se vincula con la delimitación del concepto de "vivienda" pues, a efectos de la aplicación de la bonificación del 95% prevista en el artículo 45.I.B.22 del TRLITPAJD, resulta esencial delimitar con precisión qué debe entenderse por "vivienda" cuando la adquisición es realizada por una SOCIMI. En este sentido, la DGT, en la Consulta Vinculante V2800-15, de 1 de septiembre, aborda expresamente esta cuestión.

Partiendo de los criterios hermenéuticos establecidos por el Código Civil y la Ley 58/2003, de 17 de diciembre, General Tributaria (LGT), la DGT recurre al objetivo del fomento del mercado del alquiler de inmuebles urbanos, que justifica el régimen fiscal privilegiado de las SOCIMI, para concluir que difícilmente puede disociarse la noción de "vivienda" de aquellos elementos que resultan funcional y estructuralmente unidos a ella, como el trastero o la plaza de garaje. Bajo esta premisa, se admite una interpretación amplia del término "vivienda" que incluye tales anejos, siempre que exista una vinculación efectiva con la misma.

Ahora bien, dicha ampliación conceptual no es ilimitada. La finalidad de la norma actúa también como límite interpretativo: el beneficio fiscal está previsto exclusivamente para viviendas, lo que excluye otras edificaciones, como locales comerciales o de negocio. Por tanto, los trasteros o garajes solo podrán beneficiarse de la bonificación cuando estén vinculados a la vivienda, y no si se adquieren para ser arrendados de manera independiente[31]. La determinación de dicha vinculación puede realizarse desde dos perspectivas complementarias:

- Desde el punto de vista registral, existirá vinculación cuando la plaza de garaje o el trastero formen parte de una única finca registral junto con la vivienda, o cuando, siendo fincas registrales distintas, estén configurados como anejos inseparables de la misma.
- Desde el punto de vista del tráfico jurídico, se atenderá a las circunstancias de la adquisición. Existirá vinculación cuando los elementos se adquieran en el mismo acto que la vivienda (aunque consten en documentos distintos), cuando se ubiquen en el mismo inmueble o, en términos finalistas, cuando su destino sea el arrendamiento conjunto con la vivienda principal.

La segunda cuestión tiene que ver con la interpretación del requisito de mantenimiento durante tres años, ya que la Ley 11/2009, en su artículo 3.3., al que ya nos hemos referido, exige que los inmuebles permanezcan arrendados (o, al menos, ofrecidos en arrendamiento por un año como máximo) durante un período mínimo de tres años desde su adquisición o promoción. En relación con este requisito, la DGT, en distintas Consultas Vinculantes, como la V0112-14, de 20 de enero o V3766-15, de 30 de noviembre, ha admitido que el requisito de arrendamiento puede ser parcial y no exige una ocupación absoluta e ininterrumpida de todos los elementos inmobiliarios. Sin embargo, la Sentencia del Tribunal Superior de Justicia de Madrid nº 593/2024, de 17 de septiembre (ECLI:ES:TSJM:2024:10967), ofrece una interpretación estricta, afirmando que el beneficio recogido en el artículo 42.I.B.22 del TRLITPAJD es una bonificación de aplicación restrictiva, en virtud del artículo 14 de la LGT, de modo que el cumplimiento debe ser individualizado por inmueble y probado por la sociedad beneficiaria[32]. Esta interpretación rígida puede parecer desproporcionada en contextos

31 Esta noción de unidad entre la vivienda y sus anejos no es ajena a otros ámbitos tributarios. Así, por ejemplo, el artículo 22.I.B.12.b) del TRLITPAJD reconoce la exención para préstamos hipotecarios destinados a la adquisición de viviendas de protección oficial junto con sus anejos inseparables y en el IVA, los garajes y trasteros vinculados se asimilan a la vivienda a efectos del tipo impositivo o de la exención del artículo 20.Uno.23º.B) de la LIVA.

32 La Sentencia aclara que la finalidad de las Consultas Vinculantes citadas es evitar la pérdida del beneficio fiscal en el IS, dado que dicho beneficio se computa de forma global conforme al artículo 5 de la LIS (que regula el concepto de actividad económica y de entidad patrimonial) y al artículo 3 de la Ley 11/2009 (que exige que al menos el 80% del valor del activo de las SOCIMI se invierta en bienes inmuebles urbanos destinados al arrendamiento). Por este motivo, en ese contexto se admite una interpretación amplia del requisito de mantenimiento de los inmuebles durante tres años, a fin de fomentar la inversión en vivienda de alquiler. No obstante, en el ámbito del ITP objeto del litigio, el Tribunal considera que la exclusión del

donde la SOCIMI ha desplegado una estrategia razonable de arrendamiento y la desocupación responde a circunstancias del mercado o a situaciones coyunturales. Castigar con la pérdida de la bonificación por el incumplimiento parcial (en ocho de 57 viviendas) parece contradecir la finalidad última del incentivo, que es favorecer la inversión en vivienda para su puesta en arrendamiento, no exigir una ocupación total sin matices[33].

Sería razonable considerar una interpretación flexible o sustancial del requisito de mantenimiento, inspirada en la reciente jurisprudencia del Tribunal Supremo que rechaza la aplicación restrictiva, de manera automática, de los beneficios fiscales[34]. La aplicación de la bonificación no debería negarse cuando el conjunto de la inversión cumple el fin último perseguido por el legislador: la incorporación del parque inmobiliario al mercado de alquiler.

---

beneficio respecto de inmuebles concretos no supone un desincentivo para la inversión, ya que las viviendas que cumplan efectivamente los requisitos sí se beneficiarán de la bonificación. En consecuencia, el incumplimiento parcial no afecta al conjunto, a diferencia de lo que ocurre en el régimen del IS donde el análisis se realiza sobre la entidad en su globalidad, como sucedía en los supuestos tratados por la Dirección General de Tributos en las consultas mencionadas.

33 Además, desde una perspectiva práctica, la Sentencia pone de manifiesto la necesidad de que las SOCIMI documenten exhaustivamente la situación arrendaticia de cada activo inmobiliario. La simple ausencia de fianza depositada ante el IVIMA fue suficiente para presumir la inexistencia del arrendamiento, trasladando a la entidad la carga de la prueba.

34 En este sentido, la Sentencia del Tribunal Supremo de 16 de julio de 2020 (ECLI:ES:TS:2020:2448), que apunta que "No parece, empero, que hayamos empleado el calificativo de "restrictiva" en la hermenéutica de las normas que establecen beneficios fiscales para indicar que hay que "disminuir" o "reducir" sus límites, sino más bien para poner énfasis en que en este ámbito no cabe hacer una interpretación "extensiva" o "expansiva", sino que debe ser "estricta" o, si se prefiere, contenida. Y ello, al menos, por dos razones. En primer lugar, porque no tendría sentido —simplemente— mantener que debe efectuarse una interpretación reductora del ámbito del beneficio fiscal y, al mismo tiempo, afirmar que la interpretación en estos supuestos tiene que hacerse conforme a los criterios contenidos en los artículos 12 y 14 de la LGT, "que no son —hemos dicho— sino concreción en el ámbito tributario de los criterios hermenéuticos generales de los arts. 3.1 y 4.2 del Código Civil", el primero de los cuales dispone, como es de sobra conocido, que "[l]as normas se interpretarán según el sentido propio de sus palabras, en relación con el contexto, los antecedentes históricos y legislativos, y la realidad social del tiempo en que han de ser aplicadas, atendiendo fundamentalmente al espíritu y finalidad de aquellas". Insistimos: no resultaría coherente defender una interpretación de las normas que establecen beneficios fiscales, de un lado, que restrinja o acorte su alcance y, de otro lado, que se acomode asimismo a los criterios generales de interpretación". En la misma línea, las Sentencias de 28 de marzo de 2019 (ECLI:ES:TS:2019:1056) y de 20 de julio de 2021 (ECLI:ES:TS:2021:3077).

IV. PERSPECTIVAS DE REFORMA DEL RÉGIMEN FISCAL DE LAS SOCIMI: PROPUESTAS INTERNAS E IMPLICACIONES DEL PILAR II

La evolución reciente del mercado inmobiliario y la creciente presión social en torno al problema del acceso a la vivienda han situado a las SOCIMI en el centro del debate político y mediático. Su asociación con dinámicas especulativas, junto con la percepción de que disfrutan de un régimen fiscal especialmente favorable, ha motivado en los últimos años diversas iniciativas parlamentarias orientadas a reformar su marco jurídico-tributario. Tras el rechazo, en noviembre de 2024, de un primer intento de modificación, el debate se ha articulado en torno a dos enfoques claramente diferenciados, uno de los cuales ha sido ya descartado por el legislador.

La primera proposición, impulsada por el Grupo Parlamentario Socialista, no cuestiona la existencia misma del régimen de las SOCIMI, sino que plantea una reorientación funcional del mismo, condicionando el mantenimiento de las ventajas fiscales al cumplimiento de objetivos de política pública en materia de vivienda, en particular al fomento del alquiler asequible[35]. Entre las medidas previstas destacan, en primer lugar, el incremento del gravamen sobre los beneficios no distribuidos, elevando el tipo del 15 % al 25 % cuando dichos beneficios procedan del arrendamiento de viviendas en los términos del artículo 2 de la Ley 29/1994, de 24 de noviembre, de Arrendamientos Urbanos. En el caso de SOCIMI con actividad mixta, se mantendría el tipo del 15 % para los beneficios no vinculados al arrendamiento de viviendas, aplicándose el 25 % exclusivamente a los derivados de esta actividad.

Junto a ello, la propuesta articula un sistema de reducciones del gravamen, que puede alcanzar el 50 % cuando más del 60 % del parque de viviendas arrendadas se destine a alquiler asequible, y el 100 % cuando, además, los beneficios no distribuidos se reinviertan en el plazo de tres años en nuevas viviendas destinadas a dicho fin. Se establece un régimen transitorio progresivo, que eleva gradualmente el porcentaje de viviendas asequibles exigido hasta alcanzar el 60 % a partir de 2028. El concepto de alquiler asequible se define mediante referencia al Índice de Precios del Ministerio de Vivienda y Agenda Urbana o, subsidiariamente, a un umbral máximo de renta anual, exigiéndose adicionalmente que se trate de viviendas de uso permanente o que el esfuerzo financiero del arrendamiento no supere el 30 % de los ingresos de la unidad de convivencia. Por lo que se refiere a su impacto práctico podría resultar limitado, habida cuenta de que las SOCIMI ya distribuyen, en términos generales, la mayor parte de sus beneficios, lo que reduce el alcance efectivo del gravamen sobre rentas no distribuidas.

---

35 Propuesta accesible en el siguiente enlace: https://www.congreso.es/public_oficiales/L15/CONG/BOCG/B/BOCG-15-B-229-1.PDF

Frente a este enfoque correctivo, la proposición presentada por el Grupo Parlamentario Esquerra Republicana planteaba un replanteamiento radical de la figura, basado en el endurecimiento de las condiciones de explotación de los inmuebles y en la supresión íntegra del régimen fiscal especial[36]. Entre sus principales medidas se encontraban la ampliación del plazo mínimo de arrendamiento a siete años, la prohibición del alquiler turístico o de temporada, la imposición de controles de precios en zonas tensionadas y, de manera especialmente significativa, la eliminación de los artículos 8 a 13 de la Ley 11/2009, con la consiguiente desaparición del tipo cero en el IS y del resto de ventajas fiscales asociadas al régimen de las SOCIMI.

Esta iniciativa fue sometida a votación parlamentaria y rechazada, impidiéndose incluso el inicio de su tramitación legislativa. No obstante, su análisis resulta relevante desde una perspectiva sistemática, pues pone de manifiesto la existencia de corrientes políticas que cuestionan no solo determinados aspectos del régimen, sino su propia razón de ser como vehículo especializado de inversión inmobiliaria en alquiler. De haberse aprobado, esta propuesta habría supuesto la desnaturalización de las SOCIMI como figura jurídica diferenciada, al privarlas del incentivo fiscal que justifica su configuración específica.

A las iniciativas internas de reforma del régimen de las SOCIMI se suma, además, una presión de origen supranacional derivada de la implantación del denominado Pilar II, incorporado al ordenamiento español mediante la Ley 7/2024, de 20 de diciembre, que transpone la Directiva (UE) 2022/2523, del Consejo, de 15 de diciembre de 2022, y establece un Impuesto Complementario Mínimo Global destinado a garantizar una tributación efectiva mínima del 15 % para los grandes grupos multinacionales y nacionales con una cifra de negocios consolidada igual o superior a 750 millones de euros. A priori, este nuevo marco podría entrar en tensión con el régimen de las SOCIMI, caracterizado por un tipo nominal nulo en el ISy por el desplazamiento de la tributación al nivel del socio. No obstante, la propia Directiva excluye de su ámbito de aplicación a determinados instrumentos de inversión inmobiliaria que cumplan requisitos estrictos de amplia titularidad, dedicación principal a la tenencia de inmuebles y sujeción a un único nivel de imposición, con un diferimiento máximo limitado. Esta exclusión permitiría, en principio, dejar fuera del ámbito de Pilar II tanto a las SOCIMI como a determinadas estructuras de sub-SOCIMI, siempre que se configuren como instrumentos de inversión inmobiliaria en sentido estricto. Ahora bien, la necesidad de una correcta articulación normativa interna resulta evidente, pues la ausencia de una exclusión clara

---

36 Propuesta accesible en el siguiente enlace:
https://www.congreso.es/public_oficiales/L15/CONG/BOCG/B/BOCG-15-B-252-1.PDF

y expresa podría generar inseguridad jurídica en grupos que, por dimensión, quedaran formalmente dentro del umbral de aplicación del impuesto complementario[37].

V. REFERENCIAS BIBLIOGRÁFICAS

Calzada Criado, D. y Lucas Chinchilla, J. L. (Dirs.) (2018): *Tratado de las SOCIMI. Un análisis multidisciplinar del REIT español,* Aranzadi, Cizur Menor, 2018. En esta obra:

Calzada Criado, D., Arbues Bote, I. y Rodríguez Cid, E.: "Distribución de resultados".

Calzada Criado, D., Calvo, R. y Pons, E.: "Régimen fiscal especial de los socios"

Calzada Criado, D. y Marco, A.: "Principales aspectos mercantiles y regulatorios de las SOCIMI".

Calzada Criado, D., Paternáin Osacar, S. y Montejo Alonso, B.: "El siguiente paso: una propuesta de flexibilización del modelo de SOCIMI a la luz del derecho comparado".

Calzada Criado, D., Sánchez Recio, A.; Bravo Gutiérrez, C. y Conde Varela, B.: "Requisitos de inversión".

Calzada Criado, D., Stoschek, U.: "Principales regímenes REIT en Estados Unidos y la Unión Europea".

Calzada Criado, D., Viñuales, L. y Pons, E.: "Accionariado y objeto social de las SOCIMIS".

Casas Agudo, D. (2010): "Régimen tributario de las sociedades de inversión inmobiliaria cotizadas (SOCIMI) en el ordenamiento italiano", *Revista Española de Derecho Financiero,* núm. 146.

De Juan Casadevall, J. (2024): "El régimen fiscal de las SOCIMI", *La fiscalidad del arrendamiento de vivienda y otras figuras afines*, Aranzadi.

Falcón y Tella, R. (2009): "El nuevo régimen especial de las SOCIMI o S-REITs", *Quincena Fiscal,* núm. 12.

Fúster Gómez, M. (2012): "Situación actual de la fiscalidad del mercado inmobiliario: los vehículos de inversión inmobiliaria no financieros. (Parte 1ª)", *Quincena Fiscal,* núm. 4.

López Pombo, D. (2024): "SOCIMI. Cuestiones de interpretación de su régimen fiscal", *La tributación en el Impuesto sobre Sociedades,* La Ley.

Viñuales Sanabria, L. M. (2010): "SOCIMI, ¿El REIT de nueva generación? Un estudio comparado", *Crónica Tributaria,* núm. 135, 2010.

VV. AA. (2022): *Las SOCIMI salen al campo,* Armadata asesores.

VV. AA. (2024): *IX Estudio SOCIMI 2024,* Armanext.

[37] López Pombo, D.: "SOCIMI. Cuestiones de interpretación de su régimen fiscal", ob. cit. págs. 804-805.

EL RÉGIMEN ESPECIAL DE LAS ENTIDADES DEDICADAS AL ARRENDAMIENTO DE VIVIENDA. REGULACIÓN Y PERSPECTIVAS.

JUAN JOSÉ HINOJOSA TORRALVO
Catedrático de Derecho Financiero y Tributario
Universidad de Málaga
ORCID 0000-0002-2956-5465

MIENTO DE VIVIENDAS EN EL IMPUESTO SOBRE SOCIEDADES. IX. APUNTES BREVES SOBRE UN FUTURO (INCIERTO) DE LA FISCALIDAD DEL ARRENDAMIENTO DE VIVIENDAS EN EL IMPUESTO SOBRE SOCIEDADES (Y OTROS TRIBUTOS). X. EL ESTADO DEL DEBATE DOCTRINAL SOBRE LAS CUESTIONES MÁS RELEVANTES RELATIVAS AL REAV. XI. CONCLUSIONES. XII. REFERENCIAS BIBLIOGRÁFICAS.

I. CONCEPTO Y CONFIGURACIÓN DEL RÉGIMEN ESPECIAL DE ENTIDADES DEDICADAS AL ARRENDAMIENTO DE VIVIENDA (REAV)

1. UN RÉGIMEN OPCIONAL PARA EL GRAVAMEN DE LAS RENTAS DERIVADAS DE ALQUILERES DE VIVIENDAS

El régimen especial de entidades dedicadas al arrendamiento de viviendas (REAV) es un régimen tributario opcional del Impuesto sobre Sociedades que consiste principalmente una bonificación parcial de la cuota íntegra, aplicable a sociedades cuya actividad económica principal sea el arrendamiento de viviendas situadas en territorio español. Estas entidades pueden ser promotoras, constructoras o simples adquirentes de las viviendas que arriendan, con tal de que cumplan los requisitos legales. El régimen fue introducido por la *Ley 36/2003, de 11 de noviembre, de medidas de reforma económica* en la *Ley 43/1995, del Impuesto sobre Sociedades*, y de ahí pasó al *Texto Refundido de la Ley del Impuesto sobre Sociedades* (TRLIS) aprobado por Real Decreto Legislativo 4/2004[1]. Posteriormente ha sido objeto de varias reformas para ajustar sus condiciones y alcance, tal como se detalla más abajo en este mismo apartado.

Este régimen especial es de aplicación voluntaria y, por tanto, requiere que la sociedad comunique expresamente a la Administración Tributaria su opción. Una vez ejercida esta, el régimen se aplica en el período impositivo que finalice con posterioridad a dicha comunicación y en los sucesivos, hasta la renuncia al mismo. Durante su vigencia, el REAV permite compatibilizar la actividad principal de arrendamiento de viviendas con otras actividades inmobiliarias accesorias e incluso con la transmisión de inmuebles arrendados; en este caso, una vez cumplido el plazo mínimo de mantenimiento (este plazo, su régimen y sus efectos se analizan en el apartado III.3).

2. BONIFICACIÓN DE LA CUOTA ÍNTEGRA CORRESPONDIENTE A *RENTAS BONIFICABLES*

2.1. La bonificación

La bonificación es el elemento central del REAV y el modo en que se expresa no es una reiteración descuidada. Por el contrario, el incentivo fiscal consiste en una bonificación parcial de la cuota del Impuesto sobre Sociedades. En concreto, la ley establece

---

1 Art. 3 de la Ley 36/2003, que constituye su título II, denominado "Fomento del arrendamiento de viviendas" y que añade un capítulo III (arts. 68 *quater* y 68 *quinquies*) al título VIII de la entonces vigente Ley 43/1995, del IS, denominando así: "Entidades dedicadas al arrendamiento de viviendas". En el TRLIS se reguló en los arts. 53 y 54 (cap. III del tít. VII).

una *bonificación del 40% sobre la parte de la cuota íntegra* que corresponda a las *rentas (netas) derivadas del arrendamiento de viviendas* que cumplan los requisitos del régimen, que por eso son llamadas *rentas bonificables.* Esta bonificación se practica sobre la *cuota líquida* del impuesto, minorando así directamente la carga tributaria de la sociedad arrendadora de viviendas; o sea: el 40% de la cuota íntegra correspondiente a las rentas bonificadas es justamente la deducción que se practica en la cuota líquida (art. 49.1 LIS)[2].

Se ha sabido desde el principio que la justificación de esta bonificación radica en incentivar la oferta de vivienda en alquiler por parte de empresas, aliviando su carga fiscal[3]. También se señaló que este régimen buscaba equiparar, en alguna medida, la tributación de las rentas del alquiler de las sociedades con los beneficios fiscales que existían —existen también ahora, y en mayor medida— en el del IRPF para los arrendadores personas físicas[4]. El resultado práctico de la bonificación vigente es que, para las rentas bonificables, la tributación efectiva nominal se reduce al 60% del tipo correspondiente[5].

---

2 Conviene señalar desde este momento que esta bonificación es incompatible con el beneficio de la reserva de capitalización del artículo 25 LIS respecto de las mismas rentas bonificadas, de manera que la sociedad debe optar entre aplicar la bonificación del régimen especial o la reserva de capitalización sobre esas rentas; no es posible, pues, acumular ambos incentivos fiscales sobre la misma base.

3 El objetivo es incentivar el alquiler *eficiente*, de manera que solo la *renta neta real* obtenida de la actividad de arrendamiento se beneficie de la bonificación, evitando trasladar a la base bonificada rentabilidades aparentes infladas por ingresos financieros u operaciones ajenas al arrendamiento. La *Exposición de motivos* de la Ley 36/2003 (ap. III) dijo expresamente lo siguiente: "Se quiere así estimular el mercado inmobiliario de viviendas en alquiler y dar respuesta a la necesidad social de contar con un parque de viviendas en alquiler, hoy muy limitado. El régimen especial beneficiará a quienes ofrezcan en alquiler viviendas que, por sus dimensiones y precios de alquiler, vayan destinadas a los sectores de poder adquisitivo medio o bajo, y se concreta en una bonificación de la cuota impositiva que resulte de la aplicación del régimen general. De esta bonificación se beneficiarán los rendimientos obtenidos en la actividad de arrendamiento de viviendas y las ganancias derivadas de su enajenación, bajo determinadas condiciones."

4 En efecto, históricamente las personas físicas han gozado de reducciones significativas en el rendimiento neto del alquiler de vivienda habitual en IRPF (del 50% al 60%, e incluso 70%-90% en ciertos supuestos a partir de 2023), de modo que la creación del REAV en 2003 habría venido a dotar de un tratamiento fiscal favorable también a las personas jurídicas arrendadoras.

5 Dado el tipo general del Impuesto sobre Sociedades del 25%, la aplicación de la bonificación del 40% implica que esas rentas tributen a un tipo efectivo del 15%, o sea, el 60% del tipo general (0,60 × 25=15%).

2.2. Evolución histórica y reformas normativas

El régimen especial de arrendamiento de viviendas ha experimentado diversas modificaciones legislativas desde su creación, que han alterado tanto el porcentaje de bonificación como los requisitos para acogerse y mantener el régimen.

La *Ley 36/2003, de 11 de noviembre, de medidas de reforma económica*, introdujo por primera vez este régimen especial en el TRLIS, al que podrían acogerse "las sociedades que tengan por objeto social exclusivo el arrendamiento de viviendas situadas en territorio español" (art. 68 *quater* 1). En principio, este régimen de "exclusividad" fue compatible con la inversión en locales de negocio y plazas de garaje para su arrendamiento (siempre que su valor contable conjunto no exceda del 20 por ciento del valor contable total de las inversiones en vivienda de la entidad —art. 68 *quater* 1 *Ley 43/1995, del Impuesto sobre Sociedades*, entonces vigente—).

En su configuración original, el incentivo fiscal era una *bonificación del 85%* (art. 68 quinquies *Ley 43/1995*). Los requisitos iniciales establecidos exigían que hubiera un número mínimo de 10 viviendas arrendadas u ofrecidas en alquiler durante cada período impositivo (68 *quater* 2a), con requisitos adicionales para las no calificadas como de protección oficial —VPO— (68 *quater* 2c); que un tercio de ellas incorporaran una opción de compra para el arrendatario con alguna especialidad para las viviendas de VPO (68 *quater* 2b y 2d); que tuvieran una superficie construida no superior a 110 m2 en cada vivienda (o 135 m2, pero sólo el 20% de ellas ni más de dos plazas de garaje —68 *quater 2c)* segundo); y un plazo mínimo de mantenimiento en arrendamiento de 5 años cada una de ellas o el correspondiente a las VPO (68 *quinquies* 1, a); se regularon también rigurosos requisitos sobre la renta derivada de la transmisión de las viviendas previamente arrendadas (68 *quinquies* 1 y 2 b).

Mediante la *Ley 23/2005, de 18 de noviembre, de reformas en materia tributaria para el impulso a la productividad*, se introdujeron los primeros ajustes en el régimen especial, ya incorporado al *Texto Refundido de la Ley del Impuesto sobre Sociedades* (RD Legislativo 4/2024, de 5 de marzo, arts. 53 y 54) y entre ellos: la fijación de una superficie de la vivienda no superior a 135m2 —sin otras limitaciones; la permanencia de las viviendas arrendadas por un período de al menos 7 años (art. 53.2c); la separación contable de las actividades de promoción inmobiliaria y de arrendamiento (art. 53.2d); y la bonificación del 90% para arrendamientos a discapacitados (art. 54.1 TRLIS). Además, se suprimieron algunos requisitos de la regulación anterior, como el relativo a la opción de compra y los relacionados con la distinción entre viviendas no protegidas y las de protección oficial (VPO).

Pero seguramente la medida más importante por su significación para el desarrollo posterior del REAV fue la introducción de la compatibilidad del régimen especial con la realización de otras actividades, a las que se llamó "complementarias"; esta compatibilidad tomó la forma de requisito de aplicabilidad del régimen, consistente en exigir que ““al menos el 55 por ciento de las rentas del período impositivo, excluidas las derivadas de la transmisión de los inmuebles arrendados una vez transcurrido el período mínimo ... tengan derecho a la aplicación de la bonificación a que se refiere el artículo 54.1 de esta Ley” (art. 53.2e) TRLIS.

El régimen no se volvió a tocar hasta la *Ley 16/2012, de 27 de diciembre, por la que se adoptan diversas medidas tributarias dirigidas a la consolidación de las finanzas públicas y al impulso de la actividad económica*, que introdujo unas medidas bastante significativas para flexibilizar los criterios que permiten su aplicación[6]: a fin de ampliar el número de entidades beneficiarias y activar el mercado del alquiler, se redujo de 10 a 8 el número mínimo de viviendas que la entidad debía tener en arrendamiento y se acortó el periodo mínimo de permanencia de 7 años a 3 años; para adaptarse mejor al mercado, se eliminó el requisito de la superficie máxima de 135 m² por vivienda.

Esta tendencia “flexibilizadora” del régimen especial se cerró con otra medida muy relevante relativa al ejercicio de actividades complementarias. Siguiendo la misma técnica que la anterior ley de 2005, se modificó el requisito aplicabilidad del régimen de manera que, además del ya existente (que el 55% de la renta de la entidad fuese bonificable), y de modo alternativo —no acumulativo— también pudieran ejercerse actividades complementarias cuando “...al menos el 55 por ciento del valor del activo de la entidad sea susceptible de generar rentas que tengan derecho a la aplicación de la bonificación a que se refiere el artículo 54.1 de esta Ley” (art. 53.2d) TRLIS)[7].

Al año siguiente se promulgó una nueva norma, la *Ley 27/2014, de 27 de noviembre, del Impuesto sobre Sociedades* y con su entrada en vigor a partir de 2015 se consolidó el régimen especial. Los requisitos de 8 viviendas y 3 años se mantuvieron, incorporándose al articulado de la nueva Ley. Se conservaron también las demás condiciones (separación contable, límite del 55% de rentas de otras actividades o de activos) y se añadieron disposiciones específicas de coordinación con el nuevo régimen general de exención para evitar la doble imposición de dividendos (art. 21 LIS), como se dirá más abajo (ap. V.2).

La reforma más reciente es la llevada a cabo por la *Ley 22/2021, de 28 de diciembre, de Presupuestos Generales del Estado para 2022*, que incorporó a la LIS el régimen de “tributación mínima global” para grandes empresas (art. 30 bis), que tiene una incidencia potencial sobre algunos aspectos del REAV (*infra*, ap. VII)[8]. La nueva imposición

---

6 La Exposición de Motivos de la Ley 4/2013 indicaba que se pretendía “extender el régimen especial de arrendamiento al mayor número posible de contribuyentes”, flexibilizando sus condiciones

7 Modificación efectuada por la DF 1ª. Cuatro de la Ley 16/2012).

8 La *Ley 12/2023, de 24 de mayo, por el derecho a la vivienda*, no incluye reformas fiscales en el IS, centrándose en cambios en IRPF y otros ámbitos.

mínima global implementada en España por la Ley 7/2024, de 20 de diciembre, completa esta regulación (*infra*, ap. VII.1).

Pero, sobre todo, la modificación más importante, más allá de lo cuantitativo, es la reducción de la bonificación *desde el 85% al 40%*. Sobre los efectos de tal medida se volverá más adelante (ap. VII y VIII). Baste ahora señalar que ni la exposición de motivos de la ley mencionan esta medida, que, sin embargo, es radicalmente relevante en para el desarrollo del régimen[9].

2.3. *Exclusión de la bonificación para la renta procedente de la transmisión de viviendas*

Es importante subrayar que la bonificación del 40% se aplica únicamente a las rentas derivadas del alquiler de las viviendas, no a las rentas provenientes de la enajenación de los inmuebles, que la ley no contempla. Eso se traduce en que las ganancias provenientes de la venta de viviendas por parte de una entidad acogida al REAV tributarán al tipo que corresponda a la sociedad, sin bonificación especial alguna, aun cuando la vivienda hubiera estado previamente arrendada. De hecho, la ley permite que las entidades vendan los inmuebles arrendados una vez transcurrido el período mínimo de mantenimiento (art. 48.1), pero tales rentas de transmisión no disfrutan de la bonificación. En coherencia con esta medida, cuando se aplica el régimen especial, no se incluyen las rentas de transmisión de inmuebles arrendados tras el plazo mínimo para calcular el porcentaje de rentas bonificadas de la entidad, de manera que las ganancias obtenidas por las transmisiones no influyan en el cómputo de la proporción de ingresos procedentes del alquiler.

II. DETERMINACIÓN Y CÁLCULO DE LA RENTA BONIFICABLE

1. RENTA BONIFICABLE

La renta bonificable a efectos del régimen especial REAV se determina *individualmente para cada vivienda arrendada*, aplicando el esquema de cálculo establecido en la Ley. El artículo 49.2 LIS dispone que la renta objeto de bonificación se integra, por cada vivienda, del modo que sigue.

De un lado, por el *ingreso íntegro* obtenido por el arrendamiento de la vivienda durante el período impositivo correspondiente.

[9] Art. 61.4 *Ley 22/2021*, de PGE para 2022, que modifica el art. 49.1 LIS, sin mención ni explicación alguna en el *Preámbulo* de la Ley.

De otro lado, minorando los ingresos, por los *gastos fiscalmente deducibles* que estén directamente relacionados con la obtención de ingresos procedentes del alquiler de esa vivienda. Se incluyen todos los gastos imputables específicamente al inmueble arrendado, tales como los de mantenimiento y reparación, primas de seguros, IBI y demás tributos locales sobre la vivienda; también los gastos de la comunidad de propietarios, de amortización del inmueble, etcétera, siempre que sean deducibles según las normas generales del impuesto. En suma, son los gastos atribuibles de forma *directa* al rendimiento de esa vivienda.

Y finalmente, también restando, por la parte de los *gastos generales de la entidad que corresponda proporcionalmente a dichos ingresos*. Esto implica que los gastos comunes de la sociedad (por ejemplo, gastos administrativos, financieros, generales de gestión) deben prorratearse y asignarse en la proporción en que la renta de esa vivienda participe en la renta total de la entidad. De este modo se obtiene un *rendimiento neto atribuible a cada inmueble*.

El resultado de efectuar la operación "ingresos menos gastos directos menos parte proporcional de gastos generales" es la *renta neta bonificable por vivienda*. Y la suma de las rentas bonificables de cada vivienda arrendada será la base sobre la cual se aplica la bonificación del 40%.

En definitiva, el régimen exige una separación contable por cada inmueble, de forma que pueda conocerse el resultado individual de cada vivienda.

2. CONCEPTOS EXCLUIDOS

Hay ingresos o beneficios que, aun pudiendo estar relacionados con la vivienda arrendada, no se consideran rentas bonificables. En particular, se excluyen dos tipos de subvenciones públicas vinculadas a la vivienda: a) de un lado, el subsidio de intereses de préstamos (ayudas públicas consistentes en subsidiar —bonificar— parte de los intereses de préstamos hipotecarios u otros préstamos obtenidos para la promoción o adquisición de viviendas destinadas al alquiler); ello es así porque dichos importes no forman parte de los ingresos íntegros obtenidos por el arrendamiento, sino que son subvenciones al promotor y, como tales, tributan conforme al régimen general de subvenciones en el IS[10]; y b) de otro lado, de manera análoga, las subvenciones para la financiación de construcciones destinadas al arrendamiento; dichas subvenciones, que suelen darse en

10 DGT: Consulta vinculante V1697-10, de 23/07/2010: "el ingreso íntegro bonificable es el obtenido por el arrendamiento propiamente dicho (en principio, percibido del arrendatario) y, por ello, no incluye la *subsidiación* de intereses ni las subvenciones ligadas a la promoción/adquisición de las viviendas". Ello es así porque la mencionada *subsidiación (sic)* se equipara a una subvención de explotación ordinaria, ajena al concepto estricto de renta de alquiler bonifi-

el marco de planes de vivienda de protección oficial o fomento del alquiler asequible, se contabilizan generalmente como ingresos diferidos imputables a resultados[11].

Desde el punto de vista jurídico, la justificación de estas exclusiones reside en que ni el subsidio de intereses ni las subvenciones de capital encajan en el concepto de "renta derivada del arrendamiento" que define el artículo 49.1 LIS, sino que son ingresos de distinta naturaleza: las primeras reducen el coste financiero del promotor (no aumentan el alquiler pagado por el inquilino) y las segundas financian la inversión inicial.

III. REQUISITOS DEL RÉGIMEN ESPECIAL

El acceso y permanencia en el REAV están condicionados al cumplimiento de una serie de requisitos rigurosos, que pueden clasificarse en tres categorías[12]: subjetivos (referidos a la entidad arrendadora), objetivos (referidos a la naturaleza de los arrendamientos y viviendas) y temporales (plazos de mantenimiento y umbrales). Todos ellos pueden identificarse en los arts. 48 y 49 LIS en relación con otras normas recurrentes, que se mencionarán.

1. REQUISITOS SUBJETIVOS

Sólo pueden acogerse al régimen especial las entidades en las que concurran estas circunstancias:

a) Debe ser *contribuyente del Impuesto sobre Sociedades* (sociedad mercantil u otra entidad sujeta al IS). Se excluyen, por tanto, las personas físicas arrendadoras (que tributan en IRPF) y otras entidades no sujetas al IS. Dentro de los contribuyentes del IS, la norma no restringe la forma jurídica: suelen ser sociedades de capital (S.A. o S.L.),

---

cada (al no provenir del inquilino ni del arrendamiento en sí). Las cursivas son propias, habida cuenta de que esta palabra no consta en el diccionario de la RAE.

11 Cuando se integran en la base imponible (según las normas contables y fiscales sobre subvenciones de capital), la parte correspondiente a estas ayudas públicas no disfruta de la bonificación del 40%, por no derivar de la renta de arrendamiento pagada por el inquilino. La lógica aquí es evitar una "doble ventaja": por un lado, el ingreso subvencionado y por otro, la bonificación fiscal, que incrementaría el incentivo. Por tanto, la renta bonificable de la vivienda se limita a la renta privada de alquiler, excluyendo las transferencias públicas finalistas. Por otra parte, la LIS contiene tratamientos específicos para las subvenciones (por ejemplo, su posible exclusión de base imponible en ciertos supuestos o su integración diferida) que no se verían alterados por el régimen especial.

12 La ley no hace esta distinción, que es propia.

aunque no están excluidas otras entidades, siempre que ejerzan el arrendamiento de vivienda como actividad económica.

b) Su *actividad económica principal debe ser el arrendamiento de viviendas situadas en territorio español.* La ley permite que la entidad realice otras actividades económicas complementarias, pero la principal debe ser el arrendamiento de vivienda. La comprensión de este requisito exige dos precisiones adicionales.

La primera de ellas es la *delimitación de lo que sea actividad económica* de arrendamiento de vivienda. Dado que se requiere el desarrollo de una actividad económica consistente en el arrendamiento de viviendas, la entidad debe arrendar con medios organizados, asumiendo la condición de empresaria conforme al art. 27.2 LIRPF, que requiere el empleo de, al menos, una persona con contrato laboral y a jornada completa[13], lo que no deja de ser paradójico, puesto que las rentas societarias son, por sí mismas, empresariales. En cualquier caso, la actividad de arrendamiento debe ejercerse de manera efectiva y sustancial[14], lo que no quiere decir más que eso: que exista como actividad económica, sin requisitos adicionales impuestos desde la Administración tributaria, como se ha encargado de aclarar la reciente sentencia de 14 de julio de 2025, del Tribunal Supremo, en el sentido de que no se precisa justificar la contratación de la persona empleada con contrato laboral y a jornada completa desde un punto de vista económico[15].

---

13 Art. 27.2 de la *Ley 35/2006, de 28 de noviembre, del IRPF*: *"A efectos de lo dispuesto en el apartado anterior, se entenderá que el arrendamiento de inmuebles se realiza como actividad económica, únicamente cuando para la ordenación de esta se utilice, al menos, una persona empleada con contrato laboral y a jornada completa".*

14 Además, la calificación de la actividad como económica es imprescindible para que los socios personas físicas puedan aplicar la exención en el Impuesto sobre el Patrimonio. Por otra parte, es requisito para disfrutar de las reducciones en el Impuesto sobre Sucesiones y Donaciones por la transmisión de participaciones en empresas familiares, si fuera el caso.

15 STS 956/2025, de 14 de julio (rec. 2197/2023), dictada en un asunto relativo al Impuesto sobre Sucesiones y Donaciones por la sección primera de la Sala Tercera del TS. En el auto de admisión de 10 de abril de 2024 se fijó el interés casacional en "(...) "[...] Determinar si para aplicar la reducción prevista en el artículo 20.2.c) de la Ley del Impuesto sobre Sucesiones y Donaciones, en relación con la actividad de arrendamiento de inmuebles, basta con acreditar el cumplimiento de los requisitos previstos en el artículo 27.2 de la Ley del Impuesto sobre la Renta de las Personas Físicas o, por el contrario, es preciso que la contratación de la persona empleada con contrato laboral y a jornada completa *se justifique desde un punto de vista económico*". Y este es el objeto del recurso de casación (FJ 1º, párr. 1), porque, siempre conforma a la sentencia que se glosa: "Lo importante, a efectos del presente recurso, será ahora determinar si los requisitos establecidos en el apartado 2 del artículo 27 de la LIRPF, local y empleado, son requisitos mínimos e imprescindibles para calificar el arrendamiento de inmuebles como actividad económica, pero no suficientes, pues si no hay una carga de trabajo necesaria y sufi-

La segunda es la *calificación de la actividad como principal*, algo que la ley hace de modo indirecto, al especificar los requisitos de la aplicación del régimen especial en el art. 48.2 y, en concreto, cuando se refiere a la posibilidad de desarrollar actividades que llama *complementarias* de la principal; conforme a la letra d) de ese art. 48.2, la actividad de arrendamiento de viviendas: 1) debe producir al menos el 55% de las rentas del período impositivo (excluidas las derivadas de la transmisión de los inmuebles arrendados una vez transcurrido el período mínimo de mantenimiento —tres años—), 2) o bien, al menos el 55% del valor del activo de la entidad debe ser susceptible de generar rentas bonificables, es decir, que ese porcentaje del activo societario pueda producir rentas de arrendamiento, aunque estas no alcancen el 55% de las rentas sociales. Estos requisitos actúan de modo alternativo y, por tanto, parece razonable pensar que basta que se cumpla uno de ellos para que la actividad económica de arrendamiento pueda considerarse principal.

c) La entidad puede *ser promotora, constructora o adquirente de las viviendas*. Esto significa que el régimen es aplicable tanto a sociedades inmobiliarias que construyen o promueven edificios para destinarlos al alquiler, como a sociedades que compran inmuebles ya construidos (incluso de segunda mano) para alquilarlos. Y, por derivación, que no hay discriminación en función del origen del activo. Todo ello da una amplia dimensión al requisito subjetivo, que permite incluir a todas las figuras empresariales dedicadas al alquiler, desde promotores inmobiliarios hasta empresas de gestión de patrimonios inmobiliarios.

2. REQUISITOS OBJETIVOS

Son los requisitos relativos a las condiciones de los arrendamientos y las viviendas arrendadas.

a) A efectos del régimen especial, únicamente se consideran *arrendamiento de vivienda* los de aquellos contratos que encajen en la definición y requisitos de la *Ley 29/1994, de 24 de noviembre, de Arrendamientos Urbanos (LAU)* para los arrendamientos de vivienda habitual (art. 48.1 párr. 2 LIS), que será únicamente el definido

ciente para disponer de dichos elementos (local y empleado), su concurrencia puede calificarse de innecesaria para la obtención de ingresos, tal y como ha entendido la Administración; o si, por el contrario, su mera existencia determina que el arrendamiento de inmuebles se califique de actividad económica"(FJ. 3º.3, párr. 2). El TS resuelve el caso atendiendo a una interpretación finalista o teleológica de las normas examinadas (art. 20.2.c) LISD y art. 27.2 LIRPF) —FJ3º.5.2, párr. 2— frente a la sola interpretación literal o gramatical.

en el art. 2.1 de la Ley de Arrendamientos Urbanos con el cumplimiento del resto de requisitos de la propia Ley (arts. 6ss LAU)[16].

b) La propia ley del IS aclara inmediatamente *qué debe entenderse por vivienda* a efectos del REAV, incluyendo ciertos anexos o accesorios (art. 48.1 párr. 3). En particular, se establece que se *asimilan a viviendas* los siguientes elementos arrendados conjuntamente con la vivienda por el mismo arrendador: el mobiliario y enseres arrendados conjuntamente (por ejemplo, si se alquila la vivienda amueblada, el mobiliario se considera parte del arrendamiento de vivienda); los trasteros vinculados a la vivienda; las plazas de garaje hasta un máximo de dos por vivienda arrendada; cualesquiera otras dependencias, espacios o servicios accesorios de la finca, siempre que se cedan como accesorios de la vivienda en el mismo contrato (por ejemplo, jardines privativos, áreas comunes de uso privativo, piscinas, instalaciones deportivas, etc., arrendadas conjuntamente). La razón de estas asimilaciones tiene que ver con la práctica habitual: en los alquileres de vivienda es habitual que junto con la vivienda se arrienden accesorios (garajes, trasteros) o se provea mobiliario. La ley quiere dejar claro que los ingresos correspondientes a esos conceptos se consideran parte de la renta de vivienda bonificable, siempre y cuando formen parte del mismo arrendamiento residencial.

c) Del concepto de vivienda a efectos del REAV *se excluyen expresamente los locales de negocio*. Es decir, si en el mismo edificio se arrienda un local comercial, ese contrato no entra en el régimen especial, ni aunque se arriende junto con la vivienda. La exclusión de locales garantiza que el REAV se concentre en inmuebles de uso residencial[17]. Ello, además, comporta una consecuencia lógica para el cómputo de los límites del régimen

---

16 *Ley 29/1994, de 24 de noviembre, de Arrendamientos Urbanos*, art. 2.1: *"Se considera arrendamiento de vivienda aquel arrendamiento que recae sobre una edificación habitable cuyo destino primordial sea satisfacer la necesidad permanente de vivienda del arrendatario"*. Además, el contrato debe cumplir con las condiciones establecidas en la LAU: duración mínima (actualmente 5 años si arrendador persona jurídica, tras las reformas de 2019), prórrogas, limitaciones de renta en ciertos casos, etc. Por tanto, quedan excluidos del régimen especial los arrendamientos para uso distinto de vivienda (oficinas, locales de negocio) y aquellos alquileres de temporada, turísticos o por tiempo limitado que no constituyen residencia habitual del inquilino. La norma, por tanto, se remite a la LAU para garantizar que el beneficio fiscal se oriente al alquiler residencial estable y protegido por la legislación arrendataria general.

17 Por ejemplo, si en el contrato de alquiler de una vivienda se incluyen dos plazas de garaje y un trastero, la totalidad de la renta arrendaticia (vivienda más garaje más trastero) puede ser bonificada, mientras que, si se arrienda un local comercial en la planta baja, esa renta no se bonifica. En definitiva, se pretende abarcar el *paquete* típico de alquiler residencial (vivienda con anexos y muebles) pero no extender el beneficio a rentas por otros inmuebles no destinados a vivienda.

(por ejemplo, el porcentaje de rentas bonificadas o el número mínimo de inmuebles) y obliga, en la práctica, a llevar contabilidades separadas[18].

d) La ley exige que las actividades de promoción inmobiliaria y de arrendamiento de viviendas sean objeto de *contabilización separada para cada inmueble adquirido o promovido*, con el desglose necesario para conocer la renta correspondiente a cada vivienda, local o finca registral independiente. Este requisito, de gran importancia práctica, implica que la empresa debe llevar cuentas analíticas o segmentadas por unidades inmobiliarias, de manera que sea posible determinar el resultado de cada vivienda arrendada por separado (sus ingresos menos sus gastos). Esto, desde luego, es imprescindible para el cálculo de la renta bonificable y para verificar el mantenimiento de los inmuebles durante el plazo exigido.

e) El *número mínimo de viviendas arrendadas* de la entidad que pretenda acogerse al régimen especial ha de ser *igual o superior a ocho* en cada período impositivo y en todo momento. Este requisito del mínimo de ocho viviendas es uno de los pilares del régimen especial. Implica que sólo se benefician sociedades con un cierto volumen de actividad de alquiler, excluyendo pequeñas arrendadoras con pocas unidades (art. 48.2 a LIS).

En la práctica, esto significa: 1) que las viviendas han de estar arrendadas o disponibles para alquilar —ofrecidas en arrendamiento, dice la ley—, de manera que las que estén temporalmente vacantes, pero en oferta activa, se computan a efectos de ese número mínimo; 2) que tiene que haber 8 viviendas arrendadas u ofertadas al mismo tiempo (en todo momento, dice la ley), lo que excluye su cómputo por medias[19]. Si la entidad baja de 8 viviendas arrendadas, se considera que ha salido del régimen especial, pasando a tributación ordinaria (y eventualmente regularizando bonificaciones indebidamente practicadas ese año).

f) Finalmente, se requiere que las *viviendas estén ubicadas en territorio español*. Esto concuerda con la definición de actividad principal (arrendamiento de viviendas en territorio español) y asegura que el incentivo fiscal promueve el parque de alquiler doméstico.

---

18 De hecho, es común que grupos inmobiliarios creen filiales separadas: una dedicada a vivienda en alquiler (optando por REAV o SOCIMI) y otra distinta para locales comerciales, ya que su tratamiento fiscal es distinto

19 Por ejemplo, no valdría tener 7 viviendas durante seis meses y 10 durante otros seis meses.

3. REQUISITOS TEMPORALES

El arrendamiento u oferta de arrendamiento de las viviendas debe *mantenerse durante al menos tres años* (art. 48.2b). Este plazo mínimo se computa de la forma que sigue.

Si la vivienda arrendada figuraba en el patrimonio de la entidad antes de optar por el régimen especial, el plazo de tres años se cuenta desde la fecha de inicio del período impositivo en que se comunica la opción por el régimen, siempre que a dicha fecha la vivienda ya estuviese arrendada. Es decir, si la sociedad tenía viviendas alquiladas y decide acogerse al REAV, el año de la opción es el primer año del cómputo del mínimo de tres.

Si las viviendas se adquieren o arriendan posteriormente a la opción (es decir, durante la vigencia del régimen), el plazo de 3 años se contará desde la fecha en que se arrienden u ofrezcan en alquiler. Por ejemplo, si la sociedad compra una vivienda y la alquila a partir del año siguiente, deberá mantenerla alquilada al menos tres años contando el del alquiler, no el de la compra.

También prevé la ley las *consecuencias del incumplimiento* de este requisito, a saber, la pérdida de la bonificación que le hubiera correspondido, lo que, en sustancia, significa practicar una regularización para reintegrar su importe. La sociedad deberá ingresar, junto con la cuota del período en que se produce el incumplimiento, el importe de las bonificaciones practicadas en ejercicios anteriores por esa vivienda, más los intereses de demora correspondientes. Hay, pues, un "reintegro" de los beneficios fiscales disfrutados, como si la vivienda nunca hubiese cumplido los requisitos para estar incluida en el régimen especial. Es importante notar que la pérdida del beneficio se circunscribe a la vivienda respecto de la que se ha incumplido el requisito de permanencia, pero no afecta al resto. El régimen especial, por tanto, exige vocación de estabilidad en el alquiler.

Al cumplimiento del plazo mínimo de permanencia no sólo se anuda el disfrute del régimen especial, sino también otro efecto no menos importante, cual es la posibilidad de transmitir la vivienda sin perder la bonificación disfrutada hasta entonces (art. 48.1 último inciso). Pero, además, las rentas de esa transmisión no computan a efectos del cálculo del 55% de rentas bonificables[20].

También desde el punto de vista temporal debe tenerse en cuenta que el REAV se aplica desde el primer período impositivo de *ejercicio la opción* por parte de la entidad arrendadora y en todos los sucesivos hasta que se comunique la renuncia (art. 48.3). No

---

[20] Esto es importante según el tipo de empresas; por ejemplo, las que combinen alquiler y ventas, o las empresas patrimoniales, que renuevan su cartera vendiendo activos denominados "maduros" y adquieren otros nuevos para alquilar; el régimen les permite hacerlo mientras la venta sea posterior a 3 años.

existe, pues, una duración máxima legal, de modo que la sociedad puede permanecer indefinidamente bajo REAV mientras cumpla requisitos.

IV. DELIMITACIÓN Y RÉGIMEN DE LAS LLAMADAS ACTIVIDADES COMPLEMENTARIAS

La LIS permite que las entidades dedicadas al alquiler de viviendas puedan desarrollar las que llama *actividades complementarias* a dicha actividad principal. Como se ha dicho ya, el artículo 48.2 d) LIS establece una distinción cuantitativa —que no cualitativa— entre ambas[21], puesto que al señalar los requisitos del volumen de rentas bonificables o de activos destinados al régimen especial —en ambos casos el 55%)— lo que hace *a sensu contrario* es establecer también unos límites cuantitativos para las actividades complementarias, que serán, por tanto y vistos desde el lado de las actividades complementarias, los siguientes: a) de un lado, producir rentas inferiores al 45% del conjunto de las rentas de la entidad acogida al REAV; y b) de otro, *y alternativamente*, no tener más del 45% de sus activos afecto a esas otras actividades complementarias.

En sustancia, esto significa que las actividades distintas al arrendamiento de viviendas están permitidas, pero tienen limitada su rentabilidad (si, por ejemplo, la entidad también arrienda locales comerciales o presta servicios inmobiliarios, esos ingresos no bonificados no deben sobrepasar el 45% del total, porque dejarían las rentas bonificables por debajo del 55%), o tienen limitada la utilización de sus activos (la entidad puede poseer y explotar locales comerciales, oficinas u otros activos aparte de viviendas, pero nunca si constituyen más del 45% de su activo, por el mismo motivo).

Aunque el propósito de este requisito parece ser el de asegurar que las actividades complementarias no tengan el mismo peso de la principal (por eso se bonifican las rentas de alquiler de viviendas), no es seguro que lo consiga del todo. En efecto, dada la alternatividad entre los requisitos, podría perfectamente ocurrir que el 45% del activo dedicado a otras actividades complementarias produjera en realidad, una parte muy sig-

21 La ley no dice cuáles son esas actividades a las que llama complementarias, aunque es de suponer que se refiere a aquellas ligadas o accesorias al arrendamiento de viviendas (por ejemplo, servicios de mantenimiento, limpieza, portería, suministros repercutidos, que se entenderían complementarios al arrendamiento y que en general acompañan a la renta de alquiler.; también podría incluirse la promoción inmobiliaria de viviendas para arrendar (que genera rentas extraordinarias al vender, pero eso se excluye en el cómputo de ingresos por la excepción de transmisiones). Otras actividades, como el arrendamiento de locales, la hostelería, la intermediación inmobiliaria para terceros, etc., no son realmente complementarias del arrendamiento de viviendas, sino distintas, pero nada en la ley las excluye.

nificativa de las rentas societarias, desnaturalizando, de hecho, el carácter principal de la actividad de arrendamiento de vivienda.

En suma, el régimen de las actividades complementarias permite a la entidad arrendadora tener otro tipo de negocio o ingresos sin perder automáticamente el régimen especial. Esta flexibilidad opera como un reconocimiento de la realidad empresarial porque no suele haber empresas inmobiliarias de una única actividad.

V. GRAVAMEN DE LOS DIVIDENDOS DISTRIBUIDOS A LOS SOCIOS

La tributación de los beneficios obtenidos por las entidades REAV no se agota con el pago reducido del Impuesto sobre Sociedades gracias a la bonificación del 40%, porque los beneficios pueden ser repartidos en forma de participación en beneficios o dividendos. Por tanto, es necesario analizar cómo tributan esos mismos beneficios cuando se reparten a los socios de la entidad, tanto en el ámbito del Impuesto sobre la Renta de las Personas Físicas (IRPF), si los socios son personas físicas, como en el ámbito del propio Impuesto sobre Sociedades, si los socios son personas jurídicas.

1. TRIBUTACIÓN EN EL IRPF DE LOS SOCIOS PERSONAS FÍSICAS

Cuando una entidad acogida al REAV reparte dividendos a personas físicas residentes, estos se califican como *rendimientos del capital mobiliario* en el IRPF del perceptor, integrándose en la base imponible del ahorro. No existe ninguna exención ni tratamiento especial por el hecho de que la entidad de origen aplicara una bonificación del 40%. En otras palabras, los dividendos se gravan en IRPF de forma ordinaria, al tipo vigente del ahorro (19%, 21%, 23% o 27%, tras la reforma de 2021). Por lo demás, la normativa del REAV no prevé ningún beneficio para el accionista o partícipe que sea persona física.

Conviene recordar, no obstante, que, hasta 2006, existía una deducción por doble imposición interna de dividendos en el IRPF que evitaba gravar de nuevo (total o parcialmente) los dividendos procedentes de rentas ya gravadas en la sociedad. Sin embargo, dicho mecanismo fue suprimido y sustituido por la tributación en la base del ahorro con tipos reducidos (*sic*). Actualmente, los dividendos societarios soportan un primer gravamen en la sociedad (en este caso, reducida por la bonificación del 40%) y luego hay un segundo gravamen para el socio persona física[22]. Esto contrasta con el antiguo esque-

---

[22] No obstante, para el inversor individual puede resultar ventajoso que la sociedad haya pagado, por ejemplo, sólo un 15% de tipo efectivo en el REAV, pues el dividendo que recibe es mayor

ma de bonificación para la sociedad y deducción parcial del socio en el IRPF, que existía en la versión original del TRLIS para los socios personas jurídicas. En conclusión, pues, los socios personas físicas no disfrutan de ningún incentivo adicional asociado a este régimen especial, porque el beneficio fiscal se agota a nivel societario.

2. TRIBUTACIÓN EN EL IMPUESTO SOBRE SOCIEDADES DE LOS SOCIOS PERSONAS JURÍDICAS

En el régimen general del IS, los dividendos percibidos de filiales residentes pueden gozar de la exención para eliminar la doble imposición, siempre que se cumplan ciertos requisitos, como señala el art. 21 LIS: que su participación en la entidad acogida al REAV sea igual o superior al 5% o que el valor de adquisición de sus acciones o participaciones fuera igual o superior a 20 millones de euros; y que la filial no sea una entidad patrimonial en el sentido del art. 21, entre otras. Dicha exención general permite no integrar en la base imponible el 95% del dividendo (se deja un 5% no exento como gastos no deducibles).

Sin embargo, tratándose de dividendos originados por beneficios bonificados al 40% en la filial acogida al REAV, la ley introduce una limitación específica: la exención del art. 21 LIS sólo se aplicará sobre el 50% de su importe. Es decir, la entidad socia únicamente verá exenta la mitad del dividendo recibido; la otra mitad tributa, como establece el art. 49.3, párr. 2 LIS. Al mismo tiempo, se establece que dichos dividendos no se eliminarán en la consolidación fiscal (si la sociedad receptora y emisora están en el mismo grupo fiscal y se aplicara este régimen), y se considera que el primer beneficio distribuido procede de rentas no bonificadas[23].

Las implicaciones o efectos de esta regla son varios.

---

al haberse ahorrado la sociedad la parte del impuesto debido a la bonificación, siendo su tributación personal la normal. Por tanto, desde el punto de vista del IRPF del socio persona física, no hay diferencia en recibir dividendos de una entidad con REAV respecto a otra sociedad normal: tributarán a un tipo entre 19% y 27%, sin reducciones. Lo único a tener en cuenta es que, al no existir retención en origen en los dividendos internos (tras la reforma de 2015 que eliminó la retención sobre dividendos residentes), el contribuyente deberá incluirlos íntegros y luego el impuesto final se calcula en la declaración anual.

23 Art. 49.3 LIS: "En el caso de dividendos o participaciones en beneficios distribuidos con cargo a las rentas a las que haya resultado de aplicación la bonificación prevista en el apartado 1 anterior, la exención prevista en el artículo 21 de esta Ley se aplicará sobre 50 por ciento de su importe. No serán objeto de eliminación dichos dividendos o participaciones en beneficios cuando la entidad tribute en el régimen de consolidación fiscal. A estos efectos, se considerará que el primer beneficio distribuido procede de rentas no bonificadas."

Por un lado, si la sociedad matriz cumple los requisitos de participación del art. 21 LIS, normalmente tendría derecho a excluir el 95% del dividendo de su base imponible (quedando un 5% gravable). Pero por la regla especial, en lugar del 95% exento, solo podrá eximir el 50% del dividendo bonificado; el otro 50% se considera no exento y tributará al tipo correspondiente en la matriz. En la práctica, esto supone gravar parcialmente al socio por lo que este no soportó en la filial del REAV gracias a la bonificación.

Por otro lado, la consideración de que el primer beneficio distribuido procede de rentas no bonificadas (art. 49.3, párr. 1) significa que, si la filial acogida al REAV también genera rentas no bonificadas (por ejemplo, por actividades complementarias o por beneficios de ejercicios anteriores a acogerse al REAV), al repartir dividendos se imputarán en primer lugar a esas rentas no bonificadas (que gozarían de la exención del 95% plena) y sólo cuando se agoten las rentas no bonificadas, se aplicará la regla del 50% para las reservas bonificadas. Esta ficción legal beneficia a las entidades contribuyentes, pues le permite aprovechar la exención total en la parte "normal" y relegar la penalización del 50% a la porción estrictamente atribuible a rentas bonificadas. En el régimen de consolidación fiscal, como se verá en el siguiente subapartado, normalmente los dividendos intragrupo se eliminan al 100% para evitar su tributación, pero aquí se establece que no se elimine la parte correspondiente a estos dividendos parcialmente exentos, evitando que el régimen de consolidación anule la tributación del 50% prevista. Es una coordinación técnica: en la consolidación se respetará que ese dividendo lleve un 50% imponible a nivel de grupo.

En cuanto a la transmisión de participaciones de la entidad acogida al REAV, el art. 49.3 párr. 2 de la LIS establece que en caso de transmisión de la participación se aplicarán las reglas generales del impuesto, pero si resultara de aplicación la exención del art. 21 LIS, la parte de la renta (ganancia patrimonial) que se corresponda con reservas no distribuidas procedentes de beneficios bonificados solo tendrá derecho a la exención sobre el 50% de su importe. En otras palabras, al calcular la ganancia exenta en la matriz vendedora, habrá que identificar qué parte del patrimonio neto de la filial cuyas participaciones se venden son reservas de beneficios bonificados no repartidos, y sobre la plusvalía proporcional a esas reservas, sólo se excluiría la mitad y la otra mitad se sometería a gravamen. Como se ha indicado, en la consolidación no se eliminarán los dividendos o participaciones en beneficios de las rentas de transmisiones internas cuando se produce la venta (para que un grupo consolidado no eluda esta tributación haciendo ventas internas).

Existen otros aspectos a considerar que, aunque no están expresamente contemplados en el art. 49.3 LIS, sí se derivan de la normativa general del art. 21 LIS. En este precepto, tras la Ley 11/2021, se introdujeron algunos requisitos antiabuso para aplicar la exención; así, por ejemplo, no se aplica la exención a dividendos que deriven de gastos fiscalmente deducibles en la filial (caso de intereses de préstamos participativos intragrupo que disminuyan la base de la filial). Si bien esto se aplica en mayor medida para el régimen general, puede ser también relevante en entidades acogidas al REAV que se hayan financiado con préstamos del socio (entendiendo que parte de los beneficios podría provenir de haber pagado menos impuestos por intereses intragrupo); del mismo modo, el art. 21 excluye la exención para las rentas negativas generadas en la transmisión, cuando previamente hubo dividendos exentos (cláusula de rentas negativas por extinción o venta de la entidad), al objeto de impedir el doble beneficio (exención de dividendos y deducción de pérdida)[24]. El 5% de gasto no deducible que queda en la participación exenta (el 5% instaurado en 2021 para grandes empresas) también influye en esta limitación del 50%. La interpretación más aceptada es que primero se aplica la limitación especial, es decir, el 50% del dividendo y sobre ese 50% se aplicaría después el 5% de dividendo no deducible[25].

En resumen, la coordinación del REAV con el régimen general garantiza que los beneficios bonificados al 40% no queden totalmente libres de gravamen cuando pertenecen a estructuras societarias integradas.

Por último, debe señalarse que estas normas se circunscriben al ámbito interno. Si el socio de la entidad REAV es un no residente, la distribución de dividendos estará sujeta a la retención del Impuesto sobre la Renta de no Residentes (generalmente 19%, salvo disposición distinta en un tratado), aunque sin beneficios especiales, dado que la exención del art. 21 LIS es sólo para entidades residentes[26].

3. OTROS ASPECTOS RELATIVOS A LA DISTRIBUCIÓN DE LOS BENEFICIOS BONIFICADOS

El art. 49.3 LIS también aborda el caso específico de la entidad acogida al REAV que tributa en régimen de consolidación fiscal. Pues bien, como ya se ha dicho, en el régimen de consolidación fiscal no se eliminan los dividendos internos correspondientes a

---

24 En el contexto REAV, esto podría ocurrir si la filial fue distribuyendo casi todos los beneficios exentos al 50% y luego se vende con pérdidas; la norma general limitará compensar la pérdida en la parte que corresponda a dividendos exentos recibidos.

25 En términos puramente numéricos, en total resultaría exento un 47,5% del dividendo (95% de 50%), tributando el otro 52,5%. Sin embargo, dado que el art. 49.3 LIS se redactó antes de la entrada de la norma relativa al 5% (2021), podría considerarse que la exclusión del 50% ya lo contempla. En la práctica, son normas independientes: el 50% es el porcentaje base de exención aplicable, y luego conforme al art. 21, el 5% no sería deducible, salvo para las empresas a las que no se les aplica (exención total). Por tanto, para empresas grandes, la exención efectiva sobre dividendos bonificados sería del 47,5% como se ha dicho.

26 En este sentido, para un inversor extranjero podría resultar más atractivo invertir mediante una SOCIMI (que distribuye sin retención a no residentes en algunos casos) que mediante REAV (donde hay retención sobre el dividendo).

las rentas bonificadas. Por eso, si la entidad acogida al REAV forma parte de un grupo fiscal, el beneficio de la bonificación se aplica a la cuota individual de la entidad y luego se integra en la liquidación consolidada. La no eliminación de dividendos evita que, dentro del grupo, se pueda aplicar el beneficio a la entidad cabecera libre de tributación. Se trata de un matiz técnico para mantener la tributación efectiva en el seno del grupo.

También debe tenerse en cuenta que, como las reservas procedentes de rentas bonificadas han tributado en menor medida, pero contablemente no hay separación en los fondos propios, a fin de aplicar la limitación del 50% en dividendos, la sociedad deberá llevar un control interno de la parte de sus reservas que corresponden a beneficios bonificados y no distribuidos.

En conclusión, desde el punto de vista del socio de una entidad en el REAV: a) si es persona física residente, los dividendos tributarán en el IRPF (19-27%), sin incentivos; b) si es una sociedad residente con una participación significativa, sólo podrá aplicar la exención del 50% a dividendos y plusvalías correspondientes a beneficios bonificados; c) si la sociedad es no residente soportará una retención en origen sobre los dividendos y plusvalías potencialmente gravadas por el IRNR (salvo disposición distinta en convenio de doble imposición), por lo que parte de la renta bonificada es gravada al distribuirse al exterior. Ello configura una especie de régimen de integración parcial de la renta bonificada en la tributación de los socios, que preserva la finalidad incentivadora en la sociedad de arrendamiento, pero evita que grupos empresariales de gran envergadura encadenen exenciones y eliminen por completo la tributación de esas rentas favorecidas por la bonificación.

VI. COMPATIBILIDADES E INCOMPATIBILIDADES CON OTROS REGÍMENES ESPECIALES DEL IMPUESTO SOBRE SOCIEDADES

En términos generales, no es posible aplicar simultáneamente el REAV con la mayoría de los demás regímenes especiales, aunque hay excepciones.

1. INCOMPATIBILIDAD GENERAL Y EXCEPCIONES SINGULARES A LA REGLA

La incompatibilidad es la regla general y se expresa en el artículo 48.4, párr. 1 LIS, que dispone que, cuando a la entidad le resulte de aplicación cualquiera de los restantes regímenes especiales del Título VII LIS, no podrá optar por el régimen de arrendamiento de viviendas. A continuación, el mismo precepto el incorpora excepciones a la incompatibilidad general, es decir, establece ciertas compatibilidades.

En primer término, se señala el régimen de *consolidación fiscal* (capítulo VI del título VII LIS). Eso significa que una entidad puede pertenecer a un grupo fiscal consolidado y al mismo tiempo aplicar el régimen de arrendamiento de viviendas, integrándose luego en la base consolidada. No hay conflicto, y la norma prevé expresamente que es compatible (aunque con las salvedades de eliminación de dividendos ya comentadas en el apartado anterior).

En segundo término, el régimen de *transparencia fiscal internacional* (capítulo X, título VII LIS). La compatibilidad se aplica si la sociedad que está en el REAV es objeto de imputación de rentas de un socio por transparencia fiscal internacional (por ejemplo, si fuera filial de un residente en paraíso fiscal; eso no impide optar por el REAV, pero es una situación atípica, desde luego).

En tercer término, el régimen de *fusiones, escisiones, aportaciones de activo y canje de valores* (capítulo VII, título VII LIS). La entidad en el REAV puede acogerse al régimen de reestructuraciones societarias sin que ello le impida disfrutar de la bonificación del REAV antes o después de la operación de reestructuración. Son, por tanto, regímenes compatibles, ya que la reestructuración es una operación puntual y el arrendamiento de viviendas constituye una actividad ordinaria.

Y en cuarto lugar, el art. 48.4 se refiere expresamente al régimen especial de *determinados contratos de arrendamiento financiero* (capítulo XII, título VII LIS). Esta excepción es particularmente relevante, porque la ley permite que la entidad se acoja al mismo tiempo al régimen especial de contratos de arrendamiento financiero para ciertos inmuebles y también al régimen REAV, incluyendo esos inmuebles. Sin perjuicio de algún otro detalle que se comentará inmediatamente, esto significa que una empresa de arrendamiento de viviendas podría financiar sus inmuebles mediante contratos de arrendamiento financiero y aplicar este régimen fiscal especial (que permite, por ejemplo, una amortización acelerada, entre otros beneficios), a la vez que aplica el REAV, aunque con las correcciones pertinentes en la renta bonificable, como se sabe.

Fuera de esas excepciones, los demás regímenes especiales son incompatibles con el REAV. De interés particular es el régimen especial de Sociedades Anónimas Cotizadas de Inversión en el Mercado Inmobiliario (SOCIMI) que, aunque no están reguladas en la LIS, forman parte del conjunto normativo del impuesto societario.

Mención especial le dedica la LIS a la incompatibilidad del REAV y el régimen de *Empresas de reducida dimensión*, RERD (capítulo XI, título VII LIS). Si potencialmente la entidad puede acogerse a los dos, la ley le obliga a elegir entre aplicar los incentivos del RERD o acogerse al REAV (art. 48.4 párr. 2). Esto tiene sentido porque, de permitirse simultáneamente, una misma entidad podría gozar de bonificación del 40% en el REAV y además de tipos reducidos u otras ventajas por el RERD, pudiendo generar una baja tributación no justificada[27].

---

27 No obstante, a efectos formales, la opción por los beneficios fiscales del régimen RERD no suponen renunciar al REAV, de manera que no ha de comunicarse nada a la Administración

Con el resto de regímenes especiales existe incompatibilidad sin más (art. 48.4 párr. 1).

2. INTERACCIÓN DEL REAV CON OTROS REGÍMENES ESPECIALES QUE INCORPORAN EL ARRENDAMIENTO DE VIVIENDAS

La ley contempla otros regímenes especiales que, de distinta manera, también afectan a actividades relacionadas con el arrendamiento de viviendas. Dos regímenes notablemente relevantes en este ámbito son el de contratos de arrendamiento financiero (*leasing*) y el de las SOCIMI (Sociedades Anónimas Cotizadas de Inversión en el Mercado Inmobiliario).

2.1. *El régimen de arrendamiento financiero (leasing) y su compatibilidad con el REAV*

El régimen especial de contratos de arrendamiento financiero, regulado en el Capítulo XII del Título VII LIS (arts. 106 y 115 LIS principalmente), es un régimen pensado para incentivar la financiación empresarial. Sus características principales son: la exigencia de que el contrato de arrendamiento financiero tenga una duración mínima (10 años para los inmuebles), la posibilidad de que las cuotas de *leasing* se consideren fiscalmente deducibles con ciertos límites, y —lo más relevante— la amortización acelerada del bien objeto de *leasing* (el arrendatario puede amortizarlo con un coeficiente de hasta el doble del coeficiente lineal, sin necesidad de estar acogido al RERD), lo que supone un diferimiento fiscal notable[28].

Como ya se ha apuntado, las entidades acogidas al REAV pueden utilizar arrendamientos financieros para adquirir sus inmuebles (en vez de compra directa). La LIS permite expresamente compatibilizar ambos regímenes, pero con ajustes específicos. En particular, el artículo 49.2 LIS, segundo párrafo, dispone que, tratándose de viviendas adquiridas mediante contratos de arrendamiento financiero, para calcular la renta bonificable no se tendrán en cuenta las correcciones derivadas de la aplicación del citado régimen especial, es decir: la empresa puede aprovechar la amortización acelerada del *leasing* en su contabilidad, pero al determinar la renta bonificable de cada vivienda

---

Tributaria y la entidad sigue acogida al REAV, aunque no lo aplique en el período en que aplica el RERD; por tanto, si posteriormente decide no acogerse a los beneficios del RERD, podría volver a aplicar el REAV sin necesidad de nueva comunicación (Resol. DGT V0805-06, 24 abril 2006).

[28] Formalmente, el art. 106 LIS regula las condiciones del *leasing*, pero la referencia clave es la citada de art. 49.2 LIS, que actúa como *lex specialis*.

deberá excluir las distorsiones producidas por el régimen de *leasing*, o como dice la ley, no tendrá en cuenta las correcciones derivadas de la aplicación del RERD[29].

Por tanto, el legislador asegura que el arrendamiento financiero no potencie artificialmente la bonificación del REAV. No obstante, sigue siendo beneficioso para la empresa usar *leasing*, porque podrá diferir pago de impuestos sobre la parte de rentas no bonificadas.

En conclusión, el régimen de arrendamiento financiero es compatible y, de hecho, útil para entidades arrendadoras de viviendas, en la medida en que les permite financiar la adquisición de los inmuebles alquilados o en alquiler, aunque la bonificación del REAV se aplique como si este no hubiera existido.

2.2. Las SOCIMI (sociedades cotizadas de inversión en el mercado inmobiliario) y el REAV

Las SOCIMI, que son sociedades anónimas, están reguladas por la Ley 11/2009 y constituyen un régimen especial fuera la LIS, aunque sus efectos se manifiestan en el IS. Se crearon con el fin de promover la inversión en inmuebles a través de sociedades cotizadas en bolsa y ofrecer liquidez al mercado del alquiler. Tiene la gran ventaja de que tributan al tipo especial del 0% en el Impuesto sobre Sociedades por las rentas derivadas de su objeto social (alquiler de inmuebles, plusvalías por la venta de inmuebles tras el cumplimiento del plazo y dividendos de otras SOCIMI). A cambio, tienen la obligación de distribuir la mayor parte de sus beneficios: al menos el 80% de las rentas de alquiler anuales, el 50% de las plusvalías por venta de inmuebles (el resto debe reinvertirse en 3 años o también distribuirse pasado ese plazo) y el 100% de los dividendos recibidos de entidades participadas. Desde 2013 se contemplaba un gravamen especial del 19% sobre dividendos distribuidos a socios con una participación igual o superior al 5% exentos o no sujetos en su jurisdicción fiscal y desde 2021 se impone un gravamen

29 Por ejemplo, si una entidad REAV adquiere una vivienda mediante arrendamiento financiero, podría deducir cuotas con una porción de interés y otra de recuperación de coste muy acelerada (amortización fiscal). Esto le generaría gastos fiscalmente deducibles mayores en los primeros años, reduciendo su base imponible general. Sin embargo, a efectos de la bonificación del 40%, esos gastos "extra" de amortización acelerada no minoran la renta bonificable. La renta bonificable se calculará como si la amortización fuera la normal (como si no aplicase el beneficio del *leasing*). De esta forma, se evita el doble beneficio: sin esta regla, la entidad podría bonificar rentas de alquiler que ya están prácticamente *neutralizadas* por un gasto fiscal masivo (amortización acelerada), además de obtener incluso bonificaciones sobre bases casi nulas o negativas. Ordenando neutralizar las ventajas del leasing dentro del cálculo de la renta bonificable, la LIS impide estos efectos no deseados.

especial del 15% sobre los beneficios no distribuidos que provengan de rentas no tributadas al tipo general (o sea, las rentas exentas).

Como se ha dicho, una sociedad no puede simultáneamente ser SOCIMI y estar en el REAV. Ambos regímenes favorables coexisten en el ordenamiento como opciones para fomentar el alquiler, pero no se pueden disfrutar simultáneamente[30].

VII. APLICACIÓN DEL RÉGIMEN DE TRIBUTACIÓN MÍNIMA GLOBAL A LAS ENTIDADES ACOGIDAS AL REAV

En los últimos años se han establecido un régimen que tienen como fin asegurar una tributación mínima de las empresas, mediante dos normas: la llamada así, *Tributación mínima*, en el Impuesto sobre Sociedades (art. 30 bis LIS, introducido por *Ley 22/2021, de 28 de diciembre, de PGE para 2022*) y el Impuesto Complementario (*Ley 7/2024, de 20 de diciembre, por la que se establecen Impuesto Complementario para garantizar un nivel mínimo global de imposición para los grupos multinacionales y los grupos nacionales de gran magnitud...)*. Lo que interesa aquí es analizar cómo se relacionan estos impuestos con el REAV.

1. TRIBUTACIÓN MÍNIMA EN EL IMPUESTO SOBRE SOCIEDADES

Este régimen comenzó a aplicarse partir del ejercicio 2022 y ha sido modificado con efectos desde 2025 por la Ley 7/2024, de 20 de diciembre. En sustancia, se establece una tributación mínima del 15% de la base imponible para determinados contribuyentes del IS, de la que quedan excluidas las entidades que tributan a tipos nominales especiales (las SOCIMI, por ejemplo).

La cuestión es cómo se calcula esa tributación mínima en presencia de bonificaciones como las del REAV. El art. 30 bis.2 LIS establece un orden de cómputo de incentivos para determinar si se alcanza o no la cuota mínima[31]. En particular, las bonificaciones —entre las que se cuenta la del 40% por arrendamiento de vivienda— se imputan

---

30 Podrían darse estructuras mixtas en grupos de empresas: por ejemplo, una SOCIMI podría tener filiales que sean REAV, pero es un escenario improbable, porque normalmente las filiales de las SOCIMI son también SOCIMI. No obstante, de tenerlas, los dividendos recibidos de la entidad del REAV tributarían al 0%, pero al socio habría que aplicarle el gravamen especial del 15% si la SOCIMI no reparte dividendos.

31 Primero, se minora la cuota íntegra con las bonificaciones aplicables. Después, se aplican las deducciones por doble imposición (internas e internacionales). Si el resultado es inferior a la cuota mínima (15% base), esa menor cuantía se tomará como cuota líquida mínima excepcionalmente. La razón de esta mecánica es favorecer que las bonificaciones (y la eliminación de

íntegramente antes de comparar si la cuota supera o no el 15%. Pero si tras restarlas la cuota cae por debajo del 15% de la base, esa cuota reducida prevalece como cuota mínima efectiva. Por eso, en esencia, la tributación mínima no anula ni limita la bonificación del REAV, que se aplica normalmente.

2. IMPUESTO COMPLEMENTARIO (LEY 7/2024) Y PILAR 2 DE LA OCDE: EXCLUSIONES DE SUSTANCIA Y ALQUILER DE INMUEBLES

El llamado Impuesto Complementario pretende garantizar un nivel mínimo global de imposición de las grandes corporaciones y es aplicable a grupos multinacionales y nacionales con ingresos consolidados iguales o superiores a 750 millones de euros (art. 61 Ley 7/2024); busca asegurar que en cada jurisdicción la carga fiscal efectiva sea al menos del 15%, establecido como impuesto mínimo global en los trabajos de la OCDE relativos al pilar 2 de la acción 1 del proyecto sobre la erosión de bases imponibles y el traslado de beneficios, conocido por sus siglas en inglés como plan BEPS (*Base Erosion and Profits Shifting*) y en la *Directiva (UE)2022/2523, del Consejo, de 15 de diciembre de 2022, relativa a la garantía de un nivel mínimo global de imposición para los grupos de empresas multinacionales y los grupos nacionales de gran magnitud de la Unión*.

La determinación de la base imponible del impuesto parte del resultado contable, sobre el que se practican los ajustes pertinentes y del que se excluyen algunas rentas (arts. 9ss Ley 7/2024); entre estas están las que la ley denomina "rentas vinculadas a la sustancia económica", previstas en el artículo 14 de la Ley 7/2024, y es en este punto en el que se produce la conexión (por exclusión) con el REAV. Entre otras rentas vinculadas a la sustancia económica, están las rentas derivadas de los "activos materiales de la entidad"; la ley "identifica" estas rentas con el 5% del valor contable de los activos situados en la jurisdicción[32]; sin embargo, excluye de la exclusión (o sea, pierden el beneficio fiscal) las (rentas) relativas a los bienes destinados al arrendamiento o la inversión (art. 14.4 a) Ley 7/2024)[33]. Esto significa que el valor contable de los terrenos y edificios que la entidad tenga alquilados o destinados al alquiler no generará ese 5% de exclusión en la base (que es el beneficio fiscal en cuestión).

la doble imposición) no se vean afectadas por el límite del 15%, concentrando el ajuste en las deducciones restantes (generalmente incentivos por actividades, mecenazgo, etc.).

32 El término jurisdicción fiscal —no el de Estado o país, o territorio, es el utilizado por las reglas GloBe.

33 Si la entidad titular de los activos no es residente en el territorio de la jurisdicción concernida, la exclusión de rentas vinculadas a la sustancia económica de cada entidad, se determina para cada período impositivo de forma individual e independiente de las demás entidades (art. 14.8 Ley 7/2024).

Esta disposición es perjudicial para grupos con grandes carteras inmobiliarias en alquiler, que no dividen o separan habitualmente sus activos de manera unitaria (*carve-out*), a diferencia de otras empresas cuyo inmovilizado (fábricas, maquinaria) sí lo permite, reduciendo su imposición mínima. El resultado práctico es que las empresas arrendadoras de inmuebles tendrán bases imponibles más altas que otras en el Impuesto Complementario, al no poder reducirlas mediante la exclusión por activos inmobiliarios[34].

Es difícil encontrar una explicación a este diferente trato para los activos inmobiliarios destinados al alquiler o la inversión. El único documento en el que se atisba alguna podría ser el de los *Comentarios Consolidados a GloBe (Global Anti-Base Erosion)* del Pilar 2 de BEPS; en concreto, el parágrafo 43 del capítulo 5, denominado "Propiedades mantenidas para arrendamiento" (*Property held for lease*), que distingue entre arrendamientos financieros y arrendamientos operativos; en estos últimos se integrarían los arrendamientos del REAV y, según los citados *Comentarios*, "la exclusión de los bienes mantenidos para arrendamiento impide que dos grupos multinacionales separados o dos entidades constituyentes del mismo grupo multinacional reclamen beneficios fiscales con respecto al mismo bien tangible" (par. 43.4)[35].

Por tanto, con esta medida excluyente, el Impuesto Complementario "neutraliza" en parte las ventajas del REAV y totalmente las de las SOCIMI para los grupos afectados. Sin embargo, dado el umbral de sujeción del gravamen (750 millones) muchas empresas inmobiliarias medianas no resultarán afectadas y seguirán acogidas al REAV o al régimen de SOCIMI sin sufrir impacto alguno[36].

---

34 Por tanto, si gracias al régimen REAV su tributación efectiva en España resultara más baja del 15%, el Impuesto Complementario vendría a gravar la diferencia hasta el 15%, sin exclusión de rentas por sustancia económica.

35 OECD (2024): *Tax Challenges Arising from the Digitalisation of the Economy - Consolidated Commentary to the Global Anti-Base Erosion Model rules* (2023): Inclusive Framework on BEPS, *OECD/G20 Base Erosion and Profit Shifting Pro*ject, OECD Publishing, Paris, (cap. 5.3.4, pár. 43, págs. 154-155. No existen traducción oficial al español; esta traducción es particular.

36 En resumen, la compatibilidad del REAV con el impuesto mínimo global se traduce realmente en que este último contrarresta en parte al REAV, pero realmente, la bonificación del 40% de las rentas en el REAV fue determinada para dejar un tipo aproximado de un 15% en el REAV, o sea, justo como el mínimo global.

VIII. LA REALIDAD DE LA RECAUDACIÓN Y LOS BENEFICIOS FISCALES DEL ARRENDAMIENTO DE VIVIENDAS EN EL IMPUESTO SOBRE SOCIEDADES

Aunque no es este un estudio sobre los efectos económicos del REAV, parece oportuna una mención al tema, porque nos puede poner sobre la pista de la realidad que lo rodea, en comparación con otros regímenes de arrendamientos (SOCIMI) y en el contexto más amplio de la tributación de la vivienda en España. Con este propósito, se apuntan los siguientes aspectos: el coste en términos de beneficios fiscales estimado en los Presupuestos Generales del Estado; la recaudación efectivamente obtenida o bonificada; el peso relativo del IS en la política de vivienda (especialmente vivienda protegida); la presión fiscal sobre el sector vivienda y finalmente, la tributación marginal del alquiler.

a) La memoria de *Beneficios Fiscales* del los Presupuestos Generales del Estado para 2023 (vigentes) cuantifica el beneficio fiscal del REAV en 29,09 millones de euros. Esta cifra representa la recaudación dejada de ingresar por la bonificación del 40% (costes para el Estado), y equivale aproximadamente al 0,06% del total de beneficios fiscales. Llama la atención que esta estimación para 2023 es muy inferior a la de años previos: en 2021 se estimaban 53,67 millones y en 2022 unos 55,92 millones; es decir, hubo una caída del 48% en el coste del régimen para 2023. Este descenso puede atribuirse en parte a la introducción de la tributación mínima en 2022, pero sobre todo hay que atribuirlo a los cambios normativos que han reducido la ventaja efectiva del régimen (con efectos de 2022, se pasó de una bonificación del 85% al 40%).

En contraste, los beneficios fiscales asociados a las SOCIMI para 2023 se calcularon en torno a 105 millones de euros, casi cuatro veces el coste del REAV. La diferencia refleja también que las SOCIMI manejan activos y rentas de alquiler mayores que las entidades acogidas al REAV. Las principales SOCIMI cotizadas suman decenas de miles de viviendas y otros inmuebles, y tributan casi nada o muy poco, mientras el REAV se reparte entre numerosas medianas empresas que satisfacen un impuesto de aproximadamente el 15%. Aunque el dato no está desagregado en los PGE ni en su ejecución, es más que posible aventurar que la recaudación real del IS proveniente de empresas arrendadoras de viviendas sea bastante reducida.

b) Por otra parte, hay que considerar la *incidencia del IS en las políticas de vivienda* y, en particular en la vivienda protegida. Históricamente, la promoción de vivienda protegida en alquiler ha recibido incentivos fiscales no tanto vía IS, sino vía IVA reducido, IBI bonificado municipal y otras medidas. En el IS existió una deducción por inversiones en vivienda de protección oficial para alquiler que fue derogada en 2015. Ahora, el REAV se aplica igualmente a viviendas protegidas y libres sin distinción.

Pues bien, los datos que tenemos son los de los PGE. Los de 2023, como es habitual, clasifican los incentivos por políticas de gasto: el REAV, al igual que la reducción por alquileres del 60% en IRPF, se asigna a la política de "Acceso a la vivienda". No obstante, su cuantía (29,09 millones) es ínfima comparada con otros costes fiscales en vivienda (las deducciones del IRPF por alquiler son de 716,61 millones, por ejemplo). Esto indica que el IS no es el instrumento principal de incentivo del alquiler de la vivienda; pesa mucho más el IRPF y también el IVA, que lo declara exento. Por su parte, la vivienda protegida propiamente dicha tiene más impacto del lado de las deducciones IRPF, del IVA o de ayudas directas, que el REAV.

c) Cuestión distinta, pero no menos importante en esta materia, es la *presión fiscal sobre la vivienda*. Este concepto abarca todos los impuestos que gravan la vivienda: desde la compra (ITP o IVA), la tenencia (IBI, imputaciones IRPF), el alquiler (IRPF/IS sobre rentas arrendaticias), la venta (plusvalía municipal, IRPF/IS por ganancias). En España, tradicionalmente, la fiscalidad ha favorecido la vivienda en propiedad (deducción por compra, ITP reducido, exención por reinversión, etc.) y ha sido más neutra con el alquiler. En el ámbito corporativo, la creación del REAV y SOCIMI supuso por primera vez ventajas claras a empresas arrendadoras, equiparándolas con la situación ventajosa que ya tenían los particulares arrendadores en el IRPF.

Y finalmente, también se cuestiona la *incidencia real de estos incentivos en los precios del alquiler*, que podrían traducirse sólo parcialmente en menores rentas al inquilino, dado que el precio se fija en mayor medida con criterios de oferta y demanda[37]. A todo ello, además, hay que añadir las medidas implementadas en España por la *Ley 12/2023, de 24 de mayo, por el derecho a la vivienda*, relativas a las prórrogas de contratos, a la limitación del alquiler en las zonas tensionadas, o a la introducción del concepto de gran tenedor, en el que normalmente estarán las entidades dedicadas al arrendamiento de viviendas (Disp. Final 1ª, denominada "Medidas de contención de precios en la regulación de los contratos de arrendamiento de vivienda")[38].

---

37 *Investigate Europe* sugiere que los privilegios fiscales a inversores inmobiliarios más bien han alimentado la burbuja de precios que beneficiado a los inquilinos. Sostiene que en Europa en general hay enormes ventajas para propietarios (exención de plusvalías, baja tributación de rentas) y que eso atrae capital especulativo, encareciendo la vivienda. Por su parte, España, con las SOCIMI disfrutando de 105 M€ de ahorro fiscal, se cuestionado si eso se traduce en alquileres más asequibles o simplemente en mayores dividendos para inversores. La cita del Comisario Nicolas Schmit sugiere que se necesita inversión masiva en vivienda asequible en lugar de confiar en exenciones a privados (Investigate Europe, *Privilegios fiscales inmobiliarios*, 2022).

38 Las medidas habían comenzado antes. En concreto, el *RD Ley 6/2022, de 29 de marzo, por el que se adoptan medidas urgentes en el marco del Plan Nacional de respuesta a las consecuencias económicas y sociales de la guerra de Ucrania*, en cuyo artículo 46 (*Limitación extraordinaria*

La situación del alquiler de viviendas es, pues, sumamente compleja: hay incentivos fiscales de dudosa eficacia y desincentivos sociales cuyo desarrollo está por ver.

IX. APUNTES BREVES SOBRE UN FUTURO (INCIERTO) DE LA FISCALIDAD DEL ARRENDAMIENTO DE VIVIENDAS EN EL IMPUESTO SOBRE SOCIEDADES (Y OTROS TRIBUTOS)

En los últimos años vienen corriendo fuertes vientos de cambio sobre las viviendas, no al gusto de todos. También sobre el alquiler, de manera directa o indirecta. Las ya mencionadas normas de la *Ley por el derecho a la vivienda* de 2023 y las promulgadas antes y a raíz de ella, estatales y algunas autonómicas, son sumamente controvertidas; a ello se unen las propuestas de algunos grupos parlamentarios; ninguna de las cuales menciona de modo expreso el REAV, lo que no quiere decir que no presenten interés para el arrendamiento de viviendas ni que aquel no se vea indirectamente afectado.

La situación en nuestro país es compleja por un ingrediente añadido; en efecto, el *Real Decreto-ley 7/2019, de 1 de marzo, de medidas urgentes en materia de vivienda y alquiler*, modificó el art. 9 LAU y estableció una prórroga obligatoria de los contratos de arrendamiento hasta los cinco (o siete si el arrendador es persona jurídica) y modificó también el art. 10 y estableció otra prórroga tácita hasta tres años más, excepto que el arrendatario no quiera renovar el contrato a la fecha de terminación de cualquiera de las anualidades.

Por su parte, el *Real Decreto-Ley 6/2022, de 29 de marzo, por el que se adoptan medidas urgentes en el marco del Plan Nacional de respuesta a las consecuencias económicas y sociales de la guerra de Ucrania*, estableció una limitación a la actualización de la renta de los contratos de arrendamiento para uso de vivienda con motivo de la variación del

de la actualización anual de la renta de los contratos de arrendamiento de vivienda) se establecía una limitación a la actualización de la renta de los contratos de arrendamiento para uso de vivienda con motivo de la variación del IPC, limitación prorrogada sucesivamente en dos ocasiones. Recientemente, el TS ha avalado esta limitación, considerando que no existe vulneración del art. 33.3 CE (no es un a expropiación, en definitiva); por el contrario, se trata de una delimitación temporal del derecho de propiedad que ""se realiza con una finalidad tuitiva de intereses que se consideran necesitados de una especial protección: concretamente los de los arrendatarios vulnerables económicamente ante la situación del mercado inmobiliario. Responde así a la función social de la propiedad inmobiliaria, sin vulneración constitucional, que el legislador establezca una limitación de esa propiedad que, sin suponer su vaciamiento o una absoluta desconfiguración esencial, pueda contribuir a satisfacer un derecho constitucionalmente proclamado".

IPC[39]. La limitación variaba en función de que el arrendador fuese un gran tenedor (la mayoría de las entidades acogidas al REAV) o no, pero realmente la limitación es similar: el incremento pactado, siempre que no excediera del correspondiente al índice de Garantía de competitividad (y si excediere, de este mismo índice)[40].

Con posterioridad, la mencionada *Ley por el derecho a la vivienda* volvió a modificar el art. 10 LAU para los arrendamientos de vivienda habitual, permitiendo una prórroga extraordinaria de un año, a solicitud del arrendatario en situación de vulnerabilidad social y económica y, si además la vivienda está en zona de mercado residencial tensionado, otra prórroga extraordinaria de un años durante un máximo de tres años; durante las prórrogas hay que mantener las condiciones del contrato en vigor (lo que significa, singularmente, mantener la renta).

Pues bien, el número aproximado de viviendas cuyas prórrogas concluyen en 2026 se calcula en unas 600.000 y las personas afectadas superarán el 1.500.000. Se calcula que el incremento medio de rentas para nuevos contratos estará entre el 30% y el 40%, según la ciudad y zona.

El 22 de mayo de 2023 tuvo entrada en el Congreso de los Diputados la proposición de "Ley para impulsar el alquiler de vivienda a precios asequibles", presentada por el grupo parlamentario socialista. Contiene propuestas relativas al IRPF (para favorecer la rebaja de la renta dando mejor tratamiento a los rendimientos del arrendador); al IVA (para gravar los arrendamientos de corta duración, conforme a la Directiva (UE) 2025/516 del Consejo, de 11 de marzo); al IBI (para incrementar los tipos); al Impuesto sobre el Incremento de Valor de los Terrenos de Naturaleza Urbana (para fijar los importes máximos de los coeficientes a aplicar sobre el valor del terreno a la fecha de devengo —que irían desde un 0,16 para períodos de generación inferiores a 1 año y 0,35 si es de 20 años o más—); y a la creación de un impuesto denominado "Impuesto Complementario Estatal sobre la Transmisión de Bienes Inmuebles a no Residentes en la Unión Europea", para cuya regulación se remite en lo esencial a las normas del Impuesto sobre Transmisiones Patrimoniales y Actos Jurídicos Documentados; la cuota íntegra se obtendría aplicando el tipo del 100% a la base y la cuota líquida se determinaría restando de la íntegra la cuota del ITPAJD.

Pero posiblemente, lo más llamativo a efectos de arrendamientos (aunque no sólo) sea la propuesta de modificación del régimen de las SOCIMI, mediante la que se pretende gravar al 15% los beneficios no distribuidos y al 25% los beneficios no distribui-

[39] Art. 46 del RDLey 6/2022, que denominó a esta limitación como "extraordinaria". La medida fue reproducida por dos veces el mismo año 2022, por el Real Decreto-Ley 11/2022, de 25 de junio y por el Real Decreto-Ley 20/2022/ de 27 de diciembre.

[40] La STS 10/2026, de 14 de enero (sección 5ª de lo Contencioso-Administrativo) ha avalado la medida (FJ. 6º).

dos que deriven del arrendamiento de viviendas; este último gravamen se vería reducido al 50 por ciento si más del 60 por ciento de las viviendas destinadas al alquiler tienen precios asequible; la reducción sería del 100 por ciento si, además de cumplir el requisito anterior, se reinvierte el importe de los beneficios obtenidos y no distribuidos en viviendas destinadas a alquiler a precio asequible en el plazo de tres años[41].

Al día siguiente, 23 de mayo de 2025, el grupo parlamentario republicano presentó otra proposición de ley, denominada de "Medidas fiscales para combatir la especulación inmobiliaria". Contiene también una propuesta para someter al IVA los arrendamientos turísticos; propone un recargo por inmuebles urbanos de uso residencial en zonas de mercado tensionado que puede ser del 50 o del 100 por ciento; también incluye la creación de un "Impuesto a la acumulación de bienes inmobiliarios de uso residencial", tributo indirecto sobre el consumo que gravaría las entregas de bienes y prestaciones de servicios (sic) inmobiliarios a personas físicas o jurídicas que en el momento de la adquisición sean titulares de dos o más inmuebles de uso residencial; se configura como un gravamen complementario del IVA y aplicaría tipos que van desde el 4% para la tercera vivienda, pasando por el 8% para la cuarta, por el 12% para la quinta y es del 12% más un 5% por inmueble adicional para las siguientes.

Y finalmente, también se propone una reforma del régimen de las SOCIMI, consistente en introducir como requisitos de la inversión fundamentalmente estos tres: que los inmuebles que integren el activo de la sociedad permanezcan al menos siete años arrendados; que no se destinen al arrendamiento de uso turístico o de temporada; y que todas las viviendas se destinen exclusivamente a uso residencial, con contratos de arrendamientos de un mínimo de siete años de duración.

Al margen de cualesquiera otras consideraciones —entre ellas, por conocidas, las dificultades para conformar mayorías parlamentarias para aprobar estas proposiciones—, procede hacer algunas otras sobre el fondo de las propuestas, por el carácter "complementario" que tienen ambas y porque están relacionadas con el arrendamiento de inmuebles.

En primer lugar, resulta llamativo el interés por las SOCIMI. La propuesta del grupo socialista no cuestiona el régimen de las sociedades cotizadas, pero rompe el paradigma del tipo 0 al introducir un gravamen del 25%, o sea, del tipo general (ahora inexistente) sobre los beneficios no distribuidos derivados del arrendamiento de viviendas, gravamen que se minora notablemente si se cumplen algunos requisitos. Por el contra-

41 Las viviendas destinadas al alquiler a precios asequibles son aquellas cuya renta arrendaticia no supere el índice de precios del Ministerio de Vivienda y Agenda Urbana o, si no, que no supere el importe de 26.400 euros anuales y cumplan alguno de otros requisitos adicionales (tener calificación de VPO o estar destinadas a vivienda permanente en los términos del art. 3d) de la Ley por el derecho a la vivienda.

rio, la propuesta del grupo republicano es más agresiva, ya que impediría que hubiera inversiones en viviendas destinadas a arrendamientos distintos al de vivienda y además con la exigencia de que estos sean de al menos siete años. Imaginando la combinación de ambas propuestas, es difícil saber cuántas SOCIMI sobrevivirían y si, en este caso, mantendrían ese régimen tal cual se propone o preferirían optar por el REAV.

En segundo lugar, se observa una presión fiscal añadida a la tenencia de inmuebles, lo que es indispensable para acogerse al REAV, que exige un mínimo de ocho viviendas. El "desincentivo" se observa en el recargo sobre inmuebles de zonas residenciales y el impuesto a la acumulación de inmuebles de uso residencial (donde normalmente se sitúan las viviendas del REAV) y en el impuesto complementario sobre transmisiones de inmuebles (porque grava las inversiones extracomunitarias que pudieran destinarse al arrendamiento de viviendas). Ninguna de las propuestas contiene exenciones o exclusiones para viviendas de entidades acogidas al REAV.

Para hacer frente a los efectos de la renovación de alquileres de vivienda cuya prórroga termina inmediatamente, se ha propuesto, entre otras medidas, la de bonificar el 100% de la renta al arrendador que no suba el precio del alquiler en la renovación. Aún no hay constancia de proyecto articulado de la propuesta.

X. EL ESTADO DEL DEBATE DOCTRINAL SOBRE LAS CUESTIONES MÁS RELEVANTES RELATIVAS AL REAV

El régimen especial del arrendamiento de viviendas ha merecido alguna atención por parte de la doctrina científica; también se han ido sucediendo muchos análisis expositivos de su régimen jurídico, generalmente por parte de sectores profesionales especializados, la mayor parte de ellos dirigidos a dejar constancia de su contenido y, sucesivamente, de sus modificaciones.

Para facilitar su lectura y seguimiento, en el texto se han hecho anotaciones relativas a las normas reguladoras recurrentes y a las doctrinas legal y administrativa. Corresponde ahora dejar constancia de algunas aportaciones científicas que conviene reseñar, porque abordan aspectos que considero particularmente relevantes e incluso controvertidos del REAV, como son la aplicación exclusiva del régimen a las personas jurídicas; el propio concepto de arrendamiento de vivienda aplicable al régimen especial; la exigencia del arrendamiento de viviendas como actividad económica en el IS y cómo hay que interpretarlo (aunque ninguno de los trabajos se refiere lógicamente a la reciente sentencia del TS de 14 julio de 2025, que sí se incorpora en el texto); la compatibilidad del REAV con otras actividades económicas y la interpretación de la rebaja de la bonificación desde el 85% al 40%.

1.– Sobre la limitación de la aplicación del régimen a las personas jurídicas en el IS ya se pronunció Rodríguez Márquez al poco de la implantación del régimen[42] y más tarde en uno de los primeros trabajos de fondo, publicado después de la modificación de 2005, Rodríguez Márquez[43] cuestionó la medida, arguyendo que son las personas físicas quienes mayoritariamente desarrollan la actividad de arrendamiento de viviendas y su inclusión en el régimen podría fomentar eficazmente el parque de viviendas en alquiler. En el mismo sentido crítico se pronunció Calvo Vérgez[44]. Sin embargo, Atxabal Rada[45] considera que es una "consecuencia lógica" de la no sujeción al Impuesto sobre Sociedades de las personas físicas". Por su parte, Bueno Maluenda no cuestiona esta limitación, pero aclara que el REAV no es aplicable a las comunidades de bienes, porque estas, aunque puedan desarrollar una actividad mercantil, quedan fuera del IS; en cambio, sí es aplicable a cooperativas, sociedades de inversión inmobiliaria SII) o fondos de inversión inmobiliaria (FII)[46].

2.– En relación con el requisito del ejercicio de una actividad económica y, en particular, sobre la exigencia de disponer de un local y una persona empleada conforme al art. 27.2 LIRPF, Mas Ortiz[47], sostiene que hoy por hoy es plenamente exigible, aunque no lo fue durante el período 2007-2014 —entre la derogación del régimen de las sociedades patrimoniales y la nueva LIS, y propone como fórmula válida para cumplir el requisito la externalización de la actividad, como ya había sugerido Rodríguez Márquez[48]. De Pablo Varona es de la misma opinión, tras un detallado y argumentado análisis jurisprudencial[49]. En la misma obra, Atxabal Rada sostiene que la regulación

---

42 Rodríguez Márquez, J. (2004): "El régimen especial de las entidades dedicadas al arrendamiento de viviendas", *Crónica Fiscal* nº 9, págs. 11-19.

43 Rodríguez Márquez, J. (2007): "La nueva configuración del régimen especial de las entidades dedicadas al arrendamiento de viviendas", *Crónica Tributaria*, n. 125, pág. 79.

44 Calvo Vérgez, J. (2010): "Régimen especial de entidades dedicadas al arrendamiento de viviendas", *Fiscalidad de la inversión inmobiliaria en el Impuesto sobre Sociedades*, JMB, pág. 77.

45 Atxabal Rada, A. (2024) "Las entidades dedicadas al arrendamiento de vivienda en el impuesto sobre Sociedades", *La fiscalidad del arrendamiento de vivienda y de otras figuras afines*, Aranzadi, pág. 275.

46 Bueno Maluenda, C. (2025): "Las sociedades de inversión inmobiliaria: en particular, las SOCIMI y las entidades dedicadas al arrendamiento de viviendas (EDAV)", *Tratado de Derecho de la Vivienda*, págs. (2533-2554), BOE, pág. 2.541.

47 Más Ortiz, A. (2022): "Régimen especial de entidades dedicadas al arrendamiento de vivienda: Volatilidad e Inseguridad. Recorte a la bonificación en 2022", *Revista de Contabilidad y tributación,* CEF 472, págs. 55-58 y 60.

48 Rodríguez Márquez, op. cit, pág 84.

49 De Pablo Varona, C. (2024): "La fiscalidad del arrendamiento de vivienda en los Impuestos sobre la Renta", *La fiscalidad del arrendamiento de vivienda y de otras figuras afines*, Aranzadi,

actual no permite otra cosa exigir el requisito del desarrollo de la actividad económica que incluya un local y una persona empleada, aunque analiza los debates doctrinales planteados previamente en la doctrina al amparo de la legislación anterior[50]. Por su parte, Soriano Bel había sostenido que este requisito constituía una traba para que el REAV pudiera tener una eficaz aplicación práctica[51].

3.- Sobre el tipo de arrendamiento, partiendo de que, efectivamente, su elemento material es el arrendamiento para uso como vivienda de las personas arrendatarias, sostuvo Rodríguez Márquez que, si bien habrían de excluirse los alquileres de temporada, tendría que admitirse el uso mixto (vivienda y negocio, por ejemplo), siempre que el uso residencial sea el predominante[52]; aunque esta opinión no es pacífica[53]. Por su parte, Más Ortiz pone el acento en la ambigüedad e inseguridad de conceptos como el de viviendas "ofrecidas" en arrendamiento[54]. Particular interés presenta el planteamiento de este mismo autor sobre la finalidad del régimen como "labor social" del propio arrendamiento, que se habría ido desnaturalizando a medida que se han suprimido los requisitos de tamaño y renta máxima de la vivienda[55]. Ni que decir tiene que quedan fuera ahora las de uso turístico y también los inmuebles que, aun teniendo cédula de habitabilidad como vivienda, son arrendados como locales, porque no satisfacen la necesidad de vivienda del arrendatario[56].

El arrendamiento de vivienda no se valora solamente porque la vivienda pueda ser o sea objeto de arrendamiento para satisfacer la mencionada necesidad de residencia del arrendatario, sino que deber ser un arrendamiento directo; en este sentido, sostiene Atxabal Rada que si la viviendas se arrienda a una sociedad que a su vez las cede a personas físicas como vivienda, estaría excluidas del REAV, porque el destino primordial

pág. 129.

50 Atxabal Rada, op. cit. págs. 276-277

51 Soriano Bel, J. M. (2017): "Artículos 48 y 49. Entidades dedicadas al arrendamiento de viviendas", en *Comentarios a la Ley del impuesto sobre Sociedades y su normativa reglamentaria*, Tirant lo Blanch, pág. 1.075.

52 Rodríguez Márquez, op. cit. pág. 84 y 85.

53 Como parece desprenderse de Atxabal Roda, op. cit. pág. 286. Sin embargo, algunos tribunales han sostenido, respecto a la reducción por arrendamiento de vivienda en el IRPF, que la ley de este impuesto no la relaciona con el arrendamiento de la LAU, por lo que a estos efectos el hecho esencial es que la vivienda se utilice como vivienda, sin más. Así, la SFTJ Galicia de 28 de febrero de 2024 (FJ 3º). Puede consultarse un sutil comentario al respecto en Serrantes Peña, F. R. (2024): "Qué es una vivienda", *Taxilandia* de 25/09/2024.

54 Más Ortiz, op. cit. pág. 45.

55 Ibidem. pág. 43.

56 Bueno Maluendo, op. cit. pág. 2.540-2541

de ese arrendamiento no sería —en su opinión— satisfacer la necesidad permanente de vivienda del arrendatario, que es lo que exige la literalidad del precepto, mientras que, en cambio, no serían excluidas del régimen las viviendas arrendadas a un organismo público que gestione arrendamientos y cubra al arrendador el riesgo de impagos de los arrendatarios finales de las viviendas, porque lo considera como un mero intermediario[57].

4.- Sobre las actividades complementarias a la principal de arrendamiento de viviendas, la doctrina fue desde el primer momento crítica con la aplicación del criterio puramente cuantitativo (55% de las rentas debían provenir de la actividad principal), como puso de manifiesto desde el principio Rodríguez Márquez, por considerarlo demasiado rígido y pedía ya en 2007 su revisión; por ejemplo, las empresas promotoras no podía estar en el régimen si las rentas provenientes de ventas o alquileres con destinos distintos al arrendamiento de vivienda eran superiores al 45% y ello a pesar de que al mismo tiempo podían realizar una actividad de arrendamiento de viviendas conforme a la finalidad de favorecimiento del alquiler que está en la base del beneficio fiscal, y por eso sugirió declarar su compatibilidad[58].

Como se ha explicado en el texto, desde la modificación de 2012, además de ese requisito, ahora se ofrece la alternativa consistente en que al menos el 55% del activo de la sociedad sea susceptible de generar rentas de arrendamiento de viviendas. No obstante, no parece que esta posibilidad pudiera cubrir las expectativas de las entidades promotoras que, por ejemplo, tengan la mayor parte de su activo destinado a otro tipo de arrendamientos.

Sin embargo, Mas Ortiz no se muestra muy conforme con esta última medida y considera que es "de sentido común" que la mayor pare de las rentas de la entidad provengan del arrendamiento de vivienda[59]. Con todo, parece claro que los porcentajes cuantitativos deben ser apreciados para cada tipo de actividad (es decir, la principal de arrendamiento por un lado y las complementarias por otra), de manera que puedan compensarse rentas positivas y negativas por separado, como aclara Cámara Barroso[60].

5.- Sobre la rebaja del porcentaje de bonificación desde el 85% al 40% se han emitido diversas opiniones, dado que la exposición de motivos de la Ley 22/2021 no ofrece ninguna. Atxabal Rada la ve como una restricción de la ventaja del régimen, hasta el

---

57 Atxabal Rada, op. cit. pág. 286-287. No lo vio así, sin embargo, Rodríguez Márquez op. cit. pág. 87.

58 Rodríguez Márquez, op. cit. pág. 88

59 Más Ortiz, op. cit. pág. 45.

60 Cámara Barroso, M. C. (2018): "Régimen fiscal especial de las Entidades dedicadas al arrendamiento de viviendas y de las Instituciones de Inversión Colectiva Inmobiliarias", *Tratado de la SOCIMI. Un análisis multidisciplinar del REIT español*, Aranzadi, pág. 408.

punto de que, si una empresa sólo se dedica a esta actividad —es decir, no tiene ninguna otra— el tipo efectivo de gravamen (TEI) habría pasado del 3,75% (resultado de aplicar una bonificación del 85% al 25% del tipo general) al 15% (bonificación del 40% del mismo tipo general)[61]. Por su parte, Mas Ortiz asocia esa rebaja de la bonificación hasta el 40% a la introducción del mínimo global del 15% en la misma ley 22/2021[62]. Creo que esta es una perspectiva plausible y de hecho, en el texto se ha dedicado un apartado a los efectos de la imposición mínima global sobre el REAV, incluyendo la nueva normativa del llamado Impuesto Complementario.

6.– Finalmente, cabe decir que no han faltado tampoco análisis de carácter macroeconómico que se han pronunciado sobre el papel del REAV en un contexto financiero más amplio. Merece ser destacado el informe del Instituto de Estudios Económicos sobre la fiscalidad de la vivienda en España[63].

Este estudio es un análisis de conjunto sobre la fiscalidad de la vivienda, pero que contiene datos de interés para entender mejor la realidad del REAV dentro de la fiscalidad sobre la vivienda en general y en el IS (además de en otros impuestos estatales, singularmente el IRPF e IVA y en la imposición autonómica y local). Dedica algunas páginas al IS (62ss) y finalmente formula entre sus propuestas la introducción de mejores incentivos a la inversión en alquiler, "reduciendo la carga tributaria sobre los arrendadores", para procurar un mercado más dinámico y competitivo (pág. 90). El informe se completa con cuatro trabajos de interés. Particular atención merecen el de Chico de la Cámara, que pone el acento en un tema destacado en este trabajo (apartado VIII y conclusiones), como es la presión fiscal sobre la vivienda[64] y el de Fernández García, que apunta también a las ventajas de estas entidades sobre el REAV para promover el alquiler residencial, como se ha apuntado también en este trabajo (ap. VI y conclusiones)[65].

---

61 Atxabal Reda, op. cit. pág. 293

62 Más Ortiz, op. cit. pág. 42

63 IEE: *La fiscalidad de la vivienda en España. Una propuesta de mejora*, de mayo de 2025 (datos a 2023), al que puede accederse desde la web: chrome-extension://efaidnbmnnnibpcajpcglclefindmkaj/https://www.ieemadrid.es/sites/ceoe-iee/files/content/file/2025/07/22/25/opinion-del-iee-mayo-2025.-la-fiscalidad-de-la-vivienda-en-espana.pdf

64 Chico de la Cámara, P.: "La sobreimposición tributaria en el proceso de edificación y transmisión de la vivienda", IEE: *La fiscalidad de la vivienda en España. Una propuesta de mejora* (págs. 149ss),

65 Fernández García, L.: "Las SOCIMI: una herramienta para consolidar el alquiler residencial en España", *IEE: La fiscalidad de la vivienda en España. Una propuesta de mejora* (págs. 213ss).

XI. CONCLUSIONES

1ª.– El régimen especial de arrendamiento de viviendas en el IS (REAV), mediante el que se bonifica un porcentaje de la renta obtenida por las entidades arrendadoras, se configuró como un instrumento para fomentar el alquiler desde el lado de la oferta y, en este sentido, simboliza un reconocimiento tributario de su función social, conceptual —no cuantitativamente— similar al que disfrutan los arrendadores personas físicas en el IRPF. Sin embargo, por su propia naturaleza, el REAV no otorga ventajas directas al inquilino, aunque puede suponer un menor coste económico por estimular la oferta con la consiguiente (esperable, no segura) bajada de precios.

2ª.– Aunque en un primer momento los requisitos para acogerse al régimen especial eran muy rigurosos (2003) y además se exigía dedicación exclusiva de la entidad a la actividad de arrendamiento de vivienda, su evolución ha ido flexibilizándolos. La posibilidad de ejercicio de otras actividades complementarias, aun con las limitaciones establecidas en 2005 (luego rebajadas en 2012), es un punto de inflexión importante en el régimen, porque ha permitido a empresas dedicadas al sector inmobiliario en general acogerse a este régimen especial, algo que, sin estas medidas, no habrían hecho.

3ª.– La forma de determinar la renta bonificable de las entidades arrendadoras es compleja, porque exige una contabilización separada y un tratamiento individualizado de cada vivienda, pero permite determinar bien los requisitos cuantitativos del régimen y evita posibles maniobras fraudulentas.

4ª.– Las dificultades que en el pasado ha podido plantear, sobre todo para empresas de pequeño tamaño, la caracterización del arrendamiento de vivienda como actividad económica tal como definida en la Ley de IRPF, obligadas a tener un local y una persona a tiempo completo para la actividad, han venido bastante a menos con la interpretación que el Tribunal Supremo ha realizado recientemente, entendiendo que no es preciso justificar los requisitos desde el punto de vista económico, sino sólo cumplirlos conforme a la ley (STS 956/2025, de 14 de julio).

5ª.– El desigual modelo de deducción de dividendos de nuestro ordenamiento tributario se traslada también a los socios de las entidades acogidas al REAV, de manera que las personas físicas no podrán practicar deducción alguna, mientras que las personas jurídicas tienen un importante margen de maniobra.

6ª.– La regulación de compatibilidades e incompatibilidades del REAV con otros regímenes especiales del Impuesto sobre Sociedades es coherente, en general, porque permite aprovechar las ventajas del arrendamiento financiero y no pone trabas a la opción de la empresa para pasar del REAV al régimen de empresas de reducida dimensión sin quedar excluida del primero, así como volver a acogerse a este sin trabas administrativas.

7ª.- La incompatibilidad con el régimen de las SOCIMI no empaña la anterior conclusión. El de las SOCIMI es un régimen incomparable en incentivos fiscales (exención total), pero con mayores exigencias mercantiles y de reparto de dividendos y está orientado a inversionistas institucionales y proyectos de gran envergadura. El REAV es una alternativa para empresas de alquiler no cotizadas, con incentivo moderado (ahora es de un 15% de tipo efectivo), pero tienen más flexibilidad operativa, de modo que, comparado con la figura de las SOCIMI —mucho más potenciada fiscalmente— el REAV puede parecer menos generoso. Lo cierto es que ambos instrumentos combinados han supuesto que, por primera vez en décadas, grandes inversores hayan encontrado atractivo el alquiler residencial en España, contribuyendo a aumentar la oferta de viviendas, aunque también, según algunos análisis, contribuyendo a alimentar algunos tipos de dinámicas especulativas.

8ª.- Las propuestas legislativas que hay sobre la mesa del Congreso tienen una finalidad (legítima, por supuesto) que no favorece ni el alquiler de vivienda que no sea de precio llamado asequible, ni la adquisición de inmuebles para destinarlos al arrendamiento de vivienda.

9ª.- El régimen especial de arrendamiento de viviendas ha pasado de ser un incentivo muy potente (85%-90% de bonificación), reservado a empresas con al menos 10 viviendas en alquiler durante 7 años, a convertirse en un incentivo mucho más moderado (40% de bonificación), pero accesible ahora a empresas con 8 o más viviendas arrendadas por al menos 3 años. La reducción del porcentaje de bonificación ha sido muy severa y no parece estar justificada si no es por la fijación del gravamen mínimo del 15% que pretende el art. 30 bis de la Ley del IS. Esta rebaja no se ha hecho notar de momento, si nos atenemos al montante de beneficios fiscales previstos para esta bonificación en los PGE, montante que disminuye, pero sólo en proporción a la reducción del beneficio. Con todo, habrá que hacer un análisis de conjunto de su incidencia cuando se estudien los datos de las liquidaciones de las cuentas públicas de los años posteriores a su implantación, es decir, a partir de 2022.

10ª.- En definitiva, el régimen especial REAV se configura como una pieza más dentro del complejo entramado fiscal de la vivienda; debido a sus estrictos requisitos ha acotado su uso a empresas especializadas, y con su bonificación, ahora moderada, parece buscar un difícil equilibrio entre fomentar el alquiler y situar la tributación empresarial de las entidades implicadas en el límite de la tributación mínima global. Queda por ver, en el futuro, cómo se integrará en el marco global de esa tributación mínima y si el legislador optará por mantenerlo, ampliarlo (por ejemplo, podría incrementarse la bonificación para el alquiler asequible, en línea con lo que se hizo en IRPF con reducciones del 90% en zonas tensionadas) o replantearlo si la imposición mínima global le resta eficiencia.

XII. REFERENCIAS BIBLIOGRÁFICAS

Atxabal Rada, A. (2024) "Las entidades dedicadas al arrendamiento de vivienda en el impuesto sobre Sociedades", en *La fiscalidad del arrendamiento de vivienda y de otras figuras afines*, Aranzadi (págs. 271-303).

Bueno Maluenda, C. (2024): "El régimen especial de las SOCIMI en el Impuesto sobre Sociedades: evolución y evaluación", *El derecho a la vivienda en tiempos de incertidumbre*, Aranzadi (págs. 539-562).

Bueno Maluenda, C. (2025): "Las sociedades de inversión inmobiliaria: en particular, las SOCIMI y las entidades dedicadas al arrendamiento de viviendas (EDAV)", *Tratado de Derecho de la Vivienda*, BOE (págs. 2533-2554).

Calva Vérguez, J. (2010): "Régimen especial de entidades dedicadas al arrendamiento de viviendas", *Fiscalidad de la inversión inmobiliaria en el Impuesto sobre Sociedades*, JMB (págs. 75-115).

Cámara Barroso, M. C. (2018): "Régimen fiscal especial de las Entidades dedicadas al arrendamiento de viviendas y de las Instituciones de Inversión Colectiva Inmobiliarias", *Tratado de la SOCIMI. Un análisis multidisciplinar del REIT español*, Aranzadi, (397-429).

Chico de la Cámara, P.: "La sobreimposición tributaria en el proceso de edificación y transmisión de la vivienda", *IEE: La fiscalidad de la vivienda en España. Una propuesta de mejora*. www.ieemadrid.es/sites/ceoe-iee/files/content/file/2025/07/22/25/opinion-del-iee-mayo-2025.-la-fiscalidad-de-la-vivienda-en-espana.pdf. Última recuperación 26 enero 2026.

De Pablo Varona, C. (2024): "La fiscalidad del arrendamiento de vivienda en los Impuestos sobre la Renta", *La fiscalidad del arrendamiento de vivienda y de otras figuras afines*, Aranzadi (págs. 123-198).

Fernández García, L.: "Las SOCIMI: una herramienta para consolidar el alquiler residencial en España" en IEE: *La fiscalidad de la vivienda en España. Una propuesta de mejora* www.ieemadrid.es/sites/ceoe-iee/files/content/file/2025/07/22/25/opinion-del-iee-mayo-2025.-la-fiscalidad-de-la-vivienda-en-espana.pdf. Última recuperación 26 enero 2026.

García Luis, T.: (2016): "El régimen especial de las entidades dedicadas al arrendamiento de viviendas en el Impuesto sobre sociedades", *La reforma del Impuesto sobre Sociedades*, IEF (págs. 489-572).

IEE: *La fiscalidad de la vivienda en España. Una propuesta de mejora*, de mayo de 2025 (datos a 2023): www.ieemadrid.es/sites/ceoe-iee/files/content/file/2025/07/22/25/opinion-del-iee-mayo-2025.-la-fiscalidad-de-la-vivienda-en-espana.pdf. Última recuperación 26 enero 2026.

Más Ortiz, A. (2022): "Régimen especial de entidades dedicadas al arrendamiento de vivienda: Volatilidad e Inseguridad. Recorte a la bonificación en 2022", *Revista de Contabilidad y tributación*, CEF 472, págs. 39-62.

OCDE (2024): *Tax Challenges Arising from the Digitalisation of the Economy - Consolidated Commentary to the Global Anti-Base Erosion Model rules* (2023): Inclusive Framework on BEPS, *OECD/G20 Base Erosion and Profit Shifting Pro*ject, OECD Publishing, Paris.

Rodríguez Márquez, J. (2004): "El régimen especial de las entidades dedicadas al arrendamiento de viviendas", *Crónica Fiscal,* n. 9, págs. 11-19.

Rodríguez Márquez, J. (2007): "La nueva configuración del régimen especial de las entidades dedicadas al arrendamiento de viviendas", *Crónica Tributaria*, n. 125 (págs. 75-105).

Serrantes Peña, F. R. (2024): "Qué es una vivienda", *Taxilandia* de 25/09/2024.

Soriano Bel, J. M. (2017): "Artículos 48 y 49. Entidades dedicadas al arrendamiento de viviendas", *Comentarios a la Ley del impuesto sobre Sociedades y su normativa reglamentaria*, Tirant lo Blanch, (págs. 1.067-1.093).

LA FISCALIDAD DE LAS VIVIENDAS VACÍAS

Ana González Pelayo
Profesora Ayudante doctora
Universidad Rey Juan Carlos
ORCID 0000-0002-9823-2218

I. INTRODUCCIÓN

El actual contexto de crisis habitacional en que se encuentra el Estado español constituye un problema que, lejos de ser novedoso, supone un reto que tradicionalmente ha afectado con mayor énfasis a las personas jóvenes, incidiendo entre otras cosas en la elevada media de edad a la que estos se emancipan. No obstante, los datos nos muestran que la situación se ha agravado en los últimos tiempos. Así, de acuerdo con los datos publicados por el Consejo de la Juventud de España, en el segundo semestre de 2024, solamente 1.132.206 del total de 7.472.442 jóvenes entre 16 y 29 años, se encontraba emancipado, esto es, una tasa de del 15,2%, lo que supone una reducción con respecto al mismo periodo del año anterior del 1,86%. Tal tasa asciende al 35,4% en la franja de edad de 25 a 29 años; y al 69,40% en el caso de personas entre 30 y 34 años, lo que muestra la tardía edad a la que la juventud abandona el hogar familiar en España[1].

II. EL DERECHO CONSTITUCIONAL A LA VIVIENDA Y LA FUNCIÓN SOCIAL DEL DERECHO DE PROPIEDAD

1. EL DERECHO CONSTITUCIONAL A LA VIVIENDA

El artículo 47 de la Constitución Española (CE, en lo sucesivo) reconoce el derecho a "disfrutar de una vivienda digna y adecuada", así como establece un mandato a los poderes públicos al objeto de promover las condiciones necesarias para hacer efectivo ese derecho. Como es sabido, este derecho se ubica en el Capítulo Tercero del Título I de la CE, bajo la rúbrica "De los principios rectores de la política social y económica", lo cual hace que se manifieste como derecho de proyección, que informará a "la legislación positiva, la práctica judicial y la actuación de los poderes públicos", sin que ostente el nivel de protección de los derechos ubicados en el Capítulo II del Título I CE.

La configuración del derecho a la vivienda ha resultado conflictiva, en tanto se ha debatido en torno a su consideración como principio rector de la política económica y social, en los términos del Capítulo Tercero de la CE, dada su ubicación en el texto constitucional, ya mencionada, o bien su consideración como un derecho subjetivo de carácter individual. Al respecto, la Sentencia del Tribunal Constitucional 32/2019, de 28 de febrero, ponía de manifiesto en su Fundamento jurídico 6 que el derecho a la vivienda es una "directriz constitucional dirigida a los poderes públicos". Por su parte, la Sentencia del Tribunal Constitucional 120/2024, de 8 de octubre, en su Fundamento Jurídico 5 recalca, refiriéndose a la Sentencia 37/2022, de 10 de marzo, que, si bien el

1 Consejo De La Juventud De España (2025). *Informe estatal. 2º semestre 2024.* Ministerio de Juventud e Infancia, 4.

derecho a la vivienda se configura como un principio rector de la política económica y social, el mismo es el "soporte y marco imprescindible para el ejercicio de varios derechos fundamentales estrechamente vinculados con la dignidad de la persona y el libre desarrollo de la personalidad (art. 10.1 CE). Entre ellos se encuentran señaladamente los derechos a la intimidad personal y familiar (art. 18.1 CE) y a la inviolabilidad del domicilio (art. 18.2 CE)".

Algunos autores se han posicionado a favor de la calificación del derecho a la vivienda como derecho subjetivo, especialmente dada la inactividad legislativa, en relación con el mandato a los poderes públicos del artículo 47 de la CE, lo que ha contribuido a vaciar de contenido el reconocimiento de este derecho[2], toda vez que tuvieron que transcurrir casi cuarenta y cinco años para que el legislador estatal regulase el contenido básico del derecho, a través de la Ley 12/2023, de 24 de mayo, por el derecho a la vivienda. Por ello, si nos atenemos a una lectura sistemática del Texto Constitucional, el derecho a la vivienda debe relacionarse con otros derechos y principios constitucionales, así como interpretarse a tenor de lo establecido en el artículo 10.2 de la CE[3]. Sobre este particular, cabe reseñar el voto particular formulado por la magistrada doña María Luisa Balaguer Callejón a la Sentencia del Tribunal Constitucional 32/2019, de 28 de febrero, que, si bien reconoce el derecho a la vivienda como principio rector, no supone que el mismo se encuentre vacío de contenido, limitado a constituir un "deseo de buena voluntad constitucional", sino que el mismo debe correlacionarse con la calificación del Estado español como Estado social, dirigido al pleno disfrute de los derechos, especialmente en uno de corte transversal como es el derecho a la vivienda. Así, la magistrada argumenta la extensión del artículo 10.2 de la CE a los principios rectores, especialmente a la luz de la jurisprudencia del Tribunal Europeo de Derechos Humanos y la propia doctrina constitucional en las Sentencias 199/1996, de 3 de diciembre, en relación con el derecho a disfrutar de un medio ambiente adecuado (artículo 45.1 de la CE); y la 139/2016, de 21 de julio, en relación con el derecho a la salud (artículo 43 de la CE). En la misma línea, Buendía Méndez (2025)[4] se manifiesta a favor de la calificación de derecho subjetivo, dado que la satisfacción del derecho del artículo 47 de la CE supone la materialización del derecho fundamental a la dignidad (artículo 10.1 de la CE), a la

---

2 López Ramón, F (2024). "Derecho subjetivo a la vivienda". *Revista española de Derecho Constitucional* (102), 52.

3 Establece el artículo 10.2 de la CE: "Las normas relativas a los derechos fundamentales y a las libertades que la Constitución reconoce se interpretarán de conformidad con la Declaración Universal de Derechos Humanos y los tratados y acuerdos internacionales sobre las mismas materias ratificados por España".

4 Buendía Méndez, A. (2025). "Vivienda, función social y cesión de uso obligatoria a partir de la Sentencia del Tribunal Constitucional núm. 120/2024, de 8 de octubre". *Revista Vasca de Administración Pública* (131), 115.

vida y a la integridad física y moral (artículo 15 de la CE), libertad y seguridad (artículo 17 de la CE) y al ya mencionado intimidad personal y familiar (artículo 18 de la CE).

Asimismo y, en última instancia, el derecho a disfrutar de una vivienda digna, junto con el mandato de promoción a los poderes públicos debe vincularse con los artículos 9.2 y 40.1 de la CE, en tanto en cuanto la vivienda se proyecta como la clave de bóveda para establecer las condiciones de progreso social y económico de la ciudadanía, así como del mandato dirigido a la remoción de obstáculos que impidan o dificulten la participación ciudadana en la vida política, económica, cultural y social. Tal como señala el Preámbulo de la Ley 12/2023, de 24 de mayo, por el derecho a la vivienda, "la vivienda constituye, ante todo, un pilar central de bienestar social".

Tal pilar central de bienestar social viene reconocido por el artículo 25.1 de la Declaración Universal de los Derechos Humanos y el artículo 11.1 del Pacto Internacional de Derechos Económicos, Sociales y Culturales, de 1966, ratificado por el Estado español en 1977, en que el derecho a un nivel de vida adecuado viene asistido por la garantía de acceso a la vivienda. A nivel europeo, cabe destacar la Carta Social Europea, cuyo artículo 31, garantiza el ejercicio efectivo del derecho a la vivienda, así como suscribe el compromiso de las Partes a la adopción de medidas dirigidas a su materialización. Mandato que se reiteró en la Resolución del Parlamento Europeo de 21 de enero de 2021, sobre el acceso a una vivienda digna y asequible para todos (2019/2187(INI)), en que recalca las dificultades de acceso para ciertos colectivos vulnerables equiparando jóvenes, personas mayores, personas LGBTI o migrantes, entre otros.

Como ya se ha señalado previamente, el legislador estatal no desarrolló una legislación específica sobre vivienda hasta 2023, a través de la Ley 12/2023, de 24 de mayo, por el derecho a la vivienda. Ante tal inacción, las Comunidades Autónomas asumieron tal labor legislativa, si bien no fue hasta el año 2003, es decir, pasados casi veinticinco años desde la entrada en vigor de la Constitución Española, que Canarias aprobó la Ley 2/2003, de 30 de enero, de Vivienda, siendo la primera Comunidad Autónoma en legislar. En tales términos, las Comunidades Autónomas asumieron competencias sobre vivienda con base en el artículo 148.1.3ª de la CE, sin perjuicio de la regulación de las condiciones básicas que garantizan la igualdad en el ejercicio de derechos, cuya competencia corresponde exclusivamente al Estado, *ex* artículo 149.1.1ª. Dicho de otro modo y, siguiendo la argumentación del Tribunal Constitucional en Sentencia 16/2018, de 22 de febrero, Fundamento Jurídico 8, "no habiendo el legislador estatal ejercido la habilitación que el artículo 149.1.1 CE le otorga, resulta necesario afirmar que el legislador autonómico en materia de vivienda, en el momento en que realizamos este enjuiciamiento, no encuentra límites desde esta perspectiva constitucional (...)".

Si bien el derecho a disfrutar de una vivienda digna y adecuada no es sinónimo de vivienda en propiedad o materialización del derecho de propiedad del artículo 33 de la

CE[5], lo cierto es que el mercado de la vivienda en España depende, fundamentalmente, de la propiedad, con escasez de vivienda social o protegida[6], razón por la cual cabe hacer una breve referencia al derecho de propiedad reconocido en el artículo 33 de la CE y, en relación con el mismo, a su función social, cuestión que incide sobre la imposición a la deshabitación que va a ser tratada en este capítulo.

2. EL DERECHO A LA PROPIEDAD PRIVADA

El derecho a la propiedad privada se encuentra reconocido en el artículo 33 de la CE, que establece:

"1. Se reconoce el derecho a la propiedad privada y a la herencia.

2. La función social de estos derechos delimitará su contenido, de acuerdo con las leyes.

3. Nadie podrá ser privado de sus bienes y derechos sino por causa justificada de utilidad pública o interés social, mediante la correspondiente indemnización y de conformidad con lo dispuesto por las leyes".

Tal precepto se ubica en la Sección 2ª del Capítulo Segundo del Título I de la CE, bajo la rúbrica "De los derechos y deberes de los ciudadanos". A diferencia del derecho a la vivienda, la ubicación constitucional del derecho a la propiedad privada reconoce una protección de mayor calado, resultando de aplicación el artículo 53.1 de la CE, conforme al cual, el mismo vincula a los poderes públicos y se establece una reserva de ley ordinaria para su desarrollo, que deberá respetar el contenido esencial del derecho, cuestión que, como veremos, tiene gran relevancia en lo que a regulación de la función social se refiere.

La legislación internacional también ha reconocido el derecho a la propiedad privada. En tales términos se pronuncia el artículo 17 de la Declaración Universal de los Derechos Humanos, en cuyo apartado dos se concreta que "nadie será privado arbitrariamente de sus bienes".

Por su parte, el artículo 1 del Protocolo Adicional Primero del Convenio Europeo para la Protección de los Derechos Humanos y Libertades Fundamentales (CEDH, en lo sucesivo) reconoce la protección a la propiedad, concretando que "nadie podrá ser privado de su propiedad sino por causa de utilidad pública y en las condiciones previs-

---

5 García Calvente, Y. (2004). "La protección del derecho a una vivienda digna a través del sistema tributario". *Jurisprudencia Tributaria Aranzadi* (13), 13.

6 Ruiz Garijo, M. (2016). "Derecho a una vivienda e impuestos autonómicos sobre viviendas vacías en España. Una perspectiva constitucional". *Crónica Tributaria* (161), 192.

tas por la ley y los principios generales del Derecho Internacional". Si bien la reserva de ley reseñada en este artículo se ha interpretado de forma laxa por parte del Tribunal Europeo de los Derechos Humanos, reseñando que la norma debe tener cierta "calidad normativa" que garantice la posibilidad de reaccionar frente a "actuaciones arbitrarias" (Sentencia de 25 de octubre de 2012, Asunto *Vistins y Perepjolkins* contra Lituania), lo cierto es que, en el caso español, debe correlacionarse con el principio de reserva de ley que respete el contenido esencial, de acuerdo con el ya meritado artículo 53.1 de la CE. Asimismo, tal como señalan González-Cuéllar y Ortiz Calle (2025), el pago de tributos supone una injerencia en el ámbito del derecho de propiedad, en aras de garantizar el interés general[7], lo cual, además, incide en la reserva de ley formal establecida por los artículos 31.3 y 133.1 y 2 de la CE[8].

Así pues, el derecho a la propiedad privada no es absoluto, sino que se encuentra sujeto al interés general, cuestión a la que también se refiere el artículo 128.1 de la CE, al señalar que "toda la riqueza del país en sus distintas formas y sea cual fuere su titularidad está subordinada al interés general", lo que supone la aplicación del criterio de racionalidad en el uso y disfrute individual de los bienes objeto de apropiación privativa[9]. Dicho de otro modo, la protección del interés general recae tanto sobre los poderes públicos como sobre los sujetos privados. A tal respecto, el Tribunal Europeo de Derechos Humanos habla de la necesidad de que las injerencias se lleven a cabo bajo el principio de *"fair balance"* o "justo equilibrio", para lo cual, resulta necesario realizar tanto un test de legalidad como de proporcionalidad, al objeto de garantizar la protección del derecho de propiedad (Sentencia de 14 de mayo de 2013, Asunto *N.K.M.* contra *Hungría*)[10].

Sobre la función social del derecho de propiedad el Tribunal Constitucional se ha pronunciado en la Sentencia 120/2024, de 8 de octubre, señalando que debe hablarse de funciones sociales, en plural, dado que abarca todo tipo de bienes, sin que la inci-

---

7 González-Cuellar Serrano, M. L. y Ortiz Calle, E. (2025). "La lesión al derecho a la propiedad establecido en el Convenio Europeo de Derechos Humanos derivada de la limitación de efectos de las sentencias de inconstitucionalidad". *Crónica Tributaria* (194), 61.

8 El artículo 31.3 de la CE establece:
"Sólo podrán establecerse prestaciones personales o patrimoniales de carácter público con arreglo a la ley".
El artículo 133.1 y 2 de la CE declara:
"1. La potestad originaria para establecer los tributos corresponde exclusivamente al Estado, mediante ley.
2. Las Comunidades Autónomas y las Corporaciones locales podrán establecer y exigir tributos, de acuerdo con la Constitución y las leyes".

9 Buendía Méndez, A. (2025). "Vivienda...". Op. Cit., 121.

10 González-Cuellar Serrano, M. L. y Ortiz Calle, E. (2025). "La lesión...". Op. Cit., 72.

dencia sobre unos y otros pueda ser la misma. En este sentido, una regulación general sobre la función social de la propiedad resultaría artificiosa. En los mismos términos ya se pronunció la Sentencia 112/2006, de 5 de abril, que argumentaba que "la fijación del contenido esencial de la propiedad privada no puede hacerse desde la exclusiva consideración subjetiva del derecho o de los intereses individuales que a éste subyacen, sino que debe incluir igualmente la necesaria referencia a la función social, entendida no como mero límite externo a su definición o ejercicio, sino como parte integrante del derecho mismo". Dicho de otro modo, los conceptos apropiación privativa y función social están necesariamente correlacionados, de modo que la última deberá ser valorada de acuerdo con cada tipo de bien. Así, la garantía del derecho a la vivienda da lugar a que la función social de la propiedad, en el caso de inmuebles residenciales, tenga mayor relevancia, en la medida en que constituye un derecho cuya materialización, como ya se ha comentado anteriormente, garantiza el bienestar que constituye la esencia del Estado social, reconocido en el artículo 1.1 de la CE.

III. DATOS ESTADÍSTICOS SOBRE LAS VIVIENDAS VACÍAS EN ESPAÑA

Hasta el año 2011, el Instituto Nacional de Estadística (INE, en lo sucesivo), clasificaba la situación de los inmuebles con destino residencial en viviendas principales, viviendas secundarias y viviendas vacías. La calificación bajo cada uno de los criterios se efectuaba de acuerdo con las entrevistas realizadas a los hogares. Este formato pervive en País Vasco, donde cada dos años se realiza la Encuesta sobre el Uso de la Vivienda de la Comunidad Autónoma de Euskadi. En la misma, se distingue entre viviendas principales, es decir, ocupadas más de seis meses al año, y viviendas no principales, que puede ser de temporada o deshabitadas. Entre las primeras se encuentran aquellas que se utilizan de forma esporádica y no constituyen vivienda habitual de ninguna persona (por ejemplo, casas vacacionales, de fines de semana, etc.). Las viviendas deshabitadas son aquellas que, sin estar en estado ruinoso, no se encuentran habitadas. La encuesta detalla el tipo de vivienda deshabitada, destacando aquellas que no son segunda residencia ni se encuentran en el mercado en oferta, bien en venta bien en alquiler[11].

Desde el año 2021, el INE clasifica el censo de viviendas en viviendas vacías, viviendas con muy bajo consumo, viviendas de uso esporádico y resto de viviendas. Tal clasificación se efectúa de acuerdo con el consumo eléctrico de cada inmueble, en atención

[11] Observatorio Vasco de la Vivienda (2023). *La vivienda vacía en España: el reciente estudio del INE y su comparativa con otras referencias estadísticas*. Gobierno Vasco, 19.

a los datos facilitados por las compañías comercializadoras de suministro eléctrico[12]. El último informe, correspondiente al año 2021[13], refleja la situación de la vivienda en el ejercicio 2020, año en que debe tomarse en consideración el impacto de las restricciones gubernamentales derivadas de la crisis sanitaria COVID-19. Sin perjuicio de lo anterior, el informe de 2021 estima que constituyen "viviendas vacías" aquellas con consumo inferior al umbral mínimo de consumo, el cual se corresponde al consumo de quince días al año para una vivienda media en el mismo municipio. El umbral municipal viene causado porque los consumos medios varían mucho dentro de las distintas zonas climáticas en España, resultandos superiores en zonas con veranos cálidos. Vivienda con muy bajo consumo son aquellas que se sitúan entre el umbral mínimo y 250 kWh anuales; viviendas de consumo esporádico se sitúan entre 251 y 750 kWh anuales; y, por último, el resto de las viviendas tienen consumos superiores a los anteriores.

Concluye el Observatorio Vasco de la Vivienda (2023)[14] que el estudio de INE presenta ciertas dificultades. En primer lugar, por el año de los datos a que se refiere, 2020, caracterizado por las restricciones derivadas de la pandemia COVID-19, pero también una limitación fundamental y es que el estudio no se complementa con trabajo de campo, hasta el punto en que toda vivienda sin suministro eléctrico se considera vacía.

El estudio refleja que, del total de 26.623.708 viviendas, 3.837.708 se encontraban vacías, lo que supone un porcentaje del 14,40%. Si a ello le sumamos las viviendas con muy bajo consumo (943.924) y de uso esporádico (2.514.511), nos encontramos con un total de 7.295.763 viviendas de uso residencial que, siendo susceptibles de ser utilizadas como residencia, no se utilizan como tal, ascendiendo al 27,40% sobre el total.

La estadística también nos muestra grandes diferencias entre regiones, toda vez que, mientras Galicia tiene una tasa del 28,80% de viviendas vacías, la Comunidad de Madrid o País Vasco alcanzan un 6,4 y 6,5%, respectivamente. Asimismo, dentro de cada Comunidad Autónoma, existen áreas en que la deshabitación es muy superior a la media. Así, el 43,70% de las viviendas sitas en Ourense se encuentran vacías, el 37,30% en Lugo; así como otras zonas del territorio español, que reflejan una crisis habitacional en lo que se denomina la "España vaciada" (29,10% en Ciudad Real; 27,50% en Segovia;

12 Las compañías comercializadoras de suministro eléctrico se encuentran obligadas a comunicar los datos relativos a cada contrato de suministro, a través del modelo 159, actualmente regulado por la Orden HAC/672/2024, de 25 de junio, por la que se aprueba el modelo 159 de Declaración anual de consumo de energía eléctrica, y se determina la forma y procedimiento para su presentación.

13 Instituto Nacional de Estadística (2023). *Censo de población y viviendas 2021.* https://www.ine.es/dyngs/INEbase/operacion.htm?c=Estadistica_C&cid=1254736177108&idp=1254735572981. Recuperado el 10 de septiembre de 2025.

14 Observatorio Vasco de la Vivienda (2023). *La vivienda*... Op. Cit. 7.

26,90% en Zamora; o el 26,40% en Teruel). El estudio pone de manifiesto que el 45% de las viviendas vacías se localizan en núcleos de población de menos de 10.000 habitantes, donde reside el 20,30% de la población total. Sin embargo, en las ciudades en que residen más de 250.000 habitantes, donde reside el 23,80% de la población total, se halla el 10,50% de las viviendas vacías[15].

Sin perjuicio del problema de despoblación que afecta a determinadas regiones, lo cierto es que el 55% del parque de viviendas vacías se encuentra en municipios de más de 10.000 habitantes y en aquellos de más de e 250.000 habitantes, si bien la tasa de deshabitación es inferior a la media, alcanza el porcentaje nada desdeñable del 10,50%. Por ello, debemos correlacionar este dato con las necesidades de vivienda, como consecuencia de la creciente creación neta de hogares, que alcanzó una media de 275.000 de media entre 2022 y 2023[16]. Pese a que la crisis habitacional se caracteriza por su heterogeneidad geográfica, como consecuencia de la concentración de la población en zonas urbanas, que provoca una mayor demanda en Andalucía, Cataluña, Comunidad de Madrid o Comunidad Valenciana, la rigidez de la oferta, especialmente grave en las zonas de crecimiento poblacional y actividad turística, da lugar a que el diferencial acumulado en los años 2022-2023 entre creación neta de hogares y producción de vivienda nueva alcance las 375.000 unidades. Por ello, movilización del parque de viviendas vacío, unido al papel fundamental que juega la rehabilitación de buena parte de los inmuebles, puede contribuir a incrementar la oferta[17].

Por último, debe señalarse que España no es un caso aislado, sino que la crisis habitacional también se produce en otros Estados europeos. En tales términos, *Housing Europe* analiza la situación de la demanda de vivienda, poniendo de manifiesto que existe un diferencial entre necesidades y oferta de inmuebles con destino residencial muy alto en Europa. Así, Francia crea 518.000 hogares anualmente y Alemania cerca de 400.000, sin que la oferta alcance tales cifras[18]. Por su parte, las viviendas vacías constituyen una realidad difícilmente mensurable, toda vez que las series temporales son muy dispares. Mientras la última serie temporal de Países Bajos es de 2022, la correspondiente a España es de 2020 y a Alemania, a 2018[19], lo cual permite observar el problema, pero no realizar un estudio pormenorizado sobre el mismo.

---

15 Observatorio Vasco de la Vivienda (2023). *La vivienda...* Op. Cit. 14.

16 Banco de España (2024). "Capítulo 4. El mercado de la vivienda en España: evolución reciente, riesgos y problemas de accesibilidad". *Informe anual* 2023, 16.

17 Banco de España (2024). "Capítulo 4..." Op. Cit. 22 y 25.

18 Housing Europe Observatory (2025). *The state of housing in Europe 2025. Trends in a nutshell*, 3.

19 Housing Europe Observatory (2023). *Tools to deal with vacant housing. Vol 7 of the Series "Housing in the post-2020 EU"*, 3.

IV. LA FISCALIDAD DIRIGIDA A LA CONSECUCIÓN DE LOS PRINCIPIOS Y FINES CONSTITUCIONALES

El artículo 1.1 de la CE, al configurar España como Estado social y democrático de Derecho, que propugna como valores superiores de su ordenamiento la libertad, la justicia, la igualdad y el pluralismo político, da muestra de su dimensión axiológica, que impregna el resto del contenido constitucional[20].

Como tal, dichos valores superiores del ordenamiento jurídico también impregnan al deber de contribuir al sostenimiento de los gastos públicos (artículo 31.1 de la CE), junto con el fundamento abstracto del artículo 40 de la CE, conforme al cual "los poderes públicos promoverán las condiciones favorables para el progreso social y económico y para una distribución de la renta regional y personal más equitativa". Si bien el artículo 31.1 de la CE no contiene un mandato expreso dirigido a la finalidad extrafiscal de los tributos, una lectura del sistemática del Texto Constitucional permite plantear que la fiscalidad puede y debe servir de instrumento de política económica general, al objeto de alcanzar o garantizar el paradigma del Estado social. Así se expresa el párrafo segundo del artículo 2 de la Ley 58/2003, de 17 de diciembre, General Tributaria (LGT, en lo sucesivo), así como ya lo puso de manifiesto la Sentencia del Tribunal Constitucional 110/1984, de 26 de noviembre y, más recientemente, su Sentencia 10/2005, de 21 de enero.

Por ello, dada la ubicuidad de la materia tributaria, esta debe entrar en contacto con otros preceptos constitucionales y, en especial, con los principios rectores de la política social y económica, contenidos en el Capítulo Tercero del Título I de la Constitución, donde se ubica el derecho a disfrutar de una vivienda digna y adecuada. Sobre esta base, la fiscalidad al servicio de la consecución de este derecho y, concretamente, la imposición sobre la vivienda vacía ha sido tradicionalmente asumida por las Comunidades Autónomas, ante la ausencia de regulación estatal específica en materia de vivienda[21].

V. MEDIDAS FISCALES SOBRE LA VIVIENDA VACÍA

Los poderes públicos han adoptado medidas dirigidas a movilizar el stock de vivienda infrautilizada, toda vez que se ha observado el incumplimiento de la función social de la propiedad[22]. Entre los mecanismos utilizados se encuentran los colabora-

20 Lucas Verdú, P. (1997). "Dimensión axiológica de la Constitución". *Revista de Ciencias Sociales* (4), 87.

21 Ruiz Garijo, M. (2016). "Derecho...". Op. Cit. 192.

22 Así lo señala el Preámbulo de la Ley catalana 14/2015, de 21 de julio, del impuesto sobre las viviendas vacías, y de modificación de normas tributarias y de la Ley 3/2012.

tivos o de cesión temporal de inmuebles, donde cabe destacar el "Programa Bizigune", desarrollado a través de Alokabide S.A., sociedad pública vasca que se erige como la Agencia Pública de Alquiler. El programa, regulado por el Decreto 466/2013, de 23 de diciembre, por el que se regula el Programa de Vivienda Vacía "Bizigune" tiene como objetivo movilizar el stock de inmuebles con destino residencial que se encuentren vacíos y destinarlos a la satisfacción de la demanda de arrendamiento de personas inscritas en el Registro de Solicitantes de Vivienda. Otras medidas son de corte represivo como expropiaciones temporales o definitivas, tal como ocurre con la cesión obligatoria de viviendas por parte de personas jurídicas titulares de viviendas vacías en Cataluña, en los términos del artículo 7 de la Ley catalana 24/2015, de 29 de julio, de medidas urgentes para afrontar la emergencia en el ámbito de la vivienda y la pobreza energética. A los efectos que nos interesan, entre las medidas de corte represivo se encuentran los tributos y recargos sobre los mismos, de naturaleza extrafiscal, que sancionan el ejercicio antisocial del derecho de propiedad sobre viviendas de uso residencial.

1. MEDIDAS ESTATALES

La Ley 44/1978, de 8 de septiembre, del Impuesto sobre la Renta de las Personas Físicas introdujo por primera vez lo que hoy en día conocemos como la imputación de rentas inmobiliarias. En el artículo 16 de la Ley de 1978 se estableció como rendimiento procedente de la propiedad de inmuebles un porcentaje sobre el valor por el que se hallen computados, que se incrementaba si se trataba de una vivienda vacía por un periodo superior a 10 meses, siempre que perteneciese a una unidad familiar que poseyera más de tres viviendas[23]. Tal medida, actualmente trasladada a la imputación de rentas inmobiliarias, regulada en el artículo 85 de la Ley 35/2006, de 28 de noviembre,

---

[23] Señalaba el artículo dieciséis.uno.b) y c) de la Ley 44/1978, de 8 de septiembre, del Impuesto sobre la Renta de las Personas Físicas:

"b) En el supuesto de los inmuebles urbanos utilizados por sus propietarios, la cantidad que resulte de aplicar el tipo del tres por ciento al valor por el que se hallen computados o deberían, en su caso, computarse a los efectos del Impuesto sobre el Patrimonio Neto.

c) En el supuesto de vivienda, propiedad de persona distinta del promotor, que se encuentre desocupada durante más de diez meses al año, seguidos o alternos, y que pertenezca a miembros de una unidad familiar que posea más de tres viviendas, se estimará la renta que resulta de aplicar el diez por ciento al valor por el que se hallen computadas o que deberían, en su caso, computarse a los efectos del Impuesto sobre el Patrimonio Neto.

d) Lo establecido en los apartados a), b) y c) será de aplicación a los titulares de derechos reales e disfrute".

del Impuesto sobre la Renta de las Personas Físicas, distó y dista de ser disuasoria o de promover la movilización de la vivienda infrautilizada[24].

2. MEDIDAS AUTONÓMICAS

Todas las Comunidades Autónomas reconocen el derecho a la vivienda y, asimismo, han asumido competencias plenas sobre la materia, al amparo de lo dispuesto en el artículo 148.1.3ª de la CE[25].

A nivel tributario, el artículo 133.2 de la CE reconoce las potestades tributarias para establecer y exigir tributos de las Comunidades Autónomas, de acuerdo con la Constitución y las leyes. Así, el artículo 4.Uno.b) de la Ley Orgánica 8/1980, de 22 de septiembre, de Financiación de las Comunidades Autónomas (LOFCA, en lo sucesivo) pone de manifiesto que los recursos de las Comunidades Autónomas estarán constituidos, entre otros, por "sus propios impuestos, tasas y contribuciones especiales". El artículo 6.Uno de la LOFCA reproduce el contenido del artículo 133.2 de la CE, en referencia a las Comunidades Autónomas y los apartados Dos y Tres del artículo 6 de la LOFCA establecen límites al establecimiento de tributos por las Comunidades Autónomas. Sus tributos no podrán recaer sobre hechos imponibles gravados por el Estado ni gravados por los tributos locales. De este modo, la LOFCA evita que se produzcan dobles imposiciones entre los tributos autonómicos y los estatales y locales, tal como ha señalado el Tribunal Constitucional en diversas Sentencias (37/1987, de 26 de marzo; 186/1993, de 7 de junio; y 289/2000, de 30 de noviembre, entre otras).

El reconocimiento de la potestad tributaria a favor de las Comunidades Autónomas también ha chocado con la regulación de las condiciones básicas que garanticen la igualdad, materia que es de competencia exclusiva del Estado, a tenor de lo dispuesto en

24 Fraile Fernández, R. (2024). "La apertura del mercado de vivienda impulsada desde la fiscalidad". *La atención a la juventud en el sistema tributario. Medidas fiscales de apoyo directo o indirecto al colectivo joven*. Tirant lo Blanch, 574 y 575.

25 A modo de ejemplo, el Estatuto de Autonomía de Cantabria (Ley Orgánica 8/1981, de 30 de diciembre, de Estatuto de Autonomía para Cantabria), asume en su artículo 24.3 competencias exclusivas en materia de vivienda. El Estatuto de Autonomía de la Comunidad de Madrid (Ley Orgánica 3/1983, de 25 de febrero, de Estatuto de Autonomía de la Comunidad de Madrid) las asume en el artículo 24.1.1.4. Mayor atención prestan otras Comunidades Autónomas como Cataluña (Ley Orgánica 6/2006, de 19 de julio, de reforma del Estatuto de Autonomía de Cataluña), que no solo asume y desarrolla el contenido de su competencia exclusiva en la materia (artículo 137), sino que también reconoce derechos al respecto a las personas que carezcan de recursos suficientes (artículo 26), así como establece un mandato dirigido a los poderes públicos, al efecto de facilitar el acceso a la vivienda pública, poniendo énfasis en los jóvenes y otros colectivos vulnerables.

el artículo 149.1.1ª de la CE. Existe, por tanto, un límite al ejercicio competencial de las Comunidades Autónomas, respecto del cual el Fundamento Jurídico 7 de la Sentencia del Tribunal Constitucional 61/1997, de 20 de marzo, argumentó:

"Que el legislador estatal pueda regular sobre las condiciones básicas que garanticen la igualdad en el ejercicio de los derechos y deberes constitucionales no implica que pueda incidir en todas las materias de competencia autonómica en conexión con esos derechos. No es la materia la que exige la igualdad de regulación, sino tan sólo los derechos y deberes constitucionales en sus aspectos básicos o esenciales. Ciertamente, el art. 149.1.1 es una regla competencial a favor del Estado, y por lo mismo un límite competencial para las Comunidades Autónomas. Esta cláusula permite, en efecto, que las instituciones estatales incidan normativamente en la esfera de actuación autonómica, si bien su carácter claramente finalista no habilita al Estado para ir más allá de la fijación de aquellos principios o criterios esenciales del ejercicio de los derechos, o del cumplimiento de los deberes constitucionales que resulten indispensables para garantizar la igualdad sustancial de todos los españoles".

En los mismos términos, la más reciente Sentencia del Tribunal Constitucional 120/2024, de 8 de octubre, venía a señalar que la motivación para tal condicionamiento es que no existan excesivas divergencias entre las regiones. No obstante, ello no impide el ejercicio de sus competencias, bajo el cumplimiento de esos criterios esenciales. En el concreto ámbito del derecho a disfrutar de una vivienda digna, el legislador estatal no reguló sus condiciones básicas hasta 2023, lo que supuso que, hasta entonces, las Comunidades Autónomas no encontrasen límite al ejercicio de sus competencias (Sentencia del Tribunal Constitucional en Sentencia 16/2018, de 22 de febrero).

La figura de la imposición sobre la vivienda vacía solamente ha sido desarrollada por Cataluña y la Comunitat Valenciana. Extremadura, pese a introducir el Impuesto sobre Viviendas Vacías a través de la reforma de la Ley 11/2019, de 11 de abril, de promoción y acceso a la vivienda de Extremadura, operada por la Ley 4/2023, de 29 de marzo, cuya entrada en vigor estaba prevista para el día 1 de enero de 2024, el mismo no inició su vigencia, dado que fue derogado por la disposición derogatoria única del Decreto-ley 4/2023, de 12 de septiembre.

2.1. El impuesto catalán sobre viviendas vacías

La Ley catalana 14/2015, de 21 de julio, del impuesto sobre las viviendas vacías y de modificación de normas tributarias y de la Ley 3/2012, introdujo este tributo propio de la Generalitat de Cataluña. Se trata de un tributo extrafiscal que, a tenor del Preámbulo de la norma, trata de colaborar en la consecución del derecho a la vivienda, regulado en la Ley catalana 18/2007, de 28 de diciembre, cuyo artículo 42 establece un mandato para que el Gobierno autonómico impulse políticas de fomento de la incorporación al mercado de viviendas permanentemente deshabitadas. El tributo es de naturaleza directa y su hecho imponible, en los términos del artículo 4 de la norma, es "la desocupación permanente de una vivienda durante más de dos años sin causa justificada, puesto que dicha desocupación afecta a la función social de la propiedad de la vivienda". Asimismo, se regulan las causas justificadas de desocupación, que son las siguientes: la vivienda está siendo objeto de litigio judicial pendiente de resolución en lo relativo a la propiedad; la vivienda debe ser objeto de rehabilitación[26], la vivienda se encuentra hipotecada con cláusulas que impiden o hacen inviable destinarla a un uso distinto al que se había previsto inicialmente, la vivienda se encuentra ocupada ilegalmente o la vivienda forma parte del edificio íntegramente adquirido por el sujeto pasivo en los últimos cinco años para su rehabilitación, siempre que el edificio tenga una antigüedad superior a cuarenta y cinco años y contenga viviendas ocupadas que hagan inviable el inicio de las obras de rehabilitación.

De acuerdo con el artículo 4, son sujetos pasivos del impuesto "las personas jurídicas propietarias de viviendas vacías sin causa justificada durante más de dos años", incluyendo también a aquellas que ostenten el derecho de usufructo, superficie o cualquier otro derecho real que confiera la facultad de explotación económica de la vivienda. Asimismo, el artículo 4.4 establece como sujetos pasivos las personas físicas que tengan la consideración de grandes tenedores, que se cifra en la propiedad o derecho real de más de quince viviendas. Si bien el tributo se detiene sobre aquellos sujetos que detentan un mayor stock de vivienda vacía[27], no justifica que la medida se dirija exclusivamente a estos sujetos, cuestión que puede pesar sobre el principio de generalidad tributaria del artículo 31.1 de la CE[28]. Asimismo, el artículo 10 establece una exención subjetiva para entidades del tercer sector, así como a ciertas viviendas, como por ejemplo, aquellas situadas en zonas de escasa demanda acreditada.

A efectos de cuantificación del tributo, la base imponible se calcula de acuerdo con los metros cuadrados totales de las viviendas sujetas al tributo, estableciéndose un mínimo exento de 150 metros cuadrados (artículo 11). Tales metros cuadrados se reflejan en superficie útil del inmueble, tal como desarrolla el Decreto 183/2016, de 16 de febrero, por el que se aprueba el Reglamento del Impuesto sobre las viviendas vacías. De conformidad con el artículo 12, el cálculo de la cuota íntegra se establece sobre una escala

---

26 En este caso, deberá justificarse con "un informe emitido por un técnico con titulación académica y profesional que lo habilite como proyectista, director de obra o director de la ejecución de la obra en edificación residencial de viviendas, que debe indicar que las obras son necesarias para que la vivienda pueda tener las condiciones mínimas de habitabilidad exigidas por la normativa vigente" (artículo 8.b) de la Ley 14/2015, de 21 de julio).

27 Ruiz Garijo, M. (2016). "Derecho...". Op. Cit. 196.

28 Fraile Fernández, R. (2019). "El TC determina la compatibilidad del impuesto sobre las viviendas vacías de Cataluña y el IBI (Análisis de la STC 4/2019, de 17 de enero de 2019, rec. Núm. 2255/2016)". *Revista de Contabilidad y Tributación* (436), 132.

progresiva, consistente en un tipo de gravamen dinerario en función de cada metro cuadrado. Así, hasta 5.000m^2 de viviendas vacías, el tipo será de 13,30 €/m^2, hasta alcanzar el tipo marginal de 39,90 €/m^2, a partir de 40.000m^2 de superficie deshabitada. Asimismo, se establece una bonificación sobre la cuota siempre que los sujetos pasivos destinen parte de su parque de viviendas al alquiler asequible, en los términos del artículo 13 de la Ley.

En cuanto al devengo, este se produce el día 31 de diciembre de cada año y afectará a todo el parque de viviendas del que el sujeto pasivo sea titular a dicha fecha, con un periodo de dos años de desocupación, en los términos del artículo 7.

Por último, debe señalarse que este es un tributo finalista y así lo expresa el artículo 3 de la Ley, en tanto en cuanto los ingresos obtenidos se afectarán a la financiación de las actuaciones protegidas por los planes de vivienda.

Como es sabido, esta norma fue objeto de recurso de inconstitucionalidad por parte de la presidencia del Gobierno, sobre la base del principio de no duplicidad establecido en el artículo 6.Tres de la LOFCA, por considerar el solapamiento con el Impuesto sobre Bienes Inmuebles (IBI en lo sucesivo). La Sentencia 4/2019, de 17 de enero dictaminó que no existía duplicidad alguna, toda vez que el hecho imponible, sujetos pasivos y cuantificación del tributo sobre viviendas vacías no coincide con el IBI. De este modo, este impuesto quedó validado como forma de ejercicio de las potestades financieras de las Comunidades Autónomas, lo que, en gran medida, abre la vía para que otras regiones puedan regularlo.

2.2. El impuesto valenciano sobre viviendas vacías

El artículo 33 de la Ley 3/2020, de 30 de diciembre, de medidas fiscales, de gestión administrativa y financiera y de organización de la Generalitat 2021 implantó el Impuesto sobre viviendas vacías, en términos muy similares a los expuestos para Cataluña.

El hecho imponible sigue, a grandes rasgos, la redacción catalana, con la salvedad de la definición de vivienda vacía, para lo cual se traslada al artículo 16 de la Ley 2/2017, de 3 de febrero, de la Generalitat, por la función social de la vivienda de la Comunitat Valenciana. No obstante, tal precepto nos arroja la definición de gran tenedor, mientras que el concepto de vivienda deshabitada se encuentra regulado en el artículo 14, conforme al cual, vivienda vacía es aquella propiedad de un gran tenedor, declarada como tal mediante resolución administrativa por incumplir su función social, para lo cual deberá encontrarse deshabitada durante un tiempo superior a un año. Se establece, por tanto, un procedimiento administrativo de declaración de vivienda deshabitada, alejándose del criterio catalán del periodo de dos años. Por su parte, el artículo 16 define como gran tenedor aquellas personas físicas, jurídicas y entidades sin personalidad jurídica que dispongan de más de 10 viviendas, bien en propiedad o bien bajo derecho real que permita su explotación. Estos serán los sujetos pasivos del impuesto.

Al igual que en el caso catalán, la base imponible será el número total de metros cuadrados, si bien en este caso construidos, de viviendas inscritas en el Registro de Viviendas Deshabitadas, de que sea titular el sujeto pasivo a fecha de devengo. No se establece el mínimo exento alguno, como sí ocurre en Cataluña. La cuota se calcula mediante la escala progresiva establecida en el apartado siete del artículo 33, partiendo de un mínimo de 7,50€/m^2, hasta 5.000m^2, quedando establecido un tipo marginal de 22,50€/m^2, para superficies construidas deshabitadas superiores a 40.000m^2.

Como en Cataluña, el impuesto se devenga el 31 de diciembre de cada año. Asimismo, se establecen beneficios fiscales, en caso de establecer medidas dirigidas al uso habitacional, dirigidas a la pérdida de vigencia de la declaración de vivienda deshabitada.

3. MEDIDAS EN EL ÁMBITO DE LAS HACIENDAS LOCALES

En el ámbito local, la imposición sobre viviendas vacías se ha establecido en forma de recargo en el IBI, introducido en el artículo 72.4 del Real Decreto Legislativo 2/2004, de 5 de marzo, por el que se aprueba el texto refundido de la Ley Reguladora de las Haciendas Locales (TRLRHL en lo sucesivo).

A través de tal precepto, estipuló la posibilidad de que las entidades locales estableciesen un recargo de hasta el 50% sobre la cuota líquida del impuesto para inmuebles de uso residencial que se encontrasen desocupados con carácter permanente. No obstante, las condiciones de desocupación debían ser desarrolladas reglamentariamente, reglamento que nunca llegó a aprobarse. El Real Decreto-ley 21/2018, de 14 de diciembre y, posteriormente el Real Decreto-ley 7/2019, de 1 de marzo, dado que el primero no llegó a desarrollarse, modificó el contenido del artículo 72.4 estableció como inmueble desocupado con carácter permanente aquel "que permanezca desocupado de acuerdo con lo que se establezca en la correspondiente norma sectorial de vivienda, autonómica o estatal, con rango de ley", realizando por tanto una remisión en blanco.

La redacción actual, introducida por la Disposición Final Tercera de la Ley 12/2023, de 24 de mayo, por el derecho a la vivienda, mantiene el recargo y lo incrementa del 50 por ciento hasta el 100 por ciento en el caso de inmuebles desocupados por un plazo superior a tres años; e incluso al 150%, para titulares de dos o más inmuebles desocupados en el mismo término municipal.

La modificación normativa incluye una definición del inmueble vacío como aquel "desocupado, de forma continuada y sin causa justificada, por un plazo superior a dos años, conforme a los requisitos, medios de prueba y procedimiento que establezca la ordenanza fiscal y pertenezcan a titulares de cuatro o más inmuebles de uso residencial". Por tanto, la norma realiza una remisión a que las entidades locales establezcan el procedimiento de declaración de la desocupación, así como traslada la carga a titulares, sean personas físicas, jurídicas o entidades sin personalidad jurídica, de más de cuatro inmuebles.

Entre las causas justificadas de la desocupación se encuentran el traslado temporal por motivos laborales o formativos; el cambio de domicilio por razones de dependencia, salud o emergencia social; los inmuebles destinados a segunda residencia, con un máximo de cuatro años de desocupación continuada; aquellos que se encuentren en rehabilitación y los que se encuentren en litigio, pendientes de resolución judicial o administrativo que impida el uso; y, por último, los inmuebles ofertados en venta o alquiler, bajo condiciones de mercado, permitiendo estar en tal situación un año o seis meses, respectivamente.

Llama la atención que los inmuebles destinados a segunda residencia constituyan una causa justificativa de la desocupación, especialmente teniendo en cuenta que el recargo se aplica sobre titulares de más de cuatro inmuebles, de modo que tal excepción durante cuatro años no parece del todo justificada.

El tributo se devenga el 31 de diciembre y se liquida por las entidades locales, una vez constatada la desocupación y tramitado el procedimiento al efecto.

Si bien es difícil obtener datos relativos a los municipios que aplican este recargo, ciudades como Zaragoza, Barcelona o Valencia han optado por aplicarlo[29].

4. MEDIDAS FORALES

4.1. Medidas adoptadas en País Vasco

Los territorios forales de País Vasco y Navarra también han adoptado medidas frente al ejercicio antisocial del derecho de propiedad en el ámbito de inmuebles residenciales. Tales medidas se han combinado con proyectos colaborativos como el ya mencionado "Programa Bizigune" que constituye un éxito en la movilización del stock de viviendas vacías en País Vasco[30].

En lo que a medidas restrictivas se refiere, a nivel autonómico, destaca el "canon de vivienda deshabitada", regulado en el artículo 57 de la Ley 3/2015, de 18 de junio, de vivienda, desarrollado por el Decreto 1 49/2021, de 8 de junio, de vivienda deshabitada y de medidas para el cumplimiento de la función social de la vivienda. Tal medida se

---

29 Los artículos 13 de la Ordenanza Fiscal de IBI de Zaragoza, 10 de la Ordenanza Fiscal de IBI de Barcelona y 10.5 de la Ordenanza Fiscal de IBI de Valencia han optado por el establecimiento del recargo para inmuebles residenciales permanentemente desocupados.

30 Buendía Méndez, A. (2025). "Vivienda...". Op. Cit., 123.

establece como un arbitrio a cargo de los ayuntamientos vascos sobre las viviendas declaradas deshabitadas, siguiendo el criterio del artículo 56 de la misma norma, aplicable a personas físicas, jurídicas y entidades sin personalidad jurídica, titulares de inmuebles deshabitados. No obstante, hoy en día, el único municipio con voluntad de aprobar el canon sobre vivienda deshabitada es Azpeitia, tal como se pone de manifiesto en el Programa municipal para la movilización de viviendas deshabitadas en Azpeitia, de 24 de enero de 2025, conforme al cual, el canon se propone como medida de última instancia para la movilización del stock de inmuebles con destino residencial desocupados[31].

En el ámbito de las tres diputaciones forales vascas recogen el recargo de IBI sobre inmuebles de uso residencial que no constituyan residencia habitual del sujeto pasivo o de terceros[32]. He aquí una diferenciación con la normativa de las Haciendas locales de territorio común, en tanto no se habla de desocupación, sino de que el inmueble no se destine a residencia habitual, bien del titular, bien por arrendamiento o cesión de uso, de tal manera que incluirían tanto las viviendas desocupadas, como aquellas destinadas a alquiler de temporada o turístico, así como no se establece un número mínimo de viviendas de las que se sea titular, como es el caso del artículo 72.4 del TRLHL.

Tanto Guipúzcoa como Vizcaya establecen recargos de hasta un 150%, mientras que el recargo alavés se limita al 50%. Tal recargo, en los tres casos, se devengará y liquidará anualmente, de forma conjunta con el IBI— Para su aplicación, se parte de la presunción conforme a la cual se presume que la vivienda se encuentra destinada a ser vivienda habitual cuando sus ocupantes figuren en el padrón del municipio. Entendemos que se trata de una presunción *iuris tantum* que podría admitir prueba en contrario, en el caso en que se pudiera acreditar por otras vías que tal inmueble constituye la vivienda habitual de sus ocupantes. Sin perjuicio de lo anterior, las tres normas forales facultan a

---

31 Azpeitiko Udala (2025). *Programa municipal para la movilización de viviendas deshabitadas en Azpeitia*. https://www.azpeitia.eus/udala/zerbitzuak/etxebizitza-bulegoa/etxebizitza-hutsen-programa/azpeitia-etxebizitza-hutsen-programa.pdf/view. Recuperado el 12 de diciembre de 2025.

32 En Guipúzcoa, se encuentra regulado a través del artículo 14.5 la Norma Foral 12/1989, de 5 de julio, del Impuesto sobre Bienes Inmuebles. En Vizcaya, el recargo se regula en el artículo 10.9 de la Norma Foral 4/2016, de 18 de mayo, del Impuesto sobre Bienes Inmuebles. Por último, El artículo 15.14 del Decreto Foral Normativo 2/2021, Del Consejo De Gobierno Foral de 29 de septiembre que aprueba el Texto Refundido de la Norma Foral Reguladora del Impuesto sobre Bienes Inmuebles. En el caso de Guipúzcoa, el recargo fue validado por el Tribunal Constitucional en el Fundamento Jurídico 5 del Auto 109/2017, de 18 de julio, que concluye: "En definitiva, con base en la doctrina sentada en los antecedentes expuestos, podemos ya concluir que el recargo en el IBI para viviendas que no constituyan la residencia habitual del sujeto pasivo o de un tercero, regulado en el artículo 14.5 de la Norma Foral 12/1989, tampoco es contrario a los principios de capacidad económica e igualdad del artículo 31.1 CE".

los Ayuntamientos para establecer causas justificativas de la desocupación y, en consonancia, no aplicar el mencionado recargo.

Las tres capitales vascas aplican el recargo. Donostia, regulado en el artículo 20 de la Ordenanza fiscal reguladora del IBI; Bilbao, en el artículo 11 de su Ordenanza reguladora de IBI; y Vitoria, en el artículo 16.bis. Los tres municipios regulan circunstancias justificativas de la desocupación (por ejemplo, traslado del sujeto pasivo a una residencia para personas mayores, enfermas mentales o con algún tipo de discapacidad, en el caso de Bilbao; o por fallecimiento en el último año, en el caso de Vitoria; siempre que previamente hubiera formado constituido la residencia habitual), llamando la atención Donostia, que añade como justificación de las denominadas residencias temporales de veraneo, siempre que se acredite su utilización durante al menos 90 días en el ejercicio (artículo 23.g) de su Ordenanza).

4.2. Medidas adoptadas en Navarra

Navarra estableció el Impuesto sobre viviendas deshabitadas en el artículo 184 y siguientes de Ley Foral 2/1995, de 10 de marzo, de Haciendas Locales de Navarra, mediante la introducción de la modificación a través de la Ley Foral 24/2013, de 2 de julio, de medidas urgentes para garantizar el derecho a la vivienda en Navarra.

Se trata de un tributo compatible con IBI, en tanto en cuanto su hecho imponible grava no la titularidad de inmuebles, sino la titularidad de viviendas que figuren en el Registro de Viviendas Deshabitadas, cuya creación se encuentra prevista en el artículo 42.sexies de la Ley Foral 10/2010, de 10 de mayo, del Derecho a la Vivienda en Navarra, y que actualmente se encuentra integrado en el Registro General de Viviendas de Navarra. Sujetos pasivos serán personas físicas, jurídicas y entidades sin personalidad jurídica y lo característico es su base imponible, toda vez que aplica la misma que la aplicada para la exacción de la contribución territorial, es decir, el valor catastral, en los términos del artículo 138 de al Ley Foral 24/2013, de 2 de julio. El tributo se devengará por primera vez cuando se declare la resolución de vivienda deshabitada y, posteriormente, el primer día de cada año.

VI. CONCLUSIONES

La situación de crisis habitacional que actualmente tiene lugar en España no es una circunstancia aislada, toda vez que la misma afecta también a otros Estados del ámbito europeo. La misma afecta, entre otras cosas, a la edad de emancipación de los jóvenes españoles, que se ha ido incrementando en los últimos años.

Ante esta realidad, la función social de la propiedad de los inmuebles con destino residencial cobra protagonismo, con el ánimo de movilizar el stock de viviendas existentes al objeto de garantizar la consecución del interés general y, con él, el derecho a la vivienda digna y adecuada, en los términos señalados en el artículo 47 de la CE.

La movilización de la vivienda vacía se ha presentado como una opción que contribuye a hacer frente a la problemática de acceso a la vivienda. Con ello, medidas colaborativas como los programas de vivienda asequible, o bien medidas restrictivas, como la imposición sobre inmuebles residenciales permanentemente desocupados, contribuyen a la concienciación, por parte de los titulares de varios inmuebles, de que la riqueza en todas sus formas se encuentra supeditada al interés general. En tales términos, si bien con cierta timidez, algunas entidades locales, como Barcelona, Zaragoza o Valencia han tomado la iniciativa de establecer el recargo de IBI sobre viviendas desocupadas. Asimismo, nos encontramos con tributos autonómicos propios dirigidos a sancionar la deshabitación, como es el caso de los aplicados por Cataluña y Comunitat Valenciana. Junto a ellas, se sitúan las medidas forales que, en el caso de las haciendas locales vascas, no solo sancionan la desocupación permanente, sino también la explotación de inmuebles con destino residencial, no dirigidos a ser residencia habitual de sus ocupantes, como es el caso de los alquileres turísticos o de temporada.

Así pues, la fiscalidad sirve como instrumento de política económica general y, como tal, se presenta como una herramienta esencial para la consecución de los fines del Estado social y democrático de Derecho, establecido en el artículo 1.1 de la CE.

VII. REFERENCIAS BIBLIOGRÁFICAS

Azpeitiko Udala (2025). *Programa municipal para la movilización de viviendas deshabitadas en Azpeitia*. https://www.azpeitia.eus/udala/zerbitzuak/etxebizitza-bulegoa/etxebizitza-hutsen-programa/azpeitia-etxebizitza-hutsen-programa.pdf/view. Recuperado el 12 de diciembre de 2025.

Banco de España (2024). "Capítulo 4. El mercado de la vivienda en España: evolución reciente, riesgos y problemas de accesibilidad". *Informe anual 2023*.

Buendía Méndez, A. (2025). "Vivienda, función social y cesión de uso obligatoria a partir de la Sentencia del Tribunal Constitucional núm. 120/2024, de 8 de octubre". *Revista Vasca de Administración Pública* (131), 103-139.

Consejo De La Juventud De España (2025). *Informe estatal. 2º semestre 2024*. Ministerio de Juventud e Infancia.

Fraile Fernández, R. (2019). "El TC determina la compatibilidad del impuesto sobre las viviendas vacías de Cataluña y el IBI (Análisis de la STC 4/2019, de 17 de enero de 2019, rec. Núm. 2255/2016)". *Revista de Contabilidad y Tributación* (436), 125-135.

Fraile Fernández, R. (2024). "La apertura del mercado de vivienda impulsada desde la fiscalidad". *La atención a la juventud en el sistema tributario. Medidas fiscales de apoyo directo o indirecto al colectivo joven*. Tirant lo Blanch, 553-586.

García Calvente, Y. (2004). "La protección del derecho a una vivienda digna a través del sistema tributario". *Jurisprudencia Tributaria Aranzadi* (13), 13-19.

García Martínez, A. y Jiménez-Valladolid, D. J. (2007). "La fiscalidad especial sobre la vivienda vacía en España y en otros países de la Unión Europea". *Estudios Financieros. Revista de contabilidad y tributación* (297), 49-102.

González-Cuellar Serrano, M. L. y Ortiz Calle, E. (2025). "La lesión al derecho a la propiedad establecido en el Convenio Europeo de Derechos Humanos derivada de la limitación de efectos de las sentencias de inconstitucionalidad". *Crónica Tributaria* (194), 49-87.

Housing Europe Observatory (2025). *The state of housing in Europe 2025. Trends in a nutshell.*

Housing Europe Observatory (2023). *Tools to deal with vacant housing. Vol 7 of the Series "Housing in the post-2020 EU".*

Instituto Nacional de Estadística (2023). *Censo de población y viviendas 2021.* https://www.ine.es/dyngs/INEbase/operacion.htm?c=Estadistica_C&cid=1254736177108&idp=1254735572981. Recuperado el 10 de septiembre de 2025.

López Ramón, F (2024). "Derecho subjetivo a la vivienda". *Revista española de Derecho Constitucional* (102), 49-91.

Observatorio Vasco de la Vivienda (2023). *La vivienda vacía en España: el reciente estudio del INE y su comparativa con otras referencias estadísticas.* Gobierno Vasco.

Ruiz Garijo, M. (2016). "Derecho a una vivienda e impuestos autonómicos sobre viviendas vacías en España. Una perspectiva constitucional". *Crónica Tributaria* (161), 185-207.

CUARTA PARTE:
FISCALIDAD INDIRECTA ESTATAL

FISCALIDAD DEL ARRENDAMIENTO TURÍSTICO EN EL IVA

JAVIER GALÁN RUIZ
Profesor de Derecho financiero y tributario
Acreditado a Profesor Titular
Abogado
ORCID 0000-0002-9396-5260

I. INTRODUCCIÓN

El alquiler turístico se caracteriza por la cesión de una vivienda amueblada para estancias cortas (días/semanas, pero siembre menos de 31 días) con fines vacacionales, diferenciándose del alquiler de temporada que supera los 30 días y tiene como finalidad una residencia ocasional por motivos laborales, de estudios, u otras circunstancias, sin llegar a ser permanente. Por tanto, alquiler turístico y de temporada no son exactamente lo mismo, si bien su régimen fiscal no difiere sustancialmente. No obstante, en las siguientes páginas haremos referencia al denominado alquiler turístico.

Este tipo de arrendamiento requiere licencia administrativa autonómica y registro turístico, se comercializa en canales turísticos (Airbnb, Booking, ...) y debe cumplir normativa específica, obtener una identificación de Vivienda de Uso Turístico (VUT), ofreciendo una gestión intensiva con servicios y equipamiento básico, diferenciándose del alquiler tradicional por su duración y regulación turística. Estas viviendas de uso turístico necesitan obtener la identificación de uso turístico para su comercialización a través de plataformas, que lo solicitarán obligatoriamente a los propietarios[1].

El marco legal de la vivienda turística lo encontramos en el Decreto-ley 3/2023, de 7 de noviembre, de medidas urgentes sobre el régimen urbanístico de las viviendas de uso turístico, que en su exposición de motivos hace referencia a que el origen de esta regulación está en la proliferación de estas viviendas en Cataluña, para a continuación explicar que la regulación de las viviendas de uso turístico no es un fenómeno aislado de Cataluña, sino que también afecta a varias ciudades y municipios de Europa e incluso de Estados Unidos, siendo ejemplos paradigmáticos la reciente regulación de las viviendas de uso turístico en las ciudades de Florencia o Nueva York. La competencia en la regulación corresponde a las comunidades autónomas. Sin embargo, son muchos los municipios que están estableciendo otras regulaciones locales con el fin de mejorar la gestión de esta actividad y los estándares de calidad.

Desde abril de 2025, la Ley de Propiedad Horizontal otorga a las comunidades de propietarios el poder de vetar o limitar la actividad de alquiler turístico en el edificio si tres quintas partes de los propietarios (60%) votan a favor de la prohibición. También, pueden imponer cuotas de mantenimiento superiores a estas viviendas debido al uso intensivo de zonas comunes.

Desde un punto de vista económico, el mercado de alquiler turístico en España ha sufrido un crecimiento exponencial en los últimos años. En la actualidad, España cuenta con unas 400.000 viviendas dedicadas a este fin y su peso en el parque total de viviendas se sitúa en un 1,3%. Los datos más recientes de 2024-2025 indican un aumento

---

[1] El Ministerio de Vivienda y Agenda Urbana ofrece información sobre este registro en la web https://www.mivau.gob.es/vivienda/ventanilla-unica/alojamiento-de-uso-turistico

continuado en pernoctaciones este tipo de alojamientos, con concentraciones en zonas costeras y grandes ciudades como Madrid, Barcelona, Málaga, Alicante o Valencia, si bien en los últimos tiempos podemos afirmar que se han implantado en todos los rincones del país, con algunas calles que superan el 30% de viviendas turísticas.

El alquiler turístico aporta más del 12% del PIB español, generando más de 200.000 millones de euros.

Esta actividad económica reporta ingresos tributarios a la Administración en diferentes impuestos directos e indirectos. En las siguientes páginas realizaremos un estudio de la tributación en el IVA de este tipo de arrendamientos.

II. EL ARRENDAMIENTO DE INMUEBLES DE USO TURÍSTICO COMO PRESTACIÓN DE SERVICIOS SUJETA A IVA. LA CONDICIÓN DE SUJETO PASIVO DEL IVA DEL ARRENDADOR

De acuerdo con lo previsto en el artículo 4.Uno LIVA están sujetas al impuesto las entregas de bienes y prestaciones de servicios que cumplan determinadas características:

- Tienen que realizarse en el ámbito espacial del impuesto, es decir, península e Islas Baleares.
- Por empresarios o profesionales, de acuerdo con la definición del artículo 5 LIVA. Dentro de este precepto quedan encuadrados los arrendadores de bienes que son calificados a efectos de IVA como empresarios o profesionales y, por ende, sujetos pasivos del impuesto.
- A título oneroso, si bien esta característica se desvirtúa por la existencia de los llamados autoconsumos o entregas de bienes o servicios a título gratuito sujetas a IVA. Así ocurriría con la entrega gratuita de bienes o servicios producidos o prestados por una empresa o en lo que nos atañe con una prestación de servicios de alojamiento turístico que se cede de forma gratuita.
- Con carácter habitual u ocasional. De acuerdo con lo anterior, quedan sujetas a IVA, por ejemplo, entregas de bienes afectos a la actividad económica pero cuya transmisión no es el objeto de la actividad del contribuyente, y que se realizan ocasionalmente. De este modo, una vivienda que se cede ocasionalmente para uso turístico, pero que el resto del tiempo está a disposición de su propietario, cumpliría el requisito para su sujeción a IVA.
- En el desarrollo de su actividad empresarial o profesional, incluso si se efectúan en favor de los propios socios, asociados, miembros o partícipes de las entidades que las realicen. Por este motivo, no están sujetas a IVA las entregas de bienes realizadas por empresarios o profesionales pero que no están afectos a su actividad económica, como podría ocurrir con la venta de la vivienda habitual de un profesional.

Quien realiza arrendamientos de alojamientos turísticos tiene, a efectos del IVA, la condición de empresario sujeto pasivo del IVA. Así lo dispone el artículo 5.Uno.c LIVA, según el cual *"A los efectos de lo dispuesto en esta Ley, se reputarán empresarios o profesionales: (...)*

c) Quienes realicen una o varias entregas de bienes o prestaciones de servicios que supongan la explotación de un bien corporal o incorporal con el fin de obtener ingresos continuados en el tiempo.

En particular, tendrán dicha consideración los arrendadores de bienes".

Así ha sido reconocido de forma reiterada en consultas vinculantes como la 22 de mayo de 2024 (V1096-24 y V1099-24), 3 de febrero de 2025 (V0071-25) y 22 de abril de 2025 (V0739-25). En ellas puede leerse que *"En consecuencia, la consultante tiene la consideración de empresario o profesional a efectos del Impuesto sobre el Valor Añadido, y estará sujeto al Impuesto sobre el Valor Añadido el arrendamiento de una vivienda, ya sea como vivienda habitual o como vivienda de temporada, cuando este se realice en el territorio de aplicación del Impuesto".*

El arrendamiento de inmuebles constituye, con carácter general, una prestación de servicios a efectos del IVA, en cuanto arrendamiento de bienes o cesión de uso o disfrute de bienes, conforme al artículo 11.Dos.2° y 3° LIVA.

En consecuencia, todo arrendamiento turístico de inmuebles realizado en territorio de aplicación del IVA por quien explota dichos inmuebles para obtener rentas periódicas, incluso si lo hace de forma ocasional, está sujeto al impuesto como prestación de servicios y sólo cuando estuviera exento del IVA podría estar sujeto al Impuesto sobre Transmisiones Patrimoniales Onerosas (artículo 4.Cuatro LIVA).

III. EL ARRENDAMIENTO DE INMUEBLES DE USO TURÍSTICO Y SU TRIBUTACIÓN EN EL IVA: ANÁLISIS DE LA EXENCIÓN DEL IVA EN ESTE TIPO DE ARRENDAMIENTOS

1. LOS ARRENDAMIENTOS DE INMUEBLES EXENTOS DEL IVA (ARRENDAMIENTO DE VIVIENDA COMPLETA Y POR HABITACIONES)

Una vez determinado que el arrendamiento de los inmuebles de uso turístico es una operación sujeta a IVA, quedaría por analizar si dicho arrendamiento está exento del impuesto y en qué casos y condiciones.

El artículo 4.Cuatro LIVA dispone que *"Las operaciones sujetas a este impuesto no estarán sujetas al concepto «transmisiones patrimoniales onerosas» del Impuesto sobre Transmisiones Patrimoniales y Actos Jurídicos Documentados.*

Se exceptúan de lo dispuesto en el párrafo anterior las entregas y arrendamientos de bienes inmuebles, así como la constitución o transmisión de derechos reales de goce o disfrute que recaigan sobre los mismos, cuando estén exentos del impuesto, salvo en los casos en que el sujeto pasivo renuncie a la exención en las circunstancias y con las condiciones recogidas en el artículo 20.Dos".

Los arrendamientos de viviendas exentos del IVA se recogen en el artículo 20.Uno.23º LIVA que declara exentos los de *"edificios o partes de los mismos destinados exclusivamente a viviendas o a su posterior arrendamiento por entidades gestoras de programas públicos de apoyo a la vivienda o por sociedades acogidas al régimen especial de Entidades dedicadas al arrendamiento de viviendas establecido en el Impuesto sobre Sociedades. La exención se extenderá a los garajes y anexos accesorios a las viviendas y los muebles, arrendados conjuntamente con aquéllos"*.

De este modo, están exentos del IVA y sujetos a ITPO los arrendamientos de vivienda que podríamos llamar de uso estable o duración prolongada, en los que únicamente se cede el inmueble para su uso por el arrendatario, y normalmente sometidos a la Ley de Arrendamientos Urbanos, pero se establecen excepciones a esta regla general para disponer que la exención no comprenderá, entre otros supuestos, *"e') Los arrendamientos de apartamentos o viviendas amueblados cuando el arrendador se obligue a la prestación de alguno de los servicios complementarios propios de la industria hotelera, tales como los de restaurante, limpieza, lavado de ropa u otros análogos"*.

Esta regla puede aplicarse tanto a arrendamientos de vivienda en las que el inmueble se alquila de forma completa como para los casos en los que el arrendamiento se realiza por habitaciones, de forma que las conclusiones que se obtendrán a continuación son aplicables a ambos tipos de arrendamiento[2]. En la Resolución DGT de 22 de mayo de

[2] Los arrendamientos por habitaciones también deberían estar exentos de IVA por considerarse arrendamiento para un uso como vivienda. En el IRPF la DGT se ha pronunciado sobre la aplicación de la reducción del 50% (antes 60%) del rendimiento neto de capital inmobiliario por arrendamiento de inmuebles destinados a vivienda. Así, en su Resolución de 11 de octubre de 2019 (V2810-19) recogió la siguiente doctrina: "*En relación con los arrendamientos por temporada, este Centro viene manteniendo como criterio interpretativo (consultas nº V1754-09, V1523-10 y V3109-15) que a los mismos no les resulta aplicable la reducción del 60 por ciento. Ahora bien, en el caso planteado en consulta vinculante nº V1236-18 de fecha 11 de mayo de 2018, en relación a una vivienda alquilada a un estudiante por un período superior a un año que va a constituir la vivienda habitual de éste durante ese tiempo, este Centro ha determinado que "el alquiler de la vivienda se configura (según se indica en el escrito de consulta) como arrendamiento que va más allá de la mera temporada —se va a alquilar por un período superior a un año, y se deduce que tiene como finalidad primordial satisfacer la necesidad permanente de vivienda del estudiante arrendatario, ya que dicho inmueble va a constituir la vivienda habitual de éste durante ese período—, por lo que acreditándose tal circunstancia sí resultará operativa la citada reducción, pues nos encontraríamos a estos efectos ante un arrendamiento de vivienda"*.

2024 (V1099-24) se concluía que *"están sujetos y no exentos del Impuesto sobre el Valor Añadido los arrendamientos de viviendas completas o por habitaciones en los que el arrendador se obliga a prestar los servicios propios de la industria hotelera, según los criterios señalados en este apartado"*.

Así es puesto que la Dirección General de Tributos precisa que esta exención regulada en el artículo 20.Uno.23º.b) LIVA no es objetiva, sino finalista, de forma que depende del destino efectivo como vivienda del inmueble, no de su mera configuración física. Así se ha establecido en resoluciones como las de 14 de junio de 2022 (V1362-22), 22 de mayo de 2024 (V1099-24), 3 de febrero de 2025 (V0071-25) y 22 de abril de 2025 (V0739-25), entre otras muchas[3].

Esta excepción a la regla general por la que el arrendamiento de vivienda está exento ha sido interpretada tanto por la doctrina administrativa como por la jurisprudencia. Veamos la cuestión planteada en cada uno de estas resoluciones:

La Resolución de la DGT de 14 de junio de 2022 (V1362-22) se refería a un supuesto en que una *"sociedad se encarga de contratar los servicios de limpieza inicial y final de los alquileres de los apartamentos turísticos, contratar los servicios de lavandería, pagar las comisiones de las agencias de viajes y ceder el uso de internet a los huéspedes. La sociedad no presta servicios de comidas o bebidas en los apartamentos, y tampoco realiza limpiezas a demanda del huésped, ni le presta ningún otro servicio adicional relacionado con la industria hotelera"*.

Por el contrario, en consulta vinculante nº V3019-17 de fecha 20 de noviembre de 2017, ante la cuestión planteada sobre si puede aplicar la reducción del rendimiento neto prevista en la LIRPF, el propietario de una vivienda que ha alquilado a estudiantes, por habitaciones y por el tiempo que ellos necesitan para el curso universitario, este Centro ha establecido que "dado que el destino del alquiler no es satisfacer la necesidad permanente de vivienda de los arrendatarios, sino que se efectúa por el tiempo que necesitan para el curso universitario, no resultará aplicable la reducción prevista en el artículo 23.2 de la LIRPF.".

En consecuencia, en ningún caso resultará aplicable la reducción señalada cuando el arrendamiento del inmueble se celebre por temporada, sea ésta de verano o cualquier otra. Sin embargo, si se trata de un contrato de arrendamiento de bien inmueble destinado a vivienda en los términos anteriormente señalados, sea cual sea la condición el arrendatario (trabajador, estudiante, etc.), será de aplicación la reducción del rendimiento neto contemplada en el apartado 2 del artículo 23 de la misma Ley. Para su aplicación, en primer lugar, habrá que determinar la parte de la vivienda arrendada a fin de obtener la parte del rendimiento neto sobre la cual podrá practicarse la reducción".

3 De acuerdo con estas resoluciones *"la regulación que se contiene en este supuesto de exención no es una regulación de carácter objetivo, que atienda al bien que se arrienda para determinar la procedencia o no de la misma, sino que se trata de una exención de carácter finalista que hace depender del uso de la edificación su posible aplicación, siendo ésta preceptiva cuando el destino efectivo del objeto del contrato es el de vivienda, pero no en otro caso"*.

La Resolución DGT de 22 de mayo de 2024 (V1096-24) se refería a un supuesto en el que *"La consultante es una persona física que actúa como gestora de arrendamientos de apartamentos turísticos en nombre de sus propietarios y por lo que recibe una contraprestación de estos últimos. Entre los servicios obligatorios que dichos arrendadores tienen que prestar a los arrendatarios según la correspondiente normativa autonómica reguladora de dichos arrendamientos se incluye la atención telefónica durante las 24 horas del día para atender y resolver de forma inmediata cualquier incidencia. También se prestará, entre otros, servicio de atención durante la estancia"*. Se consultaba *"Si la atención telefónica durante las 24 horas del día para atender cualquier incidencia y el servicio de atención durante la estancia pueden considerarse servicios propios de la industria hotelera"*.

En la Resolución DGT de 22 de mayo de 2024 (V1099-24) *"la consultante es una entidad mercantil que se dedica al arrendamiento de viviendas turísticas con prestación de servicios propios de la industria hotelera y que va iniciar una actividad de arrendamiento de inmuebles por temporada de los previstos en la Ley 29/1994, de arrendamientos urbanos, prestándole a los arrendatarios servicios propios de la industria hotelera que se encontrarían incluidos en el precio total del arrendamiento. Entre otros, se prestarán servicios de limpieza y cambio de ropa de cama y toallas de manera periódica, servicio de conserjería, consigna de maletas, así como una recepción abierta todo el año donde los arrendatarios serán atendidos y se les prestarán servicios de solicitud de taxis, información turística, impresión de documentos o atención al cliente multilingüe durante 24 horas"*.

La Resolución DGT de 3 de febrero de 2025 (V0071-25) analiza un supuesto en el que *"La persona física consultante es propietaria de tres inmuebles que los tiene destinados al alquiler turístico y, tiene previsto prestar adicionalmente los servicios de recepción y atención al cliente, custodia de maletas, servicio de cambio de ropa y limpieza con periodicidad semanal"*.

En la Resolución de 22 de abril de 2025 (V0739-25): *"La consultante es una entidad mercantil que es propietaria de un edificio de viviendas del que destina varias viviendas al arrendamiento de uso turístico para particulares prestando servicios complementarios propios de la industria hotelera y otras viviendas al arrendamiento por temporada para estudiantes sin prestarles servicios complementarios propios de la industria hotelera.*

Se consulta sobre la sujeción y, en su caso, exención del Impuesto sobre el Valor Añadido de dichos arrendamientos tras la entrada en vigor de una modificación de la normativa que regula las viviendas de uso turístico de la Generalitat Valenciana. En particular, si el tratamiento a efectos del Impuesto cambiaría en función de si la duración de los arrendamientos excede los diez días".

De acuerdo con la doctrina administrativa de la DGT, el arrendamiento turístico estará sujeto y exento si y solo si concurren simultáneamente:

- Cesión de un inmueble destinado a uso exclusivo de vivienda por el arrendatario

- Ausencia de servicios complementarios propios de la industria hotelera
- Que no concurren otros supuestos de exclusión (por ejemplo, arrendamiento a persona jurídica que no destina el inmueble directamente a vivienda), según criterio reiterado en resoluciones 14 de junio de 2022 (V1362-22), 22 de mayo de 2024 (V1096-24 y V1099-24), 3 de febrero de 2025 (V0071-25), 22 de abril de 2025 (V0739-25) y Consulta INFORMA 133583 y 106788. Así ocurriría en el caso de arrendamiento para uso distinto de vivienda: oficinas, despachos profesionales, o arrendamiento a personas jurídicas que no lo destinan directamente a vivienda de personas físicas. De acuerdo con la Consulta INFORMA 133583 *"El arrendamiento estará sujeto y no exento cuando se alquile a personas jurídicas, dado que no los pueden destinar directamente a viviendas, o se presten por el arrendador los servicios propios de la industria hotelera, o las edificaciones o partes de las mismas sean utilizadas por el arrendatario para otros usos, tales como oficinas o despachos profesionales, etc.".*

Este criterio se aplica expresamente a apartamentos turísticos y viviendas vacacionales. Así, la AEAT reconoce que el arrendamiento por períodos de tiempo de viviendas o parte de las mismas sin servicios propios de hotelería, cuando el cliente la destina exclusivamente a vivienda, está exento de IVA (Consulta INFORMA 133583 y 106788).

2. SERVICIOS QUE TIENEN LA CONSIDERACIÓN DE COMPLEMENTARIOS DE LA INDUSTRIA HOTELERA

En los supuestos en los que el arrendador preste servicios propios de la industria hotelera, el arrendamiento de un apartamento turístico no estará exento del IVA y deberá tributar al tipo reducido del 10% como un establecimiento hotelero (art. 91.uno.2. 2º LIVA).

Por tanto, a efectos de la exención, debe diferenciarse el alquiler turístico en el que no se prestan servicios propios de hostelería del que sí los presta, debiendo determinarse el alcance de estos servicios, puesto que suponen la aplicación o no de la exención del impuesto, con los efectos en cuanto a la deducibilidad del IVA soportado.

Así, la sujeción y no exención del IVA de estos arrendamientos turísticos implicará que el arrendador incremente el precio del alquiler en el IVA correspondiente. Como el arrendatario no tendrá derecho a la deducción de ese IVA soportado el precio se le verá incrementado, lo que reduciría la demanda de ese arrendamiento. La otra opción del arrendador es asumir ese IVA que repercute reduciendo el precio del alquiler para que el resultado, una vez repercutido el IVA, de un importe final idéntico al que tendría si el arrendamiento estuviera exento. Y en cuanto al IVA soportado por el arrendador, sólo podrá deducirlo si el arrendamiento estuviera sujeto y no exento. En caso contrario, ese IVA soportado sería un mayor gasto en su impuesto directo. En el largo plazo, parece que podría tener un resultado más beneficioso que el arrendamiento estuviera sujeto y exento puesto que todo el importe del arrendamiento sería ingreso de explotación, pero todo dependerá también del importe del IVA soportado de la actividad que en caso de arrendamientos exentos no sería deducible.

Los servicios de hospedaje se caracterizan por extender la atención a los clientes más allá de la mera puesta a disposición de un inmueble o parte del mismo. Es decir, la actividad de hospedaje se caracteriza, a diferencia de la actividad de alquiler de viviendas, porque normalmente comprende la prestación de una serie de servicios tales como recepción y atención permanente y continuada al cliente en un espacio destinado al efecto, limpieza periódica del inmueble y el alojamiento, cambio periódico de ropa de cama y baño, y puesta a disposición del cliente de otros servicios (lavandería, custodia de maletas, prensa, reservas etc.), y, a veces, prestación de servicios de alimentación y restauración[4].

Se trata de servicios que constituyen un complemento normal del servicio de hospedaje prestado a los clientes, por lo que no pierden su carácter de servicio de hostelería, pues se presta a los clientes un servicio que va más allá de la mera puesta a disposición de un inmueble o parte del mismo.

La Dirección General de Tributos tiene establecido en diferentes consultas cuáles son los servicios que se consideran complementarios de la industria hotelera. Así en sus resoluciones de 14 de junio de 2022 (V1362-22), 22 de mayo de 2024 (V1096-24 y V1099-24), 3 de febrero de 2025 (V0071-25), 22 de abril de 2025 (V0739-25), entre otras muchas, se consideran servicios complementarios propios de la industria hotelera aquellos que constituyen "un complemento normal del servicio de hospedaje" y suponen ir más allá de la mera puesta a disposición del inmueble. Incluyen, típicamente[5]:

---

4 La propia AEAT ofrece información sobre estas características en su web https://sede.agenciatributaria.gob.es/Sede/vivienda-otros-inmuebles/tributacion-arrendador-viviendas-otros-inmuebles/tributacion-alquiler-apartamentos-turisticos_.html

No obstante, hay alguna imprecisión al referirse a que dicho arrendamiento tendrá la consideración de rendimiento de actividades económicas cuando se cumpla el requisito de tener par la gestión de la actividad una persona contratada con contrato laboral y a jornada completa, puesto que ha sido matizado por numerosa jurisprudencia, no dando carácter absoluto al mismo, sino considerando que es un requisito necesario, pero no suficiente.

5 En todas las resoluciones se recoge la siguiente doctrina: *"En cuanto al concepto "servicios complementarios propios de la industria hotelera", la Ley 37/1992 pone como ejemplos los de restaurante, limpieza, lavado de ropa u otros análogos. Se trata de servicios que constituyen un complemento normal del servicio de hospedaje prestado a los clientes, por lo que no pierden su carácter de servicio de hostelería, pues se presta a los clientes un servicio que va más allá de la mera puesta a disposición de un inmueble o parte del mismo.*

En este sentido, los servicios de hospedaje se caracterizan por extender la atención a los clientes más allá de la mera puesta a disposición de un inmueble o parte del mismo. Es decir, la actividad

- Recepción y atención permanente y continuada al cliente en un espacio destinado al efecto
- Limpieza periódica del inmueble y el alojamiento. Servicio de limpieza del interior del apartamento prestado con periodicidad semanal.

---

de hospedaje se caracteriza, a diferencia de la actividad de alquiler de viviendas, porque normalmente comprende la prestación de una serie de servicios tales como recepción y atención permanente y continuada al cliente en un espacio destinado al efecto, limpieza periódica del inmueble y el alojamiento, cambio periódico de ropa de cama y baño, y puesta a disposición del cliente de otros servicios (lavandería, custodia de maletas, prensa, reservas, etc.) y, a veces, prestación de servicios de alimentación y restauración.

En particular, se consideran servicios complementarios propios de la industria hotelera los siguientes:

– Servicio de limpieza del interior del apartamento prestado con periodicidad semanal.

– Servicio de cambio de ropa en el apartamento prestado con periodicidad semanal.

Por el contrario, no se consideran servicios complementarios propios de la industria hotelera los que a continuación se citan:

– Servicio de limpieza del apartamento prestado a la entrada y a la salida del periodo contratado por cada arrendatario.

– Servicio de cambio de ropa en el apartamento prestado a la entrada y a la salida del periodo contratado por cada arrendatario.

– Servicio de limpieza de las zonas comunes del edificio (portal, escaleras y ascensores) así como de la urbanización en que está situado (zonas verdes, puertas de acceso, aceras y calles).

– Servicios de asistencia técnica y mantenimiento para eventuales reparaciones de fontanería, electricidad, cristalería, persianas, cerrajería y electrodomésticos".

En las respuestas del INFORMA 106788 - EDIFICACIONES. ARRENDAMIENTO: VIVIENDA RURAL e INFORMA 133583-EDIFICACIONES. ARRENDAMIENTO: APARTAMENTOS TURÍSTICOS (I) se dispuso que:

*¡Los **servicios complementarios del servicio de hostelería** son, entre otros, los servicios de recepción, teléfono, bar, restaurante, custodia de maletas, etc. En particular se consideran servicios complementarios propios de la industria hotelera los siguientes:*

– Servicio de limpieza del interior del apartamento prestado con periodicidad semanal.

– Servicio de cambio de ropa en el apartamento prestado con periodicidad semanal.

*Por el contrario, **no se consideran servicios complementarios propios de la industria hotelera:***

– Servicio de limpieza del apartamento prestado a la entrada y a la salida del periodo contratado por cada arrendatario.

– Servicio de cambio de ropa en el apartamento prestado a la entrada y a la salida del periodo contratado por cada arrendatario.

– Servicio de limpieza de las zonas comunes del edificio (portal, escaleras y ascensores) así como de la urbanización en que está situado.

– Servicios de asistencia técnica y mantenimiento para eventuales reparaciones de fontanería, electricidad, cristalería, persianas, cerrajería y electrodomésticos".

- Cambio periódico de ropa de cama y baño. Servicio de cambio de ropa en el apartamento prestado con periodicidad semanal
- Puesta a disposición del cliente de otros servicios (conserjería, lavandería, custodia de maletas, prensa, reservas, información turística, solicitud de taxis, impresión de documentos, atención al cliente multilingüe, etc.)
- Prestación de servicios de alimentación y restauración (desayuno, media pensión, etc.).

En la Resolución DGT de 22 de mayo de 2024 (V1099-24), se manifestaba lo siguiente *"Descendiendo al supuesto concreto de consulta y, en particular, a los servicios que la entidad consultante manifiesta que va a prestar a los arrendatarios de temporada consistentes, entre otros, en servicios de limpieza y cambio de ropa de cama y toallas de manera periódica, servicio de conserjería, consigna de maletas, así como una recepción abierta todo el año donde los arrendatarios serán atendidos y se les prestarán servicios de solicitud de taxis, información turística, impresión de documentos o atención al cliente multilingüe durante 24 horas, parece inferirse que los mismos son servicios propios de la industria hotelera.*

En estas circunstancias, a los arrendamientos de temporada objeto de consulta no les resultará de aplicación la exención prevista en el artículo 20.Uno.23º de la Ley 37/1992 y los mismos se encontrarán sujetos y no exentos del Impuesto sobre el Valor Añadido".

3. SERVICIOS QUE NO TIENEN LA CONSIDERACIÓN DE COMPLEMENTOS DE LA INDUSTRIA HOTELERA

Están exentos del IVA y, por tanto, sujetos a Transmisiones Patrimoniales Onerosas del ITP aquellos arrendamientos de alojamientos turísticos en los que el arrendador no presta servicios típicos de la industria hotelera. En estos casos, el arrendador no debe repercutir IVA y no podrá deducir el IVA soportado en esas operaciones.

Las consultas vinculantes y la jurisprudencia han perfilado un estándar uniforme sobre el alcance de estos servicios propios de la industria hotelera. De acuerdo con las resoluciones de la DGT de 14 de junio de 2022 (V1362-22), 22 de mayo de 2024 (V1096-24 y V1099-24), 3 de febrero de 2025 (V0071-25) y 22 de abril de 2025 (V0739-25), no se consideran servicios complementarios propios de la industria hotelera los que a continuación se citan[6]:

- Servicio de limpieza del apartamento prestado a la entrada y a la salida del periodo contratado por cada arrendatario.

[6] La propia AEAT ofrece información sobre estas características en su web https://sede.agenciatributaria.gob.es/Sede/vivienda-otros-inmuebles/tributacion-arrendador-viviendas-otros-inmuebles/tributacion-alquiler-apartamentos-turisticos_.html

- Servicio de cambio de ropa en el apartamento prestado a la entrada y a la salida del periodo contratado por cada arrendatario.
- Servicio de limpieza de las zonas comunes del edificio (portal, escaleras y ascensores) así como de la urbanización en que está situado (zonas verdes, puertas de acceso, aceras y calles).
- Servicios de asistencia técnica y mantenimiento para eventuales reparaciones de fontanería, electricidad, cristalería, persianas, cerrajería y electrodomésticos.
- Atención telefónica 24 horas al día durante la estancia en apartamentos turísticos. Sobre este servicio concreto la DGT (CV 1096-24) dispuso que *"Descendiendo al supuesto concreto de consulta y, en particular, a los servicios consistentes en atención telefónica durante las 24 horas del día para atender incidencias relativas a la vivienda y la atención durante la propia estancia, según parece inferirse de la información aportada y sin otros medios de prueba disponibles, no parece que los mismos constituyan servicios propios de la industria hotelera que determinen la no aplicación de la exención contenida en el artículo 20.Uno.23º de la Ley 37/1992. En efecto, debe tenerse en cuenta que la posibilidad de que el arrendatario de una vivienda se comunique con el arrendador para resolver las incidencias que puedan derivarse del arrendamiento, directamente o con un tercero que actúe en nombre y por cuenta del arrendador, es una práctica habitual en los contratos de arrendamiento de vivienda"*.

Esta doctrina de la DGT es compartida por el Tribunal Económico-Administrativo Central en Resolución de 22 de febrero de 2022 (00/05871/2019/00/0/1), que fijó el siguiente criterio:

> *"Los arrendamientos de inmuebles destinados exclusivamente a viviendas en los que no se presten servicios complementarios propios de la industria hotelera están sujetos y exentos del Impuesto sobre el Valor Añadido.*
>
> *Por el contrario, si la actividad realizada no se limita a la mera puesta a disposición del inmueble o parte del mismo durante períodos de tiempo, sino que se trata de actividades que reúnen las características propias de las actividades de servicios de hospedaje, por obligarse el arrendador a prestar alguno de los servicios complementarios de la industria hotelera durante el tiempo de duración del arrendamiento, los servicios están sujetos y no exentos del Impuesto sobre el Valor Añadido.*
>
> *En cuanto al concepto de servicios complementarios propios de la industria hotelera, se comparte el criterio de la Dirección General de Tributos que se recoge, entre otras, en la contestación a la consulta vinculante V0009-2021, de 4 de enero de 2021, de forma que el servicio consistente en la limpieza de la vivienda exclusivamente a la entrada y salida del período contratado por el arrendatario, no merece la calificación de servicio complementario de la industria hotelera.*

Reitera criterio del RG 00-06934-2019 (16-12-2021)"

El Tribunal Supremo, en la STS 3574/2021, acoge esta misma construcción para casas rurales, confirmando que la mera entrega de llaves, limpieza a la entrada/salida y mantenimiento no son servicios hoteleros y que, en ausencia de otros servicios típicos de hospedaje, el arrendamiento está exento.

Por tanto, en el arrendamiento turístico:

- Si se ofrecen servicios de recepción 24h, conserjería, consigna de maletas, limpieza periódica y cambio recurrente de ropa de cama y baño, etc., la operación es calificada como servicio de hospedaje, sujeto y no exento.
- Si el arrendamiento se limita a la puesta a disposición de la vivienda, con limpieza solo al inicio y al final, y sin servicios típicos de hotelería, se trata de un arrendamiento de vivienda exento, aunque sea por días o semanas, según Consulta INFORMA 133583 y 106788 y la STS 3574/2021.

4. LA DURACIÓN DE LA ESTANCIA COMO CRITERIO DE TRIBUTACIÓN EN EL IVA

La duración de la estancia (por ejemplo, más o menos de diez días) se ha declarado irrelevante a efectos de la exención cuando no hay servicios hoteleros, tal como aclara expresamente la resolución V0739-25.

IV. EL ARRENDAMIENTO DE INMUEBLE CON POSTERIOR SUBARRENDAMIENTO DE INMUEBLES DE USO TURÍSTICO COMO VIVIENDA SIN SERVICIOS ADICIONALES

La regla general del IVA en materia de deducción establece que no podrá deducirse el IVA soportado cuando el sujeto pasivo entrega bienes o presta servicios exentos con exención limitada. La propia Ley del IVA dispone que a estos efectos se estará al destino previsible del bien por el que se soportó el IVA.

El destino previsible de los bienes previsto en el artículo 99.Dos LIVA se traduce en la idea, propia de la neutralidad implícita del Impuesto, de que los bienes en cuya adquisición se soportó la repercusión de cuotas de IVA se destinen, previsiblemente, a la realización de operaciones sujetas y no exentas, que, de otra parte, son las únicas que generan el derecho a deducir, según el art. 94 LIVA.

Llevado al caso que nos ocupa, no sería deducible el IVA soportado en la adquisición y reforma del inmueble que se destina a arrendamiento exento por no prestarse servicios propios de la industria hotelera. De la misma forma, tampoco serían deducibles los IVA soportados por la adquisición de otros bienes (mobiliario, por ejemplo) o servicios (asesores, suministros, etc.) si el arrendamiento estuviera exento. Lo mismo cabe decir cuando no se ha comenzado con el arrendamiento del inmueble, pero su destino previsible es el del arrendamiento exento.

Analizaremos a continuación el régimen de tributación del IVA en un supuesto en el que el propietario del inmueble (hablaremos de la sociedad A), por ejemplo, un edificio de viviendas, se lo arrienda a otra entidad (la denominaremos sociedad B) que lo destina al alquiler turístico sin prestar servicios propios de la industria hotelera. En este caso habrá que analizar la tributación del arrendamiento del edificio de viviendas, si está o no exento del IVA, y la posterior operación de subarrendamiento de viviendas de uso turístico.

El arrendamiento de inmuebles efectuado por empresarios o profesionales está sujeto al IVA conforme a los arts. 4 y 5 LIVA, que califican como empresarios, entre otros, a quienes explotan bienes inmuebles mediante arrendamiento.

La exención relevante es la del art. 20.Uno.23º LIVA, que declara exentos *"los arrendamientos [...] que tengan por objeto [...] los edificios o partes de los mismos destinados exclusivamente a viviendas"*, con una lista de exclusiones; entre ellas, la letra f') excluye de la exención *"los arrendamientos de edificios o parte de los mismos para ser subarrendados"* art. 20.Uno.23º LIVA, letras b) y f).

Tal y como hemos comentado, la Dirección General de Tributos ha reiterado que esta exención es finalista, de modo que su aplicación depende del destino efectivo del inmueble como vivienda por el arrendatario consumidor final, y no de la mera naturaleza física de la edificación. Así se recoge, entre otras, en la Consulta Vinculante DGT V0934-18.

La misma consulta recuerda expresamente que están excluidos de la exención los arrendamientos "para ser subarrendados", salvo los supuestos específicos de arrendamiento a entidades gestoras de programas públicos de vivienda o sociedades acogidas al régimen especial de entidades de arrendamiento de viviendas del IS, recogidos en la letra b) del art. 20.Uno.23º LIVA.

La Consulta Vinculante DGT V1504-24 aplica este criterio a un supuesto en el que una persona física arrienda una vivienda para subarrendarla como vivienda a trabajadores por temporada. La DGT concluye que:

- El arrendamiento al subarrendador (arrendamiento inicial) está sujeto y no exento, por tratarse de un arrendamiento destinado a ulterior subarrendamiento en el ejercicio de una actividad económica, quedando activada la exclusión de la letra f') del art. 20.Uno.23º LIVA.
- Los subarrendamientos posteriores a personas físicas para su uso como vivienda están, en cambio, sujetos pero exentos al amparo del mismo art. 20.Uno.23º LIVA.

El mismo esquema se reproduce en la Consulta INFORMA 133598 en la que una persona física adquiere un apartamento turístico y lo cede en explotación a una sociedad que lo alquilará a particulares. La AEAT concluye que la cesión a la sociedad está sujeta y no exenta, por no destinarse el inmueble al uso directo como vivienda por el arrendatario, sino a ser objeto de cesión posterior en el marco de una actividad empresarial.

La Consulta INFORMA 141127 confirma esta interpretación, de forma que cuando el arrendatario de una vivienda no actúa como empresario o profesional, el arrendamiento está exento, aunque permita su uso a otras personas; pero *"los arrendamientos de viviendas que a su vez son objeto de una cesión posterior por parte de su arrendatario en el ejercicio de una actividad empresarial dejan de estar exentos"*, con independencia del título de la cesión posterior.

En consecuencia, en el ejemplo que hemos planteado, si la sociedad B va a explotar el edificio arrendando las viviendas en el marco de una actividad económica (lo que es inherente a "alquilar las viviendas" como empresario, con independencia de que sus contratos con los inquilinos estén o no exentos), el arrendamiento del edificio por A a B encaja plenamente en la exclusión del art. 20.Uno.23º f') LIVA. El hecho de que los contratos de la sociedad B con los inquilinos estén exentos no altera el carácter de arrendamiento "para ser subarrendado" del contrato de A a B, que es precisamente el que la norma excluye de la exención.

La Consulta Vinculante DGT V2922-23 refuerza este planteamiento en un contexto de arrendamiento de vivienda que pasa a destinarse al subarrendamiento; en cuanto se acredita que el arrendatario explota el inmueble mediante cesión onerosa posterior, la DGT concluye que el arrendamiento deja de estar exento por aplicación de la letra f') del art. 20.Uno.23º LIVA y pasa a estar sujeto y no exento, con obligación de repercusión y regularización de cuotas.

Por tanto, en el ejemplo planteado, el contrato de arrendamiento de la sociedad A con la sociedad B tiene por finalidad que B subarriende el inmueble o sus partes en el marco de una actividad empresarial, de forma que concurre la exclusión del art. 20.Uno.23º f') LIVA, y el arrendamiento de A con B no puede acogerse a la exención de viviendas y tributará al tipo general del 21 % (art. 90.Uno LIVA) al no existir tipo reducido aplicable a estos arrendamientos destinados a subarrendamiento, tal como recuerda expresamente la Consulta Vinculante DGT V1504-24 para un supuesto análogo.

Cuando B arrienda las viviendas a personas físicas para su uso como vivienda sin prestar servicios hoteleros se aplicará la exención del art. 20.Uno.23º LIVA, siempre que se destinen efectivamente a vivienda del arrendatario y no se presten servicios propios de la industria hotelera. Este es el criterio reiterado tanto en la Consulta Vinculante DGT V0934-18 como en la V1504-24, según las cuales los subarrendamientos a personas físicas para uso exclusivo como vivienda están sujetos pero exentos, mientras que el arrendamiento inicial al empresario subarrendador está sujeto y no exento.

La exención en la fase del subarrendamiento por la que la sociedad B arrienda vivienda turística sin servicios hoteleros a inquilinos finales no "contamina" hacia atrás el contrato entre las sociedades A y B.

La doctrina administrativa (V1504-24, V2922-23, INFORMA 133598, 141127) aplica de forma constante esta diferenciación: la exención del subarrendamiento no se traslada al arrendamiento inicial al empresario subarrendador, que permanece gravado.

No obstante, la Administración tributaria ha cuestionado en ocasiones que el arrendamiento inicial estuviera sujeto y no exento del IVA y por ende la posibilidad de deducir el IVA soportado por el propietario arrendador del inmueble que posteriormente es subarrendado como apartamento turístico sin prestar servicios adicionales propios de la industria hotelera y por tanto exentos del IVA. Para ello analiza si la actividad de subarrendamiento es una mediación de servicios y si esta mediación se realiza por cuenta propia o por cuenta de terceros entendiendo por tal el propietario arrendador.

La Dirección General de Tributos, en Resolución de 15 de noviembre de 2016 (V4942-16), interpretó que:

> *"cuando un empresario o profesional actúa en nombre propio en la mediación de los servicios de arrendamiento debe considerarse que recibe y presta los servicios de arrendamiento, tal y como resulta del contenido del artículo 11.Dos.15°, de la Ley del Impuesto.*
>
> *Por el contrario, cuando actúa en nombre ajeno debe entenderse que el servicio de arrendamiento es prestado directamente por el propietario al cliente final y el intermediario realiza una prestación de servicios de mediación, bien, al propietario o a su cliente, o a ambos a la vez.*
>
> *A efectos de determinar la forma de actuar de los intermediarios es importante analizar si éstos son los que mantienen una comunicación y relación directa con los arrendatarios, son quienes fijan las reglas y condiciones de la prestación del servicio de arrendamiento y quienes ordenan la forma de hacer efectivo el cobro de la contraprestación y reciben la misma, o si por el contrario, es el propietario del inmueble quien establece las condiciones del servicio, tiene conocimiento y relación directa con los arrendatarios y recibe el cobro de la contraprestación. En el primer caso, se considerará que el intermediario actúa en nombre y por cuenta de los clientes prestando un servicio de mediación, siendo los arrendadores los que prestarían directamente a los arrendatarios el servicio de arrendamiento propiamente dicho. En el segundo de los casos, el intermediario prestaría los servicios de arrendamiento en nombre propio a los arrendatarios a la vez que sería la destinataria de los servicios de arrendamiento prestados por los titulares de los inmuebles'.*
>
> *De la escueta información contenida en el escrito de consulta parece deducirse que la consultante actúa como intermediaria entre arrendador y arrendatario, cobrando únicamente la comisión que le satisface el arrendador por los servicios prestados. Por tanto, deberá entenderse que el servicio de arrendamiento es prestado directamente por el propietario del apartamento al cliente final, mientras que la consultante realiza una prestación de servicios de mediación".*

V. TIPO IMPOSITIVO APLICABLE AL ARRENDAMIENTO TURÍSTICO

Cuando el arrendamiento turístico se califica como servicio de hospedaje por concurrencia de servicios complementarios propios de la industria hotelera se aplicaría el tipo reducido del 10 %, al encajar en los servicios de hostelería definidos en el artículo

91.Uno.2.2º LIVA, criterio confirmado expresamente en las resoluciones DGT de 22 de mayo de 2024 (V1099-24), y 3 de febrero de 2025 (V0071-25). En la primera se dispone:

> *"en relación con el tipo impositivo aplicable a dichos arrendamientos de temporada, el artículo 90, apartado uno, de la Ley 37/1992 establece que el citado tributo se exigirá al tipo impositivo del 21 por ciento, salvo lo dispuesto en el artículo siguiente.*
>
> *El artículo 91.Uno.2.2º de la Ley del Impuesto establece que se aplicará el tipo impositivo del 10 por ciento a los servicios de hostelería, campamento y balneario, los de restaurantes y, en general, el suministro de comidas y bebidas para consumir en el acto, incluso si se confeccionan previo encargo del destinatario.*
>
> *Según lo expuesto en el apartado anterior de esta contestación, de la información contenida en el escrito de consulta se deduce que la entidad consultante va a prestar con el arrendamiento servicios complementarios propios de la industria hotelera, por lo que, en estas circunstancias, dichos servicios tributarán al tipo reducido del 10 por ciento".*

En cambio, si el arrendamiento turístico está sujeto, pero no exento por razones distintas a la prestación de servicios de hotelería (por ejemplo, arrendamiento de vivienda rural a persona jurídica para uso corporativo), la calificación deja de ser hostelería y se aplica el tipo general del 21 %, de acuerdo con el artículo 90.Uno LIVA y la Consulta INFORMA 106788 que dispuso lo siguiente:

> *"Pregunta*
>
> *¿Cómo tributa el arrendamiento de una vivienda rural según se alquile con o sin servicios hoteleros, así como cuando se alquila a una empresa?*
>
> *Respuesta*
>
> *El arrendamiento está en todo caso sujeto al IVA al tener el arrendador la condición de empresario a efectos del IVA.*
>
> *Ahora bien, el arrendamiento de una vivienda rural a los consumidores finales que la destinen exclusivamente a vivienda está sujeto y exento siempre que el arrendador no se obligue a la prestación de servicios complementarios propios de la industria hotelera.*
>
> *Está sujeto y no exento el arrendamiento cuando el destinatario sea una persona jurídica (en este caso el tipo aplicable es el 21% y cuando se prestan servicios propios de la empresa hotelera, aplicándose en este supuesto el tipo impositivo del 10%)".*

VI. LOS ARRENDAMIENTOS DE INMUEBLES DE USO TURÍSTICO EN EL ÁMBITO COMUNITARIO Y SU FUTURA TRIBUTACIÓN EN ESPAÑA

La Unión Europea ha aprobado la Directiva (UE) 2025/516 del Consejo, de 11 de marzo de 2025, por la que se modifica la Directiva 2006/112/CE en lo que respecta a las normas del IVA en la era digital, que obligará a aplicar el IVA en todos los alquileres de corta duración, incluso cuando no se ofrezcan servicios propios del sector hotelero. El alquiler que podríamos llamar tradicional seguirá exento del IVA (artículo 20.Uno.23º LIVA).

La entrada en vigor de esta nueva regulación se producirá el 1 de julio de 2028 y para ello será necesaria la trasposición de la Directiva al ordenamiento tributario español. El objetivo de este cambio normativo es acabar con las diferencias de trato entre los Estados miembros y evitar distorsiones de competencia en el sector del alojamiento turístico.

Será irrelevante, por tanto, que se presten o no servicios adicionales propios de la industria hotelera para que dichos arrendamientos estén sujetos y no exentos del IVA, debiendo repercutirse IVA en todas las operaciones.

El tipo impositivo está por determinar, pero es previsible que sea el tipo reducido del 10% como ocurre en el los servicios hoteleros y que será el mismo en todas las comunidades autónomas al no ser susceptible de cesión.

Esta modificación supondrá que los arrendadores que hasta ahora tenían arrendamientos exentos por no prestar servicios adicionales y que no podían deducir IVA, tendrán derecho a la deducción del IVA soportado. No obstante, tendrán que afrontar una importante decisión que será bien incrementar los precios añadiendo el IVA repercutido a su precio habitual o bien reducir el precio para que una vez incrementado en el IVA quede un precio para el cliente similar al anterior.

La decisión no es baladí porque el incremento del precio podría afectar a la demanda, ya que el cliente no tendrá derecho a la deducción del IVA soportado, puesto que se trata de un alquiler con destino vacacional, que no podría deducir quien no es sujeto pasivo del IVA y que será difícilmente deducible para sujetos pasivos del IVA cuando el destino de este alquiler no es profesional.

VII. REFERENCIAS BIBLIOGRÁFICAS

AAVV (2024): La fiscalidad del arrendamiento de vivienda y de otras figuras afines (Director Juan Enrique Varona Alabern), Aranzadi.

AAVV (2012): Comentarios a la Ley y Reglamento del IVA (Tomos I y II) (Directores Pablo Chico de la Cámara y Javier Galán Ruiz). Civitas-Thomson Reuters.

Moreno Caparrós, L. (2024): "La atención telefónica 24 horas al día durante la estancia en apartamentos turísticos no impide aplicar la exención de IVA", Blog Derecho, Turismo y Hoteles, GARRIGUES; https://blogturismo.garrigues.com/union-europea/la-atencion-telefonica-24-horas-al-dia-durante-la-estancia-en-apartamentos-turisticos-no-impide-aplicar-la-exencion-de-iva

Tovillas Morán, J. M. (2019): "Fiscalidad de los arrendamientos urbanos", *Viviendas de uso turístico y nuevas medidas en materia de alquiler residencial*, Bosch.

EL PATRIMONIO INMOBILIARIO "PRIVADO" DE SOCIEDADES MERCANTILES EN EL IVA Y EL USO POR EL SOCIO/ADMINISTRADOR

ALEJANDRO BLÁZQUEZ LIDOY
Catedrático Derecho Financiero y Tributario
Universidad Rey Juan Carlos[1]
ORCID 0000-0002-7802-5350

1 El presente trabajo ha sido elaborado en el marco del proyecto de investigación "*El impacto transformador en el Estado del Derecho de los sectores económicos regulados. Su reconsideración después de tres décadas de cambios institucionales y sociales*" (Ref. PID2024-157059NB-I0, Plan Estatal de Investigación Científica y Técnica y de Innovación 2024-2027).

I. INTRODUCCIÓN

Existe cierta tipología de sociedades mercantiles, especialmente aquellas de carácter familiar, donde no es infrecuente que tengan bienes inmuebles a su nombre cuyo destino es la puesta a disposición en favor de los socios o administradores. Puede ser un uso permanente, como vivienda habitual, o la mera puesta a disposición, se haga uso de ella esporádicamente o no, como ocurre con viviendas en zonas turísticas. Es una situación que, además, no se limita a los inmuebles. Y es una situación conocida por AEAT desde hace tiempo[2]. En la Resolución de 27 de febrero de 2025, de la Dirección General de

---

[2] La AEAT publicó en su página web la "NOTA DE LA AGENCIA TRIBUTARIA SOBRE INTERPOSICIÓN DE SOCIEDADES POR PERSONAS FÍSICAS", que si bien no tiene fecha, en las propiedades del documento consta la de 25 de febrero de 2019. Está en: https://sede.agenciatributaria.gob.es/static_files/Sede/Tema/Normativa/Doctrina_Criterios/Criterios/IS/Sociedad_Interpuesta.pdf.

En la citada nota se aborda el tratamiento de gastos no empresariales con carácter general, entre los que se encuentran los bienes inmuebles. Afirma la nota que:

"*La atención de las necesidades del socio por parte de la sociedad suele abarcar tanto la puesta a disposición de aquel de diversos bienes, entre los que es frecuente encontrar la* ***vivienda*** *(vivienda habitual y viviendas secundarias) y los medios de transporte (coches, yates, aeronaves, etc.),* ***sin estar amparada en ningún contrato de arrendamiento o cesión de uso****; como la satisfacción de determinados gastos entre los que se encontrarían los asociados a dichos bienes (mantenimiento y reparaciones) y otros gastos personales del socio (viajes de vacaciones, artículos de lujo, retribuciones del personal doméstico, manutención, etc.).*

En ambos supuestos nos encontramos con conductas contrarias a la norma que se deben evitar y que, normalmente, ***se concretan en no registrar ningún tipo de renta en sede de la persona física*** *(aunque el coste de aspectos privados de su vida es asumido por la sociedad). Por su parte, en la sociedad el único registro respecto de estas partidas suele ser la deducción del gasto y, en su caso,* ***la deducción de las cuotas de IVA soportadas en la adquisición de bienes y servicios que, de haber tenido directamente como destinatarios a un particular fuera de una actividad económica, nunca habrían podido deducirse.***

En otras ocasiones la utilización por el socio de un bien de la sociedad (generalmente una casa, un vehículo, una embarcación o una aeronave) se ampara jurídicamente en la existencia de un contrato de arrendamiento o cesión de uso. En estos supuestos, a efectos de delimitar las posibles contingencias fiscales, resulta determinante el análisis de los contratos formalizados, para resolver si existiendo un contrato, la valoración de la cesión es correcta conforme al artículo 18 de la LIS.

Especial referencia se debe hacer de conductas más graves que se han detectado en las que se aparentan contratos de arrendamiento entre socio y sociedad, incluso en ocasiones pretendidamente acompañadas de una prestación de servicios propios de la industria hotelera, ***para intentar amparar la deducción de las cuotas de IVA****, lo que ha llevado en determinados casos a considerar la existencia de contratos simulados. O aquellos otros en los que, junto con los riesgos ya apuntados en la primera parte del documento, se trate de compensar en sede de la sociedad interpuesta los ingresos con partidas de gasto, como los antes mencionados, no afectos en modo alguno al ejercicio de la actividad profesional por parte del obligado tributario y que se corresponden con gastos o inversiones propias de su esfera particular.*

la Agencia Estatal de Administración Tributaria, por la que se aprueban las directrices generales del Plan Anual de Control Tributario y Aduanero de 2025 se advierte que: "*Una de las líneas de actuación que se impulsarán especialmente, tanto en las tareas de investigación, análisis de información patrimonial, como en las de comprobación, será la que se refiere al control intensivo sobre aquellos contribuyentes en los que existan discordancias entre el nivel de vida y signos externos de riqueza que presentan, y las rentas y/o patrimonio declarados.*

Se trata de supuestos en los que la ocultación de rentas, o la utilización abusiva de sociedades instrumentales para desviar gastos personales, ***situar activos para su uso personal*** *o encubrir rentas a través de préstamos ficticios, permiten a determinados contribuyentes mantener estándares de vida que no se compadecen en absoluto con las rentas declaradas ni el patrimonio conocido.*

En estos casos, el control se centrará, entre otros aspectos, en el análisis de las estructuras creadas para los fines descritos, ***con el fin de atribuir a los contribuyentes directamente como rentas el importe de todos los gastos e inversiones que, siendo de su exclusivo disfrute, estén siendo declaradas como gastos deducibles o inversiones de las estructuras creadas al efecto***".

El objeto del presente trabajo es poner de manifiesto los diferentes problemas que se pueden presentar en el IVA por el uso de bienes inmuebles propiedad de sociedades mercantiles por los socios y administradores. Son cuestiones vinculadas a autoconsumos, enajenaciones, períodos de regularización, deducción del IVA soportado, etc.

II. SOCIEDADES INACTIVAS O INOPERATIVAS O DE MERA TENENCIA

Dentro de las entidades que son propietarias de inmuebles existe una tipología variada de supuestos. En este estudio nos interesa el uso de inmuebles por los socios y administradores. Pero se trata del uso de inmuebles de sociedades mercantiles que son sujeto pasivos del Impuesto porque realizan actividades económicas. Este supuesto es distinto de aquel otro donde la mercantil no realiza explotaciones económicas. Son entidades de mera tenencia sin actividad alguna. Entidades que están inactivas o son inoperativas pero que tienen en su activo bienes inmuebles que pueden ser utilizados por el socio/administrador. Son entidades titulares de bienes inmueble que no se tiene intención de destinar al mercado y no están afectos a ninguna actividad económica. Estos bienes

---

En definitiva, todas estas conductas podrían llevar aparejadas contingencias regularizables en los Impuestos sobre la Renta de las Personas Físicas, el Impuesto sobre Sociedades, el Impuesto sobre el Valor Añadido y el Impuesto sobre el Patrimonio."

podrán ser utilizados o no por el socio/administrador. A efectos del IVA, son entidades ajenas al tributo. No son sujeto pasivo del IVA. Todas las cuotas de IVA soportado serán consideradas coste. Coste que, a su vez, tampoco será deducible en el Impuesto sobre Sociedades al entenderse que no se realiza ninguna actividad económica. Y, desde el punto de vista el socio/administrador, no existirá, tampoco, ninguna operación de autoconsumo en tanto este requiere que haya una actividad económica previa (el art. 12.2 de la LIVA dispone que es un supuesto de autoconsumo "*La aplicación total o parcial al uso particular del sujeto pasivo o, en general, a fines ajenos a su actividad empresarial o profesional de los bienes integrantes de su patrimonio empresarial o profesional*"). Por último, y como veremos posteriormente, la posible enajenación del bien inmueble será una operación ajena al IVA (no sujeta) donde no cabrá, por tanto, la renuncia la exención.

Un problema distinto se plantea en el caso de entidades que adquieren bienes inmuebles y los deja en el activo pendiente de encontrar un momento oportuno para su comercialización. Pensemos, por ejemplo, en entidades que adquieran bienes inmuebles esperando a los cambios de planeamiento, cambios en su régimen de uso o cambios en los ciclos económicos, o incluso situaciones donde se está a la espera de conseguir licencias.

Es posible que nos encontremos ante entidades que no obtengan ingresos durante varios ejercicios y es posible que dicha situación se pueda prolongar durante lustros[3]. Y lo mismo se puede decir con relación a inmuebles concretos. Sin embargo, tendrán que mantenerlos y soportar el IVA para su conservación y reparación. La cuestión es si esos IVA serán o no deducibles. En el ámbito del IVA, el hecho de obtener o no ingresos es ajeno al IVA[4]. Como señala la STJUE de 13 de junio de 2024 (As. C-696/22) "*el dere-*

[3] La STSJ de Madrid de 29 de enero de 2025 (recurso núm. 1798/2021) confirma la liquidación de la inspección de negar la deducción de cuotas de IVA soportado al entender que dichas cuotas no están relacionadas con la actividad de la sociedad en tanto el "*resto de bienes inmuebles tiene carácter residencial y no existe un principio de prueba que acredite la utilización de los mismos con fines económicos. A pesar de lo expuesto por la parte actora, no existe indicio alguno de que los bienes inmuebles de carácter residencial hayan sido adquiridos con la intención de venderlos o alquilarlos. No se realiza en relación a ellos actividad encaminada a su explotación y no se han obtenido ingresos derivados de los mismos. En el Acuerdo de liquidación, se han comprobado los cuatro períodos impositivos de 2013, comprobándose que en dicho ejercicio y en los anteriores no existe indicio alguno de la utilización de los bienes inmuebles en la actividad económica*" y procede calificar a la entidad "*como una sociedad de mera tenencia de bienes que no desarrolla actividad económica alguna y, en los ejercicios comprobados, se concluye que el resto de los bienes distintos de las naves no están afectos al desarrollo de una actividad económica*".

[4] En la STSJ de Madrid de 16 de julio de 2025 (recurso núm. 565/2022) la AEAT no admite la deducibilidad del IVA soportado de ciertos activos "*porque no han sido alquilados ni en 2014 ni en 2015, y por ello, considera que no pueden deducirse dichas cuotas soportadas ya que no se ha acreditado fehacientemente el uso de dichos elementos en el ejercicio de la actividad de la empre-*

cho a deducir, una vez nacido, sigue existiendo aun cuando, posteriormente, la actividad económica prevista no se lleve a cabo y, por lo tanto, no dé lugar a operaciones gravadas o cuando el sujeto pasivo no haya podido utilizar los bienes o servicios que hayan dado lugar a la deducción en operaciones sujetas al impuesto a causa de circunstancias ajenas a su voluntad (véase, en este sentido, la sentencia de 25 de noviembre de 2021, Amper Metal, C-334/20, EU:C:2021:961, apartados 30 y 35)".

El problema es determinar cuándo la adquisición de inmuebles para venderlos posteriormente es una actividad económica a los efectos del IVA. La STJUE de 20 de enero de 2021 (As. C-655/19) dispone que:

(i) La "***mera adquisición y la mera venta de un bien no pueden constituir una explotación de un bien con el fin de obtener ingresos continuados** en el tiempo en el sentido del artículo 9, apartado 1, párrafo segundo, de la Directiva del IVA, puesto que la única retribución de esas operaciones es un eventual beneficio en el momento de la venta de dicho bien (sentencia de 15 de septiembre de 2011, Słaby y otros, C-180/10 y C-181/10, EU:C:2011:589, apartado 45 y jurisprudencia citada)*"

(ii) El "***mero ejercicio del derecho de propiedad por parte de su titular no puede**, por sí solo, ser considerado constitutivo **de una actividad económica** [véanse, en este sentido, las sentencias de 15 de septiembre de 2011, Słaby y otros, C-180/10 y C-181/10, EU:C:2011:589, apartado 36; de 9 de julio de 2015, Trgovina Prizma, C-331/14, EU:C:2015:456, apartado 23, y de 13 de junio de 2019, IO (IVA - Actividad como miembro de un consejo de vigilancia), C-420/18, EU:C:2019:490, apartado 29]*".

(iii) A los efectos del concepto de actividad económica "***el número y la magnitud de las ventas no puede constituir un criterio para establecer la distinción entre las actividades** de un operador que actúa con carácter privado, situadas al margen del ámbito de aplicación de esta Directiva, y las de un operador cuyas operaciones constituyen una actividad económica (sentencias de 15 de septiembre de 2011, Słaby y otros, C-180/10 y*

---

sa". El TSJ dispone que "*la controversia se centra en determinar si la inexistencia de ingresos por dicha actividad en los ejercicios de periodos objeto del presente recurso determina la improcedencia de los importes de IVA soportado*" y señala que "*hay que puntualizar que la circunstancia de que en unos determinados periodos no haya tenido ingresos no implica considerar que los gastos efectuados en la embarcación no tengan la consideración de deducibles ya que la falta de ingresos e IVA devengado no determina que dichos bienes no se encuentren afectos a la actividad económica referida, de tal manera que no se requiere una coincidencia en cada periodo entre IVA devengado e IVA soportado*". Por último, el TSJ advierte que habiendo "*considerado la Administración que en otros periodos sí están afectos a la actividad, debe considerarse que también se encuentran afectos a la actividad en los periodos objetos de este recurso, al no probarse por la Administración que la demandante haya incurrido en alguno de los supuestos en que puedan considerarse afectos a la actividad, ya que la Administración, como se ha dicho, únicamente se basa en la falta de ingresos*".

C-181/10, EU:C:2011:589, apartado 37, y de 17 de octubre de 2019, Paulo Nascimento Consulting, C-692/17, EU:C:2019:867, apartado 25)".

(iv) Es un criterio relevante el hecho "***de que el interesado haya realizado gestiones activas de comercialización de inmuebles*** *recurriendo a medios similares a los empleados por un fabricante, un comerciante o un prestador de servicios. En efecto, estas iniciativas no forman parte del marco normal de gestión de un patrimonio personal, por lo que no cabe considerar que las operaciones que resultan de ellas constituyen el mero ejercicio del derecho de propiedad (véase, en este sentido, la sentencia de 9 de julio de 2015, Trgovina Prizma, C-331/14, EU:C:2015:456, apartado 24 y jurisprudencia citada). Tales iniciativas se inscriben más bien en el marco de una actividad* ***ejercida con el fin de obtener ingresos continuados en el tiempo y que, por tanto, puede calificarse de económica***".

En definitiva, el elemento clave está en si nos encontramos o no ante una explotación económica más allá de la gestión del patrimonio personal de la entidad. A estos efectos, habrá que hacer un análisis global de la actividad para determinar si es o no una actividad empresarial. Si son varios bienes inmuebles que se adquieren con la intención de obtener ingresos continuados en el tiempo, aunque no sean recurrentes, entendemos que sí habrá una actividad económica sujeta al IVA.

III. LA EXISTENCIA DE UN PATRIMONIO PRIVADO O NO EMPRESARIAL EN LAS SOCIEDADES MERCANTILES

El supuesto de bienes inmuebles de sociedades mercantiles que están a disposición de los socios/administradores plantea la posibilidad de que pueda haber un patrimonio no afecto a las actividades de la sociedad. Se trata de la existencia de un patrimonio "privado" que quedaría al margen del IVA (ni en la adquisición, mantenimiento o enajenación). La existencia de un patrimonio privado es conocida en el ámbito de las fundaciones y entidades no lucrativas y de las Administraciones, donde aplicaba lo que se conocía como sistema dual de deducción, un sistema fundamentado en el hecho de que una entidad hace actividades económicas junto con otras no económicas (no sujetas). Y, a su vez, la enajenación de estos bienes no está sujeta al IVA al realizarse desde el patrimonio privado de las entidades.

En el ámbito de las sociedades mercantiles existen trabas normativas para el reconocimiento de un patrimonio privado. El artículo 4.Dos de la LIVA dispone que "*Se entenderán realizadas en el desarrollo de una actividad empresarial o profesional: a) Las entregas de bienes y prestaciones de servicios efectuadas por las sociedades mercantiles, cuando tengan la condición de empresario o profesional*". Y el artículo 5.Uno dispone que "*A los efectos de lo dispuesto en esta Ley, se reputarán empresarios o profesionales (...) b) Las sociedades mercantiles, salvo prueba en contrario*". De esta manera, podría parecer que en el ámbito interno la existencia de bienes particulares de sociedades mercantiles presentaría problemas, en tanto cualquier bien que vendieran siempre sería empresarial. Sin embargo, ambos preceptos carecen, a nuestro juicio, de razón de ser en el ámbito del IVA. El concepto de empresario o profesional es ajeno a la forma jurídica. El funcionamiento del IVA es ajeno a que el empresario tenga la forma de sociedad mercantil. Son dos preceptos que deberían ser modificados.

En el ámbito comunitario, el Tribunal de Luxemburgo ya había señalado en su Sentencia de 8 de mayo de 2003 (As. C-269/00) que "*de una reiterada jurisprudencia se desprende que el sujeto pasivo tiene la posibilidad de optar, a los efectos de la aplicación de la Directiva,* ***entre integrar o no en su empresa la parte de un bien que esté afectada a su uso privado*** *(véanse las sentencias Armbrecht, antes citada, apartado 20, y de 8 de marzo de 2001, Bakcsi, C-415/98, Rec. p. I-1831, apartado 25)*". E, internamente, el TEAC ha reconocido la existencia de un **patrimonio particular** en las sociedades mercantiles [Resoluciones del TEAC de 20 de febrero de 2025 (RG 1115/2023) y de 25 de junio de 2019 (RG 5683/2015)]. El TS ha señalado en su Sentencia de 25 de febrero de 2025 (RG 960/2023) con relación a la adquisición de un inmueble de una entidad mercantil que realizaba una actividad económica sujeta y no exenta de IVA que "*ni era sujeto pasivo a los efectos del IVA, en cuanto a la adquisición del inmueble en 2009, ni el bien que le fue entregada, mediante compraventa, se utilizó para las necesidades de las operaciones gravadas*".

El hecho de reconocer la existencia de un patrimonio privado en una sociedad mercantil es conceptualmente correcto. En el IVA, el concepto basilar es el de empresario o profesional que realiza actividades gravadas, con independencia de los fines de la entidad. Como ha determinado la STJUE de 7 de marzo de 2024 (As. C-341/22), "*del artículo 168 de la Directiva sobre el IVA se desprende que, para poder disfrutar del derecho a la deducción, deben cumplirse dos requisitos. En primer lugar, el interesado debe ser un «sujeto pasivo» en el sentido de dicha Directiva. En segundo lugar, los bienes o servicios invocados como base de este derecho deben ser utilizados por el sujeto pasivo para las necesidades de sus propias operaciones gravadas y los bienes deben ser entregados o los servicios prestados por otro sujeto pasivo [véase, en este sentido, la sentencia de 8 de septiembre de 2022, Finanzamt R (Deducción del IVA vinculado a una aportación social), C98/21, EU:C:2022:645, apartado 39 y jurisprudencia citada]*". El IVA se limita a dos requisitos; ser sujeto pasivo y que los bienes y servicios adquiridos se utilicen para sus operaciones gravadas. De esta manera, si en una fundación, en una Administración o en una persona física pueden separarse los bienes particulares o privados de los bienes empresariales, no debe haber reparo conceptual en que esta construcción se traslade a una sociedad mercantil. La forma jurídica es ajena al concepto de empresario o profesional del IVA. El carácter mercantil de una entidad no supone, por sí misma, que sea un sujeto pasivo (puede haber sociedades inactivas o inoperantes) ni que todos los bienes y derechos de su patrimonio estén afectos a la actividad económica. No hay inconveniente conceptual en que haya bienes y derechos no afectos a la actividad empresarial y, por tanto, que se pueda calificar como patrimonio no empresarial o privado como sucede en las fundaciones y asociaciones[5].

IV. AUTOCONSUMO EN EL IVA POR EL CAMBIO DE AFECTACIÓN AL PATRIMONIO NO EMPRESARIAL O PRIVADO

La Resolución del TEAC de 20 de febrero de 2025 (RG 1115/2023) conoce del supuesto en el que una entidad mercantil adquirió un inmueble con IVA para afectarlo a la actividad de alojamiento turístico. La mercantil se dedujo el 100% del IVA en tanto el destino era la realización de una actividad económica y el bien se enmarcaba en su patrimonio empresarial. Las cuantías eran muy significativas.

La Inspección, y mediante la prueba por indicios, entiende que no existe una actividad económica real de la mercantil. Y afirma que se dan los requisitos legales para que nos encontremos ante un autoconsumo; inicialmente se dedujo el IVA del inmueble al afectarse a **una actividad empresarial y posteriormente se produce una cesión a título gratuito desde el patrimonio empresarial al no empresarial**. La operación se dirige a las necesidades privadas del sujeto pasivo, de su personal o de cualesquiera otros fines ajenos a los de la propia empresa (en este caso, afecto al uso de los socios o administradores)[6]. De esta manera, la Inspección concluye que hay autoconsumo

---

5 De hecho, se han reconocido incluso las sociedades mercantiles sin fines no lucrativos. La Resolución de 17 de diciembre de 2020, de la Dirección General de Seguridad Jurídica y Fe Pública (BOE 9 de enero de 2021) se pronuncia sobre la inscripción de la siguiente cláusula estatutaria; "*La sociedad carece de ánimo de lucro y tiene por objeto la actividad de promoción, educación y rehabilitación de personas con discapacidad*". La Dirección General llega a la "*conclusión de que en ellas se excluye únicamente el ánimo de lucro en sentido subjetivo (obtención de ganancias repartibles; lucro personal de los socios), pero no se excluye el ánimo de lucro en sentido objetivo (obtención de ganancias o ventajas patrimoniales que no se reparten entre los socios sino que se destinan a un fin común, social, que es ajeno al enriquecimiento de sus socios, como es en este caso la promoción de la integración laboral y social de personas afectadas por una discapacidad, de suerte que los beneficios derivados de la actividad económica deben reinvertirse para la consecución de dicho objeto social —exigencia estatutaria de «reinversión íntegra de sus beneficios para la creación de oportunidades de empleo para personas con discapacidad» a la que se refiere el artículo 43.4 del Texto Refundido de la Ley General de derechos de las personas con discapacidad y de su inclusión social, aprobado por Real Decreto Legislativo 1/2013, de 29 de noviembre)*".

6 La Sentencia del TJUE de 17 de noviembre de 2022 (As. C-607/20) señala que "25. *Procede recordar de entrada que el artículo 26, apartado 1, de la Directiva sobre el IVA asimila a prestaciones de servicios a título oneroso determinadas operaciones en las que el sujeto pasivo no percibe contraprestación real alguna. El objetivo de esta disposición es garantizar la igualdad de trato entre el sujeto pasivo que* ***afecta un bien o que destina sus servicios a sus necesidades privadas o las de su personal, por un lado, y el consumidor final que adquiere un bien o un servicio***

externo de bienes (no de servicios) en tanto "*existe un uso particular del inmueble por el socio/administrador que hace que el inmueble* ***no quede afecto a actividad económica alguna sujeta al impuesto****, sino que está afecto al uso particular del personal o, como en este caso, de los socios de la sociedad*".

El TEAC confirma la liquidación de la Inspección y reseña que concurren "*en el presente caso los requisitos determinantes de la existencia del supuesto de autoconsumo de bienes regulado en el artículo 9.1ºa), al considerarse acreditado que el inmueble* ***es transferido del patrimonio empresarial*** *(actividad inicialmente prevista de promoción para la venta)* ***al uso particular del socio, en tanto no se afecta a la realización de actividad económica alguna*** *y se encuentra plenamente disponible para su utilización por el titular de la entidad; por otra parte, se confirma el carácter* ***gratuito de la transferencia,*** *y que la entidad tuvo derecho a la deducción del impuesto en la adquisición del terreno y en la construcción del inmueble.* ***No se produce, por tanto, la cesión de un bien que integre el patrimonio empresarial de la sociedad a favor del socio, sino, como se ha indicado, su transferencia al patrimonio no empresarial***".

La Resolución del TEAC pone encima del tablero varias cuestiones relevantes.

(i) La primera tiene que ver con la gratuidad. Se entiende que el hecho de que haya pagos de los socios por el arrendamiento no desvirtúa la gratuidad en tanto los "*pagos que el socio/ administrador efectúa a la sociedad integran la corriente financiera, el patrimonio societario del que aquél es el titular último y que revierte al mismo por dicha condición de socio*"[7]. La afirmación que los posibles pagos del socio por el uso de inmueble

---

del mismo tipo, por otro. *Para alcanzar este objetivo, el artículo 26, apartado 1, letra a), de dicha Directiva impide que un sujeto pasivo* ***que haya podido deducirse el IVA soportado en la compra de un bien afectado a su empresa eluda el pago de dicho impuesto en caso de que destine ese bien integrado en el patrimonio de la empresa a sus necesidades privadas o las de su personal*** *y disfrute por tanto de ventajas indebidas frente al consumidor final que compra el bien pagando el IVA. De igual forma, el artículo 26, apartado 1, letra b), de la citada Directiva impide que un sujeto pasivo o los miembros de su personal obtengan libres de impuesto servicios del sujeto pasivo por los cuales un particular debería haber pagado el IVA (véase, en este sentido, la sentencia de 20 de enero de 2005, Hotel Scandic Gåsabäck, C-412/03, EU:C:2005:47, apartado 23 y jurisprudencia citada)*".

7 Con relación al carácter gratuito entiende "*este Tribunal que en el acuerdo de liquidación no se afirma la existencia de los pagos por el socio a la sociedad en concepto de arrendamiento, sino que, a efectos de justificar la ausencia de la onerosidad que caracteriza una actividad económica, se indica que, incluso, aunque dichos pagos existieran, «quedan integrados en la propia corriente financiera, el patrimonio societario del que aquél es el titular último y que revierte al mismo por dicha condición de socio». Por tanto, la posible existencia de estos pagos no influye a la hora de concluir en la ausencia de una actividad económica de arrendamiento con servicios de hostelería*". Anteriormente, se recoge la afirmación exacta de la Inspección; "*Respecto del ánimo de lucro, y prescindiendo de las facturas emitidas a terceros, hay que reiterar en este apartado lo ya señalado*

integran la corriente financiera y revierten al socio es, a nuestro juicio, difícil de comprender. Parece una construcción realizada a partir de la finalidad que se buscaba (que tribute por autoconsumo de bienes) y no una interpretación fundamentada en la lógica jurídica y realidad negocial. El TJUE conoció en la Sentencia de 18 de julio de 2013 (As. C-210/11 y C-211/11, acumulados) de un supuesto donde se ponía a disposición parte de un bien inmueble perteneciente a una persona jurídica para las necesidades privadas del administrador de ésta sin que hubiera contraprestación. El TJUE determina que "*haya alquiler de un bien inmueble en el sentido del artículo 13, parte B, letra b), de la Sexta Directiva, es necesario que concurran todos los requisitos que caracterizan a esa operación, a saber, que el propietario de un bien inmueble haya cedido al arrendatario el derecho a ocuparlo y a excluir de éste a otras personas, a cambio de una renta y por un período de tiempo acordado. (sentencias de 9 de octubre de 2001, Mirror Group, C-409/98, Rec. p. I-7175, apartado 31, y Cantor Fitzgerald International, C-108/99, Rec. p. I-7257, apartado 21, así como Seeling, antes citada, apartado 49)*". Si hay el pago de una renta, con derecho a ocuparlo en exclusiva y por un período acordado, nos encontramos ante un arrendamiento a los efectos del IVA con independencia de que el pago del socio finalmente revierte en él en su condición de socio. El pago beneficia a la entidad mercantil como sujeto independiente en el IVA.

(ii) La segunda cuestión es que, como hemos visto en el anterior epígrafe, el TEAC reconoce de manera expresa la existencia de un patrimonio privado o no empresarial en una sociedad mercantil. Es una cuestión que, como hemos señalado, nos parece correcta. En cualquier caso, la afectación a un patrimonio privado y la tributación por autoconsumo de bienes exige que el empresario o profesional se hayan deducido el IVA del inmueble de manera previa. Si éste no se dedujo el IVA, o la adquisición estuvo exenta de IVA, no existiría tributación por autoconsumo de bienes por afectación a un patrimonio particular (art. 7.7 de la LIVA)[8]. El IVA por autoconsumo tiene como finalidad impedir que un sujeto pasivo que haya podido deducirse el IVA soportado en la compra

---

en páginas anteriores, en el sentido de que la existencia de pagos por el pretendido servicio de alojamiento turístico al socio de la entidad ***no puede llevar a la consideración de un ánimo de lucro, pues dichos pagos que el socio/ administrador efectúa a la sociedad integran la corriente financiera, el patrimonio societario del que aquél es el titular último y que revierte al mismo por dicha condición de socio,*** *lo que enerva* ***la condición de onerosidad de la cesión****".*

8 El artículo 7.7º de la LIVA dispone que no estarán sujetas al impuesto "*Las operaciones previstas en el artículo 9, número 1º y en el artículo 12, números 1º y 2º de esta Ley, siempre que no se hubiese atribuido al sujeto pasivo el derecho a efectuar la deducción total o parcial del Impuesto sobre el Valor Añadido efectivamente soportado con ocasión de la adquisición o importación de los bienes o de sus elementos componentes que sean objeto de dichas operaciones.*

Tampoco estarán sujetas al impuesto las operaciones a que se refiere el artículo 12, número 3º de esta Ley cuando el sujeto pasivo se limite a prestar el mismo servicio recibido de terceros y no se le

de un bien afectado a su empresa eluda el pago de dicho impuesto en caso de que destine ese bien integrado en el patrimonio de la empresa a sus necesidades privadas o las de su personal. Si no existe IVA soportado en la adquisición, no existe autoconsumo[9].

(iii) La tercera cuestión tiene que ver con el régimen aplicado para regularizar las cuotas del IVA. Se acude a la figura del autoconsumo y no a la de la regularización de bienes de inversión (arts. 107 y ss.). En el autoconsumo se opera sobre el IVA devengado. En la regularización de los bienes de inversión se opera sobre el IVA soportado. El artículo 110 de la LIVA, referente a la regularización de los bienes de inversión, también se aplica a "*los supuestos en que el sujeto pasivo destinase bienes de inversión a fines que, con arreglo a lo establecido en los artículos 95 y 96 de esta Ley, determinen la aplicación de limitaciones, exclusiones o restricciones del derecho a deducir, durante todo el año en que se produjesen dichas circunstancias y los restantes hasta la terminación del período de regularización*". En este procedimiento la regularización ha sido a través del procedimiento de autoconsumo. La cuestión sería determinar por qué no se ha operado sobre el IVA soportado.

En cualquier caso, ya sea por autoconsumo de bienes o por la regularización de bienes de inversión por entenderse que se afecta a actividades privadas no económicas, **el efecto es la pérdida definitiva del IVA (devengado o soportado)**. Una vez que un bien se considera que está afecto al 100% al patrimonio particular, se pierde de manera definitiva el IVA soportado. No es posible recuperar ningún IVA aun cuando posteriormente el bien se afecte a una actividad económica. La STJUE de 25 de julio de 2018 (C-140/17) advierte que si se adquiere un bien de inversión "*no como sujeto pasivo, no tiene, en principio,* ***derecho alguno a la regularización de las deducciones en relación con dicho bien, ni siquiera cuando el bien se afecte posteriormente a una actividad gravada*** *(véase en este sentido la sentencia de 2 de junio de 2005, Waterschap Zeeuws Vlaanderen, C-378/02, EU:C:2005:335, apartado 44)*". Es decir, una vez que el bien se

---

hubiera atribuido el derecho a deducir total o parcialmente el Impuesto sobre el Valor Añadido efectivamente soportado en la recepción de dicho servicio".

9 En la Resolución del TEAC de 20 de febrero de 2025 (RG 2956/2023) se afirma que "*la prestación del servicio de cesión del uso de vehículos a directivos y comerciales, con carácter gratuito, constituye un autoconsumo de servicios, conforme al artículo 12 de la Ley de IVA, en tanto que queda probado por la Administración el fin o los fines ajenos a la actividad empresarial o profesional a los que se dirigen dichos servicios prestados.*

No obstante lo anterior, la consideración de autoconsumo de servicios de la cesión de vehículos a los trabajadores lleva a este TEAC a considerar la aplicación del artículo 7, apartado 7º, de la Ley de IVA, pues este Tribunal entiende que, no teniendo el interesado el derecho a deducir el Impuesto sobre el Valor Añadido, ni total ni parcialmente y tratándose, como se ha expuesto sobre estas líneas, de un autoconsumo de servicios de acuerdo al artículo 12 de la Ley de IVA, dicha operación no está sujeta al Impuesto, conforme al artículo 7.7º de la citada Ley, por lo que no resulta conforme a Derecho la regularización efectuada debiendo anularse el acuerdo impugnado".

adquiere para un uso estrictamente particular o privado el derecho a deducir se pierde en su totalidad, aunque posteriormente se afecte a las actividades que sí den derecho a la deducción, ya sea de forma parcial o de forma total[10]. Esta es también la solución en Derecho interno. El artículo 93.Cuatro de la LIVA dispone que "*No podrán ser objeto de deducción, en ninguna medida ni cuantía, las cuotas soportadas o satisfechas por las adquisiciones o importaciones de bienes o servicios efectuadas sin la intención de utilizarlos en la realización de actividades empresariales o profesionales, aunque ulteriormente dichos*

---

[10] En la Resolución del TEAC de 20 de febrero de 2024 (RG 4281/2021) se señala que "*la aplicación del mecanismo de regularización de deducciones de bienes de inversión* ***presupone que las deducciones inicialmente practicadas lo sean conforme a Derecho*** *y que las mismas deban ajustarse con posterioridad, a lo largo del período de regularización, al cambiar el destino del bien o las circunstancias concurrentes en el momento de ejercitar el derecho a la deducción, garantizando así el principio de neutralidad fiscal.* ***No cabe, pues, que se utilice el mecanismo previsto en los artículos 187 a 189 de la Directiva IVA (artículos 107 a 110 de la Ley del IVA) para regularizar deducciones que, desde el inicio, eran improcedentes o, en su caso, para hacer nacer un derecho a deducir*** *(vid. Sentencia del TJUE de 7 de julio de 2022, asunto C-194/21, X)*".

Por su parte, la Sentencia del TJUE de 11 de abril de 2018 (As. C-532/16) advierte que "*41. En efecto, del artículo 187, apartado 2, párrafo segundo, de la Directiva del IVA se desprende que la regularización prevista por esta disposición, en la medida en que afecta a los bienes de inversión, se efectúa en función de las modificaciones del derecho a deducción posteriores a la adquisición de estos bienes, su fabricación o su primera utilización. De este modo, las modalidades de regularización descritas en el artículo 187 de la Directiva del IVA están vinculadas al supuesto particular, contemplado en el artículo 185, apartado 1, de esta Directiva, de una modificación posterior a la declaración del IVA de los elementos tomados en consideración para determinar la cuantía de las deducciones.* ***Por lo tanto, no pueden aplicarse para regularizar la deducción efectuada sin que existiera ab initio derecho a deducción.*** *Por lo demás, algunas de estas modalidades, como la regularización fraccionada en cinco años prevista en el artículo 187, apartado 2, párrafo primero, de la Directiva del IVA, manifiestamente no se adaptan a tal supuesto. En lo que atañe al artículo 188 de la Directiva del IVA, este se refiere al supuesto, a su vez distinto y aún más específico, de la entrega de un bien de inversión durante el período de regularización.*

42. Además, el Tribunal de Justicia ha declarado, en relación con las disposiciones de la Sexta Directiva, que son sustancialmente idénticas a las de la Directiva del IVA (sentencia de 30 de septiembre de 2010, Uszodaépítő, C-392/09, EU:C:2010:569, apartado 31), ***que el mecanismo de regularización previsto por la Sexta Directiva solo es aplicable cuando existe derecho a deducir*** *(véase, en este sentido, la sentencia de 30 de marzo de 2006, Uudenkaupungin kaupunki, C-184/04, EU:C:2006:214, apartado 37).*

43. De lo anterior se desprende que el mecanismo ***de regularización de las deducciones del IVA indebidamente practicadas previsto en los artículos 187 y 188 de la Directiva del IVA no se aplica cuando la deducción se llevó a cabo inicialmente sin que existiera derecho a deducir.*** *Por tanto, este mecanismo no es aplicable, en particular, a una operación de entrega de terrenos, como la controvertida en el litigio principal, que, según las indicaciones del tribunal remitente, estaba exenta del IVA y, en consecuencia, no debería haber dado lugar ni a la percepción de dicho impuesto ni a su deducción.*"

bienes o servicios se afecten total o parcialmente a las citadas actividades". De esta manera, si un inmueble se adquiere sin la intención de afectarlo a la actividad económica se pierde el derecho a la deducción (Contestación de la DGT de 5 de septiembre de 2025, consulta núm. V1573-25).

(iv) Por último, hay dos cuestiones derivadas de esta Resolución que se van a abordar en epígrafes posteriores. Por un lado, la posibilidad de que el autoconsumo no sea de bienes sino de servicios, cuestión que se va a analizar en el siguiente apartado. Por otro lado, está la cuestión de la afectación y la prueba al patrimonio privado o empresarial, ya sea en origen o en una posterior afectación (*vide infra* VIII).

1. AUTOCONSUMO DE SERVICIOS

La Resolución del TEAC de 20 de febrero de 2025 (RG 1115/2023) aborda la solución de la regularización del IVA del inmueble desde la perspectiva del autoconsumo de bienes. La entidad se deduce el IVA inicialmente y se entiende que la afectación al patrimonio particular es un supuesto de autoconsumo. Una de las cuestiones que más dudas genera es que no se hubiera calificado, como alegaba el recurrente, como de autoconsumo de servicios. No se trata solo de un problema de devengo o de base imponible. El problema fundamental es que, como hemos visto, cuando un bien se afecta al patrimonio particular de la entidad, se pierde de manera definitiva el derecho a la deducción del IVA por el período de regularización. Si, por el contrario, nos encontramos ante un autoconsumo de servicios, cuando en años posteriores el bien se volviera a afectar al patrimonio empresarial, seguiría existiendo derecho a deducir el IVA.

El TEAC confirma el siguiente silogismo; la premisa inicial es que el bien se "*usa*" por socio/administrador. La consecuencia es la afectación de un bien empresarial al patrimonio particular de la sociedad mercantil. A nuestro parecer, el proceso lógico no es correcto. El hecho de que el bien se use por el socio/administrador no implica una afectación definitiva al patrimonio privado. Son dos conceptos que no son intercambiables. El uso, si no es definitivo, debería llevar al autoconsumo de servicios[11]. Ya sea en aplicación del apartado 2 del artículo 12 de la LIVA ("*La aplicación total o parcial al uso particular del sujeto pasivo o, en general, a fines ajenos a su actividad empresarial*

---

[11] La contestación de la DGT de 10 de julio de 2013 (consulta núm. V2281-13) dispone que "*la aplicación a fines ajenos a su actividad empresarial de arrendamiento de locales efectuada por el consultante, de bienes integrantes de su patrimonio empresarial, como es la cesión gratuita a una ONG de un local de su propiedad, supone, a efectos del Impuesto sobre el Valor Añadido, la realización de un autoconsumo de servicios, sujeto y no exento de dicho Impuesto, en la medida en que se hubiera atribuido al consultante el derecho a deducir las cuotas del mencionado Impuesto en su adquisición*".

o profesional de los bienes integrantes de su patrimonio empresarial o profesional") o del apartado 3 ("*Las demás prestaciones de servicios efectuadas a título gratuito por el sujeto pasivo no mencionadas en los números anteriores de este artículo, siempre que se realicen para fines ajenos a los de la actividad empresarial o profesional*"). En este caso el elemento prevalente es que el bien se usaría, de manera gratuita, para fines ajenos a la actividad de la sociedad mercantil. Pero el elemento basilar para el autoconsumo de servicios sería que se trata de un uso temporal y no de afectación definitiva al patrimonio particular.

La calificación de autoconsumo de bienes y de servicios no es intercambiable. Se podría traer a colación la misma teoría que se ha acuñado por el TS sobre la intercambiabilidad de las distintas figuras para la regularización de las contingencias tributarias[12]. Se debe aplicar una u otra. Y entendemos que lo correcto es acudir al autoconsumo de servicios si la Administración no puede probar la afectación "*definitiva*" al patrimonio particular. El autoconsumo de bienes (o la regularización de bienes de inversión) solo podría aplicarse si se acredita una afectación "*definitiva*" al patrimonio particular de la "*totalidad*" del inmueble. Si, por el contrario, hay un uso esporádico o limitado en el tiempo lo que se regulariza es el mero "*uso*" (autoconsumo de servicios). Y también nos encontraríamos ante un autoconsumo de servicios si que se afecta de manera definitiva al patrimonio privado fuera solo "*parte*" del inmueble y no su totalidad. En este sentido, la Sentencia de 8 de mayo de 2003 (As. C-269/00) determina que si "*un sujeto pasivo que* ***opta por afectar la totalidad de un edificio a su empresa*** *y que, posteriormente,* ***hace uso de una parte*** *de este edificio para sus necesidades privadas tiene, por una parte, el derecho a deducir el IVA soportado sobre la totalidad de los costes de construcción de dicho edificio y, por otra parte, la obligación correspondiente de pagar el IVA sobre el importe de los gastos efectuados para la realización del mencionado uso*".

La calificación como autoconsumo de bienes supondría la pérdida definitiva del IVA soportado en la adquisición en el momento de la afección del bien al patrimonio privado. La STJUE de 3 de abril de 2025 (As. C-213/24) dispone "*que el hecho de que el bien corporal de que se trate haya sido adquirido inicialmente para satisfacer las necesidades personales del adquirente no se opone a que dicho bien se utilice posteriormente para realizar una «actividad económica»*". Pero al ser considerado un bien privado, y como hemos visto, se pierde definitivamente el derecho a la deducción inicial del IVA sopor-

12 Por todas, se puede citar la STS de 6 de junio de 2023, donde se afirma que la "*Administración no se encuentra ante indiferentes jurídicos a la hora de asumir o proclamar una determinada calificación jurídica ni, por supuesto, al decidir si acota la correspondiente regularización tributaria a una mera calificación jurídica (art. 13 LGT) en lugar de reconducirla, por ejemplo, a un «conflicto en la aplicación de la norma tributaria» (artículo 15 LGT) o, en fin, a un supuesto de «simulación» (artículo 16 LGT)*", de tal manera que "*no está a voluntad de la Administración que tiene atribuida la potestad sancionadora subsumir la conducta infractora en los supuestos de operaciones vinculadas o simulación*".

tado aun cuando posteriormente se afecte al patrimonio empresarial (STJCE de 2 de junio de 2005, As. C-378/02)

En definitiva, solo el autoconsumo de servicios permitiría seguir deduciendo el IVA por la adquisición inicial si el bien inmueble se afectara a necesidades privadas y posteriormente se volviera a adscribir a necesidades empresariales. Si, por el contrario, se aplicara el autoconsumo de bienes, en ese momento se regularizaría el IVA de manera definitiva y se perdería cualquier posibilidad de deducirse el IVA aun cuando posteriormente se afecte a la actividad empresarial. De esta manera, la calificación como autoconsumo de bienes parece configurarse como una suerte de sanción indirecta cuya aplicación exige, al menos a nuestro juicio, una prueba reforzada de que nos encontramos ante una afección definitiva del inmueble al patrimonio privado.

2. AUTOCONSUMO EN EL IVA POR EL CAMBIO DE AFECTACIÓN A UNA ACTIVIDAD EXENTA (ARRENDAMIENTO AL ADMINISTRADOR)

Un supuesto distinto del anterior, donde se reconocía la existencia de un patrimonio privado, es el vinculado a la remuneración del socio/administrador mediante la cesión de un inmueble propiedad de la entidad. En la Contestación de 13 de abril de 2021 (consulta V0859-21) se analiza la cesión de una vivienda de manera gratuita al socio/administrador como parte de la remuneración por los servicios prestados por el cargo de administrador acordada por la Junta General de la entidad. En el IRPF, se califica como rendimiento del trabajo y, por tanto, en el IS, todos los gastos vinculados al inmueble, incluso la amortización, tendrán la naturaleza de un gasto fiscalmente deducible. En el IVA, la entidad cedente se dedicaba a la promoción inmobiliaria y la vivienda construida que estaba destinada para su venta a terceros se cedió finalmente al socio/administrador de "*forma gratuita*". La DGT señala que estamos ante un supuesto de "*autoconsumo de bienes sujeto y no exento del Impuesto sobre el Valor Añadido al producirse un cambio de afectación de dicho bien para ser utilizado en otro sector diferenciado de actividad (el de arrendamiento de viviendas)*". Se trataría del supuesto del artículo 9.1.c) de la LIVA. A su vez, la DGT afirma que la cesión gratuita sería un supuesto de autoconsumo exento al ser arrendamiento de vivienda.

A mi juicio, entender que hay un supuesto de autoconsumo interno por el cambio de afectación al de arrendamiento de viviendas es cuestionable.

(i) La retribución del administrador, ya sea en dinero ya en especie, es, en principio, una actividad no sujeta al IVA. La STJUE de 21 de diciembre de 2023 (As. C288/229 determina que "*la actividad de miembro del consejo de administración de una sociedad anónima luxemburguesa no se realiza con carácter independiente, a efectos de dicha disposición, si, a pesar de que ese miembro organiza libremente el régimen de ejecución de su trabajo, percibe él mismo las retribuciones que constituyen sus ingresos, actúa en nombre pro-*

pio y no está sometido a una relación de subordinación jerárquica, no actúa por su cuenta ni bajo su propia responsabilidad y no soporta el riesgo económico ligado a su actividad"[13]. El total de la contraprestación que la sociedad mercantil satisface a los administradores en estos casos, incluso las que sea en especie, estará no sujeta al ser una actividad dependiente a los efectos del IVA.

(ii) Como ha señalado la SAN de 3 de febrero de 2025 (recurso núm. 2671/2019) con relación a los vehículos automóviles que se ceden a los empleados, es necesario distinguir entre dos supuestos. Si el vehículo se pone a disposición del trabajador de manera gratuita será salario y no es una prestación onerosa a los efectos del IVA. Es una operación no sujeta. Pero sí el trabajador sí entregase una renta a favor del empresario, ya fuera mediante dinero ya mediante una renuncia de derechos valorable económicamente, entonces nos encontramos ante una prestación onerosa a los efectos del IVA y no salario.

(iii) La DGT entiende que hay dos autoconsumos simultáneos. Uno, interno de bienes, por el cambio de afectación al sector del arrendamiento de la vivienda. Otro, externo de servicios, por la cesión gratuita del inmueble al administrador, aunque en este último supuesto estaría exento. Con relación al supuesto de autoconsumo interno no es posible aplicar, a nuestro juicio, un cambio de afectación a un arrendamiento de bienes inmuebles. Y no es posible porque no existe tal arrendamiento[14]. El hecho de que

---

13 Con relación a la sujeción al IVA de los servicios prestados por el administrador es necesario también tener en consideración la Contestación de la DGT de 17 de abril de 2024 (consulta núm. V0782-24). Para un análisis de la STJUE y de la anterior contestación de la DGT remitimos al trabajo de Almudí Cid (2024, "La no sujeción al Impuesto sobre el Valor Añadido de los servicios prestados por administradores y consejeros de sociedades mercantiles con independencia de su condición de persona física o jurídica", *Revista Técnica Tributaria*, núm. 147, págs. 9 y ss.).

14 El TJUE ha reconocido que la cesión gratuita a un administrador de un bien propiedad de la empresa no puede considerarse como un arrendamiento exento del IVA. En la Sentencia de 18 de julio de 2013 (As. C-210/11 y C-211/11, acumulados) se conoce de un supuesto donde se ponía a disposición parte de un bien inmueble perteneciente a una persona jurídica para las necesidades privadas del administrador de ésta sin que hubiera contraprestación. Entiende el Tribunal que la "*utilización para las necesidades privadas del sujeto pasivo o de su personal de una parte de un edificio afectado en su totalidad a su empresa, el Tribunal de Justicia ha declarado que esas disposiciones se oponen a una normativa nacional que,* ***aun cuando no se reúnan las características de un arrendamiento o alquiler de bien inmueble con arreglo al citado artículo 13, parte B, letra b), considera como prestación de servicios exenta del IVA, conforme a esta última disposición****, el uso para las necesidades privadas del personal de un sujeto pasivo que sea persona jurídica, de una parte de un edificio construido o poseído por dicho sujeto pasivo en virtud de un derecho real inmobiliario, cuando ese bien ha originado el derecho a la deducción del impuesto soportado (véanse, en este sentido, las sentencias Seeling, antes citada, apartado 56, y de 29 de marzo de 2012, BLM, C-436/10, apartado 31)*". Afirma

se retribuya a un administrador por sus servicios mediante la cesión de un bien inmueble no convierte la actividad de la mercantil en arrendadora de vivienda. No existe tal arrendamiento ni una actividad separada de alquiler. Existe, en su caso, una retribución no sujeta al IVA. No se produce, por tanto, un cambio de afectación a otro sector económico tal y como exige el artículo 9.1.c) de la LIVA.

Es más, resulta difícil de compartir que se puedan dar dos supuestos de autoconsumos simultáneos, uno de bienes interno y otro externo de servicios. Si se entiende que hay un autoconsumo de bienes interno y se regulariza el IVA para evitar que existan ventajas que atenten contra la neutralidad, no parece tener sentido que la posterior cesión del bien de manera gratuita pueda ser un supuesto de autoconsumo externo, en tanto no se dan los requisitos legales para que opere esta figura[15].

(iv) En definitiva, hay que distinguir entre que el IVA no sea deducible para evitar romper la neutralidad del impuesto, y que se pueda entender que hay una actividad de arrendamiento de inmuebles que no parece existir. En su caso, podría juzgarse que el

---

el Tribunal que para que "*haya alquiler de un bien inmueble en el sentido del artículo 13, parte B, letra b), de la Sexta Directiva, es necesario que concurran todos los requisitos que caracterizan a esa operación, a saber, que el propietario de un bien inmueble haya cedido al arrendatario el derecho a ocuparlo y a excluir de éste a otras personas, a cambio de una renta y por un período de tiempo acordado. (sentencias de 9 de octubre de 2001, Mirror Group, C-409/98, Rec. p. I-7175, apartado 31, y Cantor Fitzgerald International, C-108/99, Rec. p. I-7257, apartado 21, así como Seeling, antes citada, apartado 49)*".

15 Señala Longás Lafuente (2024, "Análisis del autoconsumo interno sobrevenido en el Impuesto sobre el Valor Añadido", *Revista de Contabilidad y Tributación*, núm. 496, pág. 10) que los "principios que rigen el derecho a la deducción están muy presentes en estos supuestos de autoconsumo interno. El fundamento y la base de su gravamen es la regla general de deducibilidad en función de la que, cuando determinados bienes se utilicen en los fines de una actividad económica gravada, se hace necesaria la deducción del impuesto soportado para evitar la doble imposición, mientras que, por el contrario, si el sujeto pasivo utiliza bienes adquiridos para las necesidades de operaciones o actividades que no generan el derecho a deducir, no podrá ejercitarlo. Es de advertir que en estas operaciones no existe propiamente una entrega de bienes o puesta a disposición de un bien a un tercero, por lo que no existe transmisión del poder de disposición, ni tan siquiera hay un tercero, adquirente o destinatario, por lo que bien podría señalarse que estamos asimismo ante una «ficción jurídica»
De esta forma, el legislador de la Unión pretendía con esta medida configurar estas operaciones dentro de la normativa del IVA y el principio de neutralidad que lo preside, de manera que las empresas que por realizar una actividad que no generaba el derecho a deducir y no podían por ello deducir las cuotas soportadas no estuviesen en clara desventaja respecto a otros empresarios o profesionales que ejerciesen la misma actividad mediante un proceso en el que no hubiese abonado el IVA por producirlos ellos mismos u obtenerlos dentro de la actividad empresarial. Con el fin de que estos últimos quedasen gravados con una carga análoga de forma que no sufriese el principio general de igualdad de trato, se otorga la facultad a los Estados miembros para asimilar como entrega de bienes las operaciones que se han descrito".

bien inmueble se afecta a necesidades privadas del administrador y no empresariales y, por tanto, que sería necesario regularizar el IVA conforme a lo señalado anteriormente. Es decir, o bien se entiende que el bien se afecta al patrimonio particular de la empresa y se aplica la doctrina de la Resolución TEAC de 20 de febrero de 2025 (RG 1115/2023), o bien se entiende que nos encontramos ante un supuesto de autoconsumo de servicios por la cesión de uso del bien.

V. ENAJENACIÓN DE BIENES INMUEBLES DEL PATRIMONIO PRIVADO DE UNA SOCIEDAD

En el caso de bienes inmuebles que pueden estar afectos al patrimonio particular de la entidad mercantil es necesario analizar cuál es el régimen aplicable en caso de enajenación del citado inmueble.

(i) El primer supuesto es el de aquellas sociedades mercantiles que son titulares de bienes inmuebles y no realizan ninguna actividad. Son entidades inactivas, inoperativas o de mera tenencia. Los bienes no se explotan, no están destinados a la venta, y pueden ser usados para el disfrute particular de los socios/administradores.

El TEAC, en su Resolución de 19 de febrero de 2014 (RG 4458/2011), señala que "*es doctrina reiterada del TJUE que* ***no forma parte del concepto de actividad económica a efectos del IVA los actos y operaciones que sean consecuencia del simple ejercicio del derecho de propiedad sobre un bien por parte de su titular***". Y en el caso concreto objeto del procedimiento, las entidades vendedoras habían estado inactivas un largo periodo de tiempo (30 años) y que las fincas transmitidas figuraban con esa antigüedad en su patrimonio. Por tanto "*no ha existido un desarrollo de actividad económica alguna en relación con estas parcelas, o con cualquier otro activo*". Por el contrario, lo "*que ha existido en las ventas consideradas es sencillamente el ejercicio de una de las facultades que corresponden al propietario en la misma forma en que lo hubiera hecho cualquier otro sujeto. Y en estas condiciones tales actos no están incluidas en el ámbito de aplicación de este impuesto*"[16].

[16] La Resolución de 2014 cita otra Resolución del TEAC de 28 de septiembre de 2005 (RG 7303/2003), donde señala que "*En relación al hecho imponible, y teniendo en cuenta lo anterior, la Ley establece de manera muy clara, que cuando las sociedades mercantiles realizan unas operaciones económicas, lo hacen indefectiblemente en el ejercicio de una actividad empresarial o profesional. Ello es coherente con el carácter mercantil de estas personas jurídicas, y guarda una lógica relación con la definición del sujeto pasivo a efectos del IVA, que no puede ser sino quien tenga la condición de empresario o profesional; por lo cual, en el siguiente artículo, la Ley dice que las sociedades mercantiles se reputarán empresarios o profesionales, en todo caso. Por tanto, es necesario concluir que como regla general, y expresada de manera bastante tajante,* ***la Ley quiere que***

En definitiva, la venta de inmuebles de sociedades inactivas o inoperantes estará no sujeta al IVA por no realizar una actividad empresarial[17]. Realmente, la citada sociedad habrá dejado de ser sujeto pasivo del impuesto en tanto no realiza la explotación "*de un bien corporal o incorporal con el fin de obtener ingresos continuados en el tiempo*" (STJUE de 7 de marzo de 2024, As. C-341/22). Al no ser sujeto pasivo del impuesto, no será posible la renuncia a la exención al estar fuera del ámbito de aplicación del IVA (art. 20.uno.22 de la LIVA). Aplicará, en todo caso, el ITP.

(ii) La Resolución del TEAC de 25 de junio de 2019 (RG 5683/2015) conoce de un supuesto distinto. En este caso, no es "*objeto de controversia que la transmitente es una sociedad mercantil que tiene la condición de empresario a efectos del Impuesto sobre el Valor Añadido, pues ha quedado acreditado que desarrolla una actividad económica que se define como promoción inmobiliaria y arrendamiento de bienes inmuebles*". Lo que se discute es si una determinada venta de una sociedad mercantil que sí es sujeto pasivo puede entenderse hecha desde el patrimonio no empresarial de una persona jurídica (no sujeta).

El artículo 4.Dos de la LIVA dispone que se "*entenderán realizadas en el desarrollo de una actividad empresarial o profesional: a) Las entregas de bienes y prestaciones de servicios efectuadas por las sociedades mercantiles, cuando tengan la condición de empresario o profesional*". El TEAC advierte que la regla general es que "*cualquier entrega de bienes o prestación de servicios que efectúe una sociedad mercantil, se halle comprendida en el ámbito objetivo y subjetivo de aplicación del IVA, siempre y cuando la sociedad mercantil realice una actividad de carácter económico a los efectos del impuesto*". Pero "*puede* ***existir una separación entre el patrimonio empresarial y el no empresarial de las personas jurídicas, y que no toda transmisión efectuada por una sociedad mercantil se realiza en el ejercicio de su actividad económica propia necesariamente****; no obstante, debemos destacar que en el seno de las actividades de sociedades la ley establece* ***una presunción del***

---

cualquier entrega de bienes o prestación de servicios que efectúe una sociedad mercantil, se halle comprendida en el ámbito objetivo y subjetivo de aplicación del IVA*. Por todo ello, para considerar que una operación de compraventa realizada por una sociedad mercantil no tiene carácter empresarial por no estar afectos a su actividad* ***los bienes vendidos habría que justificar que, o bien dichos bienes no son objeto de una actividad económica a efectos del IVA, o bien que la actividad del transmitente era ajena y distinta a la que podría haberse desarrollado con los mismos****. En el primer caso lo que ocurre es que al no considerarse como actividad económica a efectos del IVA, su realización queda fuera del ámbito de aplicación del mismo.* ***En el segundo caso, lo que se produce es que los bienes no están afectos a la actividad del sujeto pasivo —o dicho de otro modo, no se integran en su patrimonio empresarial— y, en consecuencia, las cuotas soportadas en su adquisición no serán deducibles (artículo 95.Dos 4º) y su posterior transmisión estará exenta (artículo 20.Uno.25º)***".

[17] La STJUE de 7 de marzo de 2024 (As. C-341/22) hace referencia al término sociedades inoperativas o instrumentales.

carácter empresarial de sus operaciones, aun cuando sean ocasionales, siendo necesario para desvirtuarlo una prueba en contrario".

El objeto de la reclamación era una finca urbana adquirida en 2006 y transmitida en 2014. El TEAC advierte que no resulta acreditado que la sociedad mercantil "*haya realizado actuación alguna en relación con la parcela adquirida*" desde la adquisición hasta venta, por lo que "*sólo cabe confirmar la no sujeción de la transmisión controvertida al Impuesto sobre el Valor Añadido, ante la falta de acreditación de la realización de actividad económica en relación con la parcela*".

(iii) En el ámbito de la jurisprudencia comunitaria, es necesario traer a colación la STJUE de 11 de julio de 2024 (As. C-182/23). En la misma se cuestiona si la transmisión de una parcela se hace desde el ámbito de su actividad económica —sujeta al IVA— o se hace desde su patrimonio privado —no sujeta a IVA—. Afirma el TJUE que;

"*por lo que atañe al concepto de «sujeto pasivo que actúe como tal», que figura en el artículo 2, apartado 1, letra a), de la Directiva del IVA, si bien J. S. está inscrito como sujeto pasivo del IVA, el órgano jurisdiccional remitente alberga dudas acerca de que actuara como tal al transmitir la propiedad de las parcelas de terreno agrícola de que se trata. En este contexto,* ***el órgano jurisdiccional remitente subraya que J. S. no ejerce ninguna actividad económica de comercialización inmobiliaria ni ha llevado a cabo gestiones para vender dichas parcelas.***

35. A tal respecto, debe señalarse que un sujeto pasivo, en el sentido del artículo 9, apartado 1, párrafo primero, de la Directiva del IVA, ***solo actúa, en principio, en dicha condición cuando lo hace en el ámbito de su actividad económica*** *(sentencia de 13 de junio de 2018, Polfarmex, C421/17, EU:C:2018:432, apartado 37 y jurisprudencia citada).* ***Este último criterio se cumple cuando un sujeto pasivo transmite la propiedad de bienes inmuebles afectos a dicha actividad económica en sentido amplio*** *(véase, en este sentido, la sentencia de 13 de junio de 2018, Polfarmex, C421/17, EU:C:2018:432, apartado 42).*

36. ***En cambio, un sujeto pasivo que realiza una operación con carácter privado no actúa en condición de sujeto pasivo.*** *Por tanto, una operación realizada por un sujeto pasivo con carácter privado no está incluida en el ámbito de aplicación del IVA (sentencias de 4 de octubre de 1995, Armbrecht, C291/92, EU:C:1995:304, apartados 17 y 18, y de 8 de marzo de 2001, Bakcsi, C415/98, EU:C:2001:136, apartado 24).*

37. En el presente asunto, de los autos que obran en poder del Tribunal de Justicia se desprende que, según la autoridad tributaria, ***las parcelas de terreno agrícola de que se trata eran un elemento del activo de la empresa*** *de J. S. en la fecha de transmisión de su propiedad al Tesoro Público.*

38. De ello se deduce que J. S., que es sujeto pasivo del IVA en razón de su actividad agrícola, ***actuó en condición de tal al transmitir la propiedad de parcelas de terreno agrícola, afectas a su actividad económica, aunque no ejerza ninguna actividad de comercialización inmobiliaria y no llevara a cabo ninguna gestión con ese fin.***

39 A este último respecto, procede añadir que un requisito por el que se exija la realización de gestiones por parte del sujeto pasivo tampoco sería compatible con el efecto útil del artículo 14, apartado 2, letra a), de la Directiva del IVA, que, por definición, se refiere a la transmisión de la propiedad de un bien producida a raíz de un requerimiento de la autoridad pública o en su nombre o en las condiciones previstas por la ley [véase, en este sentido, la sentencia de 25 de febrero de 2021, Gmina Wroclaw (Transformación del derecho de usufructo), C604/19, EU:C:2021:132, apartado 75].

40. ***En el supuesto de que el órgano jurisdiccional remitente concluyese que la operación controvertida en el litigio principal fue realizada por J. S. en el marco de la gestión de la parte de su patrimonio no afecta a la explotación agrícola, procedería considerar que este no actuó como sujeto pasivo y que dicha operación no está sujeta al IVA.***

41. Habida cuenta de las consideraciones anteriores, procede responder a la cuestión prejudicial que los artículos 2, apartado 1, letra a), y 14, apartado 2, letra a), de la Directiva del IVA, leídos conjuntamente, deben interpretarse en el sentido de que una operación de transmisión, por vía de expropiación, de la propiedad de parcelas de terreno agrícola a cambio del pago de una indemnización al propietario de ese terreno ***debe estar sometida al IVA si dicho propietario es un agricultor que tenga la condición de sujeto pasivo del IVA y actúe como tal, aun cuando no ejerza ninguna actividad de comercialización de inmuebles y no haya llevado a cabo ninguna gestión a efectos de tal transmisión***".

El TJUE distingue entre bienes afectos a la actividad y bienes que sean privados. Cualquier bien afecto a la actividad que se transmite, aunque sea una parcela, será un acto realizado por un empresario en su condición de sujeto pasivo del IVA y estará sujeto al tributo. Si, por el contrario, se entiende que el bien no está afecto a la explotación y que se trata de una operación con carácter privado, entonces no actúa en condición de sujeto pasivo y la operación estaría al margen del IVA.

(iv) Por último, la STJUE de 3 de abril de 2025 (As. C-213/24) conoce de la transmisión de un terreno que inicialmente formaba parte de su patrimonio personal y que encomienda la preparación de la venta a un operador profesional, que realiza, como mandatario de esa persona, una serie de operaciones con vistas a dicha venta. El TJUE señala "***que el hecho de que el bien corporal de que se trate haya sido adquirido inicialmente para satisfacer las necesidades personales del adquirente no se opone a que dicho bien se utilice posteriormente para realizar una «actividad económica»****, en el sentido del artículo 9, apartado 1, de la Directiva del IVA (sentencia de 19 de julio de 2012, Rēdlihs, C-263/11, EU:C:2012:497, apartado 39 y jurisprudencia citada). De ello* *se deduce que la circunstancia, destacada por el órgano jurisdiccional remitente, de que el terreno de que se trata no haya sido adquirido para el ejercicio de una actividad agrícola o comercial no excluye que la venta de dicho terreno se califique de ejercicio de una actividad económica".* De esta manera, incluso aunque se adquiriese para su patrimonio personal, en "*relación con la venta de un terreno edificable, el Tribunal de Justicia ha precisado que constituye un criterio de apreciación pertinente el hecho de que el interesado haya realizado gestiones activas de comercialización de inmuebles recurriendo a medios similares a los empleados por un fabricante, un comerciante o un prestador de servicios, como la realización de obras de urbanización y el empleo de medios de comercialización habituales.* ***En efecto, tales iniciativas no forman parte del marco normal de gestión de un patrimonio personal, por lo que no cabe considerar que las operaciones que resultan de ellas constituyan el mero ejercicio del derecho de propiedad. Tales iniciativas se inscriben más bien en el marco de una actividad ejercida con el fin de obtener ingresos continuados en el tiempo y que, por tanto, puede calificarse de económica*** *(sentencias de 15 de septiembre de 2011, Słaby y otros, C-180/10 y C-181/10, EU:C:2011:589, apartados 39 a 41 y 46; de 9 de julio de 2015, Trgovina Prizma, C-331/14, EU:C:2015:456, apartado 24, y de 20 de enero de 2021, AJFP Sibiu y DGRFP Braşov, C-655/19, EU:C:2021:40, apartado 31)".* Y, en el presente asunto concluye que la operación sí puede considerarse sujeto pasivo que realiza una actividad económica.

En definitiva, la situación que nos podemos encontrar con relación a la transmisión de bienes inmuebles es la siguiente:

1. Sociedades inactivas o inoperativas que no realizan actividades económicas; se trata de operaciones no sujetas al IVA. No se será posible la renuncia a la exención al estar fuera del ámbito de aplicación del IVA (art. 20.uno.22 de la LIVA). Aplicará, en todo caso, el ITP.

2. Sociedades activas que sí realizan actividades económicas. En este caso es necesario determinar si nos encontramos ante un bien que está afecto a una posible actividad económica o entender que se trata de un bien adquirido para el patrimonio privado de la sociedad mercantil y que permanece en su patrimonio particular. En el primer caso, la transmisión estaría sujeta a IVA, sin perjuicio de la aplicación de la exención. En el segundo, sería una operación no sujeta.

3. Con independencia de lo anterior, en el caso de bienes adquiridos para el patrimonio particular, y tal y como afirma el TJUE en su Sentencia de 3 de abril de 2025 (As. C-213/24) "*no se opone a que dicho bien se utilice posteriormente para realizar una «actividad económica»*" si se dan ciertas circunstancias. Por tanto, si dicho bien se afecta posteriormente a una explotación económica, su transmisión sí estará está sujeta al IVA.

Las diversas situaciones que planteamos, y los problemas derivados de la calificación, pueden generar incertidumbre en el tráfico jurídico. Si la sociedad está inactiva, el adquirente sí podría acudir al Registro Mercantil a los efectos de verificar que la sociedad no está activa o, en su caso, podrá exigir algún dato al transmitente a los efectos de determinar el régimen del IVA. Pero, si nos encontramos ante un bien que podría estar afecto al patrimonio particular de una sociedad mercantil, resulta imposible conocer al adquirente cuál puede ser el régimen del IVA, encontrándose en la tesitura de que si la operación se hizo con IVA por renuncia a la exención podría encontrarse ante una contingencia fiscal. Y, desde luego, puede resultar complejo probar que un bien particular se ha afectado posteriormente a una actividad económica a los efectos del IVA.

VI. DEDUCCIÓN DEL IVA SOPORTADO EN EL CASO DE BIENES PRIVADOS DE SOCIEDADES MERCANTILES; SUJETOS "DUALES"

En el caso de que haya un patrimonio privado y un patrimonio empresarial será necesario determinar el régimen de deducción de los IVA soportados por los gastos comunes o generales. En la STJCE de 13 de marzo de 2008 (As. C-437/06) se concluyó que "*procede señalar que las disposiciones de la Sexta Directiva no incluyen reglas que tengan por objeto los métodos o criterios que deben aplicar los Estados miembros cuando adopten disposiciones sobre el reparto de las cuotas soportadas de IVA según que los correspondientes* ***gastos sean atribuibles a actividades económicas o a actividades no económicas.*** *En efecto, como ha observado la Comisión, las reglas contenidas en los artículos 17, apartado 5, y 19 de la Sexta Directiva se refieren al IVA soportado por gastos vinculados exclusivamente a actividades económicas, realizando un reparto entre las actividades económicas, gravadas, que conllevan derecho a deducción y las actividades económicas, exentas, que no conllevan tal derecho. En estas circunstancias, y a fin de que los sujetos pasivos puedan efectuar los cálculos necesarios,* ***corresponde a los Estados miembros establecer los métodos y criterios adecuados a tal fin,*** *respetando los principios en que se basa el sistema común de IVA... En particular, y como señaló el Abogado General en el punto 47 de sus conclusiones, las medidas que los Estados miembros han de adoptar a este respecto deben respetar el principio de neutralidad fiscal en el que se basa el sistema común del IVA. 37.* ***Por consiguiente, los Estados miembros deben ejercer su facultad de apreciación de modo que se garantice que la deducción se realice únicamente por la parte del IVA que es proporcional a la cuota relativa a las operaciones que conllevan derecho a deducción.*** *Por tanto, deben velar porque el cálculo de la prorrata entre actividades económicas y actividades no económicas refleje objetivamente la parte de los gastos soportados que es realmente imputable a cada una de esas dos actividades*".

La doctrina del TJUE es consolidada. La STJUE de 22 de febrero de 2024 (As. C-674/22) advierte que:

"40. A este respecto, conviene observar que, según el artículo 168 de la Directiva sobre el IVA, solo puede deducirse el IVA soportado en la adquisición de bienes o servicios que se utilicen para la realización de operaciones gravadas.

41. Pues bien, las cuotas de IVA soportado pagadas por los gastos generales corresponden a la adquisición de bienes y servicios utilizados para el conjunto de las actividades del sujeto pasivo.

42. Por lo tanto, procede distinguir, por un lado, el reparto de esas cuotas de IVA en ***función de que los gastos generales tengan relación con actividades económicas o con actividades no económicas*** *y, por otro lado, si dichos gastos tienen relación con actividades económicas, su reparto en función de que vayan destinados a operaciones gravadas que generen derecho a la deducción o a operaciones exentas que no generan tal derecho.*

43. Por lo que se refiere al reparto de las cuotas de IVA soportadas en función de que los correspondientes gastos tengan relación con actividades ***económicas o con actividades no económicas****, conviene recordar que el IVA soportado por un sujeto pasivo en la adquisición de bienes y servicios no generará derecho a la deducción en la medida en que esos bienes y servicios se utilicen para actividades que,* ***habida cuenta de su carácter no económico, estén excluidos del ámbito de aplicación de la Directiva sobre el IVA*** *(véase, en este sentido, la sentencia de 16 de septiembre de 2021, Balgarska natsionalna televizia, C-21/20, EU:C:2021:743, apartado 54 y jurisprudencia citada)...*

46. Por consiguiente, los Estados miembros ***deben ejercer su facultad de apreciación de modo que se garantice que la deducción se realice únicamente por la parte del IVA que es proporcional a la cuota relativa a las operaciones que conllevan derecho a deducción.*** *Por tanto, deben velar porque el cálculo de la prorrata entre actividades* ***económicas y actividades no económicas refleje objetivamente la parte de los gastos soportados que es realmente imputable a cada una de esas dos actividades*** *(véase, por analogía, la sentencia de 13 de marzo de 2008, Securenta, C-437/06, EU:C:2008:166, apartado 37)".*

Y el mismo criterio se había establecido de manera detallada en la STJUE de 16 de septiembre de 2021 (As. C-21/20)[18].

---

[18] La STJUE de 16 de septiembre de 2021 (As. C-21/20) advierte que "*en la medida en que un sujeto pasivo utilice los bienes y servicios adquiridos anteriormente indistintamente para operaciones que dan derecho a deducción y para operaciones no comprendidas en el ámbito de aplicación del IVA, ha de añadirse también que de los artículos 173 a 175 de la Directiva del IVA se desprende que, en principio, el cálculo de la prorrata de deducción para determinar el importe del IVA deducible se reserva a los bienes y servicios utilizados por un sujeto pasivo para efectuar tanto operaciones económicas con derecho a deducción como operaciones económicas que no confieran tal derecho (véanse, en ese sentido, las sentencias de 14 de diciembre de 2016, Mercedes Benz Italia, C378/15, EU:C:2016:950, apartado 34, y de 25 de julio de 2018, Gmina Ryjewo, C140/17, EU:C:2018:595, apartado 57), como es el caso de las operaciones exentas (véase, en ese sentido, la sentencia de 29 de abril de 2004, EDM, C77/01, EU:C:2004:243, apartado 73).*

54. ***En cambio, como el IVA soportado por los gastos en que ha incurrido un sujeto pasivo no conlleva derecho a deducción en la medida en que se vincule a actividades que, habida***

En el ámbito interno, el reconocimiento de este sistema de deducción ha llevado al reconocimiento de los denominados sujetos "*duales*", especialmente vinculado a fundaciones y asociaciones o sujetos de Derecho público, entidades donde por su propia naturaleza podía haber actividades económicas y actividades no sujetas, lo que daba lugar a la necesidad de establecer el régimen de deducción de los IVA soportados por los gastos comunes[19]. El reconocimiento de estos entes duales está plenamente asentado

cuenta de su carácter no económico, no estén incluidas dentro del ámbito de aplicación de la Directiva del IVA (véase, en ese sentido, la sentencia de 13 de marzo de 2008, Suculenta, C437/06, EU:C:2008:166, apartado 30), tales actividades deben excluirse del cálculo de la prorrata de deducción contemplado en los artículos 173 a 175 de la Directiva del IVA (véase, en ese sentido, la sentencia de 29 de abril de 2004, EDM, C77/01, EU:C:2004:243, apartado 54 y jurisprudencia citada).

55. A este respecto, de la jurisprudencia del Tribunal de Justicia se desprende que la determinación de los métodos y de los criterios de reparto del IVA soportado entre actividades económicas y actividades ***no económicas pertenece al ámbito de la facultad de apreciación de los Estados miembros. En el ejercicio de dicha facultad, estos deben tener en cuenta la finalidad y la estructura de esta Directiva y, con ese objeto, establecer un método de cálculo que refleje objetivamente la parte de los gastos soportados que es realmente imputable a cada una de esas dos actividades*** *(sentencias de 6 de septiembre de 2012, Portugal Telecom, C496/11, EU:C:2012:557, apartado 42, y de 25 de julio de 2018, Gmina Ryjewo, C140/17, EU:C:2018:595, apartado 58), con el fin de garantizar que la deducción solo se respecto de la parte del IVA proporcional a la cuantía correspondiente a las operaciones con derecho a deducción (véanse, en ese sentido, las sentencias de 13 de marzo de 2008, Securenta, C437/06, EU:C:2008:166, apartado 37, y de 12 de noviembre de 2020, Sonaecom, C42/19, EU:C:2020:913, apartado 47).*

56. En el ejercicio de esta facultad de apreciación, ***los Estados miembros están autorizados para aplicar cualquier criterio de reparto adecuado, como un criterio de reparto que atienda a la naturaleza de la operación, sin estar obligados a limitarse a un solo método particular*** *(véase, en ese sentido, la sentencia de 13 de marzo de 2008, Securenta, C437/06, EU:C:2008:166, apartado 38).*

57. Habida cuenta de todas las consideraciones anteriores, procede responder a las cuestiones prejudiciales tercera y cuarta que el artículo 168 de la Directiva del IVA debe interpretarse en el sentido de que el proveedor público nacional de televisión está facultado para deducir el IVA soportado por adquisiciones de bienes y servicios utilizados para las necesidades de sus actividades que generan derecho a deducción y no está facultado para deducir el IVA soportado por adquisiciones de bienes y servicios utilizados para las necesidades de sus actividades no comprendidas en el ámbito de aplicación del IVA. ***Corresponde a los Estados miembros determinar los métodos y los criterios de reparto de las cuotas del IVA soportado entre operaciones sujetas al impuesto y operaciones que no están comprendidas en el ámbito de aplicación del IVA, teniendo en cuenta la finalidad y la estructura de esta Directiva dentro del respeto del principio de proporcionalidad***".

19 Resolución del TEAC de 23 de mayo de 2023 (RG 4453/2020), referida a una fundación del sector público, hace referencia al concepto de "*ente dual*". Señala el TEAC que por lo que "*se refiere al criterio de deducibilidad de las cuotas soportadas,* ***en la medida en que la entidad reclamante tiene la consideración de «ente dual» en el sentido de que realiza tanto ope-***

tanto en la doctrina de la DGT como del TEAC desde finales de la primera década del siglo XXI. E, incluso, para el caso de las entidades públicas, desde el 1 de enero de 2015 se añadió un nuevo apartado Cinco al artículo 93 de la LIVA a los efectos de reconocer el sistema de deducción de las cuotas soportadas por la adquisición de bienes y servicios destinados de forma simultánea a la realización operaciones sujetas al Impuesto y operaciones no sujetas por aplicación de lo establecido en el artículo 7.8 de la LIVA[20]. Y establece cómo criterio de reparto que "*podrá atenderse a la proporción que represente el importe total, excluido el Impuesto sobre el Valor Añadido, determinado para cada año natural, de las entregas de bienes y prestaciones de servicios de las operaciones sujetas al Impuesto,* ***respecto del total de ingresos que obtenga el sujeto pasivo en cada año natural por el conjunto de su actividad***".

A nuestro juicio, sin embargo, el legislador interno ha incumplido el mandato del TJUE. El Tribunal de Luxemburgo exige que a los Estados Miembros que ejerzan su facultad de apreciación para aplicar cualquier método y criterio de reparto adecuado que respete los principios del IVA ("*deben ejercer su facultad de apreciación*"). No se trata de una facultad, sino de un deber[21]. Y el artículo 93.Cinco no lo hace ni en el ámbito sub-

raciones no sujetas al IVA como operaciones sujetas, *debe tenerse en cuenta la jurisprudencia del Tribunal de Justicia de la Unión Europea (TJUE, en lo sucesivo) sobre la materia. Resulta especialmente relevante para el caso que nos ocupa la sentencia de 13 de marzo de 2008, Asunto C-437/06, Securenta, relativa a una entidad que realiza simultáneamente actividades empresariales (exentas y no exentas) y una actividad no empresarial y en la que se plantea, como primera cuestión prejudicial, si el derecho a deducir el IVA soportado por dicha entidad se determina en función de la relación entre, por un lado, las operaciones sujetas y no exentas y, por otro, las operaciones sujetas y exentas, o bien si la deducción sólo es admisible en la medida en que los gastos incurridos con motivo de la emisión de acciones y de participaciones instrumentales (actividad no sujeta) sean atribuibles a la actividad económica de la demandante en el sentido del artículo 2, apartado 1, de la Sexta Directiva. Es decir, lo que se plantea es si las cuotas relacionadas con la actividad no sujeta siguen el mismo régimen de deducción que las cuotas relacionadas con las actividades sujetas o, por el contrario, solo son deducibles en la medida en que contribuyan a la realización de las actividades sujetas*".

20 El artículo 93.Cinco de la LIVA dispone en sus dos primeros párrafos que "*Los sujetos pasivos que realicen conjuntamente operaciones sujetas al Impuesto y operaciones no sujetas por aplicación de lo establecido en el artículo 7.8º de esta Ley podrán deducir las cuotas soportadas por la adquisición de bienes y servicios destinados de forma simultánea a la realización de unas y otras operaciones en función de un criterio razonable y homogéneo de imputación de las cuotas correspondientes a los bienes y servicios utilizados para el desarrollo de las operaciones sujetas al Impuesto, incluyéndose, a estos efectos, las operaciones a que se refiere el artículo 94.Uno.2º de esta Ley. Este criterio deberá ser mantenido en el tiempo salvo que por causas razonables haya de procederse a su modificación.*

21 La Resolución del TEAC de 22 de noviembre de 2023 (6978/2021) señala que en el caso de actividades no gravadas y a los efectos de determinar el criterio de deducción del IVA "*se otorga a*

jetivo ni en el objetivo. En el subjetivo, porque se limita a aquellos sujetos que realicen "*operaciones no sujetas por aplicación de lo establecido en el artículo 7.8*" (Administraciones públicas). Y desde el punto de vista objetivo, el hecho de incluir en el denominador la totalidad de ingresos carece, a nuestro parecer, de justificación. El TJUE exige que se "*garantice que la deducción se realice únicamente por la parte del IVA que es proporcional a la cuota relativa a las operaciones que conllevan derecho a deducción*", que se "*atienda a la naturaleza de la operación, sin estar obligados a limitarse a un solo método particular*" y que hay que "*establecer un método de cálculo que refleje objetivamente la parte de los gastos soportados que es realmente imputable a cada una de esas dos actividades*". Y el principio general del IVA es que "*el régimen de deducciones tiene por objeto liberar completamente al empresario del peso del IVA devengado o ingresado en el marco de todas sus actividades económicas. El sistema común del IVA garantiza la neutralidad con respecto a la carga fiscal de todas las actividades económicas*" (por todas la STJUE de 13 de junio de 2024, As. C-696/22). O, como se advierte en la STJUE de 12 de diciembre de 2024 (As. C-527/23) el "*derecho a deducir el IVA que haya gravado la adquisición de bienes o la obtención de servicios presupone que los gastos en que se haya incurrido para esta adquisición u obtención formen parte de los elementos constitutivos del precio de las operaciones por las que se repercute el IVA que dan derecho a deducción*". Con estos parámetros, limitarse a incluir en el denominador, sin mayor análisis, el total de los ingresos carece de razón de ser y da lugar a disfunciones. Por el contrario, el criterio que parece más lógico sería acudir a la contabilidad analítica o de costes de cada actividad u operación, incluyendo las no sujetas o ajenas al IVA, en tanto sería el sistema que realmente garantiza que "*los gastos en que se haya incurrido... formen parte de los elementos constitutivos del precio de las operaciones por las que se repercute el IVA que dan derecho a deducción*" (STJUE de 12 de diciembre de 2024, As. C-527/23)[22]. El criterio de incluir el total los ingresos en

---

los Estados miembros ***la facultad de regular*** *en sus legislaciones internas los criterios de reparto dentro de los principios que inspiran la Directiva IVA*". A nuestro parecer, no nos encontramos ante una "*facultad*" que se puede ejercer o no. Nos encontramos ante un verdadero mandato que el legislador interno no puede obviar.

22 La Contestación de 2 de agosto de 2010 (consulta núm. V1785-10) se conocía de consulta formulada por una fundación dedicada a la investigación sobre si era un criterio razonable alguno de los siguientes: costes reales directos de cada actividad (a estos efectos la fundación lleva contabilidad analítica); número de personas afectas a cada actividad; en función del espacio físico que ocupa cada actividad (oficinas, salas de investigación, laboratorios, etc.). La DGT sostuvo al respecto que: "*Aun cuando no se puede determinar de forma generalizada si un determinado criterio es o no razonable, puesto que ello depende de múltiples factores y es posible que un mismo criterio lo sea para una determinada actividad o sector pero no para otros, sí es posible afirmar que, de los propuestos,* ***el criterio basado en los costes reales de cada una de las actividades*** *es un criterio que en atención a la actividad desarrollada por la consultante y dada su similitud con el utilizado para el cálculo de la prorrata establecido en el artículo 104.dos de la Ley del Impuesto, parece suficientemente razonable*".

el denominador llevaría a tomar en consideración partidas como intereses, dividendos, beneficios extraordinarios, donaciones, sin analizar si estas partidas afectan o no al IVA soportado de las actividades que sí devengan IVA. Es decir, incluir todos los ingresos en el denominador no asegura que se libere "*completamente al empresario del peso del IVA devengado o ingresado en el marco de todas sus actividades económicas*" (STJUE de 13 de junio de 2024, As. C-696/22). De la misma manera, el criterio del ingreso supondría que el IVA soportado deducible dependiera de la rentabilidad o éxito de la actividad, de tal manera que cuánto mayor fuera la rentabilidad o la actividad de las actividades con IVA, mayor sería el porcentaje de deducción respecto de los IVA comunes. Y viceversa. Es necesario "*establecer un método de cálculo que refleje objetivamente la parte de los gastos soportados que es realmente imputable a cada una de esas dos actividades*" (STJUE de 16 de septiembre de 2021, As. C-21/20) e incluir en denominador de la fracción, sin más, todos los ingresos es un criterio simplista que no busca determinar objetivamente la parte de los gastos imputables a cada actividad.

Y, por otro lado, no parece de recibo que las facultades atribuidas a los Estados Miembros se asuman por la AEAT, DGT o los tribunales económico-administrativos, que son los que finalmente han terminado por definir los parámetros del sistema dual de deducción. Así, el TEAC ha dictado diversas Resoluciones con relación a la determinación del IVA soportado deducible cuando la entidad realiza actividades no sujetas junto con actividades gravadas. En la Resolución del TEAC de 27 de marzo de 2025 (RG 5946/2023) se conoce de una entidad holding que realiza actividades económicas (gestión y asesoramiento) y no económicas (participación en entidades) y con base en las Sentencias del TJUE determina que:"*el TJUE no viene sino a confirmar que será deducible el IVA soportado en la adquisición de bienes y servicios vinculados a las actividades económicas desarrolladas por el sujeto pasivo, sujetas y no exentas, no siendo deducible cuando los bienes y servicios adquiridos se destinen a operaciones exentas* ***o bien a actividades no económicas,*** *vinculando de esta manera la deducción del IVA soportado con la utilización/destino/afectación de los bienes y servicios sin que influya si los mismos se adquirieron reinvirtiendo los ingresos obtenidos en el ejercicio de sus actividades o a través de subvenciones recibidas del Estado.*

Ahora bien, una cosa es la relación entre deducción y utilización de los bienes, y otra cosa distinta es calcular el porcentaje que representan las actividades de carácter económico respecto del conjunto de actividades realizadas por el sujeto pasivo, para lo cual se permite aplicar cualquier criterio de reparto adecuado, *habiéndose optado en este caso por atender a los ingresos generados por las distintas actividades, lo cual no vulnera en ningún caso el principio de neutralidad ni es contrario a lo establecido en la jurisprudencia del TJUE*".

En este procedimiento, la inspección acudió al criterio establecido en el artículo 93.Cinco de la LIVA, señalando el TEAC que "*si bien es cierto que este método de cálculo solo se ha establecido en relación con los entes públicos, y aun en este caso no de forma obligatoria,* ***pudiendo las entidades privadas elegir cualquier otro método adecuado, cabe afirmar que la utilización de los ingresos obtenidos en las operaciones sujetas al impuesto respecto del total de ingresos solo puede calificarse como un método adecuado para determinar la proporción de actividades económicas que realiza el sujeto pasivo***". En el caso de la entidad holding, el TEAC considera apropiado un porcentaje donde se incluya los dividendos (actividades no económicas) en el denominador de la fracción, de tal manera que "*hecho de que como consecuencia de la inclusión del importe de estos dividendos en el denominador del citado ratio, el porcentaje resultante sea inferior al que resultaría de no haberlos incluido, no es contrario al principio de neutralidad del IVA, cuyo objeto es liberar completamente al sujeto pasivo del peso económico del IVA en el marco de sus actividades económicas*".

A nuestro juicio, y como hemos señalado, el criterio establecido por el TEAC no respecta la doctrina del TJUE ni los principios del IVA. Limitarse a introducir el dividendo en el denominador de la fracción no es un criterio adecuado para determinar qué parte del IVA soportado común está afecto a la actividad económica que devenga IVA. Es un criterio genérico, ajeno a que "*los gastos en que se haya incurrido... formen parte de los elementos constitutivos del precio de las operaciones por las que se repercute el IVA que dan derecho a deducción*" (STJUE de 12 de diciembre de 2024, As. C-527/23). Con este sistema no se cumple con el criterio que exige liberar "*completamente al empresario del peso del IVA devengado o ingresado en el marco de todas sus actividades económicas*" (STJUE de 13 de junio de 2024, As. C-696/22). Es un criterio donde no se ha analizado la "*naturaleza de la operación*" ni es "*un método de cálculo que refleje objetivamente la parte de los gastos soportados que es realmente imputable*" (STJUE de 16 de septiembre de 2021, As. C-21/20). El criterio es tan extraño que el IVA soportado común deducible dependería, en cada ejercicio, de los dividendos efectivamente distribuidos, de tal manera que la misma actividad daría lugar a distinta deducción del IVA soportado en función de los dividendos que se repartieran en cada ejercicio. Y ese resultado no parece respetar los principios del IVA en tanto supone limitar de manera injustificada el derecho de la deducción al IVA.

En la Resolución del TEAC de 27 de marzo de 2025 (RG 9458/2023) se remite al artículo 93.Cinco de la LIVA y determina que se aplicará un "*criterio razonable y homogéneo*" para la deducción del IVA soportado y que "*podrá atenderse a la proporción que represente el importe total, excluido el Impuesto sobre el Valor Añadido, determinado para cada año natural, de las entregas de bienes y prestaciones de servicios de las operaciones sujetas al Impuesto, respecto del total de ingresos que obtenga el sujeto pasivo en cada año natural por el conjunto de su actividad*". En este procedimiento, y a los efectos de determinar cuál es el criterio homogéneo y razonable el TEAC entiende "*que resulta más correcto el criterio utilizado por el órgano inspector, consistente en atender a la proporción que represente el importe total de las entregas de bienes y prestaciones de servicios de las operaciones sujetas al Impuesto, respecto del total de ingresos que obtenga la entidad en cada año natural por el conjunto de su actividad*". Y, por el contrario, no es razonable el criterio del obligado "*en la medida en que no considera el importe de las subvenciones recibidas en ninguna medida, siendo también tales subvenciones ingresos percibidos por la entidad recurrente por su actividad y, por tanto, computables a los efectos de los cálculos referidos*". De la misma manera que hemos señalado anteriormente, limitarse a incluir en el denominador de la proporción las subvenciones no es correcto. Como no lo sería excluirlo totalmente. El criterio adecuado depende de la naturaleza concreta de la actividad y de en qué medida esa subvención afecte o no al IVA soportado general cuya deducción se debe limitar.

Dejando al margen las cuestiones sobre el criterio de reparto, el funcionamiento del sistema de deducción de los entes duales sería es el siguiente (por todas, Contestación de la DGT de 14 de febrero de 2024 (consulta núm. V0042-24):

"*Del total de cuotas soportadas han de quedar excluidas, de principio, las cuotas que se corresponden íntegramente con la adquisición de bienes y servicios destinados, exclusivamente, a la realización de operaciones no sujetas. Dichas cuotas no serán deducibles en ninguna proporción.*

No obstante, en relación con las cuotas soportadas por la adquisición de bienes y servicios destinados de forma simultánea a la realización de operaciones sujetas al impuesto y a aquéllas que no lo estén, se deberá adoptar un criterio razonable y homogéneo de imputación de las cuotas correspondientes a los bienes y servicios utilizados para el desarrollo de las operaciones gravadas, criterio que deberá ser mantenido en el tiempo salvo que por causas razonables haya de procederse a su modificación.

Dentro de este último grupo y cuando se trate específicamente de cuotas soportadas por adquisición, importación, arrendamiento o cesión de uso por otro título de los bienes de inversión que se empleen en todo o en parte en el desarrollo de la actividad empresarial o profesional, el artículo 95, apartado dos, de la Ley 37/1992 prescribe que podrán deducirse de acuerdo con las siguientes reglas:

1ª. Cuando se trate de bienes de inversión distintos de los comprendidos en la regla siguiente, en la medida en que dichos bienes vayan a utilizarse previsiblemente, de acuerdo con criterios fundados, en el desarrollo de la actividad empresarial o profesional.

2ª. Cuando se trate de vehículos automóviles de turismo y sus remolques, ciclomotores y motocicletas, se presumirán afectados al desarrollo de la actividad empresarial o profesional en la proporción del 50 por ciento.

En una segunda fase, las cuotas soportadas por la adquisición de bienes y servicios que se destinen única y exclusivamente a la realización de operaciones sujetas al Impuesto, más aquéllas que resulten de la aplicación del criterio razonable y homogéneo adoptado por la entidad consultante conforme a lo indicado en los párrafos precedentes cuando se trate de cuotas afectas simultáneamente al desarrollo de operaciones sujetas y no sujetas al Impuesto, serán deducibles siempre que se cumplan el resto de requisitos que para el referido ejercicio a la deducción se establecen en el capítulo I del título VIII de la Ley 37/1992, en particular, que se destinen a la realización de operaciones originadoras del derecho a la deducción de acuerdo con lo dispuesto por el artículo 94.Uno de dicha Ley y que se esté en posesión de una factura que reúna la totalidad de requisitos a que se refiere el artículo 6 del Reglamento por el que se regulan las obligaciones de facturación, aprobado por el Real Decreto 1619/2012, de 30 de noviembre (BOE de 1 de diciembre)".

En el objeto de este estudio nos estamos refiriendo a los bienes inmuebles propiedad de entidades mercantiles que pueden ser calificado como patrimonio privado y de bienes que pueden ser usados en beneficio propio por los socios/administradores. Son bienes ajenos a la actividad económica que permite la deducción del IVA. La **cuestión es cómo opera el régimen del IVA deducible**. La doctrina de los entes "*duales*" sería aplicable a las sociedades mercantiles. De esta manera, no parece ofrecer dudas que todos los IVA soportados por gastos e inversiones exclusivamente afectos a esos bienes particulares no serían deducibles. **El problema es qué sucede con los gastos comunes o generales a todo el patrimonio de la entidad teniendo en consideración que nos encontramos ante bienes particulares o privados y no ante actividades económicas gratuitas o no sujetas.** En las fundaciones, asociaciones o Administraciones se desarrollan "*actividades*" gratuitas o no sujetas. Son actividades que consumen recursos y cuyo coste puede determinarse mediante una contabilidad analítica. Y, desde esa perspectiva, tiene razón de ser de establecer sistemas de deducción del IVA soportado donde se tengan en consideración el total de los costes de las entidades u otras magnitudes o criterios que permitan liberar "*completamente al empresario del peso del IVA devengado o ingresado en el marco de todas sus actividades económicas*".

En la adquisición inicial será aplicable el artículo 95.Tres.1º de la LIVA que determina que será deducible el IVA soportado "*en la medida en que dichos bienes vayan a utilizarse previsiblemente, de acuerdo con criterios fundados, en el desarrollo de la actividad empresarial o profesional*". Y, en ejercicios posteriores el artículo 95.Tres.3º dispone que las deducciones del IVA "*deberán regularizarse cuando se acredite que el grado efectivo de utilización de los bienes en el desarrollo de la actividad empresarial o profesional es diferente del que se haya aplicado inicialmente*".

Y con relación a los gastos comunes nos encontramos ante una "*naturaleza de la operación*" especial. No se trata de una "*actividad*" que consuma recursos generales que se incorporen al coste concreto del inmueble. La mera gestión de bienes inmuebles es una actividad pasiva. La jurisprudencia del TJUE reiterada es que se debe garantizar "*que la deducción se realice únicamente por la parte del IVA que es proporcional a la cuota relativa a las operaciones que conllevan derecho a deducción*" (por todas, STJUE de 22 de febrero de 2024, As. C-674/22). Y, desde esta perspectiva, podría entenderse que solo los gastos exclusivos del bien inmueble privado no generan derecho a la deducción del IVA, mientras que el resto de las cuotas soportadas de IVA, incluso las generales (auditoría, servicios jurídicos, etc.) son deducibles en su totalidad. En el caso de que, por el contrario, sí se entendiera que el IVA soportado por esos gastos generales pueden deducirse en su totalidad, resulta muy complejo determinar cuál puede ser ese criterio razonable en tanto ni el criterio de los ingresos (que debería dar lugar a un 100% de deducibilidad al no existir ingresos afectos a ese patrimonio privado) ni el de los costes (en tanto no parece que tuviera costes generales imputables) parece aplicable.

VII. BIENES PARCIALMENTE AFECTOS A ACTIVIDADES PRIVADAS

Un supuesto distinto, pero relacionado con el anterior, es el caso de afectación parcial de un bien inmueble a una actividad económica y a una actividad privada y qué sucede con los IVA soportados por dicho inmueble. Se trataría de inmuebles propiedad de la empresa donde en parte se desarrolla la actividad y en parte se destinan al uso del socio/administrador.

1. AFECTACIÓN A NECESIDADES PRIVADAS EN LA ADQUISICIÓN

El Tribunal de Luxemburgo ha establecido que cuando un empresario adquiere un bien donde parte del mismo se va a afectar a actividades privadas tiene la opción de afectarlo totalmente a la actividad empresarial y, por el uso privado, tributar por autoconsumo. Por todas, la Sentencia de 18 de julio de 2013 (As. C-210/11 y C-211/11, acumulados) dispone que:"*21. Para responder a esta cuestión es preciso recordar que de una jurisprudencia reiterada del Tribunal de Justicia se desprende que* ***un sujeto pasivo tiene la posibilidad de elegir, en orden a la aplicación de la Sexta Directiva, entre integrar o no en su empresa la parte de un bien que esté afectada a su uso privado*** *(véanse, en particular, las sentencias de 4 de octubre de 1995, Armbrecht, C-291/92, Rec. p. I-2775, apartado 20, y Seeling, antes citada, apartado 40).*

22. Si el sujeto pasivo opta por tratar los bienes de inversión utilizados al mismo tiempo para fines profesionales y para fines privados como bienes empresariales, el IVA soportado por la adquisición de dichos bienes ***es, en principio, deducible íntegra e inmediatamente*** *(véanse, en particular, las sentencias de 11 de julio de 1991, Lennartz, C-97/90, Rec. p. I-3795, apartado 26, y Seeling, antes citada, apartado 41).*

23. De los artículos 6, apartado 2, párrafo primero, letra a), y 11, parte A, apartado 1, letra c), de la Sexta Directiva se desprende que, cuando un bien afectado a la empresa haya originado el derecho a la deducción total o parcial del IVA soportado, su utilización para las necesidades privadas del sujeto pasivo o de su personal o para ***fines ajenos a su empresa se asimilará a una prestación de servicios a título oneroso*** *y se gravará sobre la base del total de los gastos efectuados para la realización de dicha prestación de servicios (véanse, en este sentido, las sentencias, antes citadas, Lennartz, apartado 26, y Seeling, apartado 42).*

24. Por consiguiente, un sujeto pasivo que opta por afectar la totalidad de un edificio a su empresa y que hace uso, posteriormente, de una parte de ese edificio para sus necesidades privadas o para las de su personal tiene, por un lado, ***derecho a deducir el IVA soportado sobre la totalidad de los costes de construcción de dicho edificio y, por otro, la obligación correlativa de pagar el IVA sobre el importe de los gastos efectuados para la realización de dicha utilización privada***".

El TJUE reconoce que el sujeto pasivo puede optar por afectar totalmente el bien a su actividad empresarial y posteriormente, en la parte que se usa de manera privada por el socio/administrador, tributar por autoconsumo. De la misma manera, podrá elegir afectar solo parte a la actividad empresarial y parte a la actividad privada. En dicho caso, solo podrá deducirse la parte proporcional del IVA afecta a la actividad empresarial y el resto del IVA será coste. El artículo 95.Tres.1° de la LIVA determina que será deducible el IVA soportado "*en la medida en que dichos bienes vayan a utilizarse previsiblemente, de acuerdo con criterios fundados, en el desarrollo de la actividad empresarial o profesional*". Y, en ejercicios posteriores "*deberán regularizarse cuando se acredite que el grado efectivo de utilización de los bienes en el desarrollo de la actividad empresarial o profesional es diferente del que se haya aplicado inicialmente*" (art. 95.Tres.3° de la LIVA).

A su vez, esto tendrá incidencia en la sujeción al IVA en el caso de una posterior enajenación del inmueble. Si el bien se afectó totalmente a la actividad, la enajenación estará sujeta al IVA en su totalidad. Si, por el contrario, hubo parte que afectó al patrimonio privado y no se dedujo el IVA, la venta de esa parte estará no sujeta al IVA al ser la venta de un inmueble privado.

2. EL IVA SOPORTADO POR LOS CONSUMOS

La Resolución del TEAC de 19 de julio de 2023 (RG 6654/2022), dictada en recurso extraordinario de alzada para unificación de criterio, dispone que de "*conformidad con lo dispuesto en el apartado cuarto del artículo 95 de la LIVA, interpretado a la luz de los artículos 168 y 168 bis de la Directiva 2006/112/CE del Consejo, de 28 de noviembre de 2006 (Directiva IVA),* ***cabe la deducción por el sujeto pasivo de las cuotas de IVA soportadas por los gastos de suministros (agua, luz, gas) a bienes inmuebles que formando parte del patrimonio de la empresa se utilicen tanto en las actividades empresariales como para uso privado. La deducción de dichas cuotas deberá efectuarse de manera proporcional a su utilización a efectos de las actividades de la empresa***"[23].

---

[23] La DGT ha acogido dicho criterio y en su Contestación de 25 de septiembre de 2023 (consulta núm. V2554-23) se dispone que "*serán deducibles las cuotas del Impuesto soportadas por el consultante por los gastos de suministros, como el gasto de internet vinculado a su vivienda siempre que la misma se encuentre afecta parcialmente a su actividad profesional y dicha deducción deberá*

En la STS de 15 de julio de 2025 (recurso núm. 5342/2023) se conoce su supuesto que corre en dirección contraria. Un bien particular de un matrimonio se cede parcialmente a una sociedad; "*nos encontramos ante una sociedad que según se dice ocupa parte de la vivienda para el desarrollo de su actividad, por cesión de los propietarios*" mediante un contrato de precario. La sentencia casada afirmaba con relación a la deducción del IVA que "*tendría sentido en caso de vivienda en parte utilizada para el desarrollo de la profesión del titular; pero no cuando es un tercero el que ocupa parte, del edificio y debe tener sus propios suministros*". El TS, citando la Resolución del TEAC 19 de julio de 2023, acude a criterios materiales y señala que "*no se aprecian razones para no aplicar dicho criterio fijando en un 50% del total del IVA soportado por gastos de suministros (agua, luz, gas)*". El TS falla con arreglo a criterios sustantivos donde lo esencial es que las cuotas de IVA soportadas estén afectas a la actividad.

En el caso de que el empresario sea sujeto del IRPF y sea su vivienda habitual el artículo 30.2.5.b) de la LIRPF dispone que "*En los casos en que el contribuyente afecte parcialmente su vivienda habitual al desarrollo de la actividad económica, los gastos de suministros de dicha vivienda, tales como agua, gas, electricidad, telefonía e Internet, en el porcentaje resultante de aplicar el 30 por ciento a la proporción existente entre los metros cuadrados de la vivienda destinados a la actividad respecto a su superficie total, salvo que se pruebe un porcentaje superior o inferior*". Se trata de un precepto que permite deducir como gasto en el IRPF el 30% de los consumos y suministros sobre el porcentaje de metros afectos a la actividad empresarial, salvo prueba en contrario. Esta norma se aplica al IRPF y no puede extenderse al ámbito del IS. Si un inmueble propiedad de una sociedad mercantil se usa parcialmente de manera gratuita por el socio/administrador, no es posible acudir al art. 30.2.5.b) de la LIRPF.

La cuestión es si dicho criterio del 30% podría ser extensible al IVA. En la Resolución del TEAC de 19 de julio de 2023 (RG 6654/2022) el Director del departamento de Inspección financiera y tributaria de la AEAT mantenía en el recurso interpuesto que el "*hecho de que en el ámbito de la imposición directa sobre la renta quepa la afectación parcial de los elementos patrimoniales a la actividad económica, con la consiguiente posibilidad de deducir los gastos por bienes y servicios en el porcentaje correspondiente a dicha afectación a la hora de determinar la base imponible, no permite extender, sin más, tal conclusión en el ámbito del IVA respecto de la deducción de las cuotas soportadas.* ***Nos encontramos ante impuestos diferentes e independientes, con una regulación también distinta, que no tienen por qué, como dice el Director recurrente, guardar correlación alguna en esta materia***". La afirmación del Director es, a nuestro juicio, correcta. La norma de 30% no es aplicable en el ámbito del IVA porque las reglas y principios de

realizarse de forma proporcional a su utilización en dicha actividad económica". *Vide* también la Contestación de 8 de mayo de 2025 (consulta núm. V0796/2025).

ambos tributos no son intercambiables. Sin embargo, esto nos podría llevar a un problema de difícil solución. Si en el IVA el contribuyente acude otro porcentaje superior es porque entiende que la utilización efectiva es otra distinta. Y la cuestión es si dicho porcentaje del IVA sería aplicable al IRPF, al entenderse que hay una prueba en contrario que hace que sea aplicable otra proporción distinta.

VIII. PRUEBA DE LA AFECCIÓN A UN PATRIMONIO EMPRESARIAL O PRIVADO

La existencia de un patrimonio privado en las sociedades mercantiles afecta tanto al momento de adquisición de un bien inmueble como a periodos posteriores. El momento es, además, esencial en el IVA. Si inicialmente se entiende que está afecto al patrimonio particular en su totalidad, se perderá el derecho a la deducción de manera definitiva, aun cuando posteriormente se afecte al patrimonio empresarial (art. 99.Cuatro de la LIVA). Si, por el contrario se afecta inicialmente al patrimonio empresarial y luego al particular, el problema será de regularización posterior, ya sea mediante autoconsumo de bienes, de servicios, o la regularización del IVA soportado.

El artículo 99.Dos de la LIVA dispone que "*Las deducciones deberán efectuarse en función del destino previsible de los bienes y servicios adquiridos, sin perjuicio de su rectificación posterior si aquél fuese alterado*". Y en la Resolución de 22 de septiembre de 2015 (RG 03393-2013, dictada en recurso extraordinario de alzada para la unificación de criterio), se pronuncia sobre qué se debe entender como "*destino previsible*", como algo distinto al de destino definitivo, y señala que previsible: "*implica antelación, lo que es incompatible con admitir la deducción total como si no existiera un **destino previsible, soportado por datos objetivos, lógicos y prudentes**, sin derecho a deducción y esperar a conocer si finalmente coincide con el destino efectivo para entonces posteriormente proceder a la regularización. Esa interpretación vaciaría de contenido el artículo 99.Dos de la LIVA, pues su aplicación en períodos posteriores carece de sentido si atendemos a la literalidad del precepto, **dado que en ese momento temporal no estaríamos ya hablando de «destino previsible» sino de destino actual o efectivo.** Y bien al contrario, el artículo 99.Dos LIVA otorga el derecho a la deducción de las cuotas deducciones soportadas, en función del destino previsible de los bienes y servicios adquiridos, en el momento de la adquisición de los mismos, imponiendo la obligación de rectificar la deducción cuando los bienes que se preveía destinar a operaciones que originan el derecho a deducir, finalmente se destinan a operaciones que no originan tal derecho*"[24].

---

[24] En la Resolución del TEAC de 20 de febrero de 2024 (RG 4281/2021) se señala que "*en materia de deducciones, hay que atender a la diferenciación existente entre destino previsible y destino definitivo. Así, sin perjuicio del régimen de deducciones aplicable al obligado tributario, a efectos*

Y señala el TEAC que la carga de la prueba sobre el destino previsible "*le corresponde al sujeto pasivo y no a la Administración*". De esta manera, muchos de los procedimientos se agotan en la prueba, y la Administración los ventila señalando que el contribuyente no ha probado la afectación a una actividad económica[25].

Como hemos señalado, el TJUE acepta que un bien inmueble se use al mismo tiempo para fines empresariales y fines particulares y concede un derecho de opción a la sociedad mercantil. Pero el TJUE se refiere al uso parcial, cuando existe una afectación real a la actividad económica. Si el bien se adquirió en su totalidad para uso particular no existe esa opción en tanto el IVA no será nunca deducible. El problema de prueba será, por tanto, cómo acreditar que un bien se adquirió inicialmente para afectarlo a una actividad económica, al menos parcialmente, y no para el solaz de los socios/administradores o para el patrimonio privado de la mercantil[26]. Y la respuesta dista de ser sencilla. Como señala el TEAC en su Resolución del TEAC de 27 de abril 2015 (RG 01242/2013) debe acreditarse la "*concurrencia de elementos objetivos de la intención de destinar los bienes y derechos adquiridos a la realización de una actividad económica en el momento de producirse dicha adquisición, sin que ni la Inspección ni este Tribunal hayan apreciado la concurrencia de circunstancias fraudulentas o abusivas por parte de la entidad, en el sentido expresado en la jurisprudencia expuesta*". Por tanto, "*habiéndose probado la intención de destinar los bienes y servicios de donde procede el impuesto soportado deducido al desarrollo de una actividad empresarial*", y el "*hecho de que en un **momento posterior no se lleve a cabo dicha actividad, no impide que subsista el derecho***

de determinar la procedencia o no del derecho a la deducción de las cuotas de IVA soportadas por la adquisición de bienes y servicios, la norma obliga expresamente a precisar el uso que se dará a los mismos, debiendo rectificar la deducción así practicada, en su caso, si el uso concreto que se da posteriormente al bien o servicio adquirido es distinto al inicialmente determinado.

*En este sentido, el Tribunal Supremo, en sentencia de 24 de enero de 2007 (Recurso nº 4108/2001), señala que es **el momento de la adquisición del inmueble, y en el ámbito de la actividad que se adquiere, el que determina si se tiene o no derecho a la deducción total del impuesto, y es en ese momento cuando se ha de acreditar el destino previsible del inmueble***".

25 El TSJ de Madrid señala con relación a una sociedad de mera tenencia de bienes que "*para la deducción de un gasto o cuota soportada de IVA no es suficiente la expedición de factura completa, la contabilización del gasto y la justificación del pago, sino que es preciso, además, que el sujeto pasivo demuestre la adquisición del bien o la prestación del servicio que motiva el pago para acreditar su afectación directa a la actividad empresarial o profesional sujeta al impuesto*" (Sentencia de 29 de enero de 2025, recurso núm. 1798/2021).

26 La contestación de la DGT de 25 de septiembre 2024 (consulta núm. V2073-24) dispone que "*Debe destacarse que el inicio de la actividad y la afectación del inmueble a una actividad empresarial o profesional es una cuestión de hecho respecto de la que este Centro directivo no puede pronunciarse y será el propio interesado quien habrá de presentar, en su caso, los medios de prueba que, conforme a derecho, sirvan para justificar la misma, los cuales serán valorados por la Agencia Estatal de Administración Tributaria*".

a deducir las cuotas de IVA soportadas en las operaciones efectuadas". Y lo anterior se aplicable sin perjuicio "*de la concurrencia de circunstancias acaecidas en períodos posteriores que obliguen a la posterior rectificación de la deducción las cuotas que fueron deducidas conforme a derecho en el período en que se soportaron*".

Especialmente difícil será la prueba cuando se trate de cierto tipo de bienes (fincas, chalés, inmuebles en estaciones de esquiar, inmuebles en zonas de playa) que no se arrienden y que tengan consumos constantes o en fechas vacacionales (electricidad, agua etc.)[27]. En dicho caso, es posible que se entienda que la adquisición fue con fines no empresariales.

Por otro lado, el problema de la aprueba de la afectación al patrimonio empresarial no se limita al momento inicial de la adquisición. Es posible que el bien se destine inicialmente a una actividad empresarial pero si, posteriormente, los inmuebles adquiridos no producen rentas ("*con el fin de obtener ingresos continuados en el tiempo*") aparecerán los problemas de prueba. Si el bien inmueble tiene consumos de servicios (electricidad, agua, etc.) es posible que la AEAT entienda que nos encontramos ante indicios de un uso privado del socio/administrador y determine que la totalidad de las cuotas de IVA soportados por el uso y mantenimiento no son deducibles. Si no existen estos indicios el problema será determinar que el bien está realmente afecto a una actividad económica y no nos encontramos ante la mera gestión de un patrimonio privado. Solo si la entidad logra probar la realización de esa actividad económica serán deducibles los IVA soportados para el mantenimiento y conservación de esos inmuebles.

1. CRITERIOS EN EL ÁMBITO DE LA UE

Los criterios esenciales del funcionamiento del IVA y de la deducibilidad del IVA soportado se han reiterado de manera constante por el TJUE. En su Sentencia de 12 de diciembre de 2024 (As. C-527/23) se establece que debe existir una relación inmediata y directa entre una operación por la que se deduce el IVA y las operaciones gravadas o, al menos, que los costes de los bienes y de los servicios de que se trate formen parte de los gastos generales del sujeto pasivo. Y a partir de ahí señala que, por un lado, el éxito empresarial es ajeno al mecanismo de la deducción del IVA y, por otro, que no se puede

---

27 En la Contestación de la DGT de 5 de septiembre de 2025 (consulta núm. V1573-25) y con relación a la prueba, se advierte que "*la intención del consultante de afectar la vivienda a una actividad empresarial o profesional es una cuestión de hecho respecto de la que esta Dirección General no puede pronunciarse, y será el propio interesado quien habrá de presentar, en cada caso, los medios de prueba que, conforme a derecho, sirvan para justificar dicha falta de afectación a su patrimonio empresarial o profesional, los cuales serán valorados por la Agencia Estatal de Administración Tributaria*".

deducir el IVA de los bienes y servicios que no se usaron para operaciones propias del sujeto pasivo, sino para las necesidades de terceros, lo que supondría que se habría roto parcialmente la relación directa e inmediata exigible. En concreto, afirma el TJUE que: "*28. En este contexto, el Tribunal de Justicia ha declarado que es, en principio,* ***necesario que exista una relación directa e inmediata entre una operación concreta por la que se soporta el IVA y una o varias operaciones por las que se repercute el IVA que den derecho a deducción.*** *El derecho a deducir el IVA que haya gravado la adquisición de bienes o la obtención de servicios presupone que los gastos en que se haya incurrido para esta adquisición u obtención formen parte de los elementos constitutivos del precio de las operaciones por las que se repercute el IVA que dan derecho a deducción [sentencia de 13 de junio de 2024, C (Administradores y liquidadores concursales), C-696/22, EU:C:2024:499, apartado 86 y jurisprudencia citada].*

29. No obstante, ***también es admisible un derecho a deducir en favor del sujeto pasivo incluso cuando no existe ninguna relación directa e inmediata entre una operación concreta por la que se soporta el IVA*** *y una o varias operaciones por las que se repercute el IVA que dan derecho a deducir,* ***siempre que los costes de los bienes y de los servicios de que se trate formen parte de los gastos generales del sujeto pasivo*** *y, como tales, sean elementos constitutivos del precio de los bienes que entrega o de los servicios que presta. En efecto,* ***tales costes presentan una relación directa e inmediata con la actividad económica del sujeto pasivo*** *en su conjunto (sentencia de 4 de octubre de 2024, Voestalpine Giesserei Linz, C-475/23, EU:C:2024:866, apartado 21 y jurisprudencia citada)(...)*

32. En el caso de autos, ***si resultara que una parte de los servicios*** *por los que se efectuaron los gastos de que se trata en el litigio principal* ***no se utilizó para las necesidades de las operaciones propias del sujeto pasivo, sino para las necesidades de operaciones efectuadas por terceros, se habría roto parcialmente la relación directa e inmediata existente*** *entre esos servicios y las operaciones gravadas de ese sujeto pasivo,* ***de modo que este último no tendría derecho a deducir el IVA que gravó esa parte de los gastos en cuestión*** *(véase, en este sentido, la sentencia de 1 de octubre de 2020, Vos Aannemingen, C-405/19, EU:C:2020:785, apartado 39 y jurisprudencia citada).(...)*

35. La cuestión de si la adquisición de los servicios administrativos controvertidos en el litigio principal ***era necesaria u oportuna parece igualmente irrelevante,*** *puesto que* ***la Directiva del IVA no supedita el ejercicio del derecho a deducir a un criterio de rentabilidad económica de la operación por la que se soporta el IVA.*** *En efecto, el sistema común del IVA garantiza la neutralidad con respecto a la carga fiscal de todas las actividades económicas,* ***cualesquiera que sean los fines o los resultados de estas, a condición de que dichas actividades estén a su vez, en principio, sujetas al IVA. Por tanto, el derecho a deducir, una vez nacido, sigue existiendo aun cuando, posteriormente, la actividad económica prevista no se lleve a cabo y, por lo tanto, no dé lugar a operaciones gravadas o cuando el sujeto pasivo no haya podido utilizar los bienes o servicios que hayan***

***dado lugar a la deducción en operaciones sujetas al impuesto a causa de circunstancias ajenas a su voluntad** [véase, en este sentido, la sentencia de 13 de junio de 2024, C (Administradores y liquidadores concursales), C-696/22, EU:C:2024:499, apartado 94 y jurisprudencia citada]".*

Con arreglo a la jurisprudencia del TJUE las cuestiones a tomar en consideración son las siguientes:

(i) **No se puede limitar el derecho a la deducción del IVA**. La STJUE de 13 de junio de 2024 (As. C-696/22) señala, que la deducción del IVA soportado es el fundamento del IVA y, en principio, no puede limitarse:

"84. A tenor del artículo 168, letra a), de la Directiva 2006/112, en la medida en que los bienes y los servicios se utilicen para las necesidades de sus operaciones gravadas, el sujeto pasivo tendrá derecho, en el Estado miembro en el que realice estas operaciones, a deducir, del importe del impuesto del que es deudor, el IVA devengado o pagado en dicho Estado miembro por los bienes que le hayan sido o le vayan a ser entregados y por los servicios que le hayan sido o le vayan a ser prestados por otro sujeto pasivo.

85. A este respecto, procede recordar que, según reiterada jurisprudencia, el derecho a deducción forma parte integrante del mecanismo del IVA y, en principio, no puede limitarse. Se ejercita inmediatamente en lo que respecta a la totalidad de las cuotas soportadas en las operaciones anteriores. En efecto, el régimen de deducciones tiene por objeto liberar completamente al empresario del peso del IVA devengado o ingresado en el marco de todas sus actividades económicas. El sistema común del IVA garantiza la neutralidad con respecto a la carga fiscal de todas las actividades económicas, cualesquiera que sean los fines o los resultados de estas, a condición de que dichas actividades estén a su vez, en principio, sujetas al IVA. En la medida en que el sujeto pasivo, actuando como tal en el momento en que adquiere un bien o un servicio, utilice dicho bien o servicio para las necesidades de sus operaciones gravadas, podrá deducir el IVA devengado o pagado por el bien o servicio (sentencia de 25 de noviembre de 2021, Amper Metal, C-334/20, EU:C:2021:961, apartado 23 y jurisprudencia citada)".

(ii) **Necesidad de un análisis global de las operaciones**. En segundo lugar, la STJUE de 13 de junio de 2024 (As. C-696/22) señala que a los efectos de valorar la afectación del bien a una actividad empresarial debe tomarse en consideración todas las circunstancias en las que se hayan desarrollado las operaciones y tener en cuenta únicamente las operaciones que estén objetivamente relacionadas con la actividad gravada del sujeto pasivo;

*"89. Asimismo, el Tribunal de Justicia ha precisado que la existencia de esta relación entre operaciones **debe apreciarse atendiendo al contenido objetivo de estas**. En particular, corresponde a las administraciones tributarias y a los órganos jurisdiccionales **nacionales tomar en consideración todas las circunstancias en las que se hayan desarrollado las operaciones de que se trate y tener en cuenta únicamente las operaciones que***

estén objetivamente relacionadas con la actividad gravada del sujeto pasivo. *En este sentido, se ha declarado que procede tener en cuenta la utilización efectiva de los bienes y servicios adquiridos por el sujeto pasivo y la causa exclusiva de la operación en cuestión, que debe considerarse un criterio para determinar el contenido objetivo [véanse, en este sentido, las sentencias de 17 de octubre de 2018, Ryanair, C-249/17, EU:C:2018:834, apartado 28, y de 8 de septiembre de 2022, Finanzamt R (Deducción del IVA vinculado a una aportación social), C-98/21, EU:C:2022:645, apartado 49 y jurisprudencia citada].*

90. Una vez se ha comprobado ***que una operación no ha sido efectuada para las necesidades de las actividades sujetas a tributación de un sujeto pasivo, no puede considerarse que dicha operación tenga una relación directa e inmediata*** *con esas actividades en el sentido de la jurisprudencia del Tribunal de Justicia, aunque la operación esté, por razón de su contenido objetivo, sujeta al IVA (sentencia de 8 de noviembre de 2018, C&D Foods Acquisition, C-502/17, EU:C:2018:888, apartado 37 y jurisprudencia citada).*

91. En el supuesto de que dichos gastos se refieran en parte a una actividad exenta ***o no económica del sujeto pasivo, el IVA soportado por esos gastos solo podrá deducirse parcialmente*** *(véase, en este sentido, la sentencia de 17 de octubre de 2018, Ryanair, C-249/17, EU:C:2018:834, apartado 30 y jurisprudencia citada)".*

(iii) **El éxito empresarial o los ingresos obtenidos es ajeno al sistema de deducción del IVA**. La STJUE de 13 de junio de 2024 (As. C-696/22) advierte que no se puede tomar como elemento de valoración el aumento de ingresos o la rentabilidad futura;

"94. Corrobora esta apreciación la jurisprudencia del Tribunal de Justicia de la que se desprende que el artículo 168, letra a), de la Directiva 2006/112 ***no supedita en modo alguno el ejercicio del derecho a deducción a un criterio relativo al aumento del volumen de negocios del sujeto pasivo ni, más generalmente, a un criterio de rentabilidad económica de la operación por la que se soporta el IVA. En particular, la falta de aumento del volumen de negocios del sujeto pasivo no tiene ninguna repercusión en el ejercicio del derecho a deducción. En efecto, como se ha recordado en el apartado 85 de la presente sentencia, el sistema común del IVA garantiza la neutralidad con respecto a la carga fiscal de todas las actividades económicas, cualesquiera que sean los fines o los resultados de estas, a condición de que dichas actividades estén a su vez, en principio, sujetas al IVA.*** *Por tanto, el derecho a deducir, una vez nacido, sigue existiendo aun cuando, posteriormente, la actividad económica prevista no se lleve a cabo y, por lo tanto, no dé lugar a operaciones gravadas o cuando el sujeto pasivo no haya podido utilizar los bienes o servicios que hayan dado lugar a la deducción en operaciones sujetas al impuesto a causa de circunstancias ajenas a su voluntad (véase, en este sentido, la sentencia de 25 de noviembre de 2021, Amper Metal, C-334/20, EU:C:2021:961, apartados 30 y 35)".*

En el mismo sentido, la STJUE de 7 de marzo de 2024 (As. C-341/22) señala que "*la condición de sujeto pasivo del IVA no está supeditada al cumplimiento de un requisito que impone a una persona la realización de operaciones sujetas al IVA cuyo valor económico supere un umbral de ingresos previamente fijado, que corresponde al rendimiento que razonablemente cabe esperar de los activos de que dispone esa persona. En efecto, a este respecto solo es relevante si dicha persona realiza efectivamente una actividad económica y, como se ha recordado en el apartado 21 de la presente sentencia, explota un bien corporal o incorporal con el fin de obtener ingresos continuados en el tiempo".*

De esta manera, la STJUE de 4 de septiembre de 2025 (As. C-726/23) determina que la Administración puede investigar si el servicio ha sido efectivamente prestado y ha sido utilizado posteriormente por el sujeto pasivo para las necesidades de sus propias operaciones gravadas para deducir el IVA. Pero no puede exigir al obligado que demuestre si servicios prestados "*eran necesarios u oportunos*" para las necesidades de las operaciones gravadas del sujeto pasivo en tanto la Directiva del IVA "*no supedita el ejercicio del derecho a deducir a un criterio de rentabilidad económica de la operación por la que se soporta el IVA*".

(iv) **El hecho de que se ponga a disposición de un tercero un bien de manera gratuita no impide la deducción del IVA soportado por adquisición de dicho bien**. En la STJUE de 4 de octubre de 2024 (As. C-475/23) se conoce de un supuesto donde una entidad puso a disposición gratuita de otra una grúa y el TJUE señala que "*la eventual influencia del hecho de que VGL soportara los costes de adquisición de la grúa sobre el precio que GEP facturó por el procesamiento de los productos de VGL es irrelevante, ya que el hecho de que GEP se haya beneficiado* ***gratuitamente de la grúa no puede****, por sí solo, justificar que se deniegue a VGL la deducción del IVA correspondiente a dichos costes, como se ha señalado en el apartado 25 de la presente sentencia*".

(v) **El principio de prohibición de prácticas abusivas**. El sistema del IVA se cierra con la negativa a la deducción del IVA cuando resulta acreditado, mediante elementos objetivos, que se invoca de forma fraudulenta o abusiva. La STJUE de 7 de marzo de 2024 (As. C-341/22) advierte que:

"*33. En efecto, es necesario recordar que la lucha contra el fraude, la evasión fiscal y los eventuales abusos es un objetivo reconocido y promovido por la Directiva sobre el IVA, y que el Tribunal de Justicia ha declarado reiteradamente que los justiciables no pueden prevalerse de las normas del Derecho de la Unión de forma abusiva o fraudulenta. Así pues, aun cuando se dieran los requisitos materiales para el derecho a la deducción, corresponde a las autoridades y a los tribunales nacionales denegar el disfrute de dicho derecho cuando resulte objetivamente acreditado que se invocó de manera fraudulenta o abusiva [véanse, en este sentido, las sentencias de 3 de marzo de 2005, Fini H, C32/03, EU:C:2005:128, apartados 34 y 35, y de 25 de mayo de 2023, Dyrektor Izby Administracji Skarbowej w Warszawie (IVA - Adquisición ficticia), C114/22, EU:C:2023:430, apartado 41 y jurisprudencia citada].*

34. Dado que la denegación del derecho a la deducción supone una excepción a la aplicación del principio fundamental que constituye este derecho, corresponde a las autoridades tributarias acreditar suficientemente con arreglo a Derecho los elementos objetivos que permitan llegar a la conclusión de que el sujeto pasivo cometió un fraude de IVA o sabía o debería haber sabido que la operación en la que se basa el derecho a la deducción formaba parte de un fraude de este tipo. Incumbe a los órganos jurisdiccionales nacionales comprobar a continuación si esas autoridades tributarias han demostrado la existencia de tales elementos objetivos [sentencia de 25 de mayo de 2023, Dyrektor Izby Administracji Skarbowej w Warszawie (IVA - Adquisición ficticia), C114/22, EU:C:2023:430, apartado 43 y jurisprudencia citada]."

2. CRITERIOS EN EL ÁMBITO INTERNO

En el ámbito interno, y con relación a la afectación de los bienes y servicios a una actividad empresarial, el TS ha señalado que basta con que suponga un beneficio general para el sujeto pasivo, aunque la actividad concreta a la que se dirige el gasto esté exenta o no sujeta. En concreto, la STS de 20 de diciembre de 2022 (recurso núm. 1399/2021) ha establecido que:

"*a) Es procedente la deducción de las cuotas de IVA soportadas por una entidad mercantil en la adquisición de bienes o servicios en el marco de operaciones no sujetas o sujetas y exentas,* ***cuando tales bienes o servicios hayan supuesto un beneficio económico que favoreciera la actividad general.***

b) En particular, lo es en este caso la deducción del IVA satisfecho por la prestación de servicios de asesoramiento en un procedimiento expropiatorio con la finalidad de lograr un mayor justiprecio que el inicialmente reconocido por la Administración, habida cuenta la naturaleza del bien expropiado y su relación directa con la actividad propia de la empresa.

c) Hay derecho a esa deducción del IVA soportado cuando el bien entregado o el ***servicio recibido a que da lugar guarde relación o suponga un beneficio general para el sujeto pasivo****, aunque la actividad a que se dirige esté exenta o no sujeta,* ***siempre que, además de ese beneficio general, aquí indudable, las operaciones a que se dedica quien reclama la deducción, en el marco de su actividad económica constituyan operaciones gravadas, lo que en este caso no ha sido controvertido.***

Esta es, por lo demás, la solución más respetuosa con el principio de neutralidad fiscal, por virtud del cual, el sujeto pasivo debe quedar indemne de los gastos fiscales en concepto de IVA por razón de la recepción de servicios prestados por terceros que benefician su actividad económica general sujeta, en su conjunto, al impuesto armonizado que nos ocupa".

Y también, a los efectos de verificar que ciertos gastos o inversiones se afectan a la actividad empresarial y no particular, podemos mencionar la SAN de 26 de junio de 2023 (recurso núm. 2001/2019), donde se analiza la deducción del IVA por la adquisición de obras de arte y si concurren elementos objetivos que pongan de manifiesto su intención de destinarlos a la actividad económica. La AN entiende que *"no hay prueba fehaciente que demuestre que las compras por la recurrente de las obras de arte pudieran entenderse afectas a una actividad económica en los periodos que se han regularizado por la Administración"*. Señala que la incorporación en los estatutos como objeto la compraventa de cuadros y obras de arte no es suficiente. En este caso, no se dio de alta en el IAE. Afirma la AN que *"aunque pudiéramos admitir con el recurrente que las decisiones empresariales de compra y de venta de los bienes están condicionadas por la situación económica tanto de la empresa como la del sector de mercado concreto, así como por la situación económica en general del país, no obstante, es difícil que podamos apreciar que la recurrente tuviera en las adquisiciones de las obras de arte intención de afectarlas a una actividad económica cuando en el periodo analizado solo se ha acreditado la venta de una obra de arte en el mes de octubre de 2013, pero no se puede aceptar como defensa que, en ese periodo la recesión económica fue especialmente gravoso en el mercado de las obras de arte"*. En definitiva, y como se señala en la SAN de 21 de febrero de 2024 (recurso núm. 1620/2021), donde también se deniega el IVA soportado por la adquisición de obras de arte y el asesoramiento, no se ha acreditado la *"intención, confirmada por elementos objetivos, de destinarlos a la realización de actividades"* empresariales y donde *"ninguna justificación se ha ofrecido por la recurrente sobre la relación de las mencionadas operaciones de compra de obras pictóricas, con sus actividades empresariales... esa relación no puede verse en el objeto de la entidad fijado en su escritura de constitución"*.

IX. OPERACIONES VINCULADAS

En el caso de que nos encontremos ante bienes inmuebles de sociedades mercantiles que están siendo usados por los socios/administradores es necesario distinguir varios supuestos.

(i) En el caso de que nos encontremos una cesión de carácter gratuito, el TJUE ha establecido que dicha operación no es asimilable a una actividad de arrendamiento exenta de IVA. La Sentencia de 18 de julio de 2013 (As. C-210/11 y C-211/11, acumulados) conoce de un supuesto donde se ponía a disposición parte de un bien inmueble perteneciente a una persona jurídica para las necesidades privadas del administrador de ésta sin que hubiera contraprestación. Entiende el Tribunal que la *"utilización para las necesidades privadas del sujeto pasivo o de su personal de una parte de un edificio afectado en su totalidad a su empresa, el Tribunal de Justicia ha declarado que esas disposiciones se oponen a una normativa nacional que,* ***aun cuando no se reúnan las características de un arrendamiento o alquiler de bien inmueble con arreglo al citado artículo 13, parte B, letra b), considera como prestación de servicios exenta del IVA, conforme a esta última disposición****, el uso para las necesidades privadas del personal de un sujeto pasivo que sea persona jurídica, de una parte de un edificio construido o poseído por dicho sujeto* *pasivo en virtud de un derecho real inmobiliario, cuando ese bien ha originado el derecho a la deducción del impuesto soportado (véanse, en este sentido, las sentencias Seeling, antes citada, apartado 56, y de 29 de marzo de 2012, BLM, C-436/10, apartado 31)*". Afirma el Tribunal que para que "*haya alquiler de un bien inmueble en el sentido del artículo 13, parte B, letra b), de la Sexta Directiva, es necesario que concurran todos los requisitos que caracterizan a esa operación, a saber, que el propietario de un bien inmueble haya cedido al arrendatario el derecho a ocuparlo y a excluir de éste a otras personas, a cambio de una renta y por un período de tiempo acordado (sentencias de 9 de octubre de 2001, Mirror Group, C-409/98, Rec. p. I-7175, apartado 31, y Cantor Fitzgerald International, C-108/99, Rec. p. I-7257, apartado 21, así como Seeling, antes citada, apartado 49)*".

(ii) El artículo 79.Cinco de la LIVA dispone que "*Cuando exista vinculación entre las partes que intervengan en una operación, su base imponible será su valor normal de mercado*". Y la letra a) de dicho precepto dispone que se considera que hay vinculación "*a) En el caso de que una de las partes intervinientes sea un sujeto pasivo del Impuesto sobre Sociedades o un contribuyente del Impuesto sobre la Renta de las Personas Físicas o del Impuesto sobre la Renta de No Residentes, cuando así se deduzca de las normas reguladoras de dichos Impuestos que sean de aplicación*". Por tanto, en las relaciones entre la mercantil y el socio/administrador sí habría una operación vinculada con arreglo al artículo 18.2 de la LIS, salvo en la parte que afecte a la remuneración del administrador [art. 18.2.b) de la LIS]

En el caso de que nos encontremos ante una cesión gratuita del bien inmueble al socio/administrador se produce el solapamiento de dos normas distintas. Se produce un concurso de normas sobre el mismo supuesto de hecho. En este caso, debe operar la norma específica de autoconsumo, como norma especial pensada, además, para un tipo de operaciones determinadas y reconocidas en la Directiva; donde no existe onerosidad opera la norma del autoconsumo y deben valorarse conforme a lo dispuesto en el artículo 79.Tres.3 de la LIVA[28].

(iii) Si, por el contrario, existe un verdadero alquiler donde el arrendatario es el socio/administrador, nos encontraremos ante una actividad sujeta al IVA al estar el bien inmueble destinado a la obtención de ingresos continuados en el tiempo. Sería, a su vez, una actividad exenta de IVA. De esta manera, la totalidad del IVA soportado exclusiva-

---

28 El TJUE afirma en su Sentencia de 9 de junio de 2011 (As. C-285/10) que "*No obstante, en la medida en que las operaciones en las que se ha convenido un precio notoriamente inferior al normal de mercado, como las controvertidas en el litigio principal, no dejan de ser operaciones a título oneroso en las que se ha recibido realmente una contraprestación que puede servir de base para la imposición, el principio de igualdad de trato, por sí solo, no puede exigir que se les apliquen las reglas de determinación de la base imponible previstas para las operaciones realizadas a título gratuito y destinadas a estimar tal base imponible, a falta de contraprestación real, conforme a criterios objetivos, al no ser comparables ambos tipos de operaciones*".

mente afecto sería no deducible. Y con relación al IVA soportado por servicios comunes, se aplicará la regla de prorrata. Y, ahora sí, habría que acudir a la norma de operaciones vinculadas en el caso de que el arrendamiento pactado fuera inferior al valor de mercado, en tanto al incluirse las operaciones exentas en el denominador de la prorrata cuanto menor sea el valor de la renta mayor sería la deducción. A estos efectos, el artículo 79.Cinco dispone que habrá que valorar por mercado "*b) Cuando el empresario profesional que realice la entrega de bienes o prestación de servicios determine sus deducciones aplicando la regla de prorrata y, tratándose de una operación que no genere el derecho a la deducción, la contraprestación pactada sea inferior al valor normal de mercado*".

ALCANCE DE LOS REQUISITOS FORMALES EXIGIDOS PARA LA RENUNCIA A LA EXENCIÓN DEL IVA EN LAS OPERACIONES INMOBILIARIAS TRAS LA EVOLUCIÓN DE LA DOCTRINA JURISPRUDENCIAL

Juan Calvo Vérgez
Catedrático de Derecho Financiero y Tributario
Universidad de Extremadura
ORCID 0000-0002-5799-2878

SUMARIO: I. CONSIDERACIONES GENERALES. REQUISITOS FORMALES NECESARIOS PARA EFECTUAR LA RENUNCIA A LA EXENCIÓN DEL IVA EN LAS OPERACIONES INMOBILIARIAS. LA EVOLUCIÓN DE LA DOCTRINA ADMINISTRATIVA Y JURISPRUDENCIAL. II. ANÁLISIS DE LA EVOLUCIÓN EXPERIMENTADA POR LA DOCTRINA JURISPRUDENCIAL DEL TS. III. ALCANCE DE LA MODIFICACIÓN OPERADA POR LA LEY 28/2014, DE 27 DE NOVIEMBRE, DE REFORMA DE LA LEY DEL IVA.

I. CONSIDERACIONES GENERALES. REQUISITOS FORMALES NECESARIOS PARA EFECTUAR LA RENUNCIA A LA EXENCIÓN DEL IVA EN LAS OPERACIONES INMOBILIARIAS. LA EVOLUCIÓN DE LA DOCTRINA ADMINISTRATIVA Y JURISPRUDENCIAL

Como es sobradamente conocido, en tanto en cuanto la renuncia a la exención en el Impuesto sobre el Valor Añadido (IVA) se configura como la renuncia de un derecho que resulta beneficiosa para el contribuyente, la misma se encuentra condicionada al cumplimiento de un conjunto de requisitos formales que condicionan su validez[1].

A la necesaria concurrencia de estos requisitos formales de cara a la renuncia a la exención a efectos del IVA en la segunda entrega de bienes inmuebles se refirió, por ejemplo, dentro de nuestra doctrina administrativa, el Tribunal Económico-Administrativo Central (TEAC) en su Resolución de 3 de mayo de 2007. Tal y como se encargó de precisar el citado Tribunal, la renuncia a la exención del IVA regulada en el art. 20.Dos de la Ley 37/1992, de 28 de diciembre, reguladora del Impuesto (LIVA) requiere que el transmitente comunique fehacientemente al adquirente la renuncia con carácter previo o simultáneo a la entrega del bien, así como que el adquirente declare por escrito su condición de sujeto pasivo del Impuesto que actúa en el ejercicio de su actividad empresarial o profesional y que tiene derecho a la deducción total del IVA soportado por la correspondiente adquisición. Añadió además el TEAC en la citada Resolución que esta renuncia efectuada por el transmitente podrá ser tácita, haciéndose constar, por ejemplo, en la escritura de compraventa la sujeción al Impuesto. Ahora bien, es preciso que exista una declaración previa o simultánea del adquirente que comunique el cumplimiento de los citados requisitos.

Como es sabido con carácter general el art. 8.1 del Real Decreto 1624/1992, de 29 de diciembre, por el que se aprueba el Reglamento del IVA (RIVA) establece dos requisitos de carácter formal. En primer lugar, la renuncia ha de comunicarse fehacientemente al adquirente con carácter previo o simultáneo a la entrega de los bienes. Y, en segundo término, debe justificarse con una declaración suscrita por el adquirente en la que éste haga constar su condición de sujeto pasivo con derecho a la deducción total o parcial del Impuesto, tras la reforma operada al respecto en la LIVA por la Ley 28/2014, de 27 de noviembre, a la que tendremos ocasión de referirnos en el último Epígrafe del presente trabajo. Incluso, a la luz de dicha reforma, procederá la renuncia a la exención cuando el adquirente ni siquiera tenga un derecho a la deducción parcial,

[1] Tal y como subraya además la Dirección General de Tributos (DGT) mediante contestación a Consulta de 16 de julio de 2015, dicha renuncia a la exención del IVA por cumplirse los requisitos establecidos en el apartado dos del art. 20 de la Ley 37/1992, una vez ejercida, es irrevocable.

siempre y cuando los bienes adquiridos vayan a ser utilizados total o parcialmente en la realización de operaciones que originen el derecho a la deducir, es decir, atendiendo al criterio de su destino efectivo. En todo caso si no se acredita suficientemente que el adquirente puede deducir íntegramente no procederá la renuncia a la exención por el transmitente[2].

Debe pues constar en escritura pública la sujeción al IVA y existir documento que acredite el derecho a deducir. Sin la acreditación de la deducibilidad del adquirente no cabe renuncia en la segunda entrega inmobiliaria. En efecto, sin el documento del adquirente no cabe la renuncia a la exención en la segunda entrega de edificaciones.

En la renuncia a la exención no es bastante por tanto con que conste en la escritura de compraventa, sino que es preciso, además, un escrito en términos claros y terminantes. Así las cosas, de acuerdo con lo dispuesto en el citado precepto reglamentario (art. 8.1 del RIVA) la renuncia debe comunicarse fehacientemente al adquirente con carácter previo o simultáneo a la entrega de los correspondientes bienes. Y, como se ha señalado, ha de concurrir el escrito previo o simultáneo del derecho a deducir. No constituye en cambio un requisito obligado que la entidad adquirente declare en el momento de la adquisición a qué concretas y singulares actividades va a destinar el inmueble transmitido, por cuanto no hay precepto alguno que lo imponga para que opere la renuncia a la exención. Y ello con independencia de que la adquisición para el desarrollo de una actividad económica con derecho a deducción sí que deba existir.

¿Cómo debe interpretarse la expresión "con carácter previo o simultáneo"? En nuestra opinión dicha expresión ha de entenderse simplemente como una referencia a que la voluntad de acogerse al IVA debe existir en el momento de realizarse la entrega, siendo suficiente que ambas partes confirmen *a posteriori* dicha voluntad siempre y cuando no

---

2 En efecto, tal y como precisó el TEAC en su Resolución de 21 de septiembre de 2010 la renuncia a la exención en segunda entrega debe ser fehaciente y con declaración del adquirente, sin que pueda aplicarla directamente la Inspección por el hecho de que fuera una operación entre empresarios y de que el adquirente pudiera deducir el 100% del IVA. Asimismo tampoco cabe renunciar al tiempo de la comprobación. A este respecto estima la Audiencia Nacional (AN) a través de su Sentencia de 11 de diciembre de 2003 que no hay acreditación del derecho a deducir íntegramente el IVA soportado cuando la Inspección sólo reconoce la afectación a una actividad empresarial en un 50%. Véase igualmente a este respecto la Sentencia del Tribunal Superior de Justicia (TSJ) de Galicia de 24 de septiembre de 2012 en la que se afirma que, de cara a corroborar la existencia de declaración suscrita por el adquirente de que es sujeto pasivo del Impuesto con derecho a la deducción total del impuesto soportado por dicha adquisición, tratándose de un escrito del adquirente comunicando al vendedor su condición de sujeto pasivo con derecho a la deducción ha de reconocerse la sujeción al IVA de la operación a realizar. Por su parte la SAN de 24 de octubre de 2012 rechazó que dicha acreditación suficiente se produjera existiendo únicamente la aportación de una carta por primera vez ante el TEAC en el trámite del recurso de alzada.

existan indicios que apunten a otra cosa, sin necesidad de tener que preconstituir un documento en el que se haga constar la fecha.

A esta necesidad de la existencia de comunicación fehaciente del transmitente al adquirente se refirió, en su día, la Sentencia del TSJ de Andalucía de 20 de junio de 2008, con independencia de que resulte a tal efecto suficiente la constancia de haberse repercutido el Impuesto en la propia escritura de compraventa. Y es que, tal y como subrayó la Dirección General de Tributos en su contestación a Consulta de 1 de septiembre de 2008, se considera renuncia comunicada fehacientemente la constancia en escritura pública de que el transmitente ha recibido una suma de dinero en concepto de IVA, a pesar de que no aparezca la renuncia expresa a la exención.

Por su parte la Sentencia del TSJ de Cataluña de 30 de octubre de 2008, tras poner de manifiesto que, con carácter general, se requiere la comunicación fehaciente del transmitente al adquirente (siendo suficiente a tal efecto con la constancia de haberse repercutido el Impuesto en la propia escritura de compraventa), precisó a continuación que, habiéndose producido en el supuesto de autos una manifestación por parte del adquirente y del transmitente de su intención y conocimiento indubitado de la sujeción de la operación al Impuesto, ha de otorgarse un carácter no esencial a la constancia de forma literal en la escritura de una renuncia expresa del transmitente[3].

La Sentencia del TSJ de Madrid de 15 de octubre de 2008 analizó a su vez un supuesto en el que la parte demandante estimaba que el tipo aplicable a efectos del Impuesto sobre Actos Jurídicos Documentados (IAJD) con motivo de la realización de una operación inmobiliaria era del 0,5%, y no del 1,5%. Concretamente la cuestión se centraba en determinar la interpretación que debía otorgarse al art. 3.Dos de la Ley 24/1999, de 27 de diciembre, de Medidas Fiscales y Administrativas de la Comunidad de Madrid, en su redacción otorgada para el año 2000, en el que se señalaba que el tipo del 1,5% se aplicaría a las primeras escrituras donde se recogiese de manera expresa la renuncia. A juicio de la parte demandante ello implica que cuando la renuncia queda recogida en una manifestación notarial anterior el tipo que deba aplicarse ha de ser el ordinario del 0,5%.

---

3 Tal y como se afirma en la Sentencia del TS de 12 de julio de 2012, si en una escritura de permuta consta que se ha repercutido y cobrado el IVA, no es esencial la renuncia expresa, dado que ya se ha manifestado la intención. Véase asimismo la Sentencia del TSJ de Madrid de 25 de septiembre de 2012, a cuyo tenor no procede liquidar el Impuesto sobre Transmisiones Patrimoniales (ITP) porque no es precisa la renuncia expresa en la escritura, siendo suficiente que conste que se ha repercutido el IVA. En este mismo sentido se pronuncia la Sentencia del TSJ de Galicia de 24 de septiembre de 2012 y la STS de 16 de mayo de 2013, a cuyo tenor si en la escritura se estipula la repercusión hubo renuncia a la exención. En cambio la SAN de 24 de octubre de 2012 no admitió la renuncia ya que, aunque se repercutió en escritura, el escrito del adquirente se aportó por primera vez en vía económico-administrativa.

Tal y como estimó el TSJ de Madrid en el citado pronunciamiento cuando en el supuesto de autos la renuncia a la exención del IVA operó con anterioridad a la formalización de la escritura la simple mención efectuada en esta última a que parte del precio correspondía al IVA no podía considerarse, por sí misma, como la propia renuncia a la exención, la cual tuvo lugar con anterioridad mediante la notificación fehaciente entre las partes. Y, a pesar de que era cierto que la Sentencia del Tribunal Supremo (TS) de 14 de marzo de 2006 había efectuado una interpretación nada formalista de los requisitos necesarios para que opere la renuncia a la exención, sus pronunciamientos se encontraban referidos a la interpretación que debía otorgarse a determinadas cláusulas de una escritura pública, supuesto de hecho distinto a que la renuncia a la exención no se contuviese en la escritura, sino que se produjese con anterioridad a aquélla. De este modo concluyó el TSJ de Madrid en la citada Sentencia de 15 de octubre de 2008 que, exigiendo el citado art. 3 de la Ley 24/1999 en su redacción legal vigente en el año 2000 que la escritura otorgada recoja de forma expresa la renuncia a la exención, al considerarse que la escritura no cumple ese requisito, el recurso debía estimarse. Cuestión distinta sería la aplicación del tipo de gravamen del 1,5% en la reforma legal que se introdujo para el año 2001 en la Comunidad de Madrid, en la que la exigencia se concretaba en que se tratase de escrituras públicas que documentasen transmisiones de bienes inmuebles respecto de los cuales se hubiese renunciado a la aplicación de la exención contenida en el art. 20.Dos de la LIVA, requisito que sí se daba en dicha escritura, si bien por razones temporales no pudo ser aplicado.

En todo caso, y volviendo a nuestro análisis relativo a la necesaria concurrencia de los requisitos formales, ya en su día había puesto de manifiesto el TEAC en su Resolución de 22 de junio de 1995, referente a un supuesto en el que se pretendía subsanar un defecto formal a través de una escritura de subsanación, que no resulta válida aquella renuncia que se insta o efectúa de forma sobrevenida ya que, además de adolecer de uno de los requisitos exigidos para su validez (aunque sea en vía reglamentaria), plantea el problema de la incidencia que la misma pueda llegar a tener en las deducciones del empresario o profesional que la efectúa. En palabras del Tribunal *"No pueden rectificarse errores de hecho, por lo que no es válida para alterar la inicial declaración tributaria que se hubiera efectuado (...) La presentación de una nueva escritura en la que el transmitente manifiesta la renuncia a la exención que no puso de manifiesto en el otorgamiento de la primera no supone subsanación de error de hecho alguno, sino que viene a añadir nuevas estipulaciones, es decir, nuevas declaraciones de voluntad, las cuales no alteran la declaración tributaria inicial"*.

Dentro igualmente del marco de la doctrina jurisprudencial mediante Sentencia de 31 de enero de 2005 afirmó el TSJ de Aragón que la comunicación del adquirente debe ser escrita, si bien no hay que comunicarla a la Administración, debiendo ser la renuncia efectuada fehaciente, a pesar de lo cual es suficiente con la realizada en escritura de rectificación. Por su parte el TSJ de Madrid, en su Sentencia de 3 de diciembre de 2010, refiriéndose al cumplimiento de este requisito relativo a la comunicación fehaciente del transmitente al adquirente, reiteró que es suficiente con la constancia de haberse repercutido el Impuesto por la propia escritura de compraventa.

A la luz de esta doctrina jurisprudencial parece claro por tanto que no es suficiente con que concurran los requisitos sustantivos que condicionan la renuncia. Dichos requisitos han de reflejarse y comunicarse por escrito al transmitente, si bien la renuncia expresa a la exención podría considerarse efectuada por el hecho de la repercusión del IVA reflejada en la escritura pública de transmisión[4].

Afirma además la Sentencia del TSJ de Murcia de 28 de septiembre de 2011, refiriéndose al alcance de esta comunicación fehaciente al adquirente con carácter previo o simultáneo a la entrega del bien, que dicha comunicación fehaciente no implica necesariamente la intervención de Notario, si bien ha de existir constancia efectiva de la notificación en el instante de la entrega del bien, siendo suficiente a tal efecto con la firma efectuada por las partes del documento privado con carácter previo al otorgamiento de la escritura pública en la que se procediese a efectuar la renuncia a la exención del IVA sujetándose la operación a dicho Impuesto[5].

Tal y como precisó el TSJ de Andalucía mediante Sentencia de 2 de julio de 2012, en caso de falta de comunicación por parte del adquirente de la condición de sujeto pasivo del Impuesto con derecho a la deducción total, no constando además la declara-

---

4 Así lo reconocen, entre otras, las Sentencias de la Audiencia Nacional de 18 de julio de 2000 y del TSJ de Baleares de 13 de junio de 2000. En todas ellas se señaló que la repercusión expresa efectuada en escritura equivale a la comunicación del derecho a deducir el IVA, constando así en documento privado y en factura. De este modo, a pesar de que no se renuncie expresamente a la exención en la escritura bastaría que se declarase la recepción del IVA repercutido y que exista documento que acredita el derecho a deducir. No obstante en la citada Sentencia de la AN se precisó que la renuncia a la exención en la entrega de inmuebles hay que entenderla hecha aunque no conste así en la escritura, pero sí la repercusión del Impuesto, existiendo escrito reconociendo el derecho a deducir por el repercutido. Igualmente puede consultarse a este respecto la STS de 13 de noviembre de 2012, a cuyo tenor se considera que se renunció a la exención porque en la escritura constaba la repercusión.

5 Esta cuestión relativa al hecho de que la comunicación fehaciente no implica necesariamente la intervención de Notario debiendo existir en todo caso la constancia efectiva de la notificación en el instante de la entrega del bien quedó igualmente puesta de manifiesto en la Sentencia del TSJ de Cataluña de 10 de noviembre de 2010, habiéndose subrayado en la citada Sentencia la suficiencia a estos efectos de la constancia de haberse repercutido el Impuesto en la propia escritura de compraventa. En cambio con anterioridad la Sentencia del TSJ de Aragón de 26 de diciembre de 2003, tras recordar que la renuncia a la exención inmobiliaria exige el documento del adquirente acreditando su derecho a deducir sin que se supla por la renuncia en escritura, rechazó que pudiera servir un documento privado sin fecha acreditada según el art. 1227 del CC.

ción en documento previo ni en la escritura pública de compraventa la renuncia resultará improcedente. Piénsese además que, de conformidad con lo declarado en la SAN de 11 de octubre de 2012, no siendo el adquirente empresario, no cabrá renuncia a la exención en la transmisión de terreno rústico, teniendo presente igualmente que el abono costes administrativos no convierte en empresario, no resultando procedente en el supuesto de autos analizado la deducción previa al inicio de la actividad. La renuncia a la exención regulada en el art. 20.2 de la LIVA exige siempre que el adquirente sea un empresario actuando en el ejercicio de su actividad y en función del destino previsible[6].

Ciertamente el hecho de que la renuncia deba comunicarse fehacientemente al adquirente de forma previa o simultánea a la entrega del inmueble correspondiente puede llegar a plantear diversos problemas de aplicación práctica, al requerirse que la comunicación se haga de forma que haga fe frente a terceros. Habitualmente este requisito se cumplirá a través de la escritura a otorgar por la operación, en la que habrá de ser suficiente con señalar que la operación se encuentra sujeta al IVA o, en su caso, con consignar la cantidad que en concepto del citado Impuesto se repercute al adquirente. En este sentido se pronuncio la DGT en su Resolución de 10 de mayo de 1996. Tal y como se encargó de precisar el citado Centro Directivo a través de esta Resolución la necesidad de notificación "fehaciente" no implica necesariamente intervención del Notario, si bien ha de existir constancia efectiva de la notificación en el momento de la entrega del bien. Y, a tal efecto, estimó la DGT que debía considerarse como "renuncia comunicada fehacientemente" la constancia en escritura pública de que el transmitente recibió una suma de dinero en concepto de IVA aunque no figurase la renuncia expresamente a la exención, toda vez que, con la referida indicación, se cumplía suficientemente el requisito establecido reglamentariamente, con el que se pretende que ambas partes conozcan el Impuesto al que se somete la operación mediante una manifestación que igualmente haga fe frente a terceros[7].

La renuncia ha de realizarse por cada operación efectuada por el sujeto pasivo, debiendo justificarse con una declaración suscrita por el adquirente en la que éste haga constar su condición de sujeto pasivo con derecho a la deducción total o parcial del

---

6 Por su parte la Sentencia del TSJ de Cataluña de 19 de julio de 2012 rechazó la posibilidad de que pudiera tener lugar la renuncia a la exención en una operación en la que el vendedor del inmueble no estaba dado de alta en el IAE, no presentaba declaraciones por el IVA ni cualquier otra fiscal, no tenía imputaciones de clientes o proveedores y no era arrendador porque sólo tenía la nuda propiedad siendo usufructuario su padre

7 Tratándose de una carta a través de la cual se acreditaba el derecho a deducir del adquirente sus efectos se habrán de referir a los requisitos del art. 1227 del CC. Y, dándose ésta después de la transmisión, será inválida la renuncia a la exención, de acuerdo con lo declarado en la Sentencia del TSJ de Aragón de 28 de febrero de 2003.

IVA soportado por las adquisiciones de los correspondientes bienes inmuebles, o bien en función del destino previsible del inmueble adquirido.

La principal cuestión que se ha suscitado a este respecto (y buena prueba de ello son los numerosos pronunciamientos jurisdiccionales existentes sobre la materia) es la de si resulta o no posible estimar cumplidos los requisitos establecidos para la susodicha renuncia por el hecho de que en la escritura pública de transmisión aparezca reflejada la repercusión del IVA, sin que exista, formalmente, una renuncia expresa del transmitente a dicha exención.

En un sentido negativo se pronunciaron, por ejemplo, las Sentencias del TSJ de Aragón de 5 febrero 2002 y de 26 diciembre 2003 y del TSJ de Andalucía de 15 febrero, 8 de marzo y 10 de septiembre de 2002. En el primero de los citados pronunciamientos (Sentencia del TSJ de Aragón de 5 de febrero de 2002) se declaró que la pretensión de la demandante no podía acogerse por faltar el requisito esencial de la comunicación fehaciente al adquirente de la renuncia a la exención con carácter previo o simultáneo a la entrega de los correspondientes bienes, sin que dicha exigencia normativa pudiera entenderse cumplida en el supuesto de autos a partir de la introducción de una cláusula en la escritura de compraventa de la que no se desprendía que la renuncia se hubiese llevado a cabo de forma clara y precisa, ni tampoco por la vía de la rectificación ulterior reflejada en una segunda escritura[8].

Ya con anterioridad había declarado la Sentencia del TSJ de Baleares de 1 de septiembre de 2000 que, a pesar de que conste la repercusión en escritura, sin escrito declarando el derecho a deducir la rectificación posterior sólo surte efectos desde su fecha, no produciendo efectos en consecuencia la renuncia. Se estimaba así que para que se pueda renunciar a la exención en la entrega de inmuebles es preciso que conste documentalmente y con carácter previo o simultáneo la declaración del derecho a deducir del adquirente. En otras palabras, la manifestación de sujeción al IVA en la escritura no sustituye la necesidad de comunicación previa o simultánea de la renuncia a la exención por segunda entrega[9].

---

[8] De este modo concluyó el Tribunal que en el supuesto de autos se daban los presupuestos legalmente exigibles para la práctica de la liquidación por el Impuesto sobre Transmisiones Patrimoniales acordada por la Jefatura de la Inspección y ratificada por el Tribunal Económico-Administrativo Regional, sin que pudiese prevalecer el criterio expuesto en la consulta de la DGT de 10 de mayo de 1996, invocada en la demanda, o en diversas Resoluciones del TEAC citadas por la parte recurrente en escritos posteriores a la finalización del trámite ordinario del recurso. Y ello debido a que, sin demérito de la doctrina contenida en dichas resoluciones, la decisión del Tribunal no queda vinculada más que al principio de legalidad.

[9] Véanse igualmente a este respecto las Sentencias del citado Tribunal de 25 de julio de 2000 y 21 de febrero de 2001.

Por su parte la Sentencia del TSJ de Murcia de 14 de octubre de 2011 se encargó de precisar a este respecto que, dada una renuncia contenida en un acta de aclaración o de rectificación parcial de la escritura inicial de compraventa, la eficacia de dicha rectificación únicamente ha de admitirse desde la fecha en la que se manifiesta. En el presente caso no existía una declaración previa o simultánea a la entrega de bienes, por lo que concluyó el Tribunal que la renuncia a la exención no resultó válida, siendo en consecuencia la exención procedente y hallándose la operación sujeta a ITP.

Continuando con el análisis de esta línea jurisprudencial de nuestros Tribunales Superiores de Justicia la Sentencia del TSJ de Andalucía de 15 febrero 2002 se manifestó que la formalidad reglamentariamente determinada no se había cumplimentado, debido a que el contenido de una de las cláusulas incluidas en el contrato de compraventa celebrado al efecto no respondía a las exigencias del art. 8 del RIVA, al limitarse a indicar que se había entregado el precio más IVA, lo que no podía entenderse como renuncia expresa a la exención del citado Impuesto por parte del sujeto pasivo[10].

¿Cómo ha de valorarse la circunstancia relativa a la constancia de que la renuncia ha sido comunicada fehacientemente al adquirente de forma previa o simultánea a la entrega del inmueble correspondiente en aquellos supuestos en los que la operación consta en documento privado? A nuestro juicio es esta una cuestión que puede llegar a plantear diversos problemas, lo que obliga a estar a todos aquellos elementos de prueba que permitan acreditar la fehaciencia de la renuncia. Así, por ejemplo, estimó el TSJ de Cataluña en su Sentencia de 20 de octubre de 2000 que la valoración de las circunstancias no debía limitarse en el presente caso a aquellos supuestos en los que, de acuerdo con lo dispuesto en el artículo 1227 del Código Civil, la fecha de los documentos privados hace prueba frente a terceros, sino que ha de admitirse que dicha eficacia frente a terceros se acredite o combata mediante otras pruebas admitidas en Derecho[11].

---

10 Pueden consultarse también las Sentencias del TSJ de Andalucía de 8 marzo y 10 septiembre de 2002, así como las Sentencia del TSJ de Aragón de 9 de octubre de 2002 y de 28 de febrero y 26 diciembre 2003; en este último pronunciamiento tampoco se concedió validez a la renuncia a la exención pretendida, si bien dicha denegación se fundamentó en el hecho de que la renuncia había quedado formalizada en un mero documento privado de fecha posterior a la transmisión en escritura pública. Debe precisarse no obstante que el citado TSJ de Aragón estimó mediante Sentencia de 22 de junio de 2001 que, aunque no exista el documento del adquirente, aceptar la repercusión en la escritura se debe considerar como manifestación implícita del derecho a deducir.

11 Como es sabido el citado precepto del Código Civil establece que *"La fecha de un documento privado no se contará respecto de terceros sino desde el día en que hubiese sido incorporado o inscrito en un registro público, desde la muerte de cualquiera de los que lo firmaron o desde el día en que se entregase a un funcionario público por razón de su oficio"*.

Un criterio de carácter similar fue adoptado por el TS en su Sentencia de 9 de noviembre 2004. Tras recordar el Alto Tribunal en dicho pronunciamiento que la renuncia debe comunicarse fehacientemente al adquirente con carácter previo o simultáneo a la entrega de los terrenos, concluyó que dicha circunstancia no concurría en el supuesto de autos, al haberse otorgado una escritura pública posterior para intentar subsanar tal omisión formal. En palabras del Tribunal *"(...) Este otorgamiento demuestra que los interesados no habían concedido al dato de aparecer en la escritura de compraventa que 'el transmitente había recibido una suma de dinero en concepto de IVA' el valor de una renuncia tácita o implícita de la exención de dicho Impuesto"*[12].

De cualquier manera conviene tener presente que no existe obstáculo legal alguno para considerar como renuncia expresa a la exención la repercusión del IVA reflejada en una escritura pública de transmisión de los inmuebles de que se trate. Y es que la renuncia a la exención en el IVA no debe suponer que se contenga expresamente en la escritura de compraventa dicha mención, bastando al efecto con que en la misma se haga constar que el comprador entrega al vendedor una suma de dinero en concepto del citado Impuesto. Este ha sido, además, el criterio mantenido por la DGT desde su Resolución de 10 de mayo de 1996, en la que se declaró que *"A efectos de esta renuncia es suficiente que en la escritura pública se haga constar el gravamen por el IVA, aunque no aparezca literalmente una renuncia expresa por el transmitente a dicha exención"*[13].

En consecuencia cabe entender que no resulta esencial el hecho de que figure literalmente en la escritura una renuncia expresa del transmitente a la exención del IVA. Será suficiente con la constancia de haberse repercutido el Impuesto en la propia escritura de compraventa de cara a acreditar que adquirente y transmitente manifiestan su intención y conocimiento indubitado de que la operación queda sujeta al Impuesto[14].

Cuestión distinta es que dicha circunstancia deba ir unida a los correspondientes documentos en los que las partes se comuniquen las referencias requeridas por la norma. Téngase presente que, aun cuando la repercusión del IVA reflejada en la escritura pública pueda estimarse como una renuncia expresa a la exención, se exige siempre

---

12 Por su parte en su Sentencia de 14 de marzo de 2006 reconoció el Alto Tribunal la existencia de renuncia tácita a la exención en aquellos casos en los que conste que ambas partes aseveran en la escritura que el transmitente ha repercutido y retenido a la parte compradora el IVA, solicitando la no sujeción al Impuesto.

13 Dicho criterio fue mantenido por la DGT en Resoluciones posteriores tales como la de 23 noviembre 2004, en la que se consideró comunicada fehacientemente la renuncia al haberse hecho constar en escritura pública que el transmitente recibió una suma de dinero en concepto de IVA, si bien no figuraba la renuncia expresa a la exención. *"En todo caso* —precisó el citado Centro Directivo— *se exige la declaración suscrita por el adquirente en la que éste acredite su condición de sujeto pasivo con derecho a la deducción total del IVA soportado"*.

14 Así lo declaró el TS, entre otras, en su Sentencia de 14 de marzo de 2006.

que el comprador comunique sus circunstancias al transmitente, no admitiéndose la renuncia en caso contrario. Y, a este respecto, resulta insuficiente la mera mención de la repercusión efectuada en documento público[15], no existiendo tampoco comunicación fehaciente de la renuncia efectuada por parte del transmitente al adquirente, como ya se ha indicado, cuando la misma se realiza en un documento privado que no cumple los requisitos exigidos por el art. 1227 del Código Civil[16].

Nos hallamos pues ante la existencia de un riguroso formalismo que, sin embargo, ha tratado de atemperarse por la Administración (y que, como veremos posteriormente al analizar la doctrina del TS, ha venido siendo suavizado por nuestros tribunales de justicia) estimando que, a pesar de que en la escritura pública de compraventa no figure literalmente una renuncia expresa del transmitente a la exención de IVA, es suficiente con la inclusión de reiteradas menciones a la repercusión del citado Impuesto realizadas por el transmitente al objeto de acreditar que ambas partes manifiestan con eficacia frente a terceros su intención y conocimiento indubitado de que la entrega queda sujeta efectivamente a IVA.

Un ejemplo de lo anterior lo encontramos en la Resolución del TEAC de 29 de abril de 1998, que consideró suficientemente acreditada la referida circunstancia mediante la presentación de diversos documentos anteriores a la escritura de compraventa y de tres facturas (pagos anticipados) en las que se repercutía el IVA. Tal y como puso de manifiesto el TEAC en dicha Resolución, *"Si bien en la escritura pública de compraventa no aparece literalmente una renuncia expresa del transmitente, sí resulta evidente que, con las reiteradas menciones efectuadas a la repercusión del IVA llevada a cabo por éste, queda perfectamente claro que ambas partes manifiestan con eficacia respecto de tercero, como lo es la Hacienda Pública, su intención y su conocimiento indubitado de que la entrega de bienes realizada quede sujeta y lo esté efectivamente al IVA, que es la finalidad perseguida por el Reglamento del Impuesto al exigir la comunicación fehaciente de la renuncia"*. En esta misma línea se expresó el TEAC en su Resolución de 10 julio de ese mismo año, al afirmar que *"La repercusión del IVA reflejada en la escritura pública puede entenderse como una renuncia expresa a la exención"*. Igualmente mediante Resolución de 19 de diciembre de 2007 señaló el TEAC que, una vez cumplida la condición del adquirente de ser empresario con derecho a deducción total de las cuotas soportadas, el ejercicio de la renuncia a la exención por parte del transmitente no exige necesariamente que se haga

---

15 Véanse, acerca de esta cuestión, las Resoluciones del TEAC de 10 de julio y de 8 de septiembre de 1998.

16 Este fue el criterio adoptado, a título de ejemplo, por la Sentencia del TSJ de Aragón de 12 de julio de 1999.

de manera expresa en escritura, pudiendo acreditarse dicha voluntad de forma explícita o implícita por cualquier otro medio[17].

[17] En similares términos se han manifestado, además, diversos tribunales superiores de justicia. Por ejemplo, el TSJ de Castilla y León afirmó en su Sentencia de 18 de marzo de 2000 que *"No hay que estar al dato meramente formal, sino al dato real, de manera que aunque no se cumplan formalmente todos los requisitos exigidos por el art. 8.1 del RIVA, si se cumple con la finalidad del precepto, habrá de declararse válidamente efectuada la renuncia"*. La Sentencia del TSJ de Andalucía de 9 enero 2002 otorgó validez a una renuncia a la exención articulada mediante la declaración efectuada por el vendedor en la escritura de venta de la sujeción de la operación a IVA y de su renuncia expresa a la exención, estimando que dicha renuncia resultaba válida *"por gozar dicha declaración de la presunción de veracidad"*. Por su parte las Sentencias del TSJ de Cataluña de 2 y de 31 de octubre 2002, tras reconocer que la circunstancia de que en la escritura se recoja que las partes contratantes hacen constar que la transmisión formalizada constituye una transmisión empresarial de bienes inmuebles sujeta al IVA nada aporta a la calificación del hecho imponible en cuanto a su sujeción por el citado Impuesto o por ITPyA-JD (piénsese que las partes podrían perfectamente haber incurrido en un error al calificar el negocio como hecho imponible de un impuesto, siéndolo de otro declarando así y pagando erróneamente un impuesto), precisaron a continuación que *"Sin embargo, la comunicación fehaciente no supone más que ser suficiente o tener los requisitos necesarios para que en virtud de ella se crea lo que dice o ejecuta, y ello se cumple haciendo constar que el transmitente ha recibido una suma de dinero en concepto de IVA, aunque no aparezca literalmente una renuncia expresa por aquél a la mencionada exención"*; de este modo estaba reconociendo el Tribunal que, a pesar de que no aparezca literalmente en la escritura pública una renuncia expresa del transmitente a la exención del IVA, habiéndose reflejado la repercusión con la constancia de que en esa escritura pública el transmitente ha recibido una suma de dinero, no cabe ninguna duda de que adquirente y transmitente manifiestan con eficacia respecto a terceros, es decir, la Hacienda Pública, su intención y conocimiento indubitado de que la operación quede sujeta al IVA. Ya con anterioridad este mismo Tribunal (el TSJ de Cataluña), en su Sentencia de 22 julio 2002 afirmó que la exigencia de que la renuncia a la exención en el IVA deba comunicarse fehacientemente al adquirente con carácter previo o simultáneo a la entrega de los correspondientes bienes se cumple suficientemente con la repercusión del Impuesto, aunque no aparezca literalmente una renuncia expresa por el transmitente a dicha exención. Véanse para finalizar la Sentencia del TSJ de Asturias de 19 diciembre de 2002 (en la que se señaló que la circunstancia de que no aparezca literalmente en la escritura pública una renuncia expresa del transmitente a la exención del IVA estando, sin embargo, reflejada la repercusión, es suficiente para entender que adquirente y transmitente manifiestan con eficacia frente a la Hacienda Pública su intención y su conocimiento indubitado de que la operación queda sujeta al IVA) y las Sentencias del TSJ de Murcia de 25 septiembre de 2002 y de 21 de mayo, 23 de julio y 29 de noviembre de 2003; en todas ellas se señala que *"Si bien es cierto que la vendedora no renunció expresamente a la exención en la escritura, reconoció, sin embargo, haber recibido el importe del IVA, debiéndose entender por tanto comunicada fehacientemente al adquirente la renuncia a la exención de forma simultanea a la realización de la compraventa y entrega de los bienes"*. Tal y como se señala en la Sentencia de la AN de 8 de marzo de 2013, en la transmisión de inmuebles la renuncia a la exención no exige que conste esa palabra, si queda clara la voluntad.

De este modo parece darse a entender que lo esencial en estos casos no es tanto la constancia en la escritura del término "renuncia", sino el dato real del cumplimiento del fin perseguido en la norma, que no es otro que garantizar la posición del adquirente frente a repercusiones no queridas. Y dicho objetivo podrá alcanzarse, bien mediante la inclusión de la referida expresión en la escritura o a través de la incorporación de cualquier otro término del que pueda derivarse que el transmitente renuncia, explícita o implícitamente a la exención, propiciándose así una opción en favor de la mecánica del tributo y no la exoneración del gravamen.

Adviértase, además, que el art. 8 párrafo primero del RIVA se refiere únicamente a la renuncia de la exención, imponiendo eso sí la obligación de su comunicación fehaciente al adquirente con carácter previo o simultáneo a la entrega de los bienes. Significa ello que lo esencial será que el adquirente conozca fehacientemente dicha renuncia, lo que tendrá lugar cuando se haya consignado en la escritura que la transmisión está sujeta a IVA y que el vendedor ha repercutido el Impuesto sobre la parte compradora[18].

Existen diversas normas especiales relativas a la renuncia a la exención tratándose de adquisiciones de inmuebles efectuadas mediante subasta judicial. Ya en su día la Ley 14/2000, de 29 de diciembre, de Medidas Fiscales, Administrativas y del Orden Social introdujo, a través del apartado décimo de su art. 5, una nueva Disposición Adicional Sexta en la Ley 37/1992 al objeto de reconocer determinadas facultades al adquirente de bienes y servicios siempre y cuando concurriesen dos requisitos, a saber: que se trate de una entrega de bienes o de una prestación de servicios realizada en un procedimiento administrativo o judicial de ejecución forzosa; y que el adjudicatario tenga la condición de empresario o profesional. Pues bien, entre dichas facultades figuraba la relativa a la renuncia a la exención en operaciones inmobiliarias, permitiéndose así al adquirente efectuar la renuncia en nombre y por cuenta del sujeto pasivo.

Ciertamente en el presente caso se planteaba un problema fundamental no resuelto de forma expresa por la norma: la consideración de la renuncia a la exención como un derecho que el art. 20.Dos de la LIVA reconoce a los sujetos pasivos, al margen de que dicha renuncia beneficie también al adquirente. Debido precisamente a ello la citada normativa se encargó de alterar dicho esquema al permitir al adjudicatario efectuar la renuncia en nombre y por cuenta del sujeto pasivo.

Obsérvese no obstante que, si bien el citado precepto fue diseñado para aquellos casos en los que la inactividad del sujeto pasivo provoca perjuicios al adjudicatario al

18 En este sentido la Sentencia de la Audiencia Nacional de 18 julio de 2000 concluyó que debía entenderse cumplido el requisito de la renuncia a la exención del IVA como consecuencia de la existencia conjunta de un documento privado a través del cual se exteriorizaba tal renuncia y de diversas estipulaciones contractuales en las que se hacía mención a la repercusión del citado Impuesto.

imposibilitar que pueda renunciarse a la exención (derivándose de ello la consiguiente liquidación por la Modalidad de Transmisiones Patrimoniales Onerosas), nada se señala a este respecto de manera expresa. Dada esta situación, ¿Podría el adjudicatario hacer uso de dicha facultad aun cuando el sujeto pasivo se negara de forma inequívoca a efectuar la renuncia? A nuestro juicio la respuesta a la citada cuestión ha de ser negativa. Y ello debido a que no puede afirmarse que exista una actuación "en nombre y por cuenta del sujeto pasivo" cuando éste se limita únicamente a manifestar una voluntad contraria a la pretendida por el adjudicatario. Hemos de reconocer, sin embargo, que se trata de un supuesto que difícilmente llegará a plantearse en la práctica. Por otra parte parece lógico pensar que, habiéndose ejercitado esta facultad, carecerá de sentido la exigencia contenida en el art. 8 del RIVA, no siendo necesario que la renuncia se comunique fehacientemente al adquirente con carácter previo o simultáneo a la entrega de los bienes.

Por otra parte la Disposición Adicional Sexta de la Ley 37/1992, en su redacción otorgada por el art. 79 de la Ley 22/2013, de 23 de diciembre, de Presupuestos Generales del Estado para el año 2014, estableció que en los procedimientos administrativos y judiciales de ejecución forzosa los adjudicatarios que tengan la condición de empresario o profesional a efectos del citado Impuesto están facultados, en nombre y por cuenta del sujeto pasivo y con respecto a las entregas de bienes y prestaciones de servicios sujetas al mismo que se produzcan en aquéllos para: expedir factura en la que se documente la operación; efectuar, en su caso, la renuncia a las exenciones previstas en el apartado Dos del art. 20 de la Ley; repercutir la cuota del Impuesto en la factura que se expida y presentar la declaración-liquidación correspondiente ingresando el importe del Impuesto resultante, salvo en los supuestos de las entregas de bienes y prestaciones de servicios en las que el sujeto pasivo de las mismas sea su destinatario de acuerdo con lo dispuesto en el art. 84.Uno.2º de la Ley.

En desarrollo de lo anterior la Disposición Adicional Quinta del RIVA establece lo siguiente: *"En los procedimientos administrativos y judiciales de ejecución forzosa a los que se refiere la Disposición Adicional Sexta de la Ley del Impuesto, los adjudicatarios que tengan la condición de empresario o profesional están facultados, en nombre y por cuenta del sujeto pasivo, y con respecto a las entregas de bienes y prestaciones de servicios sujetas al mismo que se produzcan en aquellos procedimientos, para expedir la factura en que se documente la operación y se repercuta la cuota del Impuesto, presentar la declaración-liquidación correspondiente e ingresar el importe del Impuesto resultante, así como para efectuar, en su caso, la renuncia a las exenciones prevista en el apartado Dos del artículo 20 de dicha Ley, siendo aplicables las siguientes reglas:*

1ª. El ejercicio por el adjudicatario de estas facultades deberá ser manifestado por escrito ante el órgano judicial o administrativo que esté desarrollando el procedimiento respectivo, de forma previa o simultánea al pago del importe de la adjudicación.

En esta comunicación se hará constar, en su caso, el cumplimiento de los requisitos que se establecen por el artículo 8 de este Reglamento para la renuncia a la exención de las operaciones inmobiliarias, así como el ejercicio de la misma.

El adjudicatario quedará obligado a poner en conocimiento del sujeto pasivo del Impuesto correspondiente a dicha operación o a sus representantes que ha ejercido estas facultades, remitiéndole copia de la comunicación presentada ante el órgano judicial o administrativo, en el plazo de los siete días siguientes al de su presentación ante aquél.

El ejercicio de esta facultad por el adjudicatario determinará que el sujeto pasivo o sus representantes no puedan efectuar la renuncia a las exenciones prevista en el apartado dos del artículo 20 de la Ley del Impuesto, ni proceder a la confección de la factura en que se documente la operación, ni incluir dicha operación en sus declaraciones-liquidaciones, ni ingresar el Impuesto devengado con ocasión de la misma.

2ª. La expedición de la factura en la que se documente la operación deberá efectuarse en el plazo de treinta días a partir del momento de la adjudicación.

Dicha factura será confeccionada por el adjudicatario, y en ella se hará constar, como expedidor de la misma, al sujeto pasivo titular de los bienes o servicios objeto de la ejecución y, como destinatario de la operación, al adjudicatario.

Estas facturas tendrán una serie especial de numeración.

El adjudicatario remitirá una copia de la factura al sujeto pasivo del Impuesto, o a sus representantes, en el plazo de los siete días siguientes a la fecha de su expedición, debiendo quedar en poder del adjudicatario el original de la misma.

3ª. El adjudicatario efectuará la declaración e ingreso de la cuota resultante de la operación mediante la presentación de una declaración-liquidación especial de carácter no periódico de las que se regulan en el apartado 7 del artículo 71 de este Reglamento.

El adjudicatario remitirá una copia de la declaración-liquidación, en la que conste la validación del ingreso efectuado, al sujeto pasivo, o a sus representantes, en el plazo de los siete días siguientes a la fecha del mencionado ingreso, debiendo quedar en poder del adjudicatario el original de la misma.

4ª. Cuando no sea posible remitir al sujeto pasivo, o sus representantes, la comunicación del ejercicio de estas facultades, la copia de la factura o de la declaración-liquidación a que se refieren las reglas 1ª, 2ª y 3ª anteriores por causa no imputable al adjudicatario, dichos documentos habrán de remitirse, en el plazo de siete días desde el momento en que exista constancia de tal imposibilidad, a la Agencia Estatal de Administración Tributaria, indicando tal circunstancia.".

Pues bien al amparo de lo establecido en el citado precepto reglamentario, y tal y como reconoce la DGT en su contestación a Consulta de 25 de febrero de 2014, en aquellos supuestos de adjudicación de bienes en virtud de subasta judicial el adjudicatario podrá efectuar, en su caso, la renuncia a las exenciones prevista en el apartado dos del art. 20 de la Ley 37/1992, así como presentar, en nombre y por cuenta del sujeto pasivo, la declaración-liquidación correspondiente e ingresar el importe del Impuesto sobre el Valor Añadido resultante. El ejercicio de dicha facultad por parte del adjudicatario determina la obligación de presentar la autoliquidación del Impuesto conforme al modelo aprobado por la Orden 3625/2003, de 23 de diciembre (Modelo 309).

Ahora bien, de resultar aplicable la regla de inversión del sujeto pasivo prevista en el art. 84.Uno.2° de la Ley 37/1992 el adjudicatario resultará ser el sujeto pasivo de la operación, motivo por el cual vendrá obligado a presentar la autoliquidación ordinaria del Impuesto en nombre propio, sin actuar en nombre y por cuenta del subastado.

¿Qué consecuencias se derivan de esta renuncia a la exención? Tal y como precisó dentro de la doctrina administrativa la DGT en su Resolución de 5 de mayo de 2009, planteada por una entidad de crédito que aplicaba una prorrata especial y que, por razón de su actividad, resultaba adjudicataria, mediante la figura de la dación en pago de deuda, de determinados bienes de naturaleza inmobiliaria, procediendo a la venta inmediata de este conjunto de bienes inmuebles y pretendiendo instar del transmitente (esto es, del que da en pago), la renuncia a la exención en aquellos supuestos en los que la entidad prevea que la posterior entrega quede sujeta y no exenta de IVA, en el supuesto de que se renunciara a la exención, determinará que las cuotas soportadas como consecuencia de la adquisición por parte de un sujeto pasivo en prorrata especial de distintos bienes inmuebles cuyo destino (siguiendo unos criterios razonables y debidamente justificados) sea previsiblemente la realización de operaciones sin exención del Impuesto puedan ser objeto de deducción[19].

Así las cosas estimó la DGT que en el concreto supuesto analizado la entidad de crédito podría pedir al transmitente del bien inmueble que renunciase a la exención y repercuta el tributo al adquirente, el cual podría deducirlo de manera íntegra. A juicio del citado Centro Directivo constituye un criterio razonable atender a la naturaleza del bien sobre el que recae la exención cuya aplicación pretenda renunciarse, toda vez que, en función de dicha naturaleza, resulta posible prever si en la posterior entrega cabrá, a su vez, la renuncia a la exención o no. Y en el caso de que se siguiese el criterio relativo a

---

[19] En relación con la aplicación de esta regla de prorrata especial estimó además la Sentencia del TSJ de Andalucía de 30 de enero de 2002 que puede aplicarse la renuncia a la exención cuando el adquirente puede deducir íntegramente por aplicación de la prorrata especial. Con posterioridad la Sentencia del TSJ de Madrid de 10 de enero de 2018 analizó un concreto supuesto en el que no resultaba acreditado que la entidad operara bajo el régimen de prorrata especial, no habiendo quedado además la citada cuestión aclarada a través del Modelo de declaración resumen anual 390 aportado en el que no constaba la existencia de sectores diferenciados, recogiéndose una sola prorrata y no precisándose nada acerca de la existencia de una prorrata especial.

la naturaleza del bien podría solicitarse al transmitente la renuncia a la exención tratándose de bienes tales como almacenes, locales, oficinas, plazas de garaje, naves industriales y suelo urbanizable en curso (ya sea éste programado o no).

En cambio consideró la DGT que no resultaría razonable solicitar la renuncia a la exención respecto de aquellas adjudicaciones de inmuebles terminados que constituyesen residencias unifamiliares, residencias colectivas o trasteros ya que, en la mayoría de los casos, la posterior entrega efectuada estaría exenta de IVA, sin que en estos casos sea previsible que se renuncie a la exención con ocasión de su venta posterior. En opinión del citado Centro Directivo el destino previsible del inmueble debe estar debidamente justificado por elementos objetivos, pudiendo ser objeto de comprobación posterior. Y, en el hipotético caso de que se alterase el destino inicialmente previsto, habría que proceder a la rectificación de las deducciones practicadas, siendo ésta obligatoria cuando implique una minoración del importe inicialmente deducido[20].

Por su parte el TEAC, a través de su Resolución de 28 de abril de 2009, analizó una operación de compraventa de un inmueble efectuada entre una Sociedad X (compradora) y una persona física A (vendedora), representada por el señor B, la cual resultó formalizada mediante escritura pública en diciembre de 2003. En dicha escritura no se hizo constar la repercusión del IVA. Con posterioridad, en octubre de 2004 se formalizó ante Notario una escritura de rectificación de la anteriormente citada escritura de compraventa de diciembre de 2003 entre la Sociedad X y la Sociedad Y, en la que se manifestó que el señor B intervino erróneamente en la escritura de 2003 en nombre

---

[20] Véase igualmente a este respecto la Sentencia del TS de 10 de abril de 2013, de conformidad con la cual en la adjudicación de un terreno del Ayuntamiento, si dicho terreno no estaba en curso de urbanización ni se desplegó actividad alguna, no cabrá renuncia a la exención por su destino residencial aunque en la escritura se diga que es rústico. Por su parte la Sentencia del TSJ de Castilla y León de 18 de enero de 2013 procedió a anular una renuncia a la exención del IVA en la venta de una vivienda porque el adquirente no había acreditado que fuese a destinarse al desarrollo de una actividad sujeta. Tal y como recuerda el Tribunal uno de los requisitos de la renuncia a la exención en operaciones inmobiliarias es que el adquirente tenga derecho a la deducción total del Impuesto soportado por las correspondientes adquisiciones, en función de su destino previsible. En consecuencia corresponde a la parte compradora con base en criterios razonables y debidamente justificados, determinar el destino previsible de los bienes inmuebles, esto es, la utilización de los mismos por dicha sociedad, tanto en la realización de operaciones que originarán a la misma el derecho a deducir en el IVA, como la realización de operaciones que no originen el citado derecho. En el supuesto de adquisición de vivienda por una empresa dedicada a la promoción inmobiliaria, el destino previsible del bien es su uso como vivienda o su arrendamiento para uso de vivienda que, por tratarse de operaciones exentas, no originan el derecho a la deducción del IVA soportado. Y, dada la acreditación insuficiente por el interesado de que fuera a destinarse a otro fin, la renuncia a la exención resulta improcedente.

del señor A, ya que en realidad representaba a la Sociedad Y. Así las cosas se manifestó que la venta real se efectuó entre las Sociedades X e Y, ya que esta última Sociedad había adquirido en documento privado previamente al señor A el inmueble objeto de la operación, que fue elevado a documento público en la misma escritura de rectificación. De dicha escritura se desprendía, además, que había sido presentada su autoliquidación por ITPyAJD, declarándose el acto exento. En el año 2005 la Comunidad Autónoma formuló propuesta de liquidación en relación con la compraventa formalizada en el año 2003 a cargo de la Sociedad X en concepto de ITPyAJD (Modalidad de TPO), al tipo del 7%. El interesado presentó recurso de reposición y posterior reclamación económico-administrativa ante el TEAR, que la desestimó, recurriéndose posteriormente en alzada ante el TEAC.

Pues bien tal y como señala el TEAC, de cara a que la transmisión del inmueble vendido en el año 2003 hubiera estado sujeta al IVA (lo que hubiera excluido la aplicación del ITP) habría sido necesario que el vendedor tuviera la condición de sujeto pasivo y, además, que la operación no estuviera exenta en este Impuesto o, de estarlo, que el vendedor hubiera renunciado a la aplicación de la exención, cumpliéndose los restantes requisitos del art. 20.Dos de la LIVA[21]. Y ninguna de estas condiciones aparecía cumplida en el supuesto analizado. De hecho la vendedora era una persona física de la que ni siquiera se invocó su condición de sujeto pasivo por el IVA. Y el objeto de la compraventa lo constituía una segunda transmisión de vivienda que, como tal, se encontraba

21 Téngase presente además que, tal y como se encargó de precisar la Sentencia del TSJ de Extremadura de 22 de enero de 2013, la aplicación del tipo reducido de TPO previsto en determinadas legislaciones autonómicas (en el presente caso por la Ley extremeña 8/2001 en su art. 6.3 para aquellos supuestos en los que no se renuncie e la exención del IVA no es de aplicación cuando el vendedor no actúa como empresario o profesional. En efecto, en el concreto supuesto de autos analizado lo que se deducía de los términos de la escritura pública era que los vendedores no tenían la condición de sujetos pasivos del Impuesto en la concreta operación de compraventa, no habiéndose aportado una fundamentación y prueba que permitiera mantener una solución distinta a la adoptada por la Administración Tributaria, motivo por el cual no podía apreciarse que se tratase de una operación sujeta pero exenta. Ello significa que la parte vendedora no hubiera podido renunciar a la exención, ya que no puede hacerlo quien no tiene la condición de sujeto pasivo del IVA. A mayor abundamiento en el presente caso respecto del adquirente no quedó acreditado que hubiera podido deducirse en su totalidad la cuota de IVA repercutido, siendo este conjunto de requisitos necesarios para que hubiera podido darse una renuncia válida a la exención. Y es que sólo en el supuesto de que, habiéndose podido ejercitar la renuncia, no se hubiese hecho finalmente, habría sido de aplicación el tipo bonificado. Distinto de lo anterior sería el caso en que no se ejercitase la renuncia a la exención debido a que la misma no pudiera ejercitarse válidamente. En definitiva, tal y como concluye el Tribunal el tipo bonificado en TPO se aplica solo en aquellas operaciones en que no se ejercita la renuncia a la exención, que es facultativa, pero no cuando dicha opción no existe por faltar cualquiera de los requisitos que exigen la sujeción, la exención y la renuncia a la exención.

exenta de IVA, no formulándose en la escritura ninguna renuncia a la exención ni acreditándose además el cumplimiento de los restantes requisitos exigidos.

Por otra parte estimamos que carecía de toda relevancia la pretensión defendida por el recurrente en el sentido de que sólo existió una venta (la efectuada entre las Sociedades X e Y), ya que la venta documentada en la escritura de 2003 resultó inexistente, al haberse producido algún tipo de error en la determinación de la persona del vendedor, tal y como se pretendía justificar a través de una posterior escritura pública de rectificación de 2004[22].

Tal y como precisó el TEAC, invocar en una escritura posterior de rectificación en la que intervenían, no el vendedor de la escritura de 2003 cuya rectificación se pretendía, sino el comprador y un tercero para modificar aquélla, no podía tener eficacia alguna. Más bien parecía que lo que se pretendió fue interponer a una persona ajena en una operación (la venta efectuada en el 2003), que ya estaba consumada en la fecha de la escritura de rectificación. Adicionalmente se pretendía hacer valer por la recurrente como prueba de la sujeción al Impuesto de la operación inmobiliaria una escritura de rectificación notarial de fecha posterior a la operación de compraventa.

Ya en un supuesto de carácter similar el TS, a través de su Sentencia de 9 de noviembre de 2004, señaló que sin la previa o coetánea declaración suscrita por el adquirente, y teniendo en cuenta la necesidad de otorgar escritura de subsanación, no puede entenderse válidamente efectuada la renuncia a la exención en el IVA. En base a ello el TEAC acordó desestimar el recurso y confirmar la liquidación girada por la Comunidad Autónoma en el año 2005 por el ITPyAJD, concluyendo que para que tenga validez la renuncia a la exención del IVA en una transmisión de un inmueble, tanto la renuncia del transmitente como la declaración del adquirente ha de ser previa o simultánea a la entrega, sin que tenga valor a este respecto una escritura rectificativa.

De cualquier manera, y de conformidad con lo declarado por la Audiencia Nacional en su Sentencia de 17 de junio de 2009, resulta procedente la renuncia a la exención en el IVA en aquellos supuestos en los que consta en la escritura de compraventa la repercusión del citado Impuesto, debiendo entenderse cumplida la condición relativa a la comunicación fehaciente. Se reconoce así que no constituye un requisito esencial que la renuncia a la exención del IVA aparezca literalmente en la escritura. En efecto, no se requiere que figure de manera literal una renuncia expresa del transmitente a la exención del IVA, siendo suficiente la constancia de haberse repercutido el Impuesto en la propia escritura de compraventa, ya que de esta forma es incuestionable que ad-

22 Ciertamente la primera venta que se produjo no ofrecía duda alguna. La vendedora era la titular registral, y así se dijo acreditado además en la propia escritura, del inmueble transmitido y consistente en su venta al comprador definitivo (la Sociedad X), que la aceptó y pagó a la primera el precio acordado, quien reconoce el haberlo recibido.

quirente y transmitente manifiestan su intención y conocimiento indubitado de que la operación quede sujeta a gravamen por el citado Impuesto[23].

En opinión de la Audiencia lo que verdaderamente interesa no es la constancia en la escritura del término renuncia, sino el dato real del cumplimiento del fin perseguido en la norma, que no es otro que garantizar la posición del adquirente frente a repercusiones no queridas. Y este fin puede ser alcanzado, bien mediante la utilización del término "renuncia" en la escritura o, en su caso, a través de cualquier otro del que pueda derivarse que el transmitente renuncia (explícita o implícitamente) a la exención, lo que propicia una opción en favor de la mecánica del tributo y no la exoneración del gravamen. Concretamente en el supuesto de autos analizado por el órgano judicial constaba en la escritura de compraventa la repercusión del IVA al 16% (tipo de gravamen aplicable por aquel entonces), motivo por el cual se estima cumplida la condición de la comunicación fehaciente, existiendo realmente renuncia a la exención.

Con posterioridad declararía a este respecto el TS a través de su Sentencia de 14 de octubre de 2010 que, dado un supuesto de renuncia a la exención en el IVA en el que, con posterioridad, se otorgaba una escritura pública de rectificación dejando sin efecto dicha renuncia, resultaba procedente confirmar la liquidación girada en concepto de IVA, al no haberse acreditado en la instancia que las partes incurrieran en error en su declaración inicial. Ahora bien, a pesar de ello el Alto Tribunal procede a la anulación de la sanción por falta de motivación de la culpa.

Por su parte mediante Sentencia de 20 de enero de 2011 el Alto Tribunal se encargó, de entrada, de recordar, al hilo de la cuestión relativa a si, en orden a la efectividad de la renuncia a la exención, se cumplieron o no los requisitos establecidos en el art. 8.1 del Reglamento del IVA relativos a la comunicación fehaciente al adquirente con carácter previo o simultáneo a la entrega del inmueble y a la declaración del adquirente en donde se haga constar su condición de sujeto pasivo con derecho a la deducción, que dicha renuncia quedaba sometida, por aquel entonces, al cumplimiento de los siguientes requisitos: que el adquirente fuese un sujeto pasivo del IVA que actué en el ejercicio de su actividad empresarial o profesional; que el adquirente tuviese derecho a la deducción total del IVA soportado por la correspondiente adquisición (téngase presente no obstante que este requisito fue modificado por la Ley 28/2014); y que el adquirente declarara por escrito las dos circunstancias anteriores al transmitente y que

23 Véase a este respecto la Sentencia del TSJ de Andalucía de 11 de abril de 2008, de conformidad con la cual la renuncia a la exención resulta procedente aunque falte la declaración del adquirente como sujeto pasivo y con derecho a deducción, ya que no se discute y no cabe una interpretación excesivamente formalista.

este comunique fehacientemente a aquel la renuncia con carácter previo o simultáneo a la entrega del bien[24].

En relación con la necesaria concurrencia por aquel entonces (y, en todo caso, con carácter previo a la reforma introducida por la Ley 18/2014) del citado requisito consistente en tener derecho a la deducción total del IVA soportado en la adquisición declaró el TSJ de Madrid mediante Sentencia de 29 de marzo de 2012 que no podía estimarse cumplido el mismo de forma implícita por la repercusión del IVA al adquirente en la escritura pública, siendo la declaración del adquirente necesaria en todo caso para que la renuncia tenga validez y debiendo resultar además coetánea a la comunicación fehaciente de la renuncia por el transmitente. A estos efectos estimó el Tribunal que resultaba insuficiente el documento privado aportado con posterioridad, el cual solo podrá oponerse a terceros a partir de su entrada en registro público[25].

Este mismo Tribunal, mediante Sentencia de 30 de marzo de 2012, insistió en la necesidad de una declaración efectuada por escrito del adquirente de ser sujeto pasivo del IVA y tener derecho a la deducción total del Impuesto soportado en la adquisición, existiendo a este respecto acreditación insuficiente si se presentase una factura en la que se hiciese constar la repercusión del IVA y las comunicaciones en documento privado, las cuales solo hacen prueba frente a terceros desde su entrada en un registro público.

Por otra parte, dada una escritura a través de la cual se elevó a pública una anterior transmisión realizada en documento privado, constando en la misma la comunicación del adquirente igualmente realizada en documento privado, declaró el TSJ de Madrid mediante Sentencia de 8 de mayo de 2012 que en el presente caso sí que podía hablarse de la existencia de una comunicación simultánea, siendo en consecuencia la renuncia procedente. No obstante la Sentencia del TSJ de Islas Baleares de 24 de julio de 2012 precisó a este respecto que no es suficiente con la mera declaración de sujeción al IVA en la escritura de compraventa. De acuerdo con lo declarado por el Tribunal, aunque la repercusión del IVA en la escritura acreditaba la renuncia a la exención, no debía aplicarse (debiendo tributar por ITP) porque no constaba en el expediente el escrito del adquirente sobre su derecho a deducir íntegramente

---

24 Tal y como precisó el TSJ de Madrid en su Sentencia de 25 de enero de 2010, la renuncia a la exención se puede efectuar en la escritura de transmisión.

25 Véase igualmente a este respecto la Sentencia del citado Tribunal de 8 de mayo de 2012.

II. ANÁLISIS DE LA EVOLUCIÓN EXPERIMENTADA POR LA DOCTRINA JURISPRUDENCIAL DEL TS

Como ya se ha analizado con anterioridad tradicionalmente la doctrina administrativa ha puesto de manifiesto a este respecto que resulta claro que la renuncia se ha querido revestir de un cierto carácter formalista que condiciona su validez, de forma que no basta con que pueda probarse que se cumplen los dos primeros requisitos, sino que han de reflejarse y comunicarse por escrito al transmitente, de la misma forma que éste último ha de dejar constancia expresa de la renuncia a la exención, y no en cualquier momento, sino previa o simultáneamente a la entrega del bien.

Con carácter general la LIVA ha venido destacando como requisito absolutamente fundamental que el adquirente realice actividades empresariales, exigiéndose además, hasta fechas recientes, que gozase del régimen de deducción total del IVA, remitiéndose al Reglamento para la concreción de los requisitos y forma de la renuncia. Por su parte el Reglamento regulador del citado Impuesto ha venido tradicionalmente adicionando como requisitos complementarios la comunicación fehaciente al adquirente con carácter previo o simultáneo a la entrega de bienes y la declaración del adquirente, en donde se hiciese constar la condición de derecho pasivo con derecho a la deducción total del Impuesto soportado por las adquisiciones del bien inmueble (como ya se ha señalado ello ha sido así hasta la reciente reforma introducida por la Ley 28/2014).

Se trata de unos requisitos de inexcusable cumplimiento para el contribuyente si quiere beneficiarse del régimen de renuncia de exención del IVA, de manera que no caben posturas intermedias. O ha cumplido todos y cada uno y debe gozar del régimen de la renuncia, o no, en cuyo caso se entiende que la renuncia no tiene eficacia frente a la Hacienda pública y éste debe aplicar el esquema tributario común.

Pues bien, entrando a analizar la evolución seguida en este punto por la doctrina jurisprudencial elaborada por el TS, tal y como puso de manifiesto el Alto Tribunal en su Sentencia de 9 de noviembre de 2004 el art. 8.1 del Real Decreto 1624/1992 exigía por aquel entonces como garantía de los derechos e intereses de todas las partes afectadas que la renuncia fuese comunicada fehacientemente al adquirente, con carácter previo o simultáneo a la entrega de los terrenos y, además, que, en todo caso, la renuncia (que se practicará por cada operación realizada por el sujeto pasivo) se justificara con una declaración suscrita por el adquirente en la que éste hiciese constar su condición de sujeto pasivo con derecho a la deducción total de IVA soportado por las adquisiciones de los correspondientes bienes (declaración que, lógicamente, tenía que ser, asimismo, coetánea a la comunicación fehaciente de la renuncia).

Ello se explica por el hecho de que se ha querido revestir a la renuncia de un carácter formalista que condiciona esencialmente su validez. Inicialmente el TS negó la pretendida virtualidad de la llamada "renuncia tácita o implícita" a la exención, al enfatizar que el cumplimiento estricto de los requisitos formales establecidos en el art. 8.1 del RIVA constituyen una condición esencial para la validez de dicha renuncia.

Con posterioridad, sin embargo, y adoptando una postura mucho menos rigurosa y más antiformalista, afirmó el TS en su Sentencia de 13 de diciembre de 2006, a propósito de una operación de adquisición de un establecimiento de hostelería, que *"A tenor del art. 20, apartado 2, de la Ley 37/1992, de 28 de diciembre, del IVA, el sujeto pasivo de las operaciones objeto de la exención descrita en el número 22 del apartado 1 del propio art. 20 (segundas o ulteriores entregas de edificaciones) podrá renunciar a la correspondiente exención del IVA, siempre que el adquirente de los inmuebles cumpla los siguiente requisitos:*

a) Que el adquirente sea un sujeto pasivo del IVA que actúe en el ejercicio de sus actividades empresariales o profesionales.

b) Que el adquirente tenga derecho a la deducción total del IVA soportado por las correspondientes adquisiciones.

A estos dos requisitos materiales o sustantivos, el art. 8.1 del Reglamento del IVA, aprobado por Real Decreto 1624/1992, de 29 de diciembre, añade dos requisitos formales: c) La renuncia deberá justificarse con una declaración suscrita por el adquirente en la que éste haga constar su condición de sujeto pasivo con derecho a la deducción total del IVA soportado por la adquisición del correspondiente bien inmueble El derecho a la deducción no es una consecuencia de la renuncia a la exención sino un requisito de la misma; en cambio, sí es una consecuencia el ejercicio del derecho a deducir. La declaración suscrita por el adquirente constituye, pues, el justificante de la renuncia de aquél y deberá comunicarla al transmitente; d) La renuncia se practicará por cada operación realizada por el sujeto pasivo y el transmitente deberá comunicar fehacientemente el adquirente la renuncia a la exención con carácter previo o simultáneo a la entrega de los correspondientes bienes para que el adquirente conozca cual va a ser el régimen de tributación aplicable a la operación, esto es, para dotar al mismo de la necesaria seguridad jurídica. La obligación del transmitente de comunicar la renuncia a la exención al adquirente, en cuanto comporta por un lado la sujeción al Impuesto, y por otro la no sujeción al Impuesto de Transmisiones Patrimoniales al ser aplicable el apartado 5 del art. 7 del Texto Refundido de la Ley del Impuesto sobre Transmisiones Patrimoniales y Actos Jurídicos Documentados, aprobado por Real Decreto Legislativo 1/93, de 24 de septiembre, pretende evitar la duplicidad impositiva que se produciría si el adquirente presentara de inmediato su declaración por el Impuesto de Transmisiones.

Estas exigencias formales han de ser apreciadas desde la perspectiva de la finalidad de la norma, debiendo recordarse que, según se reconoce en la Exposición de Motivos de la Ley 37/1992, en su apartado 4.6, la posibilidad de renuncia a las exenciones de determinadas operaciones inmobiliarias se establece para evitar las consecuencias de la ruptura de la cadena de las deducciones producida por las exenciones, ya que éstas por las operaciones inmobiliarias no otorgan el derecho de deducir las cuotas soportadas en la adquisición de los bienes, quedando dichas cuotas definitivamente a cargo del transmitente, como si fuera consumidor final de los bienes, debiendo el adquirente soportar, además, el Impuesto sobre Transmisiones Patrimoniales".

Estimó así el TS que la opción por la renuncia de la exención tiende a evitar las anteriores distorsiones que se producen, en la cadena de deducciones, en tanto el bien inmueble se mantiene dentro del proceso de distribución empresarial, suponiendo para el adquirente una disminución de costes empresariales, ya que las cuotas del Impuesto soportadas pueden ser objeto de recuperación.

La opción de renuncia debe ser ejercitada por el transmitente, ya que él es el sujeto pasivo del Impuesto. Ahora bien, puesto que la posibilidad de optar se halla subordinada al cumplimiento de determinados requisitos que dependen del adquirente, sólo podrá aplicarse la misma si éste está interesado en ella, estableciéndose, por ello, como requisito previo al ejercicio de la renuncia por parte del sujeto pasivo transmitente, la tenencia por éste de una declaración, suscrita por el adquirente en la que hiciese constar su condición de sujeto pasivo del Impuesto, así como su afirmación de tener derecho, por aquel entonces, a la deducción total del IVA a soportar con ocasión de la adquisición inmobiliaria objeto de la renuncia.

En todo caso subrayó el Alto Tribunal en su Sentencia de 20 de enero de 2011 que dicha renuncia a la exención del IVA por el sujeto pasivo no necesita de renuncia expresa por el transmitente en escritura pública, siendo suficiente con que las partes se comuniquen la voluntad de renuncia y el cumplimiento de las condiciones para la misma, siendo estas comunicaciones entre las partes fehacientes y por escrito, sin que sea necesario la protocolización notarial de las comunicaciones para que surtan efectos frente a terceros ni presentar una declaración suscrita por el adquirente ante la Administración de Hacienda de su domicilio fiscal. La renuncia a la exención del IVA se concibe así como un acto *inter* partes y no ante la Hacienda Pública, expreso y con comunicación por escrito de ciertas circunstancias.

Y, a pesar de que, en ocasiones, la renuncia se ha querido revestir de un cierto carácter que condicione esencialmente su validez, no basta con que pueda probarse que se cumplen los dos primeros requisitos materiales indicados con anterioridad, sino que han de reflejarse y comunicarse por escrito al transmitente, de la misma forma que éste ha de dejar constancia de la renuncia a la exención, la cual debe ser comunicada fehacientemente al adquirente con carácter previo o simultáneo a la entrega del bien, pero resulta claro que en precepto alguno se exige que deba reflejarse necesariamente en documento público.

A juicio del Alto Tribunal la necesidad de notificación "fehaciente" no implica por ejemplo necesariamente intervención del Notario, si bien ha de existir constancia efectiva de la notificación, en el momento de la entrega del bien. Normalmente se suele incluir en la propia escritura pública de transmisión, habiendo entendido a este respecto la DGT en su Resolución de 10 de mayo de 1996 que se considera "renuncia comunicada fehacientemente" la constancia en escritura pública de que el transmitente ha recibido una suma de dinero en concepto de IVA aunque no aparezca la renuncia expresamente a la exención, toda vez que, con la referida indicación, se cumple suficientemente el requisito establecido reglamentariamente, con el que se pretende que ambas partes conozcan el Impuesto al que se somete la operación, mediante una manifestación que igualmente haga fe frente a terceros.

En resumen, de conformidad con lo declarado por el Alto Tribunal no resulta esencial que aparezca literalmente en la escritura una renuncia expresa del transmitente a la exención del IVA, siendo suficiente la constancia de haberse repercutido el Impuesto en la propia escritura de compraventa, ya que de esta forma es incuestionable que adquirente y transmitente manifiestan su intención y conocimiento indubitado de que la operación queda sujeta al IVA. Es suficiente pues con que las partes se comuniquen la voluntad de renuncia y el cumplimiento de las condiciones para la misma, siendo estas comunicaciones entre las partes fehacientes y por escrito, sin que se requiera la protocolización notarial de las comunicaciones para que surtan efectos frente a terceros ni presentar una declaración suscrita por el adquirente ante la Administración de Hacienda de su domicilio fiscal[26]. En palabras del Alto Tribunal *"No resulta esencial que aparezca literalmente en la escritura una renuncia expresa del transmitente a la exención del IVA, siendo suficiente la constancia de haberse repercutido el Impuesto en la propia escritura de compraventa, pues de esta forma es incuestionable que adquirente y transmitente manifiestan su intención y conocimiento indubitado de que la operación queda sujeta al IVA"*.

Desde nuestro punto de vista lo que verdaderamente interesa no es la constancia en la escritura del término "renuncia", sino el dato real del cumplimiento del fin perseguido en la norma, que no es otro que el de garantizar la posición del adquirente, frente a repercusiones no queridas, pudiendo dicho fin alcanzarse bien mediante la utilización del término "renuncia" en la escritura o bien a través de cualquier otro del que pueda derivarse que el transmitente renuncia, explícita o implícitamente a la exención, que propicia una opción en favor de la mecánica del tributo y no la exoneración del gravamen. En esta misma línea se sitúan las Sentencias del Alto Tribunal de 14 de marzo de 2006 y de 24 de enero de 2007[27].

---

26 Por su parte la Sentencia del TSJ de Murcia de 23 de septiembre de 2011 añadiría a este respecto que carecería de toda relevancia la existencia de una posterior escritura de rectificación en la que de forma expresa se hiciese constar la renuncia a la exención. Es suficiente, insistimos, con la constancia de haberse repercutido el Impuesto en la propia escritura de compraventa.

27 Añadió asimismo el Alto Tribunal en este último pronunciamiento que, al amparo de la regulación aplicable por aquel entonces, resultaba exigible que el adquirente tuviese derecho a la deducción total del Impuesto soportado, lo que suponía que, estando sujeto el obligado tributario a la regla de prorrata, ésta fuese del 100%. Y, tratándose de un supuesto en el que un sujeto pasivo del

Impuesto declaró como actividad principal la actividad de arrendamiento de inmuebles, siendo la actividad con mayor volumen de ingresos en los períodos objeto de comprobación la de venta de inmuebles adquiridos previamente por el propio obligado tributario, y teniendo presente además que, con carácter accesorio, el sujeto pasivo realizaba la actividad de prestación de servicios de la propiedad inmobiliaria (concretamente, en el ejercicio de su actividad el sujeto pasivo realizaba conjuntamente operaciones que originaban el derecho a la deducción de las cuotas del IVA soportadas con otras operaciones que no originan el derecho a dicha deducción, de manera que se encontraba sujeto a la regla de prorrata), a pesar de que el sujeto interpretó que cuando la anterior normativa del IVA exigía para la renuncia a la exención la plena deducción de las cuotas del Impuesto soportado en las correspondientes adquisiciones no se estaba refiriendo a la deducibilidad total de las cuotas soportadas por el sujeto pasivo en toda su actividad empresarial, sino a la deducibilidad de las cuotas soportadas en cada adquisición concreta, resuelve el Tribunal que, a efectos de la renuncia a la exención, se requiere que la entidad adquirente tenga derecho a la plena deducción de impuesto soportado. En todo caso, y de conformidad con lo declarado en la Sentencia del TSJ de Extremadura de 27 de febrero de 2009, el derecho a deducir del adquirente habría de acreditarse con la prorrata provisional del año, la definitiva del año precedente, de la transmisión con independencia del definitivo que resulte a final de año. Mediante Sentencia de 7 de marzo de 2014 analizó el TS un supuesto en el que, mediante escritura de compraventa otorgada una primera entidad mercantil transmitió a una segunda entidad una explotación hotelera, de cuatro estrellas de calificación. Para la Administración autonómica, en la mercantil adquirente no concurrían las condiciones exigidas en el artículo 20.Dos de la LIVA para que la entidad vendedora pudiera renunciar válidamente a la exención, al carecer aquélla del derecho a la deducción total del Impuesto soportado en el momento de la adquisición, debiendo tributar por el ITPyAJD en el concepto "transmisión patrimonial onerosa". Lo cierto es que esta segunda entidad estaba dada de alta en el Epígrafe 861.1 del Impuesto sobre Actividades Económicas, Epígrafe referente al alquiler de viviendas. En relación con los ingresos procedentes de la explotación en el ejercicio en cuestión se efectuó la correspondiente repercusión del Impuesto. El inmueble adquirido a la primera entidad mercantil iba a ser destinado al arrendamiento. Todo ello condujo al TS a estimar que la segunda entidad citada no ejercía actividades que constituyeran sectores diferenciados, realizando operaciones sujetas y no exentas del IVA. Y, a efectos de la renuncia a la exención contenida en el art. 20.Dos de la LIVA, de acuerdo con su anterior redacción, debía entenderse que el adquirente tenía derecho a la deducción total del IVA soportado cuando el porcentaje de deducción provisionalmente aplicable en el año en que se hubiera de soportar dicho tributo permitiese su deducción íntegra. En el presente caso el porcentaje de deducción provisionalmente aplicable en el momento de la adquisición del complejo hotelero fue el que prevaleció como definitivo para el año natural anterior, porcentaje que, atendiendo a las actividades desarrolladas por la mercantil, en ningún caso pudo ser del 100%. Por tanto no podía aceptarse que la segunda entidad citada tuviera derecho a la deducción de la totalidad del IVA soportado en el momento de la adquisición de tal complejo hotelero, en cuanto que no se cumplían los requisitos para renunciar a la exención. Acerca de la cuestión relativa a que se entiende que el adquirente tiene derecho a la deducción total del IVA soportado cuando el porcentaje de deducción provisionalmente aplicable en el año en que se haya de soportar dicho tributo permita su deducción íntegra analizó la Sentencia del TSJ de Madrid de 2 de febrero de 2015 un supuesto en el que una entidad mercantil no acreditó su derecho a la deducción total del IVA, hasta el punto

Dado que no resulta exigible que el adquirente comunique a la Hacienda Pública que cumple los requisitos exigidos para una válida renuncia a la exención del IVA no puede negarse validez a tal comunicación por el hecho de que no se haya entregado a la Administración tributaria con carácter previo a la realización de la operación. La norma únicamente exige que tal comunicación se realice al transmitente como sujeto pasivo del Impuesto que ha de renunciar, en su caso, a la exención. Pero ninguna norma exige que tal comunicación se realice en documento público; por eso una escritura en la que el representante de la sociedad transmitente manifiesta que ha recibido del comprador por el concepto de IVA una cantidad satisface la exigencia de que se haya comunicado fehacientemente al adquirente la renuncia con carácter previo o simultáneo a la entrega del inmueble.

Cabe aludir además a la Sentencia del TS de 30 de mayo de 2016, de conformidad con la cual la renuncia a la exención del IVA por el sujeto pasivo no requiere de renuncia expresa alguna por parte del transmitente realizada en escritura pública, siendo suficiente con que las partes se comuniquen la voluntad de renuncia y el cumplimiento de las condiciones para la misma. Dichas comunicaciones habrán de tener lugar entre las partes fehacientes y realizarse por escrito, sin que sea necesaria la protocolización notarial de las comunicaciones para que surtan efectos frente a terceros ni presentar una declaración suscrita por el adquirente ante la Administración de Hacienda de su domicilio fiscal. Tal y como recuerda el Alto Tribunal la renuncia a la exención del IVA se concibe como un acto *inter partes* no ante la Hacienda Pública, si bien con una comunicación por escrito de ciertas circunstancias.

Tras efectuar un repaso de su jurisprudencia más reciente recuerda el Alto Tribunal que, lo que verdaderamente interesa no es la constancia en la escritura del término "renuncia", sino el dato real del cumplimiento del fin perseguido en la norma, que no es otro que el de garantizar la posición del adquirente, frente a repercusiones no queridas, pudiendo dicho fin alcanzarse, bien mediante la utilización del término "renuncia" en

---

de que ni siquiera en sus reclamaciones hizo alegación alguna al respecto. Pues bien para el Tribunal el criterio adoptado por el TEAR consistente en trasladar la carga de la prueba a la Administración no resulta apta para acreditar el derecho de la mercantil a la deducción total del IVA, por cuanto supondría una actuación de Gestión o Revisión de dicho Impuesto, analizando unas operaciones inexistentes dado que no constaban declaradas, por parte de una Administración que carecía de competencias para ello (en relación con la gestión del IVA), siendo así que la mercantil era quien podía acreditar su derecho a la deducción total, bien mediante la aportación del documento completo de la declaración resumen anual de IVA o bien de forma aún más precisa y sin dificultad alguna mediante la aportación de un certificado emitido por la Administración competente acreditativo de la aplicación o no por el IVA en el período considerado de la regla de prorrata regulada en los arts. 102 y siguientes de la Ley del IVA, a efectos del cálculo de las cuotas soportadas deducibles por la adquisición de bienes y servicios. En definitiva, en el presente caso no resultó acreditado el requisito de que el adquirente (la mercantil demandada) tuviese derecho a la deducción total del IVA.

la escritura o a través de cualquier otro del que pueda derivase que el transmitente renuncie, explícita o implícitamente a la exención, que, propicia una opción en favor de la mecánica del tributo y no la exoneración del gravamen. Ciertamente, y tal y como se ha venido poniendo de manifiesto a lo largo del presente trabajo, la opción de renuncia debe ser ejercitada por el transmitente, ya que él es el sujeto pasivo del Impuesto. Sin embargo, como la posibilidad de optar está subordinada al cumplimiento de determinados requisitos que dependen del adquirente, sólo podrá aplicarse la misma si éste está interesado en ella, estableciéndose por ello como requisito previo al ejercicio de la renuncia por parte del sujeto pasivo transmitente la tenencia por éste de una declaración, suscrita por el adquirente, en la que haga constar su condición de sujeto pasivo del Impuesto, así como su afirmación de tener derecho a la deducción total del IVA a soportar con ocasión de la adquisición inmobiliaria objeto de la renuncia.

De cualquier manera la renuncia a la exención del IVA por el sujeto pasivo no necesita de renuncia expresa por el transmitente en escritura pública. Basta que las partes se comuniquen la voluntad de renuncia y el cumplimiento de las condiciones para la misma, siendo estas comunicaciones entre las partes fehacientes y por escrito, sin que sea necesario la protocolización notarial de las comunicaciones para que sudan efectos frente a terceros ni presentar una declaración suscrita por el adquirente ante la Administración de Hacienda de su domicilio fiscal. La renuncia a la exención del IVA se concibe como así un acto *inter partes* y no ante la Hacienda Pública expreso y con comunicación por escrito de ciertas circunstancias[28]. Por otra parte la necesidad de notificación fehaciente no implica necesariamente intervención del Notario, si bien debe existir constancia efectiva de la notificación en el momento de la entrega del bien.

III. ALCANCE DE LA MODIFICACIÓN OPERADA POR LA LEY 28/2014, DE 27 DE NOVIEMBRE, DE REFORMA DE LA LEY DEL IVA

La Ley 28/2014, de 27 de noviembre, de reforma de la Ley del IVA, amplió el ámbito objetivo de la aplicación de la renuncia a las exenciones inmobiliarias, al no vincular

---

28 Tal y como afirmase en su día el TS a través de su Sentencia de 13 de diciembre de 2006 *"Es cierto que la renuncia se ha querido revestir de un cierto carácter formalista que condicione esencialmente su validez; por eso no basta con que pueda probarse que se cumplen los dos primeros requisitos materiales más arriba enunciados, sino que han de reflejarse y comunicarse por escrito al transmitente, de la misma forma que éste ha de dejar constancia de la renuncia a la exención, la cual debe ser comunicada fehacientemente al adquirente con carácter previo o simultaneo a la entrega del bien, pero resulta claro que en precepto alguno se exige que deba reflejarse necesariamente en documento público"*.

la misma a la exigencia de que el empresario o profesional adquirente tenga derecho a la deducción total del impuesto soportado en función del destino previsible en la adquisición del inmueble, si bien se exige que dicho empresario tenga un derecho a la deducción total o parcial del impuesto soportado al realizar la adquisición o en función del destino previsible del inmueble adquirido.

Señala el art. 20.Dos de la LIVA en su vigente redacción que *"Las exenciones relativas a los números 20º y 22º del apartado anterior podrán ser objeto de renuncia por el sujeto pasivo, en la forma y con los requisitos que se determinen reglamentariamente, cuando el adquirente sea un sujeto pasivo que actúe en el ejercicio de sus actividades empresariales o profesionales y se le atribuya el derecho a efectuar la deducción total o parcial del Impuesto soportado al realizar la adquisición, o bien, en función de su destino previsible, los bienes adquiridos vayan a ser utilizados, total o parcialmente, en la realización de operaciones, que originen el derecho a la deducción."*

Así pues, con motivo de la reforma de la Ley 37/1992 operada a través de la Ley 28/2014, de 27 de noviembre, se amplió el ámbito objetivo de la aplicación de la renuncia a las exenciones inmobiliarias, al no vincular la misma a la exigencia de que el empresario o profesional adquirente tenga derecho a la deducción total del Impuesto soportado en función del destino previsible en la adquisición del inmueble, si bien se exige que dicho empresario tenga un derecho a la deducción total o parcial del impuesto soportado al realizar la adquisición o en función del destino previsible del inmueble adquirido.

De entrada la citada Ley 28/2014 eliminó la referencia al número 21º del apartado Uno del art. 20 de la LIVA. Y, con carácter adicional, se dispuso una reforma del apartado segundo del citado precepto de importante repercusión fiscal, al ampliarse como decimos el ámbito objetivo de aplicación de esta renuencia.

Como hemos tenido ocasión de analizar a lo largo del presente trabajo entre los requisitos que se exigían hasta el 31 de diciembre de 2014 se encontraba el relativo a que el empresario adquirente del inmueble, y en función del destino previsible, tuviese derecho a la deducción total del Impuesto soportado por dicha adquisición. Pues bien a partir del 1 de enero de 2015 la renuncia a la exención no queda condicionada a este requisito, ya que puede ser ejercitada la renuncia por el transmitente cuando el empresario o profesional adquirente tenga derecho a deducir el Impuesto, bien sea total o parcialmente, no pudiendo en principio renunciarse a la exención cuando el adquirente sea un empresario o profesional que realicen actividades exentas. Con carácter adicional se añade que en el caso de que no se cumpla lo anterior (esto es, cuando el adquirente no genere el derecho a la deducción) también podrá renunciarse a la exención cuando, en función del destino previsible, los bienes adquiridos vayan a ser utilizados, total o parcialmente, en la realización de operaciones que originen el derecho a la deducción.

A la luz de la reforma introducida se extendió pues el ámbito de aplicación de la renuncia a la exención en las operaciones inmobiliarias (entregas de suelo y de edificaciones), flexibilizándose el cumplimiento del requisito que exige que el adquirente tenga derecho a la deducción de la cuota soportada por la operación. En este sentido basta que se le atribuya el derecho a efectuar la deducción total, o incluso parcial, de la cuota soportada en la operación o bien, cuando ni siquiera tuviera un derecho a la deducción parcial, que los bienes adquiridos vayan a ser utilizados total o parcialmente en la realización de operaciones que originen el derecho a la deducir, es decir, atendiendo al criterio de su destino efectivo.

A este respecto, y a través de la posterior aprobación del Real Decreto 1073/2014, de 19 de diciembre, se adaptó también el RIVA, en su art. 8, a la reforma operada, a fin de adecuarlo a la nueva redacción del precepto legal. En el citado precepto reglamentario se recogen las condiciones formales que deben cumplimentarse por los partícipes de la operación inmobiliaria. Así, se mantiene que la renuncia a las exenciones de los números 20º y 22º del art. 20.Uno de la Ley deberá comunicarse fehacientemente al adquirente con carácter previo o simultáneo a la entrega de los correspondientes bienes. La renuncia deberá practicarse operación por operación por el sujeto pasivo (quien transmite o entrega los bienes).

En relación con la justificación que ha de emitir el adquirente, a fin de adecuarla a la redacción del art. 20.Dos de la Ley establece el citado precepto reglamentario que el adquirente deberá emitir una declaración en la que haga constar su condición de sujeto pasivo con derecho a la deducción total o parcial del IVA soportado por las adquisiciones de los bienes inmuebles o, en otro caso, que el destino previsible para el que vayan a ser utilizados los bienes adquiridos le habilita para el ejercicio del derecho a la deducción total o parcialmente.

Así, por ejemplo, dado un empresario dedicado al alquiler de inmuebles (tanto de locales como de viviendas), sujeto a la prorrata general, y que adquiriese a otro empresario un local de segunda mano, dicha entrega quedaría exenta por el art. 20.Uno.22º de la LIVA, si bien podría renunciarse a la exención aun cuando el adquirente no generase el derecho a la deducción total del Impuesto por la actividad que realiza. La renuncia habrá de comunicarse fehacientemente por el transmitente con carácter previo o simultáneo a la operación en la escritura pública de transmisión. Y, al objeto de poder efectuar esta renuncia, el adquirente habrá de emitir la declaración que prevé el art. 8 del RIVA, que podrá efectuarse también en la misma escritura pública de compraventa. En definitiva, cualquier entrega de inmuebles que hubiera de resultar exenta admitirá renuncia si el adquirente es empresario o profesional y puede deducir aunque solo sea una parte del IVA que la grave.

Desde nuestro punto de vista esta posibilidad de renunciar a la exención en las operaciones inmobiliarias aun cuando el destinatario no tenga pleno derecho a la deducción del IVA soportado, junto con la aplicación del mecanismo de inversión del sujeto pasivo, facilita de manera clara la realización de este tipo de operaciones, al eliminar la necesidad de financiar el tributo.

En resumen, la reforma articulada a través de la aprobación de la Ley 28/2014 y del Real Decreto 1073/2014 amplió, en buena medida, el espectro de aplicación de la renuncia a la exención en las operaciones inmobiliarias, dado que se flexibiliza el cumplimiento del requisito que exige que el adquirente tenga derecho a la deducción de la cuota soportada por la operación. En este sentido basta que se le atribuya el derecho a efectuar la deducción total o incluso parcial de la cuota soportada en la operación o, cuando ni siquiera tuviera un derecho a la deducción parcial, que los bienes adquiridos vayan a ser utilizados total o parcialmente en la realización de operaciones que originen el derecho a la deducir, es decir, atendiendo al criterio de su destino efectivo. La redacción otorgada al apartado 1 de este art. 8 RIVA incluyó expresamente en concordancia tanto la mención de que el derecho a la deducción puede ser parcial, como la referencia a que, en otro caso, cabrá la renuncia si el destino previsible a que se vayan a destinar los bienes habilite para el ejercicio del derecho a la deducción, ya total, ya parcial de la cuota.

Se dispone así la posibilidad de renunciar a la exención en las operaciones inmobiliarias aun cuando el destinatario no tenga pleno derecho a la deducción del IVA soportado, lo cual, junto con la aplicación del mecanismo de inversión del sujeto pasivo, ha de facilitar la realización de este tipo de operaciones, al eliminar la necesidad de financiar el tributo. De este modo se extendió notablemente el ámbito objetivo de la aplicación de la renuncia a las exenciones inmobiliarias, al no vincular la misma a la exigencia de que el empresario o profesional adquirente tenga derecho a la deducción total del Impuesto soportado en función del destino previsible en la adquisición del inmueble, si bien se exige que dicho empresario tenga un derecho a la deducción total o parcial del Impuesto soportado al realizar la adquisición o en función del destino previsible del inmueble adquirido.

QUINTA PARTE:

TRIBUTOS ESTATALES CEDIDOS A LAS CC.AA.

CONSIDERACIÓN DE LOS INMUEBLES COMO ELEMENTOS PRODUCTIVOS A EFECTOS DEL LÍMITE CONJUNTO EN EL IMPUESTO SOBRE EL PATRIMONIO

CARMEN BANACLOCHE PALAO
Catedrática de Derecho Financiero y Tributario
Universidad Rey Juan Carlos
ORCID 0000-0001-9588-6163

I. INTRODUCCIÓN: LA RIQUEZA, EL INTERÉS GENERAL Y LOS LÍMITES CONSTITUCIONALES SOBRE LA TRIBUTACIÓN

El (bastante desconocido) artículo 128 de la Constitución Española de 1978, con el que se inicia el Título VII, sobre Economía y Hacienda, dispone:

1. "Toda la riqueza del país en sus distintas formas y sea cual fuere su titularidad está subordinada al interés general.

2. Se reconoce la iniciativa pública de la actividad económica. Mediante ley se podrá reservar al sector público recursos o servicios esenciales, especialmente en caso de monopolio y asimismo acordar la intervención de empresas cuando así lo exigiere el interés general".

Llama la atención (por lo menos, a mí) un precepto constitucional de corte tan colectivista, que subordina toda la riqueza de España, sea cual sea su titularidad (aun en manos de particulares, amparados por el sacrosanto derecho a la propiedad[1]) al interés general[2]. El texto constitucional ha sido explicado por el propio Congreso de los Diputados en el sentido de que, al contrario de lo que parece, regula la función social del derecho a la propiedad privada y la figura jurídica de la expropiación, estableciendo los límites que no pueden ser traspasados por los poderes públicos.

Así pues, dicho precepto ha de interpretarse en función de otro artículo que ocupa una posición más preminente dentro del sistema constitucional, en cuanto que forma parte del Título primero, sobre Derechos y Deberes Fundamentales: el artículo 33, que garantiza el derecho a la propiedad privada y a la herencia.

"Artículo 33 CE

1. Se reconoce el derecho a la propiedad privada y a la herencia.

2. La función social de estos derechos delimitará su contenido, de acuerdo con las leyes.

3. Nadie podrá ser privado de sus bienes y derechos sino por causa justificada de utilidad pública o interés social, mediante la correspondiente indemnización y de conformidad con lo dispuesto por las leyes".

En consonancia con este mandato constitucional, el artículo 31.1. CE, también dentro del capítulo correspondiente a los derechos y libertades, establece el marco en el que debe desarrollarse el sistema tributario español, disponiendo que "*todos contribuirán al sostenimiento de los gastos públicos de acuerdo con su capacidad económica mediante*

---

1 Sobre la relación entre el derecho de propiedad constitucionalmente garantizado y la imposición tributaria puede consultarse Palao Taboada, C. (1979). "La protección constitucional de la propiedad privada como límite al poder tributario", en *Hacienda y Derecho,* IEF, pág. 279 y sig.

2 En cualquier caso, es una norma de alto rango que puede resultar muy útil en la actualidad para justificar ciertas restricciones al derecho individual de propiedad con relación al espinoso problema de los inmuebles destinados a alquileres turísticos, por ejemplo.

un sistema tributario justo inspirado en los principios de igualdad y progresividad que, en ningún caso, tendrá alcance confiscatorio".

De este precepto resultan dos de los principios tributarios esenciales de nuestro ordenamiento fiscal: el de capacidad económica y el de no confiscatoriedad. Como indica CASADO OLLERO, "vinculando ambos preceptos cabe decir que la prohibición constitucional de la confiscatoriedad (art. 31.1. CE) constituye la garantía tributaria del derecho de propiedad que reconoce y ampara la Constitución Española de 1978 (art. 33.1 CE)"[3]. Y ambos delimitan la capacidad exactora del Estado y las Comunidades Autónomas, en cuanto entidades territoriales con capacidad legislativa para establecer tributos (art. 31.3. CE en relación con el artículo 66.2 CE y artículos 148 y 150 del mismo texto normativo).

Si dejamos a un lado el principio de capacidad económica, que trasciende del objeto de este trabajo[4], hemos de comentar que, respecto a la prohibición de la confiscatoriedad de los impuestos mucho se ha escrito ya sobre la misma, con discusiones estériles acerca del umbral por encima del cual se debe considerar que un impuesto tiene carácter confiscatorio[5]. En esta investigación vamos a centrarnos en la incidencia que ha

---

3 Casado Ollero, G. en el Prólogo del trabajo de Moreno Fernández, J. I. (2020). "La prohibición de confiscatoriedad como límite a la actuación de todos los poderes públicos", *Paper* 17, AEDAF.

4 Por todos, puede consultarse Herrera Molina, P. M. (1998). *Capacidad económica y sistema fiscal: análisis del ordenamiento español a la luz del derecho alemán.* Marcial Pons.

5 Fundación Hay Derecho: "Los límites de los impuestos: capacidad económica y no confiscatoriedad" (22 mayo 2020). En este estudio de derecho comparado se cita al Tribunal Constitucional alemán, que declaró que no debía gravarse más del 50 por ciento de la riqueza potencial del contribuyente (en 1997 se declaró inconstitucional el Impuesto sobre el Patrimonio alemán), o la jurisprudencia belga, la cual ha determinado respecto al impuesto sucesorio que un tipo del 90 por ciento ha de calificarse como manifiestamente confiscatorio. En Luxemburgo, la reciente sentencia del Tribunal Constitucional de 10 de noviembre de 2023 ha considerado inconstitucional el Impuesto sobre el Patrimonio. En las últimas décadas, han suprimido el Impuesto sobre el Patrimonio Austria (1994), Dinamarca y Alemania (1997), Países Bajos (2001), Finlandia e Islandia (2006), Suecia (2007) y Francia, que en 2018 lo sustituyó por un impuesto inmobiliario. El diario *Expansión* se hacía eco recientemente de la posible eliminación del Impuesto sobre el Patrimonio en Noruega, tras las elecciones parlamentarias, a la vista de la fuga de las grandes fortunas del país a otras economías del entorno ("Noruega plantea eliminar el Impuesto de Patrimonio: España podría quedarse sola", 03/09/2025). De acuerdo con los datos de *Tax Foundation*, en 2025 sólo España, Noruega y Suiza mantenían impuestos sobre el patrimonio neto. Entre los últimos trabajos sobre jurisprudencia constitucional comparada puede consultarse De Juan Casadevall, J. (2024). "Reflexiones críticas en torno al límite conjunto de imposición renta/patrimonio: la necesaria determinación de un escudo fiscal de no confiscatoriedad", en *Crónica Tributaria,* nº 193, págs. 83-101.

tenido en el Impuesto sobre el Patrimonio[6] un aspecto concreto del principio de no confiscatoriedad: la evolución del criterio interpretativo de nuestro Tribunal Constitucional (TC, en adelante) sobre el mismo, desde una percepción más flexible o permisiva con relación a su alcance (en un primer momento se predicaba únicamente respecto al sistema tributario en su conjunto; es decir, se consideraba que la Constitución no prohibía expresamente —ahora que está tan de moda esta interpretación— que un impuesto aislado pudiera ser confiscatorio, sino que tuviera tal carácter "el sistema tributario en su conjunto"[7]), a una idea más rigurosa acerca de la prohibición de la confiscatoriedad, manifestada a raíz de la declaración de inconstitucionalidad de los preceptos reguladores de la base imponible en el Impuesto sobre el Incremento del Valor de los Terrenos de Naturaleza Urbana (IIVTNU), o plusvalía municipal (SSTC 26/2017, de 16 de febrero, 37/2017, de 1 de marzo (relativas a las Haciendas Forales), 59/2017, de 11 de mayo (Hacienda estatal), 126/2019, de 31 de octubre y 182/2021, de 26 de octubre).

Actualmente, con fundamento en el sólido bloque jurisprudencial mencionado, resulta que en ningún caso el legislador podrá establecer un tributo tomando en consideración actos o hechos que no sean exponentes de una riqueza real o potencial, sin que quepa el gravamen sobre una capacidad económica inexistente, virtual o ficticia

---

6 El Impuesto sobre el Patrimonio también está en tela de juicio en España tras el recurso de inconstitucionalidad interpuesto el 20 de abril de 2021 (núm. 1798-2021) contra el artículo 66 y la disposición derogatoria primera de la Ley 11/2020, de 30 de diciembre, de Presupuestos Generales del Estado para el año 2021, por el Grupo Parlamentario Popular. La causa del recurso es el incremento del tipo marginal del 2,5 por ciento al 3,5 por ciento, lo que podría vulnerar el principio de no confiscatoriedad.

7 SSTC 150/1990, de 4 de octubre, 14/1998, de 22 de enero y 233/1999, de 16 de diciembre. En esta última puede leerse:
"Por lo que respecta a la prohibición constitucional de confiscatoriedad tributaria, como hemos dicho en varias ocasiones, ésta "obliga a no agotar la riqueza imponible —sustrato, base o exigencia de toda imposición— so pretexto del deber de contribuir", lo que tendría lugar *si, mediante la aplicación de las diversas figuras tributarias vigentes, se llegara a privar al sujeto pasivo de sus rentas y propiedades*, con lo que además se estaría desconociendo, por la vía fiscal indirecta, la garantía prevista en el artículo 33.1 de la Constitución".
El Tribunal Supremo asumió esta interpretación en su sentencia de 5 de noviembre de 2009:
"Como ha señalado el Tribunal Constitucional, a lo que obliga la prohibición de confiscatoriedad en nuestro ámbito es "a no agotar la riqueza imponible (...) so pretexto del deber de contribuir", y este efecto sólo se produciría "si mediante la aplicación de las diversas figuras tributarias vigentes —es decir, *si mediante la aplicación del sistema tributario en su conjunto*—, se llegara a privar al sujeto pasivo de sus rentas y propiedades, con lo que además se estaría desconociendo, por la vía fiscal indirecta, la garantía prevista en el art. 33.1 de la Constitución".
Sobre el principio de no confiscatoriedad puede consultarse Simón Acosta, E. (2017). "Principios de moderación y no confiscatoriedad. Una visión desde la perspectiva de los derechos humanos", *Rivista Trimestrale di Diritto Tributario*, nº 2.

(SSTC 26/2017[8], FJ 3; 37/2017, FJ 3 y 59/2017, FJ 3). La gran novedad es que, como ha señalado Abelardo DELGADO, "el tribunal abandona completamente la referencia del principio de capacidad económica al conjunto del sistema tributario. Este principio actúa como fundamento de la tributación y también como criterio, parámetro o medida de aquella. Pero ambas perspectivas *se proyectan sobre cada tributo o sobre cada impuesto en particular*"[9].

Esta interpretación relativa a la capacidad económica es, por supuesto, extrapolable al principio constitucional de no confiscatoriedad. La STC 182/2021, de 26 de octubre, relaciona precisamente la prohibición de confiscatoriedad con el citado principio de capacidad económica: se anula el precepto que define la base imponible del IIVTNU (art. 107.4 TRLHL) porque, al establecer una forma puramente objetiva de calcular el incremento del valor del terreno, "no solo contradice el principio de capacidad económica como fundamento de la imposición y la prohibición de confiscatoriedad al gravar capacidades económicas parcialmente inexistentes", sino que incurre en un resultado confiscatorio "al agotar la riqueza imponible so pretexto del deber de contribuir" (FJ 3.*c*)).

Así pues, de conformidad con la nueva interpretación del Tribunal Constitucional, sí podría decirse respecto a un impuesto en particular que es confiscatorio y, en cuanto que lo fuera, debería ser declarado inconstitucional. Como señala López Espadafor, "en la búsqueda de la delimitación del principio de no confiscatoriedad (...) debemos comenzar por el análisis de cada figura tributaria y de las acumulaciones de impuestos sobre una misma manifestación de riqueza"[10].

---

8 La STC 26/2017 matiza la doctrina anteriormente mantenida:
"Aunque el art. 31.1. CE haya referido el límite de confiscatoriedad al "sistema tributario", no hay que descuidar que también exige que dicho efecto no se produzca "en ningún caso", lo que permite considerar que todo tributo que agotase la riqueza imponible so pretexto del deber de contribuir al sostenimiento de los gastos públicos o que sometiese a gravamen una riqueza inexistente en contra del principio de capacidad económica, estaría incurriendo en un resultado obviamente confiscatorio que incidiría negativamente en aquella prohibición constitucional (art. 31.1 CE)".

9 Delgado Pacheco, A. (2024). "El principio de capacidad económica y el impuesto sobre el patrimonio", 21 febrero 2024 (https://www.centrogarrigues.com/blog/el-principio-de-capacidad-economica-y-el-impuesto-sobre-el-patrimonio/). Recuperado el 13 de noviembre de 2025.

10 López Espadafor, C. M. (2018). "Revisión del principio de no confiscatoriedad intentando mejorar la progresividad del sistema tributario en el contexto del Derecho de la Unión Europea", en *Estudios sobre progresividad y no confiscatoriedad en materia tributaria*, Universidad de Jaén, Aranzadi, pág. 55.

Y llegados a este punto, exponemos el tema concreto que vamos a analizar en este trabajo: el límite conjunto que establece el artículo 31. Uno de la Ley 19/1991, de 6 de junio, del Impuesto sobre el Patrimonio (LIP), en cuanto garantía de no confiscatoriedad[11]. De acuerdo con dicho precepto la cuota del IP conjuntamente con la del IRPF no puede superar el 60 por ciento de la base imponible del IRPF. En caso de que lo hiciera, la ley obliga a reducir la cuota del IP hasta alcanzar el límite indicado. No obstante, la reducción nunca podrá exceder del 80 por ciento. Es decir, siempre existirá una tributación mínima por el Impuesto sobre el Patrimonio del 20 por ciento de la cuota inicialmente calculada[12].

II. ANÁLISIS DEL ARTÍCULO 31. UNO LEY PATRIMONIO

La doctrina científica mayoritaria considera que la limitación al gravamen conjunto por el IRPF y el IP (y actualmente, también el Impuesto Temporal de Solidaridad sobre las Grandes Fortunas, ITSGF[13]), a un porcentaje de la base imponible de la renta del contribuyente es una expresión de la prohibición constitucional de que el sistema tributario tenga alcance confiscatorio[14].

---

11 El Impuesto sobre el Patrimonio afecta a unos 200.000 contribuyentes en España (fuente: "Impuesto sobre el Patrimonio: ¿Qué es y cuáles son sus novedades en 2025? Bankinter, 11.03.2025).

12 El profesor Gorospe Oviedo ha hecho notar, muy acertadamente a nuestro juicio, que esta tributación mínima "puede gravar una capacidad económica inexistente o ficticia en relación con la renta obtenida por el titular del patrimonio" (Gorospe Oviedo, J. I. (2023). "La dudosa constitucionalidad del impuesto sobre las grandes fortunas", en *Tributos Locales*, nº 161). De hecho, en la concepción original del límite conjunto de cuotas, la reducción de la cuota del impuesto extraordinario sobre el patrimonio no era objeto de restricción alguna, por lo que podía llevar a la anulación del impuesto (art. 28. Dos Ley 44/1978, de 8 de septiembre, del Impuesto sobre la Renta de las Personas Físicas y art. 116.3 Reglamento del IRPF, aprobado por Real Decreto 2384/1981, de 3 de agosto: "3. En el supuesto de que la suma de las cuotas a que se refiere el apartado anterior excediera del 55 por 100 de la base imponible del impuesto sobre la renta, *la cuota del impuesto sobre el patrimonio se reducirá hasta alcanzar el límite indicado*"). Sobre la evolución histórica del límite conjunto, véase Moral Calvo, J. M. (2021): "Cuestiones sobre el límite conjunto renta-patrimonio", en *Carta tributaria*, nº 81.

13 Impuesto creado por Ley 38/2022, de 27 de diciembre.

14 Así lo refleja Abelardo Delgado en su trabajo, ya citado, sobre "El principio de capacidad económica y el impuesto sobre el Patrimonio", en www.centrogarrigues.com (21 febrero 2024): "Un impuesto sobre el patrimonio que agotara la renta del sujeto pasivo tendría un efecto confiscatorio al obligar a la enajenación parcial del patrimonio para pagar el propio impuesto (...) En realidad, el propio legislador ya en 1977 fue consciente de este obstáculo ante el impuesto pues al deseo de superarlo responde el propio límite conjunto entre el impuesto sobre

De acuerdo con la doctrina del Tribunal Constitucional antes expuesta, cada tributo debe evitar que se agote la riqueza gravada, pues si no fuera así, el impuesto que permitiera dicho efecto tendría que ser calificado como confiscatorio. En esta línea de pensamiento, los profesores Caamaño Anido y Caamaño Domínguez han apuntado que el Impuesto sobre el Patrimonio será confiscatorio "cuando su importe exceda de la renta disponible, debiendo costearse a cargo del patrimonio y no de los ingresos generados en un determinado ejercicio"[15].

Es decir, a juicio de cierto sector doctrinal, si un contribuyente se viera obligado a vender parte de sus bienes para pagar la cuota del Impuesto sobre el Patrimonio, este impuesto tendría carácter confiscatorio. O, dicho en otras palabras, el Impuesto sobre el Patrimonio está llamado a ser pagado con la renta (liquidez) del contribuyente[16].

Y efectivamente, esta era la idea que subyacía en el planteamiento inicial de la tributación directa en España en la época de la reforma fiscal. En el bienio 1977-1978 se perfiló una imposición sobre la renta de las personas físicas (Ley 44/1978, de 8 de septiembre), basada en la tributación de los rendimientos netos —del trabajo personal, de explotaciones económicos y actividades profesionales o artísticas, así como de cualquier elemento patrimonial no afecto a las actividades anteriormente citadas— y de los incrementos de patrimonio (*ex* artículo Primero Ley 44/1978), y también una imposición —extraordinaria— sobre el patrimonio (Ley 50/1977, de 14 de noviembre) que complementara a la anterior.

En el espíritu del legislador descansaba la pretensión de penalizar tributariamente las rentas del capital respecto a las del trabajo. De ahí que el Impuesto extraordinario

---

el patrimonio, y hoy también el Impuesto Temporal de Solidaridad de las Grandes Fortunas, y el IRPF". También De Juan Casadevall: "La función equidistributiva del impuesto sobre el patrimonio se cortapisa con un límite negativo de carácter absoluto de la imposición conjunta renta/patrimonio, que opera como una formulación legal de la prohibición constitucional de no confiscatoriedad (art. 31.1. CE)" (De Juan Casadevall, J. (2024). "Reflexiones críticas en torno al límite conjunto de imposición renta/patrimonio: la necesaria determinación de un escudo fiscal de no confiscatoriedad", en *Crónica Tributaria*, nº 193).

15 Caamaño Anido, M. A. y Caamaño Domínguez, F. (2023). "Grietas de inconstitucionalidad en el Impuesto sobre el Patrimonio", *Quincena Fiscal*, nº 4.

16 En contra, Alonso Madrigal, J. (2022). "¿De que hablamos cuando hablamos de Impuesto sobre el Patrimonio? Impuesto sobre el Patrimonio, capacidad económica y prohibición del alcance confiscatorio de la imposición", *Revista Técnica Tributaria*, nº 136, pág. 171: "A mi modo de ver, hacen una errónea identificación entre renta y liquidez y patrimonio e iliquidez quienes ven en la limitación del gravamen del IP del artículo 31 de su Ley reguladora la plasmación de una exigencia constitucional de garantizar que tanto el IRPF como el IP puedan ser satisfechos con rentas del ejercicio, evitando así que el contribuyente se vea forzado a liquidar su patrimonio".

del Patrimonio naciera con el objeto de gravar (con carácter excepcional y transitorio, decía el artículo primero de la Ley 50/1977) aquellos bienes y derechos de contenido económico, los cuales, en su mayoría, son susceptibles de producir rendimientos (mayoritariamente, si atendemos al tipo de bienes enumerados en el artículo sexto de la Ley 50/1977, del capital, aunque también tributaban los bienes afectos a las actividades sujetas a la cuota de licencia del Impuesto Industrial). Se establecieron para ello unos tipos de gravamen relativamente reducidos (entre el 0,20 y el 2 por ciento, de acuerdo con el artículo noveno Ley 50/1977), que configuraron un impuesto de corte censal más que recaudatorio[17], el cual, efectivamente, gravaba la propiedad de toda clase de bienes y la titularidad de derechos de contenido económico de las personas físicas, pero que estaba llamado a ser satisfecho con la renta de las mismas.

De acuerdo con este planteamiento, tiene todo sentido el límite conjunto regulado en el artículo 28. Dos Ley 44/1978, con el fin de evitar el alcance confiscatorio de la imposición directa. La garantía implantada consistía en que la suma de las cuotas de renta y patrimonio no podía ser superior al 55 por ciento de la base de renta. Y resultaba coherente excluir de dicho límite conjunto aquellos elementos patrimoniales no susceptibles de producir rendimientos (expresa la ley de renta: "comprendidos entre los artículos 14 a 18 de esta ley"): en la medida en que el bien o derecho no fuera susceptible de generar rendimientos no habría dado lugar a tributación por IRPF y, en consecuencia, si el impuesto sobre el patrimonio gravaba ese bien no se habría producido doble imposición y, por tanto, el límite resultaba innecesario.

Hemos de decir, sin embargo, que la construcción dogmática de un impuesto sobre el patrimonio del contribuyente pagadero con su renta no resulta unánime dentro de la doctrina científica, pues plantea la controvertida cuestión de si el único índice directo de capacidad económica es la renta, en vez de serlo la renta y el patrimonio, consideración con la que no están de acuerdo expertos tributaristas[18] ni responde a la última

---

17 El profesor Cabrillo Rodríguez incide en que, si bien se trata "de un tributo muy útil para conocer las variaciones de patrimonio de los contribuyentes por impuesto sobre la renta de las personas físicas y reducir el fraude en el principal de nuestros impuestos directos", y que "éste fue el objetivo declarado de su creación en el año 1977", sin embargo "para ello bastaría con controlar el valor del patrimonio y no sería preciso gravarlo fiscalmente". Esta circunstancia unida a la escasa recaudación, llevó hace unos años al profesor de la Universidad Complutense de Madrid a comentar que "una reforma importante, tendente a su eliminación futura sea hoy una cuestión a plantearse por las administraciones fiscales regionales" (Cabrillo Rodríguez, F. (2007). "Impuesto sobre Patrimonio. Un impuesto a extinguir", *El Notario del siglo XXI*", nº 13, mayo-junio).

18 La profesora Agulló Agüero, por ejemplo, ha defendido que la titularidad del patrimonio constituye una expresión de capacidad económica autónoma, susceptible de ser gravada de manera independiente de la renta (Agulló Agüero, A. (1982). "Una reflexión en torno a la prohibición de la confiscatoriedad del sistema tributario", *Revista Española de Derecho Financiero*,

jurisprudencia constitucional (STC 149/2023, de 7 de noviembre[19] y STC 295/2006, de 11 de octubre[20]). Alonso Madrigal puntualiza a este respecto que, si así se entendiera, "sólo la base imponible del IRPF sería la expresión de la capacidad económica que el gravamen conjunto por ambos impuestos habría de respetar para no tener alcance confiscatorio"[21]. Este autor es partidario, en cambio, de que se establezca una limitación al IP desde una perspectiva temporal, pues, en su opinión, "el alcance confiscatorio del IP se habría de determinar teniendo en cuenta la reiteración del gravamen sobre la misma capacidad económica del contribuyente en sucesivos periodos impositivos"[22]. Incidiremos más adelante sobre esta cuestión[23].

Como quiera que sea y sin entrar en estas líneas preliminares en tales discusiones dogmáticas, el artículo 31. Uno LIP presenta varios aspectos que merece la pena comentar:

---

nº 36). También la profesora Soler Roch mantiene que la posesión o tenencia de un patrimonio es indicativa de capacidad económica (Soler Roch, Mª T. (2023). "La imposición patrimonial: presente y futuro", *Revista Jurídica de Cataluña*, nº 1). Sobre la cuestionada capacidad para redistribuir la riqueza del Impuesto sobre el Patrimonio, puede consultarse el ya citado comentario del profesor Cabrillo Rodríguez, "Impuesto sobre el Patrimonio. Un tributo a extinguir".

19 BOE-A-2023-25631.

20 BOE-T-2006-19913: "(...) No debemos olvidar que la capacidad económica sometida a tributación en uno y otro impuesto son diferentes, pues si en uno se grava la obtención de renta [...] el otro somete a tributación el patrimonio neto de las personas físicas" (FJ 2).

21 La certeza de esta afirmación da lugar a la llamada técnica del "estrangulamiento" de bases imponibles en el IRPF, que explica Moral Calvo, en cuanto medida de ingeniería fiscal apropiada para titulares de patrimonios cuantiosos con el objeto de reducir su Impuesto sobre el Patrimonio. Consiste en expulsar de las bases imponibles del IRPF el máximo volumen de rentas a fin de que opere el tope del 60 por ciento de la base imponible del IRPF (Moral Calvo, J. M.: op. cit. (2021) "Cuestiones sobre el límite conjunto renta-patrimonio").

22 Alonso Madrigal, J.: op. cit. "¿De que hablamos cuando hablamos de Impuesto sobre el Patrimonio? ...". Cita este autor el ilustrativo ejemplo que pone Guerra Reguera con relación a un contribuyente que recibiera "a raíz de una sucesión mortis causa un millón de euros (...) cada año soporta un tipo de gravamen en el impuesto sobre el patrimonio del 2,5%; cuando hayan transcurrido 40 años se habrá producido la confiscación absoluta de esa riqueza" (Guerra Reguera, M. (2013). "Reflexiones sobre el mantenimiento de un impuesto sobre el patrimonio de las personas físicas", en Cubero Truyo, A.: *Evaluación del sistema tributario vigente. Propuestas de mejora en la regulación de los distintos impuestos.* Aranzadi).

23 El profesor González Ortiz (2013) realizó un interesante estudio sobre el patrimonio como indicio de la obtención de renta bajo el título "Fundamento jurídico, límites constitucionales y alternativas legítimas a la imposición sobre el patrimonio neto", *Revista Española de Derecho Financiero*, nº 160.

"Artículo 31. Límite de la cuota íntegra.

Uno. La cuota íntegra de este Impuesto conjuntamente con las cuotas del Impuesto sobre la Renta de las Personas Físicas no podrá exceder, para los sujetos pasivos sometidos al impuesto por obligación personal, del 60 por 100 de la suma de las bases imponibles de este último. A estos efectos:

a) No se tendrá en cuenta la parte de la base imponible del ahorro derivada de ganancias y pérdidas patrimoniales que corresponda al saldo positivo de las obtenidas por las transmisiones de elementos patrimoniales adquiridos o de mejoras realizadas en los mismos con más de un año de antelación a la fecha de transmisión, ni la parte de las cuotas íntegras del Impuesto sobre la Renta de las Personas Físicas correspondientes a dicha parte de la base imponible del ahorro.

Se sumará a la base imponible del ahorro el importe de los dividendos y participaciones en beneficios a los que se refiere la letra a) del apartado 6 de la disposición transitoria vigésima segunda del texto refundido de la Ley del Impuesto sobre Sociedades aprobado por el Real Decreto Legislativo 4/2004, de 5 de marzo.

b) No se tendrá en cuenta la parte del Impuesto sobre el Patrimonio que corresponda a elementos patrimoniales que, por su naturaleza o destino, no sean susceptibles de producir los rendimientos gravados por la Ley del Impuesto sobre la Renta de las Personas Físicas.

c) En el supuesto de que la suma de ambas cuotas supere el límite anterior, se reducirá la cuota del Impuesto sobre el Patrimonio hasta alcanzar el límite indicado, sin que la reducción pueda exceder del 80 por 100.

Dos. Cuando los componentes de una unidad familiar hayan optado por la tributación conjunta en el Impuesto sobre la Renta de las Personas Físicas, el límite de las cuotas íntegras conjuntas de dicho Impuesto y de la del Impuesto sobre el Patrimonio, se calculará acumulando las cuotas íntegras devengadas por aquéllos en este último tributo. En su caso, la reducción que proceda practicar se prorrateará entre los sujetos pasivos en proporción a sus respectivas cuotas íntegras en el Impuesto sobre el Patrimonio, sin perjuicio de lo dispuesto en el apartado anterior".

El artículo 31. Uno LIP ha experimentado pocas modificaciones desde su redacción original en 1991, siendo la más relevante la reducción del límite conjunto del 70 por ciento de la base del IRPF que fijaba la redacción inicial[24], hasta el 60 por ciento vigente. A partir de 2003 se introdujo la obligación de sumar a la base imponible del IRPF el importe de ciertos dividendos, y desde el 1 de enero de 2007 también rige la exclusión de las ganancias patrimoniales de naturaleza no especulativa (con más de un año de antigüedad).

Analizaremos los diversos aspectos del precepto por separado.

---

24 El profesor Escribano López consideró en su momento que este límite inicial del 70 por ciento, junto con la tributación mínima por el IP, atentaba contra el principio constitucional de no confiscatoriedad (Escribano López, F. (1991). "El impuesto de patrimonio: nuevas normas, viejos errores", en *Gaceta Fiscal*, nº 86). Lo cierto es que el umbral del 70 por ciento no fue el límite inicial (sí lo fue en la redacción originaria de Ley 19/1991), porque en 1977 el límite se ubicaba en el 55 por ciento (art. 28 Dos Ley 44/1978, de 8 de septiembre del IRPF y art. 116.3 Reglamento del IRPF, aprobado por Real Decreto 2384/1981, de 3 de agosto).

1. DISCRIMINACIÓN RESPECTO A LOS NO RESIDENTES EN ESPAÑA

El tenor literal del artículo 31. Uno LIP, según hemos reproducido en líneas anteriores, reduce el ámbito de aplicación del límite conjunto que estamos comentando a los "sujetos pasivos sometidos al impuesto por obligación personal". Esta prescripción fue tachada de discriminatoria respecto a los no residentes y llevada a los tribunales para su corrección, que así lo hicieron en sentencias 81/2023, de 1 de febrero[25] y 517/2023, de 28 de junio[26], ambas del TSJ Baleares. Recientemente, el Tribunal Supremo ha ratificado la aplicación del límite conjunto a los no residentes, en sentencias 1372/2025, de 29 de octubre[27] y 1402/2025, de 3 de noviembre[28], fijando la siguiente doctrina:

> "La residencia habitual, según sea en España o fuera de ella, no justifica el diferente trato dado a residentes y no residentes, consistente en que a estos últimos no les sea aplicable el límite de la cuota íntegra previsto en el artículo 31.1 Uno de la Ley del Impuesto sobre el Patrimonio. Esta diferencia de trato es discriminatoria y no está justificada".

En este bloque jurisprudencial, los tribunales de justicia españoles reconocen la primacía del Derecho Comunitario, tal y como afirman reiteradas sentencias del TJUE (por todas, la más reciente 22/2/2022 C-430/21[29]) y, en función de tal principio, extrapolan al Impuesto sobre el Patrimonio lo ya sentenciado por el TJUE respecto del Impuesto sobre Sucesiones y Donaciones, en sentencia 3/9/2014, Asunto C-127/12.

Resumidamente, el argumento del TSJ Baleares establecía que "si la razón de ser de la limitación de la cuota íntegra para los sujetos pasivos por obligación personal es que la aplicación conjunta del IRPF y el IP no tenga un carácter confiscatorio, *no tiene justificación alguna y resulta una decisión arbitraria y discriminatoria que, para los sujetos pasivos no residentes, no valga ese mismo principio*" (FJ 3. Cuarto).

El tribunal balear recurre al axioma de la "carga fiscal excesiva", manejado por el Tribunal Europeo de Derechos Humanos (TEDH)[30] para concluir que "*el criterio de la LIP impone un trato fiscal diferenciado para los no residentes que resulta desproporcionado y mucho más gravoso comparado con el establecido para los residentes, de forma que aquellos vienen obligados a soportar una carga fiscal mucho más alta, en comparación con la que soportan los residentes*" (FJ 3. Cuarto).

---

25 ECLI:ES:TSJBAL:2023:130.

26 ECLI:ES:TSJBAL:2023:888.

27 ECLI:ES:TS:2025:4849.

28 ECLI:ES:TS:2025:350629.

29 ECLI:EU:C:2022:99.

30 Durán Sindreu-Buxadé, A. (2019). "Impuestos y derecho a la propiedad: la carga fiscal excesiva es inconstitucional", en *Taxlandia*, 15 octubre.

Al argumento de la no discriminación, el TSJ Baleares añadía que la restricción que impone el apartado Uno del artículo 31 LIP supone una vulneración del derecho comunitario a la libre circulación de capitales (artículo 65 del TFUE), produciendo "*el efecto pernicioso de disminuir el valor del bien de que es titular* [el sujeto pasivo], *lo cual constituye una demostración de la limitación de la libre circulación de capitales*" (FJ 3. Quinto)[31].

Por su parte, el Tribunal Supremo ha confirmado en sus razonamientos jurídicos que no hay argumentos razonables para excepcionar la libre circulación de capitales sobre la base del principio de no confiscatoriedad, pues contribuyentes nacionales y de terceros países se encuentran en la misma situación, en el bien entendido que la Administración tributaria española puede exigir al contribuyente no residente las pruebas necesarias para la liquidación correcta, tanto del IRPF como del Impuesto sobre el Patrimonio (FJ Tercero STS 1372/2025, de 29 de octubre).

Teniendo en cuenta la tendencia, ya comentada en estas líneas[32], de los países de nuestro entorno europeo a suprimir el Impuesto sobre el Patrimonio, estamos con De Juan Casadevall cuando sugiere que, desde una perspectiva de eficiencia económica, resulta anacrónico ("*una remora histórica que enturbia la libre circulación de capitales en un escenario internacional de globalización económica*", según sus palabras[33]) el mantenimiento del Impuesto sobre el Patrimonio en su concepción vigente. Máxime si, como ocurre en el caso español, se ha recargado con un impuesto adicional sobre las Grandes Fortunas[34], que ha transformado el Impuesto sobre el Patrimonio (impuesto estatal

---

31 El Tribunal ilustra su argumento con la siguiente explicación: "Eso es así por el valor de capitalización de rentas de la suma resultante de la diferencia de cantidad entre lo pagado año tras año por el recurrente, comparado con la tributación que le correspondería de haber podido aplicar el artículo 31-Uno de la LIP, o sea, la limitación de la cuota íntegra. Lo pagado por el recurrente es mucho mayor que lo que le hubiera correspondido pagar de haber tributado por obligación personal. Pues bien, si se capitaliza esa renta, cuanto más alta sea esa diferencia, mayor es el impacto que ello provoca en la esfera patrimonial del demandante, con la consiguiente disminución de valor de tales bienes. En definitiva, con tal sistema contributivo, el mantenimiento de la titularidad del bien causa una depreciación progresiva y sistemática del valor de dicho bien. Por todo ello se constata una limitación a la libre circulación de capitales" (FJ 3. Quinto).

32 Véase nota 5.

33 De Juan Casadevall, J.: op. cit. "Reflexiones críticas ...", pág. 97.

34 El artículo 3, apartado Doce, de la Ley 38/2022, de 27 de diciembre, por el que se creó el Impuesto Temporal de Solidaridad de las Grandes Fortunas, como buen clon del IP, fija idéntico límite conjunto al previsto por el artículo 31 LIP, si bien en el caso del art. 3 ITSGF la suma adiciona una magnitud más (la cuota del propio ITSGF): "Doce: Límite de la cuota íntegra. 1. La cuota íntegra de este impuesto, conjuntamente con las cuotas del Impuesto sobre la Renta de las Personas Físicas y del Impuesto sobre el Patrimonio, no podrá exceder, para los sujetos

cedido a las Comunidades Autónomas), en un mero pago a cuenta del nuevo impuesto estatal sobre las fortunas[35]. Como señala la doctrina más autorizada "si se quería gravar más esos patrimonios era suficiente modificar la tarifa del impuesto en los tramos superiores (...)"[36].

Recordemos que, por lo general, el patrimonio de los contribuyentes por el nuevo tributo "de Solidaridad de las Grandes Fortunas" coincidirá, en gran parte, con elementos patrimoniales sobre los que ese mismo sujeto pasivo ya ostentaba la titularidad en años anteriores, lo que puede suponer un exceso de tributación sobre la renta ganada: al ganarla y al ahorrarla. Así pues, añadir a tal carga fiscal la correspondiente a la que, desde 2022, deben soportar los contribuyentes por el nuevo gravamen sobre las fortunas, significa sin duda una confiscación que supera los límites previstos por el propio legislador.

Podríamos añadir un argumento más al sesgo confiscatorio del binomio IP/ITSGF: la confiscación alcanza el grado sumo de injusticia cuando el patrimonio del contribuyente ha disminuido de valor de un año respecto del precedente. Lo que fue evidente cuando se consideró contrario a Derecho e inexigible el Impuesto sobre el Incremento de los Terrenos de Naturaleza Urbana en el caso de que no se hubiera producido plusvalía en la transmisión, resulta igualmente manifiesto como confiscación cuando se grava un patrimonio que no se ha alterado en su composición con la incorporación de nuevos elementos patrimoniales adquiridos respecto del año precedente (o sea, sin la obtención de mayor renta ganada y ahorrada), porque, siendo así, se está gravando otra vez el mismo patrimonio. Y, como ya hemos apuntado[37], en la acumulación anual hay confiscación.

2. EXCLUSIÓN DE ELEMENTOS NO PRODUCTIVOS

En el cómputo de lo que se ha venido en llamar "escudo fiscal", esto es, el límite conjunto de la cuota del IP más las cuotas del IRPF (general y del ahorro), la ley excluye aquellos elementos patrimoniales que, bien por su naturaleza o bien por su destino, no sean susceptibles de generar rendimientos gravados por el IRPF.

---

pasivos sometidos al impuesto por obligación personal, del 60 por 100 de la suma de las bases imponibles del primero".

35 Sobre este particular, puede consultarse Banacloche Palao, C. (2024). "La naturaleza periódica del ibi y del ivtm como argumento para impugnar el impuesto sobre las grandes fortunas. El futuro de este impuesto tras su prórroga indefinida", *Tributos Locales*, nº 166.

36 Banacloche Pérez, J. (2025). blog "Por entero y sin condiciones", Prontuario del IP.

37 Ver nota 22.

Hay que puntualizar que esta exclusión es únicamente a efectos del cómputo del límite conjunto y no en lo que respecta al gravamen en sí, ya que, como aclara Alonso Madrigal, "el IP no discrimina, a la hora de gravar los elementos patrimoniales, entre aquellos que producen rentas sometidas a la tarifa más reducida de la renta del ahorro y los que producen rentas gravadas con mayor progresividad como renta general"[38]. Es más, el IP grava bienes y derechos que no producen rentas en absoluto (joyas, pieles, vehículos, aeronaves, oro de inversión, etc.).

Lo que ocurre es que la parte proporcional del impuesto correspondiente a esos bienes *per se* improductivos es descartada del cómputo del límite conjunto. La razón, como ya hemos apuntado, es que respecto a ellos no se produce la doble imposición "renta ganada" *vs* "renta ahorrada" puesto que no generan "rentas ganadas". Por otra parte, según se ponía de manifiesto en el Informe de la Ponencia de la Ley del Impuesto Extraordinario sobre el Patrimonio de 1978, el límite se planteó como medida cautelar para penalizar a los titulares de bienes de carácter suntuario o improductivo, es decir, bienes de ostentación, esparcimiento o recreo, o bienes no explotados en modo alguno[39].

Esta es la explicación que subyace desde antiguo, y que encontramos en la RTEAC de 21 febrero 1989[40], la cual, remitiéndose a una anterior de 22 de abril de 1988, lo expresa en los siguientes términos:

> "... el Impuesto Extraordinario sobre el Patrimonio constituye un impuesto complementario al de la Renta ...*y grava la posesión de bienes en la medida que éstos producen, en realidad, renta* por lo que bien podrá afirmarse que el Impuesto sobre el Patrimonio es un gravamen adicional al de Renta que recae sobre los rendimientos que producen los bienes o el capital no humano; que *este carácter complementario de gravamen sobre la Renta lo confirma la propia limitación conjunta de la tributación por Patrimonio y Renta,* que la Ley señala en el setenta por ciento de la base imponible de este último impuesto, como *voluntad inequívoca del legislador de que el Impuesto sobre el Patrimonio recaiga sobre bienes que produzcan renta...*"

El corolario de esta concepción del IP como impuesto complementario del IRPF, tal y como se entendía en este primer momento de la evolución del impuesto patrimonial, no podía ser otro que la ausencia de gravamen sobre bienes que no generaran rentas:

> "... y, siendo ello así, *no es imaginable un Impuesto sobre el Patrimonio que (...) someta a gravamen la mera propiedad o posesión de bienes improductivos,* puesto que, de hacerlo, la naturaleza antes indicada del tributo se vería transformada en otra bien distinta, de *una leva sobre el capital,* que no responde ni a la intención del legislador de 1977 ni al propio contenido de la regulación positiva del impuesto" (Considerando 6°).

38 Alonso Madrigal, J.: "¿De qué hablamos cuando hablamos de Impuesto sobre el Patrimonio?", cit. pág. 159.

39 Cfr. Moral Calvo, J. M.: op. cit. "Cuestiones sobre el límite conjunto renta-patrimonio".

40 JUR 1989, 10388.

Esta argumentación descansa, en todo caso, en la prohibición de la confiscatoriedad constitucionalmente garantizada:

> "Que, a mayor abundamiento y a la luz de los principios constitucionales, *el Impuesto sobre el Patrimonio no puede ser confiscatorio, y tal carácter se produciría en una persona con patrimonio y sin renta, la cual tuviera que enajenar parte de sus bienes para hacer frente al pago del impuesto ...*" (Considerando 7º).

Como indica Banacloche Pérez en su prontuario fiscal sobre el Impuesto sobre el Patrimonio, desde su origen por Ley 50/1977, "se pretende que el IPN [Impuesto sobre el Patrimonio Neto] sea un impuesto que sujeta el patrimonio, pero que grava la renta"; de ahí que "la suma de cuotas de uno y otro impuesto no pueda superar un límite (art. 31 LIPN; art. 3. Doce IGF [Impuesto Grandes Fortunas]), con eliminación del exceso para evitar la proscrita confiscación"[41]. Pero este esquema impositivo no responde a la realidad actual, donde nos encontramos ante un IP que no sólo grava elementos patrimoniales que producen rentas, sino otros muchos que no las producen y que, además, como apunta Alonso Madrigal, "no limita el gravamen correspondiente a estos últimos"[42]. Esta circunstancia puede traducirse, en opinión de Caamaño Anido y Caamaño Domínguez "en una lesión del principio de capacidad económica, no tanto por el hecho de gravar manifestaciones de riqueza inexistentes o ficticias cuanto por tener que costear la cuota del Impuesto sobre el Patrimonio a cargo del mismo, o sea, superando la renta disponible del contribuyente en cada ejercicio, con el consiguiente efecto confiscatorio"[43].

Es más: el "escudo fiscal" o límite conjunto protege, literalmente, a los bienes susceptibles de producir "rendimientos", concepto técnicamente mucho más restringido y, por tanto, no plenamente identificable con el de "rentas", que incluye también otras categorías tributarias sujetas al IRPF, como son las ganancias y pérdidas patrimoniales y las imputaciones de renta.

La cuestión es que, con independencia de cómo se califique su tributación a efectos del IRPF, la mayor parte de los bienes y derechos de contenido económico (que son los que devengan el IP) son susceptibles de producir rendimientos (al menos en el plano teórico) porque, como bien ha señalado la jurisprudencia[44], solo las *rex extra commercium* o bienes fuera del comercio de los hombres quedan al margen de la producción

41 Banacloche Pérez, J. (2025), cit. en blog "Por entero y sin condiciones".

42 Op. cit. pág. 168.

43 Caamaño Anido, M. A. y Caamaño Domínguez, F. (2023). "Grietas de inconstitucionalidad en el Impuesto sobre el Patrimonio", en *Quincena Fiscal*, nº 4, sección Estudios.

44 STSJ Navarra 806/2006, de 10 de noviembre (Recurso 449/2005).

de rendimientos[45]. Casi cualquier bien se puede arrendar, explotar, usufructuar, etc. a cambio de dinero o de cualquier otro fruto, por lo que, prácticamente, no cabe la posibilidad de excluir del límite a ningún bien. Sobre todo, porque, como explicaremos a continuación, la doctrina administrativa y la jurisprudencia desde el primer momento, aunque con algunos vaivenes, han interpretado que a lo que hay que atender es a la capacidad del bien en abstracto (en atención a su naturaleza) para generar rendimientos, aunque en el ejercicio concreto examinado no lo hubiera hecho.

3. CONCEPTO DE ELEMENTO PATRIMONIAL IMPRODUCTIVO

¿Qué debe entenderse, entonces, por bienes o derechos improductivos? La consideración no es baladí, sino que presenta una influencia significativa en la deuda tributaria por el Impuesto sobre el Patrimonio. De acuerdo con los últimos datos publicados en relación con la recaudación por el IP, *la aplicación del límite conjunto*, que engloba todos los bienes sujetos al IP y que son susceptibles también de producir rentas gravadas por el IRPF, *permitió a los contribuyentes un ahorro fiscal* del 44%, pasando la cuota media de 19.180 euros a 10.622 euros[46] por sujeto pasivo. En cambio, la parte proporcional de cuota del IP correspondiente a los elementos patrimoniales improductivos no es reducible. Dicho en otras palabras: el valor de los bienes improductivos se excluye del cálculo del límite de la cuota íntegra por lo que impide la reducción proporcional de la misma.

Así pues, una interpretación amplia del concepto "elemento patrimonial improductivo" perjudica al contribuyente pues significa que los bienes o derechos que quepan dentro de tal definición no experimentarán limitación alguna de la cuota del impuesto sobre el patrimonio que proporcionalmente les corresponda. En cambio, un criterio restrictivo sobre lo que ha de considerarse bien improductivo de rentas permitirá al sujeto pasivo que el valor de la mayor parte de sus bienes sea tenido en cuenta dentro del cálculo del límite conjunto de cuotas.

La interpretación inicial (manifestada en las mencionadas resoluciones del TEAC de finales de los 80 del pasado siglo), entendía por elementos improductivos, funda-

45 El Derecho Romano hace una clasificación tripartita de las *res extra commercium*, en función de su destino. Básicamente, son cosas fuera del comercio de los hombres: los templos, objetos de culto, sepulcros, etc. (*res divini iuris*); las plazas, calles, termas, teatros, bibliotecas y demás bienes de uso público (*res publicae);* o el aire, el mar, el agua corriente, las orillas del mar ... (*res communes)* (Arias Ramos, J. y Arias Bonet, J. A.: (1986). *Derecho Romano. I. Parte general. Derechos reales.*, 18ª ed., Editorial Revista de Derecho Privado, EDERSA, págs. 106 a 109).

46 Cfr.https://sede.agenciatributaria.gob.es/AEAT/Contenidos_Comunes/La_Agencia_Tributaria/Estadisticas/Publicaciones/sites/patrimonio/2020/jrubikf128a15b5b34ad39a25e002e07d14fd9afdeb8690.html. Recuperado el 13 de noviembre de 2025.

mentalmente, los que integraban el ajuar doméstico, destinados al uso particular[47]. En esta primera aproximación al concepto, el TEAC especificaba que, en caso de que hubiera un cambio de destino, también se alteraría la consideración de los bienes a efectos del límite conjunto:

> "... estos bienes están *constituidos fundamentalmente por el ajuar doméstico*, en el que están comprendidos distintos bienes de uso particular, siempre que su valor individualmente considerado no exceda de 250.000 pesetas *y aun cuando por su naturaleza, en determinados casos, sean susceptibles de producir rendimientos de los comprendidos en los artículos citados, por su destino no lo producen y sirven exclusivamente al uso personal y familiar improductivo, cuando cambia su destino dejan de tener la consideración de ajuar doméstico y deben incluirse* en la actividad económica a la que se incorporan ... en este sentido se pronuncia con toda claridad el citado artículo 28, al decir que la exclusión de la parte de cuota correspondiente a los bienes improductivos debe hacerse solamente "a los efectos" de determinar el límite máximo de tributación" (Considerando 4º).

El Tribunal Supremo hizo suya esta interpretación acerca del ajuar domestico en sentencia de 29 de mayo de 1998[48]:

> "(...) cabría añadir que el concepto jurídico-fiscal de ajuar, está integrado por el concepto usual de "conjunto de muebles, enseres y ropas de uso común en la casa", (...) ampliado a las joyas, obras de arte, automóviles o embarcaciones cuyo valor unitario no exceda de 250.000 pesetas", pero con el requisito negativo de que no produzcan renta al sujeto pasivo, precisamente por ese destino a la satisfacción de necesidades personales de quienes integran lo que puede considerarse "núcleo doméstico", de tal suerte que *si, a pesar de ese destino, la produjeran (...) por vía de arrendamiento o de incorporación a una explotación mercantil o industrial, no podrían ostentar la consideración de bienes integrantes del tan repetido conjunto patrimonial"* (FJ 2º).

Observamos, pues que, de conformidad con el tenor literal de la norma, se barajan dos criterios a la hora de fijar si un elemento es o no improductivo: su naturaleza y su destino. El quid de la cuestión consiste en determinar cuál de los dos debe prevalecer, porque una cosa es la naturaleza propia de cada uno de los bienes que integran el acervo patrimonial de una persona y otra muy distinta el destino concreto que se le dé a un cierto elemento patrimonial en un ejercicio económico determinado. A esta consideración habría que añadir si, para considerar excluidos del límite conjunto a los bienes o derechos con contenido económico del contribuyente, resulta imprescindible que hayan producido rendimientos de forma efectiva o si es suficiente con que sean susceptibles de producirlos. Veamos cómo ha evolucionado la interpretación de estas cuestiones:

---

47 Desde la Ley 19/1991, del IP, los bienes que integran el ajuar doméstico están exentos en el Impuesto sobre el Patrimonio (art. 4. Cuatro LIP). Cfr. Rozas Valdés, J. A. (2020). "El pandemonio del ajuar doméstico", en *Revista Técnica Tributaria*, nº 130.

48 Recurso 2515/1992.

En un primer momento, la doctrina administrativa fijada por el TEAC en resolución de 28 de mayo de 2004[49], referente a unos derechos de crédito originados en una operación de venta de acciones con pago aplazado, concluyó que el cálculo del límite establecido en el artículo 31. Uno de la LIP se debiera realizar haciendo *primar la naturaleza de los bienes*, esto es, excluyendo aquellos cuya imposibilidad de producir rendimientos sea inherente al propio elemento patrimonial. Es decir, a efectos de la exclusión o no del límite no se exigía la efectiva obtención de rendimientos:

> "... Lo primero que ha de destacarse es que el citado precepto [art. 31 LIP] no dice "que no produzcan rendimientos ...", sino que no sean susceptibles de ello. Y se concreta que tal carencia de susceptibilidad puede obedecer, bien a la naturaleza de los elementos patrimoniales, bien a su destino. Es evidente que el destino asignado por el titular a un determinado elemento puede ser decisivo sobre la capacidad o susceptibilidad de generar rendimientos, siendo caso típico el ajuar doméstico: un bien integrante de él pierde la susceptibilidad que podría tener en otro caso. El otro criterio legal es el de la naturaleza del elemento, que puede determinar la capacidad o incapacidad de éste para producir rendimientos. *Pero en ambos casos la Ley se refiere a categorías generales y no al caso concreto, es decir, a si en el contemplado se han obtenido o no efectivamente tales rendimientos*. Es lógico que sea así, porque de haberse acogido el criterio de efectividad de los rendimientos, sería fácil hacer aparecer una gran variedad de elementos patrimoniales como productores de rendimiento, aunque sea ínfimo, con independencia de su destino" (FD Tercero).
>
> "... Y en cuanto a la naturaleza de éste, está claro que se trata de un crédito que el vendedor concede al comprador, crédito cuya naturaleza nada tiene de incompatible con producir rendimientos del capital mobiliario, aunque en este caso sabemos que no se devengaron intereses" (FD Cuarto).

De acuerdo con esta interpretación, reiterada en otra posterior de 2 de marzo de 2007[50], *no habría que excluir aquellos bienes susceptibles de generar rendimientos, aunque en el ejercicio fiscal concreto examinado, no los hubieran producido* (interpretación restrictiva). En el caso concreto resuelto en 2007, el contribuyente había concedido a su esposa un préstamo sin intereses (y así se probó de forma fehaciente a lo largo del procedimiento), por lo que la Inspección entendió que el consiguiente derecho de crédito era improductivo y, por tanto, no debía tenerse en cuenta a los efectos del límite del art. 31. Uno LIP. El reclamante interpretaba, sin embargo, que "los mencionados elementos, aunque se haya pactado que no devenguen intereses, sí son susceptibles por su propia naturaleza de generar rendimientos, ya que, aunque en este momento no estén generando rentas, sí tienen capacidad para generarlas".

Observamos, pues, que se plantea frontalmente el dilema naturaleza *vs* destino a efectos del cómputo del límite del art. 31. Uno LIP: qué debe considerarse ¿la naturale-

[49] Resolución 169/2004 (recurso 8846/1999).

[50] Recurso 1046/2005.

za productiva o improductiva del elemento patrimonial, con independencia del destino particular del mismo? ¿O por el contrario debe primar la generación o no de rendimientos en el ejercicio concreto examinado?

En la respuesta que se dé a las cuestiones esbozadas no se debe perder de vista la finalidad a la que obedece la norma que establece el límite de cuotas, que no es otra que la protección del contribuyente frente a un eventual efecto confiscatorio del sistema fiscal integrado por la tributación sobre la renta más el gravamen sobre el patrimonio.

La resolución del TEAC (reiterando su interpretación de la RTEAC de 28 de mayo de 2004, ya citada), fue que la Ley se refiere a categorías generales y no al caso concreto (es decir, a si en el contemplado se han obtenido o no efectivamente tales rendimientos) y, consecuentemente, aceptó la tesis del recurrente en contra de las pretensiones de la AEAT.

En este sentido, hemos de recordar que la Ley 44/1978, del IRPF, que introdujo por primera vez la exclusión de elementos improductivos del límite conjunto, los circunscribía a aquellos "*que, por su naturaleza o destino, no sean susceptibles de producir los rendimientos comprendidos en los artículos catorce a dieciocho de esta Ley*". Es decir, sólo quedaban fuera del límite los bienes que no fueran susceptibles de generar *rendimientos* del trabajo (art. 14), rendimientos del capital (art. 15: inmobiliario, art. 16 y mobiliario, art. 17) y rendimientos de actividades profesionales y empresariales (art. 18). Por tanto, cabían dentro del límite bienes que produjeran otra categoría de rentas, que no fueran rendimientos (por ejemplo, incrementos patrimoniales, art. 20).

De acuerdo con esta idea, los bienes improductivos, aparte de los que conforman el ajuar doméstico ya comentado (que lo son por su destino, orientado al uso particular), serían, por su naturaleza: las joyas, las pieles de carácter suntuario, los vehículos de uso privado, las embarcaciones y aeronaves (art. 18 LIP), así como los objetos de arte y antigüedades (art. 19 LIP), el dinero en metálico o el suelo no edificado[51]. En relación con esta última clase de bienes, se ha planteado la duda de si han de ser considerados bienes improductivos o no determinados inmuebles (como solares o, por otras razones, la vivienda habitual), que, aunque de acuerdo con la legislación vigente, no producen rendimientos gravados en el IRPF sí son susceptibles de generarlos. En un sentido similar podríamos cuestionar la exclusión de las participaciones en fondos de inversión o la de los criptoactivos, los cuales, a efectos del IRPF, no generan rendimientos del capital sino ganancias o pérdidas patrimoniales y, por tanto, tendrían cabida dentro del concepto original de elementos improductivos.

Sobre este particular la Dirección General de Tributos (DGT, en adelante) ha pasado de puntillas. En su Consulta V1685-21 de 1 de junio, cierto contribuyente pregun-

[51] Fuente: AEAT. Ayuda. Patrimonio 2024.

taba expresamente si una serie concreta de bienes "tienen la consideración de elementos patrimoniales que, por su naturaleza o destino, no sean susceptibles de producir rendimientos gravados por el IRPF". En particular:

- Cuenta corriente remunerada.
- Depósito a plazo remunerado.
- Derecho de crédito derivado de un préstamo concedido sin intereses.
- Fondo de inversión de acumulación (sin reparto de dividendos).
- Criptomonedas
- Inmueble anunciado para arrendamiento, pero que no se ha conseguido arrendar durante el año natural.

Lejos de entrar en el análisis específico de cada clase de bien cuestionado, la DGT ofrece una respuesta genérica que reproduce la doctrina ya conocida (en su versión amplia) del concepto "elemento improductivo", esto es, no atendiendo a la susceptibilidad de producir rendimientos sino a su devengo efectivo en el ejercicio fiscal concreto:

> "Conclusiones:
>
> Primera: A efectos de determinar los elementos patrimoniales que quedan excluidos en el cálculo del límite de la cuota íntegra a que se refiere el artículo 31. Uno.b) de la LIP, debe atenderse a su "naturaleza o destino" en el momento del devengo del Impuesto sobre el Patrimonio. A este respecto, *no se tendrán en cuenta dentro del citado límite aquellos elementos patrimoniales que, en dicho momento, no produzcan rendimientos gravados por la Ley del Impuesto sobre la Renta de las Personas Físicas, al margen de que en un momento posterior puedan ser sometidos o destinados a operaciones que devenguen rendimientos.*
>
> Segunda: La determinación de los elementos patrimoniales susceptibles de producir rendimientos constituye una *cuestión de hecho*, por lo que *deberá ser determinada*, en todo caso, *por la Administración gestora del tributo, a la vista de las circunstancias específicas* de los elementos patrimoniales en cada caso concreto".

Sin embargo, esta interpretación administrativa venía desmentida por pronunciamientos jurisprudenciales anteriores a la Consulta citada, como el del Tribunal Supremo, en sentencia de 30 de mayo de 1989[52], que no consideró como elemento improductivo a la nuda propiedad sobre ciertos títulos-valores, puesto que resulta "susceptible" de generar rendimientos, ya que al nudo propietario pueden corresponder derechos, como el de percibir la prima de asistencia a juntas. Y en la misma línea interpretativa, la SAN de 2 de marzo de 2004[53] determinó que un solar es susceptible de producir rendimientos "pese a tener suspendida provisionalmente la concesión de licencias para construir porque ello no excluye que pueda producir otras utilidades, como las señaladas en la de-

52 RJ 1989, 4090.

53 Recurso 1105/2002.

manda de alquiler para instalación de vallas publicitarias u otras…" (FJ Cuarto). Se basa el Tribunal en que la incapacidad para producir rendimientos de los solares es temporal y no permanente, como ocurriría si su naturaleza fuera otra. El caso típico de la exclusión no por naturaleza sino por destino, a juicio de la Audiencia, sería el, ya comentado, del ajuar doméstico del contribuyente "destinado a la satisfacción de sus necesidades personales y, por ello, sujeto a la exclusión, ya que, si alguno de los bienes integrantes del ajuar no tuviera ese destino o, a pesar de él, generase alguna de las rentas mencionadas, no podrían tener la consideración de bienes integrantes del ajuar" (FJ Cuarto).

Y es que, como ha señalado Moral Calvo, si se considerase "casos tan frecuentes como carteras de instituciones de inversión colectiva de acumulación, principalmente fondos, que no generan rendimientos sino ganancias patrimoniales (con elevada capacidad para su diferimiento), o acciones o participaciones sociales en sociedades que no han distribuido dividendos en el año, o depósitos bancarios o instrumentos de deuda que no arrojan rentabilidades positivas (sino en muchos casos negativas por la situación de los tipos de interés), etc. (…) que, aunque por naturaleza, pueden generar rendimientos (potencia), son "elementos improductivos" cuando en el año no los producen de forma efectiva (acto), *se llegaría al absurdo de tener que planificar estas inversiones articulando mínimos retornos anuales. Debería orillarse cualquier interpretación en este sentido y mantener, por un mínimo respeto al principio de seguridad jurídica, y a una interpretación hermeneútica del límite conjunto renta-patrimonio, el criterio ya consolidado por la doctrina administrativa y los tribunales, fijándose en la naturaleza y también en el destino de los elementos patrimoniales, y excluyendo la consideración de "elementos improductivos" a los que por naturaleza puedan originar rendimientos gravados por el IRPF, aunque por la circunstancia que sea, no hayan generado esos rendimientos en el periodo impositivo*"[54].

Así las cosas, la doctrina administrativa y los tribunales se han visto obligados a seguir perfilando el concepto de elementos improductivos a fin de calcular el cómputo del límite de cuotas del art. 31. Uno LIP.

Una de las sentencias paradigmáticas sobre el tema que estamos analizando es la STS de 16 marzo 2011[55], referida a unas obras de arte. En ella, el Alto Tribunal adoptó el criterio marcado por el TEAC en relación con la *primacía de la naturaleza* de los bienes en relación con el límite conjunto, sin perjuicio de que, en cualquier otro momento, pudieran tener un destino diferente, que ocasionara la producción efectiva de rendimientos:

> "(…) *las obras de arte*, en sí mismas consideradas, es decir, *por su naturaleza, son bienes improductivos y no consta que en el momento considerado por la Inspección fueran destinadas a producir rendimientos* como consecuencia de su explotación, por lo que no se encuentran en algunos de los casos a que se refiere el indicado precepto, y ello,

---

[54] Moral Calvo, J. M., op. cit. "Cuestiones sobre el límite conjunto renta-patrimonio".

[55] ECLI:ES:TS:2011:1346.

aunque en el futuro puedan ser cedidas temporal o usufructuariamente, lo que generaría otro tipo de consecuencias fiscales".

Así pues, si los elementos patrimoniales del contribuyente, por naturaleza son improductivos y además en el momento del devengo del Impuesto sobre el Patrimonio no producen rendimientos gravados por el IRPF (recayendo la carga de la prueba para demostrar lo contrario en el contribuyente), no se tienen en cuenta dentro del cálculo del límite del artículo 31. Uno LIP, con independencia de que posteriormente pudieran ser destinados a operaciones que sí devengaran rendimientos.

En consecuencia, las obras de arte y otros bienes *per se* improductivos dejaron de ser considerados (o sea, se excluían) a efectos del cálculo del límite conjunto de cuotas de IP más cuotas de IRPF. No obstante, según ya hemos apuntado, la Administración tributaria reconoce que se trata de una cuestión de hecho "que deberá ser determinada, en todo caso, por la Administración gestora del tributo, a la vista de las circunstancias específicas de los elementos patrimoniales en cada caso concreto"[56].

Entendemos que, en el fondo, de trata de una cuestión de inversión de la carga de la prueba: hay bienes que, por su naturaleza intrínseca, no son susceptibles —normalmente— de producir rendimientos gravados en IRPF. Pensemos, por ejemplo, en un abrigo de pieles. Es indudable que se trata de un elemento patrimonial por naturaleza improductivo. De ahí que deba ser excluido del cómputo del límite conjunto. Otra cosa sería que un determinado abrigo de pieles (o una obra de arte) se hubiera explotado económicamente para su exhibición. En este caso, el bien sí formaría parte del escudo fiscal en cuanto que el contribuyente demostrara que ha producido rendimientos sujetos al impuesto sobre la renta. Pero la carga de la prueba debe recaer, en este caso, sobre el contribuyente.

Distinta consideración ha de merecer, en nuestra opinión, un bien o derecho patrimonial *per se* productivo; vgr. un bien inmueble. En este supuesto, entendemos que el bien por su naturaleza es susceptible de producir rendimientos (alquileres) en principio sujetos al IRPF. Y ello, aunque en un ejercicio temporal de política legislativa, el legislador haya optado por la no tributación (por ejemplo, en el caso de la vivienda habitual), lo que no empece el carácter productivo del bien en cuestión. En este caso, el tenor literal del artículo 31. Uno b) LIP exime al contribuyente de la obligación de probar que la parte proporcional del impuesto sobre el patrimonio correspondiente a dicho bien debe quedar comprendida en el ámbito del límite conjunto de cuotas.

---

56 Fuente: AEAT. Ayuda. Patrimonio 2024, que recoge la doctrina citada de la DGT (Consulta V1685-21).

3.1. La vivienda habitual

Llegados a este punto, la *vivienda habitual* entró en el debate, pues, en cuanto bien inmueble, resulta susceptible de producir rendimientos gravados por el IRPF, si bien el tratamiento jurídico que le otorga la Ley en función de su destino específico como residencia del contribuyente (declarándola exenta *ex* art. 85 LIRPF), la convierte *de facto* en un elemento patrimonial improductivo.

La Dirección General de Tributos en Consulta vinculante V0875-22, de 25 de abril[57], ha confirmado que la vivienda habitual no puede ser considerada como elemento improductivo, ya que, por su naturaleza, los bienes inmuebles sí son susceptibles de producir rentas (interpretación restrictiva de la exclusión del límite conjunto):

> "Por lo tanto, los inmuebles son elementos patrimoniales que por su naturaleza son susceptibles de generar rendimientos, con independencia de que en el caso concreto de la vivienda habitual la Ley del Impuesto sobre la Renta de las Personas Físicas la excluya de la generación de rentas inmobiliarias imputadas. En consecuencia, *la vivienda habitual en el importe no exento*[58] *del impuesto debe computarse como parte de la base imponible del Impuesto sobre el Patrimonio a los efectos de la letra b) del artículo 31.Uno* de la LIP".

Pese a la claridad de la doctrina administrativa (la postura de la DGT es asumida por el TEAR Baleares en resolución de 18 de enero de 2023[59]), los Tribunales de Justicia no han adoptado unánimemente este criterio favorable a computar los inmuebles dentro del límite conjunto y la situación actual resulta enormemente confusa y plagada de pronunciamientos contradictorios. El TSJ País Vasco, en sentencia 406/2016, de 28 de septiembre[60], consideró como elemento improductivo, y por tanto, excluido del límite, no sólo la finca privativa que constituía la vivienda habitual del sujeto pasivo, sino también otros inmuebles de su propiedad que no habían generado rendimientos del capital inmobiliario en el ejercicio fiscal comprobado por la Administración tributaria, sin que fuera obstáculo para tal consideración el hecho de que sí se hubieran obtenido rendimientos sujetos al IRPF por la cesión de espacios comunes por las comunidades de propietarios. También el TSJ Cataluña desestimó las pretensiones del contribuyente de considerar la vivienda habitual como bien productivo (sentencias 3911/2022, de 11 de noviembre[61] y 212/2023, de 25 de enero[62]) en contra de la postura mayoritaria. Sin

---

57 Anteriormente, y en el mismo sentido la consulta DGT V3666/2013, de 26 de diciembre.

58 Recordemos que la vivienda habitual del contribuyente se beneficia de la exención prevista en el artículo 4. Nueve de la LIP hasta un importe máximo de 300.000 euros.

59 07/02028/2021.

60 ECLI:ES:TSJPV:2016:2947. Recurso 7/2016.

61 ECLI:ES:TSJCAT:2022:10273.

62 ECLI:ES:TSJCAT:2023:130.

embargo, la reciente STSJ Baleares 231/2025, de 23 de mayo[63], retoma de nuevo la tesis de que la vivienda habitual no es un bien improductivo a efectos del límite del art. 31. Uno LIP.

Parece que el asunto de la vivienda habitual ha quedado zanjado tras la estimación por parte del Tribunal Supremo de los recursos de casación interpuestos contra las citadas sentencias del TSJ Cataluña: STS 1794/2024, de 11 de noviembre[64] (que casa y anula la STSJ Cataluña 3911/2022, de 11 de noviembre) y STS 944/2025, de 10 de julio[65](que casa y anula la STSJ Cataluña 212/2023, de 25 de enero).

El Tribunal Supremo avala el criterio de la DGT expresado en su respuesta vinculante V0875-22, de 25 de abril (citada), sin dejar de ser respetuoso con la doctrina enunciada en su sentencia de 16 de marzo de 2011 respecto a obras de arte, pues tanto la STS 1794/2024, como la STS 944/2025 (que reproduce la anterior), especifican que lo prescrito para ese tipo de bienes (objetos de arte, antigüedades, joyas o suelo no edificado) "no es extensible a los bienes inmuebles que tengan consideración de vivienda habitual, pues no son bienes improductivos, y ello con independencia de la no generación de rentas inmobiliarias en el IRPF".

En definitiva, "la potencialidad del rendimiento viene dada por la naturaleza y destino del bien, al margen de que se produzca un efectivo rendimiento en sede del IRPF. En consecuencia, para el cálculo del límite de la cuota íntegra, a los efectos del artículo 31 de la LIP, debe computarse la vivienda habitual" (STS 944/2025, FD Cuarto, 4.1.)

La profesora Moreno González[66] considera que este criterio jurisprudencial es extensible al límite de la cuota íntegra del Impuesto Temporal de Solidaridad de las Grandes Fortunas, conjuntamente con las cuotas del IRPF e IP (art. 3.Doce Ley 38/2022, de 28 de diciembre).

---

63 ECLI:ES:TSJBAL:2025:494.

64 ECLI:ES:TS:2024:5539.

65 ECLI:ES:TS:2025:3461.

66 Moreno González, S. (2024): "La vivienda habitual no es un elemento patrimonial improductivo y debe incluirse, en el importe no exento, en el cálculo del límite de la cuota íntegra del Impuesto sobre el Patrimonio", Gómez Acebo y Pombo (https://ga-p.com/publicaciones/la-vivienda-habitual-no-es-un-elemento-patrimonial-improductivo-y-debe-incluirse-en-el-importe-no-exento-en-el-calculo-del-limite-de-la-cuota-integra-del-impuesto-sobre-el-patrimonio/). Recuperado 13 de noviembre de 2025.

3.2. Suelo no edificado. Solares

La STSJ Baleares 231/2025, de 23 de mayo[67], ha modificado de nuevo la interpretación del límite conjunto, y ha sentenciado que los solares (elementos por naturaleza improductivos) deben, sin embargo, incluirse en el cálculo del límite de cuotas, aunque no generen rendimientos en el IRPF.

En este sentido, razona que los inmuebles son elementos patrimoniales que por su naturaleza son susceptibles de generar rendimientos, por lo que debe descartarse el *criterio de la efectiva producción* de rendimientos como imprescindible para que un bien pueda ser incluido en la base imponible a los efectos de la aplicación del límite del art. 31.Uno b) LIP.

Como hemos apuntado, el TEAR Baleares ya había reconocido (en Resolución de 18 de enero de 2023[68]) que la vivienda habitual, en el importe no exento, debía computarse como parte del Impuesto sobre el Patrimonio a los efectos del límite conjunto del art. 31. Uno LIP, por lo que la controversia del caso quedaba circunscrita a si era correcta la exclusión del suelo sin edificar, en cuanto bien improductivo.

Pues bien, estableciendo una línea interpretativa verdaderamente sutil, el TEAR Baleares había aplicado, por un lado, la doctrina de la DGT para considerar que la vivienda habitual debe formar parte del límite del art. 31. Uno LIP, ya que los inmuebles (y la vivienda habitual lo es) *per se* no son elementos patrimoniales improductivos, aunque la legislación vigente haya establecido que, actualmente, la vivienda habitual no genere rentas gravadas por el IRPF. En cambio, emplea la interpretación del Tribunal Supremo mantenida en su sentencia de 16 de marzo de 2011, para considerar que los solares han de quedar excluidos del calculo del límite en la medida que, aun siendo inmuebles, se trata de bienes por naturaleza improductivos, que en el ejercicio concreto no han generado rentas sujetas.

Frente a esta doctrina administrativa se alza el TSJ Baleares que, ya en su sentencia 472/2008, de 30 de julio[69], había considerado que los solares debían quedar incluidos en el cómputo del límite aun cuando en los ejercicios comprobados no hubieran producido rendimientos, aceptando la tesis inicial de que el artículo 31.1.b) LIP se refiere a las categorías, en general, de bienes atendiendo a su naturaleza y destino, sin entrar en la producción concreta o efectiva de rentas. En la referida sentencia 231/2025, de 23 de mayo[70], el tribunal balear razona a mayor abundamiento, que "el art. 85 Ley 35/2006,

---

[67] ECLI:ES:TSJBAL:2025:494.

[68] Recurso 07/02028/2021.

[69] Recurso 994/2003.

[70] ECLI:ES:TSJBAL:2025:494.

de 28 de noviembre, del IRPF, referido a la imputación de rentas inmobiliarias, excluye al suelo no edificado, lo que abona que este tipo de suelo, de no haber sido excluido, sí sería susceptible de generar imputación de rentas inmobiliarias" (FJ Tercero). Entendemos que este razonamiento no es del todo correcto ya que, según hemos explicado, de acuerdo con la interpretación histórica del art. 31 LIP y de su tenor literal vigente, sólo se deben considerar productivos los bienes susceptibles de generar *rendimientos* a efectos del IRPF; o sea que los que generan otro tipo de rentas —como imputaciones de renta o ganancias patrimoniales— mantienen el carácter de improductivos. El legislador ha considerado desde siempre que los frutos de los bienes o derechos, propiamente dichos, han de tributar en el IRPF bajo la categoría de rendimientos netos, con un régimen específico que obliga a cuantificar los ingresos íntegros generados y minorarlos en los gastos fiscalmente deducibles; las otras dos categorías técnicas que componen el concepto de renta —imputaciones de renta y ganancias y pérdidas de patrimonio— no son realmente "frutos" procedentes de los bienes, sino rentas que se producen por su revaloración, puesta de manifiesto al ser objeto de transmisión (el caso de las ganancias patrimoniales), o ficciones legales demostrativas de cierta capacidad económica (imputaciones de renta).

3.3. Terrenos rústicos

La reflexión sobre los solares como elementos patrimoniales productivos que efectúa el tribunal balear está basada en jurisprudencia anterior del TSJ Comunidad Valenciana, sentencia 771/2020, de 15 de mayo[71], relativa a los inmuebles rústicos. De acuerdo con la interpretación del tribunal valenciano, los inmuebles no edificables actualmente no producen rentas gravadas por el IRPF, si bien "se puede válidamente rectificar esa apreciación si esos bienes, sea por naturaleza o destino, son susceptibles de generar rendimientos, se produzcan o no, como serían los rendimientos de capital inmobiliario, arrendamiento, aparcería, o rentas agrícolas, entre otros" (FJ Tercero).

En resumen, para este bloque jurisprudencial, los inmuebles rústicos, los solares y otros inmuebles no edificables son elementos productivos ya que, aunque en el ejercicio económico concreto no hubieran producido rendimientos (bien por razón de la ley, bien por su destino específico), a lo que hay que atender es a su naturaleza, que sí es susceptible de generarlos.

Así pues y, *en conclusión, ni la vivienda habitual ni los solares han de excluirse del cálculo del límite del artículo 31. Uno LIP pues, por naturaleza, los inmuebles son bienes productivos, con independencia de que no devenguen rendimientos en el ejercicio económico concreto. Los bienes rústicos*, de acuerdo con la legislación vigente sobre el IRPF,

71 ECLI:ES:TSJCV:2020:2953.

pueden ser arrendados y generar rendimientos del capital inmobiliario *ex* art. 22 LIRPF (aunque no quedan dentro del ámbito de aplicación de las imputaciones de renta inmobiliaria *ex* art. 85 LIRPF), por lo que *también han de considerarse como elementos patrimoniales productivos* y formar parte del llamado "escudo fiscal".

3.4. Otros bienes distintos de los inmuebles

A la vista de la jurisprudencia analizada, resulta que prima definitivamente la tesis estricta de lo que debe considerarse como elemento patrimonial improductivo: no lo son todos aquellos bienes susceptibles de generar rendimientos, aunque de hecho no los produzcan. Como acertadamente indicaba el TSJ Navarra en su sentencia 806/2006, de 10 de noviembre[72] (casada por el Tribunal Supremo en la reiterada sentencia de 16 de marzo de 2011), según ya hemos apuntado en estas páginas, en realidad "si atendemos al destino potencial y no actual del bien, *todos los bienes salvo las rex extra commercium son susceptibles de producir rendimientos sujetos al IRPF*", aunque el Tribunal navarro lo comentaba para criticar precisamente la interpretación estricta, pues a su juicio, atender únicamente a la capacidad de un bien para producir rendimientos en abstracto "haría ociosa la diferenciación en función del destino y a la vez de la naturaleza de los bienes" (FJ Segundo).

Hemos de hacer notar que, atendiendo al tenor literal de la ley, se consideran improductivos únicamente los elementos patrimoniales que no son susceptibles de producir la categoría de rentas denominada *rendimientos*. Tal y como hemos observado en estas páginas, respecto a bienes o derechos que generen otras rentas diferentes de los rendimientos (imputaciones de renta o ganancias patrimoniales), no puede interpretarse, desde el punto de vista gramatical, que sean productivos. Así pues, aquellos bienes que no sean susceptibles de generar rendimientos del trabajo, del capital o de actividades económicas, teóricamente, tendrían que excluirse del cálculo del límite conjunto, aunque estuvieran gravados en el IRPF en la modalidad de ganancias patrimoniales. Así ocurriría, por ejemplo, con las participaciones en fondos de inversión o con las monedas virtuales.

Pero lo cierto es que, aunque la mayor parte de los fondos de inversión son de acumulación, también los hay que reparten dividendos[73], luego, desde un punto de vista teórico, son bienes susceptibles de producir rendimientos y, en consecuencia, han de calificarse como elementos patrimoniales productivos. En esta misma línea interpretativa, diríamos que los criptoactivos, aunque tributan en general como ganancias patri-

---

[72] Recurso 449/2005.

[73] Cfr. "¿Qué debo saber de los fondos que pagan rentas?", en https://www.bbva.es/finanzas-vistazo/ef/fondos-inversion/fondos-rentas.html. Recuperado 13 de noviembre de 2025.

moniales[74] pueden producir rendimientos de actividades económicas, cuando su compraventa se realiza en máquinas de *vending* o en cajeros automáticos (consultas DGT V1028-15, de 30 de marzo; V1029-15, de 30 de marzo y V2846-15, de 1 de octubre), o en el caso de "minado" de criptomonedas (por todas, consultas DGT V0915-19, de 29 de abril, y V1274-20, de 6 de mayo). Por tanto, también son bienes susceptibles de producir rendimientos y, en consecuencia, no pueden calificarse como improductivos a efectos del art. 31. Uno LIP.

Según ya hemos explicado en estas páginas, la doctrina administrativa ya ha dictaminado que son productivos los derechos de crédito nacidos de una venta con precio aplazado (RTEAC de 28 de mayo de 2004) o los préstamos sin intereses (RTEAC de 2 de marzo de 2007), y la jurisprudencia ha aceptado como productiva la nuda propiedad de títulos-valores (STS de 30 de mayo de 1989).

4. OTROS ASPECTOS DEL ARTÍCULO 31. UNO LIP

Aparte de la exclusión de los elementos improductivos del límite conjunto o escudo fiscal, el artículo 31. Uno LIP también elimina, en su letra *a)*, la parte de la base imponible del ahorro del IRPF derivada de las ganancias patrimoniales por transmisión de elementos de más de un año de antigüedad (y, consecuentemente, también se excluye la parte de la cuota íntegra del IRPF correspondiente a dicha parte de la base imponible del ahorro).

En el caso de que el saldo de las variaciones patrimoniales derivadas de la transmisión de elementos patrimoniales de más de un año de antigüedad fuera negativo o cero no procede, en cambio, hacer ajuste alguno a efectos del límite conjunto del artículo 31. Uno LIP.

Se trata de una medida en vigor desde 2007, incorporada por la Disposición final cuarta de la Ley 35/2006, del IRPF.

La motivación que llevó al legislador a establecer esta previsión normativa es evitar que, a causa de la generación de rentas extraordinarias producidas a lo largo de la vida de los activos, la tributación por el Impuesto sobre el Patrimonio se multiplique artificialmente en el año de transmisión del bien. Por ello, a efectos del cálculo del límite del artículo 31. Uno LIP, se excluye de la base imponible del IRPF la parte de base imponible del ahorro correspondiente al saldo positivo de las ganancias patrimoniales generadas por la transmisión de bienes o derechos adquiridos con más de un año de antelación[75].

---

[74] Fuente: AEAT. Capítulo 11. Ganancias y pérdidas patrimoniales. Monedas virtuales.

[75] Cfr. GRBD (Garrigós, Ruiz, Beneyto, Durá) (2025): "Límite de la cuota íntegra del Impuesto sobre el Patrimonio", en https://grbdabogados.com/limite-de-la-cuota-integra-del-impuesto-

Para algunos autores, nos encontramos ante un nuevo parche legislativo que incide directamente en la superación práctica del teórico límite del 60 por ciento de la base imponible. Así lo expresa De Juan Casadevall[76]: "Es más, la depuración de elementos patrimoniales improductivos en el IP, la intangibilidad de su cuota mínima del 20% no reducible, así como la base imponible purgada del IRPF, puede situar ese umbral impositivo máximo muy por encima de ese 60%". Sin embargo, otro sector de la doctrina científica señala que resulta una fórmula interesante "que permite generar rentas sin perjudicar el límite conjunto renta-patrimonio", dentro del ejercicio de lo que hemos denominado "estrangulamiento" de las bases del IRPF[77].

A partir de 2003 se introdujo, asimismo, la obligación de sumar a la base imponible del IRPF el importe de los dividendos distribuidos por las sociedades patrimoniales a las personas físicas, los cuales, a tenor de lo dispuesto en la disposición transitoria 22ª, apartado 6, letra a) del Real Decreto Legislativo 4/2004, de 5 de marzo, por el que se aprueba el texto refundido de la Ley del Impuesto sobre Sociedades, no se deben integrar en su base imponible del IRPF:

> *"Disposición transitoria vigésima segunda. Régimen transitorio de las sociedades patrimoniales. Tributación por el régimen general. (...)*
>
> *6. La distribución de beneficios obtenidos en el ejercicio en que haya sido de aplicación el régimen especial de las sociedades patrimoniales, cualquiera que sea la entidad que reparta los beneficios obtenidos por las sociedades patrimoniales, el momento en el que el reparto se realice y el régimen fiscal especial aplicable a las entidades en ese momento, recibirá el siguiente tratamiento:*
>
> *a) Cuando el perceptor sea contribuyente del Impuesto sobre la Renta de las Personas Físicas, los dividendos y participaciones en beneficios a que se refieren las letras a) y b) del apartado 1 del artículo 25 de la Ley 35/2006, del Impuesto sobre la Renta de las Personas Físicas y de modificación parcial de las Leyes de los Impuestos sobre Sociedades, sobre la Renta de no Residentes y sobre el Patrimonio, no se integrarán en la renta del periodo impositivo de dicho impuesto. La distribución del dividendo no estará sujeta a retención o ingreso a cuenta".*

En el ámbito de la planificación de la tributación del patrimonio de una persona física la figura de la sociedad patrimonial ocupa un puesto importante a la hora de optimizar la carga fiscal y la gestión de los valores mobiliarios.

---

sobre-el-patrimonio. Recuperado el 13 de noviembre de 2025.

[76] De Juan Casadevall, J.: op. cit. pág. 98.

[77] Moral Calvo, J. M. op. cit. "Cuestiones ...". Véase nota 21. Opina este autor que "por esta razón, las carteras de inversión de las personas con altos patrimonios suelen estar configuradas con productos financieros generadores de dichas categorías de rentas (por ejemplo, SICAV o carteras de fondos), en detrimento de inversiones directas en acciones que paguen dividendos o instrumentos de deuda que paguen intereses".

En lo que al Impuesto sobre el Patrimonio se refiere, las sociedades patrimoniales, en cuanto personas jurídicas, no son sujetos pasivos y, en consecuencia, no tienen obligación de declarar. Sin embargo, el valor de las acciones o participaciones de las sociedades patrimoniales sí tiene que incluirse en la autoliquidación de los titulares de las mismas que tengan la condición de personas físicas.

Por otro lado, el hecho de que los dividendos repartidos por sociedades patrimoniales a los socios personas físicas no formen parte de la base imponible del ahorro de estos últimos, según acabamos de transcribir, se interpretó como una ventaja a favor de la limitación del impuesto patrimonial (a menor base imponible de IRPF, menor tope para la tributación conjunta renta/patrimonio). Sin embargo, el legislador vino a enervar esta eventual disfunción al imponer (segundo párrafo de la letra *a)* del art. 31. Uno LIP) la obligación de sumar a la base imponible del ahorro, a los efectos del límite conjunto, el importe de los dividendos y participaciones en beneficios de las sociedades patrimoniales[78].

III. CUESTIÓN DE INCONSTITUCIONALIDAD DEL ART. 31. UNO LIP

La parte demandante del caso que ha dado lugar a la sentencia del TSJ Baleares 231/2025, de 23 de mayo, planteó subsidiariamente a dicho tribunal una petición para que presentara cuestión de inconstitucionalidad ante el Tribunal Constitucional, en la medida en que, a su parecer, el art. 31. Uno LIP vulnera los principios tributarios de capacidad económica y no confiscatoriedad, así como por ser contrario a la protección constitucional de la vivienda y por afectación del principio de generalidad e igualdad entre los contribuyentes.

78 Sobre este particular, el profesor Antón Pérez observaba que, además, "para la determinación del límite no se computará la parte del impuesto sobre el patrimonio correspondiente a las acciones o participaciones de la sociedad patrimonial, porque no son susceptibles de producir rendimientos gravados en el impuesto sobre la renta" (Antón Pérez, J. A. (2004). "Sociedades patrimoniales", en *Cuadernos de información económica*, nº 180, mayo/junio). No podemos compartir esta apreciación del profesor Antón a la vista de cómo ha ido evolucionando la doctrina administrativa y la jurisprudencia en esta materia, según hemos comentado en este trabajo. De la misma forma que la vivienda habitual es susceptible de generar rendimientos del IRPF, aunque exista una norma legal que, por el momento, exima de gravamen a inmuebles con tal destino, al igual que ocurre con los solares y con los terrenos rústicos, las acciones de sociedades patrimoniales son, por su naturaleza, bienes susceptibles de producir rendimientos gravados por el IRPF (dividendos), aunque razones de política legislativa hayan aconsejado, en la situación actual —la cual, por otra parte, puede cambiar— no incluirlos en la tributación.

Sin embargo, el TSJ Baleares no consideró necesario presentar dicha cuestión pues, en su criterio, las tachas de inconstitucionalidad observadas por el contribuyente habían obtenido ya respuesta en la STC 149/2023, de 7 de noviembre, que declaró la conformidad con la Constitución Española del Impuesto Temporal de Solidaridad sobre las Grandes Fortunas.

Decía el Tribunal Constitucional en esa sentencia [FJ 4.C)a)] que "el impuesto temporal de solidaridad de las grandes fortunas es un impuesto sobre el patrimonio, *que tendría efecto confiscatorio sólo en el caso de agotar el valor del mismo, no la renta generada por los bienes gravados, que es una manifestación distinta de la capacidad económica.* Como constató la STC 295/2006, de 11 de octubre, FJ 2, «la capacidad económica sometida a tributación en uno y otro impuesto son diferentes, pues si en uno de grava la obtención de renta [...] el otro somete a tributación 'el patrimonio neto de las personas físicas'»".

Es patente la evolución en la dogmática sobre la naturaleza jurídica del impuesto sobre el patrimonio, concebido en la reforma fiscal de los años 70 del pasado siglo como un impuesto complementario del IRPF, que sólo podía recaer sobre bienes susceptibles de producir rendimientos al contribuyente, a quien el legislador protegió mediante el establecimiento de un límite conjunto de cuotas (de IRPF e IP), de manera que no tuviera que pagar por ambos impuestos más allá del 60 por ciento de sus rentas —55 por ciento, originariamente— (magnitud para cuyo cómputo sí incluye tanto los rendimientos como las imputaciones de renta y las ganancias patrimoniales), reduciendo, en su caso, sin límite alguno la cuota a pagar por el impuesto patrimonial.

El problema del alcance confiscatorio del IP y, por ende, del ITSGF, no debe situarse, a nuestro juicio, en el índice de capacidad económica que se utiliza para fijar la tributación, sino en que la evolución conceptual y, consiguientemente, normativa del impuesto patrimonial ha dado lugar, en su configuración vigente, a una figura impositiva que, al tener un mínimo de tributación (la reducción de la cuota como consecuencia de la aplicación del límite conjunto nunca puede ser superior al 80 por ciento de la cuota inicial del IP; esto, es siempre se pagará como mínimo un 20 por ciento de la cuota de IP), a diferencia de su concepción original donde la reducción era ilimitada, puede ocasionar, como señalan Caamaño Anido y Caamaño Domínguez, que no sean "infrecuentes los supuestos en que, tanto la exclusión de los bienes llamados improductivos como el mínimo del 20% exija al contribuyente vender ciertos bienes o derechos integrantes de su patrimonio o bien endeudarse a fin de pagar las cuotas del IRPF y del IP. En esos casos, parece claro que se produce una infracción del principio constitucional de capacidad económica, al revestir el impuesto dimensión confiscatoria"[79]. Idéntica

79 Op. cit. "Grietas de inconstitucionalidad en el Impuesto sobre el Patrimonio", cit., pág. 5/10. A continuación, el trabajo es ilustrado con 3 ejemplos numéricos donde se verifica casuística-

crítica formula Martín Barahona cuando precisa que "al establecerse un límite en la reducción, podemos encontrarnos perfectamente con la situación en la que la renta obtenida durante un ejercicio concreto no alcance a satisfacer la cuota derivada del IP, consumiéndose el valor del patrimonio del sujeto pasivo"[80]. Por su parte, González Ortíz se ha hecho eco de las críticas acerca de la inoperatividad del límite conjunto en relación con los bienes patrimoniales no susceptibles de producir rendimientos, indicando que, "excepcionalmente, podría obligar a soportar un gravamen conjunto superior al 100% de la renta. Igualmente, se ha criticado que la imposición mínima del 20 por 100 de la cuota íntegra del IP haga posible, excepcionalmente, que la cuota tributaria de dicho Impuesto, sumada a la cuota del IRPF, llegue a superar el 100% de la cuota de este último". Concluye el profesor de la Universidad Jaume I que "en ambos casos, efectivamente, el Impuesto sobre el Patrimonio podría llegar a tener alcance confiscatorio"[81].

En nuestra opinión, de los dos test sobre no confiscatoriedad que ha señalado el Tribunal Constitucional (no cabe agotar la riqueza imponible y no cabe acumular impuestos sobre una misma manifestación de riqueza), es más que discutible que el vigente Impuesto sobre el Patrimonio supere cualquiera de los dos:

a) En cuanto a no agotar la riqueza imponible, la doctrina científica interpreta, como ya hemos indicado, que así ocurriría si el contribuyente se viera obligado a vender bienes para pagar el impuesto. La existencia de una tributación mínima del 20 por ciento en el Impuesto sobre el Patrimonio, así como las exclusiones que hemos comentado en este trabajo hacen factible que, para determinados contribuyentes, pudiera existir un impuesto sobre el patrimonio superior a la renta del ejercicio, obligándoles en consecuencia a despatrimonializarse, si quieren cumplir con sus obligaciones tributarias.

b) Hay muchos argumentos para defender que existe una acumulación de impuestos sobre una misma riqueza, en relación con el IP:

   – la ya comentada doble tributación sobre la renta ganada que se convierte en renta ahorrada (imaginemos un contribuyente que obtiene unos rendimientos del trabajo por "x" unidades de los que consigue ahorrar una parte, que

mente la tesis defendida por los profesores Caamaño.

80 Martín Barahona, F. (2025). "Los solares deben incluirse en el cálculo del límite de cuotas establecido en el Impuesto sobre el Patrimonio, aunque no generen rendimientos en el IRPF", en https://www.fiscal-impuestos.com/solares-limite-cuotas-IP-rendimientos-IRPF. Recuperado el 13 de noviembre de 2025.

81 González Ortíz, D. (2013). "Fundamento jurídico, límites constitucionales y alternativas legítimas a la imposición sobre el patrimonio neto", *Revista Española de Derecho Financiero*, nº 160. Sobre este tema puede consultarse, monográficamente, García Dorado, F. (2002). *Prohibición constitucional de confiscatoriedad y deber de tributación*, Dykinson.

deposita en una entidad financiera; tendrá que tributar, primero en IRPF como rendimientos del trabajo, y después en el IP por el saldo de la cuenta bancaria).

- también existe doble imposición respecto a ciertos impuestos locales que gravan la titularidad de los bienes (véase el Impuesto de Bienes Inmuebles (IBI) o el Impuesto sobre Vehículos de Tracción Mecánica (IVTM)). Estos elementos patrimoniales (bienes inmuebles y vehículos) quedan asimismo sujetos al Impuesto sobre el Patrimonio.
- qué decir del ITSGF, que, según hemos tenido ocasión de explicar en estas páginas, se ha configurado como una auténtica reproducción del IP en cuanto al hecho imponible, sujeto pasivo, valoración de los bienes que conforman la base imponible, devengo, etc.

A la vista de estas reflexiones críticas no nos parecería superfluo que los tribunales presentaran una cuestión de inconstitucionalidad a fin de reubicar el Impuesto sobre el Patrimonio tras las últimas reformas que le afectan, en especial, la implantación del Impuesto de Grandes Fortunas, cuya cuota viene a añadirse a las del propio impuesto del patrimonio y a la del IRPF a efectos del cálculo del límite conjunto que estamos estudiando. Pero ésta resulta una solución insuficiente si tenemos en cuenta el dato real de que se ha incrementado de modo significativo la carga fiscal de ciertos sujetos pasivos, al existir dos impuestos que gravan unos mismos presupuestos fácticos, empleando idéntico índice de capacidad económica (el patrimonio) y aplicando unos tipos de gravamen incrementados a partir de un valor de los bienes y derechos superior a los tres millones de euros[82].

En un momento histórico tendente a la desaparición de la polémica imposición sobre el patrimonio en países de nuestro entorno (así se ha hecho en Austria, Dinamarca, Alemania, Países Bajos, Finlandia, Islandia, Luxemburgo, Suecia, Francia y probablemente en un futuro no muy lejano, en Noruega), en España no sólo no se elimina —aunque fuera sustituyéndolo por el reiterado ITSGF, como en Francia, donde el

82 Como indicaba el profesor Cabrillo Rodríguez en unas reflexiones muy anteriores a la implantación del ITSGF, el Impuesto sobre el Patrimonio "en su regulación actual en España, presenta además serios problemas, tanto en lo que se refiere a su eficiencia, como a su equidad. No es eficiente para un país un impuesto que crea incentivos a situar capitales en el exterior o a constituir sociedades para evitar una presión fiscal excesiva. Y no es equitativo porque, además de gravar bienes cuya adquisición ha tributado ya previamente en la mayor parte de los casos, no consigue esa redistribución de la riqueza que es uno de sus presuntos objetivos. En efecto, a diferencia de lo que a primera vista podría pensarse, no es este un tributo que pagan "los ricos", que tienen formas perfectamente legales para evitarlo, sino las clases medias" (Cabrillo Rodríguez, F., op. cit. "Impuesto sobre el Patrimonio ...").

impuesto patrimonial se cambió por un impuesto sobre inmuebles—, sino que se ha reforzado la imposición sobre los elementos patrimoniales[83].

Y elevar la incidencia fiscal en la imposición sobre la renta ahorrada, según el fundamento y la consideración conjunta que tienen en nuestro sistema tributario la tributación derivada de la renta ganada y del valor del patrimonio, podría determinar una confiscación prohibida por el artículo 31 de la Constitución y 3 de la Ley 58/2003, General Tributaria.

IV. CONCLUSIONES

1ª) A raíz del bloque jurisprudencial sobre la inconstitucionalidad de la base imponible del Impuesto sobre el incremento del valor de los terrenos de naturaleza urbana (SSTC 26/2017, 37/2017, 59/2017, 126/2019 y 182/2021), el Tribunal Constitucional ha fijado la doctrina de que el principio tributario de no confiscatoriedad ha de aplicarse en relación con cada impuesto en particular y no sólo, como ocurría hasta ahora, respecto del sistema tributario en su conjunto.

2ª) El límite conjunto de cuotas del IRPF y del IP (actualmente regulado en el art. 31. Uno Ley 19/1991, LIP), conocido como "escudo fiscal", existe desde los orígenes

83 El estudio realizado por la "Asociación Madrileña de la Empresa Familiar" abogaba hace ya algunos años, si no fuera posible una revisión en profundidad, al menos por una "mera y sencilla puesta al día o *aggiornamiento*" del Impuesto sobre el Patrimonio, teniendo en cuenta algunas consideraciones interesantes:

"En el momento de su creación los tipos de interés estaban al 18%. Un impuesto entonces con un tipo máximo del 2% fue considerado adecuado por el legislador, a pesar de que el "libro blanco" editado el año anterior por el propio Ministerio de Hacienda sugería un tipo del 0,05%. Hoy en día, en el entorno euro, los tipos de interés se sitúan alrededor del 2,5%, es decir, que el impuesto del patrimonio tiene un tipo máximo equivalente a la rentabilidad de las Letras del Tesoro ... Si tan sólo pusiéramos al día la relación de tipo máximo de Impuesto sobre el Patrimonio... debería ser inferior al 0,3%, frente al 2,5 % actual [tipo vigente en el momento en que se hacía esta reflexión; en 2025, el tipo máximo es del 3,5%].

En 1977 las bases de patrimonio sobre las que se aplicaban los distintos tramos del Impuesto eran superiores a las actuales. Por ejemplo, el tipo más elevado se aplicaba a patrimonios superiores a 2.500 millones de pesetas ... con la inflación de los últimos 25 años sería el equivalente a 9.000 millones de pesetas. Sin embargo, en 2003, el 2,5% se exige a patrimonios superiores a 1.700 millones de pesetas [o su equivalente en euros: 10.665.996,06 €] ...

Otros impuestos importantes han sido reformados y puestos al día. No sé entiende que el Impuesto sobre el Patrimonio no haya sido actualizado en su régimen general desde su desafortunada introducción hace ya 25 años" ("¿Por qué se tiene que eliminar el Impuesto sobre el Patrimonio en España?", Asociación Madrileña de la Empresa Familiar).

del Impuesto sobre el Patrimonio (Ley 50/1977, 14 noviembre), cuando era un tributo extraordinario que complementaba al IRPF (art. 28. Dos Ley 44/1978, 8 septiembre). En el espíritu del legislador subyacía la idea de penalizar la tributación sobre el capital (bienes y derechos productivos) frente al trabajo, por lo que se creó una figura tributaria que gravara el patrimonio de las personas físicas.

3ª) Parece (aunque hay autores que no opinan así), que la finalidad de este límite conjunto era salvaguardar la prohibición del alcance confiscatorio de la imposición global renta-patrimonio (que hoy comprendería también el Impuesto temporal de solidaridad de las grandes fortunas), prohibición que alcanzó dimensión constitucional al incorporarse al art. 31.1 Constitución Española 1978.

4ª) De acuerdo con dicha limitación, las cuotas del IP+IRPF+ITSGF no pueden superar un determinado porcentaje de la renta obtenida por el contribuyente en el ejercicio económico (actualmente, establecido en un 60 por ciento de la base imponible del IRPF).

5ª) En esta idea subyace la premisa de que el impuesto sobre el patrimonio debe poder ser satisfecho con la renta del contribuyente (RRTEAC 22-4-1988 y 21-2-1989), de forma que no sea preciso que éste se despatrimonialice para pagarlo. Por eso, en un primer momento, la cuota del Impuesto sobre el Patrimonio podía llegar a reducirse en su totalidad, hasta desaparecer, si la suma de cuotas de dicho impuesto y la del IRPF superaba cierto porcentaje de la renta (base imponible) del sujeto pasivo.

6ª) Esta concepción del sistema impositivo directo se modificó desde 1991, cuando la Ley 19/1991, del IP, estableció una tributación mínima por el Impuesto sobre el Patrimonio, pues actualmente la reducción resultante de la aplicación del límite de cuotas nunca puede ser superior al 80 por ciento de la cuota del IP. Es decir, el contribuyente en todo caso pagará el 20 por ciento de la cuota del IP inicialmente calculada.

7ª) Las SSTSJ Baleares 81/2023, de 1 de febrero y 517/2023, de 28 de junio han ampliado el ámbito de aplicación del límite conjunto también a los sujetos pasivos no residentes en España, por razones de no discriminación y a fin de no vulnerar el derecho comunitario a la libre circulación de capitales (art. 65 TFUE).

8ª) La exclusión inicial (1978) de determinados bienes del límite conjunto, hacía referencia a elementos improductivos por su naturaleza o destino, como se sigue manteniendo en la actualidad (desde 1991). Se entendía por elementos improductivos los que no eran susceptibles de producir la categoría de renta conocida como "rendimientos". Por exclusión, podía interpretarse que aquellos elementos patrimoniales que generaran otro tipo de rentas (como imputaciones de renta o ganancias o pérdidas patrimoniales) sí podían ser catalogados como improductivos.

9ª) La exclusión de los elementos improductivos del límite conjunto tiene sentido en cuanto que respecto de los mismos no se produce doble imposición; en cambio, los elementos productivos son gravados tanto por el IRPF como por el IP (y, ahora, también por el ITSGF). Por eso, se excluye del cálculo del límite la parte proporcional del impuesto patrimonial correspondiente a los bienes improductivos los cuales, en consecuencia, tributan al 100 por cien (sin limitación alguna) en el IP (y en el ITSGF).

10ª) Se interpreta que son elementos improductivos por su destino los bienes integrantes del ajuar doméstico (STS 29-5-1998). Esta precisión actualmente resulta irrelevante ya que el ajuar doméstico está exento del IP.

11ª) El TEAC consideró que hay que atender a la naturaleza genérica de los bienes a la hora de calificarlos o no como improductivos (RTEAC 28-5-2004). No hay que excluir del límite conjunto cualquier bien que sea susceptible de producir rendimientos, aunque de hecho no los produzca (RTEAC 2-3-2007).

12ª) La DGT, en Consulta V1685-21, da una respuesta general, atendiendo en cambio a la producción efectiva de rendimientos en el ejercicio fiscal concreto examinado, si bien reconoce que se trata de una cuestión de hecho que debe determinarse en cada caso en función de las circunstancias específicas.

13ª) La construcción doctrinal y jurisprudencial del concepto "elemento patrimonial improductivo" a efectos del escudo fiscal que regula el art. 31.1 Uno LIP se ha realizado teniendo en cuenta la finalidad perseguida por el mismo: evitar la confiscatoriedad por exceso de carga tributaria entre el IRPF y el IP (y ahora, el ITSGF). De ahí que haya prevalecido la interpretación restrictiva del concepto "elemento improductivo".

14ª) El criterio que sigue la jurisprudencia se basa en la naturaleza genérica del tipo de bien de que se trate, si bien, cabría por parte del contribuyente la demostración de que el destino del mismo es diferente, esto es, aunque por naturaleza se tratara de un bien improductivo (imaginemos, una obra de arte), si el contribuyente probara que está destinado a su explotación y produce rendimientos, sería tenido en cuenta en el cálculo del citado límite conjunto. En el fondo se trata de una cuestión de carga de la prueba: los bienes y derechos por naturaleza productivos forman parte del límite de cuotas sin necesidad de prueba a favor y, en cambio, respecto de los elementos calificados como improductivos, el contribuyente debe probar la producción efectiva de rendimientos.

15ª) En esta línea interpretativa, la vivienda habitual no se considera elemento improductivo a efectos del límite del artículo 31. Uno LIP pues, en cuanto bien inmueble, es susceptible de producir rendimientos (del capital inmobiliario), aunque la legislación vigente establezca (por el momento) su exención (DGT V0875-22, 25 abril; RTEAR Baleares 18-1-2023; STSJ Baleares 231/2015, 23 mayo y SSTS 1794/2024, de 11 de noviembre, y 944/2025, de 10 de julio; en contra, STSJ País Vasco 406/2016, de 28 septiembre y SSTSJ Cataluña 3911/2022, de 11 noviembre y 212/2023, de 25 de enero).

16ª) Los solares tampoco son considerados elementos improductivos (SAN 2 de marzo 2004 y SSTSJ Baleares 472/2008, de 30 julio y 231/2025, de 23 de mayo). En contra, RTEAR Baleares de 18 de enero de 2023.

17ª) Los terrenos rústicos son también elementos patrimoniales productivos (STSJ Comunidad Valenciana 771/2020, de 15 de mayo).

18ª) En resumen, todos los bienes inmuebles *per se* son productivos y, por tanto, no han de excluirse del límite conjunto.

19ª) Respecto de otra clase de bienes, distintos de los inmuebles, la doctrina administrativa ha interpretado que tienen carácter productivo: un derecho de crédito nacido de una venta con precio aplazado (RTEAC 28/5/2004) y préstamos sin intereses (RTEAC 2/3/2007). La STS de 30 de mayo de 1989 considero asimismo productiva la nuda propiedad de títulos-valores, ya que pueden generar frutos, como por ejemplo, primas por asistencia a juntas.

20ª) Se pueden plantear dudas respecto a determinados bienes patrimoniales habituales de los contribuyentes (participaciones de fondos de inversión, criptoactivos, acciones de sociedades patrimoniales, por ejemplo), que a efectos del IRPF suelen generar rentas calificadas como ganancias patrimoniales, cuando son objeto de transmisión. ¿Significa que estamos ante elementos improductivos que deben excluirse del límite?

21ª) Y los inmuebles desocupados, que a efectos del IRPF tributan en concepto de imputaciones de renta inmobiliarias, ¿son elementos improductivos, en la medida en que no generan rendimientos? ¿O en este caso prima su consideración como "inmueble" y, por tanto, bien susceptible de generar rendimientos, como ha dictaminado el Tribunal Supremo en su sentencia 1794/2024, de 11 de noviembre?

22ª) La regla general que da respuesta a las dos cuestiones precedentes es que todos los bienes, salvo las *rex extra commercium*, son susceptibles de generar rendimientos sujetos al IRPF, por lo que, en principio, ningún bien ha de quedar excluido del límite conjunto previsto en el artículo 31.Uno LIP. La circunstancia de que determinados bienes o derechos tributen en el IRPF en las modalidades de imputación de renta o variaciones patrimoniales, o incluso que no tributen en absoluto por decisión del legislador, no impide la potencialidad de los bienes en cuanto productores de rendimientos y, por tanto, computables a efectos del citado "escudo fiscal" (por ejemplo, hay fondos de inversión que reparten resultados y criptoactivos que tributan en concepto de rendimientos de actividades económicas).

23ª) Las tachas de inconstitucionalidad del artículo 31. Uno LIP no han dado lugar, por el momento, al planteamiento de cuestión de inconstitucionalidad alguna, aunque no faltan motivos para ello, derivados de la tributación mínima por el IP (la reducción de la cuota no puede ser superior en ningún caso al 80 por ciento), que junto con las exclusiones que regula el reiterado precepto (elementos improductivos y ganancias de patrimonio de más de un año de antigüedad) y las adiciones (dividendos de sociedades patrimoniales) pueden llevar a que se produzca una tributación por patrimonio superior al 60 por ciento de la base imponible de renta.

24ª) Podría existir alcance confiscatorio en dos sentidos: a) cuando por aplicar la tributación mínima del 20 por ciento de la cuota inicial del IP, como consecuencia de las exclusiones y adiciones referidas, el contribuyente se viera obligado a vender sus bienes para satisfacer el impuesto, esto es, por *agotar la riqueza imponible*; b) por existir un *exceso o acumulación de carga fiscal* al imponerse distintos gravámenes (IRPF, IP e ITSGF; y en el ámbito local IBI e IVTM) sobre los mismos bienes que componen el patrimonio de un sujeto pasivo. Esta circunstancia se agrava por la reiteración anual de gravámenes, incluso sin que el valor del patrimonio haya aumentado de un año a otro, o habiendo disminuido.

25ª) Es recomendable una revisión de la imposición patrimonial en España: frente a la tendencia generalizada a su supresión en países de nuestro entorno por su falta de eficacia como instrumento de redistribución de la riqueza, en España no sólo se mantiene, sino que se ha recargado con el Impuesto Temporal de Solidaridad de las Grandes Fortunas. En un momento histórico en el que la tasa de ahorro familiar alcanza umbrales máximos (13,6% de la renta en 2024), penalizar fiscalmente dicho ahorro incrementando el Impuesto sobre el Patrimonio perjudica no sólo a los grandes patrimonios sino también a las clases medias.

V. REFERENCIAS BIBLIOGRÁFICAS

Agullo Agüero, A. (1982): "Una reflexión en torno a la prohibición de la confiscatoriedad del sistema tributario", en *Civitas. Revista Española de Derecho Financiero*, nº 36.

Alonso Madrigal, J. (2022): "¿De que hablamos cuando hablamos de Impuesto sobre el Patrimonio? Impuesto sobre el Patrimonio, capacidad económica y prohibición del alcance confiscatorio de la imposición", en *Revista Técnica Tributaria*, nº 136.

Antón Pérez, J. A. (2004): "Sociedades patrimoniales", en *Cuadernos de información económica*, nº 180, mayo/junio.

Arias Ramos, J. y Arias Bonet, J. A. (1986): *Derecho Romano. I. Parte general. Derechos reales.*, 18ª ed., Editorial Revista de Derecho Privado, EDERSA.

Banacloche Palao, C. (2024): "La naturaleza periódica del ibi y del ivtm como argumento para impugnar el impuesto sobre las grandes fortunas. El futuro de este impuesto tras su prórroga indefinida", en *Tributos Locales*, nº 166.

Banacloche Pérez, J. (2025): en blog "Por entero y sin condiciones" (https://cuadernosjb.blogspot.com/ (Recuperado 13 de noviembre 2025).

Caamaño Anido, M. A. y Caamaño Domínguez, F. (2023): "Grietas de inconstitucionalidad en el Impuesto sobre el Patrimonio", en *Quincena Fiscal*, nº 4, sección Estudios.

Cabrillo Rodríguez, F. (2007): "Impuesto sobre Patrimonio. Un impuesto a extinguir", en *El Notario del siglo XXI"*, nº 13, mayo-junio.

Casado Ollero, G. en el Prólogo del trabajo de Moreno Fernández, J. I. (2020): "La prohibición de confiscatoriedad como límite a la actuación de todos los poderes públicos", en *Paper 17*, AEDAF.

De Juan Casadevall, J. (2024): "Reflexiones críticas en torno al límite conjunto de imposición renta/patrimonio: la necesaria determinación de un escudo fiscal de no confiscatoriedad", en *Crónica Tributaria,* nº 193.

Delgado Pacheco, A. (2024): "El principio de capacidad económica y el impuesto sobre el Patrimonio", en https://www.centrogarrigues.com/blog/el-principio-de-capacidad-economica-y-el-impuesto-sobre-el-patrimonio/. Recuperado el 13 de noviembre de 2025.

Durán Sindreu-Buxadé, A. (2019): "Impuestos y derecho a la propiedad: la carga fiscal excesiva es inconstitucional", en *Taxlandia*, 15 octubre.

Escribano López, F. (1991): "El impuesto de patrimonio: nuevas normas, viejos errores", en *Gaceta Fiscal*, nº 86.

García Dorado, F. (2002): *Prohibición constitucional de confiscatoriedad y deber de tributación*, Dykinson.

González Ortíz, D. (2013): "Fundamento jurídico, límites constitucionales y alternativas legítimas a la imposición sobre el patrimonio neto", en *Revista Española de Derecho Financiero*, nº 160, sección Estudios.

Gorospe Oviedo, J. I. (2023): "La dudosa constitucionalidad del impuesto sobre las grandes fortunas", en *Tributos Locales*, nº 161.

GRBD (Garrigós, Ruiz, Beneyto, Durá): "Límite de la cuota íntegra del Impuesto sobre el Patrimonio", en https://grbdabogados.com/limite-de-la-cuota-integra-del-impuesto-sobre-el-patrimonio. Recuperado el 13 de noviembre de 2025.

Guerra Reguera, M. (2013): "Reflexiones sobre el mantenimiento de un impuesto sobre el patrimonio de las personas físicas", en CUBERO TRUYO, A.: *Evaluación del sistema tributario vigente. Propuestas de mejora en la regulación de los distintos impuestos.* Aranzadi.

Herrera Molina, P. M. (1998): *Capacidad económica y sistema fiscal: análisis del ordenamiento español a la luz del derecho alemán.* Marcial Pons.

López Espadafor, C. M. (2018): "Revisión del principio de no confiscatoriedad intentando mejorar la progresividad del sistema tributario en el contexto del Derecho de la Unión Europea", en *Estudios sobre progresividad y no confiscatoriedad en materia tributaria*, Universidad de Jaén, Aranzadi.

Martín Barahona, F.: "Los solares deben incluirse en el cálculo del límite de cuotas establecido en el Impuesto sobre el Patrimonio, aunque no generen rendimientos en el IRPF", en https://www.fiscal-impuestos.com/solares-limite-cuotas-IP-rendimientos-IRPF. Recuperado el 13 de noviembre de 2025.

Moral Calvo, J. M. (2021): "Cuestiones sobre el límite conjunto renta-patrimonio", en *Carta tributaria*, nº 81.

Moreno González, S. (2024): "La vivienda habitual no es un elemento patrimonial improductivo y debe incluirse, en el importe no exento, en el cálculo del límite de la cuota íntegra del Impuesto sobre el Patrimonio", en Gómez Acebo y Pombo https://ga-p.com/publicaciones/la-vivienda-habitual-no-es-un-elemento-patrimonial-improductivo-y-debe-incluirse-en-el-importe-no-exento-en-el-calculo-del-limite-de-la-cuota-integra-del-impuesto-sobre-el-patrimonio/ Recuperado el 13 de noviembre de 2025.

Palao Taboada, C. (1979): "La protección constitucional de la propiedad privada como límite al poder tributario", en *Hacienda y Derecho,* IEF.

Rozas Valdés, J. A. (2020): "El pandemonio del ajuar doméstico", en *Revista Técnica Tributaria*, nº 130.

Simón Acosta, E. (2017): "Principios de moderación y no confiscatoriedad. Una visión desde la perspectiva de los derechos humanos", en *Rivista Trimestrale di Diritto Tributario*, nº 2.

Soler Roch, Mª T. (2023): "La imposición patrimonial: presente y futuro", en *Revista Jurídica de Cataluña*, nº 1.

CUESTIONES CONFLICTIVAS EN LA APLICACIÓN DE LA REDUCCIÓN POR ADQUISICIÓN DE VIVIENDA HABITUAL EN EL ISD

Ana Mª D'Ocón Espejo
Prof. Tit. int. Derecho Financiero y Tributario
Universidad Rey Juan Carlos
ORCID 0000-0003-0312-0844

I. INTRODUCCIÓN

Conocer el tratamiento fiscal de la vivienda habitual en el Impuesto sobre Sucesiones y Donaciones (ISD, en adelante) es una cuestión relevante que permitirá planificar bien la sucesión hereditaria o adoptar decisiones acerca de su posible transmisión en vida.

Esta problemática ha quedado desplazada, prácticamente, al análisis de las diferentes regulaciones de las Comunidades Autónomas (CCAA), que, en uso de sus competencias normativas, atribuidas en la Ley 22/2009, vienen estableciendo desde 1996 (con la reforma de la financiación autonómica llevada a cabo por la Ley orgánica 3/1996, de 27 de diciembre y la Ley 14/1996, de 30 de diciembre) y, principalmente, desde 2001, numerosos beneficios fiscales que determinan una carga efectiva bastante dispar en el territorio nacional, con una tendencia clara hacia la desaparición de "facto" del impuesto, al menos en las transmisiones entre parientes próximos.

En los siguientes apartados vamos a analizar algunas de las cuestiones más problemáticas que plantea la aplicación de uno de esos beneficios fiscales, en concreto, la reducción en la base imponible del impuesto por la adquisición de vivienda habitual, tanto en el ámbito de las transmisiones mortis causa, como en el de las transmisiones gratuitas inter-vivos.

II. MARCO NORMATIVO

Podemos afirmar que la transmisión de la vivienda habitual de las personas físicas ha estado tradicionalmente bien tratada en la normativa reguladora del ISD, mediante el establecimiento de una reducción en la base imponible del impuesto.

Ahora bien, este beneficio fiscal es aplicable sólo a su transmisión "mortis causa", ya que ninguna reducción se contempla en el caso de transmisiones lucrativas "inter vivos" de la misma, debiendo estarse a la normativa reguladora de la cesión del impuesto a las respectivas CCAA.

Así, el artículo 20.2 c) de la Ley 29/1987, de 18 de diciembre del ISD (LISD, a partir de ahora) establece una reducción en la base imponible del 95% del valor de la vivienda habitual de la persona fallecida, con el límite de 122.606,47 euros para cada sujeto pasivo, en el caso de su adquisición "mortis causa" por el cónyuge, ascendientes o descendientes de aquella, o bien pariente colateral mayor de sesenta y cinco años, que hubiese convivido con el causante durante los dos años anteriores al fallecimiento, debiendo mantenerse la adquisición durante los diez años siguientes al fallecimiento del causante, salvo que falleciera el adquirente dentro de ese plazo.

En el caso de las transmisiones lucrativas "inter vivos" el apartado 5 del mismo precepto afirma que la base liquidable coincidirá con la imponible, sin perjuicio de las reducciones contempladas en los apartados 6 y 7 siguientes y de las posibles reducciones aprobadas por las CCAA.

Esta regulación del beneficio fiscal debe completarse con la Resolución 2/1999, de 23 de marzo, de la Dirección General de Tributos (en adelante, Resolución DGT 2/1999) relativa a la aplicación de las reducciones en la base imponible del ISD en materia de vivienda habitual y empresa familiar, que viene a integrar la parquedad de la norma legal, sin que el Reglamento del impuesto (RD 1629/1991, de 8 de noviembre —RISD—) contenga, tampoco, ninguna referencia a la reducción regulada en el artículo 20.2 c) de la LISD.

Al anterior marco normativo se unen los criterios interpretativos que resultan de otras Resoluciones emitidas por la DGT, en evacuación de las consultas formuladas por los contribuyentes, por los Tribunales Económico-Administrativos y los Tribunales de Justicia, que han venido delimitando el ámbito objetivo y subjetivo de aplicación de este beneficio.

Revisaremos en este trabajo las cuestiones más polémicas que resultan de la aplicación de la referida reducción, así como las mejoras en la misma o establecimiento de reducciones propias por las CCAA, también en el ámbito de las transmisiones inter vivos, debiendo tenerse en cuenta que la reducción estatal es de aplicación preferente respecto de las autonómicas al manifestar el artículo 20.1. de la LISD que *"las reducciones* contempladas en este precepto *se practicarán por el siguiente orden: en primer lugar, las del Estado y, a continuación, las de las Comunidades Autónomas"*

III. TRANSMISION MORTIS CAUSA DE LA VIVIENDA HABITUAL DEL CAUSANTE

1. BENEFICIARIOS DE LA REDUCCIÓN

En cuanto al ámbito subjetivo de la reducción y superada cualquier omisión a adoptantes o adoptados que, desde la reforma del Código Civil llevada a cabo por la Ley 11/1981, de 13 de mayo, quedan equiparados a los ascendientes y descendientes biológicos, pueden plantearse algunos problemas respecto de las situaciones asimilables a la relación conyugal y que cada CCAA ha regulado de forma dispar (parejas de hecho, parejas estables...), por lo que habrá que estar a las legislaciones autonómicas civiles y/o tributarias, para concluir si dichas relaciones se asimilan, en cuanto a derechos y obligaciones, a los cónyuges, en cuyo caso no habrá ningún inconveniente en la aplicación del beneficio fiscal a las mismas[1].

---

1 En concreto, establecen esta equiparación, a efectos del ISD, las CCAA de Asturias, Cantabria, Aragón, Islas Baleares, Galicia, La Rioja, Castilla-La Mancha, Madrid y Canarias.

Algunas normativas autonómicas se ocupan de establecer otras equiparaciones en las relaciones paterno-filiales, extendiéndose la aplicación de la reducción a las situaciones de acogimiento permanente[2].

También, se ha planteado si el parentesco entre ascendientes, descendientes y colaterales, puede serlo por afinidad. El Tribunal Supremo ha mantenido en numerosas Sentencias (cabe citar, entre otras, la STS núm. 647/2017, de 6 de abril de 2017 y núm. 455/2018, de 20 de marzo de 2018) que, no distinguiendo la Ley entre descendientes, ascendientes y colaterales por consanguinidad o afinidad, no puede realizarse esa diferenciación por el intérprete, de forma que la reducción es aplicable a los afines incluso después de haber fallecido el cónyuge que determinaba ese parentesco por afinidad. En la misma línea, resoluciones del TEAR de Extremadura núm.: 06/00453/2019, de 30 de noviembre de 2020 y del TEAR de Madrid núm.: 28/06425/2024, de 26 de febrero de 2025 y ello en contra del criterio establecido por la DGT en su Consulta núm. V1375-10, de 18 de junio de 2010, que limitaba la aplicación de la reducción mientras subsistiera el vínculo matrimonial.

Algunas CCAA incluyen expresamente a los afines en la regulación de la mejora autonómica[3], si bien la mayoría se limita a reproducir la dicción de la ley estatal.

Por último, ninguna CCAA exige, en la actualidad, que el causahabiente haya residido con el causante en un plazo determinado anterior al fallecimiento, lo que ocurría originariamente en algunos territorios autonómicos, por la propia lógica de las relaciones familiares, no siendo (o no debiendo ser) habitual que un descendiente siga conviviendo con sus progenitores o ascendientes a partir de determinada edad[4].

2. CONCEPTO DE VIVIENDA HABITUAL DEL CAUSANTE

La resolución DGT 2/1999 se remite en esta cuestión a la normativa reguladora del IRPF, por lo que se considerará a efectos de la aplicación de la reducción, que la vivienda habitual será aquella en la que haya residido el causante de forma continuada al menos durante los tres años anteriores a su fallecimiento.

Ahora bien, tanto la doctrina administrativa, como la jurisprudencia han venido integrando el concepto delimitando los supuestos que dan derecho (o no) a la práctica de la reducción fiscal.

---

2 En este sentido, Andalucía, Asturias y Castilla-La Mancha.

3 Así, por ejemplo, Cataluña menciona a los afines como beneficiarios de la reducción, si bien respecto de la transmisión de empresas familiares.

4 En este sentido, Instrucción DGT núm. 6, de 28 de octubre de 1996 y Pérez-Fadón Martínez, J. J.: *Guía del Impuesto sobre Sucesiones y Donaciones, CISS*, Valencia, 2000, pág. 145.

Además, algunas CCAA, haciendo uso de sus competencias normativas, introducen aclaraciones sobre la noción de "vivienda habitual del causante", lo que, en aras del principio de seguridad jurídica, es ciertamente loable. Si bien, estas especificaciones producen frecuentemente el efecto de ampliar el concepto legal, quedando incluido dentro del ámbito de aplicación de la reducción supuestos que muy forzadamente, entrarían en la definición de vivienda habitual.

Algunos autores critican esta práctica, por considerar que en materia de beneficios fiscales, opinión que compartimos, las CCAA (estimuladas por un sistema de financiación autonómica progresivamente más incoherente e injusto) se han lanzado, en los últimos años, a una carrera descontrolada de "competencia fiscal" cuyo único propósito es obtener rédito político, perdiendo de vista la fundamentación o el espíritu que perseguía el establecimiento de aquellos y, ello sin perjuicio, de que creamos conveniente un debate sereno y reflexivo sobre la imprescindible reforma del impuesto en que se plantee su supervivencia total o parcial[5].

Además, la existencia de criterios distintos aplicables en las diversas Comunidades Autónomas puede plantear problemas de constitucionalidad desde el punto de vista del principio de igualdad.

Existiendo una amplísima casuística de problemas que plantea la noción de vivienda habitual del causante, vamos a referirnos a algunos de los más conflictivos, por cuanto han sido aclaradas por la DGT o los Tribunales de Justicia.

El primero se refiere a la prueba de la condición de vivienda habitual. Partiendo del principio dispositivo de la prueba, corresponde al contribuyente probar dicha condición, lo que en ocasiones resulta sumamente complejo cuando el causante dispone de varias viviendas, todas aptas para constituir su vivienda habitual. A este respecto la STSJ de la Comunidad Valenciana de 5 de marzo de 2025 (Rec. núm.: 64/2024) recuerda que estamos ante una cuestión meramente probatoria, siendo admisible cualquier medio de prueba, sin que quepa priorizar ninguno, como empadronamientos o consumos. En concreto en el caso enjuiciado lo que inclinó la balanza a favor de la vivienda pretendida por los herederos, fue el testimonio de un policía local. En la misma línea, las consultas DGT núm.: V3315/2019, de 23 de diciembre y V0082/2023, de 23 de enero[6].

---

5 Autores como Checa González, C.: *La supresión del Impuesto sobre Sucesiones y Donaciones: materiales para la reflexión,* Marcial Pons, Madrid, 1996 o Alonso González, L. M.: *La inconstitucionalidad del Impuesto sobre Sucesiones y Donaciones,* IEF, Madrid 2001, alertan de esta realidad manifestando que puede plantearse la oportunidad y justicia de la existencia de impuestos que graven las sucesiones y las donaciones, pero lo que no es comprensible es que en un pueblo de una CCAA limítrofe con otro perteneciente a otra CCAA se pague un 99%.

6 En Cataluña esta cuestión acerca de la posibilidad de practicarse la reducción sobre la vivienda habitual que libremente decidan los herederos, sería admisible al disponer el artículo 18.3 de

En segundo lugar, nos referimos a la pérdida del derecho a la reducción en los casos de traslado por causa justificada (como una enfermedad grave o la propia ancianidad) a residencias geriátricas o domicilio de familiares. A este respecto el Tribunal Supremo en su Sentencia núm. 84/2017, de 12 de mayo, admitió como causa justificativa del traslado del causante a casa de un hermano antes del plazo de los tres años, su grave enfermedad causante del fallecimiento, de forma análoga a las causas contempladas en el art. 41. bis del RIRPF.

Ello no obstante tanto la DGT en Consulta núm.: V1930-07, de 14 de septiembre, como algunos Tribunales de Justicia (STSJ de Castilla-León 330/2013, de 23 de julio) han negado esta posibilidad, afirmando que el traslado definitivo y permanente del causante a una residencia geriátrica hizo perder el derecho a la reducción, si bien, en este supuesto, el traslado ocurría transcurridos los tres años que establece la ley para que la vivienda se considere habitual.

Por último, sobre qué elementos cabe incluir en el concepto de vivienda habitual, resulta pacífica la cuestión de que quedan comprendidos elementos vinculados, de forma indubitada, a la vivienda, lo que ocurrirá cuando forman parte de la misma finca registral o tratándose de fincas independientes, se configuren como anejos inseparables, tales como garajes y trasteros. Es habitual que las CCAA regulen esta cuestión incorporando en la definición de vivienda habitual aquellos elementos que quedan comprendidos en la misma[7].

Además, es preciso que el causante sea el dueño pleno de dicha vivienda en la fecha del devengo, circunstancia que deberá estar acreditada fehacientemente. De ahí que la

---

la Ley 19/2010, de 7 de junio, de regulación del ISD, que, *"en caso de que el causante en la fecha de su muerte, tuviera su residencia efectiva en un domicilio del que no es titular, se considerará vivienda habitual cualquiera que hubiera tenido esta consideración hasta cualquier día de los diez años anteriores al fallecimiento"*, añadiéndose que *"no aplicará dicha limitación de diez años si el causante ha tenido el último domicilio en un centro residencial o socio-sanitario"*. En Galicia, el artículo 7. Tres, 3, del Decreto Legislativo 1/2011, de 28 julio, por el que se apruebe el Texto Refundido de las disposiciones legales en materia de tributos cedidos, establece que *"cuando por un mismo transmitente se produjese la transmisión de varias viviendas habituales en uno o en varios actos, por causa de muerte o por pactos sucesorios, únicamente se podrá practicar la reducción por una sola vivienda habitual"*.

7 Así, en la normativa catalana se establece, en el apartado primero del artículo 18 de la Ley 19/2010, que *"a efectos de la aplicación de la reducción establecida en la presente sección, tiene la consideración de vivienda habitual la vivienda que cumple los requisitos y se ajusta a la definición establecidos en la normativa reguladora del impuesto sobre la renta de las personas físicas, sin perjuicio de que puedan considerarse como vivienda habitual, conjuntamente con esta vivienda, un trastero y hasta dos plazas de aparcamiento, pese a no haber sido adquiridos simultáneamente en unidad de acto, si están ubicados en el mismo edificio o complejo urbanístico y si en la fecha de la muerte del causante se hallaban a su disposición, sin haberse cedido a terceros"*

DGT en su Resolución núm. V931/2000, de 26 de abril, concluya que al haber vendido el causante su vivienda habitual poco antes de su fallecimiento habiendo acordado la compra de otra vivienda, pero sin haber otorgado la escritura de compraventa, su viuda no puede practicarse la reducción, ya que aquél falleció sin ser titular efectivo de ninguna vivienda.

3. BASE DE LA REDUCCIÓN

La Resolución de la DGT 2/1999, de 23 de marzo (epígrafe III.1.1.c) establecía que la magnitud sobre la que debía aplicarse la reducción del 95% era el valor neto, es decir, deducidas las cargas y gravámenes que disminuyan su valor, así como la parte proporcional de deudas y gastos, lo que fue cuestionado por la doctrina toda vez que no parece lógico restringir el ámbito de aplicación de la reducción minorando la magnitud sobre la que se aplica, lo que iría incluso contra el principio de reserva de ley[8].

Algunas normativas autonómicas aclaraban el criterio administrativo en distintos sentidos. Así, en Cataluña solo se detraía del valor bruto de la vivienda habitual el importe de las cargas y gravámenes definidas en el artículo 12 de la LISD. En Aragón, se establecía que del valor de la vivienda debía detraerse el mismo porcentaje de deudas y gastos que representaba aquél en la masa hereditaria bruta[9]. Y en Galicia, se hacía depender la reducción del valor de la vivienda en el importe de las deudas y gastos, únicamente si se habían tenido en cuenta para determinar la base imponible del causahabiente.

---

8 En este sentido se pronunciaron, Falcón y Tella, R.: "Las reducciones en la base imponible del ISD en materia de vivienda habitual y empresa familiar: el discutible criterio de la DGT" en *Quincena Fiscal*, núm. 8, 1999, pág. 6 y Tobías Rodríguez, C.: "Aspectos polémicos de la deducción por empresa y por vivienda habitual" en *Revista parlamentaria de la Comunidad de Madrid*, núm. 17, 2007, págs. 146 y ss. En sentido contrario, Pozuelo Antoni, F.: "Las nuevas reducciones del Impuesto sobre Sucesiones y Donaciones" *Revista de Contabilidad y Tributación. CEF*, núm. 172, 1997, *pág.* 69 y Caro Robles, V.: "La transmisión de la empresa y la vivienda habitual en el ISyD" en *Revista de Estudios Financieros*, núm. 223, 2001, pág. 101.

9 Para Torres Conejo, C. y Repiso López, F.: "Beneficios fiscales en los Impuestos sobre el patrimonio y sobre Sucesiones y Donaciones de la empresa familiar y vivienda habitual" en *Alcaba*, núm. 1, 1999, pag. 62, *"lo lógico sería tener en cuenta sólo las deudas que se puedan entender vinculadas al bien concreto, en cuanto generadas para su adquisición"*, es decir, si algún sentido tiene la deducción de la deuda hipotecaria contraída para la adquisición de la vivienda, ninguna justificación tendría la deducción de los gastos definidos en el artículo 14 de la LISD para calcular la magnitud sobre la que aplicar la reducción por adquisición de la vivienda habitual del causante.

En cualquier caso, esta discusión ha sido definitivamente superada pues el Tribunal Supremo en su Sentencia de 15 de septiembre de 2021 (Rec. Cas. núm. 1283/2020) concluyó que dicha magnitud debe ser el valor "bruto" declarado o real comprobado, en su caso, (o, desde la Ley 11/2021, de 9 de julio, el valor de referencia catastral), sin deducción de deudas y gastos; sólo con detracción de las cargas y gravámenes de naturaleza perpetua, temporal o redimible que aparezcan establecidos directamente sobre la vivienda. En ningún caso, se detraerá la deuda hipotecaria, que se deducirá de la masa bruta, de acuerdo con las normas generales de determinación de la base imponible.

4. REGLAS DE IMPUTACIÓN

Una vez determinada la magnitud sobre la que ha de aplicarse el porcentaje de reducción, debemos ocuparnos de los criterios que permiten su imputación a los beneficiarios de la misma.

De acuerdo con lo dispuesto en el epígrafe III.1.1.b) de la Resolución DGT 2/1999, la reducción por adquisición mortis causa de la vivienda habitual de la causante prevista en el artículo 20.2.c) de la Ley 29/1987, debe aplicarse conforme a criterios estrictos de neutralidad y proporcionalidad respecto de las adjudicaciones particionales.

Así se establece expresamente que *"la reducción beneficiará por igual a los causahabientes, con independencia de las adjudicaciones que se efectúen en la partición, y cada uno podrá aplicarla exclusivamente sobre la parte del valor del bien objeto de reducción incluida en su correspondiente base imponible, salvo disposición expresa del causante"*.

Este criterio ha sido reiterado de forma constante por la propia DGT en consultas posteriores, entre otras, la núm.: V2784-07, de 27 de diciembre de 2007; núm.: **V1610-10, de 15 de julio de 2010;** núm.: V0365-17, de 13 de febrero de 2017 y núm.: V2622-21, de 28 de octubre de 2021, que reproducen literalmente el principio de que la reducción no depende de la adjudicación del bien a un o unos causahabientes/s en concreto, sino del valor que se integre en su participación individual en la herencia.

Así, parece deducirse del principio de igualdad contemplado en el artículo 27 de la LISD, en virtud del cual, a efectos de este impuesto, cualesquiera que sean las particiones y adjudicaciones que los interesados hagan, se considerará como si se hubiesen hecho con estricta igualdad y con arreglo a las normas reguladoras de la sucesión.

Por lo tanto, la reducción beneficiará por igual a todos los causahabientes en la sucesión en la medida en que cumplan los requisitos previstos en el artículo 20.2.c) anteriormente citado, con independencia de las adjudicaciones realizadas en la partición, practicándosela, cada uno de ellos, sobre la parte del valor del bien objeto de reducción incluida en su correspondiente base imponible.

Todo ello sin perjuicio de aplicar la reducción a determinados causahabientes en los supuestos en los que el testador les haya asignado los bienes específicamente. En tales casos, sólo el adjudicatario incluirá en su base imponible el valor de dichos elementos y, por tanto, gozará en exclusiva de la reducción que procediera.

La doctrina mayoritaria ha cuestionado esta tesis, pues una cosa es el criterio que deba seguirse a efectos de la configuración de las bases imponibles (conforme a las cuotas ideales que derivan de las disposiciones testamentarias o, en su defecto, de las normas civiles sobre la sucesión intestada) y otra distinta el de imputación de un beneficio fiscal a quien efectivamente cumple con el objeto o fin del mismo. Si el principio de estricta igualdad en la determinación de las bases se justifica para evitar que los herederos fuercen la voluntad del testador en aras de la obtención de un ahorro fiscal, su traslación, sin más, a la imputación del beneficio a quienes no son adjudicatarios de la vivienda habitual del causante, carece de sentido[10]

El criterio administrativo puede conducir a que el ahorro por este beneficio fiscal dependa más del número de herederos que del contribuyente a quien se adjudica la vivienda, ya que, por aplicación del límite legal de la reducción, topado en la normativa estatal en 122.606,47 euros, puede que todos ellos puedan reducirse dicho importe máximo, perjudicando incluso al adquirente de la vivienda, lo que no ocurriría en el caso de que la vivienda habitual se adjudicara a uno de los herederos.

Y no existen argumentos jurídicos solventes para considerar que dicho límite deba prorratearse, igualmente, entre los beneficiarios de la reducción, al afirmar categóricamente el artículo 20.2 c) tercer párrafo de la LISD que el límite opera *"para cada sujeto pasivo"*[11].

---

10 Así se pronuncia, Rozas Valdés, J. A.: "La vivienda en el Impuesto sobre Sucesiones y Donaciones" en *La fiscalidad de la vivienda en España, Dir. Juan Enrique Varona Alabern, Capítulo V,* Civitas-Thomson-Reuters-Cizur Menor, 2012, basándose en los argumentos empleados por Pozuelo Antoni, F.: "Las nuevas reducciones ...", op. cit., pág. 67; Navarro Egea, M.: *Incentivos fiscales a la pequeña u mediana empresa,* Marcial Pons, Madrid, 1999, pág. 103; Falcón y Tella, R.: "Las reducciones...", op. cit., pág. 6; Bermúdez Odriozola, L.: Pérez de Ayala y Cedillo, J. L.; Pérez de Ayala Becerril, M. y López de Ayala y Álvarez de Toledo: *Comentarios al Impuesto sobre Sucesiones y Donaciones,* Lex Nova, Madrid, 2001, pág. 145. En la misma línea, Calvo Vélez, R.: "La reducción por adquisición mortis causa de la vivienda habitual del causante en el Impuesto sobre Sucesiones y Donaciones: análisis de las principales cuestiones suscitadas a la luz de la reciente doctrina administrativa", en *Quincena Fiscal,* núm. 18, 2008, págs. 96 y 97. Consideran acertada la aplicación del principio de proporcionalidad a la determinación de los beneficiarios de la reducción, Agustín Torres, C y Agustín Justibró, J.: *Reducciones del Impuesto sobre Sucesiones y Donaciones,* Bosch, Barcelona, 2001, pág. 99.

11 Así concluye Rozas Valdés, J. A.: "La vivienda en el Impuesto..." op. cit. afirmando que salvo que la normativa autonómica lo prevea, no es posible prorratear el límite en las mismas propor-

La STS núm. 421/2019 de 27 de marzo, avala que las CCAA puedan, manteniendo esa reducción, *"introducir condiciones que comporten una restricción subjetiva del beneficio fiscal, de modo que sólo puedan disfrutarlo el adjudicatario o los adjudicatarios efectivos de los bienes según la partición".*

Ahora bien, esta limitación debe venir establecida, expresamente, en la Ley autonómica reguladora de la cesión del impuesto, no siendo admisible la aplicación de este criterio por la práctica administrativa.

De la misma forma, las CCAA, en el ejercicio de sus competencias normativas, podrán establecer límites distintos del importe de la reducción y sus reglas de reparto.

Así, por ejemplo, en Cataluña, el artículo 17 de la Ley 19/2010 establece un límite global de 500.000 € por el valor conjunto de la vivienda, prorrateándose entre los sujetos pasivos según su participación y un límite individual resultante del prorrateo anterior de 180.000 €.

5. DISOLUCIÓN DEL RÉGIMEN CONYUGAL DE GANANCIALES

De acuerdo con lo establecido en la Resolución DGT, 2/1999 (epígrafe 1.1. a) del apartado III.1) la reducción deberá calcularse sobre el valor de los bienes que se encuentren incluidos en el caudal relicto del causante. Si como consecuencia de la disolución del régimen económico de gananciales, se atribuye al causante la mitad de la vivienda habitual sólo se aplicará la reducción sobre dicha mitad. Si, por el contrario, se atribuye a aquél la totalidad de la vivienda habitual, la reducción operará sobre el valor total de la misma.

De esta forma, los causahabientes son libres de decidir que bienes se adjudican al cónyuge supérstite en pago de sus gananciales, pudiendo integrar todo el valor de la vivienda habitual en el caudal hereditario a efectos de la práctica de la reducción y con independencia de que esta se adjudique, o no, al viudo en las ulteriores operaciones particionales. También, podrán decidir la adjudicación al cónyuge supérstite de un porcentaje concreto de la propiedad de la vivienda habitual (diferente del 50%), en pago de sus gananciales, integrando el resto en el haber hereditario; siendo esta parte a la que se aplicará la reducción.

En definitiva, la disolución de la sociedad conyugal de gananciales es una operación previa y determinante de los bienes que integran el caudal hereditario, pudiendo los

ciones que las participaciones individuales de los herederos, ya que donde la ley no distingue el intérprete no puede hacerlo.

herederos llevar a cabo esa disolución y formación de haber relicto a su "libre albedrío" de acuerdo con el criterio civil de libertad de pactos[12]

---

[12] En este sentido es muy significativa las Consultas DGT núm.: **V0102-04** y núm.: V1645-12. La primera de ellas establece claramente que: *En relación con el precepto transcrito, este Centro Directivo se ha pronunciado reiteradamente en ocasiones anteriores sobre la cuestión de si la adjudicación de los bienes procedentes de la disolución de la sociedad de gananciales puede ser realizada por los interesados a su libre albedrío, con efectos en la declaración del Impuesto sobre Sucesiones y Donaciones (en particular sobre la aplicación de la reducción por adquisición de la vivienda habitual del causante, en los supuestos de una persona casada en régimen económico matrimonial de gananciales, u otro equivalente establecido en la Legislación Foral); entre otras, en las contestaciones a consultas de 2 de marzo de 1999, 17 de julio de 2001, 1 de agosto de 2002, 22 de mayo de 2003, 29 de mayo de 2003 y 15 de enero de 2004, así como en la Resolución de 23 de marzo de 1999, de la Dirección General de Tributos, relativa a la aplicación de las reducciones en la base imponible del Impuesto sobre Sucesiones y Donaciones, en materia de vivienda habitual y empresa familiar (BOE de 10 de abril de 1999). En todos estos pronunciamientos, se ha establecido, en síntesis, que la reducción del 95 por 100 por adquisición de la vivienda habitual del causante deberá calcularse sobre el valor de la vivienda habitual que se encuentre incluida en el caudal relicto del causante. Es decir, la posibilidad de que los herederos en una sucesión puedan aplicar las reducciones en la base imponible que prevé el artículo 20.2.c) de la Ley 29/1987, depende de la concreta adjudicación de bienes a cada parte en la liquidación de la sociedad legal de gananciales. En este mismo sentido se han pronunciado el Tribunal Económico Administrativo Regional de Madrid, en resolución de 22 de septiembre de 1999, la Audiencia Nacional, en sentencia de 18 de abril de 1996 y, más recientemente, el Tribunal Superior de Justicia de Madrid, en sentencias de 21 de febrero y 9 de mayo de 2003. A continuación, se expone una síntesis de la doctrina administrativa y de la judicial reseñadas".* Y añade que *"si como resultado de tal disolución y liquidación, se adjudica la totalidad de la vivienda habitual a la masa hereditaria del causante, percibiendo el cónyuge supérstite otros bienes de valor equivalente, la totalidad de la vivienda habitual se incluye en la masa hereditaria, de manera que los causahabientes podrán practicar la reducción mencionada sobre el valor total de la vivienda. Si, por el contrario, en la disolución y liquidación de la sociedad de gananciales se adjudica a la herencia del causante la mitad de la vivienda habitual, sólo se practicará la reducción sobre dicha mitad. En el mismo sentido, si en la disolución y liquidación de la sociedad de gananciales se adjudica la totalidad de la vivienda habitual al cónyuge supérstite, los causahabientes no podrían practicar la reducción analizada, puesto que la vivienda no se encuentra incluida en la masa hereditaria del causante. En definitiva, como consecuencia del fallecimiento de uno de los cónyuges se producen dos hechos jurídicos separados y diferentes que se suceden en el tiempo: la disolución del régimen de sociedad de gananciales y la apertura del fenómeno sucesorio, cuyo análisis civil y tributario debe efectuarse separadamente. Existe entre ambos hechos jurídicos un nexo temporal, de manera que en primer lugar se procede a la disolución y liquidación de la sociedad de gananciales, adjudicando a cada cónyuge la mitad del haber resultante de practicar en el inventario las deducciones previstas en los artículos 1.392 y siguientes del Código civil; posteriormente, se procede a la apertura de la sucesión del cónyuge fallecido, con la transmisión mortis causa de los bienes, derechos y obligaciones del causante que no se extingan por su muerte, a la que sí resultará aplicable lo previsto en el artículo*

Se trata, para muchos autores de una "pequeña economía de opción" perfectamente legítima y a la que cabe prestar atención a la hora de planificar las operaciones particionales de la herencia[13].

Por el contrario, en caso de separación de bienes, la reducción deberá aplicarse sólo sobre el porcentaje de propiedad de la vivienda habitual que ostentare el causante y se integre en el haber hereditario. Cualquier aportación por parte del cónyuge viudo a la masa hereditaria de su porcentaje de propiedad sobre la vivienda habitual del matrimonio, en beneficio de todos los causahabientes, se considerará una transmisión onerosa o, en su caso, gratuita, sujeta al ITP y AJD o al ISD, respectivamente. Y, ello sin perjuicio, de que posteriormente pueda disolverse el proindiviso entre los nuevos comuneros re-

---

27.1 de la Ley del Impuesto sobre Sucesiones y Donaciones, para practicar la liquidación de dicho impuesto".

13 En este sentido se pronuncia Rozas Valdés, J. A.: "La vivienda en el Impuesto..." op. cit. También defiende la libertad de los causahabientes a la hora de especificar los bienes que se adjudican al cónyuge viudo en pago de sus gananciales Martínez Lafuente, A.: "El impuesto sucesorio y las adjudicaciones en pago de gananciales" en *Impuestos,* T. II, 1994, págs. 59 y ss; Pérez-Fadon Martínez, J. J.: *Guía del Impuesto...";* op. cit., pág. 57; Caro Robles, V.: "La transmisión de la empresa y la ...", op. cit. pág. 92; Calvo Vélez, R.: "La reducción por adquisición mortis causa de la vivienda habitual...", op. cit. pág. 93.
En sentido contrario, considerando inaceptable desde el punto de vista fiscal que la preferencia del criterio civil de libertad de pactos en cuanto a la especificación de los bienes gananciales que se adjudican al viudo, Torres Conejo, C. y Repiso López, F.: "Beneficios fiscales en los Impuestos...", op. cit. pág. 43. En la misma línea de negar la posibilidad de que los herederos apliquen la reducción por adquisición de vivienda habitual sobre el 100% de su valor integrado en el caudal hereditario, como consecuencia de haber adjudicado al viudo otros bienes en pago de sus gananciales, nos encontramos con la regulación catalana que en el artículo 34 de la Ley 19/2010, de 7 de junio, de regulación del Impuesto sobre Sucesiones y Donaciones, establece que *"Las reducciones establecidas en las secciones tercera a décima* (entre otras, la referente a la adquisición de la vivienda habitual del causante)*, si los bienes o derechos que son objeto de la reducción han formado parte de la sociedad de gananciales regulada en el artículo 1344 del Código civil o de otros regímenes económicos matrimoniales análogos, y con independencia de las adjudicaciones concretas que resulten de la liquidación del régimen económico matrimonial, sólo pueden afectar a la mitad del valor de cada bien o derecho adquirido, o a la parte que corresponda en razón de la participación del causante en la comunidad matrimonial".* En similares términos, se pronuncia el articulo 23.3 f) del Decreto legislativo 1/2014, de 6 de junio, por el que se aprueba el Texto Refundido de las disposiciones legales de la Comunidad Autónoma de las Islas Baleares en materia de tributos cedidos por el estado, afirmando que *"cuando la vivienda tenga el carácter de bien de copropiedad de los cónyuges, la reducción de la base imponible se entenderá referida a la mitad que forme parte del caudal hereditario. En caso de que el régimen económico matrimonial sea distinto al de separación de bienes, habrá que estar a las reglas que rigen dicho régimen para determinar la parte de la vivienda susceptible de reducción"*

sultando aplicable, en su caso, la doctrina sobre los supuestos de especificación de derechos y su no consideración como transmisión patrimonial, a los efectos del ITP y AJD.

6. TRASLADO DE LA REDUCCIÓN EN LA CONSOLIDACIÓN DEL DOMINIO POR FALLECIMIENTO DEL USUFRUCTUARIO

En el caso de división del dominio, si los nudos propietarios no pudieron aplicarse la reducción íntegramente por insuficiencia de base, el resto no imputado se podrá trasladar a la liquidación que proceda por la consolidación dominical, siempre que el usufructo se extinga por fallecimiento del usufructuario, tal y como establece el artículo 51.2 del RISD y corroboran el apartado III, 1.1. d) de la Resolución DGT 2/1999 y Consulta vinculante DGT núm.: V4731-16, de 8 de noviembre de 2016.

7. PORCENTAJES DE REDUCCIÓN

La mayoría de las CCAA de régimen común han mejorado el porcentaje estatal de la reducción, redondeando o elevando, asimismo, los límites máximos de reducción por cada sujeto pasivo.

Algunos comentaristas han tildado de "arbitraria y generadora de inequidades horizontales y verticales" esta tendencia, abogando por una modulación del importe del beneficio fiscal en función de la capacidad económica del contribuyente— técnica de *phase out*, en el Derecho norteamericano-de forma parecida a lo que ocurre con la reducción de los rendimientos del trabajo personal en el IRPF.

De esta forma se introduciría un elemento de progresividad en la base liquidable acorde, por otra parte, con la finalidad que persigue la reducción que nos ocupa, que no es otra que evitar que en patrimonios con reducida liquidez deba transmitirse la vivienda habitual del causante para satisfacer el impuesto sucesorio[14].

Puede observarse en el cuadro adjunto, algunas de las modificaciones en los porcentajes y límites de la reducción aprobados por las principales CCAA de régimen común:

Comunidad Autónoma	% Reducción y límites
Madrid	– Mantiene la reducción estatal elevando el límite a 123.000 €
Andalucía	– Mejora reducción estatal pudiendo alcanzar el 100% dependiendo de su valor.
Comunitat Valenciana	– Mantiene reducción estatal elevando el límite a 150.000 €

14 Así se manifiesta Rozas Valdés, J. A.: "La vivienda en el Impuesto...", op. cit.

Comunidad Autónoma	% Reducción y límites
Canarias	– Mejora reducción estatal hasta el 99%
Cataluña	– Reducciones propias y límites cuantitativos específicos (límite conjunto e individual por heredero) en la transmisión mortis causa vivienda habitual ampliando los beneficiarios
Galicia	– Mejora de la reducción estatal pasando a ser del 100% del valor vivienda en su transmisión mortis causa en favor del cónyuge y entre el 95 y 99% en favor de descendientes, ascendientes y colaterales por– consanguinidad, según el valor de la vivienda. Límite de 600.000 €
Baleares	– Mejora reducción estatal 100% hasta 270.151,20€ por sujeto pasivo para parientes Grupos I y II

Fuente. Elaboración propia extraída de las respectivas normativas autonómicas.

8. MANTENIMIENTO DE LA ADQUISICIÓN Y TRANSMISIÓN ANTERIOR AL TRANSCURSO DEL PLAZO LEGAL O AUTONÓMICO

Tal vez sea este uno de los aspectos más conflictivos en la aplicación de la reducción. Este requisito que tiene su justificación en el caso de la transmisión de empresas familiares para preservar su continuidad a través de las generaciones futuras resulta de dudosa eficacia en la transmisión "mortis causa" de la vivienda habitual del causante.

Algunas CCAA, conscientes de la dificultad de la comprobación del "mantenimiento de la adquisición" durante un plazo de diez años (y, en consecuencia, de la complejidad que supone practicar liquidaciones una vez prescrito el derecho de la Administración a regularizar el ISD devengado por el fallecimiento del causante), han reducido dicho período a cinco e incluso a tres años, en concordancia con el plazo establecido en la normativa reguladora del IRPF[15].

La imprecisa dicción legal da lugar a plantearse que es lo que debe mantenerse durante dicho periodo de tiempo y si existen algunos supuestos de transmisión anteriores al plazo legal, que no den lugar a la pérdida del derecho a la reducción.

Respecto de la primera cuestión, no ofrece dudas que lo que debe mantenerse es la propia vivienda, a pesar de la desafortunada expresión de la norma.

15 Cantabria, Canarias, Madrid y La Rioja, han reducido el plazo legal de 10 años a 5 años. Por su parte, Andalucía y Principado de Asturias, lo rebajan a tres años. Puede comprobarse este extremo en el *"Capítulo IV. Tributación Autonómica (Medidas 2025)"* del Ministerio de Hacienda.

Ahora bien, respecto de otros muchos aspectos que plantea dicho mantenimiento y ante el silencio de la ley, ha debido ser la doctrina administrativa y judicial, la que han venido delimitando el ámbito de aplicación del beneficio fiscal.

De esta forma, caben extraerse las siguientes conclusiones:

1.– Se exige el mantenimiento del derecho de la propiedad plena sobre la vivienda. La transmisión del usufructo de la vivienda heredada daría lugar a la pérdida del derecho a la reducción. En este sentido, Consulta DGT V2366-06, de 28 de noviembre de 2006[16]

2.– No se requiere que la vivienda adquirida sea vivienda habitual del heredero, sólo que permanezca en su patrimonio. Lo que aclaró, en su momento, la Resolución DGT 2/1999[17].

3.– Excepcionalmente, se admite la transmisión de la vivienda antes del vencimiento del plazo legal (y excepto, lógicamente, fallecimiento del adquirente antes de cumplirse dicho período temporal), siempre que su importe íntegro se reinvierta en la adquisición de otra vivienda (no en otros activos, como una renta vitalicia), aunque no tenga el carácter de habitual. Así, la Consulta V1775/16, de 21 de abril de 2016, afirma categóricamente que *"por otra parte, el epígrafe 1.4.c) de la Resolución 2/1999, de 23 de marzo, de esta Dirección General, relativa a la aplicación de las reducciones en la base imponible del Impuesto sobre Sucesiones y Donaciones en materia de vivienda habitual y empresa familiar, señala que el requisito de permanencia establecido en el artículo 20.2.c) de la Ley 29/1987, de 18 de diciembre, del Impuesto sobre Sucesiones y Donaciones para los casos de transmisión "mortis causa" de vivienda habitual, ha de entenderse en el sentido de que el mantenimiento de la vivienda —sea o no habitual— se produzca "durante" diez años, por lo que la reinversión del valor en una nueva vivienda ha de llevarse a cabo de forma inmediata a la transmisión de la heredada. De acuerdo con lo anterior y en contestación a la cuestión formulada, sólo la reinversión inmediata en otra vivienda, con independencia de que sea o no habitual, cumple el requisito de permanencia. La reinversión en cualquier otro activo lleva consigo la pérdida del derecho a la reducción practicada en su día..."*

La reinversión debe ser inmediata, concepto jurídico indeterminado que deberá concretarse, pero que tratándose de la reinversión de una vivienda puede entenderse referido a un plazo de pocos días, pero no a 14 meses, como aclara la Consulta DGT V0833/17, de 4 de abril de 2017.

---

16 En la misma línea, Jorba Jorba, O.: "La vivienda habitual del cónyuge supérstite" en *Quincena Fiscal,* Mayo II, 2010; pág. 28.

17 Sin embargo, para Calvo Vélez, R.: "La reducción por adquisición mortis causa de la vivienda...", op. cit. pág. 105, el causahabiente debería utilizarla como tal vivienda habitual, al menos, el plazo de tres años, como exige la normativa del IRPF.

Se admite, incluso, reinvertir en dos inmuebles con tal de que uno tenga el carácter de vivienda y se reinvierta en el mismo, al menos, el valor por el que, en su día, se practicó la reducción (DGT V1353/24, de 7 de junio de 2024).

Algunas CCAA, como Galicia[18], conscientes de la litigiosidad que genera el cumplimiento de este requisito han regulado vehículos de reinversión para evitar la pérdida del derecho. Así, se permite la transmisión de la vivienda habitual del causante antes del plazo legal siempre que se reinvierta el importe obtenido en la adquisición de otra vivienda habitual en Galicia, equiparándose a la adquisición supuestos tales como la rehabilitación, la autopromoción o construcción o la conversión de locales para uso de vivienda, dentro del plazo de dos años anteriores o posteriores a la enajenación de la vivienda heredada, de conformidad con lo dispuesto en la normativa reguladora del IRPF. También se contempla el mantenimiento del derecho a la reducción si la vivienda habitual se transmite antes de plazo, por pacto sucesorio. Otras CCAA, se apartan o aclaran los criterios sostenidos por la DGT. Así, la CCAA de Cataluña[19], condiciona el mantenimiento del derecho a la reducción a la reinversión del importe total obtenido por la enajenación de la vivienda del causante (aunque sea inferior al declarado a efectos del ISD) en la adquisición su propia vivienda por el causahabiente, equiparándose a este supuesto la amortización del préstamo hipotecario concedido para su adquisición. Ahora bien, la reducción se minorará en la misma proporción que el dinero no empleado en la adquisición de la nueva vivienda.

4.– En el caso de adjudicación de la vivienda a uno solo de los herederos habiéndose aplicado toda la reducción a todos ellos en proporción a sus cuotas de participación en la herencia, la enajenación de la vivienda por el adjudicatario puede hacer perder el derecho a la reducción de los demás coherederos, salvo que aquél reinvierta inmediatamente en una nueva vivienda por el importe por el que se practicó la reducción. En cambio, si la vivienda se adjudicó en proindiviso a todos los herederos, si uno de los condóminos transmitiera su participación antes del plazo establecido, el resto mantendría el derecho a la reducción[20].

5.– La extinción del condominio existente sobre la vivienda con adjudicación de la misma a uno de los herederos, no supone el incumplimiento de este requisito de permanencia. (Consulta DGT V3111-18, 29 de noviembre de 2018.). De igual forma, la

18 Art. 7. Tres, del Decreto-legislativo 1/2011, de 28 de julio, por el que se aprueba el Texto Refundido de las disposiciones legales de la Comunidad Autónoma de Galicia en materia de tributos cedidos por el Estado.

19 Art. 4 del Decreto 414/2011, de 13 de diciembre, por el que se aprueba el reglamento del Impuesto sobre Sucesiones y Donaciones en Cataluña.

20 Caro Robles, V.: "La transmisión ..." op. cit. pag. 97 y en el mismo sentido, DGT V0138-05 de 25 de mayo de 2005.

aportación a la sociedad de gananciales de la vivienda heredada tampoco supone infringir el requisito de permanencia, con independencia de que la aportación sea onerosa o gratuita (Consulta DGT V1381-11 de 1 de junio de 2011).

9. REQUISITO DE CONVIVENCIA EN LAS ADQUISICIONES POR COLATERALES

En defecto de cónyuge, ascendientes o descendientes del causante el artículo 20.2 c) tercer párrafo, de la LISD permite la aplicación de la reducción a los colaterales en los que concurran los siguientes requisitos subjetivo y objetivo:

- Que el colateral sea mayor de 65 años, sin que quepa limitar el parentesco a un determinado grado[21].
- Y que hubiera convivido con el causante al menos durante los dos años anteriores a su fallecimiento, en la vivienda habitual de este, salvo que el causante haya tenido que trasladarse por causa justificada (razones de vejez, dependencia o enfermedad grave), remitiéndonos, a este respecto, a lo expuesto al analizar el concepto de vivienda habitual.

10. DETERMINACIÓN DEL AJUAR DOMÉSTICO SOBRE EL VALOR DE LA VIVIENDA HABITUAL DEL CAUSANTE

Aunque tangencialmente relacionado con el tema que nos ocupa, cabe recordar que las SSTS 10 de marzo (STS 342/2020) (RJ 2020/2014) y 19 de mayo de 2020 (STS 499/2020) (RJ 2020/1066) concluyeron que la presunción contenida en el artículo 15 de la LISD sobre la existencia de ajuar y/o valor equivalente al 3% del caudal hereditario, salvo prueba en contrario, vulneraba el principio de capacidad económica e incluso el de igualdad. De ahí que el Tribunal excluyera del concepto de ajuar todos aquellos bienes y derechos que, por su propia naturaleza son absolutamente ajenos a la noción del mismo (entendido éste como el conjunto de bienes muebles corporales afectos al uso personal o particular) tales como el dinero, títulos, bienes inmuebles, activos mobiliarios u otros bienes incorporales.

La consecuencia, en la mayoría de los casos, es la cuantificación del ajuar doméstico en el 3% del valor de la vivienda habitual del causante, si bien, la Administración viene aplicando el 3% sobre el valor de cualquier bien inmueble a disposición del causante,

21 Nieto Montero, J. J. (2001) "Beneficios fiscales en la transmisión hereditaria de la vivienda habitual" en *Impuestos,* núm. 7, pág. 25, defiende la aplicación del beneficio sólo en favor de colaterales hasta el tercer grado.

salvo acreditación de su inexistencia, amparada esta tesis en las lagunas del fallo y en los tres votos particulares emitidos.

Para los magistrados disidentes del criterio de la mayoría no debe excluirse cualquier bien que no sea la vivienda habitual, sino sólo aquellos que, por su naturaleza, no permitan su uso para necesidades privadas lo que determina, a su juicio, que no deban descartarse de antemano los inmuebles, aunque no constituyan la vivienda habitual del causante. Cuestión, por lo tanto, esta de la cuantificación del ajuar doméstico que sigue generando altas dosis de inseguridad, entendiendo que lo más apropiado sería establecer su exención, como ocurre en el IP.

IV. TRANSMISIÓN INTER-VIVOS DE INMUEBLES DEL DONANTE PARA CONSTITUIR VIVIENDA HABITUAL DEL DONATARIO O DE EFECTIVO PARA SU ADQUISICIÓN

1. PLANTEAMIENTO

La norma estatal, sensible con la transmisión hereditaria de la vivienda habitual del fallecido, no lo es, en cambio, con las transmisiones lucrativas inter vivos de inmuebles con destino a constituir la vivienda habitual de los beneficiarios, seguramente, porque en la fecha de su promulgación el acceso a la vivienda no se percibía como un problema de la magnitud que adquiere en nuestros días. Se preservaba la propiedad de la vivienda habitual, toda vez que en la mayoría de las familias esa vivienda constituía el refugio de los ahorros de toda una vida, tratando de evitarse su perdida como consecuencia de su transmisión hereditaria.

De esta forma, la LISD no contempla beneficio alguno en el caso de las transmisiones lucrativas inter vivos, estableciendo el artículo 20.5 de la LISD que *"en las adquisiciones por título de donación o equiparable, si la Comunidad Autónoma no hubiese regulado sus propias reducciones, la base liquidable coincidirá, en todo caso, con la imponible"*, salvo la reducciones reguladas en los apartados 6 (transmisión de las denominadas empresas "familiares" a que se refiere el artículo 4.ocho de la Ley del Impuesto sobre el Patrimonio) y 7 (transmisión de los bienes a que se refieren los apartados uno, dos, tres del citado artículo 4 de la LIP) siguientes.

Por lo que, haciendo uso de esas competencias normativas, las CCAA han venido introduciendo beneficios fiscales que afectan a la vivienda, regulando reducciones en la base imponible, tanto para la donación de inmuebles que vayan a constituir la vivienda habitual del donatario, como de efectivo para su adquisición.

Y ello, sin perder de vista que el efecto de estas reducciones en la base imponible del ISD queda atenuado por el establecimiento, en la mayoría de CCAA, de mínimos exentos por razón de parentesco o de amplias bonificaciones en la cuota, como ocurre con las transmisiones mortis causa.

Vamos a centrarnos en analizar aquellos beneficios autonómicos que tienen por objeto reducir la base imponible del beneficiario de la donación de una vivienda o de efectivo para su adquisición.

2. FUNDAMENTO

El fundamento de estas reducciones resulta claro.

La doctrina apunta fundamentalmente a los siguientes razonamientos para su establecimiento[22]:

- Por un lado, puede percibirse una razón económica, facilitándose, así, la circulación de bienes desde las generaciones que se encuentran en el último tercio de sus vidas hacia las más jóvenes y productivas.
- Por otra parte, se contribuye a incentivar el acceso a una vivienda digna, como bien protegido por nuestra Carta magna y que en los últimos años constituye el mayor problema al que se enfrentan nuestros jóvenes, con trabajos precarios y sueldos bajos que les impiden su adquisición a edades en que sus padres ya habían constituido un hogar independiente.

Con este mismo fin las CCAA vienen estableciendo desde hace un tiempo otros incentivos fiscales para las adquisiciones onerosas de la vivienda habitual mediante la reducción de tipos en el ITP y AJD.

A las anteriores razones habría que añadir, a nuestro juicio, algo que a nadie escapa y es el interés creciente de las CCAA en llevar a cabo políticas fiscales que, en ocasiones, cabe tildar de desleales, con la finalidad de atraer riqueza a sus respectivos territorios.

3. ÁMBITO DE LA REDUCCIÓN

La aplicación de estos beneficios fiscales requiere de la concurrencia de una serie de condiciones objetivas y subjetivas.

Por un lado, el objeto del negocio jurídico (normalmente una donación como paradigma de estas transmisiones gratuitas, aunque, también, cabe incluir en el ámbito de aplicación de la reducción otros negocios jurídicos como las condonaciones de préstamos), debe ser la vivienda habitual del donante (en la minoría de casos), un inmueble

22 Vid. al respecto, Rozas Valdés, J. A.: "La vivienda en el Impuesto...", op. cit.

que vaya a constituir la vivienda habitual del donatario o, efectivo para su adquisición por este último.

Lo habitual es que dichas donaciones deban formalizarse en escritura pública, que, si bien no es necesaria como requisito de validez para la perfección jurídica de las donaciones de efectivo, sí es exigible en la mayoría de CCAA, como prueba de su realización y para el establecimiento de los plazos para declarar o autoliquidar.

Normalmente se va a exigir que se trate de la primera vivienda habitual del donatario incluso en todo el territorio español, lo que obliga al donatario a la aportación de pruebas de difícil obtención, como un certificado del Registro de la propiedad de titularidades vigentes y no vigentes.

La vivienda debe reunir, en la generalidad de normativas autonómicas, la condición de habitual de acuerdo con la definición contenida en la regulación del IRPF, equiparándose a su adquisición, la rehabilitación o construcción de la vivienda en un terreno propiedad del donante.

Asimismo, suele exigirse que la vivienda radique en el territorio de la respectiva CCAA, lo que puede constituir un obstáculo directo a la libre circulación de capitales entre CCAA, que si bien, se ha solventado respecto de los no residentes, se mantiene paradójicamente dentro del ámbito territorial de aplicación del ISD[23].

En cuanto a las condiciones subjetivas, se requiere, normalmente, que el beneficiario sea cónyuge, ascendiente o descendiente del donante, condicionándose en este último caso a que tenga determinada edad o sea discapacitado. También suelen establecerse

23 Así lo entiende Rozas Valdés, J. A.: "La vivienda en el Impuesto…", op. cit, en relación con la limitación hoy superada de la aplicación de beneficios fiscales aprobados por las CCAA a los no residentes. En efecto, desde la STJUE de 3 de septiembre de 2014 (C-127/12, Asunto España/Comisión) y STS 19 de febrero de 2018, solventada la discriminación que experimentaban los no residentes en las herencias o donaciones transfronterizas como consecuencia de la combinación entre obligación real de contribuir y los criterios de sujeción al poder tributario de las respectivas CCAA, dicha discriminación cabe predicarla respecto de residentes en España en función de la distinta CCAA de residencia. Se produce la paradoja de que hoy a efectos del ISD puede resultar más beneficiado un no residente en territorio español que un residente en España dependiendo de la CCAA en que resida. Como afirmábamos en nuestro trabajo D'Ocón Espejo, A. M.: (2021) "Repercusiones de la jurisprudencia comunitaria en los problemas de constitucionalidad interna del Impuesto sobre Sucesiones y Donaciones" en *Estudios en homenaje al profesor Cazorla Prieto,* Aranzadi, *"no parece muy razonable que finalmente termine pagando menos ISD un heredero de nacionalidad alemana y residente en Noruega que hereda de su padre, también alemán, residente en Madrid, cuando herederos españoles residentes en España, en distintas CCAA, se les veta la aplicación de determinados beneficios fiscales por el lugar de su residencia".*

límites al patrimonio preexistente del donatario exigiéndose que no exceda de determinada cuantía o que sus rentas no superen ciertos umbrales.

Por último, algunas CCAA condicionan la aplicación de la reducción a la residencia, anterior o posterior a la donación, durante un determinado período de tiempo, lo que también puede resultar contrario a la libre circulación de personas.

En los siguientes apartados y a modo de análisis comparativo, se introducen dos tablas de elaboración propia partiendo de las respectivas normativas autonómicas, con la regulación de este beneficio fiscal en las principales CCAA, debiendo destacarse que el porcentaje de reducción es bastante homogéneo en todas ellas siendo dispares los requisitos objetivos y subjetivos para su reconocimiento.

3.1. Donación de la vivienda habitual del donante o de inmuebles para constituir la vivienda habitual del donatario

CCAA	Norma autonómica y artículo	Supuesto (donación)	Reducción / límite	Requisitos clave (resumen)
Andalucía	Ley 5/2021 Art. 33	Pleno dominio de un inmueble (vivienda) de ascendientes a descendientes, para vivienda habitual del donatario.	99% de la base imponible (con límites de base máxima de reducción según supuestos).	Entre otros: destinatarios según condiciones (p.ej. menor de 35 años, discapacidad, víctimas, etc.); vivienda en Andalucía; mantenimiento como vivienda habitual durante el plazo exigido; formalización y autoliquidación en plazo.
Aragón	D. Leg. 1/2005 Art. 132-8	Donación de un bien inmueble para su destino como primera vivienda habitual (en municipios de Aragón).	100% de la base imponible. Límite conjunto: 300.000 € (últimos 5 años). Patrimonio preexistente ≤ 100.000 €.	Vivienda con condiciones de vivienda habitual (según normativa estatal IRPF a 31/12/2012); en mantenimiento 5 años; autoliquidación en plazo.
Cataluña	Ley 19/2010 Art. 54	Donación de una vivienda que ha de constituir la primera vivienda habitual del donatario (incluye expresamente terreno o edificaciones).	95% de la base imponible.	Entre otros: donatario ≤ 36 años; adquisición de primera vivienda habitual; el bien debe destinarse a vivienda habitual; plazos y requisitos específicos en la norma.

CCAA	Norma autonómica y artículo	Supuesto (donación)	Reducción / límite	Requisitos clave (resumen)
Murcia	D. Leg. 1/2010 Art. 4.Cuatro	a) Donación del pleno dominio de una vivienda para vivienda habitual del donatario; b) Donación de solar urbano para construir vivienda habitual del donatario.	99% del valor real. Límite general de 150.000 € en vivienda / metálico; (solar: reducción propia del 99% con requisitos específicos).	Grupos I y II; única ocasión entre los mismos intervinientes; donación en documento público; no disponer de otra vivienda en propiedad; mantenimiento como vivienda habitual; para solar, construcción en plazo máximo de 4 años (entre otros).

3.2. Donación de efectivo para la adquisición de vivienda habitual

CCAA	Norma y artículo	Reducción y límite	Donante / Donatario	Destino	Condiciones principales
Andalucía	Ley 5/2021, art. 32	99 %, con base máxima reducción de 150.000 € / 250.000 € en caso discapacitados	Ascendientes en favor de descendientes	Vivienda habitual en Andalucía	– Menor de 35 años, discapacidad o víctima de violencia doméstica o terrorismo. – Compra en plazo de 30 días desde la donación. – Mantener 3 años.
Aragón	DL 1/2005, art. 132-8	100 % con importe máx. de reducción de 300.000 €, computado globalmente con otras donaciones en 5 años anteriores	Padres en favor de hijos	Primera vivienda habitual en Aragón	– Patrimonio ≤ 100.000 €. – Compra ±12 meses. – Mantener 5 años.
Cataluña	Ley 19/2010, art. 54	95 % con importe máx. de reducción de 60.000 € / 120.000 € en caso discapacitados	Ascendientes en favor de descendientes	Primera vivienda habitual	– ≤ 36 años. – Justificación documental – Compra en 3 meses. – Mantener 5 años. – Límite renta: < 36.000 €

CCAA	Norma y artículo	Reducción y límite	Donante / Donatario	Destino	Condiciones principales
Castilla y León	DL 1/2013, art. 19	99 % con base máxima de reducción de 180.000 €/250.000 € en caso de discapacitados	Ascendientes en favor de descendientes	Primera vivienda habitual en Castilla y León	– Menor de 36 años o discapacidad ≥ 65 %. – Justificación documental. – Compra en plazo de 30 días desde la donación.
Galicia	DL 1/2011, art. 8.3	95 %. Importe máx. reducción: 60.000 €	Ascendientes en favor descendientes	Primera vivienda habitual en Galicia	– Menor de 35 años o victima violencia genero – Límite renta < 30.000 €. – Compra en 6 meses.
Madrid	DL 1/2010, art. 22 bis	100 % con base máx. de reducción de 250.000 €	Grupos I y II y colaterales de 2° grado por consanguinidad	Vivienda habitual	– Justificación documental – Adquisición vivienda en plazo de 1 año.

V. CONCLUSIONES

La especial protección de la que disfruta en la regulación estatal del ISD la transmisión "mortis causa" de la vivienda habitual del causante por motivos, evidentemente, diferentes de los que hoy fundamentarían la misma, se ha venido extendiendo a la transmisión gratuita "inter vivos" de inmuebles del donante para constituir la vivienda habitual del donatario o a la donación de efectivo para su adquisición por este.

Ahora bien, lo cierto es que el establecimiento en muchas CCAA de bonificaciones que alcanzan prácticamente el 100% en la cuota del ISD, al menos, en las transmisiones directas en línea recta descendente y ascendente, así como en favor del cónyuge, provocan el efecto de que la reducción estatal por adquisición de vivienda habitual quede "de facto" neutralizada. Sólo será efectiva en los casos de transmisiones en favor de colaterales convivientes a los que no sea de aplicación las bonificaciones en cuota.

La controversia que plantea el cumplimiento de algunos requisitos (traslados, prohibición de transmisión de la vivienda por un período de tiempo...etc.) unido al hecho de la existencia de distintos criterios aplicativos dependiendo de la CCAA competente, genera inseguridad jurídica y provoca la tensión del principio de igualdad, sobre todo en la dispersa regulación de la reducción por la donación de inmuebles o efectivo a descendientes para la adquisición de su primera vivienda habitual[24].

Es por ello que, aunque, hoy en día, el establecimiento de incentivos que faciliten el acceso a la vivienda sobre todo de los jóvenes deba enjuiciarse de forma positiva, lo cierto es que a nadie escapa que el afán expansivo de las CCAA en el establecimiento de beneficios fiscales responde más a motivaciones políticas, que a la necesidad de afrontar un problema social de gran envergadura y a cuya solución debe contribuir nuestro sistema fiscal como una herramienta imprescindible. Si bien, para ello debería plantearse, con la debida reflexión, una reforma coherente del sistema de financiación de las CCAA y, desde luego, del olvidado ISD, que lleva esperando desde antaño y de forma más llamativa desde la pretendida reforma fiscal de 2014, una revisión profunda.

VI. REFERENCIAS BIBLIOGRÁFICAS

Agustín Torres, C y Agustín Justibró, J. (2001), *Reducciones del Impuesto sobre Sucesiones y Donaciones,* Bosch.

Alonso González, L. M.: (2001) *La inconstitucionalidad del Impuesto sobre Sucesiones y Donaciones,* IEE.

Bermúdez Odriozola, l.; Pérez de Ayala y Cedillo, J. L.; Pérez de Ayala Becerril, M. y López de Ayala y Álvarez de Toledo, J. (2001) *Comentarios al Impuesto sobre Sucesiones y Donaciones,* Lex Nova.

Calvo Vélez, J, (2008), "La reducción por adquisición mortis causa de la vivienda habitual del causante en el Impuesto sobre Sucesiones y Donaciones: análisis de las principales cuestiones suscitadas a la luz de la reciente doctrina administrativa", en *Quincena Fiscal,* núm. 18.

Caro Robles, V., (2021), "La transmisión de la empresa y la vivienda habitual en el ISyD" en *Revista de Estudios Financieros,* núm. 223.

Checha González, C. (1996), *La supresión del Impuesto sobre Sucesiones y Donaciones: materiales para la reflexión,* Marcial Pons-Idelco.

D'Ocón Espejo, A. M. (2021) "Repercusiones de la jurisprudencia comunitaria en los problemas de constitucionalidad interna del Impuesto sobre Sucesiones y Donaciones", *Estudios en homenaje al profesor Cazorla Prieto,* Aranzadi.

Falcón y Tella, R. (1999), "Las reducciones en la base imponible del ISD en materia de vivienda habitual y empresa familiar: el discutible criterio de la DGT" en *Quincena Fiscal,* núm. 8.

Jorba Jorba, O. (2010), "La vivienda habitual del cónyuge supérstite" en *Quincena Fiscal,* Mayo II.

Martínez Lafuente, A, (1994), "El impuesto sucesorio y las adjudicaciones en pago de gananciales" en *Impuestos,* T. II.

24 Para Rozas Valdés, J. A.: "La vivienda en el Impuesto..." op. cit. *"la regulación de estos beneficios deja mucho que desear, presentando carencias notables en términos de lógica, interpretación y tenor literal".*

Navarro Egea, M. (1999), *Incentivos fiscales a la pequeña y mediana empresa,* Marcial Pons.

Nieto Montero, J. J.: (2001), "Beneficios fiscales en la transmisión hereditaria de la vivienda habitual" en *Impuestos,* núm. 7.

Pérez-Fadón Martínez, J. J.: *Guía del Impuesto sobre Sucesiones y Donaciones,* CISS, Valencia, 2000.

Pozuelo Antoni, F. (1997), "Las nuevas reducciones del Impuesto sobre Sucesiones y Donaciones" *Revista de Contabilidad y Tributación. CEF,* núm. 172.

Rozas Valdez, J. A. (2012) "La vivienda en el Impuesto sobre Sucesiones y Donaciones" en *La fiscalidad de la vivienda en España, Dir. Juan Enrique Varona Alabern, Capítulo V*, Civitas-Thomson-Reuters.

Tobías Rodríguez, C. (2007): "Aspectos polémicos de la deducción por empresa y por vivienda habitual" en *Revista parlamentaria de la Comunidad de Madrid*, núm. 17.

Torres Conejo, C. y Repiso López, F. (1999) "Beneficios fiscales en los Impuestos sobre el patrimonio y sobre Sucesiones y Donaciones de la empresa familiar y vivienda habitual" en *Alcaba,* núm. 1.

LA PROBLEMÁTICA DEL VALOR DE REFERENCIA PESE A SU DECLARADA CONSTITUCIONALIDAD (STC 13/2026, DE 12 DE FEBRERO)

María Garre López
Investigadora predoctoral
Universidad de Alicante
ORCID 0009-0001-6302-9201

I. INTRODUCCIÓN

En el contexto de la fiscalidad inmobiliaria, el valor de referencia de los bienes inmuebles ha adquirido un papel central como instrumento de control y transparencia en las transacciones patrimoniales. Esta valoración establecida por la Administración se ha implementado con el objetivo de servir como base imponible para determinados impuestos.

Su introducción responde a la necesidad de combatir el fraude fiscal, asegurando una recaudación correcta, la cual no se vea afectada por la infradeclaración del valor real de las operaciones inmobiliarias.

Desde su entrada en vigor en 2022, el valor de referencia ha suscitado un amplio debate tanto en el ámbito jurídico como económico, debido a sus implicaciones sobre la equidad fiscal y la seguridad jurídica. Diversos tribunales han cuestionado su constitucionalidad al considerar que podría vulnerar principios fundamentales como la capacidad económica, la tutela judicial efectiva o la seguridad jurídica. Analizaremos esta problemática a la luz del Auto del TSJ de Andalucía, de 5 de mayo de 2025[1], el cual ha abierto la puerta a un debate crucial sobre la legitimidad del nuevo sistema de valoración y sus efectos prácticos sobre los ciudadanos, especialmente en el acceso a la vivienda y el mercado inmobiliario. Además, realizaremos un estudio de la decisión del TC[2] con arreglo a su novedosa sentencia resolviendo dicha cuestión de inconstitucionalidad.

El presente trabajo analiza las implicaciones jurídicas y económicas derivadas del valor de referencia, evaluando su compatibilidad con el ordenamiento constitucional español y su impacto sobre los contribuyentes.

Pondremos énfasis en el contexto jurisprudencial donde se desarrolla dicho valor, así como en el que surgirá a raíz del citado Auto del TSJ de Andalucía y de la Sentencia que lo resuelve. A través de un enfoque jurídico, se pretende ofrecer una visión crítica sobre el modelo actual y las posibles soluciones que garanticen tanto la justicia tributaria como la sostenibilidad del mercado de la vivienda.

Asimismo, se realizará una comparación entre la posible inconstitucionalidad de la determinación de la base imponible del valor de referencia y los preceptos ya declarados inconstitucionales del IIVTNU, a efectos de comprobar la posible violación del principio de capacidad económica y cómo este puede verse vulnerado en atención a estos métodos objetivos de determinación de la base imponible.

---

1 Auto del Tribunal Superior de Justicia de Andalucía, Sala de lo Contencioso-Administrativo, sede en Málaga, de 5 de mayo de 2025, recurso nº 385/2024.

2 Sentencia del Tribunal Constitucional 13/2026, de 12 de febrero.

Esta comparación resulta especialmente pertinente, pues ambos mecanismos comparten la pretensión de objetivar la capacidad económica del contribuyente. Sin embargo, la experiencia del IIVTNU evidencia los riesgos de configurar bases imponibles desconectadas de la realidad económica. Esto permite analizar si el valor de referencia puede generar situaciones análogas de tributación sin riqueza real. En definitiva, se trata de observar hasta qué punto la búsqueda de seguridad jurídica y eficiencia recaudatoria puede entrar en tensión con los principios de capacidad económica y no confiscatoriedad.

II. EL VALOR DE REFERENCIA EN EL SISTEMA TRIBUTARIO ESPAÑOL

Uno de los retos más importantes a los que se enfrenta la fiscalidad inmobiliaria es la correcta valoración de los bienes inmuebles. Estos individualmente gozan de unas características que los diferencian del resto, lo que hace aún más complicada su correcta valoración.

Todas estas singularidades dificultan mucho la obtención de un valor verdaderamente fiable que impida el fraude fiscal y que no sobrecargue excesivamente al contribuyente.

El problema se agrava aún más en aquellos impuestos que tienen como base imponible el valor real, tales como el Impuesto de Sucesiones y Donaciones (en adelante, ISD), o el de Transmisiones Patrimoniales y Actos Jurídicos Documentados (en adelante, ITPAJD).

Pero es necesario situarnos en el momento del cambio, el cual se produjo con la Ley 6/2018, de 3 de julio, de Presupuestos Generales del Estado para el año 2018, la cual introdujo una modificación en el artículo 3.1 del Texto Refundido de la Ley del Catastro Inmobiliario (TRLCI), aprobado por Real Decreto Legislativo 1/2004, de 5 de mayo. Dicha modificación afirmaba que "La descripción catastral de los bienes inmuebles comprenderá sus características físicas, económicas y jurídicas, entre las que se encontrarán la localización y la referencia catastral, la superficie, el uso o destino, la clase de cultivo o aprovechamiento, la calidad de las construcciones, la representación gráfica, el valor de referencia de mercado, el valor catastral y el titular catastral, con su número de identificación fiscal o, en su caso, número de identidad de extranjero. Cuando los inmuebles estén coordinados con el Registro de la Propiedad se incorporará dicha circunstancia junto con su código registral".

Por tanto, desde ese momento, los bienes inmuebles además de contar con un valor catastral también contarían con un valor de referencia de mercado.

Este nuevo valor se configuraba como algo novedoso que aparecía mencionado por primera vez en aquella ley. Estaríamos ante un valor objetivo que aprobaría el Catastro, tras recibir los precios comunicados por los fedatarios públicos.

Fue en julio de 2021, cuando al hilo de la Ley de Medidas de Prevención y Lucha contra el Fraude Fiscal se propuso la modificación de ciertas disposiciones del TRLCI, proporcionando una regulación más completa de la que se tenía hasta el momento. En esta Ley desaparece el término "de mercado", de manera que únicamente se llamaría "valor de referencia"[3].

A pesar de ello, esta regulación ampliada seguía sin ser suficiente, necesitando un desarrollo reglamentario que concretase la figura en sus aspectos más técnicos. Hacía falta una regulación detallada, donde se mostrara el mecanismo de su cálculo, haciendo de este un sistema efectivo que garantizara al contribuyente su transparencia.

La entrada en vigor de este valor el 1 de enero de 2022, supuso en palabras de Juárez González, "un giro copérnico en la determinación de la base imponible en el ISD y en el ITPAJD"[4]. Por tanto, la falta de una regulación exhaustiva y completa podría derivar en múltiples problemáticas producidas por la tributación de valores superiores a los reales.

El valor de referencia es un valor administrativo, puesto que lo determina la Dirección General del Catastro; y es objetivo, ya que su cálculo se lleva a cabo obviando las características concretas de los inmuebles, así como sus caracteres subjetivos, tales como el estado de conservación, la superficie útil, la calidad de los materiales o las características del edificio donde se encuentran ubicadas.

Si únicamente se valoran aspectos objetivos, sin tener en cuenta los numerosísimos caracteres subjetivos que pueden presentar los inmuebles, los contribuyentes podrían considerar que están tributando por rentas totalmente irreales, no respetándose así su capacidad económica.

---

3 Varona Alabern, J. E. (2021). "El Valor de Referencia en el Proyecto de Ley de Medidas de Prevención y Lucha contra el Fraude Fiscal", *Revista de Contabilidad y Tributación* (458), 19-24.

4 Juárez González J. M. (2022) *Informe Fiscal Julio 2022. El «valor de referencia» a los seis meses de su entrada en vigor.* https://www.notariosyregistradores.com/web/secciones/fiscal/informes-mensuales-fiscal/informe-fiscal-julio-2022-el-valor-de-referencia-a-los-seis-meses-de-su-entrada-en-vigor/ Recuperado el 6 de agosto de 2025.

III. IMPLICACIONES JURÍDICAS, CONSECUENCIAS PARA EL CONTRIBUYENTE Y EFECTOS SOBRE EL ACCESO A LA VIVIENDA

La entrada en vigor del valor de referencia ha traído consigo implicaciones económicas y sociales para la vivienda. Como ya sabemos, este valor es determinado por la Dirección General del Catastro y sirve como base imponible de tributos como el ITP y el ISD.

Incluso con anterioridad a su entrada en vigor, ya suscitaba dudas por su carácter controvertido y litigioso, considerando que a pesar de haber sido introducido para revisar el sistema fiscal y reducir las desigualdades existentes entre Autonomías, este pondría al contribuyente en una posición poco satisfactoria.

Lo que en un primer momento se concebía como un valor ajustado y correcto, posteriormente se volvía una problemática para el contribuyente. La base imponible de los impuestos citados se veía totalmente desvinculada de las operaciones reales del mercado, calculando esta base sobre el valor de referencia aunque el precio de venta se hubiera establecido por un importe inferior[5].

La introducción del valor de referencia ha traído consigo diversas repercusiones económicas y sociales en el sector inmobiliario y en la ciudadanía. En primer lugar, aumenta la carga fiscal, ya que, como hemos explicado, el valor de referencia puede ser mayor que el precio real, encareciendo de esta manera, operaciones como compras, herencias o donaciones. Así puede crearse una distorsión del mercado, con el correspondiente impacto en la vivienda de aquellos propietarios que hayan de soportar esta presión fiscal.

Esto afecta al contribuyente debido a la desigualdad que se genera en aquellos inmuebles donde se debe tributar por el valor de referencia, lo que causa una gran inseguridad jurídica por los costes impositivos injustos.

Por todo lo visto hasta este momento, en mi opinión, el valor de referencia podría tener efectos negativos en el derecho a la vivienda, por encarecer el acceso a esta. Así, aumenta la especulación y la presión, lo que desemboca en el aumento de la dificultad para acceder a una vivienda digna, como derecho reconocido en el artículo 47 CE, penalizando económicamente a quienes heredan o compran vivienda, incrementando los costes del acceso a la propiedad y reduciendo la seguridad jurídica en operaciones inmobiliarias.

Asimismo, la falta de individualización de los elementos de la vivienda no favorece en muchas ocasiones a este valor, puesto que dos viviendas en un mismo edificio pueden

---

5 Patón García, G. (2021). "Causas y posibles efectos de la dualidad en la valoración de inmuebles: ¿es el valor de referencia la solución?", *Revista Española de Derecho Financiero* (190), 15-16.

tener el mismo valor, independientemente de que una se encuentra reformada y la otra en ruinas, ya que estamos ante un valor objetivo que nada dice sobre las especialidades de cada bien en concreto. En consecuencia, la omisión en su valoración de este tipo de elementos no ajusta el valor del inmueble al valor real del mercado.

Y, por último, el menoscabo del derecho del contribuyente continúa en caso de desacuerdo con el valor de referencia. No es posible evitarlo ni pedir su modificación. El obligado tributario únicamente puede impugnarlo cuando se recurra la liquidación que realice la Administración Tributaria o con ocasión de la solicitud de rectificación de la autoliquidación, conforme a los procedimientos regulados en la Ley 58/2003, de 17 de diciembre, General Tributaria, tal y como se dispone en el artículo 10 del Texto Refundido de la Ley del Impuesto sobre Transmisiones Patrimoniales y Actos Jurídicos Documentados (en adelante, TRLITPAJD).

Podrán solicitar una rectificación de autoliquidación por estimar que la determinación del valor de referencia perjudica a sus intereses legítimos o, interponer recurso de reposición contra la liquidación, que en su caso se le practique, impugnando dicho valor de referencia, pudiendo la Administración Tributaria ratificar o corregir el citado valor.

Esta impugnación se puede llevar a cabo de forma directa, cuando se dicte el valor de referencia, o bien, de manera indirecta, cuando en una liquidación se aplique dicho valor a una transmisión *intervivos* o *mortis causa*[6].

IV. CUESTIONES DE CONSTITUCIONALIDAD

1. PRINCIPIOS CONSTITUCIONALES AFECTADOS

Desde la entrada en vigor de este valor, se ha ido advirtiendo que el cálculo erróneo del mismo podría suponer la obligación para determinados contribuyentes de tributar por rentas irreales, del mismo modo que ocurrió con el Impuesto sobre el Incremento de Valor de los Terrenos de Naturaleza Urbana (IIVTNU), el cual fue declarado inconstitucional en lo que concierne a dicho aspecto, por este mismo motivo.

Para llevar a cabo el estudio de los principios constitucionales, hemos de acudir al artículo 31 CE, donde se regula el principio de capacidad económica y el de no confiscatoriedad: "1. Todos contribuirán al sostenimiento de los gastos públicos de acuerdo con su capacidad económica mediante un sistema tributario justo inspirado en los principios de igualdad y progresividad que, en ningún caso, tendrá alcance confiscatorio".

---

6 Lasarte López, R. (2021) "La nueva configuración legal de la base imponible en los impuestos patrimoniales: el valor de referencia", *Revista Tributos Locales*, (153), 261.

Si el cálculo del valor supone que el contribuyente tribute por un precio superior al valor real del inmueble, este principio de no confiscatoriedad se estaría viendo vulnerado[7].

Sin embargo, estos múltiples problemas no se contemplaban en la redacción de la normativa del valor de referencia, puesto que este fue creado como el mecanismo ideal para paliar el fraude fiscal.

La STC 182/2021, de 26 de octubre, en virtud de la cual se declara la inconstitucionalidad de varios preceptos relativos a la forma de cálculo del IIVTNU es una referencia de lo que podría ocurrir con el valor de referencia. Si se admitiera la objetivación y vulneración por el mismo de ciertos preceptos constitucionales, supondría el final del valor de referencia tal y como lo conocemos. La Sentencia que resuelva la cuestión de inconstitucionalidad decretará si dicho valor puede suponer una violación directa del derecho del contribuyente a tributar de una forma justa y equitativa a su capacidad económica.

A mi juicio, el sistema precisa de una reforma que prevea medidas anti-fraude y que permita erradicar, totalmente, la elusión y el fraude fiscal. Sin embargo, este objetivo no puede suponer el sacrificio casi total de los derechos y principios reconocidos en nuestra Carta Magna. No todo vale para el sostenimiento del gasto público. Por ello, debemos analizar en conjunto tanto los argumentos esgrimidos por el Auto, como los fundamentos dados por la STC.

La falta de regulación exhaustiva de los elementos del tributo puede suponer un menoscabo de los derechos del contribuyente y continuar un conflicto que ya se remonta tiempo atrás. Podemos verlo en pronunciamientos como la STS 1689/2020, de 9 de diciembre de 2020 (Recurso 6386/2017), la cual anulaba una liquidación del IIVTNU por considerar confiscatoria una cuota del mismo. Del mismo modo se pronuncia la STC 129/2019, de 31 de octubre (Cuestión de inconstitucionalidad 1020/2019), donde se afirma que el precepto que alude a la Ley de Haciendas Locales era inconstitucional, debido a la vulneración de capacidad económica y prohibición de confiscatoriedad, cuando la cuota a pagar es superior al incremento que obtiene el contribuyente.

Asimismo, la STC 182/2021, de 26 de octubre (Cuestión de inconstitucionalidad 4433/2020) declara inconstitucionales y nulos varios preceptos de la misma ley Reguladora de Haciendas Locales, puesto que "establece un método objetivo de determinación de la base imponible del Impuesto que determina que siempre haya existido aumento en el valor de los terrenos durante el periodo de imposición, con independencia de que haya existido ese incremento y de la cuantía real de ese incremento".

---

7 Bergas Forteza, A. (2025). "El valor de referencia, ¿posible inconstitucionalidad?", *Revista Técnica Tributaria*, (148), 167-168.

De este modo, el cálculo se lleva a cabo de manera permanente, sin tener en cuenta las variaciones que se pueden producir, y por tanto, quedando lejos de la realidad. Como bien menciona Arana Landín, se admite que puedan existir métodos objetivos, pero los mismos no pueden ser únicos e imperativos, puesto que como ya aludía la STC 214/1994, de 14 de julio (Recurso de inconstitucionalidad 187/1991) "el propio establecimiento de una estimación objetiva supone dejar al margen la capacidad económica real demostrada por el contribuyente"[8].

No obstante, no se pueden extrapolar de manera generalizada al valor de referencia las situaciones dadas con anterioridad en cuanto a otros valores objetivos se refiere.

Visto lo anterior, y atendiendo a lo dispuesto sobre el cálculo objetivo de dicho valor, entiendo que un valor objetivo por sí solo, no puede reflejar las singularidades de cada uno de los bienes, en contraste con el valor de compraventa, el cual sí puede recoger las características que diferencian a un inmueble de otro. En este precio de compraventa se tienen en cuenta la zona de ubicación del inmueble, el mobiliario, el estado del mismo, así como el momento en el que este va a ser adquirido. Parámetros que de ningún modo pueden ser medibles mediante el cálculo a través de valores objetivos.

Por ello, a pesar de que la instauración del valor de referencia pretendiera paliar el fraude fiscal, durante un largo período de tiempo ha surgido la duda sobre si podría ser declarado inconstitucional, por la gran cantidad de controversias que ha generado.

Una base imponible que no sea real y sea considerablemente superior al precio del inmueble conduciría a una injusta tributación, lo que para la STC 26/2017, de 16 de febrero (Cuestión de inconstitucionalidad y prejudicial sobre normas forales fiscales 1012-2015) resulta confiscatorio "agotar la riqueza imponible so pretexto del deber de contribuir".

En cuanto al principio de capacidad económica, cabe destacar ciertos puntos. En primer lugar, como bien sabemos, en el supuesto que el valor de referencia sea superior al precio de compraventa, se tributará por el valor de referencia; y por el contrario, si el precio de compraventa es mayor que el valor de referencia, se tributará por el precio de compraventa, al ser este el superior.

Observado lo anterior, parece ser que la principal finalidad de la introducción de este valor en el sistema tributario es meramente recaudatoria, ya que el contribuyente no ha de tributar siempre por el valor de referencia, sino por aquel valor que sea superior, independiente de lo que constituya el de referencia.

---

8 Arana Landín, S. (2022). "Aviso a navegantes: sobre la posible inconstitucionalidad del impuesto sobre sucesiones y donaciones, el impuesto sobre el patrimonio y el impuesto sobre transmisiones patrimoniales y actos jurídicos documentos", *Revista Tributos Locales,* (154), 214-216.

Por esta razón, puede parecer que el valor de referencia no es un indicador adecuado para medir la capacidad económica del contribuyente, y en las ocasiones en las que se tribute por valores distintos al valor de referencia solo por intentar tributar de manera superior, se estaría desvirtuando completamente el principio de capacidad económica. Esto debido a que la tributación se está llevando a cabo tomando en consideración una base imponible ficticia y no efectuada en base al hecho imponible, como exige el artículo 2.2.c) LGT: "Impuestos son los tributos exigidos sin contraprestación cuyo hecho imponible está constituido por negocios, actos o hechos que ponen de manifiesto la capacidad económica del contribuyente".

Este valor, en determinados casos, puede manifestar una capacidad económica irreal, contraviniendo lo afirmado por el TC en su Sentencia 19/2012, de 15 de febrero, la cual hace referencia a que "en ningún caso podrá el legislador establecer un tributo tomando en consideración actos o hechos que no sean exponentes de una riqueza real o potencial, o lo que es lo mismo, en aquellos supuestos en los que la capacidad económica gravada por el tributo sea, no ya potencial, sino inexistente, virtual o ficticia". Asimismo, el TC ha declarado mediante su Sentencia 276/2000, de 16 de noviembre que "el tributo tiene que gravar un presupuesto de hecho revelador de capacidad económica".

Por todo lo anterior, parece que el valor de referencia parte de una especie de ficción, al basarse en los precios comunicados por los fedatarios públicos. Precios que no pueden prever las circunstancias individuales que sí podrían presagiar los precios de compraventa. No atienden a las condiciones del mercado, ni a ninguna singularidad del bien, por lo que no pueden reflejar la realidad del mismo[9].

1.1. Especial relevancia al principio de capacidad económica

El TC en numerosos pronunciamientos se ha referido al principio de capacidad económica. En primer lugar, alega el artículo 31.1 CE, donde, como ya sabemos, se encuentra recogido el deber de contribuir, así como el derecho de no hacerlo, dependiendo de la capacidad económica de cada contribuyente.

Como bien menciona Casana Merino, "el principio de capacidad económica tiene un doble sentido al ser aplicado, pues es «fundamento» de la tributación y «medida» de la tributación". Al constituirse como fundamento, "opera singularmente respecto de cada persona" (SSTC 19/1987 —FJ 3—). Por ello, si se permite gravar plusvalías ficticias, se vulnera el principio de capacidad económica del artículo 31.1 CE[10].

---

9 Bergas Forteza, A. (2025). "El valor de referencia (...)". Ob. cit. 169-172.

10 Casana Merino, F. (2017). "Los incrementos de valor inconstitucionales en el Impuesto sobre el Incremento de Valor de los Terrenos de Naturaleza Urbana", *Revista de Estudios de la Administración Local y Autonómica* (8), 156-157.

Asimismo, las STC 37/1987, de 26 de marzo; 186/1993, de 7 de junio; 221/1992, de 11 de diciembre; 26/2017, de 16 de febrero, y 37/2017, de 1 de marzo; aluden a la capacidad económica como aquella manifestación en la renta o riqueza, real o potencial, "pero existente, esto es, no meramente ficticia".

Por lo que, el hecho imponible de cualquier tributo debe obligatoriamente contemplar el presupuesto que indique esa existencia de riqueza. Y en caso de agotarla, resultaría confiscatorio[11].

Destacan otros muchos pronunciamientos del mismo Tribunal, entre los que encontramos la STC 27/1981, de 20 de julio donde en su FJ 4, menciona que "la capacidad económica a efectos de contribuir a los gastos públicos significa la incorporación de una exigencia lógica que obliga a buscar la riqueza allí donde esta se encuentra". La STC 46/2000, de 17 de febrero hace referencia al "principio de capacidad económica que, en todo caso, debe presidir el sometimiento de los sujetos pasivos al sistema tributario".

Asimismo, en relación con la constitucionalidad de la Plusvalía Municipal, el TC prohíbe que se graven aquellas riquezas inexistentes que no expresan ningún tipo de capacidad económica, tal y como viene recogido en la STC 221/1992, de 11 de diciembre[12].

En este punto conviene hacer alusión a la STC 182/2021, de 26 de octubre, la cual resuelve la cuestión de inconstitucionalidad 4433/2020 planteada por la Sala de lo Contencioso-Administrativo del Tribunal Superior de Justicia de Andalucía, Ceuta y Melilla, respecto de diversos preceptos del texto refundido de la Ley reguladora de las Haciendas Locales.

Es de especial interés dicha Sentencia puesto que pone de manifiesto la errónea forma de determinar la base imponible del tributo. Es aquí donde podemos referirnos al valor de referencia, puesto que la cuestión de inconstitucionalidad promovida mediante Auto de fecha 5 de mayo de 2025, recurso 385/2024, se refiere exactamente al mismo punto. Se pretende revisar la configuración de la base imponible mediante métodos objetivos por la que, como veremos en apartados siguientes, se renuncia a la individualización de la valoración de los inmuebles.

La propia Sentencia citada estableció que el método de determinación de la base imponible de la plusvalía resultaba inconstitucional, debido a que imponía un sistema

---

11 Sanz Gadea, E. (2024). "La Sentencia del Tribunal Constitucional 11/2024, de 18 de enero, y el real Decreto-Ley 3/2016, de 2 de diciembre", *Revista de Contabilidad y Tributación, CEF* (496), 57-58.

12 "Análisis de los principios constitucionales de nuestro sistema tributario: una propuesta de reforma", XXXV Congreso de la Asociación de Inspectores de Hacienda del Estado. Salamanca, 24 de octubre de 2025, pág. 12.

objetivo, que no admitía prueba en contrario, y que podía dar lugar al sometimiento a gravamen de rentas ficticias.

En dicho pronunciamiento se alude precisamente al principio objeto de estudio, mediante el rechazo a "la afirmación del abogado del Estado de que esta cuestión de inconstitucionalidad se circunscribe exclusivamente a la posible oposición al principio de no confiscatoriedad de los arts. 107.1, 107.2 a) y 107.4 TRLHL, quedando al margen el principio de capacidad económica. Esto no es así porque el principio de no confiscatoriedad entendido como proscripción del gravamen de una riqueza inexistente o ficticia implica per se una vulneración del principio de capacidad económica como fundamento de la imposición".

Por otro lado, los arts. 107.1 y 107.2 a) TRLHL se declararon inconstitucionales y nulos en la STC 59/2017 «únicamente en la medida que someten a tributación situaciones de inexistencia de incrementos de valor» [FJ 5 a) y fallo]; declaración de inconstitucionalidad y nulidad calificada como parcial en la STC 126/2019, de 31 de octubre. Por su parte, el art. 107.4 TRLHL se declaró inconstitucional por la STC 126/2019 «únicamente en aquellos casos en los que la cuota a satisfacer es superior al incremento patrimonial realmente obtenido por el contribuyente» [FJ 5 a), al que remite el fallo].

Estamos ante un "incremento de valor, que existe, y es inferior al calculado *ope legis* como base imponible, y la cuota tributaria consume, sin agotar, una parte significativa de ese incremento real, por lo que la duda de constitucionalidad que suscita el auto de planteamiento en relación con estos artículos sigue vigente".

La regla de cálculo del IIVTNU, objetiva e imperativa ha dado lugar a dos pronunciamientos de inconstitucionalidad parcial de varios de los apartados del precepto que regula su base imponible (art. 107 TRLHL), restringiendo con ello su ámbito actual de aplicación. En primer lugar, "con apoyo en las SSTC 26/2017 y 37/2017 en las que se enjuiciaron los preceptos homónimos de las Normas Forales vigentes en Guipúzcoa y Álava, respectivamente, este tribunal resolvió que en los arts. 107.1 y 107.2 a) TRLHL el legislador establece «la ficción de que ha tenido lugar un incremento de valor susceptible de gravamen al momento de toda transmisión de un terreno por el solo hecho de haberlo mantenido el titular en su patrimonio durante un intervalo temporal dado» (STC 59/2017, FJ 3). Razón por la que, en los supuestos de no incremento o de decremento en el valor de los terrenos de naturaleza urbana, «lejos de someter a tributación una capacidad económica susceptible de gravamen, les estaría haciendo tributar por una riqueza inexistente, en abierta contradicción con el principio de capacidad económica del citado artículo 31.1 CE» (FJ 3). Y ello porque «la crisis económica ha convertido lo que podía ser un efecto aislado —la inexistencia de incrementos o la generación de decrementos— en un efecto generalizado» (FJ 3)".

Para llegar a esa conclusión se aplicó la doctrina constitucional que se compiló en la STC 26/2017, FJ 2: «en ningún caso podrá el legislador establecer un tributo tomando en consideración actos o hechos que no sean exponentes de una riqueza real o potencial, o, lo que es lo mismo, en aquellos supuestos en los que la capacidad económica gravada por el tributo sea, no ya potencial, sino inexistente, virtual o ficticia [entre las últimas, SSTC 19/2012, de 15 de febrero, FJ 7; 53/2014, de 10 de abril, FJ 6 b), y 26/2015, de 19 de febrero, FJ 4 a)]» toda vez que «el tributo tiene que gravar un presupuesto de hecho revelador de capacidad económica [SSTC 276/2000, de 16 de noviembre, FJ 4, y 62/2015, de 13 de abril, FJ 3 c)], por lo que "tiene que constituir una manifestación de riqueza" (SSTC 37/1987, de 26 de marzo, FJ 13, y 276/2000, de 16 de noviembre, FJ 4), de modo que la "prestación tributaria no puede hacerse depender de situaciones que no son expresivas de capacidad económica" (SSTC 194/2000, de 19 de julio, FJ 4, y 193/2004, de 4 de noviembre, FJ 5)». Basta «con que "dicha capacidad económica exista, como riqueza o renta real o potencial en la generalidad de los supuestos contemplados por el legislador al crear el impuesto, para que aquel principio constitucional quede a salvo" (SSTC 233/1999, de 16 de diciembre, FJ 14, y 193/2004, de 4 de noviembre, FJ 5)».

Asimismo, la STC 126/2019 confirmó que en el supuesto que derive un incremento de valor superior al obtenido por el sujeto pasivo, se estaría contradiciendo el principio de capacidad económica, y a su vez, se estaría produciendo un resultado confiscatorio al agotar la riqueza imponible so pretexto de contribuir.

Por lo que, se consideran nulos los preceptos alegados por contravenir de manera no justificada el principio de capacidad económica.

1.2. La seguridad jurídica como pilar de la justicia tributaria

El principio de seguridad jurídica se configura como un valor fundamental de nuestro ordenamiento, cuya vulneración puede conllevar una declaración de inconstitucionalidad. Sin embargo, como bien menciona García Novoa, "nuestro sistema fiscal adolece de inseguridad jurídica".

Este principio garantiza que las normas sean claras y previsibles, estables en el tiempo, aplicadas de forma coherente y comprensibles por los ciudadanos para que puedan prever las consecuencias jurídicas de sus actos.

De otro modo, la seguridad jurídica se define en el FJ 10 de la STC 27/1981, de 20 de julio, como la "suma de certeza y legalidad, jerarquía y publicidad normativa, irretroactividad de lo no favorable, interdicción de la arbitrariedad", pero "...si se agotara en la adición de estos principios, no hubiera precisado de ser formulada expresamente".

En este orden de cosas, se debe aludir a la Ley, en tanto expresión de certeza por contener las características que nos garanticen que estamos ante una Ley segura. Solo mediante una seguridad jurídica completa, podremos tener un derecho tributario seguro.

La existencia *per se* de la norma jurídica, ya es un elemento de seguridad. Las normas deben ser públicas y previas, de manera que estas deben existir antes de que se lleven a cabo los presupuestos de hecho que estas regulan, teniendo dicha existencia previa que ser conocida por los contribuyentes. Estos no deben tener únicamente conocimiento de la norma, sino también de su vigencia, su eficacia y su aplicación temporal[13].

En cuanto al valor de referencia se refiere, encontramos cierto detrimento de este principio frente a él. La falta de transparencia en su determinación es lo que cuestiona la seguridad jurídica, ya que no siempre se publica claramente, ni se conoce con antelación suficiente, por lo que no se estarían produciendo los presupuestos de publicidad y previo conocimiento de dicho principio.

Adicionalmente, produce incertidumbre por cambios anuales y discrecionales. Cambios que ocurren cada año sin participación del legislador ni proceso de consulta pública. Todo ello produce cierta inestabilidad e imprevisibilidad en la normativa tributaria.

Del mismo modo, existe una presunción de veracidad casi irrebatible, puesto que se presume que el valor de referencia es correcto, teniendo el contribuyente que demostrar lo contrario con una prueba pericial, a menudo costosa y poco accesible.

2. ANÁLISIS SOBRE SU POSIBLE INCONSTITUCIONALIDAD

A la luz de las numerosas controversias que ha generado el valor de referencia, el TSJ de Andalucía ha planteado una cuestión de inconstitucionalidad sobre el valor de referencia, mediante Auto de fecha 5 de mayo de 2025, recurso 385/2024. La interposición de esta cuestión no ha sorprendido demasiado, puesto que desde su entrada en vigor con la Ley 11/2021, de 9 de julio, de medidas de prevención y lucha contra el fraude fiscal, muchos han sido los que han denunciado su posible inconstitucionalidad.

La propia Asociación Española de Asesores Fiscales (AEDAF) ya alertó, en una nota de fecha 7 de noviembre de 2023, que el cálculo del mismo podría ser inconstitucional, debido a que se lleva a cabo mediante unos métodos que no se encuentran contenidos en ninguna ley, resultando esto poco transparente y atentando contra los principios de capacidad económica y reserva de ley.

El cálculo sin tener en cuenta las características del inmueble y sin acudir a él, únicamente refleja un beneficio irreal, que nada tiene que ver con el precio de venta o el establecido ante Notario. Esto mismo ocurrió con el cálculo del incremento de valor del terreno, el cual era también objetivo. Este fue declarado inconstitucional por el TC

13 García Novoa, C. (2019) "El principio constitucional de seguridad jurídica y los tributos. Algunos aspectos destacables", *Revista Técnica Tributaria* (124), 55-60.

mediante su Sentencia 182/2021, creando un precedente en cuanto a cálculo de valores objetivos se refiere, ya que de no tener en cuenta las particularidades de cada inmueble, el contribuyente estaría tributando por un importe superior al que realmente le corresponde.

Por todo ello, el TSJ de Andalucía ha afirmado en su Auto que "el empleo de un método de cálculo masivo, que se basa en una metodología críptica, inasequible para el contribuyente medio, cuyos parámetros no están contenidos en ninguna ley, que descansa en una muestra escasamente representativa de transacciones, originariamente desconsideradas a efectos fiscales en el ejercicio precedente, y que no obstante, de forma paradójica, el Catastro incorpora al cálculo del valor medio para el ejercicio subsiguiente, método que en su universalidad ignora sistemáticamente elementales rasgos singulares de los inmuebles de homogénea de valoración coincida el valor de referencia de dos inmuebles cuyas características y estados sean manifiestamente dispares".

Esto "entraña un riesgo efectivo de sometimiento a tributación de operaciones por valores distintos y eventualmente superiores al valor real de mercado entendido como el pactado libremente por partes independientes en condiciones normales de mercado".

El TSJ de Andalucía ha advertido de la posible inconstitucionalidad de los artículos 10.2, 3 y 4 y del artículo 46 del Real Decreto Legislativo 1/1993, así como de la Disposición Final 3ª del Real Decreto Legislativo 1/2004, por permitir la determinación de la base imponible mediante métodos objetivos, debido a que se renuncia a la individualización de la valoración de los inmuebles, produciendo desigualdades entre los contribuyentes al tributar por valores superiores al que sería el valor de mercado.

Este Tribunal estima que el valor de referencia vulnera el principio de capacidad económica puesto que hace tributar por un precio superior al de adquisición, y porque la única opción del contribuyente es abonar el impuesto, y en caso de desacuerdo, posteriormente, impugnarlo.

Por todo ello, el Tribunal critica la forma de determinación de este valor, obviando las características propias de cada bien, y no teniendo en cuenta las infinitas situaciones que se pueden derivar de la compraventa de cada uno de ellos.

Siguiendo este mismo razonamiento, el TSJ de Castilla y León en Sentencia 568/2025, de 10 de febrero anuló el valor de referencia de un inmueble por no haber tenido en cuenta para su determinación las circunstancias interiores del mismo, y por encontrarse en estado ruinoso.

La Sentencia resolvió afirmando que "La Resolución de 10 de noviembre de 2021, de la Dirección General del Catastro, sobre elementos precisos para la determinación de los valores de referencia de los bienes inmuebles urbanos del ejercicio 2022, establece, en su Disposición octava, los coeficientes correctores del valor de la construcción, teniendo estos en consideración el estado de conservación, calificándolo de bueno o Normal; Regular; Malo o Deficiente; o Ruinoso".

En el presente supuesto, "a la vista del resultado de la prueba documental obrante en las actuaciones (reportaje fotográfico) y de la testifical practicada, la Sala considera que el coeficiente corrector del valor de la construcción I aplicado por la Gerencia Territorial del Catastro no es el adecuado a la situación del inmueble adquirido, pues el inmueble no cuenta con las mínimas instalaciones como para ser considerado como habitable. Debe considerarse aplicable el criterio ruinoso, pues en el momento de la adquisición era una construcción manifiestamente inhabitable".

Aunque el Auto al que nos remitimos considera un riesgo la manera de determinación del valor de referencia, en su alusión a la STC 182/21, entiende que "la falta de conexión entre el hecho y la base imponibles no sería inconstitucional *per se*, salvo que carezca de justificación objetiva y razonable".

Por lo que, una vez sabida la "renuncia del legislador a la singularización de la valoración de los inmuebles y su opción por fórmulas universales y abstractas que ignoran la incidencia de sus características individuales, sometemos nuestras reservas al juicio de ese Alto Tribunal en relación con la concurrencia de una justificación objetiva y razonable". Todo debido a una "supresión del procedimiento típico de gestión, eliminando el procedimiento de comprobación de valores que de forma contradictoria permitía la aproximación al valor real del inmueble, ofreciendo al contribuyente la opción de una tasación pericial contradictoria con carácter previo a la emisión de una liquidación con fuerza ejecutiva".

Por consiguiente, el hecho de no tener en cuenta rasgos significativos y esenciales para valorar un inmueble podría derivar en impugnaciones masivas del valor de referencia.

3. LA STC 13/2026, DE 12 DE FEBRERO DE 2026

La novedosísima Sentencia del TC viene a dar respuesta a todas las controversias que el valor de referencia venía generando desde su entrada en vigor. La cuestión de inconstitucionalidad a la que da solución fue promovida por considerar que los preceptos cuestionados establecían un método imperativo y objetivo de determinación de la base imponible, de carácter presuntivo, alejado del valor real, sin una justificación objetiva y razonable.

El TSJ de Andalucía consideró que el uso de un sistema objetivo y genérico de valoración de los bienes inmuebles, sin consideración alguna a sus circunstancias particulares en orden a la determinación de la base imponible en el ITP, como es el del "valor de referencia", entraña un riesgo efectivo de sometimiento a tributación de operaciones por valores distintos y eventualmente superiores al valor real de mercado y, con ello, al gravamen de rentas inexistentes en contra del principio de capacidad económica del art. 31.1 CE.

Una de las cuestiones controvertidas a las que el TSJ de Andalucía hacía alusión era precisamente a la vulneración del principio de capacidad económica. Sin embargo, el TC en su pronunciamiento explica dicho principio desde dos vertientes: como fundamento y como medida, dotándolo de la importancia que la propia CE le otorga.

En cuanto a la capacidad económica como fundamento, el Tribunal argumenta por qué el legislador no puede tener en cuenta actos o hechos que no sean reveladores de una capacidad económica real o potencial, no pudiendo someter a tributación riquezas inexistentes o ficticias. Esto es debido a que el concepto constitucional de tributo presupone que el hecho imponible ha de gravar un presupuesto que revele cierta capacidad económica, tal y como venía manteniendo en sentencias anteriores como las SSTC 276/2000, de 16 de noviembre; la 193/2004, de 4 de noviembre; o la 26/2017, de 20 de noviembre. Añade el mismo Tribunal que "basta con que dicha capacidad económica exista, como riqueza o renta real o potencial en la generalidad de los supuestos contemplados por el legislador al crear el impuesto, para que aquel principio constitucional quede a salvo".

Por otro lado, la capacidad económica está presente en la cuantificación de la obligación tributaria, en el momento de elegir aquella medida técnica que conduzca a la determinación de dicha obligación, partiendo de la realización de una manifestación de capacidad económica. En este sentido, el legislador puede optar para la cuantificación por técnicas o métodos objetivos, pero siempre respetando "todos los principios, derechos y garantías establecidas en la CE" (SSTC 111/2006, de 5 de abril; 113/2006, de 5 de abril). Aunque este Tribunal haya previsto la posibilidad de cuantificar la obligación tributaria a través de un sistema de cuantificación objetiva de capacidades económicas, para que esto sea constitucionalmente legítimo será necesaria una justificación objetiva y razonable, el gravamen de rendimientos medios o presuntos, o que dicho método objetivo no sea el único método posible de determinación de la base imponible, permitiendo una estimación directa.

Una vez más, el alto Tribunal defiende el haber abandonado el valor real como método de cuantificación de la capacidad económica por ser objeto de numerosos litigios. No obstante, el nuevo valor será preciso y correcto siempre que su determinación se haya llevado a cabo con la necesaria singularización, y no mediante estimaciones globales o genéricas. A su vez, no se le puede otorgar a la Administración una completa arbitrariedad a la hora de objetivar estos valores, no gozando de absoluta libertad. No pueden decidirse de manera "antojadiza, abstracta, especulativa o conjetural".

Por otro lado, la razón por la que el IIVTNU fue declarado parcialmente inconstitucional no puede extrapolarse al valor de referencia. Su sistema "objetivo" de cuantificación de la base imponible fue declarado inconstitucional y nulo por la STC 182/2021, al ser "ajeno a la realidad del mercado inmobiliario" y a "la capacidad económica gravada por el impuesto y demostrada por el contribuyente", lo que hizo desaparecer "la razonable aproximación o conexión que debe existir entre el incremento de valor efectivo y el objetivo o estimativo". Mientras que en el valor de referencia, el valor determinado objetivamente refleja la realidad del mercado inmobiliario, y no resulta ajeno a la capacidad económica del contribuyente.

En palabras del Tribunal, "el "valor de referencia" es un método dirigido a la fijación de unos "valores medios" que se extraen objetivamente de operaciones "reales" y cuyo resultado es, en la mayoría de los supuestos, el reflejo ajustado de la capacidad económica manifestada en la operación traslativa". Con dicha afirmación, el TC discrepa totalmente de lo manifestado por el TSJ de Andalucía, el cual consideraba que el valor de referencia ignoraba completamente los rasgos individuales de los inmuebles, conduciendo esto a resultados alejados de la realidad. Esto se debe a que la forma en la que se calcula el valor de referencia se corresponde con el valor de mercado, obteniéndose a partir de criterios objetivos que "permiten individualizar el valor de cada inmueble atendiendo a sus características específicas, existiendo una conexión real entre el hecho y la base imponible, lo que excluye que se esté ante un valor genérico o universal para todos los bienes inmuebles".

El TC rechaza, por ende, la afirmación del órgano promovente de la cuestión de inconstitucionalidad, por no ser cierto que en la fijación del "valor de referencia" se ignoren los rasgos individuales de los inmuebles. En este sentido, el Tribunal recuerda la Sentencia 263/2025, de 14 de julio de la Sección Primera de la Sala de lo Contencioso-Administrativo del Tribunal Superior de Justicia de Castilla-La Mancha (Albacete), en la que el perito del recurrente señaló que "su valoración era prácticamente idéntica al valor de referencia de Catastro". Esto pone de manifiesto la proximidad entre el valor de referencia y el valor de mercado.

Siendo esto así, el propio TC reconoce la existencia de algunas desviaciones en el "sistema". Sin embargo, estas no pueden suponer una declaración de inconstitucional, más aún cuando el legislador "ha arbitrado la forma de neutralizarlas, facilitando la corrección del valor asignado para ajustarlo a su concreta realidad".

Pero entonces, nos debemos preguntar qué manera existe para ajustar dicho valor a la realidad. El Tribunal menciona que una alternativa a la estimación objetiva es la estimación directa en los términos que indica la STC 182/2021 en su Fundamento Jurídico nº 5. Desde el punto de vista constitucional, no estamos ante un sistema cerrado de valoración, inaccesible a los obligados tributarios y, por tanto, impermeable a una valoración distinta, sino ante un sistema abierto a su contradicción, que permite acreditar un valor distinto.

Aunque la nueva regulación excluye el procedimiento de comprobación de valores para contradecir el valor del inmueble, no significa que no exista un mecanismo alternativo de estimación directa para contrarrestar el resultando de la aplicación del sistema objetivo de valoración, ya que esta posibilidad cabe en la solicitud de rectificación de la autoliquidación y en la interposición de un recurso de reposición o de una reclamación económico-administrativa.

Un argumento muy utilizado en torno a las mermas que el valor de referencia provoca es el coste que supone para el contribuyente impugnarlo. Sobre esto, también se ha pronunciado el Tribunal, afirmando que, aunque es "conocedor que la situación entraña para los sujetos pasivos la carga de asumir los costes derivados del correspondiente asesoramiento técnico y de la activación de la vía impugnatoria, con el posible efecto desincentivador asociado que ello podría provocar, esta circunstancia, ni puede considerarse como una particularidad específica de la eventual contradicción del "valor de referencia", ni tampoco genera merma alguna de las garantías que a los sujetos pasivos del impuestos les asisten, tratándose tan solo de una consecuencia ínsita a la impugnación de cualesquiera clase de actos y resoluciones".

Una vez explicados los argumentos que ha seguido el Tribunal para defender la aplicación del valor de referencia, ha concluido desestimando la cuestión de inconstitucionalidad nº 385/2024 promovida por el TSJ de Andalucía, de fecha 5 de mayo de 2025. Considera que la aplicación del valor de referencia es constitucionalmente legítima por respetar el principio de capacidad económica como medida de gravamen. La adquisición de un bien inmueble es un indicador de capacidad económica, que permite cuantificarlo objetivamente mediante una justificación "razonable y suficiente desde el punto de vista constitucional", respetando de este modo el medio para alcanzar el fin, por gravar valores medios o potenciales y a su vez cercanos a los de mercado, y por haber optado el legislador por ofrecer la posibilidad de la estimación directa de las bases imponibles.

V. CONCLUSIÓN

El valor de referencia de los bienes inmuebles, introducido como una medida para homogeneizar y objetivar el cálculo de los impuestos relacionados con la transmisión de la propiedad —como el ITP y el ISD—, ha generado una gran polémica en el ámbito jurídico, económico y social. Aunque su propósito principal era reducir el fraude fiscal y ofrecer un criterio uniforme, sus consecuencias negativas, desde su entrada en vigor, han comenzado a manifestarse de forma evidente, afectando tanto a los contribuyentes como al mercado inmobiliario en su conjunto.

Uno de los motivos por los que se ha generado esta gran controversia ha sido su desconexión con la realidad del mercado inmobiliario. Este valor, calculado por la Dirección General del Catastro, no siempre refleja con precisión el precio real al que se han producido las operaciones.

Como resultado, los contribuyentes se ven obligados a pagar impuestos basados en un valor que puede superar con creces el valor de la compraventa. Esto ha generado un amplio debate por considerar los contribuyentes que se estaba produciendo un desfase entre el precio real y el valor de referencia, lo cual rompía con el principio de capacidad económica consagrado en la Constitución, obligando a tributar por una riqueza que no se ha adquirido ni se posee realmente.

Pero el principal problema que subyacía en esta controversia era la situación de inseguridad jurídica que se generaba en los contribuyentes, puesto que al invertirse la carga de la prueba, es el contribuyente quien debe demostrar que el valor de referencia no se corresponde con la realidad del bien.

El examen comparado entre el valor de referencia y los preceptos del IIVTNU declarados inconstitucionales advertía que la objetivación de la base imponible puede situar al contribuyente en escenarios de imposición ajenos a su verdadera capacidad económica. Aunque el valor de referencia persigue homogeneizar y aportar seguridad jurídica, su aplicación automática y su potencial alejamiento del valor real de mercado reproducen tensiones que se han ido intensificando desde su entrada en vigor.

La experiencia del IIVTNU demuestra que la simplificación no puede prevalecer sobre la exigencia constitucional de gravar únicamente manifestaciones de riqueza efectivas. Por ello, la revisión crítica del valor de referencia resulta imprescindible para evitar excesos y dotar al sistema de mayor coherencia. Solo mediante mecanismos de comprobación ágiles y garantías efectivas podrá asegurarse un equilibrio adecuado entre eficiencia administrativa y respeto a los principios constitucionales.

Paralelamente, ello dificulta el acceso a la vivienda. Quienes desean adquirir una vivienda pueden llegar a tributar por el valor de referencia, independientemente del estado de conservación del inmueble o del valor real del mismo. Esta imposición fiscal excesiva puede llegar a poner en peligro la viabilidad del acceso a la vivienda, generando de este modo una distorsión en el mercado inmobiliario, afectando negativamente a la movilidad residencial y al dinamismo del mercado, contraviniendo los principios de libre mercado y competencia.

La ausencia de un marco normativo preciso que garantice la adecuación del valor de referencia a la realidad del mercado inmobiliario ha dado lugar a situaciones en las que el contribuyente puede verse obligado a tributar por valores superiores a los efectivamente pactados en una transacción. Como hemos visto, esta situación plantea serios interrogantes sobre la seguridad jurídica, el principio de capacidad económica y la tutela judicial efectiva, todos ellos pilares fundamentales del sistema tributario.

Pero todo ello ha dado un giro copérnico con la STC 13/2026, de 12 de febrero, una novedosa e incipiente Resolución que ha venido a cambiar el escenario donde el contribuyente se estaba moviendo.

La reciente declaración de constitucionalidad del valor de referencia consolida definitivamente esta figura dentro del sistema tributario español. Desde su incorporación por la Dirección General del Catastro y su aplicación en tributos como el ITPAJD o el ISD, el valor de referencia ha sido objeto de un intenso debate jurídico y doctrinal. Sin embargo, el aval del TC refuerza su encaje en los principios de capacidad económica y seguridad jurídica.

Esta decisión supone un punto de inflexión: el valor de referencia deja de estar bajo la sombra de la incertidumbre constitucional y pasa a consolidarse como el parámetro objetivo para determinar la base imponible mínima en determinados impuestos patrimoniales. Para la Administración, implica mayor estabilidad recaudatoria y uniformidad en la valoración de inmuebles; para los contribuyentes, confirma la necesidad de prestar especial atención a este valor en cualquier operación inmobiliaria.

A partir de ahora, el debate se desplazará previsiblemente desde la constitucionalidad abstracta hacia la aplicación práctica: la correcta determinación individualizada del valor, la transparencia de los criterios empleados y las vías de impugnación en casos concretos. Es decir, el foco ya no estará en si el sistema es válido en términos generales, sino en cómo se aplica en cada supuesto particular.

En definitiva, la constitucionalidad del valor de referencia marca el cierre de una etapa de incertidumbre y el inicio de otra centrada en la litigiosidad técnica y probatoria. El reto inmediato será equilibrar la eficacia administrativa con la tutela efectiva de los derechos del contribuyente dentro del marco ya consolidado del ordenamiento tributario español.

Por último, no puede descartarse que, aunque la discusión constitucional haya quedado zanjada, continúe la evolución normativa y jurisprudencial en torno a los mecanismos de actualización, revisión y motivación del valor de referencia. El futuro inmediato exigirá una mayor precisión técnica por parte de la Administración y una actitud proactiva por parte de los contribuyentes, en un escenario donde la seguridad jurídica dependerá en gran medida de la calidad y transparencia en la aplicación concreta del sistema.

VI. REFERENCIAS BIBLIOGRÁFICAS

Arana Landín, S. (2022). "Aviso a navegantes: sobre la posible inconstitucionalidad del impuesto sobre sucesiones y donaciones, el impuesto sobre el patrimonio y el impuesto sobre transmisiones patrimoniales y actos jurídicos documentos", *Revista Tributos Locales*, (154), 214-216.

Bergas Forteza, A. (2025). "El valor de referencia, ¿posible inconstitucionalidad?", *Revista Técnica Tributaria*, (148), 169-172.

Casana Merino, F. (2017). "Los incrementos de valor inconstitucionales en el Impuesto sobre el Incremento de Valor de los Terrenos de Naturaleza Urbana", *Revista de Estudios de la Administración Local y Autonómica* (8), 156-157.

García Novoa, C. (2019) "El principio constitucional de seguridad jurídica y los tributos. Algunos aspectos destacables", *Revista Técnica Tributaria* (124), 55-60.

Juárez González J. M. (2022) *Informe Fiscal Julio 2022. El «valor de referencia» a los seis meses de su entrada en vigor*. https://www.notariosyregistradores.com/web/secciones/fiscal/informes-mensuales-fiscal/informe-fiscal-julio-2022-el-valor-de-referencia-a-los-seis-meses-de-su-entrada-en-vigor/ Recuperado el 6 de agosto de 2025.

Lasarte López, R. (2021) "La nueva configuración legal de la base imponible en los impuestos patrimoniales: el valor de referencia", *Revista Tributos Locales*, (153), 261.

Patón García, G. (2021). "Causas y posibles efectos de la dualidad en la valoración de inmuebles: ¿es el valor de referencia la solución?", *Revista Española de Derecho Financiero* (190), 15-16.

Sanz Gadea, E. (2024). "La Sentencia del Tribunal Constitucional 11/2024, de 18 de enero, y el real Decreto-Ley 3/2016, de 2 de diciembre", *Revista de Contabilidad y Tributación, CEF* (496), 57-58.

Varona Alabern, J. E. (2021). "El Valor de Referencia en el Proyecto de Ley", *Revista de Contabilidad y Tributación*, CEF (458), 19-24.

XXXV Congreso de la Asociación de Inspectores de Hacienda del Estado. Salamanca, 24 de octubre de 2025, "Análisis de los principios constitucionales de nuestro sistema tributario: una propuesta de reforma".

LEGALIDAD, TENDENCIAS Y EFICACIA DEL USO DEL TPO COMO INSTRUMENTO DE POLÍTICA ECONÓMICA EN MATERIA DE VIVIENDA

DAVID PÉREZ-BUSTAMANTE
Abogado y Profesor Titular de Derecho Financiero y Tributario
Universidad Rey Juan Carlos
ORCID 0000-0002-6705-1422

I. INTRODUCCIÓN

El contexto económico y social en materia de acceso a la vivienda se caracteriza actualmente en nuestro país por profundas tensiones estructurales, incremento sostenido de precios, rigidez de la oferta, concentración patrimonial y desigualdad intergeneracional[1]. Esta realidad es lamentablemente conocida por nuestros compatriotas. Así, de acuerdo con los distinto barómetros que pretenden determinar las preocupaciones de nuestros ciudadanos, el acceso a la vivienda preocupa a un gran número de españoles, y su cifra va en aumento[2].

De esta forma, se ha planteado por distintos políticos y economistas distintas soluciones a este problema en un amplio abanico, desde aquellos que defienden la expropiación de viviendas en manos privadas hasta los que plantean una liberalización de los procesos urbanísticos, pasando por multitud de planteamientos intermedios.

Desde una perspectiva jurídica, el acceso a la vivienda en el ordenamiento constitucional español exige una lectura sistemática y no antagónica de los derechos y principios constitucionales implicados. De un lado, el artículo 33 de nuestra Constitución reconoce el derecho a la propiedad privada y a la herencia, configurándolo como un derecho fundamental de carácter patrimonial cuya delimitación corresponde a la ley y cuya función social constituye un elemento estructural de su contenido. De otro lado, el artículo 47 de nuestro texto constitucional proclama el derecho de todos los españoles a disfrutar de una vivienda digna y adecuada, imponiendo a los poderes públicos el deber de promover las condiciones necesarias y establecer las normas pertinentes para hacer efectivo dicho derecho. La conciliación entre ambos preceptos no pasa por la subordinación absoluta de uno al otro, sino por su integración armónica dentro del modelo de Estado social y democrático de Derecho, en el que la propiedad privada no se concibe como un derecho ilimitado ni el derecho a la vivienda como una facultad subjetiva directamente exigible, sino como un mandato de optimización que habilita a los poderes públicos a intervenir de forma proporcionada sobre el régimen de la propiedad y del mercado inmobiliario, respetando en

---

1 González Simón (2025): "European housing policy insights: Lessons for Spain's market challenges", *Revista Económica Funcas. SEFO (Spanish and International Financial Outlook)*, vol. 14, núm. 2, marzo 2025, https://www.funcas.es/articulos/european-housing-policy-insights-lessons-for-spains-market-challenges/

2 Centro de Investigaciones Sociológicas (2026): *El 42,6% de los españoles sitúa la vivienda como principal problema del país (Barómetro de enero 2026)*, https://www.cis.es/es/w/el-42-6-de-los-espa%C3%B1oles-sit%C3%BAa-la-vivienda-como-principal-problema-del-pa%C3%ADs

todo caso su contenido esencial y los principios de legalidad, seguridad jurídica y proporcionalidad.

Desde una perspectiva competencial, nuestro artículo 148.1.3ª CE dispone literalmente que las comunidades autónomas serán las que asumirán las competencias en materia de *"Ordenación del territorio, urbanismo y vivienda."*

Este precepto constituye el fundamento constitucional directo de la competencia autonómica en materia de vivienda. A partir de él, todas las comunidades autónomas han asumido en sus respectivos Estatutos de Autonomía competencias exclusivas o compartidas sobre vivienda, que incluyen, entre otras, la regulación del acceso a la vivienda protegida, las políticas de fomento, la planificación residencial y la intervención pública en el mercado inmobiliario.

De esta forma, nuestros poderes públicos autonómicos, han recurrido de forma cada vez más intensa a instrumentos fiscales con finalidad extrafiscal, y muy especialmente a través de un impuesto en su ámbito de poder tributario, la modalidad Transmisiones Patrimoniales Onerosas (en adelante "**TPO**") del Impuesto sobre Transmisiones Patrimoniales y Actos Jurídicos Documentados (en adelante, "**ITP**"). Este impuesto se ha revelado como una herramienta particularmente idónea para modular el comportamiento de los agentes económicos en las transmisiones inmobiliarias, incidiendo directamente en uno de los momentos clave del ciclo de acceso a la propiedad.

En el quinquenio 2021-2025 se aprecia un incremento relevante de la instrumentalización del TPO por varias comunidades autónomas para modular el acceso a la vivienda, con intensidades distintas. Así Cataluña es, con diferencia, la que lo ha utilizado con mayor intensidad regulatoria, al introducir en 2025 una tarifa progresiva para inmuebles de mayor valor y, sobre todo, un tipo del 20% para adquisiciones por grandes tenedores (y ciertos supuestos de compra de edificios). En un segundo nivel, Illes Balears ha consolidado un esquema de gravamen por tramos (hasta el 13% en los valores más altos) y, paralelamente, ha reforzado tipos reducidos/beneficios ligados a vivienda habitual y colectivos, lo que refleja una estrategia de diferenciación selectiva, alivio a determinados compradores y mayor carga en operaciones de mayor valor. También la Comunidad Valenciana ha reformado el impuesto para fines económico-sociales, manteniendo un diseño con tipo general elevado y un tipo reforzado (11%) para inmuebles de alto valor, al tiempo que en el período se han impulsado tipos reducidos para la adquisición de vivienda habitual, lo que evidencia su uso como palanca de política económica regional. En el extremo de utilización más moderada o coyuntural, Andalucía recientemente modificó temporalmente el gravamen en 2021 reduciendo el tipo general con finalidad explícita de reactivación económica.

Frente a esta realidad, la doctrina mayoritaria ha puesto de manifiesto que la dispersión normativa puede tener efectos perjudiciales en nuestro sistema en su conjunto, afectando negativamente a la eficiencia, a la equidad y a la asignación eficiente de recursos[3].

Pero estas críticas no pueden obviar que, a diferencia de otros tributos de carácter general, en el caso del ITP se presenta una ventaja estructural: que grava el acto jurídico-económico concreto, la transmisión onerosa del bien inmueble sin empresario, en el que confluyen capacidad económica efectiva, decisión patrimonial consciente y manifestación directa de riqueza. Esta configuración permite al legislador utilizar el impuesto no solo como mecanismo de financiación autonómica, sino como instrumento selectivo de política económica orientado a objetivos específicos en materia de vivienda, tales como el fomento del acceso a la primera residencia, la protección de colectivos vulnerables o la corrección de dinámicas especulativas. Precisamente, el legislador autonómico no solo tiene el derecho, sino la obligación de cumplir con su mandato, no pudiendo renunciar a su instrumento más poderoso.

Desde el punto de vista jurídico-constitucional, el uso del TPO como instrumento de política económica plantea, sin duda, la necesidad de examinar sus límites y condiciones de legitimidad. No obstante, lejos de constituir una anomalía, la orientación extrafiscal del impuesto encuentra sólido respaldo en la doctrina constitucional, que ha reconocido reiteradamente la legitimidad de la utilización de los tributos con fines de ordenación económica y social, siempre que se respeten los principios de justicia tributaria, igualdad y capacidad económica consagrados en el artículo 31 de nuestro texto constitucional.

Partiendo de estas premisas, el presente articulo sostiene que la modalidad TPO del ITPyAJD constituye un instrumento jurídicamente sólido y económicamente eficaz para el desarrollo de políticas públicas autonómicas en materia de vivienda. Frente a las posiciones doctrinales que cuestionan su legitimidad o su utilidad extrafiscal, se defiende que este impuesto, correctamente diseñado y aplicado, permite compatibilizar la obtención de recursos públicos con la orientación del mercado inmobiliario hacia objetivos de interés general.

A través del examen de su naturaleza jurídica, de los límites constitucionales de su utilización extrafiscal y de su aplicación práctica en el marco de la autonomía tributaria autonómica, se pretende demostrar que la modalidad TPO no solo es compatible con la política económica en materia de vivienda, sino que constituye uno de sus instrumentos más potentes y versátiles dentro del sistema tributario español.

---

3 Zubiri Oria, I. (2010): "La descentralización de impuestos en un sistema federal", *Papeles de Economía Española*, núm. 125, págs. 21-35. En el mismo sentido, Monasterio Escudero, C. (2000): "La financiación subcentral en España: principios y desarrollo", *Papeles de Economía Española*, núm. 83, págs. 153-168

II. LEGALIDAD DEL TPO COMO INSTRUMENTO DE POLÍTICA ECONÓMICA DE LAS CCAA EN MATERIA DE VIVIENDA

El Impuesto sobre Transmisiones Patrimoniales y Actos Jurídicos Documentados se configura en el ordenamiento tributario español como un tributo indirecto de naturaleza patrimonial, cuyo hecho imponible se vincula a la transmisión onerosa de bienes y derechos, así como a determinados actos jurídicos formalizados documentalmente[4].

Su utilización como instrumento de política económica en materia de vivienda exige un análisis desde la perspectiva de los principios constitucionales que disciplinan el ejercicio del poder tributario[5].

Desde esta perspectiva, el Impuesto sobre Transmisiones Patrimoniales presenta una especial coherencia constitucional. A diferencia de otros tributos cuya vinculación con la capacidad económica es menos clara, en su modalidad TPO grava un acto jurídico que revela de forma evidente una manifestación de riqueza: la adquisición onerosa de un bien inmueble.

La jurisprudencia constitucional ha señalado reiteradamente que el principio de capacidad económica no exige una correspondencia matemática entre el impuesto y la renta disponible del contribuyente, sino la existencia de un *"índice revelador de riqueza real o potencial"*[6]. En este sentido, la transmisión onerosa de un inmueble constituye uno de los indicadores más evidentes de capacidad económica efectiva, especialmente cuando se trata de operaciones de adquisición patrimonial voluntaria.

El TPO, al incidir sobre el momento de acceso a la propiedad, permite modular la carga fiscal en función del destino del inmueble, vivienda habitual, segunda residencia, inversión, sin desnaturalizar el principio de capacidad económica.

Respecto del principio de igualdad, consagrado en los artículos 14 y 31 CE, no impone una uniformidad absoluta en el tratamiento tributario, sino la prohibición de diferencias carentes de justificación objetiva y razonable. La doctrina del Tribunal Constitucional ha sido constante al afirmar que el legislador goza de un amplio margen de configuración normativa en materia fiscal, siempre que las diferenciaciones

---

4 Real Decreto Legislativo 1/1993, de 24 de septiembre, por el que se aprueba el Texto Refundido de la Ley del Impuesto sobre Transmisiones Patrimoniales y Actos Jurídicos Documentados, BOE núm. 251, de 20 de octubre de 1993, art. 1.

5 Constitución Española (1978), BOE núm. 311, de 29 de diciembre de 1978, art. 31.1. STC 27/1981, de 20 de julio, FJ 4; STC 37/1987, de 26 de marzo, FJ 13; STC 221/1992, de 11 de diciembre, FJ 4.

6 STC 27/1981, FJ 4; STC 37/1987, FJ 13; STC 221/1992, FJ 4

respondan a fines legítimos y guarden una relación de proporcionalidad con el objetivo perseguido.

En el ámbito de la política de vivienda, la utilización del TPO para establecer tipos reducidos o bonificaciones en la adquisición de vivienda habitual, para jóvenes, familias numerosas o colectivos vulnerables, constituye una diferenciación plenamente legítima desde el punto de vista constitucional. Estas medidas no introducen un privilegio arbitrario, sino que responden a la necesidad de facilitar el acceso a la vivienda en un mercado caracterizado por barreras de entrada crecientes.

Asimismo, la aplicación de tipos más elevados en transmisiones destinadas a inversión o a acumulación patrimonial puede interpretarse como una técnica de corrección de externalidades negativas, orientada a evitar procesos de concentración especulativa que dificultan el acceso a la vivienda en condiciones de igualdad material.

La posibilidad de adaptar el tributo a las necesidades específicas de cada territorio, mercados tensionados, zonas rurales despobladas, áreas metropolitanas, permite una intervención más eficaz y respetuosa con el principio de subsidiariedad. Lejos de generar desigualdad injustificada, esta diversidad normativa constituye una manifestación legítima del pluralismo territorial consustancial al Estado autonómico.

La política de vivienda encuentra, además, un fundamento constitucional específico en el artículo 47 CE, que reconoce el derecho de todos los españoles a disfrutar de una vivienda digna y adecuada y ordena a los poderes públicos promover las condiciones necesarias para hacerlo efectivo.

Si bien este precepto no configura un derecho subjetivo directamente exigible, sí impone un mandato de actuación a los poderes públicos, que legitima el empleo de instrumentos normativos y fiscales orientados a dicho fin. En este contexto, el TPO se revela como una herramienta especialmente adecuada, al permitir intervenir sobre el mercado de la vivienda sin recurrir a mecanismos de control directo de precios o de limitación administrativa de las transacciones.

La fiscalidad, en este sentido, actúa como un instrumento indirecto de política pública, respetuoso con la libertad contractual y con el funcionamiento del mercado, pero capaz de orientar sus resultados hacia objetivos constitucionalmente relevantes.

Así, la modalidad TPO no grava una situación patrimonial estática, sino un acto de disposición patrimonial voluntario, lo que permite al legislador modular su impacto en función de la finalidad perseguida. Precisamente por ello, el TPO ha sido tradicionalmente considerado un tributo especialmente apto para el desarrollo de políticas públicas sectoriales, y muy singularmente, de políticas de vivienda.

Esta orientación funcional del tributo no constituye una desviación del modelo constitucional de imposición, sino que encuentra un respaldo normativo explícito en la

Ley General Tributaria[7]. Esta consagra de forma expresa la legitimidad constitucional de la función extrafiscal de los tributos. El legislador no concibe la fiscalidad exclusivamente como un mecanismo de recaudación, sino también como una herramienta al servicio de la orientación de la actividad económica y de la consecución de fines de interés general.

Desde esta perspectiva, la utilización del TPO como instrumento de política económica en materia de vivienda no solo resulta jurídicamente posible, sino que se inserta plenamente en el modelo normativo diseñado por la Ley General Tributaria y avalado por la doctrina constitucional. El gravamen de las transmisiones inmobiliarias permite actuar sobre uno de los momentos clave del mercado de la vivienda, modulando los incentivos asociados a la adquisición de inmuebles y orientando el comportamiento de los agentes económicos sin necesidad de recurrir a mecanismos de intervención directa.

A esta potencialidad funcional se añade un elemento decisivo en el contexto del Estado autonómico: la cesión del Impuesto sobre Transmisiones Patrimoniales a las comunidades autónomas[8].

La cesión concreta del Impuesto sobre Transmisiones Patrimoniales se articula actualmente a través de la Ley 22/2009, de 18 de diciembre, por la que se regula el sistema de financiación de las comunidades autónomas de régimen común[9].

Además de la cesión del rendimiento, la Ley 22/2009 reconoce a las comunidades autónomas amplias competencias normativas sobre el impuesto, permitiéndoles regular tipos de gravamen, bonificaciones y deducciones dentro del marco legal estatal. Esta capacidad normativa transforma al TPO en un instrumento de política económica descentralizada, particularmente idóneo para su utilización en el ámbito de la vivienda, donde las realidades sociales y económicas presentan notables diferencias territoriales.

En consecuencia, (i) su naturaleza jurídica, (ii) la habilitación expresa de su función extrafiscal en la Ley General Tributaria, y (iii) su cesión normativa y financiera a las comunidades autónomas, permite afirmar que nos encontramos ante el impuesto especialmente apto para que estas puedan desarrollar el diseño y ejecución de sus políticas públicas en materia de vivienda.

---

7 Ley 58/2003, de 17 de diciembre, General Tributaria, BOE núm. 302, de 18 de diciembre de 2003, art. 2.1.

8 Constitución Española (1978), BOE núm. 311, de 29 de diciembre de 1978, art. 157.1.a). Ley Orgánica 8/1980, de 22 de septiembre, de Financiación de las Comunidades Autónomas, BOE núm. 236, de 1 de octubre de 1980, art. 10.

9 Ley Orgánica 8/1980, de 22 de septiembre, de Financiación de las Comunidades Autónomas, BOE núm. 236, de 1 de octubre de 1980, art. 4.1.

Desde una perspectiva económica e institucional, este impuesto ofrece igualmente ventajas significativas como instrumento de política de vivienda. Al incidir sobre el momento de la transmisión, el impuesto permite influir en la estructura de incentivos del mercado inmobiliario, favoreciendo determinados comportamientos, como la adquisición de vivienda habitual, y desincentivando otros, como la acumulación especulativa de activos inmobiliarios, todo ello con un grado de precisión superior al de los tributos generales sobre la renta o el patrimonio.

Asimismo, la posibilidad de articular beneficios fiscales selectivos en función del destino del inmueble, del perfil del adquirente o de la localización territorial convierte a la modalidad TPO en un mecanismo eficaz de intervención pública, capaz de adaptarse a las peculiaridades económicas y sociales de cada comunidad autónoma (e.g. zonas de despoblación). Esta flexibilidad normativa refuerza su potencial como instrumento de política económica descentralizada, en consonancia con los principios de autonomía financiera y corresponsabilidad fiscal propios del Estado autonómico.

Finalmente, la cesión del TPO a las comunidades autónomas refuerza su legitimidad como instrumento de política de vivienda. El artículo 156 CE reconoce la autonomía financiera de las comunidades para el desarrollo y ejecución de sus competencias, entre las que se incluye de manera destacada la política de vivienda.

En este sentido, este impuesto opera como un mecanismo de coordinación entre fiscalidad y política social, siendo un instrumento normativamente legitimado y funcionalmente versátil, cuya correcta utilización puede contribuir de manera significativa a la ordenación del mercado inmobiliario y al cumplimiento de los fines constitucionales vinculados al acceso a una vivienda digna.

En consecuencia, su utilización como herramienta de política de vivienda por las CCAA no debe interpretarse como una desviación extrafiscal del sistema tributario, sino como una aplicación legítima y constitucionalmente orientada de la potestad tributaria al servicio de un objetivo de interés general expresamente reconocido por la Constitución.

III. TENDENCIAS Y EFICACIA DEL USO DEL TPO COMO INSTRUMENTO DE POLÍTICA DE VIVIENDA

Corresponde a continuación analizar la eficacia del uso de este impuesto en los distintos titulares del poder tributario, las correspondientes Comunidades Autónomas, que en su ejercicio competencial se articulan en dos tendencias, mantenimiento del tipo fijo o paso a la tarifa progresiva, existiendo en ambas tipos reducidos aplicables con carácter general a supuestos de adquisición de vivienda habitual.

La reciente reforma realizada en Cataluña en el año 2025[10] deja ya apreciar una tendencia en cuya virtud el impuesto abandona su configuración original, que se estructuraba con un tipo fijo, para adoptar una tarifa progresiva escalonada según valor del inmueble, en función del valor del mismo en cuatro tramos dese el 10% al 13%, un tipo especial del 20% para grandes tenedores y tipos reducidos del 7% o 5% en supuestos de adquisición de vivienda habitual.

Cataluña por tanto sigue el esquema en la que se incorporó Baleares en 2023[11], que también adoptó una tarifa progresiva en función del valor del inmueble, si bien en cinco tramos del 8% al 13%, así como tipos reducidos del 4%, 2% o bonificación total para determinados supuestos de adquisición de vivienda habitual.

Esta tendencia había sido inaugurada por el Principado de Asturias en 2014, que ya preveía en su normativa tarifas de tres tramos, del 8% al 10%, y tipos reducidos de para adquisición de vivienda habitual del 6%, 4% o 3%[12].

Por otro lado, encontramos al conjunto mayoritario de Comunidades Autónomas de régimen común mantienen la estructura de tipo fijo, con tipos generales desde el 6% de Madrid hasta el 9% de Cantabria y Castilla la Mancha, pasando por el 6,5% e Canarias, el 7% de Andalucía y la Rioja o el 8% de Aragón, Castilla y León, Extremadura, Galicia o Murcia.

Los territorios forales de Navarra, Alava, Vizcaya y Guipúzcoa también siguen el esquema clásico de tipo fijo, respectivamente con tipos generales del 6%, 6%, 7% y 7% respectivamente.

Mención especial merece el caso de la Comunidad Valenciana, que estructura un régimen mixto, no ha implantado una tarifa progresiva auténtica sino un modelo de tipo fijo con tipo incrementado. Junto al tipo general del 10 %, se establece un gravamen del 11 % para transmisiones de inmuebles de valor superior a un millón de euros, que sería aplicable, en ese caso, sobre la totalidad de la base imponible. Este diseño introduce una diferenciación selectiva en función del valor de la operación, pero no configura una progresividad por tramos, sino un salto de tipos, manteniéndose dentro del esquema tradicional del impuesto.

En cualquier caso, todas estas Comunidades incorporan mecanismos de modulación de la carga fiscal en la adquisición de la vivienda habitual, pero no en todo caso a través de tipos reducidos, sino también a través de bonificaciones en cuota o beneficios

---

10 Decreto-Ley 5/2025, de 25 de marzo.

11 Ley 12/2023, de 29 de diciembre, de Presupuestos Generales de la Comunidad Autónoma de las Illes Balears para el año 2024.

12 Decreto Legislativo 2/2014, de 22 de octubre, por el que se aprueba el Texto Refundido de las disposiciones legales del Principado de Asturias en materia de tributos cedidos por el Estado.

fiscales condicionados, orientados a facilitar el acceso a la vivienda a determinados colectivos, esencialmente vinculados a la adquisición de vivienda habitual. Parece claro desde una perspectiva lógica que estas medidas están teniendo una eficacia, al establecer una mayor carga tributaria en unas operaciones respecto de otras se están modificando los procesos de toma de decisión en el ámbito económico. En todas las Comunidades Autónomas se pretende utilizar el impuesto para facilitar el acceso a la vivienda habitual de los adquirentes.

Adicionalmente, en las Comunidades Autónomas que establecen una tarifa progresiva en el impuesto abandonando el tipo fijo, Asturias, Cataluña y Baleares, se pretende aumentar la recaudación en aquellas operaciones que presenten una mayor base imponible. Como se puede observar, las dos primeras regiones son actualmente gobiernos autonómicos socialistas, y el gobierno popular de Baleares ha manifestado públicamente su intención de mantener la tarifa progresiva del impuesto e incluso profundizar más en la misma si procede.

Si bien conceptualmente se concluye en la eficacia de la medida tributaria, su proceso de cuantificación en complejo. En este sentido no existen numerosos datos publicados por los gobiernos económicos cuantificando la eficacia de estas medidas.

Como excepción, el gobierno valenciano ha publicado recientemente datos sobre el ahorro fiscal obtenido por medidas concretas destinadas a favorecer el acceso a la vivienda para colectivos con menores recursos[13]. En concreto considera que tras rebajar el tipo del impuesto del 8 % al 6 % para la adquisición de vivienda habitual por jóvenes menores de 35 años, 13.400 personas se beneficiaron de esa reducción, con un ahorro medio por contribuyente de alrededor de 1.296 € por persona en los diez primeros meses de aplicación de esta medida. Se calculó el ahorro total agregado para estos beneficiarios ascendería aproximadamente a 17,4 millones de euros en dicho periodo frente a lo que habrían pagado sin la medida.

En conclusión, podemos apreciar que las tendencias actuales acreditan que existe un consenso completo en relación a la eficacia del TPO como instrumento de política económica en materia de vivienda.

Por un lado, el impuesto es un instrumento eficaz para incentivar el acceso a la vivienda de determinados colectivos, ya sea a través de tipos reducidos u otros beneficios fiscales, intensidad que apunta a aumentar en el futuro.

Por otro lado, se añade a lo anterior, en determinados casos, la eficacia a través de la mutación a la tarifa progresiva. La finalidad esa tanto recaudatoria como desincentivadora, en general para aquellos contribuyentes que demuestren una mayor capacidad

---

13 Generalitat Valenciana (s. f.): *Comunica GVA - Detalle del recurso*. https://comunica.gva.es/es/detalle?id=387281965&site=373409432

económica pero sobre todo, aquellos contribuyentes que no pretenden satisfacer su necesidad de vivienda habitual, es decir los no incluidos en el párrafo anterior.

Desde esta perspectiva, el ITP presenta una ventaja fundamental frente a otros instrumentos fiscales: actúa ex ante, en el momento de la transmisión del inmueble, incidiendo directamente sobre la decisión de acceso a la propiedad[14]. A diferencia de los tributos periódicos —como el IBI— o de los impuestos personales sobre la renta, el ITP permite intervenir en el instante en que se produce la reasignación del recurso escaso que constituye la vivienda, lo que lo convierte en una herramienta especialmente eficaz para influir en la estructura del mercado[15].

El diseño del ITP permite una diferenciación fina de incentivos en función del destino del inmueble y del perfil del adquirente. La posibilidad de establecer tipos reducidos o bonificaciones para la adquisición de vivienda habitual incide directamente en la reducción de la barrera fiscal de entrada al mercado de la vivienda.

Esta técnica presenta una ventaja estructural frente a las subvenciones directas: mientras estas últimas requieren financiación presupuestaria adicional y generan problemas de selección y control, el ITP actúa mediante una renuncia fiscal selectiva, integrada en el propio diseño del impuesto. De este modo, el incentivo se materializa de forma inmediata, automática y jurídicamente segura, sin necesidad de procedimientos administrativos complejos.

Desde el punto de vista económico, esta reducción selectiva del gravamen permite corregir uno de los principales fallos del mercado inmobiliario: la dificultad de acceso inicial a la propiedad, que no deriva tanto de la falta de capacidad de pago a largo plazo como de la acumulación de costes en el momento de la adquisición.

El carácter selectivo del ITP permite igualmente su utilización como mecanismo de desincentivación de conductas especulativas. La aplicación de tipos más elevados a las transmisiones de viviendas no destinadas a residencia habitual, a adquisiciones múltiples o a determinadas operaciones de inversión inmobiliaria constituye una técnica fiscal orientada a reducir la presión sobre la demanda residencial sin necesidad de introducir controles administrativos directos sobre el mercado.

Desde una perspectiva institucional, esta función del ITP resulta especialmente relevante. A diferencia de las limitaciones de precios o de las prohibiciones normativas, el gravamen fiscal respeta la libertad contractual y la autonomía privada, limitándose

14 Sainz de Bujanda, F. (1962): Hacienda y Derecho, vol. I, Instituto de Estudios Políticos, pág. 93.

15 Martín Queralt, J. (2023): Derecho Financiero y Tributario. Parte General, 24ª ed., Tirant lo Blanch, pág. 156.

a introducir un coste adicional que internaliza determinadas externalidades negativas asociadas a la acumulación especulativa de vivienda.

El impuesto actúa así como un mecanismo de señalización económica, orientando las decisiones de inversión hacia usos socialmente preferentes sin alterar de manera abrupta el funcionamiento del mercado[16].

La eficacia del ITP se aprecia con mayor claridad cuando se compara con otros instrumentos fiscales habitualmente utilizados en política de vivienda.

En primer lugar, frente al IBI, el ITP presenta la ventaja de no penalizar la mera tenencia de vivienda habitual. Mientras el IBI grava de forma periódica e indiscriminada la propiedad, el ITP se activa únicamente en el momento de la transmisión, lo que evita efectos regresivos sobre hogares con patrimonios inmobiliarios estables y rentas limitadas[17].

En segundo lugar, frente a los incentivos en el IRPF, el ITP ofrece una mayor capacidad de focalización. Las deducciones en renta tienden a beneficiar de forma más intensa a contribuyentes con bases imponibles elevadas, mientras que el ITP permite una actuación directa sobre el acto de adquisición, con independencia de la estructura global de renta del sujeto pasivo.

Finalmente, frente a las ayudas directas, el ITP evita los problemas clásicos de captura de rentas, sobrecostes administrativos y retrasos en la ejecución presupuestaria. El incentivo fiscal se integra en la propia operación jurídica, produciendo efectos inmediatos y transparentes.

La eficacia del ITP se ve reforzada por su encaje en el sistema de financiación autonómica. La cesión del impuesto a las comunidades autónomas permite adaptar su diseño a las condiciones específicas de cada mercado inmobiliario: zonas tensionadas, áreas rurales en despoblación, núcleos urbanos con elevada presión de demanda o territorios con exceso de oferta residencial[18]. Esta adaptación territorial incrementa significativamente la eficacia del impuesto como instrumento de política de vivienda, al permitir una intervención diferenciada y flexible, en línea con el principio de subsidiariedad. Lejos de generar distorsiones estructurales, esta diversidad normativa favorece un proceso de aprendizaje institucional, en el que las distintas comunidades pueden experimentar soluciones fiscales ajustadas a su realidad económica. Desde esta perspectiva, el ITP se

---

16 Pérez Royo, F. (2022): Derecho Financiero y Tributario. Parte General, 33ª ed., Civitas-Thomson Reuters, pág. 132.

17 Ferreiro Lapatza, J. J. (2019): *Curso de Derecho Financiero Español*, vol. I, 26ª ed., Marcial Pons, pág. 211.

18 Checa González, C. (2018): Sistema tributario español y financiación autonómica, Tecnos, pág. 174.

configura como un instrumento idóneo de política económica descentralizada, capaz de integrar objetivos sociales y económicos sin comprometer la coherencia del sistema tributario.

Del análisis precedente se desprende que el Impuesto sobre Transmisiones Patrimoniales no es un mero tributo recaudatorio, sino un instrumento fiscal de alta potencia regulatoria en materia de vivienda. Su capacidad para actuar sobre el momento crítico de acceso a la propiedad, su flexibilidad normativa, su compatibilidad con la libertad de mercado y su adaptación territorial lo convierten en una herramienta especialmente eficaz para la consecución de objetivos públicos en el ámbito inmobiliario[19].

En consecuencia, la utilización del ITP como instrumento de política de vivienda no debe interpretarse como una medida coyuntural o excepcional, sino como una técnica estructural de intervención fiscal, plenamente integrada en el modelo constitucional y económico del Estado autonómico español.

IV. LÍMITES, RIESGOS Y CRITERIOS DE DISEÑO ÓPTIMO DEL IMPUESTO COMO INSTRUMENTO DE POLÍTICA DE VIVIENDA

El reconocimiento del impuesto como un instrumento legítimo y eficaz de política de vivienda no implica desconocer los límites inherentes a su utilización ni los riesgos derivados de un diseño normativo inadecuado. Como todo instrumento fiscal con finalidad extrafiscal, la eficacia del impuesto depende en gran medida de su correcta articulación jurídica y de su integración coherente en el sistema tributario en su conjunto.

El análisis de estos límites no tiene por objeto cuestionar la legitimidad del impuesto, sino delimitar las condiciones bajo las cuales su utilización como herramienta de política de vivienda resulta constitucionalmente adecuada y económicamente racional.

El primer límite a considerar es el riesgo de desnaturalización del tributo. La orientación extrafiscal del impuesto no puede conducir a una configuración que lo vacíe de su función financiera básica ni que rompa su conexión con una manifestación real de capacidad económica[20]. Un uso excesivamente intensivo del impuesto como mecanismo de penalización de determinadas conductas, mediante tipos desproporcionadamente elevados o recargos acumulativos, podría erosionar su coherencia interna y generar efec-

---

19 Tipke, K. (2015): Steuerrecht, 21. Auflage, Otto Schmidt, pág. 87.

20 Ferreiro Lapatza, J. J. (2019): Curso de Derecho Financiero Español, vol. I, 26ª ed., Marcial Pons, pág. 198.

tos contraproducentes, como la paralización del mercado de transmisiones o el desplazamiento de operaciones hacia figuras jurídicas alternativas[21].

Un segundo límite relevante viene determinado por las exigencias de seguridad jurídica. La eficacia del impuesto como instrumento de política de vivienda presupone un marco normativo estable, previsible y comprensible para los operadores económicos. La utilización del impuesto como herramienta coyuntural, sometida a modificaciones frecuentes de tipos, bonificaciones o requisitos subjetivos, puede generar incertidumbre y reducir la capacidad del tributo para orientar decisiones a medio y largo plazo. En el mercado de la vivienda, donde las decisiones de adquisición tienen un horizonte temporal amplio, la estabilidad normativa constituye un factor esencial de eficacia[22]. En este sentido, la política de vivienda basada en el impuesto debe concebirse como una estrategia estructural y no como una respuesta fiscal reactiva a corto plazo.

El tercer límite se refiere a la necesaria coordinación del ITP con otros instrumentos fiscales y no fiscales de política de vivienda. El impuesto no puede operar de forma aislada ni sustituir al conjunto de medidas normativas, urbanísticas y financieras que inciden sobre el mercado inmobiliario. Un diseño óptimo del impuesto exige su integración coherente tanto con (i) el IBI, evitando solapamientos o cargas acumulativas excesivas, (ii) los incentivos fiscales en el IRPF, garantizando la coherencia intertemporal del sistema, y (iii) las políticas de oferta de suelo y vivienda, sin las cuales la intervención fiscal sobre la demanda resulta insuficiente[23].

La eficacia del impuesto como instrumento de política de vivienda no reside en su capacidad para corregir por sí solo las disfunciones del mercado, sino en su aptitud para actuar como elemento coordinado dentro de una estrategia pública más amplia.

La cesión del impuesto a las comunidades autónomas constituye una de sus principales fortalezas, pero también introduce un riesgo potencial de fragmentación normativa. La diversidad de regímenes autonómicos, si no se articula sobre criterios claros y transparentes, puede generar distorsiones en la movilidad residencial y en la asignación eficiente de recursos[24]. No obstante, este riesgo no debe confundirse con una crítica

---

21 Desde la perspectiva constitucional, este riesgo se traduce en la posible vulneración del principio de no confiscatoriedad y, en términos más amplios, en una afectación desproporcionada del derecho de propiedad y de la libertad de contratación. La potencia regulatoria del ITP exige, por tanto, un ejercicio prudente y técnicamente fundado de la potestad normativa.

22 Pérez Royo, F. (2022): Derecho Financiero y Tributario. Parte General, 33ª ed., Civitas-Thomson Reuters, pág. 145.

23 Martín Queralt, J. (2023): Derecho Financiero y Tributario. Parte General, 24ª ed., Tirant lo Blanch, pág. 173.

24 De la Fuente, Á. (2013): "Financiación autonómica y equidad territorial", *Papeles de Economía Española*, núm. 137, pág. 48.

a la autonomía fiscal. La diferenciación territorial es legítima siempre que responda a objetivos de política de vivienda claramente definidos y se mantenga dentro de los límites constitucionales de igualdad y capacidad económica. El problema no reside en la diversidad normativa en sí misma, sino en su eventual utilización desordenada o carente de justificación técnica.

A la luz de lo anterior, pueden identificarse algunos criterios básicos para un uso óptimo del impuesto como instrumento de política de vivienda: (1) Conexión clara con la capacidad económica, vinculando los beneficios fiscales a la vivienda habitual y a situaciones objetivas de necesidad. (2) Selectividad y proporcionalidad, evitando gravámenes excesivos que distorsionen el mercado. (3) Estabilidad normativa, que permita a los agentes económicos anticipar el coste fiscal de la adquisición. (4) Coordinación inter tributaria, integrando el impuesto en una estrategia fiscal coherente. (5) Justificación explícita de la diferenciación autonómica, basada en realidades territoriales objetivas.

Estos criterios no limitan la potencia del impuesto, sino que la canalizan de forma jurídicamente segura y económicamente eficaz.

El análisis de los límites y riesgos asociados al impuesto no conduce a una negación de su utilidad como instrumento de política de vivienda. Antes, al contrario, pone de manifiesto que su elevada potencia regulatoria exige un diseño normativo cuidadoso y una utilización técnicamente fundada[25].

El impuesto no es un instrumento imperfecto por naturaleza, sino un tributo cuya eficacia depende del equilibrio entre legalidad, racionalidad económica y coherencia institucional. Cuando este equilibrio se alcanza, el impuesto se convierte en una herramienta especialmente adecuada para intervenir en el mercado de la vivienda de forma indirecta, respetuosa con la libertad económica y alineada con los fines constitucionales.

V. CONCLUSIONES

Podemos concluir considerando la legalidad y la eficacia del TPO como instrumento de política económica en materia de vivienda, partiendo de la idea de que el TPO no es un tributo neutro ni exclusivamente recaudatorio, sino una figura con una capacidad real de intervención sobre el acceso a la vivienda en el marco del Estado autonómico.

El análisis constitucional ha puesto de manifiesto que el TPO presenta una adecuación especialmente intensa al principio de capacidad económica. La transmisión onerosa de un inmueble constituye una manifestación clara de riqueza real o potencial, lo

---

[25] Tipke, K. (2015): *Steuerrecht*, 21. Auflage, Otto Schmidt, pág. 102.

que explica que la jurisprudencia constitucional haya admitido un amplio margen de configuración normativa en este ámbito. El gravamen recae sobre un acto jurídico voluntario que revela capacidad contributiva efectiva, lo que legitima tanto su existencia como su utilización con finalidades extrafiscales.

En este contexto, el empleo del TPO con finalidad extrafiscal para facilitar el acceso a la vivienda o para modular determinadas dinámicas del mercado inmobiliario se integra de forma natural en el sistema tributario.

La configuración autonómica del TPO responde a una lógica constitucional coherente. La competencia autonómica en materia de vivienda, junto con la autonomía financiera y la cesión normativa del impuesto, explica que las comunidades autónomas sean las principales responsables de su diseño. El artículo 47 CE actúa como mandato material cuya ejecución corresponde, en gran medida, a los entes que ostentan la competencia sustantiva en vivienda, situando al TPO como un instrumento fiscal alineado con la descentralización territorial.

Desde esta perspectiva, el análisis comparado de la normativa autonómica ha puesto de relieve patrones claros de utilización del impuesto. Aunque el modelo de tipo fijo sigue siendo mayoritario, todas las comunidades autónomas han incorporado mecanismos de modulación del gravamen orientados a la vivienda habitual, ya sea mediante tipos reducidos, bonificaciones o beneficios condicionados. Ello evidencia un consenso funcional en torno al uso del TPO como herramienta de política social y de acceso a la vivienda, incluso dentro de esquemas de tipo fijo.

Al mismo tiempo, el estudio ha mostrado que solo una minoría de comunidades autónomas —Cataluña, Illes Balears y el Principado de Asturias— ha optado por implantar tarifas progresivas auténticas, configuradas por tramos acumulativos. Este dato confirma el carácter excepcional de la progresividad en el TPO y permite analizar con mayor precisión sus efectos y límites. La existencia de estos modelos ha servido también para confrontar la práctica autonómica con la doctrina crítica sobre la dispersión normativa, que advierte de los riesgos de complejidad, desigualdad territorial y fragmentación del mercado interior asociados a una excesiva heterogeneidad fiscal.

No obstante, el análisis desarrollado permite matizar el alcance de dichas objeciones. La diversidad normativa observada se mantiene, en general, dentro de márgenes acotados y responde a realidades territoriales diferenciadas, como la presión sobre los mercados inmobiliarios o la escasez estructural de vivienda. La evidencia empírica sugiere que la mayoría de Comunidades han utilizado el impuesto con cautela, reservando los esquemas más intensos de intervención para contextos específicos.

Desde una perspectiva económica, el TPO presenta características que refuerzan su utilidad como instrumento de política de vivienda. Su aplicación en el momento de la transmisión permite actuar directamente sobre el acceso a la propiedad, reduciendo barreras fiscales iniciales para determinados colectivos y orientando el comportamiento de los agentes económicos. Frente a otros instrumentos tributarios o de gasto público, el TPO ofrece una intervención inmediata, focalizada y jurídicamente sencilla, integrada en el propio diseño del impuesto.

Finalmente, el examen de los límites y riesgos asociados a su utilización extrafiscal ha puesto de relieve que su eficacia depende de un diseño normativo equilibrado. La intervención fiscal debe preservar la conexión con la capacidad económica, garantizar la proporcionalidad del gravamen, ofrecer estabilidad normativa y coordinarse con otras políticas públicas de vivienda. El riesgo no reside en el uso del TPO como instrumento de política económica, sino en su eventual utilización desordenada o carente de justificación técnica suficiente.

En conclusión, el Impuesto sobre Transmisiones Patrimoniales Onerosas se revela como el instrumento jurídicamente legítimo y funcionalmente eficaz para intervenir en el acceso a la vivienda dentro del Estado autonómico. Su configuración descentralizada, lejos de constituir una disfunción, permite adaptar el gravamen a contextos territoriales diversos. Utilizado con criterios de racionalidad, proporcionalidad y coherencia constitucional, el TPO puede y debe desempeñar un papel relevante en la corrección de uno de los principales problemas estructurales del mercado inmobiliario español.

VI. REFERENCIAS BIBLIOGRÁFICAS

Centro de Investigaciones Sociológicas (2026). *El 42,6% de los españoles sitúa la vivienda como principal problema del país (Barómetro de enero 2026).* https://www.cis.es/es/w/el-42-6-de-los-espa%C3%B1oles-sit%C3%BAa-la-vivienda-como-principal-problema-del-pa%C3%ADs Recuperado el 11 de febrero de 2026.

Checa González, C. (2018). *Sistema tributario español y financiación autonómica.* Tecnos.

De la Fuente, Á. (2013). "Financiación autonómica y equidad territorial". *Papeles de Economía Española,* núm. 137, 48.

Ferreiro Lapatza, J. J. (2019). *Curso de Derecho Financiero Español,* vol. I, 26ª ed. Marcial Pons.

Funcas (2025). *European housing policy insights: Lessons for Spain's market challenges.* https://www.funcas.es/articulos/european-housing-policy-insights-lessons-for-spains-market-challenges/ Recuperado el 11 de febrero de 2026.

Generalitat Valenciana (s. f.). *Comunica GVA.* https://comunica.gva.es/es/detalle?id=387281965&site=373409432 Recuperado el 11 de febrero de 2026.

González Simón (2025). "European housing policy insights: Lessons for Spain's market challenges". *Revista Económica Funcas. SEFO (Spanish and International Financial Outlook),* vol. 14, núm. 2.

Martín Queralt, J. (2023). *Derecho Financiero y Tributario. Parte General,* 24ª ed. Tirant lo Blanch.

Monasterio Escudero, C. (2000). "La financiación subcentral en España: principios y desarrollo". *Papeles de Economía Española,* núm. 83, 153-168.

Pérez Royo, F. (2022). *Derecho Financiero y Tributario. Parte General,* 33ª ed. Civitas-Thomson Reuters.

Sainz de Bujanda, F. (1962). *Hacienda y Derecho*, vol. I. Instituto de Estudios Políticos.

Tipke, K. (2015). *Steuerrecht*, 21. Auflage. Otto Schmidt.

Zubiri Oria, I. (2010). "La descentralización de impuestos en un sistema federal". *Papeles de Economía Española*, núm. 125, 21-35.

SEXTA PARTE:
FISCALIDAD INTERNACIONAL

SEGURIDAD JURÍDICO-TRIBUTARIA EN LA INVERSIÓN INMOBILIARIA EN ESPAÑA POR NO RESIDENTES

César García Novoa
Catedrático de Derecho Financiero y Tributario
Universidad de Santiago de Compostela
ORCID 0000-0002-9446-4468

I. INVERSIÓN INMOBILIARIA EXTERIOR E INSEGURIDAD JURÍDICA

La seguridad jurídica es un valor del Estado de Derecho, configurado como principio en la mayoría de las constituciones modernas. Como concepto jurídico es sumamente transversal y se manifiesta en diversas expresiones. Entre otras, son manifestaciones de seguridad la certeza del Derecho, la previsibilidad, la estabilidad normativa o la irretroactividad, publicidad y jerarquía normativa. Así lo ha resumido el Tribunal Constitucional (TC), en el conocido fundamento jurídico 10º, de la sentencia 27/1981, de 20 de julio, según el cual la seguridad jurídica es "suma de certeza y legalidad, jerarquía y publicidad normativa, irretroactividad de lo no favorable, interdicción de la arbitrariedad", pero "...si se agotara en la adición de estos principios, no hubiera precisado de ser formulada expresamente".

Además, es un tópico afirmar que la seguridad jurídica es clave para la inversión en general y, especialmente, para la inversión exterior. La OCDE define la seguridad jurídica (*tax certainty*[1]) en su documento *Tax Certainty and Policy Implementation* como "objetivo fundamental que garantiza la estabilidad y la previsibilidad"[2] y la pone en relación directa con los flujos de inversión foránea. El Banco Mundial, en *su Legal Framework for the Treatment of Foreign Investment*, hace también referencia a la relación directa entre el incremento y mantenimiento de la inversión exterior y la seguridad jurídica[3].

Y la seguridad jurídica como principio y valor es especialmente referible a un sector del ordenamiento como el tributario. Básicamente, las normas reguladoras de los tributos prevén obligaciones *ex lege*, con una fuerte presencia de la reserva de ley entendida como legalidad y tipicidad y con un importante papel de la vinculación positiva de la Administración. Además, el ordenamiento fiscal es un ordenamiento integrado por "obligaciones tasadas" de dar una cantidad de dinero, las cuales deben ser previsibles para el ciudadano. Y, por diversas razones, en el ámbito tributario se da una intensa proliferación normativa, lo que propicia situaciones de inseguridad en forma de inestabilidad normativa, incertidumbre en las derogaciones y, por tanto, en el régimen de vigencias, propensión a la aplicación retroactiva de las normas...[4]. Es por ello que

---

1 OCDE. Report on Tax Certainty - 2018 Update [En línea]. —consulta en enero 2026—. Disponible en: https://www.oecd.org/g20/topics/taxation/g20-report-on-tax-certainty.htm.

2 https://www.oecd.org/en/topics/tax-certainty-and-policy-implementation.html

3 *Legal framework for the treatment of foreign investment (Vol. 2 of 2), Guidelines,* Washington D.C. The World Bank, http://documents.worldbank.org/curated/en/955221468766167766.

4 Calvo Ortega, R., (1990), *Derecho Tributario* (Parte General), Civitas, 4ª ed., pág. 93; Calero Gallego, J., "La seguridad jurídica y la técnica jurídica en materia tributaria", (1993), *Sistema*

resulta perfectamente posible poder hablar de un "principio de seguridad jurídica" en el orden tributario que, si bien no alcanza el grado de especialidad para poder ser catalogado como un principio propio, si tiene una singular incidencia en un ordenamiento "de injerencia" como el fiscal.

En suma, en los niveles de inversión exterior y en el éxito o fracaso de una política de atracción de capitales foráneos tiene una gran relevancia la seguridad jurídica, en general, y la seguridad jurídico-tributaria, en particular[5]. Por lo que no resulta sorprendente que, en los últimos tiempos en España, la contracción de la inversión exterior haya coincidido con una creciente inseguridad jurídica en el ámbito fiscal.

En efecto, en datos de la Secretaría de Estado de Comercio, la inversión extranjera ha marcado en España en 2025 su peor registro en los últimos cuatro años, experimentando un desplome del 60,4 % en comparación con similar período de 2024, mientras que la inversión extranjera acumulada entre enero y septiembre de 2025 descendió en un 28 % respecto al mismo periodo de 2024[6]. Esta caída representa uno de los retrocesos más acusados en la última década, especialmente en la primera mitad del año. Se confirma retroceso continuado desde 2018, que pone las inversiones del exterior en cotas de los años 2014.

Y entre los factores que han coadyuvado a este retroceso de la inversión extranjera está la inseguridad jurídica. Así lo dice el Informe de 18 de junio de 2025 *La confianza empresarial y la inversión extranjera en España*, elaborado por el Instituto de Estudios Económicos en colaboración con la consultora Kearney, donde se dice que "algunos factores que pueden haber obstaculizado el ascenso de (la inversión exterior) en España

---

tributario y Constitución, Santander, UIMP, pág. 4. La sentencia del TJUE de 9 de junio de 2016, *Wolfgang und Dr. Wilfried Rey Grundstücksgemeinschaft,* As. C-332/14, dice que "el legislador nacional puede vulnerar los principios de seguridad jurídica y de protección de la confianza legítima al adoptar, de modo repentino e imprevisible, una nueva ley que suprima un derecho del que hayan disfrutado hasta entonces los sujetos pasivos, sin dejarles el tiempo necesario para adaptarse y sin que el fin perseguido lo requiera".

5 Así lo entendieron los líderes del G20, en su reunión mantenida de 2016 en Hangzhou (China), al concluir que era necesario abordar en profundidad las crecientes inquietudes existentes en materia tributaria. Una vez realizados significativos avances en la lucha contra la evasión fiscal, la planificación fiscal agresiva y la transparencia tributaria, en el marco del proyecto BEPS promovido por la OCDE, los miembros del G20 concluyeron que era prioritario, tanto para los gobiernos como las empresas, contar con una mayor seguridad jurídica en materia tributaria, con objeto de apoyar el comercio, la inversión y el crecimiento económico.

6 Información consultada en Datainvex dela Secretaría de Estado de Comercio del Ministerio de Economía, Comercio y Empresa; https://datainvex.comercio.es/principal_invex.aspx (consulta en enero 2026). Además, *La inversión extranjera en cifras,* julio, 2025, https://multinacional.es/cms/wp-content/uploads/2025/07/Informe-IED_Julio-2025.pdf

pueden ser las cargas burocráticas, la complejidad de la regulación, la inestabilidad política, la inseguridad jurídica o la elevación de costes empresariales en comparación con otros destinos de inversión"[7]. También, en un sentido similar, el *Paper* de la Asociación Española de Asesores Fiscales (AEDAF), *Inseguridad jurídica en España: situación actual y propuestas para el futuro,* de diciembre de 2018 señalaba que "la inseguridad jurídica constituye un factor decisivo a la hora de determinar la mayor o menor competitividad de un país, de la misma forma en que se considera como un factor relevante de competitividad el régimen tributario aplicable" y que "el sistema tributario constituye un factor clave a la hora de adoptar decisiones de inversión y localización"[8]. Y decía que, entre otros signos indicativos de la inseguridad en nuestro sistema jurídico, se encuentran las modificaciones de la política fiscal, la calidad del proceso legislativo y la retroactividad de las normas, la inadecuada aplicación de disposiciones fiscales y una mal planteada relación entre la Administración tributaria y los contribuyentes.

II. EL INCREMENTO DE LA INVERSIÓN INMOBILIARIA EN ESPAÑA POR NO RESIDENTES. ALGUNOS FACTORES JURÍDICO-TRIBUTARIOS QUE LO EXPLICAN

Si bien en los últimos diez años se aprecia en España un continuado descenso de la inversión exterior, hay un sector en que la participación de capital foráneo no sólo no ha decrecido, sino que se está incrementando. Se trata de la inversión en el sector inmobiliario lo que incluiría, si entendemos el término *inversión* en sentido amplio, la adquisición de inmuebles como vivienda habitual, segunda residencia o arrendamiento sin que medie actividad empresarial.

Lo dicho anteriormente se pone de manifiesto con algunos datos. Así, en los nueve primeros meses de 2025, la inversión inmobiliaria en España alcanzó 12. 900 millones de euros, con un aumento del 44 % frente al mismo periodo en 2024. Hasta tal punto que, como señala el informe de Colliers *Global Capital Flows*, España es el quinto país de mayor inversión inmobiliaria internacional, sólo por detrás de Estados Unidos, Reino Unido, Alemania y Japón[9].

Y según datos del Consejo General del Notariado, en 2024, se han registrado 139.102 compraventas de viviendas en España por parte de extranjeros, con una evolu-

[7] https://www.ieemadrid.es/sites/ceoe-iee/files/content/file/2025/06/19/25/iee.-informes-junio-2025.-la-confianza-empresarial-y-la-ied-en-espana.pdf (consulta en enero 2026).

[8] *Inseguridad jurídica en España: situación actual y propuestas para el futuro,* Paper nº 13, AEDAF, Madrid, diciembre, 2018, págs. 7 y 9.

[9] https://www.colliers.com/en-nl/research/global-capital-flows-juni-2025

ción interanual del 5,9%. En el primer semestre de 2025, las compras se incrementaron en un 2% interanual con respecto a la primera mitad de 2024, hasta alcanzar las 71.155 operaciones. La inversión internacional en el sector inmobiliario español creció un 39% en el primer trimestre de 2025.

La pregunta que cabe hacerse es cuáles son los factores, especialmente de índole fiscal, que explican que, aun en un escenario de creciente inseguridad que afecta negativamente a la inversión exterior, la compra de inmuebles por extranjeros siga incrementándose. Podemos relacionar algunos de ellos.

1. EXISTENCIA DE UN IMPORTANTE RED DE CDI

Sabido es que España dispone de una red de en torno a cien Convenios de Doble Imposición (CDI), elaborados en su mayoría siguiendo el Modelo de la OCDE.

Es una constante señalar las ventajas que supone que un país disponga de una red de CDI. Básicamente, los convenios evitan la sobreimposición, que afecta negativamente a la rentabilidad de las inversiones (drenando el flujo de caja e incrementando el coste del capital), y conlleva situaciones contrarias a las exigencias de capacidad económica. Y lo hacen, en el Modelo OCDE, limitando el poder tributario de los países que operan como jurisdicciones de la fuente, que en el caso de rendimientos inmobiliarios, son los de localización de los inmuebles. Además, los CDI suministran claridad y seguridad jurídica, fijando *reglas de desempate* para resolver conflictos de doble residencia. Protegen contra la discriminación y, en suma, favorecen que las decisiones económicas de inversión se basen, prioritariamente, en factores económicos.

La existencia de los CDI supone, además, que los mismos prevalecen frente la legislación doméstica. El TS en la sentencia 23 de septiembre de 2020, en el caso *Colgate-Palmolive* (nº. rec. 1996/2019), señaló que la Administración no puede ignorar el CDI en favor de la ley interna.

Por eso, en relación con la compra de inmuebles en España, parece ser un factor importante el que el país de residencia del adquirente tenga un CDI con el Reino de España.

Sin embargo, en relación con la inversión inmobiliaria, el factor CDI tiene menos importancia de la que pudiera parecer. Los CDI españoles, como se dijo, se conciertan fundamentalmente bajo el modelo OCDE. Y este Modelo sujeta a tributación la renta de los inmuebles, atendiendo a las reglas contenidas en sus artículos 6, 1 y 3. Según estos preceptos, aunque tales rentas se gravan en residencia, pueden someterse a imposición de manera ilimitada en la fuente. En el caso de la imposición sobre el patrimonio, el artículo 22 del Modelo OCDE, dispone que "el patrimonio constituido por propiedad inmobiliaria, en el sentido del artículo 6, que posea un residente de un Estado contratante y esté situada en el otro Estado contratante puede someterse a imposición en ese otro Estado". A diferencia de lo que ocurre con la mayoría de las disposiciones de los CDI que siguen el Modelo OCDE, los convenios, respecto al gravamen de rentas y titularidad de inmuebles, no limitan el poder tributario de los Estados de la fuente. España, como país de localización de los inmuebles (es decir, como jurisdicción de la fuente) puede gravar las rentas derivadas de los inmuebles de modo ilimitado. Con lo que, la existencia de convenios *ex* Modelo OCDE no supone respecto a los no residentes con rentas o patrimonios inmobiliarios una ventaja comparativa, ya que ni siquiera la cláusula de no discriminación del artículo 24 les resulta referible. No son aplicables los supuestos de no discriminación de establecimientos permanentes, intereses, regalías y empresas (artículo 24, 3, 4 y 5). Y tampoco la cláusula general de no discriminación de los nacionales de otro país (artículo 24,1), porque la misma está condicionada a que los extranjeros se encuentren en las mismas condiciones de residencia respecto a los nacionales. Por lo que las ventajas fiscales que pueden coadyuvar a que se incremente o que se reduzca la inversión inmobiliaria, son básicamente ventajas previstas en el ordenamiento interno español.

2. EXISTENCIA DE UN VENTAJOSO RÉGIMEN DE IMPATRIADOS

Muchos países, en los últimos años, y en aras de mejorar la competitividad de sus sistemas fiscales, han introducido *regímenes de impatriados* para atraer a emprendedores, masa crítica, deportistas de alto nivel o, simplemente, contribuyentes de capacidad económica elevada. No se trata de regímenes directamente orientados a fomentar la adquisición de inmuebles, pero el efecto *traslado de residencia* produce un incentivo indirecto de la compra de viviendas o una demanda de alquiler residencial.

Aunque son muchos los estados que han implantado estos regímenes fiscales especiales (sólo en el ámbito europeo Italia, Bulgaria, Chipre, Irlanda o Malta, entre otros), ha destacado, como pionero de estas singularidades fiscales, la modalidad de contribuyentes *non dom* en Gran Bretaña[10]. Sin embargo, el régimen ha desaparecido con efectos de abril de 2025. Desde esa fecha, quienes trasladen su domicilio al Reino Unido

[10] Según el régimen británico de los *non-dom* ciertos residentes son gravados exclusivamente por las rentas obtenidas en el territorio, además de las percibidas del exterior en el momento en que las mismas son percibidas o repatriadas-*remittance basis regime*—. De esta manera, los países que siguen el régimen de los residentes no domiciliados no declara exentas o no sujetas las rentas de fuente extranjera (a diferencia de los países que aplican el criterio de la fuente) sino que simplemente retrasan su imputación hasta el momento en que se "remiten" al país de residencia; Falcón y Tella, R. (2014), "El cierre registral, los residentes no domiciliados y otras curiosidades del Informe de los expertos sobre la reforma fiscal", *Quincena Fiscal*, nº 11, pág. 7.

y no hayan residido allí de manera continua durante al menos 10 años ya no podrán acogerse a este régimen especial[11].

En el mismo sentido, ha sido eliminado, con efectos 1 de enero de 2024, otro régimen de impatriados exitoso como el portugués de *residentes no habituales* (RNH). Estaba previsto en el Decreto-Ley n. 249/2009, de 23 de septiembre, por el que se aprobó en Portugal el *Código Fiscal do Investimento*, con la intención de atraer inversión extranjera y profesionales cualificados. En esencia se trataba de un régimen especial de tributación en el Impuesto sobre la Renta de las Personas Físicas para los rendimientos obtenidos por personas que no habiendo residido fiscalmente en Portugal en los últimos cinco años, adquieran en este país su residencia por reunir las condiciones necesarias exigidas para ello[12]. Contemplaba la aplicación de un tipo reducido en el Impuesto sobre la Renta de las Personas Físicas del 20% para los rendimientos del trabajo dependiente (categoría A) y los rendimientos de actividades empresariales y profesionales (categoría B) y se aplicaba a contribuyentes que desarrollasen actividades que se considerasen de elevado valor añadido y de carácter científico, artístico o técnico[13]. La principal ventaja

---

11 Como contrapartida, disfrutarán de una exención fiscal total durante los primeros cuatro años para todos sus ingresos y ganancias extranjeras, las cuales podrán ser repatriadas al Reino Unido sin incurrir en cargas tributarias adicionales.

12 Conforme a lo dispuesto en el artículo 16.1 del *Código do Imposto sobre o Rendimento das Pessoas Singulares* se consideran residentes fiscales en Portugal, entre otras, las personas que hayan permanecido en su territorio más de 183 días durante los últimos doce meses y en caso de haber permanecido menos tiempo aquellas que puedan disponer en cualquier día del período referido de una vivienda en territorio portugués en condiciones que permitan suponer su intención de mantenerla y ocuparla como residencia habitual. Además, el Código portugués regulador del Impuesto sobre la Renta (*Imposto sobre o Rendimento das Pessoas Singulares* —IRS—) aprobado por Lei nº 82-E/2014, dice en su artículo 16, que el régimen especial se aplica también a quienes sean miembros de tripulaciones de barcos o aeronaves, siempre que estén empleados por entidades con residencia, sede o dirección efectiva en Portugal, a quienes desempeñen funciones o cargos públicos en el extranjero, al servicio del Estado portugués, incluidas funciones como miembro del Parlamento Europeo, o a quienes tengan portuguesa, pero con residencia fiscal en otro país, territorio o región, sujeto a un régimen fiscal claramente más favorable que figura en la lista aprobada por Hacienda en Portugal. Esta lista es la equivalente a la lista negra de paraísos fiscales y se aprobó por *Portaria* nº 150/2004.

13 En concreto, se consideraban a estos efectos actividades de elevado valor añadido, entre otras, las desarrolladas por: arquitectos, ingenieros y geólogos; actores y actrices de teatro, ballet, cine o televisión, cantantes, escultores, músicos y pintores; auditores y asesores fiscales; médicos y dentistas; profesores universitarios; psicólogos; arqueólogos, biólogos, profesionales liberales, técnicos de informática, de servicios de información, de agencias de noticias y de investigación científica y desarrollo; diseñadores; inversores, administradores y gestores de empresas promotoras de inversión productiva y directivos de empresas. De estas profesiones los últimos datos publicados revelan que el grupo más importante de beneficiarios eran directivos de empresas.

de este régimen era que se tributaba por un 20 % y sólo por rentas generadas en Portugal. De manera que la mayor parte de las rentas generadas fuera del territorio portugués quedaban en la práctica sin tributación o se gravaban con un tipo impositivo muy ventajoso para el contribuyente.

De esta manera, y con los cambios experimentados en la fiscalidad de diversos países de nuestro entorno, que han ido suprimiendo los regímenes favorables para captar impatriados, el régimen español resulta ser uno de los más favorables de los que existen en la actualidad. Introducido en el artículo 93 de la Ley del Impuesto sobre la Renta de las Personas Físicas —IRPF— por la Ley 62/2003 de Medidas Fiscales, Administrativas y de Orden Social, y con efectos de 1 de enero de 2004, se ha erigido en uno de los más atractivos. Especialmente, tras la reforma operada por la Disposición Final Tercera de la Ley 28/2022, de 21 de diciembre, de fomento del ecosistema de las empresas emergentes.

Según la redacción originaria de este régimen, pueden acogerse al mismo las personas físicas que adquieran su residencia fiscal en España como consecuencia de su desplazamiento a territorio español. Estos sujetos podrán optar por tributar por el Impuesto sobre la Renta de No Residentes —IRNR— (regulado en el Texto Refundido aprobado por Real Decreto Legislativo 5/2004, de 5 de marzo), manteniendo la condición de contribuyentes por el IRPF, durante el período impositivo en que se efectúe el cambio de residencia y durante los cinco períodos impositivos siguientes, cuando cumplan las siguientes condiciones:

a) Que no hayan sido residentes en España durante los cinco períodos impositivos anteriores a aquél en el que se produzca su desplazamiento a territorio español.

b) Que el desplazamiento a territorio español se produzca, ya sea en el primer año de aplicación del régimen o en el año anterior, como consecuencia de un contrato de trabajo (con excepción de la relación laboral especial de los deportistas profesionales). Y, desde la Ley 28/2022, de 21 de diciembre, cabe el desempeño en España de una actividad económica calificada como actividad emprendedora, de acuerdo con el procedimiento descrito en el artículo 70 de la Ley 14/2013, de 27 de septiembre.

También pueden optar por el régimen quienes adquieran la condición de administradores de una entidad situada en España, con el límite de que, si se trata de una entidad patrimonial, no tengan una participación en dicha entidad que determine su consideración como entidad vinculada en los términos previstos en el artículo 18 de la Ley 27/2014, de 27 de noviembre, del Impuesto sobre Sociedades (IS), esto es, más de un 25%[14].

[14] El artículo 18,2, de la Ley 27/2104 del Impuesto de Sociedades, al definirse quienes se entienden personas o entidades vinculadas, dispone que *en los supuestos en los que la vinculación se*

c) Que los rendimientos del trabajo que se deriven de dicha relación laboral no estén exentos de tributación por el Impuesto sobre la Renta de no Residentes[15].

Se excluye también el acceso al régimen especial de impatriados, o se puede perder la posibilidad de acogerse al mismo, si el sujeto obtiene en España rentas que se calificarían como obtenidas mediante un establecimiento permanente situado en territorio español, salvo que se trate de una actividad emprendedora (artículo 93.1.c) de la Ley 35/2006, del Impuesto sobre la Renta de las personas Físicas —IPRF—).

En relación con este último requisito, y en el caso de impatriados con inversiones inmobiliarias, se han planteado controversias en el caso de que los inmuebles sean poseídos a través de una entidad en el exterior sujeta a un régimen de transparencia. Aunque nos referiremos a la situación en la que se interponen este tipo de entidades, señalemos que puede tratarse de una *Limited Liability Partnership* de Gran Bretaña (UK LLP), pero también de una *US Partnertships, Irish o Scottish Partnertships*, o las propias *Limited Liability Company* (LLC), de Estados Unidos (de las que hablaremos), sujetas a un régimen *pass-through* y calificadas fiscalmente como entidades en régimen de atribución de rentas. Es decir, entidades que no tributan como tales y en las que las rentas se imputan a los socios. Las dudas surgen en torno a si las imputaciones de renta derivadas del régimen de atribución y generadas por este tipo de entidades equivalen a rentas obtenidas de un establecimiento permanente y, por tanto, suponen la inaccesibilidad o pérdida del régimen de impatriados, de acuerdo con el artículo 93.1.c) de la Ley 35/2006, del IRPF.

Para la Dirección General de Tributos (DGT), que se ha pronunciado en la consulta de 21 de julio de 2025 —V1372-25— respecto a una UK LLP, el hecho de que una persona física trasladada a España impute las rentas generadas por una UK LLP no implica, por si solo, la pérdida del régimen especial, siempre que la entidad no desarrolle actividad económica en España, no disponga de medios personales o materiales en territorio español y el socio no ejerza desde España funciones de gestión ni ostente poderes de representación o contratación. Además, los sujetos acogidos al régimen de impatriados son residentes en España, pero sujetos a un régimen especial, ya que no resultan gravados en España por

defina en función de la relación de los socios o partícipes con la entidad, la participación deberá ser igual o superior al 25 por ciento.

15 El artículo 18,2, de la Ley 27/2104 del Impuesto de Sociedades, al definirse quienes se entienden personas o entidades vinculadas, dispone que *en los supuestos en los que la vinculación se defina en función de la relación de los socios o partícipes con la entidad, la participación deberá ser igual o superior al 25 por ciento.* También pueden optar al régimen quienes adquieran la condición de administradores de una entidad situada en España, con el límite de que, si se trata de una entidad patrimonial, no podrán tener una participación en dicha entidad que determine su consideración como entidad vinculada en los términos previstos en el artículo 18 de la Ley del Impuesto sobre Sociedades, esto es, más de un 25%.

renta mundial y no sean beneficiarios de los CDI que haya firmado España. Que se trata de resientes se deduce de que este régimen se encuentra regulado en la Ley del IRPF, que es un impuesto de residentes. Pero son residentes que tributan en España como no residentes, a las tasas fijas de éstos y sólo por sus rentas de fuente española.

Como dijimos, este régimen en España ha experimentado un cambio importante, como consecuencia de la Disposición Final Tercera de la Ley 28/2022, de 21 de diciembre, de fomento del ecosistema de las empresas emergentes, y a partir de la cual pasa a denominarse *régimen fiscal especial aplicable a los trabajadores, profesionales, emprendedores e inversores desplazados a territorio español.*

La gran novedad viene constituida por el hecho de que el régimen especial del artículo 93 de la Ley del IRPF, no va a aplicarse en exclusiva a sujetos que se desplacen a territorio español para trabajar en el marco de una relación laboral por cuenta ajena. Con la reforma, pueden acogerse a esta opción quienes trasladen su residencia a territorio español *como consecuencia de la realización en España de una actividad económica por parte de un profesional altamente cualificado que presente servicios a empresas emergentes* o que *lleve a cabo actividades de formación, investigación, desarrollo e innovación*, percibiendo por ello una remuneración que represente en conjunto más del 40% de la totalidad de los rendimientos empresariales, profesionales y del trabajo personal[16].

En efecto, en la actualidad pueden optar por este régimen especial para tributar como no residentes durante el período impositivo en que se efectúe el cambio de residencia y durante los cinco períodos impositivos siguientes, las personas físicas que adquieran su residencia fiscal en España como consecuencia de su desplazamiento a territorio español, no habiendo sido residentes en España durante los cinco años anteriores y no en los diez, como exigía la redacción anterior de la ley[17]. Y dicha actividad puede ser para trabajar para una empresa que no esté en España, incluso para una plataforma de *streaming* o de contenidos domiciliada en el extranjero. Se trata de atraer a creadores de contenidos y *nómadas digitales* y a otros sujetos que, gracias a la eclosión del teletrabajo y de otras formas de actividad en remoto, pueden realizar sus actividades laborales desde cualquier país. Tras la reforma por esta Ley 28/2022 de fomento del ecosistema de empresas emergentes, las condiciones del desplazamiento pueden producirse en el primer año de aplicación del régimen o en el año anterior. Y pueden acogerse al régimen si se crea una sociedad mercantil con la condición de *empresa emprendedora*, pudiendo

[16] Se prevé el desarrollo reglamentario de la forma de acreditar la condición de profesional altamente cualificado, así como la determinación de los requisitos para que se puedan conceptuar las actividades como de formación, investigación, desarrollo e innovación.

[17] Tras la reforma que propone la Ley 28/2022 de 21 de diciembre de fomento del ecosistema de empresas emergentes, las condiciones del desplazamiento pueden producirse en el primer año de aplicación del régimen o en el año anterior.

ser administradores de la misma. No se impone ningún límite en la participación si el administrador lo es de una entidad que vaya a realizar en España una actividad económica calificada como *actividad emprendedora*[18].

Por tanto, el hecho de que España tenga un buen régimen de atracción de impatriados provoca el efecto indirecto de incentivo de la adquisición de viviendas en España por sujetos que, si bien no son no residentes, si tributan en España a los tipos de gravamen del IRNR. Sin olvidar de que, en muchos casos, los que deciden trasladar a España su residencia al amparo de este régimen especial, adquieren inmuebles en España antes de su traslado físico a nuestro país, es decir, siendo todavía no residentes.

3. APLICACIÓN DE LAS LIBERTADES COMUNITARIAS DE LA UNIÓN EUROPEA. SINGULARMENTE, LA LIBRE CIRCULACIÓN DE CAPITALES

Un factor que juega, además, a favor de que España se conciba como un facilitador de un ambiente propicio a la inversión inmobiliaria, es la propia pertenencia de España

[18] El concepto de empresa emergente es clave en la Ley de fomento del ecosistema de empresas emergentes y a la misma se refiere su artículo 3, al definirlas como toda persona jurídica, incluidas las empresas de base tecnológica creadas al amparo de la Ley 14/2011, de 1 de junio, de la Ciencia, la Tecnología y la Innovación, que reúna simultáneamente las siguientes condiciones: a) Ser de nueva creación o, no siendo de nueva creación, cuando no hayan transcurrido más de cinco años desde la fecha de inscripción en el Registro Mercantil, o Registro de Cooperativas competente, de la escritura pública de constitución, con carácter general, o de siete en el caso de empresas de biotecnología, energía, industriales y otros sectores estratégicos o que hayan desarrollado tecnología propia, diseñada íntegramente en España b) no haber surgido de una operación de fusión, escisión o transformación de empresas que no tengan consideración de empresas emergentes. Los términos concentración o segregación se consideran incluidos en las anteriores operaciones. c) tener su sede social, domicilio social o establecimiento permanente en España. d) el 60% de la plantilla deberá tener un contrato laboral en España. En las cooperativas se computarán dentro de la plantilla, a los solos efectos del citado porcentaje, los socios trabajadores y los socios de trabajo, cuya relación sea de naturaleza societaria. e) desarrollar un proyecto de emprendimiento innovador que cuente con un modelo de negocio escalable, f) no distribuir ni haber distribuido dividendos, o retornos en el caso de cooperativas. g) no cotizar en un mercado regulado. h) si pertenece a un grupo de empresas definido en el artículo 42 del Código de Comercio, el grupo o cada una de las empresas que lo componen debe cumplir con los requisitos anteriores. Deberán recibir, además, una certificación del emprendimiento innovador y de la escalabilidad del modelo de negocio. Son innovadoras las empresas cuando su finalidad sea resolver un problema o mejorar una situación existente mediante el desarrollo de productos, servicios o procesos nuevos o mejorados sustancialmente en comparación con el estado de la técnica y que lleve implícito un riesgo de fracaso tecnológico o industrial o en el propio modelo de negocio. Deberán además obtener una evaluación a Empresa Nacional de Innovación SME SA (ENISA).

a la Unión Europea y la aplicación de las libertades comunitarias, incluyendo la libre circulación de capitales.

El apartado primero del artículo 63 del Tratado de Funcionamiento de la Unión Europea (TFUE) prohíbe, con carácter general, todas las restricciones a los movimientos de capitales, tanto entre Estados miembros, como entre éstos y terceros países. Dicha libre circulación de capitales es una libertad esencial en la Unión Europea. Es, precisamente, la jurisprudencia sobre estas libertades del Tribunal de Justicia de la Unión Europea (TJUE), la que ha fundamentado la llamada armonización fiscal negativa o de segundo grado, llevada a cabo a golpe de sentencias del Tribunal (incluyendo sentencias clásicas como *Casati, Bachmann, Verkooijen*...)[19].

Entre los movimientos de capitales protegidos por la libre circulación de capitales se incluye explícitamente la compra de bienes inmuebles en otro país. Así, la Directiva 88/361/CEE del Consejo de 24 de junio de 1988 para la aplicación del artículo 67 del Tratado, contiene, en su Anexo I, una nomenclatura indicativa de los movimientos de capitales protegidos por la libertad de circulación. Aunque la Directiva se encuentra derogada, esta nomenclatura sigue siendo válida para interpretar la libre circulación de capitales. Y en la misma se incluyen expresamente las inversiones inmobiliarias, en particular, la liquidación de las mismas y las garantías reales sobre bienes inmuebles (hipotecas, derechos de prenda...).

También el Tribunal de Justicia de la Unión Europea (TJUE) ha vinculado expresamente las operaciones inmobiliarias con la libre circulación de capitales. Por ejemplo, en la sentencia *Trummer y Mayer*, As. C-222/97, de 16 de marzo de 1999, donde el TJUE declaró que la constitución de una hipoteca está directamente vinculada a la liquidación de una inversión inmobiliaria, y constituye un movimiento de capital en el sentido del entonces artículo 73 B del Tratado CE (actual art. 63 TFUE). Por tanto, cualquier restricción nacional que dificulte este tipo de operaciones constituye una restricción a la libre circulación de capitales. Y en la sentencia *MK*, As. C-388/19, de 18 de marzo de 2021, el TJUE examinó la fiscalidad de las plusvalías inmobiliarias obtenidas por no residentes y reiteró que la adquisición y transmisión de bienes inmuebles constituye un movimiento de capital protegido por el artículo 63 TFUE.

Además de abarcar las operaciones inmobiliarias, el ámbito de aplicación de la libre circulación de capitales se extiende a residentes en terceros Estados extracomunitarios, ya que "el artículo 63 TFUE, apartado 1, prohíbe con carácter general todas las restricciones a los movimientos de capitales entre Estados miembros y entre Estados miembros y terceros países" (sentencia *BA y Finanzamt X*, de 12 de octubre de 2023 —As.C-670/21—, apartado 37). Y las medidas prohibidas por este apartado primero

19 Sousa Santos Aguiar, N. T, (2005), "La fiscalidad de los beneficios societarios y de los capitales en la Unión Europea", *Revista del Centro de Estudios Financieros*, nº 262, pág. 22.

del artículo 63 por constituir una restricción a la libre circulación de capitales incluyen las que puedan disuadir a los no residentes de realizar inversiones en un Estado miembro o a las residentes de dicho Estado miembro de hacerlo en otros Estados (sentencia *Veronsaajien oikeudenvalvontayksikkö, Revenus versés par des OPCVM*, de 29 de abril del 2021, As. C-480/19).

Además de consagrar de manera decidida que la libre circulación de capitales protege el derecho a adquirir inmuebles en un Estado de la Unión, tanto por residentes de la Unión Europea como de terceros países, la jurisprudencia de la Unión ha aplicado la libre circulación de capitales en el ámbito tributario excluyendo situaciones de discriminación y de restricción de esta libertad. Abarcando, incluso, como posible práctica disuasoria, el trato fiscal menos favorable dispensado a las sucesiones (sentencia *Huijbrechts*, de 22 de noviembre de 2018, As. C-679/17, apartado 16).

Cabe, al respecto, tomar en consideración alguna sentencia relevante del TJUE, como la *Comisión vs España*, de 3 de septiembre de 2014, As. C-127/12. La sentencia condena al Reino de España por no permitir la aplicación de beneficios fiscales autonómicos a no residentes en el Impuesto sobre Sucesiones y Donaciones y proclama que un trato fiscal diferenciado en materia de sucesiones y donaciones de bienes inmuebles, en función del lugar de residencia o la localización del inmueble, vulnera la libre circulación de capitales[20]. El TS, en sentencia nº 242/2018, de 19 de febrero de 2018, nº rec 62/2017, y en coherencia con la aplicación de la libre circulación de capitales a residentes en terceros países, excluyó también la discriminación a los residentes extracomunitarios en el Impuesto Sucesiones y Donaciones.

Y también se han abierto por la Comisión Europea procedimientos de infracción contra España, como el de marzo de 2019, con número INFR (2018) 4085, por no permitir el Texto Refundido de la Ley del Impuesto sobre la Renta de No Residentes (IRNR), aprobado por Real Decreto Legislativo 5/2004, de 5 de marzo, que los arrendadores no residentes apliquen la reducción del 60% de los ingresos netos obtenidos por el arrendamiento de inmuebles destinados a vivienda. De esta reducción sí disfrutaban en el IRPF las personas físicas residentes, tal y como disponía el artículo 23,2 de la Ley 35/2006, del IRPF. La redacción de este precepto, que contemplaba esta reduc-

---

[20] Esta vulneración sería corregida por la Disposición Adicional 2ª de la Ley 29/1987, de 18 de diciembre, y en la Disposición Adicional 4ª de la Ley 19/1991, de 6 de junio, del Impuesto sobre el Patrimonio (aunque este impuesto no resultaba afectado por la sentencia). En un primer momento, optar por los beneficios fiscales de las Comunidades Autónomas se reconoció sólo a residentes en la Unión Europea y en el Espacio Económico Europeo. Como consecuencia de la sentencia del TS nº 242/2018, de 19 de febrero de 2018, nº rec 62/2017, se extienden la aplicación de las ventajas fiscales de los ordenamientos autonómicos a la generalidad de las situaciones transfronterizas.

ción de ingresos netos para los arrendadores, estuvo vigente hasta el 31 de diciembre de 2023, siendo derogada por la Ley 12/2023, de 24 de mayo, por el derecho a la vivienda.

De acuerdo con este criterio sentado por el TJUE, el TS, por ejemplo en la sentencia 1581/2019, de 13 de noviembre de 2019, declaraba incompatible con el artículo 63 del TFUE la regulación interna española que no contemplaba para las retenciones por dividendos percibidos, soportadas por Instituciones de Inversión Colectiva (IIC) residentes en terceros países (en particular, Estados Unidos) ningún sistema de devolución, como sí ocurría para el caso de IIC residentes en España o en cualquier otro Estado miembro de la Unión Europea o del Espacio Económico Europeo[21]. El Alto Tribunal apreciaba un vacío normativo que provocaba la "vulneración del principio de libre circulación de capitales previsto en el art. 63 del TFUE", e impedía a las IIC domiciliadas en Estados Unidos ejercer su "legítimo derecho de solicitar la devolución de la retención indebidamente realizada" (Fundamento Quinto), como consecuencia de la aplicación de la exención contemplada en el artículo 14.1.l), del Texto Refundido de la Ley del IRNR[22]. Al mismo tiempo, se rechazaba un tratamiento diferenciado en cuanto al tipo de gravamen a aplicar a los fondos de inversión españoles (el 1%) y los fondos estadounidenses equiparables (que tributaban al 15%).

Y, en la misma línea de aplicación de la libre circulación de capitales de la Unión, con primacía frente a la legislación interna, la sentencia de la Audiencia Nacional (AN), de 28 de julio de 2025 (rec. núm. 636/2021), resuelve el recurso planteado por un residen-

21 Cámara Barroso M. C., (2020), "El Tribunal Supremo se pronuncia sobre la compatibilidad con la libre circulación de capitales de la retención en la fuente sobre los dividendos pagados a IIC de terceros países. Análisis de la STS 1581/2019, de 13 de noviembre de 2019", *Nueva Fiscalidad*, nº 1, págs. 300 a 303.

22 El artículo 14, 1, l) del Texto Refundido de la Ley del Impuesto sobre la Renta de No Residentes, aprobado por Real Decreto Legislativo 5/2004, de 5 de marzo, dispone que estarán exentos "los dividendos y participaciones en beneficios obtenidos sin mediación de establecimiento permanente por las instituciones de inversión colectiva reguladas por la Directiva 2009/65/CE del Parlamento Europeo y del Consejo, de 13 de julio de 2009, por la que se coordinan las disposiciones legales, reglamentarias y administrativas sobre determinados organismos de inversión colectiva en valores mobiliarios; no obstante en ningún caso la aplicación de esta exención podrá dar lugar a una tributación inferior a la que hubiera resultado de haberse aplicado a dichas rentas el mismo tipo de gravamen por el que tributan en el Impuesto sobre Sociedades las instituciones de inversión colectiva residentes en territorio español". Posteriormente, este vacío fue subsanado tras la reforma del artículo 14 del Texto Refundido de la Ley del Impuesto sobre la Renta de No Residentes si se prevé mecanismo para beneficiarse de la exención. El mismo se encuentra en el artículo 7.1.b de la OM EHA/3316/2010 y requiere la emisión por la autoridad competente del Estado miembro de origen de la institución de inversión de un certificado en el que se manifieste que dicha institución cumple las condiciones establecidas en la Directiva 2009/65/CE del Parlamento Europeo y del Consejo, de 13 de julio de 2009.

te en Estados Unidos titular de un inmueble en España, a quien el Tribunal Económico Administrativo Central (TEAC) denegó la posibilidad de deducir de los rendimientos obtenidos por el arrendamiento del inmueble, los gastos previstos como deducibles en la Ley del IRPF. Y ello, en tanto el artículo 24.6 del Texto Refundido de la Ley del Impuesto sobre la Renta de No Residentes reconocía a los residentes en un país de la Unión Europea, o del Espacio Económico Europeo con el que exista un efectivo intercambio de información tributaria, la posibilidad de deducir esos gastos, pero no contemplaba tal posibilidad para los residentes de fuera de la Unión Europea.

La AN recuerda que la libre circulación de capitales es aplicable a residentes en terceros estados, de manera que limitar la posibilidad de deducir gastos a los residentes en la Unión Europea o del Espacio Económico Europeo, sin aceptar que tal derecho a la deducción se refiera también a residentes en terceros países, vulnera esta libertad comunitaria. En suma, todos los contribuyentes no residentes, y no solo los que tengan residencia en la Unión y en el Espacio Económico Europeo, deben tener la posibilidad de deducir en el IRNR los gastos correspondientes a la hora de determinar el rendimiento neto de sus inmuebles arrendados[23].

4. EXISTENCIA DE UN RÉGIMEN DE CONSULTAS VINCULANTES MUY FAVORABLE AL QUE PUEDEN ACUDIR LOS NO RESIDENTES

El régimen vigente de las consultas vinculantes se contiene en los artículos 88 y 89 de la Ley General Tributaria (LGT) y en la Subsección Segunda del Capítulo II del del Título III del Real Decreto 1065/2007, de 27 de julio, por el que se aprueba el Reglamento General de las actuaciones y los procedimientos de gestión e inspección tributaria y de desarrollo de las normas comunes de los procedimientos de aplicación de los tributos (artículos 65 a 68). Así, el artículo 88,1 de la LGT, señala que "los obligados

23 Todo lo cual ha propiciado diversos cambios legislativos como la modificación de la Disposición Adicional Cuarta por el artículo Quinto, Tres de la Ley 11/2021, de 9 de julio, de medidas de prevención y lucha contra el fraude fiscal, de transposición de la Directiva (UE) 2016/1164, del Consejo, de 12 de julio de 2016, por la que se establecen normas contra las prácticas de elusión fiscal que inciden directamente en el funcionamiento del mercado interior, de modificación de diversas normas tributarias y en materia de regulación del juego. Esta Disposición dispone que "los contribuyentes no residentes tendrán derecho a la aplicación de la normativa propia aprobada por la Comunidad Autónoma donde radique el mayor valor de los bienes y derechos de que sean titulares y por los que se exija el impuesto, porque estén situados, puedan ejercitarse o hayan de cumplirse en territorio español". También el Real Decreto-Ley 8/2023, de 27 de diciembre, que extiende el mínimo exento de 700.000 más 3.000.000 euros en el Impuesto de Solidaridad de Grandes Fortunas a los no residentes.

podrán formular a la Administración tributaria consultas respecto al régimen, la clasificación o la calificación tributaria que en cada caso les corresponda".

Las consultas son un instrumento de seguridad jurídica en un modelo de gestión de los tributos basado en la idea de que es el contribuyente el que ha de hacerlo todo: declarar, interpretar la ley, calificar los hechos, cuantificar el tributo y proceder a su pago. La Administración se reserva un control *a posteriori* y la potestad de comprobar y sancionar. En ese contexto, la consulta se erige en un instrumento de apoyo para que el obligado tributario pueda cumplir adecuadamente con su deber de formalizar su autoliquidación. Y esa virtualidad al servicio de la certeza del contribuyente se determina a partir del carácter vinculante de las respuestas. Como dispone el artículo 89 de la LGT, "la contestación a las consultas tributarias escritas tendrá efectos vinculantes, en los términos previstos en este artículo, para los órganos y entidades de la Administración tributaria encargados de la aplicación de los tributos en su relación con el consultante".

El derecho a formular consultas se ha de hacer efectivo "...antes de la finalización del plazo establecido para el ejercicio de los derechos, la presentación de declaraciones o autoliquidaciones o el cumplimiento de otras obligaciones tributarias" (artículo 88,2 de la LGT). Es decir, se reconoce el derecho a consultar a quienes han de declarar o autoliquidar en España por tener la condición de obligados tributarios ante la Administración Tributaria española. Por eso, el derecho a formular consultas también se atribuye a los no residentes obligados a tributar en España, que han de presentar autoliquidación por el IRNR o por la modalidad de obligación real del Impuesto sobre el Patrimonio (IP), bien directamente o por medio de sus representantes.

A pesar de que la LGT disciplina un régimen de consultas muy favorable para que los contribuyentes, también los no residentes, dispongan de certidumbre en el cumplimiento de sus obligaciones tributarias, aspectos concretos de su regulación y diversas cuestiones relativas a su aplicación práctica, han provocado, en los últimos tiempos, una pérdida de su virtualidad como instrumento de seguridad jurídica.

5. PREVISIÓN DE ALGUNAS MEDIDAS COMO LA CREADA POR LA COMUNIDAD DE MADRID EN LA LEY 4/2024

Si, como hemos dicho, la inversión inmobiliaria ha estado creciendo en España en los últimos años, la Comunidad de Madrid ha sido la que ha experimentado un mayor incremento. Madrid recibió en 2024 más del 67 % de toda la inversión inmobiliaria extranjera, llegando a concentrar hasta el 72 % del capital foráneo[24]. Al margen de otros

24 Datos de la Estadística Registral Inmobiliaria, https://www.registradores.org/actualidad/notas-de-prensa/-/asset_publisher/VkEXepWEVFi3/content/estadistica-registral-inmobiliaria-1er-trimestre-de-2025, (consulta en enero 2026).

factores que pueden explicar esta circunstancia, incluido el denominado "efecto sede" (que en la inversión en vivienda tiene una importancia comparativa menor que en otro tipo de inversiones[25]) en la Comunidad de Madrid también se han producido decisiones fiscales de su gobierno autonómico que pueden explicar, en parte, ese crecimiento de la inversión inmobiliaria.

Alguna de estas decisiones de política fiscal ha funcionado como un factor de atracción de residentes de alto poder económico, incentivando la adquisición de inmuebles con destino a vivienda. Por ejemplo, la aprobación por la Comunidad de Madrid, dentro de sus competencias normativas en relación con el Impuesto sobre el Patrimonio y mediante el Decreto Legislativo 1/2010 de 21 de octubre, de una bonificación del 100 % en la cuota del Impuesto. El deber de declarar se establecía para contribuyentes con un patrimonio superior a dos millones de euros. Ello suponía, *de facto*, la ausencia de Impuesto sobre el Patrimonio en la Comunidad de Madrid, lo que sirvió para atraer la residencia en Madrid de contribuyentes que optaban por trasladarse a España. No obstante, la aprobación por la Ley 38/2002, de 27 de diciembre, para el establecimiento de gravámenes temporales energético y de entidades de crédito y establecimientos financieros de crédito, del Impuesto Temporal de Solidaridad de las Grandes Fortunas (ITSGF) con "fines extrafiscales de armonización" (avalado por el TC en sentencia 149/2023, de 7 de noviembre), llevó a la Comunidad a "reimplantar" el impuesto mediante la suspensión temporal de la citada bonificación por Ley 12/2023, de 15 de diciembre y con efectos 1 de enero de 2023.

Pero en línea de estimular la captación de nuevos residentes de cierto nivel económico, la Ley 4/2024 de 20 de noviembre, que modifica el Decreto Legislativo 1/2010, relativo a los tributos cedidos a la Comunidad de Madrid, estableció una deducción en la cuota íntegra autonómica del IRPF para nuevos residentes que trasladen su residencia a España, y, en concreto, a la Comunidad de Madrid, no habiendo residido en territorio español los cinco años anteriores y manteniendo la residencia el año del traslado y cinco años más. Para aplicar esta deducción, además del traslado a la Comunidad de Madrid, se requiere la realización de ciertas inversiones, en valores representativos de la participación en fondos propios de entidades no cotizadas. La cuantía de la deducción es del 20 %, del importe de las inversiones, sin que se prevea un límite cuantitativo. Sin embargo, entre las inversiones que habilitan la práctica de la deducción no se incluyen las derivadas de las compras de inmuebles.

Esta deducción ha recibido muchas críticas desde diversos puntos de vista. Desde la óptica de la igualdad, en tanto se dice que discrimina a los contribuyentes residentes en

[25] Maza, A., (2025), "Datos regionales del IDE. Hay que prestar atención al efecto sede", https://alde.es/blog/datos-regionales-de-ied-hay-que-prestar-atencion-al-efecto-sede/, (consulta en enero 2026).

Madrid que realizan inversiones similares frente a los nuevos residentes procedentes del extranjero. Además de subrayarse la poco o nula conexión que tiene el presupuesto de la deducción con la realización de una actividad productiva en la Comunidad de Madrid. Su hecho generador es la adquisición de activos financiero, sin que se requiera que la inversión se materialice en activos o en empresas situadas en Madrid.

En realidad, el único impacto real en la economía de esta deducción de la Comunidad de Madrid vendría por el hecho de la adquisición de la residencia fiscal de contribuyentes de poder económico elevado, y del efecto de estímulo económico que ello podría reportar. Ello podría, indirectamente, estimular la adquisición de viviendas en Madrid, aunque no directamente, porque, como apuntamos, entre las inversiones que legitiman la aplicación de la deducción no se encuentran la adquisición de inmuebles.

Hay que decir que una deducción similar se incluyó en la Ley de Acompañamiento a los Presupuestos Generales de Cantabria para 2025 (Ley 2/2024, de 23 de diciembre), en la cual sí se prevé, como presupuesto, la inversión en inmuebles, salvo que se destinen a vivienda habitual o al alquiler turístico.

II. LA INVERSIÓN INMOBILIARIA POR PERSONAS FÍSICAS Y EL USO DE INSTRUMENTOS SOCIETARIOS

En función de lo expuesto hasta ahora puede deducirse que nos estamos centrando en inversiones inmobiliarias por personas físicas residentes en el exterior con la finalidad de dedicar el inmueble adquirido a primera o segunda residencia o al alquiler. En tal caso, la persona física no residente titular de un inmueble en España estará sujeta al IP, en su modalidad de obligación real de contribuir. La obligación real está disciplinada en el artículo 5, Uno, b) de la Ley 19/1991, de 6 de junio, reguladora de dicho impuesto, Y, en su caso y si se tiene un patrimonio superior a los 3.000.000 de euros, tributará por el ITSGF, en vigor desde el 29 de diciembre de 2022. Obviamente, tiene también relevancia la existencia de un CDI entre España y el país de residencia del titular del inmueble.

Y en cuanto a los rendimientos que obtengan las personas físicas no residentes que adquieren un inmueble en España, normalmente resultarán gravados por el IRNR, como no residentes sin establecimiento permanente. La DGT, a través, entre otras, de la Consulta de 13 de noviembre de 2017 (V2915/2017), ha defendido que la mera titularidad de un inmueble en España no constituye un establecimiento permanente. En especial, si el inmueble no se dedica al arrendamiento con una estructura que incluya un mínimo de medios materiales y personales. Dice el Centro Directivo en esta respuesta a consulta que "tratándose... de servicios de arrendamiento de un bien inmueble, para cuya provisión basta la titularidad del bien objeto de explotación y, en su caso, la subcontratación de la gestión del propio arrendamiento o la subcontratación de los servicios de mediación necesarios para el desarrollo de dicha actividad, debe concluirse que, dado que dicho bien constituye una estructura productiva adecuada para la prestación del servicio de arrendamiento y que, presumiblemente, tendrá un grado suficiente de permanencia en el territorio de aplicación del impuesto, puede concluirse que el propio bien inmueble constituye un establecimiento permanente de la consultante en dicho ámbito espacial". No obstante, para la DGT, y atendiendo a la doctrina del TEAC al respecto[26], si "la consultante no mantiene en el territorio de aplicación del Impuesto de forma permanente medios materiales y humanos, propios o subcontratados, para el ejercicio de la actividad de arrendamiento, debe concluirse que no dispone en dicho territorio de un establecimiento permanente".

Por tanto, los rendimientos procedentes de la explotación de un inmueble situado en España y propiedad de un no residente se consideran generalmente obtenidos sin mediación de establecimiento permanente, tributando por cada renta devengada de forma separada al tipo general del 19 %. El artículo 24, 6 del Texto Refundido de la Ley del IRNR permitía que los contribuyentes residentes en otro Estado miembro de la Unión Europea y del Espacio Económico Europeo, con efectivo intercambio de información, pudiesen deducir los gastos previstos en el artículo 23 de la Ley del IRPF, siempre que acrediten que están relacionados directamente con los rendimientos obtenidos en España. Sin embargo, y como hemos visto, la sentencia de la AN de 28 de julio de 2025, aplicando la libre circulación de capitales del artículo 63 del TFUE, reconoce la deducibilidad de este tipo de gastos también a residentes extracomunitarios. Este precepto del TFUE prohíbe, con carácter general, todas las restricciones a los movimientos de capitales, tanto entre Estados miembros, como entre éstos y terceros países. Por lo que la libre circulación de capitales es aplicable a residentes en terceros estados. La limitación de la posibilidad de deducir gastos a los residentes en la Unión Europea o en el Espacio Económico Europeo, sin aceptar que los residentes en terceros países puedan también aplicar esta deducción, vulnera esta libertad comunitaria. Y, a pesar de que el Tribunal reconoce el esfuerzo del legislador, a través de las distintas reformas del artículo 24, 6 del Texto Refundido de la Ley del IRNR, por acomodar esta norma al Derecho de la Unión, sostiene que dicha acomodación no resulta plena al no extender el derecho a deducir gastos en arrendamientos de inmuebles a los residentes en terceros estados[27].

---

26 Concretamente se hace referencia a la Resolución de 20 de octubre de 2016, nº 2330/2013/00/00.

27 Ese "esfuerzo legislativo" a que hace referencia la AN, pasa por la propia introducción del apartado 6 del artículo 24, que tiene lugar en el Artículo Cuarto de la Ley 2/2010, de 1 de marzo, por la que se trasponen determinadas Directivas en el ámbito de la imposición indirecta y se modifica la Ley del Impuesto sobre la Renta de no Residentes para adaptarla a la normativa comunitaria. Con este precepto se reconoce el derecho a deducir gastos en el caso de la determinación de rendimientos íntegros de capital inmobiliario, a los residentes de países de la Unión Europea. Esta medida legislativa es consecuencia directa del procedimiento de infrac-

Procede la AN a otorgar relevancia a la primacía y efecto directo del Derecho de la Unión Europea, inaplicando la norma interna y sin plantear cuestión prejudicial ante el TJUE. Al no ser la AN un tribunal jurisdiccional cuyas decisiones no son susceptibles de ulterior recurso judicial de derecho interno, no tiene una obligación general de plantear la cuestión prejudicial. Por el contrario, el TS sí tiene este deber, de acuerdo con el artículo 267 del TFUE, salvo que aprecie, acto claro, acto aclarado o impertinencia.

El alquiler, no obstante, podrá tener la condición de actividad económica realizada mediante establecimiento permanente en las situaciones en las que se cuente con una estructura organizativa propia en España, como una oficina o local destinado a la gestión del alquiler y, al menos, una persona empleada con contrato laboral y a jornada completa para dicha gestión. Debe tenerse en cuenta la postura del TS en la sentencia de 4 de julio de 2025 (sentencia 956/2025, nº rec. 2197/2023), en la cual el Alto Tribunal considera que no resulta necesario "justificar la contratación de la persona desde un punto de vista económico" ni acreditar una "carga mínima de trabajo".

En la terminología de la Unión Europea, las inversiones que conllevan una actividad económica pueden identificarse con las llamadas "inversiones directas". Como dice la sentencia del TJUE *Yvon Welte y Finanzamt Velbert*, de 17 de octubre de 2013 (As. C-181/12), la propiedad de una vivienda no será una "inversión directa" cuando tiene la condición de pura inversión inmobiliaria "efectuada con fines privados sin relación con el ejercicio de una actividad económica" (apartado 35)[28]. La diferencia es muy importante porque la cláusula *standstill* a que haremos referencia y que se incluye en el artículo 64 del TFUE, permite el mantenimiento de las restricciones vigentes a 31 de diciembre 1993 en materia de movimientos de capitales, con destino a terceros países o procedentes de ellos, que "supongan inversiones directas, incluidas las inmobiliarias"[29].

---

ción contra España (IP/08/1553) incoado por la Comisión europea. Mediante Ley 26/2014, de 27 de noviembre, por la que se modifican la Ley 35/2006, de 28 de noviembre, del Impuesto sobre la Renta de las Personas Físicas, el texto refundido de la Ley del Impuesto sobre la Renta de no Residentes, aprobado por el Real Decreto Legislativo 5/2004, de 5 de marzo, y otras normas tributarias, esta posibilidad se ampliaría a residentes en países del Espacio Económico Europeo.

28 Dice este apartado 35 de la sentencia del TJUE que "en cambio, inversiones inmobiliarias de carácter *patrimonial*, como aquellas de que se trata en el asunto principal, que se refieren a la casa de los padres de la causante, efectuadas con fines privados sin relación con el ejercicio de una actividad económica, no están comprendidas en el ámbito de aplicación del artículo 57 CE, apartado 1". El artículo 57 mencionado equivale al actual 64 del TFUE, que incluye la denominada cláusula *standstill* a que haremos referencia.

29 AEDAF, Denegación de la deducción de los gastos por alquiler en los rendimientos del capital inmobiliario percibidos por no residentes en la UE-EEE: análisis de su compatibilidad con el Derecho de la Unión Europea, 15 de marzo de 2021, www.aedaf.es/es/documentos/descarga/51133/denegacion-de-la-deduccion-de-los-gastos-por-alquiler-en-los-rendimientos-

Esta cláusula que supone uno de los principales límites a la libre circulación de capitales, restringe su aplicación a las inversiones directas, que, por exclusión, serían las realizadas en el ejercicio de una actividad económica y que no tuvieran carácter patrimonial o privado.

1. EL RECURSO A ENTIDADES INTERPUESTAS POR NO RESIDENTES PARA LA ADQUISICIÓN O TITULARIDAD DE INMUEBLES EN ESPAÑA

A pesar de que, en la normalidad de los casos, las adquisiciones de inmuebles en España por extranjeros tienen lugar directamente por las personas físicas que van a residir en ellos o que los prevén alquilar sin tener la condición de empresarios, en la práctica es muy frecuenten que residentes en el exterior que compran inmuebles en España acudan a estructuras que conllevan la adquisición de estos inmuebles interponiendo alguna entidad con personalidad jurídica, situada también en el exterior.

No nos detendremos, por razón de espacio, en los supuestos de adquisición de inmuebles por entidades inversoras que, con frecuencia, tienen la condición de grandes tenedores. Es lo que ocurre con los fondos de inversión inmobiliaria o con los Fondos de *Private Equity Real Estate* (PERE). Éstos se verán favorecidos por la libre circulación de capitales, contemplada en el artículo 63 del TFUE y aplicable también a países terceros y por la mencionada sentencia del TS de 13 de noviembre del 2019. Mención aparte merecen las Sociedades Anónimas Cotizadas de Inversión en el Mercado Inmobiliario (SOCIMI), equivalentes a los *Real Estate Investment Trust* (REIT)[30], que disponen de un conocido régimen privilegiado[31]. A ellas haremos referencia para mencionar la prevista modificación de su fiscalidad.

Aun cuando el régimen fiscal de las propias SOCIMI es ventajoso, los socios personas físicas de las mismas, cuando sean no residentes sin establecimiento permanente en España y perciban dividendos de la entidad, estarán sujetos a una retención del 19%.

---

del-capital-inmobiliario-percibidos-por-no-residentes-en-la-ue-eee-analisis-(consulta en enero 2026).

30 Existen otros regímenes similares a las REIT en otros países, como es el caso de las Fiscale *Beleggingsinstelling* de Países Bajos o las *Listed Property Trust* australianas; Falcón y Tella, R.- Pulido Guerra, E., (2018), *Derecho Fiscal Internacional, Derecho Fiscal Internacional*, Marcial Pons, Madrid, pág. 258.

31 Las SOCIMI están sujetas en el Impuesto de Sociedades a un tipo del 0 % sobre los beneficios derivados de rentas cualificadas (alquiler de inmuebles, plusvalías de venta, etc.). Si no se cumplen los requisitos (por ejemplo, no mantener inmuebles arrendados durante al menos 3 años), dejarían de tributar al 0 % y pasarían a tributar al tipo general (25 %) con carácter retroactivo. Deben repartir al menos el **80 % de las rentas del alquiler** y el **50 % de las plusvalías por venta** de activos.

Ello con la salvedad de que resulte aplicable la exención de la Directiva matriz-filial 2011/96/UE del Consejo de 30 de noviembre de 2011, vigente desde 1 de enero de 2012, porque el perceptor resida en un país de la Unión Europea. O porque proceda una retención más reducida o nula, consecuencia de que el perceptor reside en un país con CDI con España.

La OCDE se ha pronunciado sobre la aplicación de los CDI a estas entidades, en su Informe *Tax Treaty Issues Related to REITS*, de 2008. En este informe, a la hora de calificar los rendimientos percibidos por personas físicas a través de este tipo de sociedades, sostiene que, si se trata de pequeños inversores que carecen del control de la entidad, la calificación debe ser la de dividendos. Lo que supone que, para la OCDE, sólo deben catalogarse como rentas inmobiliarias los rendimientos y ganancias de capital de grandes inversores de las REIT, cuando los mismos ostenten el control de la entidad[32].

Existe, al mismo tiempo, un régimen de tributación agravada, previsto en el artículo 9º, 2 de la Ley 11/2009, de 26 de octubre, por la que se regulan las Sociedades Anónimas Cotizadas de Inversión en el Mercado Inmobiliario, cuando la entidad reparta beneficios a socios cuya participación en el capital social sea igual o superior al 5% y dichos dividendos, en sede de tales socios, estén exentos o tributen a un tipo de gravamen efectivo inferior al 10%. En este caso, se prevé la aplicación de un gravamen especial, en sede de la SOCIMI, por el que ésta viene obligada a tributar a un tipo del 19% sobre el importe de los dividendos repartidos a los socios que cumplan los referidos requisitos. Se aplicará en el caso de inversores residentes en un paraíso fiscal o en jurisdicciones en las que dicho reparto de dividendos pueda acogerse a un régimen de *participation exemption*[33].

Al margen de las SOCIMI, y centrándonos en entidades residentes en el exterior, entre las utilizadas destacan las *Limited Liability Company* (LLC), de Estados Unidos, las cuales, como ha reconocido la DGT, tienen personalidad jurídica propia a efectos fiscales[34] y una tributación en régimen de transparencia o *pass-through*, aunque, de

---

32 Vermeulen, H., "General Report: The Tax Treatment of CIVs and REITs", (2014), *The Tax Treatment of CIVs and REITs*, IBFD, Amsterdam, págs. 9 a 11; Falcón y Tella, R.-Pulido Guerra, E., (2018), *Derecho Fiscal Internacional, Derecho Fiscal Internacional*, pág. 260.

33 Según la Consulta de la DGT de 11 de febrero de 2014 (V0346-14), el gravamen superior o igual al 10% al que deben quedar sometidos a tributación los resultados distribuidos por la SOCIMI en sede de los socios, debe entenderse referido al tipo nominal al que normalmente estarían sujetos a tributación en España los socios que percibieran el dividendo.

34 Consulta de la DGT de 1 de marzo de 2000 —0399-00— y de 30 de octubre de 2001 —1931-01—, de 30, y consultas vinculantes de 2 de junio de 2005 —V0997-05— Entre otras, las consultas, en las que se dice que "la sociedad LLC tiene personalidad jurídica y está sujeta a un régimen de tributación especial similar al régimen de transparencia fiscal establecido en la Ley del Impuesto sobre Sociedades. Las características principales de este régimen son: las rentas

acuerdo con el régimen opcional *check the box,* pueden renunciar a la transparencia. Esto es, es posible optar porque tribute la sociedad y no los socios. Las LLC de Estados Unidos que sólo tengan inmuebles en el exterior no destinados a una actividad económica son, desde la perspectiva del derecho norteamericano, entidades Non-ECI (Non *Effectively Connected Income*), es decir, carecen de ingresos efectivamente conectados con el territorio de Estados Unidos, lo que las exime de tributar en el país por impuestos federales.

Lo habitual, cuando se acude a una LLC, no es que ésta sea la titular de los inmuebles en España, sino que la misma controle a una sociedad de residencia española, que será la propietaria de los inmuebles. Dicho control puede venir por la fórmula de configurarse la LLC como matriz de la residente española, pero también como resultado de la formalización de un contrato asociativo tipo *Closed Commanditaire Vennootschap* con arreglo a la normativa de los Países Bajos, mediante la puesta en común de determinados activos[35].

También nos encontramos con supuestos en que se acude a *Limited Partnership* (LP) de Canadá, constituida bajo la legislación de una provincia canadiense (frecuentemente, Ontario). Las LP pueden ser propietarias de inmuebles fuera de Canadá, debiendo contar con, al menos, un socio general (con responsabilidad ilimitada) y uno o más socios limitados[36].

Y también son cada vez más frecuentes en la práctica los supuestos en que se acude a fundaciones de interés privado, lo cual rompe la lógica de nuestro ordenamiento jurídico, donde, por imperativo del artículo 34,1 de la Constitución, las fundaciones

---

obtenidas por la LLC no están sujetas a tributación en sede de la propia sociedad, sino en sede de sus socios; las rentas atribuidas a sus socios se consideran, a efectos fiscales, de la misma naturaleza que las rentas obtenidas por la LLC; la tributación en sede de sus socios se produce en el mismo ejercicio fiscal en que las rentas son obtenidas por la LLC".

35 A este tipo de operaciones se ha referido también la DGT en la Consulta Vinculante de 4 de diciembre de 2007 (V2614-07). El Centro Directiva se refiere a que la *Closed Commanditaire Vennootschap* "carece de personalidad jurídica propia" y que "...tiene la consideración de entidad en régimen de atribución de rentas según la ley fiscal holandesa. Las rentas que obtiene no tributan por el Impuesto de Sociedades de los Países Bajos, sino que se someten a imposición en sede de sus socios. Y en cuanto las rentas derivadas de la constitución de una entidad de este tipo, dice que "en consecuencia, la aportación de las acciones de la sociedad residente en España a la CV cerrada generará una ganancia o pérdida patrimonial para la consultante que España podrá someter a gravamen si concurren las circunstancias previstas en el artículo 13.4 del CDI Hispano Estadounidense", añadiendo que "la renta derivada de esta aportación, en su caso, será considerada como una renta obtenida en territorio español, de acuerdo con lo dispuesto en el artículo 13.1.i) 1º) del TRLIRNR".

36 Véase la Consulta Vinculante de la DGT de 18 de septiembre de 2008 (V1704-08)

persiguen fines de interés general. El artículo 2,1 de la Ley 50/2002, de 26 de diciembre, de Fundaciones, define las fundaciones como "las organizaciones constituidas sin fin de lucro que, por voluntad de sus creadores...tienen afectado de modo duradero su patrimonio a la realización de fines de interés general". Y el artículo 3,1 de la Ley 49/2002, de 23 de diciembre, de régimen fiscal de las entidades sin fines lucrativos y de los incentivos fiscales al mecenazgo, dice que las fundaciones, como entidades sin fines lucrativos, "... persiguen fines de interés general...".

Entre los países a los que se acude, porque su régimen doméstico prevé fundaciones privadas, destacan Panamá, con sus Fundaciones de Interés Privado (FIP), reguladas por la ley panameña 25, de 12 de junio de 1995, y Liechtenstein, con las *Stiftung*.

Las FIP tienen personalidad jurídica propia tal y como establece el artículo 9 de la Ley 25, de 12 de junio de 1995, de Panamá. Por tanto, pueden ser titulares de bienes muebles e inmuebles situados fuera de la República de Panamá. La interposición de una FIP supone que la propietaria del inmueble será la fundación y no el promotor. Como ha dicho la DGT en consulta de 24 de marzo de 2014 (V0820-14), si la persona física no tiene "ningún tipo de derecho sobre los activos de la Fundación de Interés Privado panameña", no será titular y no tributará en concepto de tal en el Impuesto sobre el Patrimonio. Por tanto, sólo habrá gravamen por la titularidad "en el caso que los fundadores mantuvieran algún derecho". En una línea similar se pronuncia el Centro Directivo en la consulta de 24 de agosto de 2021 (V2407-21).

También respecto a las *Stiftung*, la DGT ha reconocido que "tienen personalidad jurídica propia bajo las leyes de Liechtenstein y se rigen por un órgano independiente, el *Board of Foundations...*" Por tanto, pueden ser titulares de inmuebles en España, inmuebles que, previamente, han de ser aportados por los promotores a la fundación de interés privado. Según la DGT, en la citada consulta, "el fundador no mantiene ningún tipo de derechos sobre los bienes transmitidos ni ninguna potestad o control sobre los órganos de gestión citados, luego pierde cualquier poder de disposición sobre los bienes aportados. Los beneficiarios no tienen tampoco ningún derecho de disposición ni de control sobre estas entidades" (consulta de 25 de febrero de 2016 —V0781-16—). Las *Stiftung* de Liechtenstein pueden ser registradas o no registradas, y ambas modalidades no tributan por sus beneficios, sino que están gravadas por un impuesto "a tanto alzado" de un 0,2 % del capital invertido, cuyo mínimo es de 30.000 francos suizos (20.000 euros)[37].

37 Falcón y Tella, R.-Pulido Guerra, E., (2018), *Derecho Fiscal Internacional, Derecho Fiscal Internacional*, pág. 262.

2. RIESGOS ASOCIADOS AL USO DE ESTE TIPO DE ENTIDADES

A pesar de que el uso de estas entidades ha venido siendo habitual y ha formado parte de las distintas estrategias de planificación fiscal, la interposición de las mismas genera diversos riesgos. El principal de ellos es que estamos ante situaciones proclives a ser objeto de una comprobación inspectora. Ese riesgo se percibe si nos atenemos a lo señalado en el Plan de Control Tributario y Aduanero de la Dirección General de la Agencia Estatal de Administración Tributaria, aprobado por Resolución de 27 de febrero de 2025. En el mismo se señala que "en el ámbito de los no residentes, se intensificarán las actuaciones para la regularización de infra-retenciones en las rentas de artistas y deportistas y rentas/ ganancias derivadas de inmuebles". A lo que se añade que "se seguirá prestando especial atención a la interposición abusiva y ficticia de las sociedades mercantiles como mecanismo para reducir la carga tributaria de un patrimonio o conjunto de patrimonios". Esa misma preferencia en la comprobación se mantiene cuando lo interpuesto no sea una sociedad mercantil en sentido estricto, sino una entidad de otro tipo.

Estas inspecciones suelen aplicar respecto a algunas de estas entidades (en particular, las FIP panameñas) el criterio administrativo consistente en no reconocer, a efectos fiscales, su personalidad jurídica plena, cuando son utilizadas como vehículos patrimoniales privados. Ello supone concebirlas como "instrumentos de mera tenencia de bienes", siendo una figura asimilable a un *trust* anglosajón. Y en relación con los bienes propiedad de los *trusts*, sabido es que es frecuente su utilización para invertir en inmuebles. Respecto a los *trusts* y fideicomisos, la DGT sostiene de forma continuada (consultas de 30 de octubre de 2008 —V1991-08—, 22 de marzo de 2013 —V0936-13— y 26 de marzo de 2018 —V0817-18) que se trata de figuras no reconocidas en España. En la Consulta de 22 de marzo de 2013 —V0936-13— se concluye que "la figura del trust no está reconocida por el ordenamiento jurídico español. Así, el Convenio o Convención de La Haya, de 1 de julio de 1985, sobre ley aplicable al *trust* y su reconocimiento, no ha sido ratificado por España...". De manera que las relaciones económicas entre los aportantes de bienes y derechos y sus destinatarios o beneficiarios a través del *trust* se consideran realizadas directamente entre unos y otros, como si el *trust* no existiese, "imponiendo así una suerte de régimen de transparencia fiscal sobre esta figura"[38].

Al tiempo, el Centro Directivo venía defendiendo que en los *trusts* irrevocables la transmisión de los bienes depositados en el *trust* tenía lugar con su constitución —consulta de 26 de marzo de 2018 —V0817-18—, criterio que cambia con la consulta de 11 de diciembre de 2019 —V3394-19—. A partir de este pronunciamiento de la DGT,

---

[38] Ibor Asensi, P., (2019), "La tributación de los trust en España", *Carta Tributaria*, Revista de Opinión, nº 52, julio, págs. 42 y 43.

se supera el criterio anterior, difiriéndose la transmisión de los bienes aportados por el promotor y la efectiva tributación del beneficiario, al momento en el que tenga lugar alguna de las contingencias (*inter vivos* o *mortis causa*) que conduzca a la adquisición de los bienes depositados en el *trust*[39]. En la práctica, lo habitual es que, como la figura no está reconocida ni regulada en el ordenamiento español, el *trustee* figure como titular de los bienes y sea a él al que se le atribuyan las consecuencias fiscales de la titularidad. Y ello, aunque quien deba tributar por las rentas obtenidas a través del *trust* sea el beneficiario último[40]. Por eso, las inspecciones sobre los inmuebles en España titularidad de un *trust* suelen conllevar regularizaciones con imputación de rentas al *beneficial owner*.

Al margen del riesgo potencial de inspección, el uso de estas entidades, en tanto cuentan con personalidad jurídica (y así lo ha reconocido la DGT), supondrá que sean sujetos pasivos del gravamen especial sobre bienes inmuebles, previsto en los artículos 40 a 45 del Real Decreto Legislativo 5/2004, de 5 de marzo, por el que se aprueba el texto refundido de la Ley del IRNR, si el país donde se encuentra la entidad tiene la condición de paraíso fiscal. El concepto de *paraíso fiscal* se ha actualizado legalmente, para pasar a denominarse *jurisdicción no cooperativa*, como consecuencia de la Ley 11/2021, de 9 de julio, de medidas de prevención y lucha contra el fraude fiscal y de transposición de la Directiva (UE) 2016/1164 del Consejo, de 12 de julio de 2016, de normas contra las prácticas de elusión fiscal que inciden en el funcionamiento del mercado interior[41].

El concepto de *jurisdicción no cooperativa* ha sido introducido en nuestro ordenamiento por la Disposición Adicional Primera de la Ley 36/2006, de 29 de noviembre, de medidas para la prevención del fraude fiscal, modificada por el artículo decimosexto de la citada Ley 11/2021. No obstante, la concreción de la lista de territorios encuadrables bajo ese concepto requería la aprobación de una Orden Ministerial al efecto, indicándose que, en tanto la misma no estuviera vigente, se considerarán como jurisdiccio-

---

39 Campanón Galiana L. (2020), "Tratamiento de la ya no tan desconocida figura del Trust en nuestro ordenamiento jurídico tributario", *Blog Tributario Taxlandia*, 2 de julio de 2020, https://www.politicafiscal.es/equipo/laura-campanon-galiana/tratamiento-de-la-ya-no-tan-desconocida-figura-del-trust-en-nuestro-ordenamiento-juridico-tributario (consulta en enero 2026).

40 Falcón y Tella, R.-Pulido Guerra, E., (2018), *Derecho Fiscal Internacional, Derecho Fiscal Internacional*, pág. 264.

41 La Ley 11/2021 modificó, en su artículo decimosexto, la disposición adicional primera de la Ley 36/2006, de 29 de noviembre, de medidas para la prevención del fraude fiscal. La nueva redacción dada a dicha disposición adicional adecúa el término de paraísos fiscales al concepto de jurisdicciones no cooperativas. Asimismo, se actualizan los criterios para la determinación de los países y territorios que tienen la consideración de jurisdicciones no cooperativas atendiendo a los trabajos desarrollados en el ámbito internacional, tanto en el marco de la Unión Europea como en el de la OCDE.

nes no cooperativas los territorios que, estando incluidos en el antiguo RD 1080/1991, de 5 de julio, no hubieran dejado de tener esa consideración con posterioridad. Y el RD 1080/1991 incorporaba la lista de paraísos fiscales. Tal lista negra fue actualizada por la Orden HFP/115/2023, de 9 de febrero, por la que se determinan los países y territorios, así como los regímenes fiscales perjudiciales, que tienen la consideración de jurisdicciones no cooperativas.

Pues bien, la Orden HFP/115/2023, no solo ha acomodado la regulación de los paraísos fiscales al concepto de "jurisdicciones no cooperativas", sino que, en consonancia con ello, ha adoptado un enfoque dinámico. Así, como señala su contexto, "la lista se revisará periódicamente a la vista de las actualizaciones internacionales y de los desarrollos y avances nacionales. En particular, conciliándolo con el resto de los criterios, como el relativo a los países y territorios de nula o baja tributación. Así, es importante tener en cuenta en la configuración de la lista qué países y territorios están intercambiando de forma efectiva información tributaria con España, puesto que la publicación de la lista debe operar como incentivo para seguir haciéndolo y no como desincentivo. Todo ello sin perjuicio de las consecuencias previstas en el ordenamiento jurídico para los países y territorios incluidos en las listas internacionales, figuren o no en las nacionales".

En resumen, la noción de "jurisdicciones no cooperativas", engloba, por una parte, el concepto de "regímenes fiscales perjudiciales", tal y como dispuso la Ley 11/2021, de 9 de julio. Por otro, suplanta y absorbe las categorías preexistentes de "paraíso fiscal" (concepto tradicional que aparecía en el Real Decreto 1080/1991, de 5 de julio), y las de territorio de "nula tributación" y "sin efectivo intercambio de información", surgidas estas dos últimas con la Ley 36/2006, de 29 de noviembre, de medidas para la prevención del fraude fiscal.

Y en esa lista de jurisdicciones no cooperativas de la Orden HFP/115/2023, de 9 de febrero no figuran ni Panamá ni Liechtenstein, y, obviamente, ni Canadá ni Estado Unidos. Por tanto, los países donde se sitúan las entidades que hemos puesto como ejemplo, no serían, para España, jurisdicciones no cooperativas, lo que supondría que no se aplicaría el gravamen especial sobre bienes inmuebles. Pero Panamá si está en la relación de jurisdicciones no cooperativas, aprobada el 10 de octubre de 2025, por el Consejo de la Unión Europea. Sin embargo, no tiene la condición de jurisdicción no cooperativa en España, entre otras cosas por la existencia de un CDI, en vigor desde el 25 de julio de 2011, con cláusula de intercambio de información[42]. No obstante,

42 Martín Jiménez, A.-Calderón Carrero, J. M., (2014), "Las normas antiparaíso fiscal españolas y su compatibilidad con el derecho comunitario: el caso específico de Malta y Chipre tras la adhesión a la Unión Europea", *Instituto de Estudios Fiscales,* documento nº 11, pág. 14; García-Olías Jiménez, C., (2005), "Situación actual de la fiscalidad en el pago de dividendos, intereses y cánones tras la adhesión de los nuevos Estados miembros a la Unión Europea. Especial

en la regulación del gravamen especial sobre bienes inmuebles se prevé la exención en diversas situaciones. Por ejemplo, si se trata de sociedades que cotizan en Bolsa o instituciones públicas extranjeras y, sobre todo, si la entidad realiza actividades económicas reales en España, más allá de poseer o alquilar el inmueble. Por tanto, en cualquier caso, no se aplicará el gravamen especial sobre bienes inmuebles si se puede acreditar la existencia de una actividad económica efectiva. La realización de dicha actividad económica, al tratarse de una sociedad radicada en el exterior, no estaría condicionada a los parámetros de persona contratada a tiempo completo, propios del ordenamiento interno español.

Téngase en cuenta además que el artículo 6 del Texto Refundido del IRNR se remite, a la hora de definir la residencia en España de las personas jurídicas, a lo dispuesto en la Ley del IS. Y el artículo 8 de la Ley 27/2014 dispone que "la Administración tributaria podrá presumir que una entidad radicada en algún país o territorio de nula tributación, según lo previsto en el apartado 2 de la Disposición Adicional Primera de la Ley 36/2006, de 29 de noviembre, de medidas para la prevención del fraude fiscal, o calificado como paraíso fiscal, según lo previsto en el apartado 1 de la referida disposición, tiene su residencia en territorio español cuando sus activos principales, directa o indirectamente, consistan en bienes situados o derechos que se cumplan o ejerciten en territorio español, o cuando su actividad principal se desarrolle en éste, salvo que dicha entidad acredite que su dirección y efectiva gestión tienen lugar en aquel país o territorio, así como que la constitución y operativa de la entidad responde a motivos económicos válidos y razones empresariales sustantivas distintas de la gestión de valores u otros activos". De manera que la interposición de estas entidades en un territorio de nula tributación (ahora, en una "jurisdicción no cooperativa") permitirá presumir la residencia en España, si su único activo fuese el inmueble situado en España.

referencia a los casos de Malta y Chipre", *Actualidad Jurídica Uría y Menéndez*, nº 10, págs. 29-31. En cualquier caso, los criterios para considerar a un Estado paraíso fiscal, se vinculan a lo que se establezca a nivel internacional. Así la Disposición Adicional Quincuagésima de la Ley 9/2017, de Contratos del Sector Público, dispone, en su párrafo primero, que "el Gobierno deberá actualizar la lista de países y territorios que tengan la calificación de paraíso fiscal de conformidad con lo señalado en la disposición adicional primera de la Ley 36/2006, de 29 de noviembre, de medidas para la prevención del fraude fiscal. Dicha actualización se realizará una vez que se hayan publicado las listas de jurisdicciones no cooperativas que se están preparando por la OCDE y la Unión Europea para que puedan ser tenidos en cuenta los resultados obtenidos".

III. ALGUNAS MUESTRAS RECIENTES DE INSEGURIDAD EN LA INVERSIÓN INMOBILIARIA PARA LOS NO RESIDENTES

Como hemos dicho, la inseguridad jurídica en España está coadyuvando a la reducción de la inversión exterior, aunque ello, por lo de ahora, no está afectando a la inversión inmobiliaria. Sin embargo, en los últimos años se están dando circunstancias de inseguridad que pueden afectar negativamente a dicha inversión en inmuebles por no residentes. Sin ánimo de exhaustividad, podemos señalar algunas de ellas.

1. LA EROSIÓN DE LAS CONSULTAS COMO FACTOR DE SEGURIDAD JURÍDICA

Al hablar de los elementos de seguridad jurídica que pueden ayudar a explicar la inversión inmobiliaria por no residentes en España nos hemos referido a las consultas tributarias vinculantes como instrumento de seguridad jurídica. A las mismas podrían acudir los no residentes, obligados a tributar por las rentas o la propiedad de inmuebles en territorio español. Sin embargo, las consultas, por diversas razones, están viendo menoscabada su virtualidad como elementos de certeza. Así, podríamos referirnos a cuestiones de índole legal y a otras debidas a algunas sentencias recientes, muy cuestionables.

Así, el plazo de resolución de las consultas de seis meses, previsto en el artículo 88,6 de la LGT, no suele cumplirse, demorándose en exceso y sin efecto alguno. No existe la posibilidad, como en los acuerdos previos de valoración (artículo 91,2 de la LGT) de que a la consulta se acompañe de una opinión o sugerencia de respuesta, elaborada por el obligado tributario, que permita aplicar el silencio positivo. Tampoco se comprueban los hechos descritos en la consulta, lo que tiene gran importancia, porque permite a la Administración alegar que tales hechos no son idénticos a los producidos en la realidad, y desvincularse de la respuesta, invocando el artículo 89,1 de la LGT, que dispone que el efecto vinculante sólo se mantiene "si no se hubieran alterado las circunstancias, antecedentes y demás datos recogidos en el escrito de consulta". Además, la respuesta a consulta no es recurrible, ya que, según el 89, 4 de la LGT, "la contestación a las consultas tributarias escritas tendrá carácter informativo y el obligado tributario no podrá entablar recurso alguno contra dicha contestación. Podrá hacerlo contra el acto o actos administrativos que se dicten posteriormente en aplicación de los criterios manifestados en la contestación".

Pero, sobre todo, hay que destacar dos aspectos que generan inseguridad en el régimen actual de las consultas. Por un lado, cuando la DGT cambia de criterio y lo hace en perjuicio del contribuyente, no se garantiza que dicho cambio de criterio se aplique prospectivamente. Y ello en contra de lo establecido en la LGT que, en su artículo 89,1 dice que los efectos vinculantes de las contestaciones a consultas tributarias para los órganos y entidades de la Administración tributaria encargados de la aplicación de los tributos se mantendrán "mientras no se modifique la legislación o la jurisprudencia aplicable al caso". La Ley parece dar a entender que el cambio de ley o de jurisprudencia puede, de cara al futuro, hacer perder el efecto vinculante de una respuesta que se ha dado tomando en consideración leyes posteriormente derogadas. Pero el TS ha admitido la aplicación retroactiva de un cambio de criterio de la DGT en la controvertida sentencia de 26 de junio de 2024 —recurso núm. 7664/2022, caso *Credit Suisse*. En esta resolución, el TS se enfrenta a un cambio de criterio de la DGT propiciado por la sentencia del TJUE de 19 de julio de 2012 (C-44/11, *Deutsche Bank*) que pasó a considerar sujeta al IVA la gestión discrecional de carteras de inversiones frente a la exención que se propugnaba anteriormente. El Supremo legitima un cambio de criterio de la DGT y su aplicación retroactiva vía regularización, en perjuicio de quienes no repercutían IVA confiados en el criterio anterior de exención. El Tribunal admite la eficacia retroactiva de este cambio de criterio, aduciendo la nueva interpretación del TJUE que postula la sujeción al IVA y la primacía del Derecho de la Unión.

También es de destacar que el TS ha propiciado una desvirtuación del carácter vinculante de las respuestas a consultas en sus sentencias de 22 y 25 de enero de 2024 (recursos núm. 6376/2022 y núm. 5994/2022). En las mismas se recuerda que las consultas no vinculan a los órganos judiciales, admitiéndose que éstos, a la hora de ejercer su función de controlar la legalidad de un acto de liquidación, deben analizar si se ha cumplido el artículo 89.1 de la LGT. Ello supone verificar si el órgano de la Administración ha seguido el criterio vinculante o si, por el contrario, se ha apartado del mismo. Pero, aun en el caso de que la Administración no haya seguido la pauta de una respuesta vinculante, no cabrá anular la liquidación si dicho órgano judicial considera incorrecto el criterio mantenido en esa respuesta o si existe doctrina administrativa o jurisprudencia posterior en sentido contrario a dicho criterio. Para el TS en estas sentencias, otra interpretación contravendría la función de la jurisdicción contencioso-administrativo como controladora de la legalidad.

En estas sentencias, y a cuenta de la no vinculación de la respuesta respecto a los tribunales administrativos y judiciales, el TS pone en tela de juicio el derecho a la vinculación de la respuesta, al proclamar que los tribunales siempre pueden entrar a valorar la legalidad de la misma. De manera que, frente a la tutela del derecho a la vinculación del artículo 89,1 de la LGT, prevalece la posibilidad de enjuiciar la acomodación a la ley de la respuesta dada por la DGT. Y, por tanto, prevalece el control de la legalidad de la respuesta frente al control de si se ha seguido o no el criterio de la DGT.

Todo lo cual contribuye a menoscabar la eficacia de la consulta vinculante como instrumento de seguridad, también para los no residentes obligados a tributar por la titularidad o renta de sus inmuebles en España.

2. RIESGO DE APLICACIÓN DE LA CLÁUSULA DE *STANDSTILL* EN RELACIÓN CON LA LIBRE CIRCULACIÓN DE CAPITALES

Ya hemos señalado la importancia que tiene para la inversión inmobiliaria exterior en España la pertenencia a la Unión Europea y la aplicación de la libre circulación de capitales, contenida en el artículo 63 del TFUE, que prohíbe todas las restricciones a los movimientos de capitales, tanto entre Estados miembros como entre éstos y terceros.

Pero la libertad de circulación de capitales contiene una importante excepción recogida en el artículo 64 del TFUE, que se conoce como la *grandfathering clause* o la cláusula *standstill*. En virtud de esta cláusula, se permite el mantenimiento de las restricciones vigentes a 31 de diciembre 1993 en materia de movimientos de capitales, con destino a terceros países o procedentes de ellos, que supongan inversiones directas, incluidas las inmobiliarias, el establecimiento, la prestación de servicios financieros o la admisión de valores en los mercados de capitales. De manera que la extensión de la libre circulación de capitales a terceros países puede exceptuarse si es posible invocar esta medida del artículo 64 del TFUE.

Señala este artículo del TFUE que "lo dispuesto en el artículo 63 se entenderá sin perjuicio de la aplicación a terceros países de las restricciones que existan el 31 de diciembre de 1993 de conformidad con el Derecho nacional o con el Derecho de la Unión en materia de movimientos de capitales, con destino a terceros países o procedentes de ellos, que supongan inversiones directas, *incluidas las inmobiliarias...*". Y el TJUE definido esta medida como una excepción a la eficacia expansiva de la libre circulación de capitales, al decir en el apartado 36 de la sentencia, *X GmbH y Finanzamt Stuttgart - Körperschaften,* de 26 de febrero de 2019, (As. C-135/17) que "la cláusula de *standstill* establecida en el artículo 64 TFUE, apartado 1, permite, como excepción al principio de libertad de circulación de capitales reconocido en el Tratado FUE, aplicar restricciones a determinados tipos de movimientos de capitales, siempre que, no obstante, esas restricciones *existan el 31 de diciembre de 1993*".

Como ha venido señalando la doctrina, la clave en la aplicación de esta cláusula está en cómo se interprete el requisito de concurrencia de una restricción "que exista a 31 de diciembre de 1993".

En primer lugar, el TJUE entiende que la cláusula del artículo 64 del TFUE, en tanto constituye una excepción "al principio fundamental de libertad de circulación de capitales", "debe interpretarse en sentido estricto" (apartados 80 y 81 de la sentencia *EV/Finanzamt Lippstadt* de 20 de septiembre de 2018 (As. C-685/16) y apartado 42 de la sentencia, *X GmbH y Finanzamt Stuttgart - Körperschaften,* de 26 de febrero de 2019, (As. C-135/17). En virtud de esta interpretación restrictiva se considerarán, en primer lugar, medidas legales existentes a 31 de diciembre de 1993, las disposiciones de derecho interno que hubieran sido aprobadas y hubieran entrado en vigor antes de esa fecha. Siempre y cuando "...el marco jurídico en el que se inserte la restricción de que se trate haya formado parte del ordenamiento jurídico del Estado miembro afectado ininterrumpidamente desde esa fecha" (apartado 48 de la sentencia *A* de 18 de diciembre de 2007 (As. C-101/05), apartado 34 de la sentencia *Prunus y Polonium*, de 5 de mayo de 2011 (As. C-384/09) y apartado 81 de la sentencia *SECIL* de 24 de noviembre de 2016 (As. C-464/14).

Pero también es posible que se consideren "normas existentes a 31 de diciembre de 1993", disposiciones aprobadas después de esa fecha. Ello ocurrirá cuando las normas aprobadas después del 31 de diciembre de 1993 "sean esencialmente idénticas a la legislación anterior o se limiten a reducir o suprimir un obstáculo al ejercicio de los derechos y libertades de la Unión que figure en la legislación anterior" (apartados 189 y 192 de la sentencia *Test Claimants in the Group Litigation* de 12 de diciembre de 2006 (As. C-446/04) y apartado 41 de la sentencia *Holböck* de 24 de mayo de 2007 (As. C-157/05).

Así, si la normativa aprobada con posterioridad a 31 de diciembre de 1993 es esencialmente idéntica a la que existía antes de esa fecha o subsana obstáculos previos, puede entenderse que la misma equivale a una norma anterior al 31 de diciembre de 1993. Pero ello será así, siempre y cuando esa norma posterior responda a la "misma lógica" que la aprobada antes del 31 de diciembre de 1993. Si se basa en una lógica diferente y establece procedimientos nuevos, no puede considerarse vigente a 31 de diciembre de 1993 (párrafo 87 de la sentencia del TJUE *Puffer* de 23 de abril de 2009 (As. C-460/07).

Por tanto, la excepción a la libre circulación de capitales sólo podrá activarse cuando se trate de limitaciones contenidas en normas vigentes antes del 31 de diciembre de 1993 y de normas posteriores a esa fecha que sean reproducción o subsanación de obstáculos de normas anteriores, siempre que responden a una lógica idéntica a la del precepto previo a 31 diciembre de 1993 y no supongan una auténtica innovación normativa.

Dicho esto, es necesario ver cómo se modula el alcance de la cláusula *standstill* respecto a las inversiones inmobiliarias y si ello puede suponer una restricción real a lo que supone la libre circulación de capitales para inversores extranjeros comunitarios y extracomunitarios que adquieren inmuebles en España. Y en tal sentido, la doctrina del TJUE, en la sentencia *Welte,* limita el alcance de la cláusula *standstill* y supone un *blindaje* de la libertad de circulación de capitales respecto a buena parte de la inversión en inmuebles.

Así, esta sentencia del TJUE *Yvon Welte y Finanzamt Velbert*, de 17 de octubre de 2013 (As. C-181/12), en su párrafo 35, analiza si una norma alemana, que sujeta a imposición al impuesto sobre sucesiones alemán un bien inmueble heredado por un extracomunitario, puede ampararse en la citada cláusula. Bajo la premisa de que la cláusula ha de ser interpretada en sentido estricto por ser una excepción a una libertad fundamental, concluye que la misma, al referirse a "inversiones directas, incluidas las inmobiliarias", únicamente está aludiendo a las inversiones inmobiliarias que constituyen inversiones directas según el epígrafe I del Anexo I de la Directiva 88/361, excluyendo así aquellas inversiones inmobiliarias de carácter "patrimonial" subsumibles en el epígrafe II del Anexo I de dicha Directiva. Son inversiones inmobiliarias puramente patrimoniales las que se efectúan "con fines privados", sin relación con el ejercicio de una actividad económica.

Esta doctrina del TJUE supone una garantía de la aplicación expansiva de la libre circulación de capitales en relación con inversiones inmobiliarias de carácter patrimonial "efectuadas con fines privados y sin relación con el ejercicio de una actividad económica". Dichas inversiones no estarían comprendidas en el ámbito de aplicación de la cláusula *standstill*, lo que supone que no habría, respecto a las mismas, elementos de inseguridad derivados de una restricción de la libre circulación de capitales. Por tanto, el artículo 64 del TFUE no sería, en sentido propio, un factor de inseguridad respecto a la adquisición de inmuebles en España por no residentes cuando tales inmuebles se destinen a uso residencial o al alquiler en condiciones que no supongan ejercer una actividad económica. A eso es a lo que se refiere la sentencia *Welte* cuando habla de "puras inversiones inmobiliarias" que no alcanzan el estatus de inversión directa, al constituir una inversión de carácter patrimonial efectuada con fines privados.

3. INTRODUCCIÓN DEL IMPUESTO A LA SOLIDARIDAD DE LAS GRANDES FORTUNAS

Implementado por Ley 38/2022, de 27 de diciembre, para el establecimiento de gravámenes temporales energético y de entidades de crédito y establecimientos financieros de crédito y por la que se crea el impuesto temporal de solidaridad de las grandes fortunas, y se modifican determinadas normas tributarias, se trata de un nuevo impuesto muy criticado y con una evidente finalidad de armonización, al que ya nos hemos referido. El ITSGF supuso una inaudita experiencia legislativa, al introducirse mediante una enmienda (número 9º) a la proposición de ley para el establecimiento de gravámenes temporales energético y de entidades de crédito y establecimientos financieros de crédito. Tal enmienda fue presentada por los Grupos Parlamentarios Socialista y Confederal de Unidas Podemos-Em Comú Podem-Galicia en Común, de acuerdo con lo establecido en el artículo 110 y siguientes del Reglamento de Congreso. Se criticó que esta enmienda no versase sobre la materia a que se refiere la proposición de ley que trata de modificar, como exigía el TC en el FJ 5 de su sentencia 23/1990, de 15 de febrero. No obstante, y también como hemos dicho, el TC ratificó la constitucionalidad del impuesto en su sentencia 149/2023, de 7 de noviembre.

La exigencia de este impuesto supone introducir un nuevo factor que puede desincentivar la inversión en inmuebles, especialmente en Comunidades Autónomas que habían eliminado *de facto* el Impuesto sobre el Patrimonio, singularmente la de Madrid, a la que ya nos hemos referido[43].

A pesar del factor de posible desincentivo para la compra de inmuebles en España que supone este impuesto, tal hipotético efecto se ha visto atemperado por la aplicación de la libre circulación de capitales.

Así, el artículo el artículo 3, Doce de la Ley 38/2022 recoge, en términos semejantes a lo dispuesto en el artículo 31, Uno de la Ley 19/1991, de 6 de junio, reguladora del IP, el límite a la cuota íntegra del impuesto, señalando que "la cuota íntegra de este impuesto, conjuntamente con las cuotas del Impuesto sobre la Renta de las Personas Físicas y del Impuesto sobre el Patrimonio, no podrá exceder, para los sujetos pasivos sometidos al impuesto por obligación personal, del 60 por 100 de la suma de las bases imponibles del primero". La sentencia del TS núm. 1.372/2025 de 29 de octubre de 2025 (nº rec. 4701/2023), extendió tal límite a los no residentes que tributan en el IP por obligación real, con argumentos perfectamente extrapolables al ITSGF[44]. Y, el TEAC, ya en relación con el ITSGF, sienta la doctrina de que el límite conjunto de cuotas del 60 % es también referible a contribuyentes no residentes, sujetos por obligación real de contribuir (Resoluciones de 18 de diciembre de 2025, RG 5527/2025 y 4119/2025).

Pero, además de crear el ITSGF, la Ley 38/2022, en su Disposición Final Tercera, modifica el artículo 5, Uno, de la Ley 19/1991 del IP, disponiendo que "se considerarán

43 Los sujetos acogidos al régimen de impatriados del artículo 93 de la Ley del IRPF tributarán en el ITSGF por obligación real de contribuir. Así se desprende de la modificación del artículo por la Ley 28/2022, de 21 de diciembre, de fomento del ecosistema de las empresas emergentes, según el cual "el contribuyente que opte por la tributación por el Impuesto sobre la Renta de no Residentes quedará sujeto por obligación real en el Impuesto sobre el Patrimonio". Este criterio, para el IP, es aplicable al ITSGF. Recordemos que su hecho imponible, según el artículo 3, Tres de la Ley 38/2022, es la titularidad por el sujeto pasivo en el momento del devengo de un patrimonio neto superior a 3.000.000 de euros y que las exenciones, base imponible, mínimo exento y devengo, se definen por remisión a las normas reguladoras del IP. Así lo ha defendido la DGT en Consulta de 24 de febrero de 2023 (V0424-23), donde dice que "como consecuencia de la remisión explícita a la LIP en cuanto a la determinación del sujeto pasivo del ITSGF, los sujetos pasivos de este último impuesto que estén debidamente acogidos al régimen fiscal especial aplicable a los trabajadores, profesionales, emprendedores e inversores desplazados a territorio español del artículo 93 de la LIRPF y, que por tanto tributen por el IRNR, quedan sujetos por obligación real no solo al IP, sino también al ITSGF durante todo el plazo en el que estén acogidos al IRNR".

44 En el Fundamento Cuarto fija como doctrina que "la residencia habitual, según sea en España o fuera de ella, no justifica el diferente trato dado a residentes y no residentes, consistente en que a estos últimos no les sea aplicable el límite de la cuota íntegra previsto en el artículo 31. Uno de la Ley del Impuesto sobre el Patrimonio. Esa diferencia de trato es discriminatoria y no está justificada".

situadas en territorio español las participaciones de sociedades (no negociadas en mercados organizados) cuyo activo esté constituido en, al menos, el 50%, de forma directa o indirecta, por bienes inmuebles situados en territorio español". Lo cual se establece sin perjuicio del régimen de competencias que, en su caso, establezcan los correspondientes convenios para evitar la doble imposición.

Como consecuencia de esta modificación legal tributará en España por el IP la titularidad de acciones y participaciones de sociedades en el exterior propietarias de inmuebles situados en España, lo cual tiene una gran trascendencia para quien haya adquirido viviendas en territorio español a través de entidades no residentes.

Naturalmente, la aplicación de esta previsión legal dependerá de que exista o no un CDI con el país de residencia de la sociedad titular de los inmuebles. Los CDI concertados por España son para evitar la doble imposición sobre la renta y el patrimonio y siguen, en su mayoría, el Modelo OCDE. Este Modelo dedica a la doble imposición sobre el patrimonio el artículo 22. Y para los elementos patrimoniales que no sean propiedad inmobiliaria (párrafo 1), propiedad mobiliaria, que forme parte del activo de un establecimiento permanente (párrafo 2) y patrimonio constituido por buques o aeronaves explotados en el tráfico internacional o por embarcaciones utilizadas en la navegación por aguas interiores (párrafo 3), la regla es la residual del párrafo 4 de este artículo 22. Según la misma, "todos los demás elementos patrimoniales de un residente de un Estado contratante sólo pueden someterse a imposición en ese Estado". Por tanto, y salvo que el CDI contemple expresamente una cláusula de sociedad inmobiliaria, las acciones y participaciones de sociedades se gravarán sólo en el país de residencia del titular.

Por tanto, y dada la aplicación preferente de los CDI sobre la legislación interna, la nueva redacción del artículo 5, Uno, de la Ley 19/1991 del IP, introducida por la Disposición Final Tercera de la Ley 38/2022, no será de aplicación si el titular de las acciones o participaciones de la sociedad titular del inmueble reside en un país con CDI con España que incorpore una redacción similar al citado párrafo cuarto del artículo 22 del Modelo OCDE. Sería el caso de Argentina, Austria, Bolivia, Bulgaria, Canadá, Chequia, Chile, Chipre, Costa Rica, Cuba, Ecuador, Emiratos, Eslovaquia, Estonia, Grecia, Holanda, Hungría, Indonesia, Irán, Kuwait, Letonia, Lituania, Macedonia, Marruecos, Polonia, Rusia, Serbia, Suecia, Suiza, Túnez y Venezuela.

Por el contrario, esta medida establecida por la Disposición Final Tercera de la Ley 38/2022 sí será de aplicación a residentes países sin CDI con España o con un convenio que no contemple la doble imposición sobre el patrimonio, como Albania, Andorra, Argelia, Australia, Brasil, Cabo Verde, Catar, EE. UU., China, Corea, Filipinas, Finlandia, Hong Kong, Irlanda, Italia, Jamaica, Japón, Malasia, Malta, Nueva Zelanda, Omán, Pakistán, Portugal, Rep. Dominicana, Rumanía, Senegal, Singapur, Tailandia, Turquía, Vietnam; y con carácter suspensivo o resolutorio Arabia Saudí, Colombia, Croacia,

Egipto o Nigeria. Y también a residentes en países que tengan CDI con España y que incorpore una cláusula de sociedades inmobiliarias en los mismos términos de la medida establecida por la Disposición Final Tercera de la Ley 38/2022. Sería el caso de Alemania, Armenia, Azerbaiyán, Bélgica, Bielorrusia, Francia, El Salvador, Eslovenia, República de Georgia, Kazajstán, Panamá, Uruguay, India, Islandia, Israel, Luxemburgo, México, Moldavia, Noruega, Reino Unido o Sudáfrica.

4. ELIMINACIÓN DE LA *GOLDEN VISA*

Entendemos por *Golden Visa* los visados o permisos especiales de residencia que se otorgan a personas procedentes de fuera de la Unión Europea a cambio de una inversión significativa, conocidos como programas de residencia o ciudadanía por inversión. El régimen jurídico de la misma estaba establecido en los artículos 63 a 67 de la Ley 14/2013, de 27 de septiembre, de apoyo a los emprendedores y su internacionalización, bajo la denominación de *visado de residencia para inversores*. Dicho visado se obtenía, entre otras formas, por la adquisición de propiedades inmobiliarias por un importe de 500.000 euros, por lo que era un estímulo para la compra de viviendas de elevado valor en España.

Sin embargo, la Comisión Europea venía alertando de que estos programas de visa por inversión podían facilitar el blanqueo y la entrada de capitales de origen ilícito, al no existir controles suficientes sobre el origen de los fondos. En su Recomendación de 8 de marzo de 2022, instaba a los Estados miembros a eliminar estos regímenes de ciudadanía por inversión y a reforzar los controles de los de residencia por inversión, en tanto los mismos son una fuente generadora de "desigualdades en el acceso a la residencia y la ciudadanía"[45].

En coherencia con ello, España eliminó su visado de residencia para inversores a través de la Disposición Final 21,1 de la Ley Orgánica 1/2025, de 2 de enero, con efectos de 3 de abril de 2025. En todo caso, las solicitudes presentadas antes de dicha fecha continuaron tramitándose y resolviéndose bajo la normativa que estaba vigente en el momento de la solicitud. Ello supuso la cancelación de un incentivo y que, a partir de entonces, quienes pretendían desplazarse a España en condiciones favorables tuviesen que acudir a otros mecanismos para adquirir la residencia legal. Esos mecanismos podrían ser la solicitud de una "residencia no lucrativa" si se trata, por ejemplo, de pensionistas, o un visado para emprendedores o para nómadas digitales, de acuerdo con la Ley 28/2022, de 21 de diciembre, de fomento del ecosistema de las empresas emergentes.

---

45 https://ec.europa.eu/commission/presscorner/detail/es/ip_22_1731 (consulta en enero 2026).

La eliminación de la Golden Visa supone la desaparición de un estímulo para la compra viviendas de alto valor y por ciudadanos de poder adquisitivo elevado, que se trasladan a España desde el extranjero. No obstante, en la medida en que hablamos de una inversión inmobiliaria para la obtención de un visado especial, la misma está ligada al traslado de la residencia a España. Por tanto, no se trata de un incentivo para la adquisición de inmuebles por no residentes, pues no sería aplicable para quienes mantengan la condición de no residentes en España.

5. EL *EFECTO ANUNCIO* DE CIERTAS MEDIDAS

Una circunstancia que incide negativamente en la seguridad jurídica es la existencia de lo que en Alemania se denomina *Ankündigungseffekt* o "efecto anuncio". Se trata de la situación en la que se da a conocer la intención futura de acometer una reforma legislativa que incrementa la tributación de una determinada actividad económica o que elimina una ventaja o beneficio. El anuncio puede tener lugar en los medios de comunicación, pero, de manera más clara, el efecto anuncio se produce cuando se inicia la tramitación, mediante un proyecto o proposición de ley, de una reforma legislativa[46].

Es lo que ocurre con la Proposición de Ley 122/000196 para impulsar el alquiler de viviendas a precios asequibles, presentada por el Grupo Parlamentario Socialista[47]. Entre las medidas contempladas, que pueden influir negativamente en la inversión inmobiliaria por no residentes, se encuentran las siguientes.

5.1. Creación del Impuesto Complementario Estatal sobre la Transmisión de Bienes Inmuebles a No Residentes de la Unión Europea

Aunque se habló de ello, finalmente esta Proposición de Ley no incluye entre sus medidas una prohibición de adquisición de inmuebles por no residentes. Cierto es que, algunos países, invocando la denominada función social de la propiedad y razones de interés general, de protección del medio ambiente, de defensa y de seguridad, han establecido reglas de este tipo. El caso más conocido, aunque fuera del ámbito de la Unión Europea, es el de Canadá, que aprobó en 2022, con entrada en vigor el 1 de enero de 2023, una Ley Federal, denominada Ley de Prohibición de la Compra de Propiedades

---

46 Es el caso de la sentencia del *Bundesverfassungsgerichts*, de 3 de diciembre de 1997 —2 BvR 882/97— donde se niega la existencia de un "efecto anuncio" por la mera publicación del programa de Gobierno de un partido político ganador de las elecciones; *vid.* Mittermaier, C., (1998), "Rückwirkung in der Rechtsprechung des Bundesverfassungsgerichts", *D.St.Z.*, nº 14, pág. 549.

47 https://www.congreso.es/public_oficiales/L15/CONG/BOCG/B/BOCG-15-B-229-1.PDF, (consulta en enero 2026).

Residenciales por No Canadienses (*Prohibition on the Purchase of Residential Property by Non-Canadians Act*)[48]. La norma tenía una vigencia inicial de dos años, pero fue prorrogada en febrero de 2024 para estar en vigor hasta el 1 de enero de 2027. La Ley excluye la adquisición de inmuebles residenciales por no residentes, con algunas excepciones como ciertos permisos de trabajo, refugiados o estudiantes internacionales.

En el ámbito de la Unión Europea, puede citarse el caso de Malta, donde la adquisición de inmuebles residenciales por no residentes que sean ciudadanos de la Unión Europea está limitada a una vivienda, pudiéndose comprar una segunda vivienda sólo si se hubiese residido en Malta más de cinco años.

Pero una decisión legal de este tipo sería difícilmente compatible con el mencionado artículo 63 del TFUE que proclama la libre circulación de capitales a favor de residentes de Estados miembros y de terceros países, incluyendo la compra de propiedades inmobiliarias.

De manera que la Proposición de Ley no prohíbe directamente la compra de inmuebles por extranjeros, aunque establece, en su artículo 4, un gravamen específico para estas operaciones, denominado Impuesto Complementario Estatal sobre la Transmisión de Bienes Inmuebles a no Residentes en la Unión Europea. Este nuevo impuesto tiene naturaleza extrafiscal, pues pretende "frenar la especulación inmobiliaria y proteger la asequibilidad de la vivienda para los residentes locales" y lo hace penalizando la adquisición de viviendas, aunque como veremos sólo en el caso de adquisiciones de viviendas de segunda mano no gravadas por IVA. A lo que habría que un ir el fin extrafiscal armonizador, semejante al que se predica del ITSGF.

Se trata de un impuesto indirecto, que se aplicaría sin perjuicio de los regímenes forales de Concierto y Convenio Económico vigentes en los territorios históricos del País Vasco y en la Comunidad Foral de Navarra y cuyo hecho imponible es la transmisión de bienes inmuebles situados en territorio español y la constitución y cesión de derechos reales que recaigan sobre los mismos, "…excepto los derechos reales de garantía, a favor de personas físicas y entidades no residentes en la Unión Europea". A la hora de llevar a cabo la calificación de las operaciones para subsumirlas en el presupuesto de hecho del impuesto, se aplican las reglas previstas en el Texto Refundido de la Ley del Impuesto sobre Transmisiones Patrimoniales y Actos Jurídicos Documentados, aprobado por el Real Decreto Legislativo Real Decreto Legislativo 1/1993, de 24 de septiembre. Especialmente en lo relativo al principio de calificación, contenido en el artículo 3,1 de este texto legal, donde se dice que "para la calificación jurídica de los bienes sujetos al impuesto por razón de su distinta naturaleza, destino, uso o aplicación, se estará a lo

48 *Prohibition on the Purchase of Residential Property by Non-Canadians Act,* S.C. 2022, c. 10, s. 235, Assented to 2022-06-23, https://laws-lois.justice.gc.ca/eng/acts/P-25.2/page-1.html, (consulta en enero 2026).

que respecto al particular dispone el Código Civil o, en su defecto, el Derecho Administrativo.

La dinámica aplicativa de este nuevo impuesto es similar a la del ITSGF, esto es, un impuesto estatal de cuya cuota íntegra se deduce la cuota del Impuesto sobre Transmisiones Patrimoniales y Actos Jurídicos Documentados efectivamente pagada por la operación objeto de liquidación. Por tanto, la cuota íntegra puede llegar a ser cero si la Comunidad Autónoma donde esté situado el inmueble aplica un gravamen similar, lo que supone que el nuevo impuesto puede no conllevar ningún ingreso a favor del Estado. Por lo que no son razones puramente recaudatorias las que llevan a crear el nuevo impuesto. Es decir, no se crea un nuevo impuesto para gravar una nueva fuente de riqueza que se ha detectado, porque el objeto de tributación del impuesto novedoso ya estaba gravado en nuestro ordenamiento jurídico. Lo que se pretende es presionar a las Comunidades Autónomas para que incrementen sus tipos de gravamen, lo que, en relación con el ITSGF, se denominó "función armonizadora" del nuevo impuesto. Esa "función armonizadora" incluye una velada modificación del alcance y condiciones de la cesión del IP, en el caso de la figura del ITSGF, y del Impuesto sobre Transmisiones Patrimoniales y Actos Jurídicos Documentados, en el caso del nuevo gravamen. Sin embargo, esta función armonizadora fue respaldada por el TC en la mencionada sentencia 149/2023, de 7 de noviembre, invocando la potestad del Estado para crear un impuesto estatal armonizador y acudiendo al precedente del impuesto sobre los depósitos bancarios al 0%, que fue declarado constitucional en la sentencia 26/2015, de 19 de febrero[49].

Según el artículo 4, Octavo de la Proposición de Ley, la base imponible del nuevo gravamen estará constituida por el valor del bien transmitido o del derecho que se constituya o ceda, siendo únicamente deducibles las cargas que disminuyan el valor de los bienes, pero no las deudas, aunque estén garantizadas con prenda o hipoteca. El valor que se toma es el de mercado, definido como *el precio más probable por el cual podría venderse, entre partes independientes, un bien libre de cargas,* salvo que las partes declaren un valor mayor.

49 Dice la sentencia 26/2015 en su Fundamento 4, que "ninguna duda plantea la competencia del Estado para establecer un impuesto con la citada finalidad de asegurar un tratamiento fiscal armonizado de esta materia imponible". Se invocan las competencias del artículo 149.1.14 de la Constitución, *Hacienda General*, en conexión con los artículos 133.1 y 157.3 CE, reconociendo que el Estado no sólo ostenta la competencia para regular sus propios tributos, sino específicamente "el marco general de todo el sistema tributario y la delimitación de las competencias financieras de las Comunidades Autónomas respecto de las del propio Estado" (sentencias, entre otras, 32/2012, de 15 de marzo, FJ 6, y 101/2013, de 23 de abril, FJ 3). Añadiendo que "...este reparto competencial tiene consecuencias precisas cuando se trata de la creación de impuestos nuevos, que se traduce en una preferencia del Estado en la ocupación de los hechos imponibles expresamente recogida en el artículo 6 LOFCA".

Pero al tratarse de bienes inmuebles, el valor que se tome en consideración será el de referencia previsto en la normativa reguladora del catastro inmobiliario a la fecha de devengo del impuesto, salvo que el declarado sea mayor. Cuando no exista valor de referencia o éste no pueda ser certificado por la Dirección General del Catastro, la base imponible, sin perjuicio de la comprobación administrativa, será la mayor de las siguientes magnitudes: el valor declarado por los interesados, el precio o contraprestación pactada o el valor de mercado.

No procede aquí extendernos sobre los problemas que plantea el valor de referencia[50]. Recordemos, simplemente, que sobre el mismo pende un recurso de inconstitucionalidad, fruto de una cuestión (la número 3631-2025) elevada por el Tribunal Superior de Justicia de Andalucía, con sede en Málaga[51].

Este impuesto suscita otras posibles objeciones, además de esa supuesta función armonizadora. Así, establece un tratamiento diferente entre residentes en la Unión Europea y fuera de la Unión Europea (que podría cuestionarse desde la perspectiva de la libre circulación de capitales y que no parece tener amparo en la cláusula *standstill* del artículo 64 del TFUE). Pero también se dispone un tratamiento diferente y poco justificado entre transmisiones de inmuebles sujetas a Transmisiones Patrimoniales Onerosas (TPO) y las sujetas a IVA. El artículo 4, Quinto, 2 de la Proposición de Ley señala que "no estarán sujetas a este impuesto las operaciones enumeradas en el apartado anterior cuando los transmitentes sean empresarios o profesionales en el ejercicio de su actividad económica y, en cualquier caso, cuando constituyan entregas de bienes sujetas a IVA". Si este nevo impuesto tiene una finalidad extrafiscal de penalizar la compra de vivienda por no residentes, no se entiende por qué se limita tal penalización a compras que recaen sobre transmisiones exentas de IVA, como las que tienen como objeto "segundas o ulteriores entregas de edificaciones" (artículo 20, 22 de la Ley del IVA).

El impuesto no se aplicará, por tanto, en las primeras transmisiones de vivienda, esto es, cuando el no residente de fuera de la Unión Europea (también de fuera del

[50] Véase, por todos, Varona Alabern, J. E. (2021), "El valor de referencia y el valor catastral", *Tributos Locales*, nº 153, 2021, págs. 20-22.

[51] Cuestión de inconstitucionalidad nº 3631-2025, en relación con el art. 10.2, 3 y 4, y art. 46.1 del Texto Refundido de la Ley del Impuesto sobre Transmisiones Patrimoniales y Actos Jurídicos Documentados, aprobado por Real Decreto Legislativo 1/1993, de 24 de septiembre, y disposición final tercera del Texto Refundido de la Ley del Catastro Inmobiliario, aprobado por Real Decreto Legislativo 1/2004, de 5 de marzo, planteada por la Sala de lo Contencioso-administrativo del Tribunal Superior de Justicia de Andalucía, con sede en Málaga, en el procedimiento ordinario 385-2024. Sobre el tema, Lucas Durán, M., (2025), "La dudosa constitucionalidad del valor de referencia de mercado", *Blog Fiscal Taxlandia*, 16 de septiembre de 2025, https://www.politicafiscal.es/equipo/manuel-lucas-duran/la-dudosa-constitucionalidad-del-valor-de-referencia-de-mercado, (consulta en enero 2026).

EEE) adquiera del promotor, una vez terminada o rehabilitada la edificación y sin que el inmueble haya sido ocupado durante dos años por el propietario o cedido en idéntico plazo en arrendamiento sin opción de compra. Y no se entiende por qué este supuesto no suscita la misma necesidad de penalización que en el caso de que el no residente de fuera de la Unión adquiera una vivienda que nos sea nueva.

Pero si hay un tema que ha provocado un mayor rechazo de esta medida y una auténtica alarma para los no residentes inversores reales o potenciales de vivienda en España, es el hecho de que el tipo de gravamen en este impuesto sea del 100 % de la base imponible del mismo. Así, en el artículo 4, Décimo de la Proposición de Ley, se dice que "la cuota íntegra del impuesto se obtendrá aplicando a la base imponible el tipo de gravamen del cien por ciento", permitiéndose la deducción, en la cuota íntegra, de la cuota líquida de TPO pagada en la respectiva Comunidad Autónoma.

Un tipo de gravamen del 100 % se hace acreedor de la objeción de su posible efecto confiscatorio. No está claro a partir de qué cifra porcentual una alícuota incurre en confiscatoriedad. Para el TC, es difícil "situar con criterios técnicamente operativos la frontera en la que lo progresivo o, quizá mejor, lo justo, degenera en confiscatorio" (sentencias 150/1990, de 4 de octubre, FJ 9; y 7/2010, de 27 de abril, FJ 6). Y, así, en su sentencia 26/2017, de 16 de febrero, dice el Tribunal que "la prohibición constitucional de confiscatoriedad (...) "obliga a no agotar la riqueza imponible (...) so pretexto del deber de contribuir..." (FJ 2º). Es decir, lo determinante no es el porcentaje de alícuota, sino que ésta *agote* o no la riqueza gravada.

Sin embargo, cabría argumentar que un tipo del 100 % sí agota la riqueza gravable. Sobre este tema se ha pronunciado el TC, al decir que concurre tal resultado confiscatorio en el caso de "un impuesto sobre la renta de las personas físicas en el que la progresividad alcanzara un tipo de gravamen medio del 100 por 100 de la renta" (sentencia 150/1990, de 4 de octubre, FJ 9). Esto es, en la imposición sobre la renta, una alícuota del 100 % es confiscatoria porque, indudablemente, agota la riqueza gravada.

En el caso del gravamen que nos ocupa, que prevé un tipo del 100 % sobre el valor de referencia, la cuestión es si el mismo es confiscatorio. Podría entenderse que el tipo del 100 % no es confiscatorio porque se aplica en un impuesto nuevo, completamente marginal en el conjunto del sistema. Pero ello no sería argumento para rechazar la confiscatoriedad, porque la propia sentencia 26/2017, en su citado FJ 2º, aunque recuerda que el artículo 31.1 de la Constitución refiere el límite de la confiscatoriedad al "sistema tributario", señala que "...también exige que dicho efecto no se produzca "en ningún caso...".

Por tanto, la cuestión es si este tipo del 100 % de este nuevo gravamen "agota la riqueza gravada" y puede ser considerado confiscatorio con los mismos argumentos que el TC utilizó, en la sentencia 150/1990, para considerar confiscatorio un tipo del 100 % en la imposición sobre la renta. Y la respuesta ha de ser negativa. Un tipo de gravamen del 100 % sobre el valor de un bien concreto no tiene el mismo efecto de agotamiento de la riqueza sujeta a imposición que ese mismo tipo del 100 % aplicable sobre la renta.

Por eso, el tipo del 100 % ha de ser valorado, no desde la perspectiva de la no confiscatoriedad diseñada por el TC, sino tomando en consideración la doctrina de la prohibición de un *excesive tax burden,* acuñada por el Tribunal Europeo de Derecho Humanos (TEDH), y que deriva del derecho de propiedad, recogido en el artículo 1 del Protocolo Nº 1 de la Convención Europea de Derechos Humanos.

La jurisprudencia del TEDH requiere, para que se pueda considerar que una carga tributaria es compatible con el derecho de propiedad, que exista un equilibrio justo (*fair balance*) entre el interés público en la recaudación o la política económica del Estado y el derecho individual del contribuyente al disfrute pacífico de sus bienes. Para ello se exige una base legal para la imposición, además de que concurra un fin de interés general, como el mantenimiento del orden público o la recaudación de fondos para servicios públicos. Y, sobre todo, se requiere que el importe de la carga tributaria pueda reputarse como proporcional. La imposición no debe ser desmesurada ni desproporcionada respecto a los fines perseguidos.

En la doctrina del TEDH lo relevante no es pues si se agota totalmente la riqueza o si hay un efecto confiscatorio, sino que habrá que examinar si, en el caso concreto, la medida afecta gravemente la situación patrimonial del contribuyente, si es desproporcionada respecto al objetivo perseguido o si se le impone al contribuyente una carga singular, diferente o más severa, que la que se exige al resto de contribuyentes en circunstancias comparables.

Y a la hora de hacer esa valoración, no se toma en consideración exclusivamente la cuantía del tipo de gravamen. O, dicho de otra manera, no se vulnera la prohibición de una carga tributaria excesiva por el hecho de que exista un tipo de gravamen del 100 %. En el caso *X c. Alemania* de 31 de mayo de 1959, que trataba, precisamente, de un gravamen del 100 % sobre beneficios de ciertos bonos especulativos, el Tribunal no apreció violación del derecho a la propiedad. Mientras que en la sentencia *N.K.M. c. Hungría,* de 14 de mayo de 2013, considera el TEDH que someter una indemnización por despido a un tipo impositivo del 52 %, suponía *"una carga fiscal excesiva"*.

A nuestro juicio, la principal objeción derivará de la posibilidad de considerar que, con este gravamen del 100 %, se está imponiendo a los residentes extracomunitarios o a quienes transmiten un inmueble en España a un no residente de fuera de la Unión Europea, una carga tributaria específica más elevada que la que se exige al resto de contribuyentes en circunstancias comparables. Ello es así porque un residente tributaría por el tipo de gravamen de TPO de la respectiva Comunidad Autónoma. Ese tipo es de el 6 % en la Comunidad de Madrid, del 7 % en Andalucía, La Rioja o País Vasco, del 8 % en Galicia, o Murcia, del 9 % en Cantabria o Castilla La Mancha y del 10-11 % en Cataluña, todos muy por debajo del 100 %.

Por lo que es necesario valorar si este tipo del 100 % es adecuado a la finalidad extrafiscal que persigue el nuevo impuesto, que es "frenar la especulación inmobiliaria y proteger la asequibilidad de la vivienda para los residentes locales". Y no parece que el mismo efecto no se pueda lograr con un tipo de gravamen más reducido.

5.2. Modificación del régimen fiscal de las SOCIMIS

Otra de las novedades incluidas en la Proposición de Ley que estamos comentando es la reforma del régimen de las SOCIMI, a las que ya hemos mencionado y cuyo régimen se regula en la Ley 11/2009, de 26 de octubre. Como notas distintivas de las SOCIMI, dotadas de un régimen fiscal ventajoso, ya que tributan al 0 %, conviene señalar que su objeto social es la adquisición y promoción de activos inmobiliarios para arrendamiento, que han de tener cotización obligatoria en mercados regulados o sistemas multilaterales de negociación. Estas entidades están obligadas a distribuir dividendos en un importe, como mínimo del 80 % de sus rentas y del 50% de las plusvalías que obtengan por la venta de sus activos[52].

La novedad que introduce la Proposición de Ley es la creación de un gravamen especial del 15 % sobre la cuantía de los beneficios obtenidos en el ejercicio que no sea objeto de distribución. Y en la parte que proceda de rentas que no hayan tributado al tipo general de gravamen del Impuesto sobre Sociedades. El tipo de este gravamen especial se incrementará hasta el 25 % cuando el importe de los beneficios obtenidos en el ejercicio que no sean objeto de distribución derive del ejercicio de la actividad de arrendamiento de viviendas. Y su devengo tendrá lugar en la fecha en que se adopte el acuerdo de aplicación del resultado del ejercicio por la junta general de accionistas.

No obstante, se prevé la reducción en un 50 % de este gravamen especial cuando, tratándose de entidades dedicadas al arrendamiento de viviendas, las viviendas destinadas al alquiler a precio asequible representen más del 60 % del total de viviendas destinadas al arrendamiento y en un 100 % si los beneficios se reinvierten en 3 años en otras viviendas a precio asequible. Se define como *precio asequible* aquel que no supere el Índice de Precios del Ministerio de Vivienda y Agenda Urbana, o 26.400 euros anuales.

Esta previsión contenida en la Proposición de Ley supone una nueva limitación de los beneficios tributarios de las SOCIMI en España, que reduce la competitividad de las mismas, frente a otros países como Francia, Alemania, Reino Unido o Italia, que prevén entidades que siguen el modelo REIT, con importantes incentivos fiscales.

---

52 Calvo Vergez, J., (2010) "El régimen fiscal especial de las SOCIMI en el Impuesto de Sociedades", *Diario La Ley*, nº 7485, pág. 3.

5.3. Reforma de la fiscalidad de los inmuebles de uso turístico

Por último, la Proposición de Ley incluye la reforma de la fiscalidad de los inmuebles de uso turístico. El fundamento de este cambio legislativo radica en la Directiva (UE) 2025/516 del Consejo, de 11 de marzo de 2025, por la que se modifica la Directiva 2006/112/CE en lo que respecta a las normas del IVA en la era digital. Esta Directiva va a permitir a los Estados miembros gravar los arrendamientos de viviendas de corta duración en aquellas zonas donde este tipo de alojamiento dificulte el acceso a la vivienda o promueva la saturación turística del territorio desde el 1 de julio de 2028. Según la Directiva, en los casos en que se prevea este gravamen, serán las plataformas digitales que facilitan estos arrendamientos las que estarán obligadas a repercutir e ingresar el impuesto. A la espera de la normativa comunitaria que hará responsable a las plataformas del ingreso del IVA, la Proposición anticipa el régimen de sujeción al IVA de estos arrendamientos de apartamentos y viviendas de corta duración, efectuados en municipios de más de 10.000 habitantes.

Lo que se hace es establecer legalmente una excepción a la regla general, según la cual tienen la condición de empresarios o profesionales los arrendadores de bienes inmuebles (artículo 5. Uno. c) de la Ley del IVA), pero disponiéndose que están exentos los arrendamientos de edificaciones que se utilicen exclusivamente como viviendas (artículo 20. Uno. 23º de la Ley del IVA). No obstante, la exención no comprende los arrendamientos a personas jurídicas o el alquiler de apartamentos o viviendas amueblados cuando el arrendador se obligue a la prestación de alguno de los servicios complementarios propios de la industria hotelera, tales como los de restaurante, limpieza, lavado de ropa u otros análogos. Se trata, por tanto, de una exención finalista, que depende, para su aplicación, del uso que se de a la vivienda arrendada.

Por tanto, el arrendamiento de un inmueble, cuando se destine para su uso exclusivo como vivienda, estará sujeto y exento del IVA, salvo que se trate de alguno de los supuestos excluidos de la exención. Tal es el caso, cuando se alquile a personas jurídicas (dado que no los pueden destinar directamente a viviendas) o se presten por el arrendador los servicios propios de la industria hotelera, esto es, se presten servicios más allá de la mera puesta a disposición de un inmueble.

De manera que, y de acuerdo con la doctrina de la DGT, (por ejemplo, consulta de 14 de junio de 2022 —V1362-22—), quien realiza arrendamientos de alojamientos turísticos tiene, a efectos del IVA, la condición de empresario (art. 5.uno.c LIVA). En caso de prestarse servicios propios de la industria hotelera, el arrendamiento de un apartamento turístico no estará exento del IVA y deberá tributar al tipo reducido del 10% como un establecimiento hotelero (art. 91.uno.2. 2º de la Ley del IVA). No obstante, si no se prestan estos servicios propios de hostelería, con la regulación actual de la Ley del IVA, estos arrendamientos estarán exentos de IVA y, por tanto, sujetos a Transmisiones Patrimoniales Onerosas, según el artículo 7.1.B) del Real Decreto Legislativo 1/1993, y a los tipos reducidos del artículo 12,1 del mismo texto legal. Y no se consideran servicios propios de hostelería el servicio de limpieza y de cambio de ropa del apartamento prestado a la entrada y a la salida del periodo contratado, el servicio de limpieza de las zonas comunes del edificio y los servicios de asistencia técnica y mantenimiento para eventuales reparaciones de fontanería, electricidad, cristalería, persianas, cerrajería y electrodomésticos[53].

Frente a ello se dispone la sujeción de estos arrendamientos, ahora exentos, al tipo general del IVA del 21 %, en palabras de la Exposición de Motivos de la Proposición de Ley, "como ya sucede con otras actividades económicas, o para incentivar que se destinen a su arrendamiento como vivienda y no como alojamiento turístico". Se trata de un cambio legal importante, no obstante, la necesidad de una completa revisión de la fiscalidad de este tipo de inmuebles de uso turístico[54].

IV. REFERENCIAS BIBLIOGRÁFICAS

Calero Gallego, J. (1993)"La seguridad jurídica y la técnica jurídica en materia tributaria", *Sistema tributario y Constitución,* Santander, UIMP,

Calvo Ortega, R., (1990), *Derecho Tributario* (Parte General), 4ª ed, Civitas. Madrid.

Calvo Vergez, J., (2010), "El régimen fiscal especial de las SOCIMI en el Impuesto de Sociedades", *Diario La Ley,* nº 7485.

Cámara Barroso M. C., (2020), "El Tribunal Supremo se pronuncia sobre la compatibilidad con la libre circulación de capitales de la retención en la fuente sobre los dividendos pagados a IIC de terceros países. Análisis de la STS 1581/2019, de 13 de noviembre de 2019", *Nueva Fiscalidad,* nº 1.

Campanón Galiana L. (2020), "Tratamiento de la ya no tan desconocida figura del Trust en nuestro ordenamiento jurídico tributario", *Blog Tributario Taxlandia,* 2 de julio de 2020. https://www.politicafiscal.es/equipo/laura-campanon-galiana/tratamiento-de-la-ya-no-tan-desconocida-figura-del-trust-en-nuestro-ordenamiento-juridico-tributario

Falcón y Tella, R. (2014), "El cierre registral, los residentes no domiciliados y otras curiosidades del Informe de los expertos sobre la reforma fiscal", *Quincena Fiscal,* nº 11.

Falcón y Tella, R.-Pulido Guerra, E., (2018), *Derecho Fiscal Internacional, Derecho Fiscal Internacional,* Marcial Pons, Madrid.

---

53 Serrano García, M., (2019), "Diferencias en la ordenación turística y el tratamiento fiscal de las casas rurales, las viviendas turísticas de alojamiento rural y las viviendas con fines turísticos en Andalucía", *Revista Internacional de Turismo, Empresa y Territorio,* nº 5, enero-junio. pág. 155.

54 López Llopis, E., (2025), *Tributación del arrendamiento de vivienda para uso turístico en España,* Tirant lo Blanch, págs. 47 y ss.

García-Olías Jiménez, C., (2005), "Situación actual de la fiscalidad en el pago de dividendos, intereses y cánones tras la adhesión de los nuevos Estados miembros a la Unión Europea. Especial referencia a los casos de Malta y Chipre", *Actualidad Jurídica Uría y Menéndez*, nº 10.

Ibor Asensi, P., (2019), "La tributación de los trust en España", *Carta Tributaria*, Revista de Opinión, nº 52, julio.

López Llopis, E., (2025), *Tributación del arrendamiento de vivienda para uso turístico en España*, Tirant lo Blanch.

Lucas Durán, M., (2025), "La dudosa constitucionalidad del valor de referencia de mercado", *Blog Fiscal Taxlandia*, 16 de septiembre de 2025, https://www.politicafiscal.es/equipo/manuel-lucas-duran/la-dudosa-constitucionalidad-del-valor-de-referencia-de-mercado, (consulta en enero 2026).

Martín Jiménez, A.-Calderón Carrero, J. M., (2014), "Las normas antiparaíso fiscal españolas y su compatibilidad con el derecho comunitario: el caso específico de Malta y Chipre tras la adhesión a la Unión Europea", *Instituto de Estudios Fiscales*, documento 11.

Mittermaier, C., (1998), "Rückwirkung in der Rechtsprechung des Bundesverfassungsgerichts", *D.St.Z.*, 14.

Maza, A., (2025), "Datos regionales del IDE. Hay que prestar atención al efecto sede", https://alde.es/blog/datos-regionales-de-ied-hay-que-prestar-atencion-al-efecto-sede/

Serrano García, M., (2019), "Diferencias en la ordenación turística y el tratamiento fiscal de las casas rurales, las viviendas turísticas de alojamiento rural y las viviendas con fines turísticos en Andalucía", *Revista Internacional de Turismo, Empresa y Territorio*, 5.

Sousa Santos Aguiar, N. T., (2005), "La fiscalidad de los beneficios societarios y de los capitales en la Unión Europea", *Revista del Centro de Estudios Financieros*, nº 262.

Varona Alabern, J. E. (2021), "El valor de referencia y el valor catastral", *Tributos Locales*, 153.

Vermeulen, H., (2014), "General Report: The Tax Treatment of CIVs and REITs", *The Tax Treatment of CIVs and REITs*, IBFD, Amsterdam.

LA FISCALIDAD INTERNACIONAL DE LAS RENTAS INMOBILIARIAS

Fernando Serrano Antón
Catedrático Derecho Financiero y Tributario
Jean Monnet Chair EUGreenTax
Universidad Complutense de Madrid[1]
ORCID 0000-0002-9423-6166

---

1 E-mail: serranoa@ucm.es

I. INTRODUCCIÓN

La tributación derivada de los bienes inmuebles reviste una especial relevancia en el ámbito del Derecho tributario internacional, habida cuenta de la pluralidad de figuras impositivas que pueden incidir sobre ellos y de la diversidad de hechos imponibles que pueden generarse en relación con su titularidad, uso, explotación económica o transmisión. En particular, los bienes inmuebles pueden generar rentas sometidas a imposición tanto por su arrendamiento o cesión de uso, como por la imputación de rentas inmobiliarias, así como por las ganancias patrimoniales obtenidas en caso de transmisión, sin perjuicio de otros gravámenes de carácter indirecto o patrimonial.

Esta pluralidad de manifestaciones de capacidad económica cobra una especial complejidad cuando los bienes inmuebles pertenecen a personas físicas o jurídicas no residentes en el Estado en el que dichos bienes se sitúan. En tales supuestos, confluyen los criterios de sujeción personal y real a los distintos sistemas tributarios, lo que da lugar a situaciones de potencial doble imposición internacional, así como a problemas de coordinación entre ordenamientos jurídicos y de delimitación de las potestades tributarias de los Estados implicados. De ahí que la fiscalidad internacional de los bienes inmuebles constituya uno de los ámbitos en los que con mayor claridad se manifiesta la tensión entre los principios de territorialidad, residencia y fuente.

En el ordenamiento español, los rendimientos y ganancias derivados de bienes inmuebles situados en territorio español y pertenecientes a no residentes quedan sometidos, con carácter general, al Impuesto sobre la Renta de no Residentes (IRNR), que configura un régimen específico de gravamen basado fundamentalmente en el principio de fuente. Sin embargo, la aplicación de este impuesto no puede analizarse de manera aislada, pues su funcionamiento se ve condicionado de forma decisiva por la existencia de Convenios para evitar la doble imposición internacional (CDI), los cuales, conforme al artículo 96 de la Constitución Española y el art. 26 de la Convención de Viena sobre interpretación y aplicación de tratados internacionales[2], forman parte del ordenamiento interno y prevalecen sobre la normativa tributaria interna en caso de conflicto.

---

2 La Convención de Viena sobre el Derecho de los Tratados (CVT) no establece directamente si los tratados internacionales forman parte del ordenamiento interno de los Estados, sino que se centra en las relaciones entre Estados en el ámbito internacional. La forma en que un tratado se incorpora al derecho nacional es una cuestión que cada Estado determina a través de su propio ordenamiento constitucional.

Puntos clave sobre la postura de la Convención. No obstante, el principio "*pacta sunt servanda*" previsto en la Convención establece que "todo tratado en vigor obliga a las partes y debe ser cumplido por ellas de buena fe" (Artículo 26). Adicionalmente, el Artículo 27 de la CVT es explícito al respecto: "Una parte no podrá invocar las disposiciones de su derecho interno como justificación del incumplimiento de un tratado". Esto refuerza la primacía del derecho internacional sobre el derecho nacional en la esfera internacional y exige que los Estados adop-

En este contexto, los CDI atribuyen, por regla general, una potestad tributaria prioritaria al Estado de situación del inmueble respecto de las rentas y ganancias que este genere, siguiendo el modelo establecido en el artículo 6 y en el artículo 13 del Modelo de Convenio de la OCDE[3]. No obstante, el alcance concreto de dicha potestad, las modalidades de gravamen y los mecanismos para eliminar la doble imposición en el Estado de residencia del contribuyente dependen de la red convencional suscrita por cada Estado y de la interpretación que se realice de sus disposiciones.

El objeto del presente trabajo es, por tanto, analizar de manera sistemática la tributación de los bienes inmuebles en el ámbito de la imposición sobre la renta de los no residentes, con especial referencia al ordenamiento jurídico español. Para ello, se abordarán en primer lugar una serie de cuestiones generales relativas a los principios de imposición aplicables y al concepto de renta inmobiliaria en el contexto internacional. A continuación, se diferenciará el régimen jurídico en función de la existencia o no de un CDI aplicable, examinando cómo estos convenios inciden en la delimitación de la potestad tributaria española. Finalmente, se procederá al estudio del régimen del Impuesto sobre la Renta de no Residentes, analizando sus reglas de sujeción, determinación de la base imponible, tipos de gravamen y principales especialidades en relación con los rendimientos y ganancias derivados de bienes inmuebles situados en España.

II. EL REPARTO DE LA POTESTAD TRIBUTARIA EN MATERIA DE RENTAS INMOBILIARIA (ARTS. 6 Y 13 DEL MODELO DE CONVENIO OCDE)

La fiscalidad internacional de los bienes inmuebles se articula, en el plano convencional, en torno a una regla de conexión particularmente estable: la vinculación de la renta con el Estado en cuyo territorio se sitúa el inmueble. Esta opción normativa responde a la existencia de un nexo económico intenso entre el bien y el territorio en el que se encuentra, lo que justifica que dicho Estado ostente una potestad tributaria directa sobre las rentas y ganancias que de él se deriven. En el ámbito de los convenios para evitar la doble imposición suscritos por España, este principio se encuentra recogido fun-

ten las medidas necesarias para cumplir sus compromisos internacionales una vez que han manifestado su consentimiento en obligarse por un tratado.

3 OECD (2019), *Model Tax Convention on Income and on Capital 2017 (Full Version)*, OECD Publishing, Paris, https://doi.org/10.1787/g2g972ee-en. Acceso Web 16 de enero de 2025). El MC OCDE se ha actualizado en 2025 sin que sus nuevos comentarios hayan modificado lo dispuesto para la fiscalidad de los bienes inmuebles. OECD (2025), *The 2025 Update to the OECD Model Tax Convention*, OECD Publishing, Paris, https://doi.org/10.1787/5798080f-en (Acceso Web 16 de enero de 2025)

damentalmente en los artículos 6 y 13 del Modelo de Convenio de la OCDE (MCOCDE), que sirven de referencia casi uniforme en la práctica convencional española.

El artículo 6 del MCOCDE, bajo la rúbrica *"Rentas de bienes inmuebles"*, atribuye al Estado de situación del bien la potestad para gravar las rentas derivadas de su explotación. Esta regla opera con independencia de la residencia del titular del inmueble, lo que implica una manifestación clara del principio de la fuente. No obstante, el precepto no excluye que el Estado de residencia del perceptor pueda también someter dichas rentas a imposición conforme a su legislación interna, lo que configura, como regla general, un modelo de potestad tributaria compartida. La consecuencia de esta superposición de potestades es la necesidad de articular mecanismos de eliminación de la doble imposición en el Estado de residencia, que normalmente se concretan en los métodos de exención o de imputación previstos en el artículo 23 del MCOCDE.

Ahora bien, la atribución de potestades que realiza el artículo 6 no es de carácter imperativo ni uniforme. Los Estados contratantes conservan un amplio margen de autonomía para modularla en sus convenios bilaterales, pudiendo acordar tanto una atribución exclusiva al Estado de la fuente como modalidades especiales de tributación. En este sentido, existen convenios suscritos por España que reconocen una competencia exclusiva al Estado donde se sitúa el inmueble, así como otros que permiten al no residente optar por la tributación neta en la fuente, en línea con soluciones inspiradas en el modelo estadounidense.

Conviene subrayar, a este respecto, una distinción metodológica esencial. Los convenios no regulan cómo deben gravarse las rentas, sino quién está legitimado para hacerlo. La determinación concreta de la base imponible, los tipos de gravamen o los beneficios fiscales aplicables queda reservada al ordenamiento interno del Estado al que el convenio atribuye la potestad tributaria. De este modo, el artículo 6 del MCOCDE se limita a reconocer la competencia del Estado de la fuente, pero remite a su legislación interna la configuración efectiva del gravamen, tal como ha confirmado reiteradamente la práctica administrativa española.

En cuanto al ámbito objetivo del artículo 6, este se extiende a todas las rentas obtenidas por un residente de un Estado contratante procedentes de bienes inmuebles situados en el otro Estado contratante. Quedan, por tanto, fuera de su ámbito los inmuebles situados en el propio Estado de residencia del contribuyente o en terceros Estados, supuestos en los que entran en juego las reglas residuales previstas para otras categorías de renta. Asimismo, los Comentarios al MCOCDE aclaran que, aunque las rentas agrícolas y forestales se incluyen por defecto dentro de este precepto, los Estados pueden acordar en sus convenios que se rijan por las normas relativas a los beneficios empresariales, lo que revela la flexibilidad del modelo y de las negociaciones entre Estados.

La noción de bien inmueble, a efectos del artículo 6, se define mediante una técnica de remisión al Derecho interno del Estado donde el bien esté situado, conforme al apartado 2 del precepto. Esta solución permite acomodar el concepto a las particularidades de cada sistema jurídico, si bien el propio modelo establece un núcleo mínimo común que incluye, entre otros, los derechos accesorios a la propiedad inmobiliaria, el usufructo, determinados derechos reales sobre bienes raíces y los derechos de explotación de recursos naturales, excluyendo expresamente los buques, aeronaves y embarcaciones[4]. Este enfoque funcional garantiza una aplicación razonablemente homogénea de la norma convencional, al tiempo que preserva la coherencia con los ordenamientos nacionales.

Por lo que se refiere al concepto de renta inmobiliaria, el MCOCDE opta por una definición amplia y abierta. El artículo 6.3 incluye en esta categoría todas las rentas derivadas de la utilización directa, el arrendamiento o cualquier otra forma de explotación de los bienes inmuebles, incluidas las obtenidas cuando estos forman parte del activo de una empresa. Esta amplitud responde a la finalidad de asegurar que cualquier manifestación de rendimiento económico vinculada al inmueble quede sometida al principio de imposición en la fuente, con independencia de la forma jurídica o económica que adopte su explotación. En los comentarios se indica que en los convenios puede pactarse que las rentas agrícolas o forestales se consideren como rentas empresariales. Desde un punto doctrinal, esta alternativa parece más correcta, si bien es cierto que el encuadramiento de estas rentas como rentas empresariales o rentas inmobiliarias no produce consecuencias diferentes[5].

Este mismo criterio de conexión se proyecta sobre las ganancias patrimoniales derivadas de la transmisión de bienes inmuebles. El artículo 13.1 del MCOCDE atribuye al Estado de situación del inmueble la potestad para gravar las ganancias obtenidas por un residente del otro Estado contratante con ocasión de su enajenación. La norma comprende no solo las transmisiones directas de inmuebles, sino también aquellas en las que los bienes formen parte del activo de una empresa o se utilicen en el ejercicio de actividades profesionales, lo que refuerza la centralidad del criterio de la fuente en este ámbito. Al igual que sucede con el artículo 6, la aplicación del artículo 13.1 se limita a los inmuebles situados en el territorio del otro Estado contratante, quedando excluidos los situados en el Estado de residencia del transmitente o en terceros Estados.

---

4 Sin embargo, a tenor de lo dispuesto, se consideran como bienes inmuebles en todo caso: la propiedad accesoria a la propiedad inmobiliaria; el ganado y el equipo utilizado en las explotaciones agrícolas y forestales; los derechos a los que se apliquen las disposiciones de derecho privado relativas a los bienes raíces; el usufructo de bienes inmuebles; los derechos a percibir pagos variables o fijos por la explotación o la concesión de la explotación de yacimientos minerales, fuentes y otros recursos naturales.

5 Comentarios al artículo 6 (MC OCDE 2025, para. 1).

En conjunto, los modelos de convenio internacional —OCDE, Naciones Unidas y Estados Unidos— muestran una notable convergencia en este punto, ya que todos reconocen la prioridad del Estado donde se sitúa el inmueble para gravar tanto las rentas como las ganancias de capital que de él se deriven. La práctica convencional española, alineada con el MCOCDE, confirma esta orientación, si bien con matices en función de las opciones concretas adoptadas en cada tratado. Esta arquitectura convencional constituye el marco imprescindible para comprender, en un segundo nivel de análisis, la aplicación del régimen interno del Impuesto sobre la Renta de no Residentes a las rentas inmobiliarias de fuente española.

III. ASPECTO OBJETIVO: EL CONCEPTO DE BIEN INMUEBLE EN EL MODELO DE CONVENIO DE LA OCDE Y EN EL DERECHO INTERNO ESPAÑOL

La determinación de la potestad tributaria sobre las rentas inmobiliarias presupone, como cuestión lógica previa, la identificación del objeto material de gravamen. En este ámbito se exige precisar qué debe entenderse por "*bien inmueble*", puesto que de esta calificación dependen no solo las reglas de atribución de competencias entre Estados, sino también la correcta subsunción de las rentas obtenidas en una u otra categoría convencional.

Desde la perspectiva del MC OCDE, el concepto de bien inmueble se construye mediante una técnica de remisión al Derecho del Estado en cuyo territorio se sitúa el bien. El artículo 6.2 dispone que la expresión "bienes inmuebles" tendrá el significado que le atribuya el derecho del Estado contratante en que tales bienes estén situados. Este mecanismo, lejos de constituir una mera cláusula de estilo, cumple una función esencial ya que permite que la calificación jurídica del bien se realice conforme al ordenamiento con el vínculo territorial más intenso, reduciendo los riesgos de desajuste conceptual y de calificación divergente entre los Estados contratantes.

Ahora bien, esta remisión no es absoluta. El propio artículo 6.2 incorpora una delimitación mínima de carácter autónomo, al establecer que, en todo caso, se considerarán bienes inmuebles, entre otros, los elementos accesorios a la propiedad inmobiliaria, el ganado y el equipo utilizado en explotaciones agrícolas y forestales, los derechos reales sobre bienes raíces, el usufructo de bienes inmuebles y los derechos a percibir contraprestaciones por la explotación o concesión de yacimientos minerales, fuentes y otros recursos naturales. De este modo, el MCOCDE combina una remisión flexible al derecho interno con un núcleo conceptual mínimo que garantiza un cierto grado de homogeneidad en la aplicación de los convenios.

A partir de esta noción de bien inmueble, el artículo 6.3 extiende el ámbito de las rentas inmobiliarias a toda renta derivada de su utilización directa, arrendamiento, aparcería o cualquier otra forma de explotación, con independencia de que el inmueble se integre o no en el patrimonio afecto a una actividad empresarial. Esta amplitud conceptual asegura que la regla de conexión territorial se proyecte sobre cualquier forma económicamente relevante de aprovechamiento del inmueble, evitando que determinadas estructuras jurídicas o contractuales puedan eludir su sujeción a las normas del artículo 6.

En el ordenamiento español, la delimitación del concepto de bien inmueble presenta una notable dispersión normativa. En el ámbito tributario, la referencia básica se encuentra en la legislación catastral[6], a la que se remite, entre otros, el Texto Refundido de la Ley Reguladora de las Haciendas Locales[7]. Asimismo, otras figuras impositivas, como el Impuesto sobre Transmisiones Patrimoniales y Actos Jurídicos Documentados[8], contienen definiciones propias de bienes inmuebles, adaptadas a su respectivo hecho imponible. Fuera del Derecho tributario, el Código Civil ofrece una enumeración clásica de bienes inmuebles en su artículo 334, que incluye tanto los inmuebles por naturaleza como determinados bienes muebles por destino o por incorporación[9].

---

6 Los artículos 6, 7 y 8 del TRLCI recogen el concepto y clases de bienes inmuebles, si bien aclarando que lo son exclusivamente a efectos catastrales.

7 Artículo 61.3 del TRLHHLL.

8 El artículo 3 TRLITPAJD señala que “Se considerarán bienes inmuebles, a efectos del impuesto, las instalaciones de cualquier clase establecidas con carácter permanente, siquiera por la forma de su construcción sean transportables, y aun cuando el terreno sobre el que se hallen situadas no pertenezca al dueño de los mismos”.

9 Establece el artículo 334 del Código Civil que son bienes inmuebles:
- Las tierras, edificios, caminos y construcciones de todo género adheridas al suelo.
- Los árboles y plantas y los frutos pendientes, mientras estuvieren unidos a la tierra o formaren parte integrante de un inmueble.
- Todo lo que esté unido a un inmueble de una manera fija, de suerte que no pueda separarse de él sin quebrantamiento de la materia o deterioro del objeto.
- Las estatuas, relieves, pinturas u otros objetos de uso u ornamentación, colocados en edificios o heredades por el dueño del inmueble en tal forma que revele el propósito de unirlos de un modo permanente al fundo.
- Las máquinas, vasos, instrumentos o utensilios destinados por el propietario de la finca a la industria o explotación que se realice en un edificio o heredad, y que directamente concurran a satisfacer las necesidades de la explotación misma.
- Los abonos destinados al cultivo de una heredad que estén en las tierras donde hayan de utilizarse.
- Las minas, canteras y escoriales, mientras su materia permanece unida al yacimiento, y las aguas vivas o estancadas.
- Los diques y construcciones que, aun cuando sean flotantes, estén destinados por su objeto y condiciones a permanecer en un punto fijo de un río, lago o costa.

Esta pluralidad de fuentes no genera, sin embargo, una fragmentación problemática en el contexto convencional, precisamente porque el MCOCDE remite al Derecho del Estado de situación del bien, permitiendo que la calificación se realice conforme a las categorías vigentes en ese ordenamiento. En el caso de España, ello implica que la noción de bien inmueble aplicable a efectos de un CDI será la que resulte de su normativa interna, interpretada a la luz de los criterios propios del Derecho español.

La relevancia de esta técnica de remisión se ve reforzada por el hecho de que el concepto de bien inmueble actúa como elemento de conexión transversal en el sistema del MCOCDE. No solo es determinante para la aplicación del artículo 6, sino que también se proyecta sobre otros preceptos fundamentales, como el artículo 13.1, relativo a las ganancias de capital, el artículo 21.2, sobre otras rentas, o el artículo 22, en materia de imposición sobre el patrimonio. De este modo, una determinada calificación como bien inmueble puede desencadenar efectos en cadena sobre la atribución de potestades tributarias en múltiples categorías de renta.

Finalmente, debe tenerse en cuenta que el MCOCDE admite un margen significativo de adaptación por parte de los Estados contratantes. Numerosos países —entre ellos España— han formulado reservas o han introducido en sus convenios bilaterales ampliaciones del concepto de bien inmueble o de renta inmobiliaria, especialmente para abarcar derechos de disfrute indirectos, participaciones societarias vinculadas a inmuebles o determinadas modalidades de aprovechamiento económico. Estas desviaciones respecto del modelo ponen de relieve que la definición convencional de bien inmueble no es una categoría cerrada, sino un punto de equilibrio entre la armonización internacional y las necesidades fiscales de cada Estado.

Por ello, en el análisis concreto de la tributación de los bienes inmuebles en manos de no residentes resulta imprescindible atender no solo al MCOCDE como marco interpretativo, sino también al tenor literal del convenio bilateral aplicable y a la definición de bien inmueble vigente en el Derecho interno español, cuya interacción determina, en último término, el alcance efectivo de la potestad tributaria del Estado de la fuente.

• Las concesiones administrativas de obras públicas y las servidumbres y demás derechos reales sobre bienes inmuebles.

• Además, se someten también al régimen de los bienes inmuebles los viveros de animales, palomares, colmenas, estanques de peces o criaderos análogos, cuando el propietario los haya colocado o los conserve con el propósito de mantenerlos unidos a la finca y formando parte de ella de un modo permanente, sin perjuicio de la consideración de los animales como seres sintientes y de las leyes especiales que los protegen (art. 1.8 de la Ley 17/2021, de 15 de diciembre).

IV. ASPECTOS SUBJETIVOS DE LA TRIBUTACIÓN DE LAS RENTAS INMOBILIARIAS DE NO RESIDENTES

La determinación del régimen jurídico aplicable a las rentas inmobiliarias de fuente española exige, además de la delimitación objetiva del bien inmueble, la identificación del sujeto pasivo al que se imputan dichas rentas. En el ámbito del Impuesto sobre la Renta de no Residentes, esta dimensión subjetiva se articula en torno a la noción de contribuyente y, especialmente, a la forma en que el no residente opera en territorio español.

De acuerdo con los artículos 5 y 6 del Texto Refundido de la Ley del IRNR, tienen la condición de contribuyentes las personas físicas y las entidades no residentes que obtengan rentas en territorio español, así como determinadas personas físicas de nacionalidad extranjera que, pese a residir en España por razón de su estatuto diplomático o internacional, mantienen la condición de no residentes a efectos fiscales. Junto a estos sujetos se incluyen también los entes en atribución de rentas constituidos en el extranjero cuando obtienen o generan rentas en España.

Esta pluralidad de sujetos resulta particularmente relevante en el ámbito inmobiliario, donde la inversión transfronteriza no se realiza únicamente de forma directa por personas físicas o sociedades extranjeras, sino también, de manera creciente, a través de vehículos colectivos de inversión. En el panorama comparado, estos instrumentos —conocidos de forma genérica como *Real Estate Investment Trusts (REIT)*— se han consolidado como estructuras habituales para canalizar inversiones inmobiliarias internacionales. España se ha incorporado a esta tendencia mediante el régimen de las SOCIMI, que, si bien tributan en el Impuesto sobre Sociedades, pueden tener una incidencia significativa en la configuración subjetiva de la tributación de las rentas inmobiliarias de no residentes.

El elemento decisivo para determinar el modo de sujeción al IRNR no es únicamente la condición de no residente, sino la forma en que el sujeto desarrolla su actividad en España. En este punto, la presencia o no de un establecimiento permanente resulta determinante, puesto que de ella depende si la renta se somete a un régimen de tributación neta, similar al del Impuesto sobre Sociedades, o a un régimen de imposición por rentas brutas de fuente española.

Sin entrar en un análisis exhaustivo del concepto de EP, sí es necesario recordar que el artículo 13.1.a) del TRLIRNR lo define atendiendo a dos elementos fundamentales que son la existencia de una base fija de negocios en España o la actuación mediante un agente dependiente con poderes para contratar en nombre del contribuyente. Así, se consideran establecimientos permanentes, entre otros, las sedes de dirección, sucursales, oficinas, fábricas, talleres, almacenes, explotaciones de recursos naturales y obras de construcción de cierta duración, así como las estructuras a través de las cuales se ejerce una actividad económica de forma continuada o habitual.

La configuración del EP en la normativa interna española presenta algunas singularidades respecto del concepto convencional, especialmente en cuanto a su función como punto de conexión para someter a imposición en España determinadas rentas, y no solo como criterio para la imputación de beneficios empresariales. Ello se traduce en un ámbito potencialmente más amplio de sujeción, que puede abarcar situaciones que, desde una óptica estrictamente convencional, quedarían excluidas por su carácter preparatorio o auxiliar.

A esta categoría se suma una figura específica de notable relevancia práctica, la de las entidades en atribución de rentas constituidas en el extranjero con presencia en España, reguladas en el artículo 38 del TRLIRNR. Estas entidades se consideran presentes en territorio español cuando desarrollan en él una actividad económica de forma continuada o habitual, ya sea mediante instalaciones o lugares de trabajo o a través de agentes con facultades de contratación. Aunque los requisitos de presencia reproducen en gran medida los elementos definitorios del EP, el legislador ha optado por configurar esta figura como una categoría autónoma.

La diferencia no es meramente terminológica, sino sustantiva. Mientras que un establecimiento permanente tributa por la totalidad de las rentas que se le imputan en España, una entidad en atribución de rentas extranjera con presencia en España solo queda sujeta al IRNR por la parte de la renta atribuible a sus socios o partícipes no residentes. Esta opción normativa responde a la lógica transparente de este tipo de entes y evita que la renta sea gravada dos veces en sede de la entidad y de los socios.

La autonomía de esta figura se refleja también en otros aspectos del régimen jurídico del IRNR, como la obligación de designar representante o la responsabilidad por el ingreso de las deudas tributarias, donde el legislador distingue expresamente entre los establecimientos permanentes y las entidades del artículo 38.

En consecuencia, desde una perspectiva subjetiva, la tributación de las rentas inmobiliarias de no residentes no depende únicamente de la titularidad formal del inmueble, sino también de la estructura jurídica a través de la cual se canaliza la inversión y del grado de presencia económica en España. Esta diferenciación resulta esencial para determinar el alcance y la modalidad de la sujeción al IRNR y condiciona de manera decisiva la aplicación posterior de las reglas de determinación de la base imponible y del gravamen.

V. RÉGIMEN JURÍDICO DE LA TRIBUTACIÓN EN ESPAÑA DE LAS RENTAS DERIVADAS DE BIENES INMUEBLES

El análisis de la tributación en España de las rentas inmobiliarias obtenidas por no residentes exige, como cuestión preliminar, determinar si resulta aplicable un Convenio para evitar la doble imposición internacional. Ello se debe a que los CDI operan como normas de reparto de potestades tributarias que pueden habilitar, limitar o incluso excluir el gravamen por el Estado de la fuente. En ausencia de CDI, el encuadre jurídico se realiza exclusivamente con arreglo al Texto Refundido de la Ley del Impuesto sobre la Renta de no Residentes (TRLIRNR).

Debe recordarse, en todo caso, que el CDI no sustituye a la normativa interna, sino que condiciona su aplicación. Una vez constatado que España ostenta potestad tributaria conforme al convenio o, en su defecto, a su legislación interna, la cuantificación de la renta, la determinación de la base imponible, el tipo de gravamen y los deberes formales se rigen por el TRLIRNR y su normativa de desarrollo[10].

1. TRIBUTACIÓN CUANDO EXISTE UN CDI APLICABLE

En los CDI suscritos por España, inspirados de forma predominante en el MC OCDE, las rentas derivadas de bienes inmuebles se encuadran, según su naturaleza, en tres grandes categorías: rentas inmobiliarias (art. 6), beneficios empresariales (art. 7, cuando existe establecimiento permanente) y ganancias de capital (art. 13). Cada una de estas categorías desempeña una función propia en la delimitación de la potestad tributaria del Estado de la fuente.

1.1. Rentas del artículo 6 del MCOCDE: explotación y uso de bienes inmuebles

El artículo 6.1 del MCOCDE atribuye al Estado de situación del inmueble la facultad de someter a imposición las rentas que un residente del otro Estado contratante obtenga de dicho bien. Esta habilitación se proyecta, conforme al artículo 6.3, sobre toda renta derivada de la utilización directa, del arrendamiento o de cualquier otra forma de explotación del inmueble, con independencia de su encuadre jurídico interno.

En el supuesto de que exista un CDI, habrá que tener en cuenta lo previsto en él, pero en la mayoría de ellos se sigue lo establecido en el MCOCDE, que recoge en el artículo 6.3 el gravamen en el Estado de la fuente en los casos de arrendamiento, aparcería, cualquier otra forma de explotación de un bien inmueble e incluso en los de utilización directa de los bienes inmuebles. Una vez resuelta el país de la fuente, será la norma interna la que determine cómo ha de producirse esta tributación. En especial, resultarán de aplicación las normas sobre rendimientos de capital inmobiliario cuando exista un arrendamiento o cualquier otro derecho de uso y disfrute sobre el bien y las normas sobre imputaciones de renta cuando se trate de bienes inmuebles urbanos desocupados.

---

10 Ruibal Pereira, L. (2022): "Las rentas derivadas de los bienes inmuebles en la tributación de no residentes", *Fiscalidad internacional*, Vol. 1, (Tomo 1), CEF, Madrid, págs. 493-538.

Así se pronuncia la Dirección General de Tributos sobre la declaración de unas rentas de bienes inmuebles obtenidas por el alquiler de un apartamento, situado en España, propiedad de dos no residentes. En primer lugar, establece la DGT que las rentas obtenidas por el alquiler del apartamento pueden someterse a imposición en España. En cuanto a la forma de declarar tales rentas, siendo los perceptores residentes en el Reino Unido, les será de aplicación lo dispuesto en el TRLIRNR y sus disposiciones reglamentarias. De acuerdo con tales normas, las rentas obtenidas por personas no residentes en territorio español, originadas por el alquiler de bienes inmuebles, situados en España, deberán declararse en el modelo 210, modelo ordinario de declaración para contribuyentes no residentes que obtienen rentas en este país sin EP[11].

Desde la perspectiva del Derecho interno español, estas rentas se reconducen, cuando no existe establecimiento permanente, al ámbito del artículo 13.1.g del TRLIRNR (rendimientos derivados, directa o indirectamente, de bienes inmuebles situados en España o de derechos relativos a ellos) o, tratándose de personas físicas titulares de inmuebles urbanos no afectos, al artículo 13.1.h (rentas imputadas). La existencia de CDI no altera esta calificación interna, sino que determina si España puede o no ejercer la potestad tributaria que la norma interna le atribuye.

Como bien señala Ruibal Pereira[12], con la finalidad de ampliar al máximo el abanico de rentas que puedan relacionarse con un bien inmueble, el artículo 6, en su apartado 3, establece, como hemos dicho, una cláusula de cierre según la cual la regla general de tributación en el Estado de la fuente será aplicable cualquiera que sea la forma de explotación de los bienes inmuebles[13], siendo de extraordinaria importancia para países como el nuestro, en el que han proliferado distintas formas de aprovechamiento de los bienes inmuebles, como el de multipropiedad, cuya forma de tributación se verá posteriormente. No hay modelo de convenio que regule la multipropiedad; algunos Estados realizaron la correspondiente reserva en el modelo de convenio para poder incluirla y muchos de los CDI suscritos por España sí engloban esta figura dentro de las rentas a las que le son aplicables las disposiciones del artículo 6, fundamentalmente, los CDI más recientes. En estos CDI se incorpora un nuevo apartado considerando también como rentas inmobiliarias aquellas rentas obtenidas por el sujeto cuando este no es propietario de los bienes inmuebles que las generan, sino que son propietarios de las acciones,

---

11 *Vid.* DGT 09-05-2017 Nº Consulta Vinculante: V1083/2017

12 Ruibal Pereira, L., (2004), "*Los bienes inmuebles en los impuestos sobre la renta de las personas físicas residentes y no residentes*", CEF, Madrid.

13 La DGT viene manteniendo también la inclusión en el ámbito del artículo 6 de cualquier rendimiento vinculado a un bien inmueble incluso en situaciones en las cuales resulte difícil determinar el tipo de rendimiento que se genera. En este sentido, *vid.* la Consulta V0094/2017, de 25 de abril.

participaciones u otros derechos en una sociedad o en una persona jurídica cuya propiedad les atribuye el derecho a disfrutar de bienes inmuebles situados en el otro Estado contratante y que son detentados por la sociedad. Las rentas que el propietario de las acciones obtiene del uso directo, del arrendamiento o del uso en cualquier otra forma de tal derecho de disfrute estarán sometidas a imposición en el Estado de situación del bien inmueble[14].

Otros CDI especifican el tratamiento de la multipropiedad disponiendo que no se aplicarán las disposiciones previstas en este artículo a las rentas derivadas de la titularidad de derechos de multipropiedad cuando se utilicen por un periodo de tiempo que no exceda de cuatro o de dos semanas[15].

Sin embargo, debe ponerse de manifiesto que la normativa interna de nuestro país y el MCOCDE difieren en el tratamiento de alguna de las rentas inmobiliarias, ya que, mientras en el modelo de convenio se incluyen dentro de los rendimientos de bienes inmuebles también las rentas derivadas de bienes inmuebles afectos a una actividad económica, como se deriva de lo previsto en el artículo 6.4 del MCOCDE, en la normativa interna se incluyen dentro de los rendimientos de actividades económicas[16].

En los comentarios a este artículo se aclara que con ello se pretende que la potestad tributaria del Estado de la fuente tenga prioridad frente a la del otro Estado, incluso cuando, en el caso de una empresa, los rendimientos solo se derivan indirectamente de los bienes inmuebles. Ahora bien, esto no significa que los rendimientos de bienes inmuebles obtenidos por medio de un EP no deban tratarse como rentas empresariales, pero sí garantiza que las rentas se graven en el Estado donde los bienes estén situados, aun en el caso de que dichos bienes no formen parte de un EP situado en ese Estado[17].

De todos modos, como hemos visto, España ha hecho una reserva a este precepto de tal forma que pueda gravar los rendimientos derivados de cualquier forma de uso y disfrute de bienes inmuebles situados en nuestro territorio cuando el derecho se derive de la tenencia de acciones u otras participaciones en la sociedad titular del inmueble.

---

14 Consúltese el artículo 6.6 del CDI hispano-australiano.

15 Consúltense los CDI España-Bélgica, Irlanda y Reino Unido. Podemos encontrarnos, también, con reglas especiales en alguno de los CDI firmados por España. Así, por ejemplo, en el CDI con Reino Unido, las ganancias de capital derivadas de la enajenación de derechos de multipropiedad que puedan ser utilizados durante periodos que no excedan de dos semanas en el año natural solo pueden someterse a imposición en el Estado del que sea residente el transmitente.

16 Soler Roch, M. T.; y Núñez Granón, M. (2022): "Rentas obtenidas por no residentes sin mediación de establecimiento permanente", *Fiscalidad Internacional*, CEF, Madrid, pág. 38.

17 Comentarios al artículo 6, para 4, MC OCDE, OCDE 2017, pág. 170.

1.2. Rentas del artículo 13 del MCOCDE: ganancias patrimoniales inmobiliarias

La primera de las rentas a las que hace referencia el precepto es la derivada de la transmisión de bienes inmuebles. Las normas por las que se regirá el cálculo de dicha ganancia serán las previstas en el TRLIRNR, que a su vez se remite al TRLIRPF. Algunos de los CDI firmados por España incluyen dentro de las rentas inmobiliarias (Art. 6) las procedentes de la enajenación de los bienes inmuebles[18]. La calificación que se realice no afectará a las reglas de atribución, ya que en ambos casos los respectivos artículos del MCOCDE establecen la tributación compartida.

Junto con esta previsión genérica, muchos Estados han incluido en la firma de los CDI un nuevo supuesto como asimilable a los previstos en el artículo 13.1 del MCOCDE. Nos referimos a la enajenación de la totalidad o parte de las acciones de una sociedad cuyo objeto exclusivo o principal consista en detentar bienes inmuebles. Se trata de una cláusula antiabuso incluida por algunos Estados, como España, en la firma de CDI y cuya finalidad es evitar los casos de *rule* shopping[19], es decir, recurrir a este tipo de «sociedades patrimoniales o de tenencia de bienes inmuebles como fórmula de planificación fiscal para evitar el gravamen de la fuente por el impuesto sobre la renta, o incluso el propio Impuesto sobre el Patrimonio en el caso del derecho español»[20]. De esta forma, la tributación de la ganancia de capital fruto de la venta de acciones representativas de bienes inmuebles o cuyo objeto social sea la posesión de bienes inmuebles se rige por lo previsto en el artículo 6 del MCOCDE, es decir, puede someterse a tributación en el lugar donde radiquen los inmuebles, dejando de aplicarse la regla de la imposición en el país de la residencia de la sociedad. En efecto, el artículo 13.4 del MCOCDE señala que «las ganancias obtenidas por un residente de un Estado contratante de la enajenación de acciones cuyo patrimonio consista en más del 50 %, directa o indirectamente, en bienes inmuebles situados en el otro Estado contratante pueden someterse a imposición en ese otro Estado». Se trata de una cláusula antiabuso y medida complementaria a la regla general sobre los bienes inmuebles que afecta a la propiedad inmobiliaria subyacente que constituya la mayoría del capital social de la sociedad.

Casi todos los CDI firmados por España tienen una redacción más acorde con el MCONU en este aspecto. Los CDI de Chile y Lituania toman la redacción actual del artículo 13.4 del MCOCDE. Así, las diferencias más comunes que se pueden señalar consisten en extender el ámbito de aplicación a otras participaciones análogas o

18 CDI entre España y Canadá, Filipinas, Italia, Marruecos y Túnez.

19 España ha incluido esta cláusula en los convenios suscritos con Canadá, Corea, China, Estados Unidos, Filipinas, Francia, Irlanda, Luxemburgo, México, Polonia, Portugal y la URSS, entre otros.

20 Ruibal Pereira, L. "La fiscalidad internacional de las rentas obtenidas de bienes inmuebles", en *Fiscalidad Internacional*, Dir. Serrano Antón, CEF, 2022, pág. 502.

similares y sustituir el porcentaje del 50 % por la expresión «principalmente». En el MCONU, se indica que este último término quiere decir una participación no inferior al 50 %. Sobre el cómputo de los bienes inmuebles respecto del capital de la entidad, indica el comentario al MCOCDE que normalmente se determinará comparando el valor de dichos bienes en relación con el activo global de dicha entidad[21].

En cuanto a los títulos representativos de la participación en el capital, el comentario al MCOCDE admite que los Estados contratantes de un CDI pueden ampliar el alcance del concepto a otro tipo de participaciones, incluyendo títulos representativos de intereses en otro tipo de participaciones, como *partnerships* o *trusts*[22].

En resumen, los principales supuestos de ganancias patrimoniales vinculadas a bienes inmuebles podrían resumirse en los siguientes:

- Derivadas de bienes inmuebles situadas en el otro Estado.
- Derivadas de la enajenación de acciones o participaciones cuyo valor deriva directa o indirectamente en más de un 50 % de bienes inmuebles radicados en el otro Estado (un 40 % en República Dominicana).
- Enajenación de acciones, participaciones u otros derechos en sociedades o personas jurídicas cuyo activo consista principalmente en bienes inmuebles situados en el otro Estado.
- Enajenación de acciones de capital u otros derechos en una compañía cuyos activos consistan principalmente, en forma directa o indirecta, en bienes inmuebles no afectos a su actividad empresarial situados en el otro Estado o derechos inherentes a dichos bienes inmuebles (p. ej. Venezuela).
- Enajenación de participaciones en una sociedad de personas o en una fiducia (*trust*) cuyos bienes estén constituidos principalmente por bienes inmuebles sitos en el otro Estado (p. ej. Canadá).
- Derivadas de la enajenación de acciones o participaciones que otorguen al propietario de dichas acciones, participaciones o derechos el derecho al disfrute de bienes inmuebles situados en el otro Estado.

Asimismo, está previsto que los CDI puedan restringir el ámbito de esta regla, excluyendo las acciones de sociedades que cotizan en mercados de valores[23] como, por

---

21 Véase el parágrafo 28.4 de los comentarios al artículo 13 del MCOCDE. También J. Arrieta Martínez de Pisón, "Tributación de los no residentes respecto de los inmuebles y las ganancias patrimoniales". En "*Estudios sobre fiscalidad internacional y comunitaria* / coord. por Saturnina Moreno González; Miguel Ángel Collado Yurrita (dir.), 2005, págs. 509-540

22 Véanse los CDI firmados por España con Canadá y Filipinas.

23 Véase el parágrafo 28.7 de los comentarios al artículo 13 del MCOCDE.

ejemplo, sucede en el caso del CDI España-Reino Unido[24]. También se contempla que esta regla no se aplique a las ganancias generadas a través de participaciones en fondos de pensiones u otros fondos de inversión, sobre todo, en los países que declaran exentas este tipo de ganancias, de modo que los efectos de dicha exención se extiendan a su tratamiento en el Estado de la fuente[25].

Resulta irrelevante el destino del inmueble, si bien, la proporción de estos bienes con el activo de la sociedad revela que el objeto del precepto es, en principio, las sociedades de tenencia de inmuebles. Así, los CDI entre España y México y también con Canadá o Venezuela excluyen expresamente los inmuebles afectos al ejercicio de actividades económicas.

1.3. Rentas del artículo 7 del MCOCDE: bienes inmuebles afectos a un establecimiento permanente

En este apartado se trata de analizar el art. 7 MCOCDE teniendo en cuenta los bienes inmuebles que se encuentren afectos al desarrollo de una actividad económica por parte de un EP. El artículo 7 del MCOCDE establece que:

> «Los beneficios de una empresa de un Estado contratante solamente pueden someterse a imposición en este Estado, a no ser que la empresa realice su actividad en el otro Estado contratante por medio de un EP situado en él. Si la empresa realiza su actividad de dicha manera, los beneficios de la empresa pueden someterse a imposición en el otro Estado, pero solo en la medida en que puedan atribuirse a este EP».

Esto supone que los bienes inmuebles afectos al EP, así como las ganancias y pérdidas que se puedan derivar de estos bienes, podrán someterse a imposición en España cuando tanto los bienes inmuebles como el EP se hallen en territorio español.

Una vez más será la norma interna española la que determine la forma de tributación. Según establece el artículo 16 en concordancia con el 18 del TRLIRNR, la renta que se atribuye al EP es la que se derive de la realización de las actividades o explotaciones del EP, los rendimientos derivados de los elementos patrimoniales afectos al mismo, así como las ganancias o pérdidas patrimoniales derivadas de estos elementos y la base imponible se calculará, con carácter general, de acuerdo con el régimen general del IS.

---

24 El artículo 13.4 del CDI establece lo siguiente:
«Las ganancias obtenidas por un residente de un Estado contratante de la enajenación de acciones, distintas de aquellas que se negocien considerable y regularmente en una bolsa de valores, participaciones, o derechos similares, cuyo valor proceda en más de un 50 %, directa o indirectamente, de bienes inmuebles situados en el otro Estado contratante, pueden someterse a imposición en ese otro Estado».

25 Véase el parágrafo 28.8 de los Comentarios al artículo 13 del MCOCDE.

Por lo tanto, si una sociedad no residente con un EP en España obtiene rentas derivadas de bienes inmuebles afectos al EP o ganancias o pérdidas patrimoniales derivadas de los mismos, estas rentas podrán tributar en España conforme a las normas del IS.

Debe tenerse presente que el apartado 7 de este mismo artículo prevé que si entre los rendimientos de la actividad se encuentran rentas reguladas separadamente en otros artículos del convenio, aquellas no se verán afectadas por lo previsto en este precepto. Con ello quiere delimitarse positiva y negativamente el ámbito de aplicación del artículo 7, estableciendo una regla de acuerdo con la cual las rentas que, de acuerdo con otros preceptos del convenio, caen en el ámbito objetivo de preceptos distintos al artículo 7 quedan, en principio, excluidas del ámbito de aplicación de este último.

Obviamente, si la actividad económica se realiza en España sin EP, dicho beneficio no se someterá a tributación en España, pero esto no impedirá que, si tiene bienes inmuebles en España y estos son susceptibles de generar algún otro rendimiento (arts. 6 o 13), puedan resultar gravados.

2. TRIBUTACIÓN CUANDO NO EXISTE CDI

En ausencia de CDI, la sujeción de las rentas inmobiliarias de no residentes se rige exclusivamente por los puntos de conexión del artículo 13 del TRLIRNR, de los que resulta una amplia sujeción por razón de la localización del bien inmueble en territorio español, tanto si las rentas son obtenidas mediante establecimiento permanente como sin él.

2.1. Rentas obtenidas mediante establecimiento permanente

El artículo 13.1 a) de la LIRNR considera rentas obtenidas en territorio español las rentas de actividades o explotaciones económicas realizadas mediante EP situado en territorio español. En estos casos, el régimen tributario aplicable será el contenido en los artículos 16 a 23 del TRLIRNR.

En primer lugar, y de acuerdo con lo establecido en el artículo 16.1 del TRLIRNR, la renta imputable al EP vendrá determinada por las siguientes rentas[26]:

- Los rendimientos de actividades o explotaciones económicas que desarrolle el EP.
- Los rendimientos derivados de elementos patrimoniales afectos al EP.

26 L. Ruibal Pereira, "Las rentas derivadas de los bienes inmuebles en la tributación de no residentes", en *Fiscalidad internacional* / coord. por Fernando Serrano Antón, Vol. 1, 2022 (Tomo 1), págs. 525-527

- Las ganancias o pérdidas patrimoniales derivadas de los elementos afectos.

La base imponible se calculará, como regla general, acudiendo a las disposiciones del régimen general del IS con algunas salvedades (art. 18 del TRLIRNR). En este mismo precepto se prevé una serie de reglas especiales para supuestos concretos como, por ejemplo, cuando el EP desarrolle una actividad en España consistente en la realización de obras de construcción, instalación o montaje cuya duración exceda de los seis meses, cuando se trate de actividades o explotaciones de temporada o estacionales o cuando realice actividades de exploración de recursos naturales.

2.2. Rentas obtenidas sin establecimiento permanente

En la tributación de las rentas obtenidas por contribuyentes no residentes en España sin mediación de establecimiento permanente (EP), la Ley del Impuesto sobre la Renta de no Residentes (TRLIRNR) configura un régimen específico, basado en los principios de territorialidad, gravamen de rentas íntegras y tipos proporcionales. El artículo 13 del TRLIRNR identifica como rentas obtenidas en territorio español, entre otras, los rendimientos de bienes inmuebles situados en España (directa o indirectamente), las ganancias patrimoniales procedentes de inmuebles o de derechos sobre éstos, los rendimientos de actividades económicas realizados en España y la renta imputada de inmuebles urbanos para uso propio. La base imponible de estas rentas, con carácter general, se determina por su importe íntegro, aunque el artículo 24.6 permite a los contribuyentes residentes en otros Estados miembros de la UE o del Espacio Económico Europeo (EEE) deducir gastos asociados si existe vínculo económico directo.

La jurisprudencia reciente ha cuestionado la exclusión de esa deducción a contribuyentes de terceros países. La Sentencia de la Audiencia Nacional de 28 de julio de 2025 (núm. 3630/2025) consideró que todos los no residentes tienen derecho a deducir los gastos necesarios para calcular el rendimiento de inmuebles alquilados en España, al entender que la restricción a los extracomunitarios vulnera la libre circulación de capitales del art. 63 TFUE. Este criterio se apoya en el Derecho de la UE y en el Convenio de Doble Imposición España-Estados Unidos, y ha generado un debate aún pendiente de resolución definitiva por el Tribunal Supremo. La Agencia Tributaria, sin embargo, mantiene la aplicación literal del art. 24.1, de modo que para ejercicios de 2025 se recomienda seguir declarando al 24 % sobre el importe íntegro o, de forma prudente, reservar el derecho a deducir gastos presentando solicitudes de rectificación.

El art. 13.1.g) del TRLIRNR considera rendimientos de capital inmobiliario los ingresos derivados, directa o indirectamente, de bienes inmuebles situados en España o de derechos relativos a ellos. Esta remisión incluye los arrendamientos y concesiones de uso, así como las rentas procedentes de participaciones en entidades cuyo activo esté constituido principalmente por inmuebles situados en España o que otorguen derechos de uso sobre ellos (time-sharing, multipropiedad, etc.), siguiendo la práctica del

MCOCDE. Para delimitar qué constituye rendimiento de capital inmobiliario y qué actividad económica, la norma remite al TRLIRPF. El arrendamiento se considerará actividad económica cuando se utilice, al menos, una persona empleada con contrato laboral y jornada completa.

La territorialidad exige que los inmuebles estén radicados en España, dado que los inmuebles en el extranjero no tributan en el IRNR. La explotación de bienes rústicos se considera establecimiento permanente (EP), por lo que las rentas agrícolas, forestales o pecuarias no tributan en este régimen sino en el de EP.

La base imponible se integra por el importe íntegro que reciba el arrendador por todos los conceptos, excluido el IVA. No son deducibles los gastos de conservación, comunidad o amortización, salvo la cuota del gravamen especial sobre bienes inmuebles de entidades no residentes.

Existe una excepción para los residentes en la UE/EEE, ya que desde 2010 (modificado en 2014), los contribuyentes residentes en la UE o en un país del EEE con intercambio de información pueden deducir los gastos previstos en la Ley del IRPF (personas físicas) o en la Ley del Impuesto sobre Sociedades (entidades), siempre que acrediten relación directa con los ingresos y vínculo económico con la actividad. La Agencia Tributaria recoge esta posibilidad en su guía. El tipo de gravamen es 19 % para residentes en la UE, Islandia, Noruega y Liechtenstein y 24 % para los demás.

La calificación como actividad económica tendrá en cuenta que además del alquiler se prestan servicios propios de la hostelería (restaurante, limpieza, lavandería). En estos casos, las rentas tienen la consideración de rendimientos de actividades económicas. En cambio, si el propietario cede la vivienda a una empresa de servicios que presta esos servicios al inquilino, se tratará de rendimientos de capital inmobiliario. La remisión al art. 27.2 LIRPF exige que se utilice, al menos, una persona empleada y jornada completa para considerar el arrendamiento como actividad económica.

Las ganancias patrimoniales son variaciones en el valor del patrimonio del contribuyente que se ponen de manifiesto con ocasión de alteraciones en su composición, salvo que la ley las califique como rendimientos. El art. 13.1.i) TRLIRNR incluye como rentas obtenidas en territorio español las ganancias patrimoniales procedentes, directa o indirectamente, de bienes inmuebles situados en España. Se asimilan a estas las ganancias derivadas de:

- Transmisión de acciones o participaciones en entidades, residentes o no, cuyo activo esté constituido principalmente por inmuebles situados en España.
- Transmisión de derechos o participaciones que atribuyan el derecho de disfrute sobre inmuebles situados en España.
- Aportación de bienes o derechos situados en España que se incorporen al patrimonio del contribuyente sin transmisión onerosa (art. 13.1.i).4º).

La base imponible se determina aplicando, a cada alteración patrimonial, las reglas de las ganancias patrimoniales del IRPF. Para no residentes se entenderá que existe alteración en supuestos que en el IRPF están exentos (división de cosa común, disolución de sociedad de gananciales, etc.), por lo que la parte de ganancia atribuible al no residente tributa proporcionalmente. El tipo de gravamen general es 19 %.

Cuando el no residente transmite un inmueble, el adquirente debe practicar una retención del 3 % del precio de la transmisión (modelo 211) e ingresarla en Hacienda en el plazo de un mes. Este importe se deduce de la cuota resultante en la autoliquidación (modelo 210) que el no residente debe presentar en los tres meses siguientes al fin del plazo para ingresar la retención; si la cuota resultante es inferior, procede devolución. El incumplimiento de la retención convierte al inmueble en responsable del pago hasta el importe de la retención o del impuesto correspondiente[27].

En cuanto a las exenciones tenemos las siguientes:

- Exención parcial (50 %) por venta de inmuebles urbanos adquiridos entre el 12-5-2012 y el 31-12-2012.
- Exención por reinversión en vivienda habitual: los contribuyentes residentes en un Estado de la UE/EEE (incluido Islandia, Noruega y Liechtenstein) pueden excluir de gravamen la ganancia obtenida por la transmisión de la que fue su vivienda habitual en España si reinvierten el importe en otra vivienda habitual. Deben reinvertir el total (o la parte proporcional) para que la exención sea total, y el nuevo inmueble puede estar ubicado fuera de España. La exención no se aplica si la vivienda perdió la condición de habitual más de dos años antes de la transmisión (DGT, Consulta 7-12-2021). Esta medida está orientada a expatriados; la doctrina destaca que su uso práctico es limitado.
- Exención de retención en transmisiones lucrativas (donaciones): no se practica retención, pero el adquirente deberá declarar en el Impuesto sobre Sucesiones o Donaciones.

El art. 13.1.b) TRLIRNR somete a gravamen los rendimientos derivados de actividades o explotaciones económicas realizadas en España sin mediación de EP, incluyendo las prestaciones de servicios utilizadas en territorio español. La calificación como actividad económica exige que el contribuyente cuente con una estructura empresarial o un lugar fijo de negocios en España. En caso contrario, los rendimientos de alquiler se clasifican como capital inmobiliario.

27 L. Ruibal Pereira, "Las rentas derivadas de los bienes inmuebles en la tributación de no residentes", en *Fiscalidad internacional* / coord. por Fernando Serrano Antón, Vol. 1, 2022 (Tomo 1), págs. 493-538

Para distinguir entre rendimiento de capital inmobiliario y rendimiento de actividades económicas, se atiende a la organización de medios. Así si el arrendador presta servicios complementarios propios de la hostelería (restauración, limpieza diaria, lavandería) y dispone de personal contratado y local afecto, el arrendamiento se considera actividad económica (art. 27.2 LIRPF). Así lo resolvió la resolución del Tribunal Económico-Administrativo Central de 17 de noviembre de 2000. En la resolución se exigía la existencia de un lugar fijo de negocios con estructura operativa y personal autorizado para concluir contratos. Por lo que si el arrendador se limita a ceder el inmueble y contrata a una agencia que presta servicios a los inquilinos, los rendimientos mantienen la naturaleza de capital inmobiliario.

Cuando se trata de actividades económicas sin EP, la base imponible se compone de los ingresos íntegros menos los gastos de personal, aprovisionamientos y suministros relacionados con la actividad. El tipo de gravamen general es 24 % (19 % para residentes UE/EEE).

Las ganancias patrimoniales derivadas de bienes inmuebles afectos a un EP forman parte de la base imponible del EP; si el contribuyente opera sin EP, tributan como rentas de actividades económicas, permitiéndose la deducción de los gastos de personal, aprovisionamientos y suministros.

El art. 13.1.h) TRLIRNR grava las rentas imputadas a contribuyentes personas físicas no residentes, titulares de bienes inmuebles urbanos situados en España no afectos a actividades económicas. Esta figura coincide con la imputación de rentas inmobiliarias del IRPF, puesto que se considera renta presunta por el mero hecho de ser propietario de un inmueble urbano desocupado o destinado a uso propio. La normativa excluye a las entidades no residentes; no menciona explícitamente bienes rústicos, por lo que la DGT ha afirmado que los inmuebles rústicos no generan renta imputada.

La base imponible se determina siguiendo el art. 85 LIRPF (al que remite el art. 24.5 TRLIRNR). Se computa un porcentaje del valor catastral del inmueble:

- 1,1 % del valor catastral si el inmueble se encuentra en un municipio con valoración catastral revisada en los diez años anteriores.
- 2 % en el resto de casos.

Si no existe valor catastral, se toma el 50 % del mayor entre el precio de adquisición y el valor comprobado por la Administración, aplicando el 1,1 %. El porcentaje se prorratea por los días de titularidad y no se permite deducir gasto alguno. En los derechos de aprovechamiento por turnos, la imputación se realiza prorrateando el valor catastral según la duración anual del uso.

El tipo de gravamen es 24 % con carácter general y 19 % para residentes UE/EEE.

Por cierto, no se imputa renta por inmuebles que generan rendimientos de capital inmobiliario o que están afectos a actividades económicas; en ese caso tributan como tales.

En lo que se refiere a la vivienda habitual de diplomáticos y personal consular, los nacionales de otros Estados que residen en España por razón de su cargo tributan por su renta mundial en su país de origen; la vivienda que ocupan en España no genera renta imputada.

VI. LAS SOCIEDADES ANÓNIMAS COTIZADAS DE INVERSIÓN EN EL MERCADO INMOBILIARIO

España incorporó en 2009 las sociedades anónimas cotizadas de inversión en el mercado inmobiliario (SOCIMI) mediante la Ley 11/2009, de 26 de octubre, modificada por la Ley 16/2012. Estas sociedades son vehículos de inversión inmobiliaria similares a los REIT anglosajones. Su principal objetivo era profesionalizar el mercado de alquiler e impulsar la oferta de vivienda y otros inmuebles en alquiler (en 2012 sólo el 11 % de los hogares españoles vivía de alquiler frente al 40 % de media europea). Las SOCIMI permiten que pequeños y medianos inversores participen en carteras diversificadas de activos inmobiliarios y obtengan rentabilidades periódicas, ya que la ley obliga a una amplia distribución anual de beneficios. El régimen tuvo poco éxito inicial, pero tras la reforma de 2012, que introdujo mayor flexibilidad, el número de SOCIMI aumentó de 2 en 2013 a 90 en 2019.

Las SOCIMI no se consideran instituciones de inversión colectiva y, por ello, no requieren autorización previa de la Comisión Nacional del Mercado de Valores. No obstante, están sujetas a normas de transparencia e información, dado que en la memoria de sus cuentas anuales deben incluir un apartado específico "Exigencias informativas derivadas de la condición de SOCIMI" con detalles sobre beneficios, dividendos, reservas y activos.

Las SOCIMI adoptan la forma de sociedad anónima y se les aplica el régimen general de sociedades de capital. El capital social mínimo exigido es de 5 millones de euros y sólo puede haber una clase de acciones. Las acciones deben estar admitidas a negociación en un mercado regulado o en un sistema multilateral de negociación de la UE/EEE o de un país con intercambio efectivo de información tributaria. Para acogerse al régimen fiscal especial, la sociedad debe añadir las siglas "SOCIMI" a su denominación social. La ley establece la obligación de tasar las aportaciones no dinerarias (inmuebles) por un experto independiente designado por el registrador mercantil.

De acuerdo con el artículo 2 de la Ley 11/2009, el objeto de las SOCIMI comprende: (1) adquirir y promover bienes inmuebles urbanos para su arrendamiento; (2) poseer participaciones en el capital de otras SOCIMI o de entidades extranjeras con un régimen similar y política obligatoria de distribución de beneficios; (3) poseer participaciones en entidades cuyo objeto principal sea adquirir inmuebles urbanos para su arrendamiento y que cumplan la política de distribución exigida; y (4) tener acciones o participaciones en instituciones de inversión colectiva inmobiliaria. Junto a esa actividad principal, pueden desarrollar actividades accesorias siempre que generen menos del 20 % de sus rentas anuales.

Al menos el 80 % del valor del activo debe invertirse en bienes inmuebles urbanos destinados al arrendamiento, terrenos para promover inmuebles con ese fin (si la construcción se inicia en los tres años siguientes) o participaciones aptas según la Ley de SOCIMI. Además, al menos el 80 % de las rentas del ejercicio, excluidas las provenientes de la transmisión de activos que hayan cumplido el periodo mínimo de mantenimiento, debe proceder del arrendamiento de inmuebles afectos al objeto social o de dividendos y participaciones en beneficios de entidades aptas. Los inmuebles y acciones adquiridos deben mantenerse al menos tres años. En caso de incumplimiento del plazo o de tributar por otro régimen antes de transcurrir tres años, la sociedad debe regularizar y tributar conforme al régimen general.

Las SOCIMI deben acordar la distribución de dividendos dentro de los seis meses siguientes al cierre del ejercicio. La ley exige distribuir el 100 % de los beneficios obtenidos por dividendos o participaciones en beneficios de entidades aptas; al menos el 50 % de los beneficios derivados de la transmisión de inmuebles o participaciones sujetas a la obligación de mantenimiento una vez transcurrido el periodo mínimo y el resto debe reinvertirse en otros activos aptos en el plazo de tres años; y, al menos el 80 % del resto de los beneficios obtenidos en cada ejercicio.

El dividendo debe pagarse en el mes siguiente al acuerdo de distribución. La reserva legal no puede superar el 20 % del capital social y los estatutos no pueden establecer otras reservas indisponibles. El incumplimiento de la obligación de distribución determina la pérdida del régimen fiscal especial.

Las SOCIMI que optan por el régimen especial tributan en el Impuesto sobre Sociedades al 0 %. No obstante, la Ley 11/2009 establece un gravamen especial cuando reparten dividendos o no distribuyen beneficios:

- 19 % sobre los dividendos o participaciones en beneficios distribuidos a socios con participación igual o superior al 5 % cuyo dividendo esté exento o tribute a un tipo inferior al 10 %. Este gravamen no se aplica cuando el socio receptor es otra SOCIMI o una entidad no residente acogida a un régimen equivalente que tribute al menos al 10 %.

- 15 % sobre beneficios no distribuidos, en determinados supuestos recogidos en la ley (por ejemplo, cuando no se respetan los límites de inversión o el plazo de mantenimiento).

Las sociedades acogidas al régimen especial no pueden compensar bases imponibles negativas ni aplicar las deducciones y bonificaciones del Impuesto sobre Sociedades. Si dejan de cumplir los requisitos (p. ej., no mantienen los activos tres años) deben regularizar y tributar conforme al régimen general. La opción por el régimen especial es voluntaria y debe aprobarse por la junta general y comunicarse a la Agencia Tributaria antes de los tres meses anteriores al cierre del periodo impositivo. Una vez ejercida, surte efectos para el periodo y los siguientes hasta que se renuncie al régimen.

Los accionistas están sujetos al régimen fiscal que les corresponda por los dividendos y ganancias derivados de las SOCIMI. Para las entidades sujetas al Impuesto sobre Sociedades o al IRNR con establecimiento permanente, los dividendos de las SOCIMI no disfrutan de la exención por doble imposición. En el IRPF, los dividendos se integran como rendimientos del capital mobiliario. Las ganancias patrimoniales obtenidas en la transmisión de acciones siguen las reglas generales para contribuyentes del Impuesto sobre Sociedades y del IRNR con establecimiento permanente no se aplica la exención de doble imposición; para personas físicas se determinan conforme al artículo 37 LIRPF. Cuando accionistas no residentes sin establecimiento permanente posean participaciones iguales o superiores al 5 %, las ganancias no están exentas de IRNR. Los socios que posean al menos un 5 % y perciban dividendos sujetos a un tipo de al menos el 10 % deben comunicarlo a la SOCIMI en el plazo de diez días desde el cobro[28].

La Dirección General de Tributos (DGT) ha emitido numerosas consultas vinculantes sobre la aplicación del régimen de las SOCIMI. Algunas de ellas tienen como asunto el cumplimiento de la obligación de distribución, es decir, si la SOCIMI debe generar un ingreso en sede del accionista. En resoluciones de 2015 y 2016 (V0003-15 y V4461-16) la DGT permitió que la distribución se cumpliera, aunque la tesorería no saliera de la sociedad. En el primer caso se acordó la distribución del beneficio y, de forma inmediata, una ampliación de capital suscrita por el accionista mediante la aportación del crédito derivado de la distribución. En el segundo caso el accionista, tras percibir el dividendo, prestó a la SOCIMI el mismo importe, de modo que se reconoció el ingreso pero se mantuvo la liquidez de la sociedad.

Estas consultas fueron reinterpretadas a raíz de la consulta vinculante V1576-24 (26 de junio de 2024). La entidad consultante planteaba un scrip dividend en el que la distribución de beneficios se materializaba en la entrega de acciones liberadas a accionistas personas físicas. La DGT concluyó que la entrega de acciones totalmente liberadas no comporta la obtención de renta para los socios, sino una reducción del coste de adquisición, por lo que no se cumple el requisito de registrar un ingreso en el accionista y, por tanto, esta fórmula no sirve para cumplir la obligación de distribución. La conclusión

---

28 L. M. Viñuales, "SOCIMI: ¿el REIT de nueva generación? Un estudio comparado", *Crónica tributaria*, Nº 135, 2010, págs. 247-266

se extiende a los socios no residentes sin establecimiento permanente, puesto que para ellos se aplica el régimen del IRPF. La DGT precisó que su respuesta se refería a socios sujetos al IRPF o al IRNR sin establecimiento permanente; para socios sujetos al Impuesto sobre Sociedades o al IRNR con establecimiento permanente, anteriores resoluciones (como V1357-20 y V2468-20) señalaron que la entrega de acciones liberadas sí genera un ingreso contable, por lo que en estos casos podría admitirse el scrip dividend.

Como es sabido, el régimen de la Ley 11/2009 obliga a reinvertir al menos el 50 % del beneficio obtenido en la transmisión de inmuebles o participaciones aptas en un plazo de tres años. En la consulta vinculante de la DGT V0033-25, de 15 de enero de 2025 se aclararon varias cuestiones relativas a la reinversión:

- Forma de reinversión en inmuebles. La reinversión puede materializarse no sólo mediante la adquisición de nuevos inmuebles, sino también a través de renovaciones, ampliaciones o mejoras de inmuebles ya existentes siempre que estas inversiones supongan un mayor valor contable.
- Reinversión en participaciones. Puede efectuarse mediante la adquisición de acciones o participaciones de nueva emisión en entidades dependientes en las que la SOCIMI ya participa al 100 %, incluyendo la capitalización de financiación previamente concedida a dichas entidades, siempre que los fondos capitalizados se hayan destinado a inversiones en inmuebles afectos al objeto social.
- Distribución anticipada de beneficios. Cuando la entidad prevea que no reinvertirá la totalidad del importe sujeto a reinversión dentro del plazo de tres años, puede anticipar la distribución de los beneficios pendientes sin esperar a que transcurra el plazo; la obligación de reinversión se reducirá en el importe distribuido.
- Aportaciones no dinerarias y operaciones de reestructuración. La DGT consideró que aportar un inmueble reinvertido a una entidad dependiente del grupo que sea apta según la Ley de SOCIMI no se considera incumplimiento del plazo de mantenimiento ni genera la obligación de distribuir beneficios. Asimismo, en caso de reinversión en participaciones de entidades aptas, su canje en el marco de una fusión o escisión sometida al régimen de neutralidad fiscal no constituye incumplimiento del periodo de mantenimiento.

El régimen de las SOCIMI constituye una herramienta clave para canalizar capital hacia el mercado de alquiler de bienes inmuebles en España. La normativa impone estrictos requisitos de inversión, mantenimiento y distribución de beneficios para garantizar que estos vehículos cumplan su finalidad económica y social. Las reformas legislativas han buscado flexibilizar el régimen para atraer más operadores, pero al mismo tiempo se ha intensificado el control sobre su cumplimiento.

La doctrina administrativa muestra una evolución en la interpretación de las obligaciones de distribución frente a la permisividad inicial con operaciones que evitaban la salida de tesorería, la DGT ha establecido que la entrega de acciones liberadas no cumple la obligación cuando los socios son contribuyentes del IRPF o del IRNR sin establecimiento permanente. Esta interpretación obliga a las SOCIMI a repartir dividendos en efectivo para no perder el régimen fiscal especial. Otras consultas aclaran la flexibilidad en la reinversión de los beneficios derivados de transmisiones y la posibilidad de anticipar distribuciones cuando no se prevé cumplir plenamente el compromiso de reinversión.

VII. LA TRANSPARENCIA FISCAL Y LOS BIENES INMUEBLES EN EL EXTRANJERO

La Organización para la Cooperación y el Desarrollo Económicos (OCDE) anunció el 4 de diciembre de 2025 que 26 jurisdicciones se han comprometido a implementar el Acuerdo multilateral entre Autoridades competentes sobre el intercambio de información relativa a bienes inmuebles. Esta iniciativa amplía los mecanismos de cooperación internacional en materia fiscal al incluir en los intercambios automáticos de información la propiedad y los rendimientos de inmuebles situados fuera del país de residencia[29].

El compromiso de estas jurisdicciones representa un avance significativo en la lucha contra la evasión y el fraude fiscal, al arrojar luz sobre un ámbito tradicionalmente opaco y difícil de controlar para las administraciones tributarias. La propuesta contempla intercambios automáticos de información sobre la titularidad de los inmuebles, su valoración, el historial de transmisiones y los ingresos derivados de alquileres. Para facilitar su funcionamiento, el acuerdo se basa en la arquitectura del Estándar Común de Reporte (CRS), desarrollado en 2014 para las cuentas financieras, y en el Marco de Reporte de Criptoactivos (CARF) de 2023, trasladando esos principios de transparencia al ámbito inmobiliario.

El documento preparatorio de la OCDE recuerda que, pese a los avances en la transparencia de cuentas financieras, las administraciones seguían sin disponer de información sistemática sobre bienes inmuebles situados en el extranjero. La puesta en marcha

[29] OCDE (2025), Cadre pour l'échange automatique de renseignements déjà disponibles sur les biens immobiliers à des fins fiscales: Rapport de l'OCDE à l'intention des ministres des Finances et des gouverneurs de banque centrale des pays du G20, OCDE, Paris https://www.oecd.org/content/dam/oecd/fr/topics/policy-issues/tax-transparency-and-international-cooperation/cadre-pour-echange-automatique-de-renseignements-deja-disponibles-sur-les-biens-immobiliers-a-des-finsfiscales.pdf. (Acceso Web 15 de enero de 2026).

del nuevo marco pretende subsanar esa carencia y se prevé que los primeros intercambios se produzcan en 2029. La OCDE ha invitado a otras jurisdicciones a adherirse a esta iniciativa para reforzar la cooperación fiscal internacional y promover sistemas tributarios más robustos y equitativos.

VIII. REFERENCIAS BIBLIOGRÁFICAS

Arrieta Martínez de Pisón, J. (2005): "Tributación de los no residentes respecto de los inmuebles y las ganancias patrimoniales", *Estudios sobre fiscalidad internacional y comunitaria",* Colex, Madrid, págs. 509-540.

OCDE (2025), Cadre pour l'échange automatique de renseignements déjà disponibles sur les biens immobiliers à des fins fiscales: Rapport de l'OCDE à l'intention des ministres des Finances et des gouverneurs de banque centrale des pays du G20, OCDE, Paris https://www.oecd.org/content/dam/oecd/fr/topics/policy-issues/tax-transparency-and-international-cooperation/cadre-pour-echange-automatique-de-renseignements-deja-disponibles-sur-les-biens-immobiliers-a-des-fins-fiscales.pdf

OECD (2019), Model Tax Convention on Income and on Capital 2017 (Full Version), OECD Publishing, Paris, https://doi.org/10.1787/g2g972ee-en.

OECD (2025), The 2025 Update to the OECD Model Tax Convention, OECD Publishing, Paris, https://doi.org/10.1787/5798080f-en

Ruibal Pereira, L., (2004): "Los bienes inmuebles en los impuestos sobre la renta de las personas físicas residentes y no residentes", Centro de Estudios Financieros - CEF, Madrid.

Ruibal Pereira, L., (2022): "Las rentas derivadas de los bienes inmuebles en la tributación de no residentes", *Fiscalidad internacional* Vol. 1, (Tomo 1), CEF, Madrid, págs. 493-538.

Soler Roch, M. T.; y Núñez Granón, M., (2022): "Rentas obtenidas por no residentes sin mediación de establecimiento permanente", *Fiscalidad Internacional,* CEF, Madrid, págs. 38.

Viñuales Sanabria, L. M., (2010): "SOCIMI: ¿el REIT de nueva generación? Un estudio comparado", *Crónica tributaria,* núm. 135, págs. 247-266.

TRIBUTACIÓN DE LOS NUEVOS MODELOS DE FINANCIACIÓN E INVERSIÓN INMOBILIARIA: LA TOKENIZACIÓN

Helena Pujalte Méndez-Leite
Doctora en Derecho
Universidad Rey Juan Carlos
ORCID 0000-0002-4364-7256

MITADA U OTROS INSTRUMENTOS DE DEUDA. 2. TRIBUTACIÓN INDIRECTA. 2.1. TRANSMISIÓN DE TOKENS INMOBILIARIOS POR EMPRESARIOS O PROFESIONALES EN EL EJERCICIO DE SU ACTIVIDAD. 2.2. TRANSMISIÓN DE TOKENS INMOBILIARIOS POR PARTICULARES O EMPRESARIOS O PROFESIONALES QUE NO ACTÚEN EN EL EJERCICIO DE SU ACTIVIDAD. IV. REFERENCIAS BIBLIOGRÁFICAS.

I. LA TOKENIZACIÓN INMOBILIARIA

La aparición de la Tecnología de Registro Distribuido (en adelante, TRD), en su denominación inglesa DLT (*Distributed Ledger Technology*), de las que *blockchain* —la más conocida— es una tipología concreta, ha supuesto una revolución en los modelos de negocio.

Conforme a la definición establecida en el Reglamento (UE) 2023/1114 del Parlamento Europeo y del Consejo de 31 de mayo de 2023 relativo a los mercados de criptoactivos y por el que se modifican los Reglamentos (UE) n.o 1093/2010 y (UE) n.o 1095/2010 y las Directivas 2013/36/UE y (UE) 2019/1937, también denominado Reglamento MICA (*Markets in Crypto-Assets*), una tecnología de registro distribuido es la que permite el funcionamiento y uso de un repositorio de operaciones, que se comparte a través de un conjunto de nodos[1] y está sincronizado entre todos ellos, utilizando un mecanismo de consenso, es decir, una norma mediante la que se valida cada operación. En definitiva, consiste en una base de datos de la que existen múltiples copias idénticas que están distribuidas entre varios participantes y que se actualizan de manera sincronizada[2].

Se trataría de una especie de libro de operaciones digital al que tienen acceso diferentes usuarios (nodos) donde la información queda alojada, a través de claves criptográficas. En la medida en que todos los nodos tienen copia del registro de las operaciones, para alterar la información se necesitaría hackear toda la red, por lo que dichos sistemas están dotados de un alto nivel de seguridad sin necesidad de que intervenga una autoridad de control, sino que se gestiona colectivamente por todos los nodos[3].

Una característica que adopta especial relevancia para la materia que vamos a analizar es la del anonimato de los nodos: estos disponen de una clave pública, por la que son reconocibles en el sistema, y una clave privada que solo ellos conocen, pero no se requiere ningún dato personal de identificación para la entrada en la red y la utilización de dichas claves, de ahí su anonimato; a su vez, un único usuario puede tener diferentes claves y, consecuentemente, el acceso a diferentes nodos.

---

1 Los nodos son dispositivos que poseen una copia completa o parcial de los registros de todas las operaciones.

2 Romero Ugarte, J. L. (2018), "Tecnología de registros distribuidos (DLT): una introducción". *Boletín Económico del Banco de España* (4), 1.

3 Martos García, J. J. (2023), "Naturaleza jurídica de las criptomonedas". *Tributación de las criptomonedas y otros criptoactivos*. Tirant lo Blanch.

Si bien las TRD inicialmente se utilizaron para la generación de criptomonedas, se han empleado para el desarrollo de otros tipos de criptoactivos que no representan monedas virtuales, sino otros derechos que pueden transferirse y almacenarse electrónicamente, los denominados tokens.

Aunque existen muchas tipologías para la clasificación de los tokens, la más utilizada es la que los distingue en función de si las características de los tokens emitidos son similares o, por el contrario, diversas. En el primer caso, se denominan tokens fungibles o FTs (*Fungible Tokens*) y, al presentar idénticas características, se consideran como tokens intercambiables entre sí y que poseen el mismo valor que otros de su misma clase; correspondería a esta tipología de tokens aquellos que representan un derecho sobre un activo (moneda, oro o activos de cualquier otra clase como acciones, bonos, inmuebles, etc.). Por su parte, los tokens no fungibles o NFTs (*Non Fungible Tokens*) representan derechos únicos, en la medida en que los activos subyacentes tienen diferentes características, no son intercambiables entre sí y tienen diferente valor que otros de su misma clase; se consideran de esta tipología, por ejemplo, los tokens sobre archivos musicales, obras de arte o gráficas, etc.

Otro modo de clasificar los tokens sería en función del derecho que representan; así se podría distinguir entre tres categorías: 1) los tokens de utilidad, que representan el derecho de acceso a un determinado producto o servicio, otorgando a sus propietarios el acceso a obtener recompensas de productos o descuentos en caso de compra; 2) los tokens de seguridad[4], que representan derechos de propiedad sobre un activo subyacente como el capital, la deuda o los activos y; 3) otros tipos de tokens, que representan otros derechos, como pueden ser el de pago (criptomoneda), de acceso (contraseña) o derechos de gobernanza, como el voto, por ejemplo.

La tokenización inmobiliaria podría definirse como el fenómeno por el que se establece, a través de una TRD, un derecho sobre un determinado activo inmobiliario. Concretamente, los tokens se pueden utilizar como instrumentos para financiar proyectos inmobiliarios, a través de las denominadas ICO (*Initial Coin Offering*), que se ofertan para captar fondos, a cambio de algún tipo de derecho sobre los resultados de explotación de los activos inmobiliarios.

Los tokens ofertados quedan asociados a un contrato en función del derecho que se quiera otorgar al inversor sobre el proyecto. Estos contratos, denominados *smart contracts*, no son sino programas informáticos que, de forma automatizada, ejecutan las

---

[4] La denominación de "token de seguridad", que se ha asumido para los tokens que disponen de las características señaladas, parece a todas luces una inexacta traducción de su denominación en inglés "*security tokens*", en la que el término "security" nada tiene que ver con la "seguridad", sino con los valores financieros (*securities*).

disposiciones del contrato cuando se cumplen las circunstancias que se han pactado entre el emisor y el inversor.

Conforme a la definición que realiza el Reglamento MICA, los tokens inmobiliarios formarían parte de las denominadas "fichas referenciadas a activos" o ART (*Asset Referenced Tokens*) es decir, criptoactivos referenciados a otro valor o derecho —inmobiliario, en este caso— o a una combinación de ambos. En definitiva, se trataría de tokens fungibles, conforme a la primera clasificación anteriormente señalada y de tokens de seguridad, conforme a la segunda.

A primera vista, lo operación más simple para tokenizar un activo inmobiliario consistiría en ofertar tokens que representaran una determinada proporción en la propiedad del activo inmobiliario entre los potenciales inversores. Sin embargo, la emisión de cualquier token que represente derechos reales sobre un inmueble debería formalizarse en escritura pública ante notario e inscribirse en el Registro de la Propiedad competente: difícilmente podría llevarse a cabo dicha tokenización si, como señalamos anteriormente, los titulares de los tokens son anónimos. Como consecuencia de ello, hoy en día es imposible realizar en España esta variante de tokenización por la falta de adecuación de la normativa notarial y registral a estos nuevos modelos de inversión.

Este obstáculo, sin embargo, no se encuentra en el caso de que se tokenicen valores negociables de la sociedad tenedora del activo inmobiliario. En efecto, el artículo 6 de la Ley 6/2023, de 17 de marzo, de los Mercados de Valores y de los Servicios de Inversión (en adelante, LMVSI) establece la posibilidad de que los valores negociables se representen a través de sistemas basados en TRD. Como consecuencia de ello, si el activo tokenizado se configura a través de una oferta de valores negociables, es decir, como acciones, bonos, obligaciones u otros valores negociables de la sociedad poseedora de uno o, incluso, de diferentes inmuebles, la emisión de estos quedaría sometida a idéntica regulación que las emisiones mediante sistemas tradicionales de anotaciones en cuenta o títulos.

La tradicional lenta respuesta por parte del legislador a la evolución tecnológica ha generado muchas dudas sobre el modo en que deben tributar las operaciones basadas en dicha tecnología y, ante la falta de legislación adaptada a esta nueva realidad, la respuesta solo se puede encontrar en los pocos pronunciamientos de que se dispone de la doctrina administrativa.

En este sentido, cabe destacar que la Dirección General de Tributos (en adelante, DGT) ha concluido que los elementos determinantes la calificación fiscal de estos activos "han de buscarse, con independencia de la denominación que se les dé, en las facultades o derechos que otorguen a su titular frente al emisor, los cuales, a la vista de su configuración informática, se encontrarán incluidos en la programación que se haya efectuado de tales activos, sin que incida en dicha calificación su forma atípica de representación, tenencia y transmisión, a través de la tecnología informática de registro distribuido, denominada *blockchain* o cadena de bloques"[5].

Esta interpretación se sustenta en el análisis que realizó la CNMV[6] en 2018 y que destacaba dos factores para valorar si los tokens tienen la consideración de valores negociables: 1) que los tokens atribuyan derechos o expectativas de participación en la potencial revalorización o rentabilidad de negocios o proyectos o, en general, que presenten u otorguen derechos equivalentes o parecidos a los propios de las acciones, obligaciones u otros instrumentos financieros incluidos en el artículo 2 de la LMVSI; 2) que los tokens den derecho a acceder a servicios o a recibir bienes o productos, que se ofrezcan haciendo referencia a la expectativa de obtención de un beneficio como consecuencia de su revalorización o de alguna remuneración asociada al instrumento o mencionando su liquidez o posibilidad de negociación en mercados equivalentes o pretendidamente similares a los mercados de valores.

Por otra parte, en 2024, la CNMV señaló[7] que: "la clasificación legal de los criptoactivos como instrumentos financieros dependerá de las características concretas y derechos derivados del criptoactivo en cuestión, con independencia de la tecnología en la que se sustente. Por ello, para determinar si un criptoactivo debe considerarse un valor negociable u otro tipo de instrumento financiero, debe realizarse un análisis caso por caso de sus características y de los derechos otorgados, abstrayéndose del envoltorio tecnológico del producto."

En consecuencia, para la calificación a efectos tributarios de estos nuevos modelos de inversión, no es relevante la tecnología que sustente la operación, sino el derecho que se otorga al inversor a través de ellos. Resulta fundamental, por tanto, el análisis de la tipología de tokens inmobiliarios que se podrían ofertar, como paso previo al análisis de su tributación.

Adicionalmente, tampoco existe ningún obstáculo a que se tokenicen otro tipo de instrumentos financieros emitidos por las sociedades tenedoras de los inmuebles. El caso más frecuente es el de la tokenización de préstamos participativos. Conforme a lo dispuesto en el artículo 20 del Real Decreto-ley 7/1996, de 7 de junio, sobre medidas urgentes de carácter fiscal y de fomento y liberalización de la actividad económica, se considerarán préstamos participativos, con carácter general, aquéllos que confieran a la

---

5 Consulta DGT V0766-21, de 31 de marzo de 2021.

6 CNMV (2018). *Consideraciones de la CNMV sobre "criptomonedas" e "ICOs" dirigidas a los profesionales del sector financiero*. https://www.cnmv.es/portal/verDoc.axd?t=%7B9c76eef8-839a-4c19-937f-cfde6443e4bc%7D. Recuperado el 20 de octubre de 2025.

7 CNMV (2024). *Preguntas y Respuestas frecuentes sobre los Instrumentos Financieros basados en Tecnologías de Registros Distribuidos*. https://www.cnmv.es/DocPortal/Fintech/FAQ_IFbasadosTRD.pdf. Recuperado el 20 de octubre de 2025.

entidad prestamista el derecho a percibir un interés variable, que se determinará en función de la evolución de la actividad de la empresa prestataria (el beneficio neto, el volumen de negocio, el patrimonio total o cualquier otro que libremente acuerden las partes contratantes) pudiéndose adicionalmente, acordar un interés fijo con independencia de la evolución de la actividad. Otra característica de este tipo de préstamos es que las partes podrán acordar una cláusula penalizadora para el caso de amortización anticipada, pero el prestatario sólo podrá amortizar anticipadamente el préstamo participativo si la amortización se compensa con una ampliación de igual cuantía de sus fondos propios y siempre que ésta no provenga de la actualización de activos. Dichos préstamos participativos se sitúan después de los acreedores comunes, en orden a la prelación de créditos y tienen la consideración de patrimonio neto a los efectos de reducción de capital y liquidación de sociedades previstas en la legislación mercantil.

La figura del préstamo participativo presenta muchas incertidumbres debido a su escasa regulación, que se ciñe al artículo anteriormente referido, en el que simplemente se enumeran determinadas características de este. Su consideración como patrimonio neto, a tenor de dicha norma, se limita a los efectos de reducción de capital y liquidación de sociedades y sus rasgos resultan similares a los de otras tipologías de préstamos, por lo que se entiende que debe considerarse como recurso ajeno[8]. A pesar de ello, no parece que existan obstáculos a que las personas físicas que realicen actividades empresariales o profesionales puedan emitir préstamos participativos y, consecuentemente, tokenizarlos.

Cabe destacar, sin embargo, que la doctrina administrativa[9] ha señalado que no podrían tener la calificación de préstamo los préstamos participativos de duración indefinida. En tal caso, la DGT considera que esta operación estaría más próxima a una aportación a los fondos propios que a una cesión a dicha entidad de capitales propios del cedente, lo cual tiene imposible encaje en las actividades empresariales o profesionales de las personas físicas. De ello se deduce que la tokenización de capital, de préstamos participativos de duración indefinida o de deuda, solo podría desarrollarse por sociedades mercantiles y que las personas físicas que realizaran actividades empresariales o profesionales tan solo podrían emitir tokens sobre préstamos participativos de duración limitada.

---

8 Tribunal Supremo, Sala Primera, (Civil). Sentencia 566/2011 de 13 de julio: "En cuanto a que los préstamos participativos tienen la consideración de fondos propios, no altera la naturaleza jurídica del préstamo. El capital obtenido se integra en los fondos propios, pero no excluye la obligación de devolver el capital y pagar los intereses, conforme a la naturaleza del préstamo recibido."

9 Consulta DGT V0055-99, de 22 de julio de 1999.

En la tokenización inmobiliaria a través de préstamos participativos, el prestamista recibe una retribución en función de lo pactado que, generalmente incluye un tipo de interés fijo, que se estipula en el momento de formalizar el contrato, y otro variable, vinculado al resultado económico generado por la operación inmobiliaria. En este ámbito, los rendimientos pueden asociarse a la rentabilidad del inmueble por alquiler, por venta o, incluso, por un periodo inicial de alquiler y posterior venta. En ocasiones, dichos préstamos no solo financian la adquisición del activo inmobiliario sino su reforma y, en todo caso, la gestión de las correspondientes operaciones de arrendamiento y/o venta. Los rendimientos, a su vez, pueden ser satisfechos en moneda fiduciaria o en criptomonedas. Como consecuencia de todo ello, parece evidente que los derechos que confiere el token al inversor son similares a los que se confieren mediante los préstamos participativos tradicionales, debiendo resultar coincidente su calificación fiscal.

Desde el punto de vista de la seguridad jurídica de los inversores, parecería más recomendable, por las garantías que ofrece la LMVSI y la supervisión de la Comisión Nacional del Mercado de Valores (en adelante, CNMV), acudir a este tipo de inversiones a través de ofertas de valores negociables, si bien la mayor parte de las plataformas a través de las cuales se comercializan dichos proyectos se basan en tokens referidos a préstamos participativos, amparados en la agilidad que supone para la oferta de dichas emisiones el hecho de no quedar sometidas a la autorización de la CNMV.

A la vista de lo expuesto hasta el momento, en la actualidad en España el único modo de llevar a cabo la tokenización inmobiliaria es a través de dos vías: la emisión de tokens sobre valores negociables o sobre préstamos participativos. En este sentido, a lo largo de los siguientes epígrafes se considerará que la condición de emisor en estas operaciones puede recaer sobre cualquier persona, física o jurídica, que realice una actividad empresarial o profesional inmobiliaria, mientras que la consideración de inversor la podrá tener cualquier persona física o jurídica, a efectos de su análisis tributario. No obstante, por la limitación de extensión, se partirá de la premisa de que tanto emisores como inversores son residentes en España, conforme a los criterios de residencia establecidos en las normas fiscales.

II. LA EMISIÓN DE TOKENS INMOBILIARIOS

1. TRIBUTACIÓN DIRECTA

1.1. Tributación del emisor

Para analizar las implicaciones en la fiscalidad directa del emisor de tokens debemos distinguir, por una parte, las correspondientes a las personas físicas que realicen actividades empresariales o profesionales y, por otra, las relativas a las sociedades mercantiles, en la medida en que, por una parte, los emisores personas físicas solo podrían tokenizar préstamos participativos de duración limitada y, por otra, los impuestos afectados son diferentes.

1.1.1. Tributación en la emisión de tokens inmobiliarios por sociedades mercantiles

El artículo 4 de la Ley 27/2014, de 27 de noviembre, del Impuesto sobre Sociedades (en adelante, LIS), establece que constituirá el hecho imponible del impuesto la obtención de renta por el contribuyente, cualquiera que fuese su fuente u origen.

La base imponible se calcula, con carácter general, por estimación directa corrigiendo, según establece el artículo 10.3 de la LIS, el resultado contable mediante la aplicación de los preceptos establecidos en la LIS. Luego resulta necesario, con carácter previo, analizar las implicaciones contables en las emisiones de tokens.

Desde el punto de vista contable, la emisión de tokens puede suponer, por una parte, el reconocimiento de un pasivo (tokens sobre préstamos participativos o deuda), o de patrimonio neto (tokens sobre el capital). La contrapartida contable sería el importe obtenido por el emisor, que se registraría en una cuenta de tesorería. Sin embargo, debe analizarse el impacto contable que tendrían las emisiones realizadas con contrapartida en criptomonedas.

En 2019[10] el Instituto de Contabilidad y Auditoría de Cuentas, concluyó que las criptomonedas tienen el tratamiento contable de existencias cuando estén destinadas a transformarse en disponibilidad financiera a través de la venta como actividad ordinaria, mientras que tendrán el tratamiento de inmovilizado intangible cuando se mantengan como inversión o con el fin de utilizarlas como medio de pago. Se considerarían existencias si la empresa comercia con ellas, mientras que se calificarían como inmovilizado intangible si se mantienen como inversión, que es la circunstancia más probable en este tipo de proyectos, habida cuenta de que parece que el negocio inmobiliario constituye la principal actividad de las empresas emisoras de este tipo de tokens y no el intercambio de criptomonedas. Como consecuencia de ello, el emisor no obtendría ningún ingreso en la emisión de los tokens[11].

Respecto de los gastos de emisión, a efectos contables, conviene distinguir según que el token emitido sea de capital o de deuda. Los gastos de ampliación de capital se registran en cuentas de reservas, es decir, de patrimonio neto, de tal modo que no tienen impacto en la cuenta de pérdidas y ganancias. Este mismo razonamiento podría aplicarse, asumiendo la interpretación de la DGT de que los préstamos participativos de

10 Consulta ICAC nº 4, de 31/12/2019, BOICAC Nº 120 / diciembre 2019

11 Este criterio es defendido en Instituto de Estudios Fiscales (2022), *Libro Blanco sobre la Reforma Tributaria*. Ministerio de Hacienda y Función Pública.

duración ilimitada tienen la consideración de fondos propios, a los tokens de préstamos de dichas características. Sin embargo, los gastos derivados de la emisión de préstamos participativos de duración limitada o de otros instrumentos de deuda, sí tendrían la consideración de gasto financiero en la cuenta de pérdidas y ganancias.

Como consecuencia de ello, en las operaciones de emisión de tokens no tributaría en el IS ningún ingreso, si bien podrían deducirse los gastos financieros derivados de la emisión de préstamos participativos de duración limitada o de otros instrumentos de deuda, con las limitaciones que establece para el conjunto de gastos financieros de la entidad, el artículo 16 LIS.

1.1.2. Tributación en la emisión de tokens inmobiliarios por empresarios o profesionales personas físicas

Asumiendo que las personas físicas solo podrían tokenizar préstamos participativos de duración limitada, cabe estudiar si la emisión conllevaría alguna tributación en el IRPF.

Las rentas obtenidas en el ejercicio de actividades empresariales o profesionales por personas físicas se encuentran gravadas en el Impuesto sobre la Renta de las Personas Físicas (en adelante, IRPF), regulado por la Ley 35/2006, de 28 de noviembre, del Impuesto sobre la Renta de las Personas Físicas y de modificación parcial de las leyes de los Impuestos sobre Sociedades, sobre la Renta de no Residentes y sobre el Patrimonio (en adelante, LIRPF). Concretamente, es el artículo 6.2.c) de la LIRPF el que considera a los rendimientos de actividades económicas como una de las tipologías de renta cuya obtención constituye el hecho imponible del impuesto. En el IRPF también se utiliza, con carácter general, el método de estimación directa de las bases imponibles para el cálculo de la renta del contribuyente y, conforme al artículo 28.1 de la LIRPF, para la determinación del rendimiento de las actividades económicas, se tendrán en cuenta las normas del Impuesto sobre Sociedades.

En consecuencia, no existiría para las personas físicas diferencia alguna, respecto de lo analizado en el epígrafe anterior para las sociedades mercantiles, en el cálculo de la base imponible derivada de la emisión de tokens inmobiliarios[12]: no se generaría rendimiento de actividades económicas y, sin embargo, resultarían fiscalmente deducibles los gastos financieros en los que, en su caso, se incurriera en la emisión.

12 Salvo, obviamente, las especialidades que existen en la modalidad de estimación directa simplificada, relativa a las provisiones deducibles y gastos de difícil justificación (artículo 30.2.4ª LIS).

1.2. Tributación del inversor

También en el análisis de la tributación del inversor debe tenerse en cuenta que, según sea persona jurídica o física, el tratamiento resultará diferente en la medida en que dichos inversores quedan sometidos a dos impuestos distintos: el IS y, respectivamente, el IRPF.

1.2.1. Inversor: persona jurídica

Las personas jurídicas, que entregan criptomonedas a cambio de tokens de capital o de deuda inmobiliaria, registrarán contablemente el token recibido con contrapartida en una cuenta de tesorería, si el pago se realiza en moneda fiduciaria o en una cuenta de criptomonedas, en caso de que el pago se realice con dichos activos. Ahora bien, tal y como se ha señalado anteriormente, en este segundo caso, el inversor puede tener las criptomonedas contabilizadas como inmovilizado intangible o como existencias —en función del uso como inversión a largo plazo o, respectivamente, para comercio con ellas. Por tanto, resulta necesario analizar de manera independiente ambos casos, pues los efectos contables serán diferentes y consecuentemente el impacto en el IS.

a) Si el inversor tiene contabilizadas las criptomonedas entregadas como inmovilizado.

En el momento de entregar las criptomonedas pueden existir diferencias entre su valor neto contable y el valor del token recibido, que será su valor de transmisión; luego si el valor del token es superior al valor neto contable de las criptomonedas entregadas, se registrará un beneficio contable y, siendo inferior, una pérdida, ambos con impacto en la cuenta de pérdidas y ganancias del inversor.

Como consecuencia de dicha permuta y a efectos del cálculo del IS, al dar de baja las criptomonedas podría resultar necesario realizar un ajuste al resultado contable obtenido en la operación, en caso de que los ritmos de amortización contable y fiscal no hayan sido coincidentes o, incluso, si se hubiera dotado sobre ellas algún deterioro contable —no deducible en el IS—, durante su periodo de tenencia.

b) Si el inversor tiene contabilizadas las criptomonedas entregadas como existencias.

En caso de que las criptomonedas entregadas estuvieran registradas como existencias, se registra el correspondiente beneficio o pérdida, en función de su valoración en el momento de la entrega. En este caso, para el cálculo del IS, no se generaría ningún ajuste por amortizaciones —al no amortizarse las existencias— y si se hubiera dotado sobre ellas algún deterioro contable durante el periodo de tenencia, resultaría fiscalmente deducible[13], luego no parece que hubiera ninguna incidencia en la tributación derivada de la entrega en concepto de pago.

13 Consulta DGT V0210-08, de 6 de febrero de 2008.

1.2.2. Inversor: persona física

A pesar de que, como se ha señalado anteriormente, al artículo 28.1 de la LIRPF, establece que para la determinación de los rendimientos de actividades económicas se tendrán en cuenta las normas del Impuesto sobre Sociedades, el artículo 28.2 de la LIRPF[14] establece una diferencia fundamental en el cálculo de la base imponible frente a las reglas del IS: para el cálculo de los rendimientos de actividades empresariales no se aplican las normas del IS en las transmisiones de elementos patrimoniales afectos a la actividad, sino las reglas de cálculo de las ganancias y pérdidas patrimoniales del IRPF.

Por tanto, el impacto en el IRPF de estas operaciones es idéntico para las personas físicas que realizan actividades empresariales o profesionales, que para quienes no las realizan y, si la emisión se realiza con contrapartida en moneda fiduciaria, la inversión en tokens no tendría ningún impacto fiscal.

En caso de que la inversión se pagara con criptomonedas, la entrega de las criptomonedas en la emisión dará lugar a una ganancia o pérdida patrimonial en el IRPF del inversor que deberá integrarse en la base imponible del ahorro; tal y como ha aclarado la DGT en diversas consultas[15] el resultado de la operación vendrá determinado por la diferencia entre el valor de transmisión y el coste de adquisición de la criptomoneda entregada y es importante destacar que se consideran como criptomonedas transmitidas las adquiridas en primer lugar, es decir, se utiliza el método FIFO (*First In First Out*)[16].

Adicionalmente, la tenencia de tokens puede tener efectos en el Impuesto sobre el Patrimonio (en adelante, IP) o, en su caso, en el Impuesto sobre Solidaridad de Grandes Fortunas (en adelante, ISGF) del inversor.

La DGT[17] considera que "el derecho a recibir a cambio del "token" bienes o servicios, podría considerarse semejante a un instrumento financiero representativo de la participación en los fondos propios de una entidad" cuando el token represente el capital, lo que parece podría aplicarse también a los tokens sobre préstamos participativos de duración ilimitada. En consecuencia, si se considera que los tokens no se negocian en mercados organizados, su valoración a efectos del IP debería realizarse conforme a lo dispuesto en el artículo 16 de la LIP, es decir, a valor teórico resultante del último balance aprobado, siempre que este haya sido auditado o, en caso de que el balance no

---

14 Artículo 28. Reglas generales de cálculo del rendimiento neto.(...)
2. Para la determinación del rendimiento neto de las actividades económicas no se incluirán las ganancias o pérdidas patrimoniales derivadas de los elementos patrimoniales afectos a las mismas, que se cuantificarán conforme a lo previsto en la sección 4ª de este capítulo.

15 Consulta DGT V2520-22, de 7 de diciembre de 2022, entre otras.

16 Consulta DGT V0525-25, de 28 de marzo de 2025, entre otras.

17 Consulta DGT V0766-21, de 31 de marzo de 2021.

haya sido auditado, al mayor valor de entre los tres siguientes: el valor nominal, el valor teórico resultante del último balance aprobado y el valor resultante de capitalizar al tipo del 20% el promedio de beneficios de los tres ejercicios cerrados con anterioridad a la fecha de devengo del IP (31 de diciembre) o del ISGF. Sin embargo, si se considera que este tipo de tokens se negocian en mercados organizados, cuestión que no está clara en estos momentos debido a las medidas de supervisión que la CNMV ha establecido a las emisiones de dichos instrumentos, habría que declararlos en el IP conforme al valor de negociación media del cuarto trimestre de cada año. Aunque aún no existen pronunciamientos de la DGT al respecto, un indicio de que la segunda opción podría ser la aplicable por la administración tributaria, podría ser la norma de valoración establecida para las criptomonedas, en los modelos de declaración de bienes situados en el extranjero que, a tales efectos, deben valorarse según la cotización a 31 de diciembre en las "principales plataformas de negociación".

En caso de que el token representara un préstamo participativo de duración limitada o un instrumento de deuda, su valoración se realizaría conforme a lo dispuesto en el artículo 14 de la LIP, si se considerasen los mercados de criptoactivos como no organizados, es decir, por su nominal, incluidas, en su caso, las primas de amortización o reembolso. Si se considerasen dichos mercados como organizados, pasarían a valorarse conforme al artículo 13 de la LIP, es decir, según su valor de negociación media del cuarto trimestre de cada año.

Finalmente, cabe destacar que la LIP establece, en su artículo 24, una regla para la valoración de los "demás bienes y derechos de contenido económico" que, en caso de resultar de aplicación a este tipo de activos, obligaría a valorarlos por su precio de mercado a la fecha de devengo.

2. TRIBUTACIÓN INDIRECTA

Partiendo de la base de que la calificación fiscal de los tokens, con independencia de la denominación que se les dé, debe buscarse en las facultades o derechos que otorguen a su titular frente al emisor, la calificación de estos como emisiones de deuda u ofertas públicas de valores negociables cobra mayor relevancia cuando se analiza la tributación indirecta de los mismos.

En la medida en que partimos de la premisa de que los emisores de tokens serían personas físicas o jurídicas residentes en España, el artículo 5.Uno[18] de la Ley 37/1992,

[18] Artículo 5. Concepto de empresario o profesional.
Uno. A los efectos de lo dispuesto en esta Ley, se reputarán empresarios o profesionales:
a) Las personas o entidades que realicen las actividades empresariales o profesionales definidas en el apartado siguiente de este artículo.(...)

de 28 de diciembre, del Impuesto sobre el Valor Añadido (en adelante, LIVA), considera como empresario o profesional a las personas o entidades que realicen actividades empresariales o profesionales y a las sociedades mercantiles, salvo prueba en contrario.

A tal efecto, el artículo 5.Dos de la LIVA considera actividades empresariales o profesionales las que impliquen la ordenación por cuenta propia de factores de producción materiales y humanos o de uno de ellos, con la finalidad de intervenir en la producción o distribución de bienes o servicios.

Dichas actividades, se considerarán iniciadas desde el momento en que se realice la adquisición de bienes o servicios con la intención, confirmada por elementos objetivos, de destinarlos al desarrollo de tales actividades; en consecuencia, quienes realicen tales adquisiciones tendrán desde dicho momento la condición de empresarios o profesionales a efectos de IVA. Los empresarios emisores de tokens tendrían la condición de empresarios o profesionales en el momento de la propia operación de emisión de tokens[19].

De este modo, conforme a lo dispuesto en el artículo 84.Uno.1°) de la LIVA[20], las personas físicas o jurídicas emisores de tokens inmobiliarios tienen la consideración de sujetos pasivos del IVA, siempre que realicen operaciones sujetas al impuesto. Resulta necesario analizar, por tanto, si las operaciones de emisión de tokens inmobiliarios quedarían sujetas al impuesto.

Tal y como sucede en otros ámbitos de regulación tributaria, la operación de emisión de tokens inmobiliarios no se encuentra expresamente contemplada en la LIVA. En consecuencia, debe analizarse el tratamiento, a efectos de IVA, de las operaciones que otorguen a su titular similares facultades o derechos frente al emisor, que en este caso sería: a) la emisión de préstamos, en caso de que se tokenice un préstamo participativo de duración limitada; b) la emisión de valores, cuando se tokenice el capital o un préstamo participativo de duración ilimitada y c) la emisión de deuda, a través de otros tokens de deuda.

---

b) Las sociedades mercantiles, salvo prueba en contrario.(...)

19 Tal y como claramente explica Egea Pérez-Carasa, I. (2023). "Consideraciones tributarias, contables y regulatorias sobre la tokenización de activos y derechos en España (parte II): análisis de las implicaciones para los emisores e inversores en security tokens y utility tokens". *Cuadernos de Derecho y Comercio,* (80), 156, citando a su vez a Bal, A. (2018). "VAT Treatment of Initial Coin Offerings", *International VAT Monitor,* (Volume 29, No. 3), 123.

20 Artículo 84. Sujetos pasivos.
Uno. Serán sujetos pasivos del Impuesto:
1° Las personas físicas o jurídicas que tengan la condición de empresarios o profesionales y realicen las entregas de bienes o presten los servicios sujetos al Impuesto, salvo lo dispuesto en los números siguientes.(...)

A su vez, ha de tenerse en cuenta que las implicaciones en la fiscalidad indirecta de la tokenización dependerán también de si el inversor tiene, o no, la condición de empresario o profesional en el ejercicio de su actividad.

2.1. Tokenización de préstamos participativos de duración limitada

2.1.1. Inversor: empresario o profesional en el ejercicio de su actividad

El artículo 11.Dos.12º) de la LIVA establece la sujeción, en concepto de prestación de servicios, de "los préstamos y créditos en dinero" de tal modo que, en caso de que el prestamista o inversor tenga la condición de empresario o profesional y realice dicho préstamo en el ejercicio de su actividad, la emisión del token sobre un préstamo participativo quedaría sujeta al impuesto. No obstante, el artículo 20.1.18.c) de la LIVA establece la exención de las operaciones de "concesión de créditos y préstamos en dinero, cualquiera que sea la forma en que se instrumente, incluso mediante efectos financieros o títulos de otra naturaleza". Tal y como ha aclarado la doctrina administrativa[21], la exención resultaría idénticamente aplicable a la figura de los préstamos participativos y, consecuentemente a los tokens sobre ellos. En consecuencia, cabe concluir que cuando el inversor sea un empresario o profesional en el ejercicio de su actividad la operación quedaría sujeta pero exenta de IVA.

Respecto de la deducibilidad de las cuotas de IVA soportado por el emisor, a pesar de que dichas cuotas solo resultan deducibles por la adquisición o importación de bienes y servicios que se utilizan en operaciones sujetas y no exentas, el Tribunal Supremo[22], siguiendo la jurisprudencia del Tribunal de Justicia de la Unión Europea (en adelante, TJUE), considera que las cuotas de IVA soportado correspondientes a los gastos generales de la emisión serían deducibles, a pesar de que la emisión en sí resulte exenta de IVA, si dichas operaciones contribuyen a la realización de operaciones gravadas que va a desarrollar posteriormente el emisor.

Por otra parte, la exención en IVA de la emisión hace necesario analizar si dichas operaciones quedarían sujetas a alguna de las modalidades del Impuesto sobre Transmisiones Patrimoniales y Actos Jurídicos Documentados (en adelante, ITPAJD).

En virtud del artículo 7.5[23] del Real Decreto Legislativo 1/1993, de 24 de septiembre, por el que se aprueba el Texto refundido de la Ley del Impuesto sobre Transmisio-

---

21 Consulta DGT V0554-14, de 3 de marzo de 2014.

22 Tribunal Supremo. Sala de lo Contencioso-Administrativo. Sentencia 1695/2022, de 20 de diciembre de 2022. Recurso de casación Núm: 1399/2021

23 5. No estarán sujetas al concepto «transmisiones patrimoniales onerosas» regulado en el presente Título las operaciones enumeradas anteriormente cuando, con independencia de la

nes Patrimoniales y Actos Jurídicos Documentados (en adelante, TRLITPAJD), las operaciones no quedarían sujetas a la modalidad de Transmisiones Patrimoniales Onerosas, en la medida en que son realizadas por empresarios o profesionales en el ejercicio de su actividad que constituyen prestaciones de servicios sujetas al IVA.

No quedando sujetas a Transmisiones Patrimoniales Onerosas, la constitución ni la cancelación de préstamos participativos de duración limitada cuando el prestamista o inversor tenga la condición de empresario o profesional y realice dicho préstamo en el ejercicio de su actividad, tampoco quedarían sujetas a la modalidad de Operaciones Societarias, por no cumplir los requisitos exigidos en la configuración del hecho imponible de esta modalidad del impuesto, regulados en el artículo 19 del TRLITPAJD[24], tal y como ha sido refrendado por la DGT[25].

Finalmente, procedería analizar si los contratos de tokens sobre préstamos participativos de duración limitada, cuando el prestamista o inversor tenga la condición de empresario o profesional y realice dicho préstamo en el ejercicio de su actividad, quedarían sujetos a la modalidad de Actos Jurídicos Documentados.

Los tokens sobre préstamos participativos de duración limitada, en principio, pueden documentarse tanto en documento privado como público. Si bien es cierto que solo es obligatorio documentar en escritura pública los préstamos con garantía real o inscribible en el Registro de la Propiedad, si se decidiera documentar a través de escritura pública el préstamo participativo con el objetivo de proporcionar seguridad jurídica y transparencia, el contrato quedaría sujeto a Documentos Notariales.

En otro caso, resulta interesante analizar si los contratos en los que el prestamista o inversor tiene la condición de empresario o profesional y realiza dicho préstamo en el ejercicio de su actividad, podrían quedar sujetos como Documentos Mercantiles. A tal efecto es preciso dilucidar si el contrato de préstamo participativo podría encuadrarse en dicha categoría. El Código de Comercio[26], en su artículo 311, dispone que se repu-

---

condición del adquirente, los transmitentes sean empresarios o profesionales en el ejercicio de su actividad económica y, en cualquier caso, cuando constituyan entregas de bienes o prestaciones de servicios sujetas al Impuesto sobre el Valor Añadido.

24 1. Son operaciones societarias sujetas:

1º La constitución de sociedades, el aumento y disminución de su capital social y la disolución de sociedades.

2º Las aportaciones que efectúen los socios que no supongan un aumento del capital social.

3º El traslado a España de la sede de dirección efectiva o del domicilio social de una sociedad cuando ni una ni otro estuviesen previamente situados en un Estado miembro de la Unión Europea.

25 Consulta DGT V1380-07, de 26 de junio de 2007.

26 Real Decreto de 22 de agosto de 1885 por el que se publica el Código de Comercio.

tará como mercantil el préstamo en el que concurran las dos circunstancias siguientes: que alguno de los contratantes sea comerciante y que las cosas prestadas se destinen a actos de comercio. En consecuencia, no parece atrevido considerar que el documento en el que se fijan las condiciones de los contratos de tokens sobre préstamos participativos de duración limitada es un documento mercantil; en el supuesto que analizamos, tanto el prestamista como el prestatario son comerciantes y el importe prestado se destina a un proyecto inmobiliario, es decir, a un acto de comercio.

No obstante, no todos los documentos mercantiles quedan sometidos a gravamen, sino tan solo, "las letras de cambio, los documentos que realicen función de giro o suplan a aquéllas, los resguardos o certificados de depósitos transmisibles, así como los pagarés, bonos, obligaciones y demás títulos análogos emitidos en serie, por plazo no superior a dieciocho meses, representativos de capitales ajenos por los que se satisfaga una contraprestación establecida por diferencia entre el importe satisfecho por la emisión y el comprometido a reembolsar al vencimiento", en virtud del artículo 33.1 del TRLITPAJD. Los tokens sobre préstamos participativos de duración limitada podrían quedar por tanto sujetos como Documentos Mercantiles.

En consecuencia, respecto del ITPAJD, los tokens sobre préstamos participativos de duración limitada en los que el prestamista o inversor tenga la condición de empresario o profesional y realice dicho préstamo en el ejercicio de su actividad, quedarían sujetos a Actos Jurídicos Documentados como Documentos Mercantiles o Documentos Notariales, en este último caso, cuando se documenten en escritura pública.

Sin embargo, el artículo 45.I.B.15) del TRLITPAJD establece la exención en las tres modalidades de gravamen del impuesto de los "depósitos en efectivo y los préstamos, cualquiera que sea la forma en que se instrumenten".

En definitiva, los tokens sobre préstamos participativos de duración limitada en los que el prestamista o inversor tenga la condición de empresario o profesional y otorgue dicho préstamo en el ejercicio de su actividad, no quedarían sometidos a tributación indirecta, ni por IVA ni por ITPAJD.

2.1.2. Inversor: particular o empresario o profesional que no otorgue el préstamo en el ejercicio de su actividad

Cuando el inversor sea particular o empresario o profesional que no otorgue el préstamo en el ejercicio de su actividad, en virtud del artículo 7.1.B) del TRLITPAJD[27], la constitución de préstamos se califica como transmisión patrimonial sujeta, sin em-

[27] Artículo 7.
1. Son transmisiones patrimoniales sujetas: (...)

bargo, resultaría de aplicación la exención anteriormente referida para "los préstamos, cualquiera que sea la forma en que se instrumenten".

Adicionalmente, la sujeción por el concepto de Transmisiones Patrimoniales Onerosas haría incompatible el gravamen por las modalidades de Operaciones Societarias y Actos Jurídicos Documentados.

2.2. Tokenización del capital o de préstamos participativos de duración ilimitada

La emisión de títulos representativos de capital por parte de las sociedades no se considera, a tenor de la jurisprudencia del TJUE[28] y de la doctrina de la DGT[29], como actividad económica, por lo que tampoco podría considerarse sujeta al IVA la emisión de tokens de capital sobre proyectos inmobiliarios. Dicha interpretación resultaría de aplicación a los tokens sobre préstamos participativos de duración ilimitada en la medida en que, como se señaló anteriormente, son considerados por la doctrina de la DGT como fondos propios.

Por su parte, el artículo 19.1 del TRLITPAJD determina la sujeción, a la modalidad de Operaciones Societarias, de la "constitución de sociedades, el aumento y disminución de su capital social y la disolución de sociedades", si bien el artículo 45.I.B.11 declara exentas dichas operaciones. A su vez, la sujeción a Operaciones Societarias excluiría el gravamen por las modalidades de Transmisiones Patrimoniales Onerosas y Actos Jurídicos Documentados.

En definitiva, no recaería ninguna tributación indirecta sobre las emisiones de tokens de capital o de préstamos participativos de duración ilimitada sobre proyectos inmobiliarios y con independencia de si el inversor fuera empresario o profesional en el ejercicio de su actividad o particular.

B) La constitución de derechos reales, préstamos, fianzas, arrendamientos, pensiones y concesiones administrativas, salvo cuando estas últimas tengan por objeto la cesión del derecho a utilizar infraestructuras ferroviarias o inmuebles o instalaciones en puertos y en aeropuertos. Se liquidará como constitución de derechos la ampliación posterior de su contenido que implique para su titular un incremento patrimonial, el cual servirá de base para la exigencia del tributo.

28 Sentencias de 26 de junio de 2003, Asunto C-442/01, KapHag y de 26 de mayo de 2005, Asunto C-465/03, Kretztechnik AG, entre otras.

29 Consultas DGT V0368-18, de 12 de febrero de 2018 y V1456-17, de 7 de junio de 2017.

2.3. *Tokenización de otros instrumentos de deuda*

Respecto del resto de tokens de deuda, cabría la duda de si se podría considerar actividad económica a efectos de IVA o si los mismos razonamientos de la jurisprudencia comunitaria respecto de las emisiones de capital resultarían de aplicación a los instrumentos de deuda[30]. En cualquier caso, no parece atrevido defender que, en caso de resultar las emisiones sujetas a IVA, cabría aplicar la exención relativa a las operaciones financieras del artículo 20.1.18 de la LIVA, ya que se refiere a la concesión de créditos y préstamos, cualquiera que sea la forma en que se instrumente, incluso mediante efectos financieros o "títulos de otra naturaleza".

2.3.1. Inversor: empresario o profesional en el ejercicio de su actividad

Muchas de las consideraciones realizadas anteriormente sobre la tributación indirecta de la tokenización de préstamos participativos de duración limitada resultan aplicables en este caso.

En primer lugar, la emisión del token sobre un instrumento de deuda quedaría sujeta al impuesto, en virtud del artículo 11.Dos.12º) de la LIVA, pero exenta a tenor de lo dispuesto en el artículo 20.1.18.c) Como consecuencia de ello, habría que estudiar si las operaciones quedarían sujetas a alguna de las modalidades del ITPAJD.

En segundo lugar, las operaciones no quedarían sujetas a la modalidad de Transmisiones Patrimoniales Onerosas ni a la modalidad de Operaciones Societarias, por los mismos argumentos expuestos anteriormente.

En tercer lugar, quedarían sujetos a Actos Jurídicos Documentados como Documentos Mercantiles y, en caso de documentarse a través de escritura pública, quedarían también sujetos a Documentos Notariales.

No obstante, respecto de la aplicación de la exención del artículo 45.I.B.15) del TR-LITPAJD, debe realizarse alguna consideración adicional, en la medida en que dicho artículo se refiere a "bonos, obligaciones y demás títulos análogos emitidos en serie, por plazo no superior a dieciocho meses". De la redacción del precepto queda claro que, si los tokens de deuda son emitidos a un plazo inferior o igual a dieciocho meses, la exención alcanzaría al gravamen de Documentos Mercantiles y al de Documentos Notariales, pero se plantean dudas de su aplicación a las emisiones de tokens de duración superior a dieciocho meses. Sin embargo, la DGT[31] ha aclarado, a través de diversas consultas vinculantes, que la emisión de títulos por plazo superior a dieciocho meses "no implica tributación por el Impuesto de Transmisiones Patrimoniales y Actos Jurí-

30 Englisch, J. (2022). "VAT Goes Virtual: Security Tokens", *EC Tax Review*, (5), 232-237.

31 Consulta DGT V1116-12, de 23 de mayo de 2012.

dicos Documentados, ya sea en la modalidad de Transmisiones Patrimoniales Onerosas o en la de Actos Jurídicos Documentados, ya sea por Documentos Notariales o por Documentos Mercantiles, en virtud de la modificación del art. 74 del Reglamento del Impuesto llevada a cabo por la Sentencia del Tribunal Supremo de fecha 3 de noviembre de 1997, para adecuarse a la normativa comunitaria en este punto".

En conclusión, tampoco habría tributación por IVA, ni en ninguna de las modalidades de ITPAJD en la tokenización de otros instrumentos de deuda, cuando los inversores fueran empresarios o profesionales en el ejercicio de su actividad.

2.3.2. Inversor: particular o empresario o profesional que no otorgue el préstamo en el ejercicio de su actividad

Anteriormente quedó aclarado que cuando el inversor es particular o empresario o profesional que no otorgue el préstamo en el ejercicio de su actividad, en virtud del artículo 7.1.B) del TRLITPAJD, las operaciones constituían transmisiones patrimoniales sujetas y exentas. La sujeción a Transmisiones Patrimoniales Onerosas determina, a su vez, la no sujeción a las modalidades de Operaciones Societarias y Actos Jurídicos Documentados.

En definitiva, al analizar al detalle todos los posibles escenarios que podrían acontecer en la tributación indirecta de la tokenización inmobiliaria, tanto por razón del instrumento emitido tokenizado, como del inversor, se puede concluir que la tokenización inmobiliaria no quedaría sometida al IVA ni a ninguna de las modalidades del ITPAJD.

III. LOS RENDIMIENTOS DEL TOKEN INMOBILIARIO

1. TRIBUTACIÓN DEL EMISOR

Una vez más, el efecto fiscal en el emisor derivado de los compromisos incluidos en el contrato de emisión de los tokens inmobiliarios va a depender del tipo de instrumento que se haya tokenizado.

Si se trata del capital, la retribución derivada del contrato de token tendría la naturaleza de dividendo y, conforme a las normas contables, no tendría impacto en la cuenta de pérdidas y ganancias del emisor ni, consecuentemente, tampoco en su Impuesto sobre Sociedades.

Sin embargo, conforme a la Norma de Registro y Valoración 9ª del Plan General de Contabilidad, los préstamos participativos tienen, desde el punto de vista contable, el mismo tratamiento que los préstamos ordinarios y con independencia de su duración, es decir como pasivo. De este modo, los compromisos (intereses o cantidades) fijados en las condiciones contractuales que se satisfaga a los inversores, tendrán la naturaleza de gastos financieros que tendrán reflejo en la cuenta de pérdidas y ganancias del emisor.

No obstante, a efectos fiscales, si dichos préstamos participativos tienen duración indefinida tendrían la consideración de fondos propios y los intereses satisfechos correspondientes, según lo dispuesto en el artículo 15.a) de la LIS[32], no serían fiscalmente deducibles, generando un ajuste por diferencias permanentes positivo. Sin embargo, cuando los préstamos participativos tokenizados fueran de duración limitada, los gastos derivados de las prestaciones del contrato tendrían la consideración de gastos financieros que, junto con el resto de los gastos financieros netos, tal y como señalamos anteriormente, tienen una limitación cuantitativa a su deducibilidad en cada ejercicio, conforme a lo dispuesto en el artículo 16 de la LIS, sin perjuicio de que pudieran resultar deducibles en ejercicios posteriores. En consecuencia, los pagos por los compromisos derivados de los tokens sobre préstamos participativos podrían dar lugar a ajustes por diferencias temporarias en el Impuesto sobre Sociedades, como consecuencia de dicha limitación. En este sentido, también cabe señalar que el artículo 15.a) de la LIS dispone que los préstamos participativos otorgados por entidades del grupo, con independencia de su duración, tendrán la consideración de fondos propios y, por tanto, como excepción, cuando los préstamos participativos sean de duración limitada pero hayan sido otorgados por entidades del grupo, tampoco resultarán deducibles los compromisos derivados de dichos contratos, dando lugar a un ajuste positivo en el Impuesto sobre Sociedades, por diferencias permanentes.

Por otra parte, no debe olvidarse que si las retribuciones derivadas de las condiciones del token se realizan en criptomonedas, el pago podría provocar algún ajuste negativo por diferencias temporarias, en caso de que la sociedad mantuviera las criptomonedas contabilizadas como inmovilizado intangible; dicho ajuste tendría como origen las diferencias entre las amortizaciones contables y fiscales o, en su caso, los deterioros contabilizados que no resultarían, en el momento de su contabilización, fiscalmente deducibles conforme a lo dispuesto en el artículo. Al contrario, si los pagos se realizan con criptomonedas que estaban contabilizadas como existencias, no habría ningún ajuste a

32 Artículo 15. Gastos no deducibles.

No tendrán la consideración de gastos fiscalmente deducibles:

a) Los que representen una retribución de los fondos propios.

A los efectos de lo previsto en esta Ley, tendrá la consideración de retribución de fondos propios, la correspondiente a los valores representativos del capital o de los fondos propios de entidades, con independencia de su consideración contable.

Asimismo, tendrán la consideración de retribución de fondos propios la correspondiente a los préstamos participativos otorgados por entidades que formen parte del mismo grupo de sociedades según los criterios establecidos en el artículo 42 del Código de Comercio, con independencia de la residencia y de la obligación de formular cuentas anuales consolidadas. (...)

realizar por su entrega debido a que las existencias no se amortizan y, en su caso, los deterioros resultarían fiscalmente deducibles, tal y como se explicó en epígrafes anteriores.

2. TRIBUTACIÓN DEL INVERSOR

1.1. Tributación del inversor persona jurídica

Los rendimientos derivados de los tokens inmobiliarios en las personas jurídicas generarán ingresos en su cuenta de pérdidas y ganancias de diferente naturaleza según que los tokens sean sobre instrumentos de capital o de deuda.

Los ingresos derivados de tokens de capital o de préstamos participativos de duración ilimitada tendrán la consideración de dividendo, que deberá tributar en el IS, salvo que resultara de aplicación lo dispuesto en el art. 21 de la LIS, es decir, en caso de que los tokens otorgaran un porcentaje de participación, directa o indirecta, en el capital o en los fondos propios de la entidad de, al menos, el 5% y se cumplieran el resto de los requisitos para la aplicación de la exención; en tal caso cabría la posibilidad de aplicar la exención del 95% de los ingresos obtenidos.

Si los ingresos derivaran de tokens de préstamos participativos de duración limitada o de otros instrumentos de deuda tendrán la consideración de ingresos financieros y tributarán en el IS.

Al margen de la tributación derivada de las rentas obtenidas en virtud de las condiciones del contrato del token, no debe olvidarse que dichos activos quedarían sometidos a las reglas de valoración aplicables a los instrumentos financieros. Como consecuencia de ello, si contablemente debiera registrarse algún deterioro de valor del token a lo largo de su periodo de tenencia, dicho deterioro no resultaría fiscalmente deducible por lo que daría lugar, a efectos de la determinación de la base imponible del IS, a un ajuste extracontable positivo en el ejercicio de su contabilización que aumentaría la base imponible y, en caso de reversión de los deterioros en ejercicios posteriores, a un ajuste extracontable negativo que disminuiría la base imponible del IS.

1.2. Tributación del inversor persona física

Durante el periodo de tenencia de los tokens, el inversor persona física puede tener efectos tributarios, tanto en su IP o ISGF, como se detalló anteriormente, como en el IRPF.

Los tokens representativos de capital o de prestamos participativos de duración ilimitada tendrán la consideración de dividendos, conforme a lo establecido en el artículo 25.1.a) de la LIRPF y los tokens representativos de préstamos participativos de duración limitada o de instrumentos de deuda, conforme a lo dispuesto en el artículo

25.2 de la LIRPF, tributarán como rendimientos obtenidos por la cesión a terceros de capitales propios. En conclusión, los rendimientos obtenidos de los tokens, en virtud de las condiciones del contrato tributarán en la base imponible del ahorro como rendimientos del capital mobiliario, con independencia del activo tokenizado.

III. LA TRANSMISIÓN DE TOKENS EN EL MERCADO SECUNDARIO

1. TRIBUTACIÓN DIRECTA

1.1. Transmisión de tokens inmobiliarios por sociedades mercantiles

Es previsible que cuando las sociedades mercantiles decidan transmitir sus tokens en el mercado secundario a cambio de moneda fiduciaria o de criptomonedas, se genere en su cuenta de pérdidas y ganancias un resultado contable (beneficio o pérdida) por la diferencia entre su valor de transmisión y su valor neto contable.

En caso de que se transmitan a cambio de criptomonedas, estas deberán valorarse, tal y como se señaló anteriormente, como existencias cuando estén destinadas por la sociedad a transformarse en disponibilidad financiera a través de la venta como actividad ordinaria, o como inmovilizado intangible cuando se mantengan como inversión o con el fin de utilizarlas como medio de pago.

Sin embargo, una vez más, debe analizarse el efecto en la tributación de estas operaciones según la naturaleza del token inmobiliario.

1.1.1. Transmisión de tokens sobre capital o préstamos participativos de duración ilimitada

El resultado contable obtenido por la enajenación de tokens de capital o de préstamos participativos de duración ilimitada deberá ser objeto de ajuste en el IS en caso de que se hubiera contabilizado, en el periodo de tenencia, algún deterioro que no habría sido fiscalmente deducible; como consecuencia de ello, en el momento de la venta, los valores fiscales y contables del activo diferirían y debería procederse al ajuste por su diferencia.

Sin embargo, a tenor de lo dispuesto en el art. 21 de la LIS, en caso de que los tokens otorgaran un porcentaje de participación, directa o indirecta, en el capital o en los fondos propios de la entidad de, al menos, el 5% y se cumplieran el resto de los requisitos mencionados en dicho artículo, cabría la posibilidad de aplicar la exención del 95% de la renta positiva obtenida. Por otra parte, en caso de que se hubiera obtenido una pérdida, cumpliéndose también los requisitos mencionados, dicha pérdida no resultaría fiscalmente deducible, en virtud de lo dispuesto en el apartado 6 del artículo 21 LIS.

1.1.2. Transmisión de tokens sobre préstamos participativos de duración limitada u otros instrumentos de deuda

En la transmisión de esta tipología de tokens también se puede generar algún ajuste al beneficio o la pérdida obtenida —por diferencia entre el valor de transmisión y el valor neto contable del token— en función de si, a lo largo del periodo de tenencia, se hubiera dotado algún deterioro contable que no habría resultado fiscalmente deducible. Sin embargo, en la enajenación de este tipo de instrumentos no habrá lugar a la exención de la renta resultante tras los ajustes, si bien, la pérdida obtenida sí que resultaría deducible en el IS, sin requisito alguno.

1.2. Transmisión de tokens inmobiliarios por personas físicas

Para el análisis de la fiscalidad de los resultados derivados de la transmisión de tokens inmobiliarios es necesario distinguir, una vez más, según la naturaleza del token, si bien, el tratamiento fiscal será similar para particulares que para personas físicas que realicen actividades empresariales o profesionales, en virtud de lo dispuesto en el artículo 28.2 de la LIRPF.

1.2.1. Transmisión de tokens sobre capital o préstamos participativos de duración ilimitada

La transmisión de esta tipología de tokens generaría una alteración patrimonial y variación en la composición del patrimonio del contribuyente que podría dar lugar a una ganancia o a una pérdida patrimonial.

En caso de que se transmitieran los tokens a cambio de moneda fiduciaria la ganancia o pérdida patrimonial se calcularía por diferencia entre el valor de transmisión (precio de venta menos los costes de venta) y el precio de adquisición del token (precio de adquisición más los costes de compra). Sin embargo, si se hubieran transmitido los tokens a cambio de criptomonedas, resultaría de aplicación el artículo 37.1.h) de la LIRPF[33], que establece una norma de valoración específica para las permutas. En consecuencia, la ganancia o pérdida patrimonial se determinará por la diferencia, calculada en euros, entre el valor de adquisición del token y el mayor entre: a) el valor de mercado

---

[33] Artículo 37. Normas específicas de valoración.

1. Cuando la alteración en el valor del patrimonio proceda: (...)

h) De la permuta de bienes o derechos, incluido el canje de valores, la ganancia o pérdida patrimonial se determinará por la diferencia entre el valor de adquisición del bien o derecho que se cede y el mayor de los dos siguientes:

– El valor de mercado del bien o derecho entregado.

– El valor de mercado del bien o derecho que se recibe a cambio.

del token en el momento de la transmisión o, b) el valor de mercado de las criptomonedas recibidas[34].

Con base en la doctrina de la DGT[35] aplicable a las criptomonedas, en caso de que hubiera emisiones de tokens de diferentes fechas, podría considerarse que los transmitidos serían los adquiridos en primer lugar. Del mismo modo, podrían añadirse al valor de adquisición los costes o comisiones pagadas en la suscripción del token, al tiempo que resultarían deducibles, del precio de transmisión, las comisiones de venta.

1.2.2. Transmisión de tokens sobre préstamos participativos de duración limitada u otros instrumentos de deuda

Según lo establecido en el artículo 25.2.b) de la LIRPF, la transmisión, reembolso, amortización, canje o conversión de valores, se computará como rendimiento de la cesión a terceros de capitales propios, es decir, como rendimiento del capital mobiliario que resultará, en general, sometido a retención. Por tanto, si la venta se realiza a cambio de moneda fiduciaria, el rendimiento que se integraría en la base imponible del ahorro sería la diferencia entre el valor de transmisión de los tokens y su valor de adquisición o suscripción, pudiendo añadirse al valor de adquisición los costes o comisiones pagadas en la suscripción del token y resultando deducibles del precio de transmisión, en su caso, las comisiones de venta.

Sin embargo, cuando la contraprestación de la transmisión del token sean criptomonedas, se considerará que se ha realizado una permuta, que quedaría sometida a la regla de valoración anteriormente señalada para los tokens sobre capital o sobre préstamos participativos de duración ilimitada, es decir, la operación ya no dará lugar a un rendimiento del capital mobiliario, sino a una ganancia o pérdida patrimonial se determinará por la diferencia, calculada en euros, entre el valor de adquisición del token y el mayor entre: a) el valor de mercado del token en el momento de la transmisión o, b) el valor de mercado de las criptomonedas recibidas.

2. TRIBUTACIÓN INDIRECTA

Si bien en el análisis de las emisiones de tokens se partía de la consideración de que el emisor podía ser cualquier persona, física o jurídica, residente en España, que realizase una actividad empresarial o profesional inmobiliaria, para analizar la tributación indirecta en la transmisión de los tokens en el mercado secundario es necesario distinguir si el vendedor de los tokens es un empresario o profesional en el ejercicio de su actividad

34 Consulta DGT V1149-18, de 8 de mayo de 2018.

35 Consulta DGT V0648-24, de 11 de abril de 2024.

o, por el contrario, particular o empresario o profesional que no realice la transmisión en el ejercicio de su actividad.

2.1. Transmisión de tokens inmobiliarios por empresarios o profesionales en el ejercicio de su actividad

Si el vendedor actúa como empresario o profesional en el ejercicio de su actividad, la transmisión en el mercado secundario de cualquier tipo de token inmobiliario sería una operación sujeta al IVA, pero exenta, en virtud del artículo 20.Uno.18º) de la LIVA, que dispone la exención en la transmisión de valores y préstamos. Dicho artículo, no obstante, exceptúa de la aplicación de la exención a las transmisiones de valores en los que concurran los requisitos establecidos en el artículo 338 de la LMVSI[36], por lo que dicha excepción solo resultaría de aplicación a las transmisiones de tokens de capital sobre entidades cuyos activos resultaran mayoritariamente no afectos a actividades económicas, lo que se considera una circunstancia extraña en este tipo de operaciones pues

---

[36] Artículo 338. Exención del Impuesto sobre el Valor Añadido y del Impuesto sobre Transmisiones Patrimoniales y Actos Jurídicos Documentados.

1. La transmisión de valores, admitidos o no a negociación en un mercado secundario oficial, estará exenta del Impuesto sobre el Valor Añadido y del Impuesto sobre Transmisiones Patrimoniales y Actos Jurídicos Documentados.

2. Quedan exceptuadas de lo dispuesto en el apartado anterior las transmisiones de valores no admitidos a negociación en un mercado secundario oficial realizadas en el mercado secundario, que tributarán en el impuesto al que estén sujetas como transmisiones onerosas de bienes inmuebles, cuando mediante tales transmisiones de valores se hubiera pretendido eludir el pago de los tributos que habrían gravado la transmisión de los inmuebles propiedad de las entidades a las que representen dichos valores.

Sin perjuicio de lo dispuesto en el párrafo anterior, se entenderá, salvo prueba en contrario, que se actúa con ánimo de elusión del pago del impuesto correspondiente a la transmisión de bienes inmuebles en los siguientes supuestos:

a) Cuando se obtenga el control de una entidad cuyo activo esté formado en al menos el 50 por ciento por inmuebles radicados en España que no estén afectos a actividades empresariales o profesionales, o cuando, una vez obtenido dicho control, aumente la cuota de participación en ella.

b) Cuando se obtenga el control de una entidad en cuyo activo se incluyan valores que le permitan ejercer el control en otra entidad cuyo activo esté integrado al menos en un 50 por ciento por inmuebles radicados en España que no estén afectos a actividades empresariales o profesionales, o cuando, una vez obtenido dicho control, aumente la cuota de participación en ella.

c) Cuando los valores transmitidos hayan sido recibidos por las aportaciones de bienes inmuebles realizadas con ocasión de la constitución de sociedades o de la ampliación de su capital social, siempre que tales bienes no se afecten a actividades empresariales o profesionales y que entre la fecha de aportación y la de transmisión no hubiera transcurrido un plazo de tres años.

obviamente, la intención de la sociedad que emitió los tokens es precisamente realizar la explotación económica de los activos inmobiliarios que posea.

Tal y como señalamos en el epígrafe dedicado a las emisiones de tokens inmobiliarios, las operaciones sujetas pero exentas de IVA, quedarían no sujetas a Transmisiones Patrimoniales Onerosas en el ITPAJD y, respecto a los otros dos gravámenes a que podrían quedar sujetas en Actos Jurídicos Documentados (Documentos Mercantiles y Documentos Notariales), resultaría de aplicación la exención del artículo 45.I.B.15) del TRLITPAJD.

2.2. Transmisión de tokens inmobiliarios por particulares o empresarios o profesionales que no actúen en el ejercicio de su actividad

Si el vendedor del token es un particular o un empresario o profesional que no actúa como en el ejercicio de su actividad, la operación quedaría sujeta a la modalidad de Transmisiones Patrimoniales Onerosas del ITPAJD, en virtud del artículo 17[37] de la LITPAJD.

En caso de que los activos financieros tokenizados fueran capital o préstamos participativos de duración ilimitada, resultaría de aplicación la exención resultaría de aplicación la exención del artículo 45.I.B.9) del TRLITPAJD, que se refiere a las transmisiones de valores, admitidos o no a negociación en un mercado secundario oficial. En caso de que los tokens correspondieran a préstamos participativos de duración limitada o a otros instrumentos de deuda, resultaría aplicable, tal y como se analizó anteriormente, la exención del 45.I.B.15) del TRLITPAJD.

Adicionalmente, al quedar la transmisión de los tokens sujeta a Transmisiones Patrimoniales Onerosas, por exclusión, quedaría no sujeta a Actos Jurídicos Documentados.

---

[37] Artículo 17.

1. En la transmisión de créditos o derechos mediante cuyo ejercicio hayan de obtenerse bienes determinados y de posible estimación se exigirá el impuesto por iguales conceptos y tipos que las que se efectúen de los mismos bienes y derechos. Sin embargo, en el caso de inmuebles en construcción, la base imponible estará constituida por el valor del bien en el momento de la transmisión del crédito o derecho, sin que pueda ser inferior al importe de la contraprestación satisfecha por la cesión.

2. Las transmisiones de valores, admitidos o no a negociación en un mercado secundario oficial, que queden exentas de tributar como tales, bien en el Impuesto sobre el Valor Añadido o bien en la modalidad de «transmisiones patrimoniales onerosas» del Impuesto sobre Transmisiones Patrimoniales y Actos Jurídicos Documentados, así como su adquisición en los mercados primarios como consecuencia del ejercicio de los derechos de suscripción preferente y de conversión de obligaciones en acciones, tributarán por la citada modalidad, como transmisiones onerosas de bienes inmuebles, en los casos y con las condiciones que establece el artículo 108 de la Ley 24/1988, de 28 de julio, del Mercado de Valores.

En definitiva, tampoco la transmisión de los tokens inmobiliarios en el mercado secundario quedaría sometida al IVA ni a ninguna modalidad del ITPAJD.

IV. REFERENCIAS BIBLIOGRÁFICAS

Bal, A. (2018). "VAT Treatment of Initial Coin Offerings", *International VAT Monitor*, (Volume 29, No. 3), 123.

CNMV (2024). *Preguntas y Respuestas frecuentes sobre los Instrumentos Financieros basados en Tecnologías de Registros Distribuidos*. https://www.cnmv.es/DocPortal/Fintech/FAQ_IFbasadosTRD.pdf. Recuperado el 20 de octubre de 2025.

CNMV (2018). *Consideraciones de la CNMV sobre "criptomonedas" e "ICOs" dirigidas a los profesionales del sector financiero*. https://www.cnmv.es/portal/verDoc.axd?t=%7B9c76eef8-839a-4c19-937f-cfde6443e4bc%7D. Recuperado el 20 de octubre de 2025.

Egea Pérez-Carasa, I. (2023). "Consideraciones tributarias, contables y regulatorias sobre la tokenización de activos y derechos en España (parte II): análisis de las implicaciones para los emisores e inversores en security tokens y utility tokens". *Cuadernos de Derecho y Comercio,* (80), 156.

Englisch, J. (2022), "VAT Goes Virtual: Security Tokens", EC Tax Review, (5), 232-237.

Instituto de Estudios Fiscales (2022), *Libro Blanco sobre la Reforma Tributaria*. Ministerio de Hacienda y Función Pública.

Martos García, J. J. (2023), "Naturaleza jurídica de las criptomonedas". *Tributación de las criptomonedas y otros criptoactivos*. Tirant lo Blanch.

Romero Ugarte, J. L. (2018), "Tecnología de registros distribuidos (DLT): una introducción". *Boletín Económico del Banco de España* (4), 1.

LA PECULIAR PRESENCIA EN EL IRNR DE LA EXENCIÓN POR REINVERSIÓN DE LA VIVIENDA HABITUAL

Alejandro Torrescusa Cordero
Contratado Predoctoral Derecho Financiero y Tributario
Universidad de Sevilla
ORCID 0000-0002-8722-2890

SUMARIO: I. INTRODUCCIÓN. 1. EL CONCEPTO DE VIVIENDA HABITUAL EN LA LEGISLACIÓN ESPAÑOLA. 2. LA EXENCIÓN DE LA GANANCIA PATRIMONIAL OBTENIDA POR LA VENTA DE LA VIVIENDA HABITUAL EN CASO DE REINVERSIÓN. II. LA DISPOSICIÓN ADICIONAL SÉPTIMA DEL TEXTO REFUNDIDO DE LA LEY DEL IRNR CONCEDE EL BENEFICIO FISCAL A LOS RESIDENTES EN LA UNIÓN EUROPEA. ¿CON QUÉ SENTIDO? LOS TRASLADOS DE RESIDENCIA DE SUJETOS ANTERIORMENTE RESIDENTES EN ESPAÑA. III. ¿EN QUÉ CASOS CONCRETOS PODRÍA SER APLICABLE LA EXENCIÓN? DOCTRINA ADMINISTRATIVA. 1. CONSULTA VINCULANTE DE LA DIRECCIÓN GENERAL DE TRIBUTOS DE 27 DE ABRIL DE 2016 (V1855-16). 2. CONSULTA VINCULANTE DE LA DIRECCIÓN GENERAL DE TRIBUTOS DE 09 DE MAYO DE 2017 (V1084-17). 3. CONSULTA VINCULANTE DE LA DIRECCIÓN GENERAL DE TRIBUTOS DE 11 DE MAYO DE 2022 (V1065-22). IV. ¿PUEDE CONSIDERARSE VIVIENDA HABITUAL LA VIVIENDA QUE TIENEN SUJETOS QUE NO RESIDEN EN ESPAÑA? 1. LA DENUNCIA DE LA COMISIÓN EUROPEA EN RELACIÓN CON LA IMPUTACIÓN DE RENTA INMOBILIARIA A LOS RESIDENTES EN LA UNIÓN EUROPEA PARECE INCLINARSE POR UN ENTENDIMIENTO AMPLIO DEL CONCEPTO DE VIVIENDA HABITUAL. 2. ¿SE PUEDE SER RESIDENTE EN OTRO PAÍS TENIENDO LA VIVIENDA HABITUAL EN ESPAÑA? LOS CRITERIOS DE DESEMPATE PARA LOS SUPUESTOS DE DOBLE RESIDENCIA EN LOS CONVENIOS DE DOBLE IMPOSICIÓN. V. OTRAS RAMIFICACIONES DEL ASUNTO. LA POSIBLE EXTENSIÓN DEL BENEFICIO A SUJETOS RESIDENTES EN PAÍSES EXTRACOMUNITARIOS. VI. CONCLUSIONES. VII. REFERENCIAS BIBLIOGRÁFICAS.

I. INTRODUCCIÓN

El presente trabajo se centra en analizar la exención por reinversión en vivienda habitual y su aplicabilidad a los sujetos residentes en Estados miembros de la Unión Europea, un beneficio fiscal que en un principio pudiera resultar sorprendente o contradictorio en el marco del Impuesto sobre la Renta de no Residentes, pero trataremos de descubrir a qué lógica jurídica responde.

1. EL CONCEPTO DE VIVIENDA HABITUAL EN LA LEGISLACIÓN ESPAÑOLA

Lo primero que debemos hacer es determinar qué se entiende por vivienda habitual y para eso nos remitimos a la disposición adicional vigésima tercera de la Ley 35/2006, de 28 de noviembre, del Impuesto sobre la Renta de las Personas Físicas y de modificación parcial de las leyes de los Impuestos sobre Sociedades, sobre la Renta de no Residentes y sobre el Patrimonio:

> "A los efectos previstos en los artículos 7.t), 33.4.b), y 38[1] de esta Ley se considerará vivienda habitual aquella en la que el contribuyente resida durante un plazo continuado de tres años. No obstante, se entenderá que la vivienda tuvo aquel carácter cuando, a pesar de no haber transcurrido dicho plazo, concurran circunstancias que necesariamente exijan el cambio de vivienda, tales como celebración de matrimonio, separación matrimonial, traslado laboral, obtención de primer empleo o de empleo más ventajoso u otras análogas.
>
> Cuando la vivienda hubiera sido habitada de manera efectiva y permanente por el contribuyente en el plazo de doce meses, contados a partir de la fecha de adquisición o terminación de las obras, el plazo de tres años previsto en el párrafo anterior se computará desde esta última fecha"[2].

---

1 Nótese que esta enumeración de artículos que aparece en la norma resulta insuficiente, pues no son los únicos de la Ley del IRPF en los que se alude a la vivienda habitual. Como denunciara Cubero Truyo, "hay alguna referencia a la vivienda habitual que ha sido introducida en la Ley del IRPF con posterioridad a la redacción de la disposición adicional vigésima tercera, como es el artículo 33.4.d) sobre la exención de las ganancias patrimoniales que se pongan de manifiesto con ocasión de la dación en pago de la vivienda habitual. Cuando se introdujo esta regla, un elemental criterio de correcta técnica normativa hubiera conducido a modificar la disposición adicional para añadir este artículo 33.4.d) a la enumeración de supuestos para los que será válido el concepto de vivienda habitual, adaptación que brilla por su ausencia. Aquí sí se produce un olvido reprobable". Véase Cubero Truyo, A. (2019). "Rechazo a un criterio administrativo no previsto en la Ley del IRPF e inconstitucional: la imputación de renta por los garajes o trasteros de la vivienda habitual que no hayan sido adquiridos conjuntamente". *Revista Técnica Tributaria*, (127).

2 Lo subrayado es nuestro.

Para completar el concepto de vivienda habitual, debemos acudir al artículo 41.bis del Reglamento del Impuesto sobre la Renta de las Personas Físicas[3], que añade:

> "(...) 3. A los exclusivos efectos de la aplicación de las exenciones previstas en los artículos 33.4. b) y 38 de la Ley del Impuesto, se entenderá que el contribuyente está transmitiendo su vivienda habitual cuando, con arreglo a lo dispuesto en este artículo, dicha edificación constituya su vivienda habitual en ese momento o hubiera tenido tal consideración hasta cualquier día de los dos años anteriores a la fecha de transmisión".

No obstante, esta definición a nuestro juicio no es completa y una simple prueba de ello es que no se hace referencia a la posible inclusión en el ámbito de la vivienda habitual de los garajes o trasteros. En buena medida, los defectos en la configuración normativa del concepto de vivienda habitual se deben a que dicho concepto fue alumbrado pensando fundamentalmente en la antigua deducción por adquisición de vivienda, de modo que cuando dicha deducción desapareció[4], ello supuso la derogación de buena parte de los artículos, tanto de la Ley como del Reglamento, que se ocupaban de definir qué debe entenderse por vivienda habitual. Aunque los preceptos derogados sigan resultando válidos, en un fenómeno que podríamos llamar de "ultraactividad"[5], dado que la deducción por adquisición de vivienda pueden seguir aplicándola quienes compraron la vivienda antes del 1 de enero de 2013, creemos que la definición completa

---

3 Real Decreto 439/2007, de 30 de marzo, por el que se aprueba el Reglamento del Impuesto sobre la Renta de las Personas Físicas y se modifica el Reglamento de Planes y Fondos de Pensiones, aprobado por Real Decreto 304/2004, de 20 de febrero,

4 Una profunda reflexión sobre la eliminación de la deducción por adquisición de vivienda, valorando las críticas que despertaba su anterior existencia, se encuentra en Fraile Fernández, R. (2024). "La apertura del mercado de vivienda impulsada desde la fiscalidad". *La atención a la juventud en el sistema tributario: Medidas fiscales de apoyo directo o indirecto al colectivo joven*. Tirant lo Blanch. Compartimos la visión general de esta autora sobre el papel de los beneficios fiscales relativos a la vivienda: "La política de vivienda puede y debe verse apoyada por aspectos fiscales, ahora bien, cualquier planteamiento fiscal, para que sea efectivo, ha de encontrarse en el marco de una estrategia general de protección del derecho a una vivienda digna. Consideramos que esta estrategia compleja y global que debe llevarse a acabo ha de incluir medidas como el aumento de la inversión pública, mejoras en la planificación urbanística, regulación bancaria y financiera y regulación civil que incluyese aspectos como la revisión de la legislación sobre arrendamientos urbanos o la protección de la propiedad ante los impagos". En efecto, suscribimos sus palabras y creemos además que esta crítica no refleja un fenómeno aislado, sino que se inserta en una tendencia más general de nuestro ordenamiento, la de utilizar la fiscalidad para abordar problemas estructurales, en este caso del mercado de vivienda, sin el acompañamiento de un bloque coherente de medidas. Porque, aunque la política de vivienda se apoye en aspectos fiscales, estos deben estar situados en un marco general y no como apósitos que por sí solos no resultan eficaces.

5 Véase Cubero Truyo, A., Toribio Bernárdez, L. y Torrescusa Cordero, A. (2022). *Entrenamientos de Derecho Tributario. Casos prácticos de futbolistas. Primera parte*. Amazon.

y exhaustiva de la vivienda habitual debería estar presente en el articulado de la Ley del IRPF, con el oportuno desarrollo reglamentario, pero otorgando el debido rango legal, a los principales elementos de configuración. No es ocioso emplear el ejemplo de la Ley 5/2021, de 20 de octubre, de Tributos Cedidos de la Comunidad Autónoma de Andalucía, que además de entender por vivienda habitual lo fijado en la normativa estatal le añade lo siguiente:

> "3. Se asimilan a la vivienda habitual los siguientes conceptos:
> a) Los anexos o cualquier otro elemento que no constituya la vivienda propiamente dicha, tales como jardines, parques, piscinas e instalaciones deportivas, siempre que se adquieran conjuntamente con la vivienda.
> b) Las plazas de garaje adquiridas conjuntamente con ésta, con el máximo de dos".

La Ley estatal debería seguir la estela de la Ley autonómica para no dejar cabos sueltos en la identificación de qué sea una vivienda habitual. Es normal que un concepto de la Ley 35/2006 se complete con el Reglamento del Impuesto sobre la Renta de las Personas Físicas, pero creemos que, debido a la importancia de este concepto y a pesar de que la Dirección General de Tributos ha reconocido de manera indirecta que una plaza de garaje se entiende como vivienda habitual[6], se debería llevar a cabo una reforma de la Ley 35/2006 y ampliar el significado de lo que debemos entender por vivienda habitual añadiendo por ejemplo la mención de la ley andaluza, lo cual facilitaría al contribuyente el entendimiento de la norma.

2. LA EXENCIÓN DE LA GANANCIA PATRIMONIAL OBTENIDA POR LA VENTA DE LA VIVIENDA HABITUAL EN CASO DE REINVERSIÓN

Como sabemos, el inicio o punto de partida de esta exención tiene su origen en la normativa interna al encontrarse regulada en la Ley del IRPF, en concreto en su artículo 38, que contempla este beneficio fiscal ya consolidado dentro del régimen fiscal de los residentes. El legislador indica en el apartado 1 del citado artículo 38 que:

> "Podrán excluirse de gravamen las ganancias patrimoniales obtenidas por la transmisión de la vivienda habitual del contribuyente, siempre que el importe total obtenido por la transmisión se reinvierta en la adquisición de una nueva vivienda habitual en las condiciones que reglamentariamente se determinen. Cuando el importe reinvertido sea inferior al total de lo percibido en la transmisión, únicamente se excluirá de tributación la parte proporcional de la ganancia patrimonial obtenida que corresponda a la cantidad reinvertida".

[6] Nos remitimos a la Consulta Vinculante de la Dirección General de Tributos de 16 de septiembre de 2018 (V1686-08) y al artículo de Calvo Vérgez, J. (2021). "La delimitación del concepto 'adquisición de una nueva vivienda habitual' de cara a la aplicación de la exención por reinversión en el IRPF". *Gaceta fiscal*, (417).

También el Reglamento del IRPF recoge en su artículo 41 la exención por reinversión en vivienda habitual, completando lo que establece la Ley 35/2006, estableciendo que:

"Podrán gozar de exención las ganancias patrimoniales que se pongan de manifiesto en la transmisión de la vivienda habitual del contribuyente cuando el importe total obtenido se reinvierta en la adquisición de una nueva vivienda habitual, en las condiciones que se establecen en este artículo. Cuando para adquirir la vivienda transmitida el contribuyente hubiera utilizado financiación ajena, se considerará, exclusivamente a estos efectos, como importe total obtenido el resultante de minorar el valor de transmisión en el principal del préstamo que se encuentre pendiente de amortizar en el momento de la transmisión. A estos efectos, se asimila a la adquisición de vivienda su rehabilitación, teniendo tal consideración las obras en la misma que cumplan cualquiera de los siguientes requisitos:

a) Que se trate de actuaciones subvencionadas en materia de rehabilitación de viviendas en los términos previstos en el Real Decreto 233/2013, de 5 de abril, por el que se regula el Plan Estatal de fomento del alquiler de viviendas, la rehabilitación edificatoria, y la regeneración y renovación urbanas, 2013-2016.

b) Que tengan por objeto principal la reconstrucción de la vivienda mediante la consolidación y el tratamiento de las estructuras, fachadas o cubiertas y otras análogas siempre que el coste global de las operaciones de rehabilitación exceda del 25 por ciento del precio de adquisición si se hubiese efectuado ésta durante los dos años inmediatamente anteriores al inicio de las obras de rehabilitación o, en otro caso, del valor de mercado que tuviera la vivienda en el momento de dicho inicio. A estos efectos, se descontará del precio de adquisición o del valor de mercado de la vivienda la parte proporcional correspondiente al suelo".

Se puede observar que esta exención tiene como objeto las ganancias patrimoniales puestas de manifiesto en la transmisión de la vivienda habitual del contribuyente y se podrá disfrutar cuando el importe percibido en la transmisión se reinvierta en la adquisición o rehabilitación de una nueva vivienda habitual. Aunque no necesariamente esa nueva vivienda habitual debe estar ya construida, sino que puede estar en construcción, incluyéndose la posibilidad de autopromoción. En cuestiones temporales o de margen temporal para la reinversión, debemos tener en cuenta la existencia de dos plazos que deben ser cumplidos por el contribuyente:

- Un plazo máximo de dos años para reinvertir el importe obtenido en la transmisión[7].

---

7 Señalamos el caso de un contribuyente que se trasladó al Reino Unido en 2012 por motivos laborales, pero que vendió la vivienda en 2016, una vez pasado 4 años. Valiño, A. (2025). "*Exención por reinversión en vivienda habitual para no residentes*". https://albertovalino.com/exencion-por-reinversion-en-vivienda-habitual-para-no-residentes/#Conclusion_Razones_por_las_que_te_puedes_quedar_la_sin_la_exencion_por_reinversion. Recuperado el 15 de noviembre de 2025. Sobre este plazo de dos años, puntualiza Lópaz Pérez lo siguiente: "El Tribunal Supremo en su sentencia de 17 de febrero de 2021 recalca que la ley no condiciona la adquisición (teoría del título y modo) de la vivienda habitual nueva, sino que en el plazo (dos

- Un plazo de cuatro años para acabar la construcción desde el inicio de la inversión adquiriendo la propiedad de la nueva vivienda.

Por último, hay que recalcar que el inmueble que se transmite tiene el carácter de vivienda habitual y por tanto da pie al beneficio fiscal cuando fuera en el momento de la enajenación la vivienda habitual o hubiera tenido tal consideración en los dos años anteriores a la fecha de transmisión[8].

Junto a esta exención vinculada al requisito de la reinversión, la Ley 35/2006 en su artículo 33.4.b) establece otra adicional vinculada igualmente a la venta de la vivienda habitual, al disponer que está exenta del Impuesto sobre la Renta de las Personas Físicas la ganancia patrimonial generada "(...) b) Con ocasión de la transmisión de su vivienda habitual por mayores de 65 años o por personas en situación de dependencia severa o de gran dependencia de conformidad con la Ley de promoción de la autonomía personal y atención a las personas en situación de dependencia". En esta exención, de mayor alcance, no es necesaria la reinversión del producto de la venta, pues considera el legislador que al ser el contribuyente mayor de 65 años no debe ser una condición sine qua non.

Sin embargo, la regla que vamos a destacar en el presente capítulo, debido a su singularidad, es la disposición adicional séptima del texto refundido de la Ley del Impuesto sobre la Renta de no Residentes, la cual incorpora esta misma exención de las ganancias patrimoniales generadas por la venta de la vivienda habitual, pero en este caso dirigida a los sujetos que residan en otros Estados miembros de la Unión Europea. Esta decisión es totalmente coherente con la construcción fiscal europea y con la igualdad de trato entre contribuyentes, pero no deja de extrañar en principio que un sujeto que no resida en España tenga vivienda habitual en España. Busquemos la explicación.

años) se 'reinvierta el importe obtenido en la enajenación'. En la misma línea argumentaria, el Tribunal Supremo en sentencia de 1 de octubre de 2020 puntualiza la no necesidad de reinversión de la totalidad del dinero de la enajenación obtenido mediante un préstamo hipotecario; la procedencia del dinero puede ser un contrato de préstamo entre particulares". Véase López Pérez. A. M. (2022). "Tratamiento de la vivienda habitual en el ordenamiento tributario español". *Adaptación de la normativa tributaria a las nuevas realidades familiares.* Tirant lo Blanch.

8 No nos detendremos en este aspecto del plazo, pero Calvo Vérgez, J. (2012)., lo específica excepcionalmente en su artículo: "El ámbito temporal de la exención por reinversión de vivienda habitual en el IRPF". *Gaceta fiscal,* (317).

II. LA DISPOSICIÓN ADICIONAL SÉPTIMA DEL TEXTO REFUNDIDO DE LA LEY DEL IRNR CONCEDE EL BENEFICIO FISCAL A LOS RESIDENTES EN LA UNIÓN EUROPEA. ¿CON QUÉ SENTIDO? LOS TRASLADOS DE RESIDENCIA DE SUJETOS ANTERIORMENTE RESIDENTES EN ESPAÑA

La disposición adicional séptima del texto refundido de la Ley del Impuesto sobre la Renta de no Residentes, regula el beneficio fiscal que nos ocupa en los siguientes términos:

> "1. Podrán excluirse de gravamen las ganancias patrimoniales obtenidas por los contribuyentes residentes en un Estado miembro de la Unión Europea por la transmisión de la que haya sido su vivienda habitual en España, siempre que el importe total obtenido por la transmisión se reinvierta en la adquisición de una nueva vivienda habitual. Cuando el importe reinvertido sea inferior al total de lo percibido en la transmisión, únicamente se excluirá de tributación la parte proporcional de la ganancia patrimonial obtenida que corresponda a la cantidad reinvertida.
>
> 2. A efectos de aplicar lo señalado en el apartado anterior se tendrá en cuenta lo establecido en el artículo 38 de la Ley 35/2006, de 28 de noviembre, del Impuesto sobre la Renta de las Personas Físicas y de modificación parcial de las leyes de los Impuestos sobre Sociedades, sobre la Renta de no Residentes y sobre el Patrimonio, y normativa de desarrollo.
>
> 3. También resultarán de aplicación la obligación de retención prevista en el apartado 2 del artículo 25 así como la de presentación de la declaración e ingreso de la deuda tributaria correspondiente, prevista en el apartado 1 del artículo 28 de este texto refundido. No obstante lo anterior, cuando la reinversión se haya producido con anterioridad a la fecha en la que se deba presentar la mencionada declaración, la reinversión, total o parcial, podrá tenerse en cuenta para determinar la deuda tributaria correspondiente.
>
> 4. Lo previsto en esta disposición se aplicará igualmente a los contribuyentes que sean residentes en un Estado miembro del Espacio Económico Europeo con el que exista un efectivo intercambio de información tributaria, en los términos previstos en el apartado 4 de la disposición adicional primera de la Ley 36/2006, de 29 de noviembre, de medidas para la prevención del fraude fiscal.
>
> 5. Las condiciones para solicitar la devolución que, en su caso, resulte procedente, se determinarán reglamentariamente".

Hay una pregunta que surge inmediatamente tras la lectura de la norma. ¿Cómo puede un no residente disfrutar de esta exención si para ello tiene que acreditar la existencia de una vivienda habitual en España? ¿Cómo puede tener vivienda habitual en España un sujeto no residente? Y debemos contestar que a nuestro juicio la clave se encuentra en el alcance específico planeado por el legislador: la medida no se dirige a cualquier contribuyente no residente, sino únicamente a quienes, habiendo tenido previamente su residencia fiscal y su vivienda habitual en España, transmiten dicho inmueble tras haber trasladado su residencia a otro Estado miembro de la Unión Europea o del Espacio Económico Europeo. Esta regulación nos resulta coherente si se reconoce que la "vivienda habitual" no pierde necesariamente su carácter por el hecho del traslado de residencia de un contribuyente a otro país de la Unión Europea o del Espacio Económico Europeo. Si era la vivienda habitual en España y el sujeto traslada su residencia a otro país, es lógico que tenga que adquirir una nueva vivienda en el nuevo país de residencia vendiendo la anterior vivienda y reinvirtiendo su importe en la nueva.

Defendemos por tanto que se trata, en definitiva, de dar respuesta a situaciones transitorias, en las que la condición de residente se transforma en no residente, debido a las situaciones de movilidad internacional que cada vez son más frecuentes. Asimismo, permite que estos contribuyentes puedan preservar el derecho adquirido de disfrutar de la exención.

Una vez comprendida la situación que da origen a la norma, también entendemos que su justificación se debe a la defensa a ultranza que está desarrollando el Tribunal de Justicia de la Unión Europea de las libertades de circulación, aplicando de manera radical el principio de no discriminación por razón de nacionalidad en el contexto de los impuestos sobre la renta de los sujetos no residentes, así como el principio de libertad de circulación de trabajadores y de capitales, recogidos en los artículos 18, 45 y 63 del Tratado de Funcionamiento de la Unión Europea. Así, negar la exención por reinversión a quienes venden su vivienda habitual en España tras haberse mudado a otro país europeo vulneraría estos principios fundamentales.

III. ¿EN QUÉ CASOS CONCRETOS PODRÍA SER APLICABLE LA EXENCIÓN? DOCTRINA ADMINISTRATIVA

Son múltiples las ocasiones en las que puede aplicarse la exención de la ganancia patrimonial obtenida por la venta de la vivienda habitual, de un no residente, en caso de reinversión, puesto que dentro de una Unión Europea sin fronteras, los casos en los que se cambia de residencia de un Estado a otro se presentan con una frecuencia progresivamente creciente[9]. Aunque para exponer las distintas situaciones que se plantean en la práctica, vamos a utilizar tres consultas vinculantes de la Dirección General de Tributos. Queremos destacar o seguir insistiendo en que normalmente son los traslados de residencia de sujetos anteriormente residentes en España, por ejemplo, un contribuyente español que se trasladase por trabajo a un país de la Unión Europea o del Espacio Económico Europeo y que traslade su residencia y vivienda habitual a ese país, pero

9 Es evidente que en nuestros días son numerosas las situaciones en las que cambian las circunstancias que afectan a la ubicación de las personas y ello genera dificultades a la hora de la determinación de la vivienda habitual. Ello ha quedado bien retratado en el trabajo de Toribio Bernárdez, L. (2022). “La problemática en la consolidación del concepto de vivienda habitual por las cambiantes circunstancias familiares”. *Adaptación de la normativa tributaria a las nuevas realidades familiares*. Tirant lo Blanch.

vamos a presentar casos concretos que han recibido la atención de la Dirección General de Tributos y donde tal vez podamos encontrar otros contextos.

1. CONSULTA VINCULANTE DE LA DIRECCIÓN GENERAL DE TRIBUTOS DE 27 DE ABRIL DE 2016 (V1855-16)

En este caso, la Dirección General de Tributos analizó el caso de un matrimonio español que trasladó su residencia a Francia, vendió su vivienda habitual en España e invirtió el importe en otra vivienda en Francia, esto es, el supuesto paradigmático de traslado de residencia al que ya nos hemos referido. Uno de los cónyuges continuaba trabajando en España como funcionario, desplazándose ciertos días, mientras que el otro percibía una pensión de invalidez de la Seguridad Social española.

La particularidad de este caso consiste en que presentaba un factor previo de discusión, cual es la determinación de la residencia fiscal. Lo cual resulta lógico, puesto que si hemos indicado que esta exención beneficia fundamentalmente a las situaciones de transición entre la residencia en España y la posterior residencia en el extranjero, habrá entonces que dilucidar como premisa inicial si efectivamente se ha llegado a producir o no el cambio de residencia (aunque si no se hubiera producido, la exención no quedaría ni mucho menos descartada sino que se produciría en el ámbito del IRPF y no del Impuesto sobre la Renta de no Residentes). Pues bien, como indica Carmona Fernández, lo fundamental es estudiar los tres factores desencadenantes de la residencia fiscal que recoge el artículo 9 de la Ley 35/2006, permanencia, intereses económicos y circunstancias familiares[10]. La Dirección General de Tributos sostuvo en esta consulta que mientras no se acredite la residencia fiscal en otro país, las ausencias de España se considerarán esporádicas, manteniéndose la condición de contribuyentes del Impuesto sobre la Renta de las Personas Físicas. Queremos recalcar que, aunque la Dirección General de Tributos matice que la residencia puede variar con el tiempo, no podemos estar de acuerdo con la afirmación expuesta por dicho órgano pues la Ley no establece tal presunción, no reclama necesariamente la acreditación de la residencia fiscal en otro país sino que la calificación en el nuestro debe responder a los hechos y pruebas de cada ejercicio fiscal. En cuanto al análisis de los intereses económicos y familiares, aplicó un criterio perfectamente hábil, pero nos sorprende que no analizó la incidencia de la fuente de renta española ni la disponibilidad de una vivienda permanente en España.

Finalmente, respecto a lo que principalmente nos preocupa, la exención por reinversión, la Dirección General de Tributos concluyó que la misma resultaba aplicable si el matrimonio reinvertía el importe de la venta en una nueva vivienda habitual en dicho

---

[10] Carmona Fernández, N. (2016). "Impuesto sobre la Renta de No Residentes. Residencia y exención por reinversión en vivienda habitual". *Carta tributaria. Revista de opinión*, (19).

país, Francia, cumpliendo con los requisitos de los artículos 41 y 41 bis del Reglamento del Impuesto sobre la Renta de las Personas Físicas y la disposición adicional séptima del texto refundido de la Ley del Impuesto sobre la Renta de no Residentes. Además, se matizó que la exención sería total o proporcional según el grado de reinversión que efectuasen, dando por tanto el mismo tratamiento que a los residentes y consolidando así la finalidad de favorecer la libre circulación dentro de la Unión Europea, sin discriminaciones indebidas.

2. CONSULTA VINCULANTE DE LA DIRECCIÓN GENERAL DE TRIBUTOS DE 09 DE MAYO DE 2017 (V1084-17)

En este supuesto, un ciudadano de la Unión Europea (se desconoce el Estado Miembro) mayor de 65 años y que había residido en España, posteriormente regresó a su país de origen y vendió la que había sido su vivienda habitual en España.

El consultante se pregunta lo siguiente: (i) si se encuentra exenta del pago del Impuesto sobre la Renta de no Residentes la ganancia patrimonial obtenida por la venta de la vivienda, (ii) en caso de que así sea, si hay un plazo desde que dejó de ser residente para que esta exención sea aplicable y (iii) si en caso de tener derecho a esta exención, subsiste la obligación del comprador de retener el 3% del precio de venta (Modelo 211).

La Dirección General de Tributos le contesta a todas ellas, pero lo importante es que sale a relucir que para que se encuentre exenta la ganancia, debe reinvertirse el importe obtenido en la transmisión en la adquisición de una nueva vivienda habitual. Y sin embargo, no se indica que se comprase una nueva vivienda habitual por lo que esa ganancia no se encuentra exenta.

Podemos así apreciar que los sujetos no residentes que sean mayores de 65 años no gozan de ninguna posibilidad ventajosa de disfrutar de la exención de la ganancia, a diferencia de lo que ocurre con los residentes que superen esa edad, que sí tienen a su alcance la aplicación de la exención por reinversión de la ganancia obtenida por la transmisión de la vivienda habitual, sin que les resulte exigible el requisito de la reinversión. Si un no residente que resida en un Estado miembro de la Unión Europea mayor de 65 años transmite su vivienda habitual en España, no puede acogerse a la exención automática del 33.4.b) Ley 35/2006, sino únicamente a la exención por reinversión en vivienda habitual, la única regulada en el marco del Impuesto sobre la Renta de no Residentes. Esta circunstancia defendemos que colisiona con el principio de no discriminación por razón de nacionalidad y con la libre circulación de capitales que defiende el Tribunal de Justicia de la Unión Europea y reclamamos que se produzca la correspondiente reforma para extender a los residentes comunitarios la ventaja de los residentes en España.

3. CONSULTA VINCULANTE DE LA DIRECCIÓN GENERAL DE TRIBUTOS DE 11 DE MAYO DE 2022 (V1065-22)

De entrada queremos subrayar que hemos escogido esta consulta porque a pesar de que la Dirección General de Tributos entendió que no era aplicable la exención, dicho criterio no se debe a que uno de los consultantes tuviera la condición de no residente, sino a los plazos previstos para su aplicación y que se encuentran regulados en el artículo 38.1 de la Ley del Impuesto sobre la Renta de las Personas Físicas. Defendemos, por tanto, que si los hubiera cumplido, no hubiera habido problemas en aplicar dicho beneficio fiscal.

En esta resolución no nos detendremos en la explicación del rechazo a la aplicación, que como se desprende es por no cumplir con los plazos, sino en el contexto propio del supuesto. La consulta trataba de dos cónyuges en proceso de divorcio que vendieron la que fue su vivienda habitual en España (titularidad compartida al 50 %). En el momento de la consulta, uno residía en los Países Bajos desde septiembre de 2019 y el otro mantenía su residencia fiscal en España. Resulta significativo, como señala Carmona Fernández, que la Dirección General de Tributos podría haber mencionado de una manera u otra la "existencia de una norma paralela a la prevista en dicha normativa del IRPF, en el seno de la Ley del IRNR aunque con un perímetro no universal"[11]. Defendemos que hubiera sido pertinente su mención para otros posibles contribuyentes con las mismas condiciones, pero que sí hubieran cumplido con los plazos legalmente previstos.

IV. ¿PUEDE CONSIDERARSE VIVIENDA HABITUAL LA VIVIENDA QUE TIENEN SUJETOS QUE NO RESIDEN EN ESPAÑA?

Hasta ahora hemos ensayado una explicación para determinar cuál es el destino previsible de la exención por reinversión: el abandono de la residencia en España que implique la transmisión de la que venía siendo vivienda habitual cuando ya el sujeto se ha convertido en no residente y reinvierte en una vivienda habitual en el nuevo país de residencia.

Ahora pretendemos dar un paso más allá y plantearnos si puede haber situaciones no transitorias sino estables en las que un sujeto no residente pueda tener una vivienda habitual en territorio español, de manera que si la vende pueda abrirse la puerta a la exención por reinversión.

11 Carmona Fernández, N. (2022). "IRNR y exención por reinversión en vivienda habitual. Contestación a consulta vinculante de la Dirección General de Tributos de 11 de mayo de 2022 (V1065-22)". *Carta tributaria. Revista de opinión*, (89-90).

1. LA DENUNCIA DE LA COMISIÓN EUROPEA EN RELACIÓN CON LA IMPUTACIÓN DE RENTA INMOBILIARIA A LOS RESIDENTES EN LA UNIÓN EUROPEA PARECE INCLINARSE POR UN ENTENDIMIENTO AMPLIO DEL CONCEPTO DE VIVIENDA HABITUAL

Hemos defendido inicialmente que la concesión de la exención es una medida que responde a una situación excepcional, traslados de residencia, pero que cada vez se origina con mayor frecuencia. De igual modo también hemos defendido que se debe a la libre circulación de trabajadores y de capitales reconocidos en el Tratado de Funcionamiento de la Unión Europea y al principio de no discriminación. Pero en esta misma línea de defensa de las libertades de circulación, se ha producido un reciente acontecimiento que puede dar un giro a nuestra conclusión inicial y hacernos ver que la ecuación no residencia y vivienda habitual en España resulta menos descabellada o extraordinaria de lo que en un primer momento parecía.

Nos estamos refiriendo al hecho de que la Comisión Europea haya abierto un procedimiento de infracción contra España, considerando que es discriminatorio aplicar la imputación de renta inmobiliaria a los residentes en otros Estados de la Unión Europea que sean propietarios de inmuebles urbanos en territorio español, si los utilizan como vivienda habitual, puesto que lo residentes, según el artículo 85 de la Ley 35/2006, estamos dispensados de la imputación de renta del 2 por 100 o el 1,10 por 100 del valor catastral, cuando constituya nuestra vivienda habitual. Si los residentes no tienen que declarar la imputación de renta inmobiliaria por la vivienda habitual, resulta discriminatorio que los residentes de otros Estados miembros de la Unión y no residentes en España tengan que declarar en todo caso la imputación, incluso cuando se trate de la vivienda habitual. Obsérvese que ello supone indirectamente que la Comisión Europea da carta de normalidad a la no coincidencia entre el país de residencia y el país de la vivienda habitual[12].

Entendemos que lo que ha cuestionado la autoridad comunitaria es especialmente relevante, pues de manera implícita reconoce la posibilidad de que un no residente tenga su residencia fiscal en un Estado miembro distinto del país donde se encuentre su vivienda habitual[13]. Así las cosas, la Comisión viene a hacer una interpretación amplia del concepto de vivienda habitual, haciéndolo perfectamente aplicable a sujetos no

---

12 Es el artículo 13.1.h) del texto refundido de la Ley del Impuesto sobre la Renta de no Residentes el que se encarga de recoger la referencia a esta cuestión de la renta imputada.

13 La Comisión Europea entiende que se vulnera con este trato los artículos 45 y 63 del Tratado de Funcionamiento de la Unión Europea y los artículos 28 y 40 del Acuerdo sobre el Espacio Económico Europeo. Así lo indican en (consultado el 01/09/2025): https://www.ejeprime.com/residencial/bruselas-advierte-a-espana-por-gravar-las-viviendas-de-extranjeros-no-residentes?utm_campaign=&utm_medium=&utm_source=

residentes que tienen un inmueble urbano a su disposición en territorio español. Al reconocer la normalidad de la no coincidencia entre residencia fiscal y vivienda habitual, la Comisión nos obliga a replantearnos el análisis del alcance de la exención de las ganancias patrimoniales por reinversión en un contexto europeo en constante evolución. No nos cabe duda de que la exención pasa de tener una eficacia práctica muy limitada a una ampliación significativa de su aplicabilidad. Si el criterio puesto de manifiesto por la Comisión prosperara, muchos sujetos no residentes no solo no tendrían que imputar renta inmobiliaria sino que podrían venderla y adquirir otra nueva vivienda, también en España, y disfrutar de la exención. Se abre así un campo que hasta ahora no había sido entrevisto, muy importante en un país en el que los inmuebles en manos de extranjeros, en concreto de comunitarios, representan un escenario frecuente.

En cualquier caso, por ahora la Administración tributaria sigue manteniendo su criterio, al menos no han comunicado nada en contrario. El Tribunal Superior de Justicia de Madrid sí se había pronunciado en relación con un caso emparentado en su Sentencia de 6 de mayo de 2024 (recurso 685/2022). Se trataba de sujetos que se acogen al régimen especial para trabajadores desplazados del artículo 93 de la Ley del IRPF. Son sujetos residentes en España que pueden optar durante varios periodos impositivos por la tributación por el Impuesto sobre la Renta de no Residentes. Pues bien, el Tribunal entendía que aunque optaran por tributar como no residentes ello no debía ser obstáculo para aplicar la misma exclusión de la imputación de renta de la que disfrutan los residentes; esta conclusión de que no debería de imputarse renta por la vivienda habitual, al fin y al cabo coincidiría con la línea marcada tanto por el Tratado de Funcionamiento de la Unión Europea, como por la Comisión Europea, como por otras medidas internas relacionadas con los no residentes, que combaten las diferencias de tratamiento entre residentes y no residentes de la Unión Europea[14]. No obstante, la reciente Resolución del Tribunal Económico-Administrativo Central de 17 de julio de 2025 ha venido a discutir ese criterio, que aún no puede considerarse doctrina consolidada, y ha sostenido que los contribuyentes que se acojan al régimen fiscal especial (más conocido como régimen de impatriados o antes como la Ley Beckham) deberán tributar por las rentas imputadas de bienes inmuebles urbanos sitos en territorio español no afectos a actividades económicas, con independencia de que constituyan su vivienda habitual. Creemos que el TEAC con este pronunciamiento se sitúa de espaldas a la evolución de igualdad de trato que preconiza la Comisión. Si esta defiende que ese debe ser el criterio incluso

---

14 Nos remitimos a la publicación de González Alfaro, A. (2025). *Europa cuestiona la tributación de las viviendas utilizadas como residencia habitual por contribuyentes acogidos al régimen de impatriados (Ley Beckham)"*. https://es.andersen.com/es/publicaciones-y-noticias/europa-cuestiona-la-tributacion-de-las-viviendas-utilizadas-como-residencia-habitual-por-contribuyentes-acogidos-al-regimen-de-impatriados-ley-be.html. Recuperado el 01 de septiembre de 2025.

para sujetos no residentes en sentido estricto, para los que no resulta tan fácil considerar que nos hallamos ante una vivienda habitual, a mayor abundamiento debe serlo cuando se trate de sujetos residentes en lo que concurra de manera indiscutible la condición de vivienda habitual, por mucho que hayan optado por tributar por el régimen de no residentes.

2. ¿SE PUEDE SER RESIDENTE EN OTRO PAÍS TENIENDO LA VIVIENDA HABITUAL EN ESPAÑA? LOS CRITERIOS DE DESEMPATE PARA LOS SUPUESTOS DE DOBLE RESIDENCIA EN LOS CONVENIOS DE DOBLE IMPOSICIÓN

Venimos poniendo de manifiesto que la residencia fiscal constituye uno de los elementos centrales de los sistemas tributarios. En el ordenamiento español son varios los artículos que se ocupan de dicho concepto. En especial el artículo 12 de la Ley 58/2003, de 17 de diciembre, General Tributaria reconoce a la residencia fiscal como el criterio esencial de aplicación territorial. También, el precepto 9.1 de la Ley 35/2006 se encarga de fijar tres criterios básicos para determinar la residencia fiscal:

- La permanencia en territorio español más de 183 días en el año natural
- La ubicación en España del núcleo principal o base de sus actividades o intereses económicos, de forma directa o indirecta.
- La presunción de residencia cuando el cónyuge no separado legalmente y los hijos menores residen habitualmente en España.

Y por último, el artículo 8.2., el cual recoge la *"regla de cuarentena"*: "2. No perderán la condición de contribuyentes por este impuesto las personas físicas de nacionalidad española que acrediten su nueva residencia fiscal en un país o territorio considerado como paraíso fiscal. Esta regla se aplicará en el período impositivo en que se efectúe el cambio de residencia y durante los cuatro períodos impositivos siguientes"[15].

Si bien hoy en día hablar de la residencia fiscal como tal es cada vez más complicado debido a la globalización, la movilidad laboral[16], etc., siendo frecuente que un

---

15 Para una mejor comprensión del concepto de residencia fiscal, nos remitimos al artículo de Cubero Truyo, A. (2016). "La residencia fiscal en el derecho tributario internacional". *Forum fiscal: la revista tributaria de Álava, Bizkaia y Gipuzkoa*, (221).

16 A propósito de la movilidad laboral y las dificultades que como consecuencia de ella pueden generarse en el tratamiento fiscal, véanse las advertencias que sobre los llamados nómadas digitales vierte Mories Jiménez, M. T. (2022). "Una nueva realidad laboral y familiar: los 'nómadas digitales'. Problemas de deslocalización de rentas del trabajo y nuevas fórmulas de atracción de talento a nuestro sistema fiscal". *Adaptación de la normativa tributaria a las nuevas realidades familiares.* Tirant lo Blanch. Rovira Ferrer plantea incluso la oportunidad de reformar el Modelo de Convenio de la OCDE para responder al actual auge del trabajo a distancia. Véase

contribuyente cumpla los criterios de residencia en España y en otro Estado. En estos casos debemos atender a los Convenios para evitar la doble imposición para delimitar de manera arbitral el país donde se considera residente. Para ello utilizamos los mecanismos de desempate recogidos en el artículo 4.2 del Modelo de la Organización para la Cooperación y el Desarrollo Económico[17]:

1. Disposición de una vivienda permanente.

2. Donde se encuentre el centro de sus intereses vitales (relaciones personales y económicas)

3. Su lugar de estancia habitual.

4. Si está en ambos o en ninguno de los Estados, el Estado del cual sea nacional.

5. En el caso de no aplicar ninguna de los criterios anteriores se determinará mediante un procedimiento amistoso entre Estados.

Con estos criterios podemos comprobar que aunque se disponga de una vivienda habitual en España un contribuyente puede ser considerado residente fiscal en otro país. Esta reflexión también nos invita a dudar del alcance del concepto de residencia, que puede considerarse en cierto modo en crisis y si finalmente optaremos a nivel global por ir avanzando hacia una mayor utilización del criterio de la fuente.

V. OTRAS RAMIFICACIONES DEL ASUNTO. LA POSIBLE EXTENSIÓN DEL BENEFICIO A SUJETOS RESIDENTES EN PAÍSES EXTRACOMUNITARIOS

Recientemente la Audiencia Nacional ha dictado la Sentencia de 28 de julio de 2025 (recurso 636/2021), la cual resuelve sobre un caso de especial trascendencia para los residentes extracomunitarios de España. En la misma, se ha determinado que al igual que los residentes en la Unión Europea o en el Espacio Económico Europeo pueden deducir de sus rendimientos los gastos necesarios para la obtención de ingresos proce-

---

Rovira Ferrer, I. (2024). "La necesaria reformulación del art. 15 del MCOCDE ante el trabajo a distancia". *La atención a la juventud en el sistema tributario: Medidas fiscales de apoyo directo o indirecto al colectivo joven*. Tirant lo Blanch.

17 Una exposición más detenida sobre estos criterios de desempate puede encontrarse en Cámara Barroso, M. C. (2022). "El criterio de intereses económicos del art. 9.1.b) LIRPF, la validez del certificado de residencia fiscal como medio de prueba y las reglas de desempate del art. 4 de los convenios de doble imposición". *Nueva Fiscalidad,* (1); y Soto Bernabéu, L. (2018). "Conflictos de doble residencia, deslocalización de la residencia habitual y apátridas fiscales". *Documentos-Instituto de Estudios Fiscales* (7).

dentes del arrendamiento de inmuebles, los extracomunitarios, que históricamente han estado limitados en este derecho, también podrán hacerlo.

La resolución de la Audiencia se basa en que negar la deducción de gastos a los residentes en terceros países resulta contrario al artículo 63 del Tratado de Funcionamiento de la Unión Europea, que recoge la libre circulación de capitales y también vulnera el principio de no discriminación recogido en el artículo 25 del Convenio para evitar la doble imposición entre España y EE.UU.[18].

Creemos que esta sentencia, la cual se ampara en numerosos pronunciamientos anteriores del Tribunal de Justicia de la Unión Europea, como la Sentencia de 3 de sep-

---

18 Véase el Instrumento de Ratificación del Convenio entre el Reino de España y los Estados Unidos de América para evitar la doble imposición y prevenir la evasión fiscal respecto de los impuestos sobre la renta, hecho en Madrid el 22 de febrero de 1990, en https://www.boe.es/buscar/doc.php?id=BOE-A-1990-30940. Literalidad del artículo: "1. Los nacionales de un Estado contratante no se someterán en el otro Estado contratante a ningún impuesto u obligación relativa al mismo que no se exijan o que sean más gravosos que aquellos a los que estén o puedan estar sometidos los nacionales de ese otro Estado que se encuentren en las mismas circunstancias. Esta disposición se aplicará a personas que no sean residentes de uno o de ninguno de los Estados contratantes. Sin embargo, a los efectos de la imposición de los Estados Unidos, y sin perjuicio de lo dispuesto en el artículo 24 (Deducciones por doble imposición), un nacional de los Estados Unidos que no sea residente de los Estados Unidos y un nacional de España que no sea residente de los Estados Unidos no están en las mismas circunstancias. 2. Los establecimientos permanentes que una empresa de un Estado contratante tenga en el otro Estado contratante no serán sometidos a imposición en ese otro Estado de manera menos favorable que las empresas de ese otro Estado que realicen las mismas actividades. Esta disposición no podrá interpretarse en el sentido de obligar a un Estado contratante a conceder a los residentes del otro Estado contratante las deducciones personales, desgravaciones y reducciones impositivas que otorgue a sus propios residentes en consideración a su estado civil o cargas familiares. 3. Este artículo no podrá ser interpretado en el sentido de impedir a cualquiera de los Estados contratantes la aplicación de la imposición a que se refiere el artículo 14 (Imposición sobre sucursales). 4. A menos que sean aplicables las disposiciones del apartado 1 del artículo 9 (Empresas asociadas), del apartado 7 del artículo 11 (Intereses) o del apartado 6 del artículo 12 (Cánones), los intereses, cánones y demás gastos pagados por una empresa de un Estado contratante a un residente del otro Estado contratante serán deducibles para la determinación de los beneficios sometidos a imposición de dicha empresa, en las mismas condiciones que si hubieran sido pagados a residentes del Estado mencionado en primer lugar. 5. Las empresas de un Estado contratante cuyo capital esté, total o parcialmente, detentado o controlado, directa o indirectamente, por uno o más residentes del otro Estado contratante no serán sometidas en el Estado mencionado en primer lugar a ningún impuesto y obligación relativa al mismo que no se exijan o que sean más gravosos que aquellos a los que estén o puedan estar sometidas otras empresas similares del Estado mencionado en primer lugar. 6. No obstante las disposiciones del artículo 2 (Impuestos comprendidos), las disposiciones del presente artículo serán aplicables a los impuestos puestos de cualquier naturaleza o denominación exigidos por un Estado contratante o una de sus subdivisiones políticas o entidades locales".

tiembre de 2014 (C-127/12), representa otro gran impulso para la equiparación fiscal entre los residentes comunitarios y los extracomunitarios, consiguiendo así alinear los principios de no discriminación y libre circulación de capitales consagrados en el Derecho de la Unión Europea con los de países terceros. Esta sentencia quizás sea la que facilite el camino, a los extracomunitarios, para la aplicación de la exención por reinversión de la ganancia patrimonial aflorada por la transmisión de la vivienda habitual, así como otras medidas que hasta ahora están reservadas a los residentes en la Unión Europea o Espacio Económico Europeo, como el tipo general de gravamen del 19 por 100 en lugar del 24 por 100, o la aplicación de gastos deducibles. E incluso conviene terminar advirtiendo que aún hay bastantes ventajas en la Ley del IRPF de las que no disponen los sujetos no residentes, ni los del ámbito de la Unión Europea ni mucho menos todavía los de países terceros; estamos pensando, por poner un ejemplo vinculado al tema de la vivienda, en la no aplicación a no residentes de la reducción del rendimiento por el arrendamiento de viviendas, actualmente de un 50% por regla general.

VI. CONCLUSIONES

En el presente capitulo se ha puesto de manifiesto que la exención por reinversión de la ganancia patrimonial derivada de la transmisión de la vivienda habitual propia de la Ley del IRPF se ha ampliado por la disposición adicional séptima del texto refundido de la Ley del Impuesto sobre la Renta de no Residentes, vigente desde el 1 de enero de 2015, a determinados sujetos no residentes que trasladan o tienen su residencia en otro Estado miembro de la Unión Europea o del Espacio Económico Europeo. Pero a la vez ha quedado patente que todavía persisten varios aspectos en los que nuestra normativa no responde a los postulados de igualdad de trato. Así, aún no se aplica la exención por reinversión a los no residentes que residan en países extracomunitarios; y no se aplica a los sujetos no residentes, ni de la Unión Europea ni de países terceros, la exención por la transmisión de vivienda habitual llevada a cabo por no residentes mayores de 65 años, sin necesidad de reinversión. Por lo que en estos aspectos estamos pendientes de un avance normativo que corrija los actuales resultados discriminatorios.

También hemos concluido que el concepto de vivienda habitual puede construirse incluso cuando el contribuyente no tenga su residencia fiscal en el país donde tiene la vivienda, lo cual resulta especialmente visible atendiendo a las normas de desempate que recoge el Modelo de Convenio de la Organización para la Cooperación y el Desarrollo Económico. Aun así, creemos que la interpretación flexible de la vivienda habitual que se desprende de la postura de la Comisión Europea no puede considerarse una visión clara o pacífica y tiene margen de mejora, como se advierte en las posiciones un tanto contradictorias que hemos observado en sentencias del Tribunal Superior de Justicia de Madrid o Resoluciones del TEAC. En ese sentido, la Sentencia de la Audiencia Nacional de 28 de julio de 2025, aunque represente un avance en el trato a los residentes extracomunitarios, ha puesto de manifiesto las carencias comentadas.

Creemos que todo tiende hacia una armonización fiscal entre residentes, no residentes de la Unión Europea, del Espacio Económico Europeo y extracomunitarios, que defienda con carácter general la libre circulación de trabajadores y capitales consagradas en el Tratado de Funcionamiento de la Unión Europea, así como el principio de no discriminación, que nos haga replantearnos los criterios tradicionales de residencia fiscal debido a la cada vez mayor globalización y movilidad internacional, pero sin dejar de considerar la posición de los contribuyentes residentes en España.

VII. REFERENCIAS BIBLIOGRÁFICAS

Calvo Vérgez, J. (2012). "El ámbito temporal de la exención por reinversión de vivienda habitual en el IRPF". *Gaceta fiscal*, (317).

Calvo Vérgez, J. (2021). "La delimitación del concepto "adquisición de una nueva vivienda habitual" de cara a la aplicación de la exención por reinversión en el IRPF". *Gaceta fiscal*, (417).

Cámara Barroso, M. C. (2022). "El criterio de intereses económicos del art. 9.1.b) LIRPF, la validez del certificado de residencia fiscal como medio de prueba y las reglas de desempate del art. 4 de los convenios de doble imposición". *Nueva Fiscalidad*, (1).

Carmona Fernández, N. (2016). "Impuesto sobre la Renta de No Residentes. Residencia y exención por reinversión en vivienda habitual". *Carta tributaria. Revista de opinión*, (19).

Carmona Fernández, N. (2022). "IRNR y exención por reinversión en vivienda habitual. Contestación a consulta vinculante de la Dirección General de Tributos de 11 de mayo de 2022 (V1065-22)". *Carta tributaria. Revista de opinión*, (89-90).

Cubero Truyo, A. (2019). "Rechazo a un criterio administrativo no previsto en la Ley del IRPF e inconstitucional: la imputación de renta por los garajes o trasteros de la vivienda habitual que no hayan sido adquiridos conjuntamente". *Revista Técnica Tributaria*, (127).

Cubero Truyo, A. (2016). "La residencia fiscal en el derecho tributario internacional". *Forum fiscal: la revista tributaria de Álava, Bizkaia y Gipuzkoa*, (221).

Cubero Truyo, A., Toribio Bernárdez, L. y Torrescusa Cordero, A. (2022). *Entrenamientos de Derecho Tributario. Casos prácticos de futbolistas. Primera parte.* Amazon.

Fraile Fernández, R. (2024). "La apertura del mercado de vivienda impulsada desde la fiscalidad". *La atención a la juventud en el sistema tributario: Medidas fiscales de apoyo directo o indirecto al colectivo joven*. Tirant lo Blanch.

González Alfaro, A. (2025). *Europa cuestiona la tributación de las viviendas utilizadas como residencia habitual por contribuyentes acogidos al régimen de impatriados (Ley Beckham)".* https://es.andersen.com/es/publicaciones-y-noticias/europa-cuestiona-la-tributacion-de-las-viviendas-utilizadas-como-residencia-habitual-por-contribuyentes-acogidos-al-regimen-de-impatriados-ley-be.html. Recuperado el 01 de septiembre de 2025.

Lópaz Pérez. A. M. (2022). "Tratamiento de la vivienda habitual en el ordenamiento tributario español". *Adaptación de la normativa tributaria a las nuevas realidades familiares.* Tirant lo Blanch.

Mories Jiménez, M. T. (2022). "Una nueva realidad laboral y familiar: los 'nómadas digitales'. Problemas de deslocalización de rentas del trabajo y nuevas fórmulas de atracción de talento a nuestro sistema fiscal". *Adaptación de la normativa tributaria a las nuevas realidades familiares.* Tirant lo Blanch.

Rovira Ferrer, I. (2024). "La necesaria reformulación del art. 15 del MCOCDE ante el trabajo a distancia". *La atención a la juventud en el sistema tributario: Medidas fiscales de apoyo directo o indirecto al colectivo joven*. Tirant lo Blanch.

Soto Bernabéu, L. (2018). "Conflictos de doble residencia, deslocalización de la residencia habitual y apátridas fiscales". *Documentos-Instituto de Estudios Fiscales* (7).

Toribio Bernárdez, L. (2022). "La problemática en la consolidación del concepto de vivienda habitual por las cambiantes circunstancias familiares". *Adaptación de la normativa tributaria a las nuevas realidades familiares.* Tirant lo Blanch.

Valiño, A. (2025). *"Exención por reinversión en vivienda habitual para no residentes".* https://albertovalino.com/exencion-por-reinversion-en-vivienda-habitual-para-no-residentes/#Conclusion_Razones_por_las_que_te_puedes_quedar_la_sin_la_exencion_por_reinversion. Recuperado el 15 de noviembre de 2025.

SÉPTIMA PARTE:
FISCALIDAD LOCAL

EL IBI EN LAS CIUDADES PATRIMONIO ANTE LOS CAMBIOS EN EL MERCADO DE LA VIVIENDA Y EL TURISMO

Julia María Díaz Calvarro
Universidad Carlos III de Madrid
judiazca@der-pu.uc3m.es
ORCID 0000-0001-7266-8462

I. EL PROBLEMA DE LA VIVIENDA: MUCHAS RAZONES Y POCAS SOLUCIONES

La vivienda es un elemento indispensable para la vida personal y familiar de los ciudadanos, entendiéndose como un espacio necesario para el desarrollo del proyecto vital y la esfera más íntima de las personas sin injerencias externas. Por otro lado, tener la propiedad de la vivienda es importante no solo a nivel personal sino también a nivel social. Desde otra perspectiva, se considera una parte importante del patrimonio que adquiere un individuo a lo largo de su vida y es una preocupación prioritaria para la ciudadanía.

Lo anterior son pequeñas notas dentro de una realidad: la vivienda ha sido siempre objeto de una enorme problemática por las dificultades de acceso: aunque no es algo nuevo, en el contexto actual, la situación se ha agravado, sobre todo en los últimos años ya que es posible e incluso probable que una persona con trabajo a tiempo completo y con un salario dentro de los parámetros normales tenga dificultades para acceder a una vivienda, sobre todo si opta por el alquiler; entre las razones hay que subrayar que es difícil encontrar inmuebles disponibles y es casi de ciencia ficción que estén a un precio razonable. Los precios son tan elevados que suponen un porcentaje muy alto sobre los ingresos percibidos, en muchos casos inasumible, quedando como única solución compartir vivienda. La disponibilidad de vivienda para compra también es limitada y se ve agravada por la necesidad de financiación crediticia, aunque los datos confirman que hay una mejora de los indicadores en la compraventa de vivienda frente al alquiler.

El Banco de España, en un informe del año 2024, analizó la expansión del mercado de alquiler, alertando sobre la subida de los precios desde 2015, especialmente significativa en las grandes ciudades, y del sobreesfuerzo que realizan los hogares con menores ingresos. Razonan los autores del estudio que: “Las dinámicas de precios observadas son el resultado de un crecimiento de la demanda superior al de la oferta, que aumenta a un ritmo insuficiente. Entre los principales determinantes que explican el auge de la demanda de vivienda en alquiler destacan el dinamismo demográfico y la concentración de la población en las grandes áreas urbanas. Al mismo tiempo, se produce un desplazamiento de parte de la demanda residencial al mercado del alquiler en un contexto de prudencia de las entidades financieras en la concesión de crédito hipotecario. Por su parte, la oferta de alquiler residencial en manos de particulares que no son grandes propietarios ha crecido de manera sustancial durante la última década. No obstante, este aumento de la oferta se ha visto limitado ante el auge de usos alternativos de la vivienda (alquileres turísticos, de habitaciones y de temporada), el reducido parque de alquiler social y el escaso dinamismo de la inversión del sector privado institucional en el mercado del alquiler residencial"[1].

En el párrafo reproducido, se descubren varias razones que están influyendo en la falta de disponibilidad de vivienda; además de las causas que han sido tradicionales, entre las que se puede destacar la falta de vivienda pública vacía y la escasa promoción de vivienda de protección oficial, se han introducido nuevos elementos que han provocado la tensión del mercado de vivienda: en primer lugar, el incremento de precios que puede considerarse como una causa y una consecuencia, pues el limitado número de inmuebles para vivienda eleva los precios y el incremento de los precios hace inaccesible el alquiler o compra de vivienda (para una gran parte de la población); en segundo lugar, la importancia que están adquiriendo los usos distintos al residencial, sobre todo el alquiler turístico y de temporada y el acaparamiento del mercado por los compradores que adquieren la vivienda como bien de inversión; en tercer lugar, la falta de un parque de vivienda en alquiler suficiente y a precios asequibles.

FUNCAS[2] subraya que actualmente en España se construyen unas 100.000 viviendas nuevas al año, cifra que debería al menos duplicarse para poder absorber la demanda actual, a lo que se añade la recuperación y rehabilitación de viviendas vacías sobre todo en los centros de los municipios. Se alude en este y otros estudios que existe un desajuste entre la oferta y la demanda.

El reconocimiento constitucional de la vivienda se produce en el artículo 47 de la Carta Magna, disponiendo que "todos los españoles tienen derecho a disfrutar de una vivienda digna y adecuada", precepto que por su situación dentro del capítulo tercero, sección 2ª del Título I, está dentro de los principios rectores de las política social y económica, configurándose como un derecho social y no subjetivo por lo que "no confiere a sus titulares una acción ejercitable en el orden a la obtención directa de una «vivienda digna y adecuada»"[3] pero implica un mandato a los poderes públicos para que desarrollen políticas que hagan efectivo este derecho sin obstáculos. En el concreto caso de las políticas de vivienda, su desarrollo y gestión práctica es muy complicada debido a que las Administraciones territoriales tienen competencias urbanísticas y/o sobre vivienda

1 Khametshin, D., López Rodríguez, D. y Pérez García, L. (2024) "El mercado del alquiler de vivienda residencial en España: evolución reciente, determinantes e indicadores de esfuerzo", *Documentos ocasionales (*2432).
https://www.bde.es/wbe/es/publicaciones/analisis-economico-investigacion/documentos-ocasionales/el-mercado-del-alquiler-de-vivienda-residencial-en-espana-evolucion-reciente-determinantes-e-indicadores-de-esfuerzo.html Recuperado 9 de septiembre 2025.

2 https://www.funcas.es/prensa/el-problema-de-la-vivienda-en-espana-requiere-medidas-que-incentiven-la-oferta/ Recuperado el 9 de septiembre de 2025.

3 https://app.congreso.es/consti/constitucion/indice/sinopsis/sinopsis.jsp?art=47&tipo=2 Recuperado el 9 de septiembre de 2025.

que generan un complejo entramado de normas y la necesidad de colaboración, coordinación y cooperación entre las diversas administraciones que no siempre se produce.

La pregunta es que se puede hacer, cómo tienen que diseñarse las políticas públicas para eliminar o, al menos, reducir el desajuste entre oferta y demanda. Las soluciones son variadas, pero suelen ser parciales, no están del todo coordinadas, y, en algunos casos, no han tenido resultado esperado como, por ejemplo, las medidas planteadas en la Ley 12/2023, de 24 de mayo, por el derecho a la vivienda, entre las que se encuentran las llamadas zonas de mercado residencial tensionado. El artículo 18 las considera como: "ámbitos territoriales en los que exista un especial riesgo de oferta insuficiente de vivienda para la población, en condiciones que la hagan asequible para su acceso en el mercado, de acuerdo con las diferentes necesidades territoriales", entre ellas el control de precios para hacer más factible el acceso a la vivienda. El problema es que, para la declaración de zona tensionada, se necesita la colaboración de las CCAA porque entra dentro de su ámbito competencia. Esta colaboración ha sido desigual y algunos gobiernos autonómicos no se han mostrado proclives a colaborar para hacer efectiva esta medida, exponiendo sus razones. Es un ejemplo de que, por las competencias, la acción de las distintas Administraciones Públicas y otras razones, las políticas de viviendas y las actuaciones que incluyen, necesitan de un análisis, reflexión, revisión y cooperación para conseguir los objetivos que se pretenden.

Otro tipo de medidas que se antojan necesarias para el desarrollo del mencionado derecho a la vivienda, aunque su eficacia dependen de su inclusión en una política pública sosegada y realista, diseñadas con la intervención de todos los actores y administraciones implicadas son: primero, agilizar los procedimientos administrativos entre los que se encuentra, por ejemplo, la concesión de licencias urbanísticas; segundo y siguiendo en clave urbanística, aumento del suelo edificable y, paralelamente, desarrollo y promoción de la rehabilitación de viviendas; tercero, promoción de la colaboración público-privada, cuarto, adecuada y pacífica regulación del mercado de alquiler, así como de otros usos distintos al habitacional.

Volviendo a las razones, el aumento de la demanda y la falta de inmuebles disponibles genera el desajuste entre demanda y oferta que se acaba de exponer y que es una realidad incontestable pero que tiene sus matices y sus diferencias según los municipios, las zonas y sus características singulares. La foto que hasta ahora se está describiendo se adapta a grandes municipios urbanos con una gran población como Madrid, Barcelona o Málaga, pero no es la realidad de municipios urbanos en zonas con una baja densidad de población y con inmuebles localizados en centros degradados con escasez de servicios, dotaciones y comercios o la situación de la vivienda en el ámbito rural, cuyo problema no es la disponibilidad sino los inmuebles vacíos que pueden salir al mercado pero que necesitan de una rehabilitación. Es este último caso, se buscan vecinos que llenen de vida los municipios rurales. En los ejemplos que se han referido el acento hay que ponerlo no tanto en la construcción sino en la rehabilitación de los inmuebles y en una planificación urbana que regenere barrios y las zonas centros de los municipios para incentivar la demanda.

De lo planteado hasta ahora, se puede afirmar que el acceso a la vivienda es un problema complejo que presenta muchas aristas y que genera posiciones contrapuestas pero que, sin duda, implican la necesidad de políticas públicas lo suficientemente amplias para dar cabida a las distintas circunstancias de los municipios mediante la individualización de las soluciones.

Para reflejar esa heterogeneidad de situaciones, este trabajo se va a centrar en las ciudades declaradas como Patrimonio de la Humanidad por la UNESCO y los inmuebles que se encuentran en esas zonas protegidas. Esta distinción genera una serie de obligaciones para los municipios y para los propietarios de los inmuebles que se encuentran dentro del ámbito de protección, con los costes que conlleva, paliados en parte por los ingresos obtenidos de la actividad turística y, en su caso, por las ayudas percibidas. La consecuencia es que los centros históricos se abandonan y se degradan porque su mantenimiento y las limitaciones en las facultades dominicales de los propietarios suponen un coste a veces inasumible o porque no son barrios accesibles ni cuentan con los servicios y comercios indispensables para los vecinos. En otros casos, se convierten en zonas de turismo masificado, transformándose en parques temáticos con viviendas y servicios exclusivamente para los visitantes.

Hay que buscar el equilibrio entre regeneración urbana y recuperación de los centros históricos, entre la identidad colectiva que se deriva del patrimonio histórico y cultural de una ciudad que la conforma y los costes pero también los ingresos que se derivan de la actividad turística, así como aquellos de otros sectores económicos que tienen relación con la cultura y el entretenimiento. No se puede olvidar la premisa de que la ciudad, incluso los centros históricos y las zonas de atractivo turístico, tienen que ser para los que la habitan.

La pregunta es si la fiscalidad puede coadyuvar a conseguir ese equilibrio y en este sentido, el trabajo va a poner el foco en el Impuesto de Bienes Inmuebles con el análisis, en primer lugar, del artículo 62.2.b Real Decreto Legislativo 2/2004, de 5 de marzo, por el que se aprueba el Texto Refundido de la Ley Reguladora de las Haciendas Locales que regula la exención de los inmuebles declarados como integrantes del patrimonio histórico español y las bonificaciones potestativas reguladas en el artículo 74.2 ter y quáter de la misma ley en relación con los inmuebles que no se pueden aplicar la exención anterior. Se valorarán estos incentivos fiscales desde el siguiente planteamiento: qué sucede con los inmuebles que suponen una serie de costes para sus propietarios porque están dentro de un centro histórico con un determinado nivel de protección a efectos de la Ley de Patrimonio Histórico pero que no se pueden aplicar estos beneficios porque no están calificados como bienes con un determinado valor cultural o histórico o no cumplen las condiciones establecidas en las normas.

A partir de esta premisa, se plantean transversalmente varias cuestiones: primero, si las ciudades patrimonio necesitan de un régimen específico, segundo, respecto de los propietarios de inmuebles de zonas patrimonio histórico, si la inaplicación de determinados incentivos fiscales puede determinar el abandono o degradación de los inmuebles de las zonas históricamente protegidas y, tercero y más genérico, si es necesario un mayor margen de actuación para los Ayuntamiento dentro del marco del Real Decreto Legislativo 2/2004, de 5 de marzo, por el que se aprueba el Texto Refundido de la Ley Reguladora de las Haciendas Locales.

II. LAS CIUDADES PATRIMONIO HISTÓRICO Y SU FISCALIDAD

Actualmente son quince las ciudades patrimonio de la Humanidad declaradas por la UNESCO en España que, debido a la diversa riqueza cultural de muestro país, presentan, cada una de ellas, sus propias características: la Universidad y recinto histórico de Alcalá de Henares, la ciudad vieja de Ávila e Iglesias Extramuros, conjuntos monumentales renacentistas de Baeza y Úbeda, ciudad vieja de Cáceres, centro histórico de Córdoba, ciudad histórica fortificada de Cuenca, Ibiza, diversidad y cultura, conjunto arqueológico de Mérida, ciudad vieja de Salamanca, San Cristóbal de la Laguna, ciudad vieja de Santiago de Compostela, ciudad vieja y acueducto de Segovia, conjunto arqueológico de Tarragona y ciudad histórica de Toledo, además de lugares declarados como Patrimonio mundial como la Alhambra de Granada, el Albaicín o los jardines del Generalife, la Torre de Hércules de La Coruña o el Real Monasterio de Santa María de Guadalupe en Guadalupe, provincia de Cáceres, entre otros.

Este reconocimiento y la protección otorgada por la Constitución Española[4] y por las normas de desarrollo[5], implica una serie de obligaciones, para, en palabras del grupo de ciudades-patrimonio: "el mantenimiento de los cascos históricos, la protección medioambiental que en muchos casos ha sido degradada por desafortunadas intervenciones modernas, la restauración y rentabilización de gran cantidad de patrimonio edificado de carácter monumental y todos aquellos problemas que produce el hecho de enfrentar una configuración del pasado con la vida actual"[6]y siempre con la vista puesta en la preservación para las generaciones futuras. Lo que diferencia a estas ciudades es el valor universal excepcional, aquello que hace del bien o del conjunto un tesoro de importancia para toda la humanidad, trascendiendo las fronteras nacionales.

4 Artículo 46 Constitución Española.

5 Ley 16/1985, de 25 de junio, de Patrimonio Histórico Español.

6 UNESCO. Grupo de ciudades patrimonio de la Humanidad de España https://www.ciudadespatrimonio.org/ Recuperado el 10 de septiembre de 2025.

En positivo, la declaración de la UNESCO supone la proyección nacional e internacional de estas ciudades y la atracción de visitantes que quieren conocer su belleza patrimonial e histórica. El desarrollo de la actividad turística, en positivo, genera ingresos pero, en negativo, puede deteriorar el patrimonio que se pretende conservar, el desarrollo de procesos de gentrificación y turistificación que implican bolsas de viviendas vacías y abandonadas y el desplazamiento o directamente la expulsión de los vecinos derivado, no solo de la masificación turística, sino de la degradación del entorno y falta de servicios de proximidad, a lo se añade que no suelen ser zonas de fácil accesibilidad para la población, —normalmente envejecida— que suele habitar los centros de las ciudades.

Las obligaciones también se trasladan a los propietarios, que tienen fundamentalmente el deber de conservación, mantenimiento y restauración bajo la supervisión de las autoridades competentes, tal y como se regula en las leyes de patrimonio histórico, fundamentalmente en la Ley 16/1985, de 25 de junio, de Patrimonio Histórico Español que establece tres niveles de protección de menor a mayor: Patrimonio Histórico Español[7], Inventario General de Bienes Inmuebles[8] y Bienes de Interés Cultural[9], a lo que se añade las leyes de patrimonio autonómicas.

Los propietarios de bienes de interés cultural, además, están obligados por ley a:

- Permitir y facilitar la inspección del inmueble por los Organismos competentes
- Facilitar su estudio a los investigadores
- Visita pública en condiciones de gratuidad, al menos, cuatro días al mes en días y horas previamente señalados
- Suspensión de las correspondientes licencias municipales de parcelación, edificación o demolición
- Las obras requerirán autorización y estudio de los Organismos competentes

---

7 Art. 1 Ley 16/1985, de 25 de junio de Patrimonio Histórico Español: 2. Integran el Patrimonio Histórico Español los inmuebles y objetos muebles de interés artístico, histórico, paleontológico, arqueológico, etnográfico, científico o técnico. También forman parte del mismo el patrimonio documental y bibliográfico, los yacimientos y zonas arqueológicas, así como los sitios naturales, jardines y parques, que tengan valor artístico, histórico o antropológico.

8 Artículo 26 Ley 16/1985, de 25 de junio de Patrimonio Histórico Español: 1. La Administración del Estado, en colaboración con las demás Administraciones competentes, confeccionará el Inventario General de aquellos bienes muebles del Patrimonio Histórico Español no declarados de interés cultural que tengan singular relevancia.

9 Artículo 9 Ley 16/1985, de 25 de junio de Patrimonio Histórico Español: 1. Gozarán de singular protección y tutela los bienes integrantes del Patrimonio Histórico Español declarados de interés cultural por ministerio de esta Ley o mediante Real Decreto de forma individualizada.

– Autorización para colocar rótulos, señales o símbolos.

Hay distintos niveles de protección y, correlativamente, dependiendo de la calificación del inmueble, se derivan mayores o menores obligaciones. Existen bienes inmuebles que tienen la protección máxima porque son declarados bienes de interés cultural y otros que no tienen esa calificación pero que están incluidos dentro de la protección de patrimonio histórico español.

En el caso de bienes inmuebles integrantes del patrimonio histórico español pero no calificados como bienes de interés cultural, los propietarios deberán mantenerlos, conservarlos y custodiarlos[10] y deben obtener autorización del Organismo competente para realizar obras que deben adecuarse al Plan Especial de Protección aprobado por el Ayuntamiento. Estos planes establecen las condiciones de rehabilitación y conservación de los inmuebles, así como las intervenciones permitidas o no.

Asimismo, hay que contemplar las concretas obligaciones o especificaciones que establezca la legislación autonómica sobre patrimonio histórico en desarrollo de las competencias del artículo 148 de la Constitución Española, apartados 15 y 16[11] y que a veces genera disfunciones porque las definiciones y la delimitación de los niveles de protección no son homogéneos. Esta falta de homogeneidad es importante porque la calificación que tenga el inmueble no solo es determinante para delimitar las obligaciones, sino también los derechos como pueden ser el acceso a las subvenciones y ayudas y la aplicación de determinados beneficios fiscales en diversas figuras tributarias, entre las que se encuentra el Impuesto de Bienes Inmuebles que será objeto del siguiente epígrafe.

Y es que la fiscalidad tiene un papel importante en el desarrollo de las ciudades porque como dice la profesora Guervós[12]: "determinan el entorno económico en el que se producen la inversión, el empleo y la innovación, al tiempo que ofrecen al gobierno ingresos para financiar el gasto público". Esta idea general debe adaptarse al terreno, en este caso a la singularidad de municipios que tienen la obligación de proteger bienes, entornos y zonas de alto valor histórico y artístico.

En el caso de las ciudades patrimonio el mayor reto sobre el que tiene que trabajar la política fiscal es el equilibrio entre la conservación del patrimonio histórico y cultural, la gestión de un turismo sostenible y la necesidad de crear riqueza a través del desarrollo de actividades económicas, "convirtiéndose en centros neurálgicos, económicos y socia-

---

10 Artículo 21 Ley 16/1985, de 25 de junio de Patrimonio Histórico Español.

11 Por ejemplo, Ley 14/2007, de 26 de noviembre del Patrimonio Histórico Andaluz, Ley 9/1993, de 30 de septiembre, del Patrimonio Cultural Catalán o Ley 2/1999, de 29 de marzo, de Patrimonio Histórico y Cultural de Extremadura.

12 Guervós Maíllo, M. A. (2022). *Fiscalidad de las smarts cities,* Aranzadi.

les de la sociedad adaptándose a los cambios y convirtiéndose, en definitiva, en algo más que la momificación de un resto pasado"[13].

Las medidas fiscales se pueden plantear como una herramienta de protección del patrimonio histórico y cultural. Los artículos 51 y 56 de la Recomendación sobre la protección en el ámbito nacional del patrimonio cultural y natural de la UNESCO prevén expresamente la implantación de medidas tributarias con la denominación de "regímenes fiscales privilegiados"[14] con dos vías fundamentales de actuación: primero, favoreciendo fiscalmente a los propietarios de inmuebles protegidos que cumplan con sus obligaciones de protección, conservación y rehabilitación y, segundo, promocionando y bonificando fiscalmente a aquellas personas físicas y jurídicas que financien la protección del patrimonio histórico a través de donaciones.

En el plano nacional, la mencionada Ley 16/1985, de 25 de junio, de Patrimonio Histórico Español, ya en su Preámbulo, menciona las medidas de estímulo y protección, recogiéndose en el articulado algunas medidas tributarias y fiscales, así como las condiciones para poder aplicarse determinados beneficios fiscales como la obligatoria inscripción en el Registro General de los bienes de interés cultural[15].

Estas medidas están dirigidas a los propietarios, que soportan costes derivados de las obligaciones, limitaciones en el derecho de propiedad, así como en el uso del inmueble pero no hay que olvidar que los Ayuntamientos de las Ciudades Patrimonio tienen, por una parte, una serie de costes derivado de la protección de su riqueza cultural e histórica y, por otro lado, sufren una reducción en su recaudación por la aplicación de los beneficios fiscales establecidos para los propietarios, obligados tributarios de tributos locales. Si el número de inmuebles objeto de protección es elevado, el impacto sobre los ingresos del Ayuntamiento puede ser importante.

Este impacto derivado de una menor recaudación, ha sido criticado por parte de la doctrina que apuntan al coste elevado que implica para los Ayuntamientos afectados e incluso un bajo rendimiento social[16] porque no inciden sobre la escasez de oferta de vivienda disponible sobre la que se ha hablado en la introducción.

Esta postura choca con la de los propietarios de inmuebles con nivel de protección sobre todo en el caso de los ciudadanos que poseen bienes inmuebles que están inclui-

---

13 Rivero Moreno, L. D. (2022). "La ciudad compartida: el patrimonio cultural como herramienta para la recreación del relato urbano", *Ciudad y territorio (*213), 579-592.

14 Mories Jiménez, M. T. (2017). "Beneficios fiscales al patrimonio histórico español" en *Internacional Journal of Scientific Management and Tourism (*1), 191-220.

15 Artículo 69 Ley 16/1985, de 25 de junio de Patrimonio Histórico Español.

16 Sánchez Juanino, P. y Torres, R. (2024). "Las políticas de vivienda ante la escasez de oferta". *Fiscalidad de la vivienda,* FUNCAS, Estudios de la fundación (104).

dos en zonas objeto de protección de patrimonio histórico español pero no calificados como bienes de interés cultural. Como ya se apuntó no tienen todas las obligaciones pero tampoco todos los beneficios, como se va a estudiar a través del Impuesto de Bienes Inmuebles y algunos de sus incentivos fiscales relacionados con el patrimonio histórico. La pregunta es si hay alguna alternativa en este caso y, si no la hay, si debería considerarse su introducción normativa.

Por todo lo anterior, los Ayuntamientos de las Ciudades Patrimonio Histórico piden, desde hace años, un régimen fiscal específico o incentivos fiscales que ayuden a paliar los costes derivados de la protección del patrimonio y las obligaciones exigibles tanto a ellos como a los propietarios. Consideran indispensable que se reconozca su singularidad mediante el establecimiento de un régimen tributario especial, no solo porque la protección, conservación y gestión de su riqueza patrimonial, histórica y cultural implica un coste adicional sino porque su recaudación se ve disminuida por las exenciones aplicables, entre las que destacan las reguladas en el Impuesto de Bienes Inmuebles, que se explicarán en el siguiente epígrafe o en el Impuesto sobre Construcciones, Instalaciones y Obras que no son compensados vía presupuestos[17] o mediante ayudas o subvenciones directas por parte del Estado o las Comunidades Autónomas[18]. En principio, no tienen retorno directo vía impuestos porque las actividades económicas se gravan a través de figuras estatales como el Impuesto sobre la Renta de las Personas Físicas y el Impuesto sobre Sociedades[19] aunque si indirecto por el desarrollo de la economía del municipio a través de actividades económicas como puede ser el turismo que tiene una alta incidencia directa o indirecta sobre otras actividades empresariales.

A favor, voces consagradas como el Profesor Clemente Checa[20] que opina que estas ciudades deberían tener, fiscalmente, un estatuto especial por tener un componente y unas necesidades distintas, proponiendo que estos Ayuntamientos dispongan de una mayor flexibilidad para aplicar exenciones y beneficios fiscales y la posibilidad de establecer, por ejemplo, tipos más bajos en el Impuesto sobre Bienes Inmuebles a los propietarios de inmuebles que cumplan sus obligaciones de mantenimiento y conservación,

---

17 Artículo 69.4 Ley 16/1985, de 25 de junio, del Patrimonio Histórico Español: En ningún caso procederá la compensación con cargo a los Presupuestos Generales del Estado en favor de los Ayuntamientos interesados

18 Díaz Calvarro, J. M. (2025), "El Objetivo de Desarrollo Sostenible 11 y las ciudades patrimonio histórico. ¿Cómo se financia el cambio de paradigma?", *Fiscalidad y movilidad sostenible en las ciudades,* Tirant lo Blanch.

19 Mories Jiménez, M. T. (2017). "Beneficios fiscales al patrimonio histórico español", ob. cit., pág. 208.

20 Mories Jiménez, M. T. (2017). "Beneficios fiscales al patrimonio histórico español", ob. cit., pág. 208.

además de otras medidas en los restantes tributos locales. Otros autores[21], consideran que deberían tener un régimen especial no solo las declaradas como Ciudades Patrimonio de la Humanidad sino aquellas que tengan un alto interés cultural de manera análoga a la consideración de municipio turístico.

En el lado contrario están los que no abogan por establecer regímenes especiales por considerar que podría ser una especie de "privilegio fiscal" prohibido por la Constitución en el artículo 31 por vulnerar principios tributarios como el de generalidad.

En opinión de quien suscribe estás páginas, la cuestión nuclear no es régimen fiscal especial si o no, sino arbitrar alguna fórmula para que a los Ayuntamientos se les compense tanto el dinero que directamente utilizan para el mantenimiento y la conservación del patrimonio histórico como la merma recaudatoria que sufren por la aplicación de los incentivos fiscales.

En este sentido y de forma negativa, el apartado 4 del artículo 69 Ley 16/1985, de 25 de junio de Patrimonio Histórico Español establece que, "en ningún caso, procederá la compensación con cargo a los Presupuestos Generales del Estado en favor de los Ayuntamientos interesados"; se elimina, por tanto, la posibilidad de establecer una compensación por las cargas adicionales que soportan y que no tiene un retorno directo vía impuestos. Presupuestariamente, las ciudades patrimonio de la humanidad tienen limitaciones porque la asunción los gastos que se derivan de la protección de esa riqueza, va en demérito de otras partidas presupuestarias[22]. Sin olvidar que los Entes Locales como el resto de las Administraciones Públicas, está limitado por el principio de estabilidad presupuestaria, de tal forma que la aceptación de las competencias propias establecidas en la Ley 7/1985, de 2 de abril, Reguladora de las Bases del Régimen Local, no puede poner en riesgo la sostenibilidad financiera del conjunto de la Hacienda municipal.

Por todo lo anterior, es plausible que la no compensación de los costes y las obligaciones que se derivan de poseer un rico patrimonio en tu municipio cuyo mantenimiento debe ser asumido por el ente local y, en paralelo, por el propietario de un bien inmueble objeto de protección, podría tener como consecuencia el abandono del patrimonio y del concreto inmueble degradándose con el tiempo. Es la respuesta a la pregunta de cuál es la incidencia de los beneficios fiscales diseñados para la protección del patrimonio histórico.

---

21 Casas Agudo, D. (2016). "Patrimonio histórico y extrafiscalidad en el ámbito de la Hacienda Municipal", *Revista Española de Derecho Financiero (*172), Sección Estudios, 131-176.

22 Sierra Viú, J.(2015). "Problemática presupuestaria en la financiación de las corporaciones locales. Referencia a los Ayuntamientos Patrimonio de la Humanidad". *Haciendas locales y patrimonio histórico y cultural*. Dykinson.

III. PATRIMONIO HISTÓRICO E IMPUESTO DE BIENES INMUEBLES

El impuesto de Bienes Inmuebles, de ámbito local, grava la titularidad de determinados derechos sobre los bienes inmuebles rústicos y urbanos entre los que se encuentra la propiedad. Es cuantitativamente el impuesto más importante para los Entes Locales y, por tanto, el que más recaudación aporta a los Ayuntamientos.

Está regulado por una norma estatal, el Real Decreto Legislativo 2 /2004, de 5 de marzo, por el que se aprueba el Texto Refundido de la Ley Reguladora de las Haciendas Locales, garantizándose la autonomía local por la individualización de los tributos a la realidad del municipio. A través de las ordenanzas fiscales firmadas por el Pleno del Ayuntamiento se puede determinar, dentro de la horquilla que prevé la norma, algunos elementos del tributo como el tipo de gravamen o la aplicación de beneficios fiscales como exenciones y bonificaciones potestativas y obligatorias igualmente dentro del margen establecido en la norma. Precisamente se van a analizar beneficios fiscales aplicables en el IBI y que tienen relación directa con la protección del patrimonio que garantiza la Constitución en su artículo 47.

En el artículo 62 apartado 2, letra b, el Texto Refundido de la Ley Reguladora de las Haciendas Locales establece una exención, previa solicitud del obligado tributario, de los bienes de interés cultural que estén inscritos en el registro general previsto en el artículo 12 Ley 16/1985 de 25 de junio, de Patrimonio Histórico Español, especificando claramente que "no alcanzará a cualesquiera clases de bienes urbanos ubicados dentro del perímetro delimitativo de las zonas arqueológicas y sitios y conjuntos históricos, globalmente integrados en ellos", sino aquellos que cumplan las condiciones que establece el propio artículo. Excluye de la exención a aquellos inmuebles que estén afectos a explotaciones económicas excepto que les sea de aplicación algún supuesto de la Ley de mecenazgo[23], así como a los bienes titularidad del Estado, CCAA, Entidades Locales, Organismos autónomos del Estado y entidades análogas de las Comunidades Autónomas y de las Entidades Locales.

Si se analiza con detenimiento el artículo están exentos:

- Los bienes calificados de interés cultural e inscritos en el Registro General
- Bienes comprendidos en las Disposiciones Adicionales 1º, 2º y 5º Ley 16/1985, de Patrimonio Histórico Español.
- Bienes reconocidos como histórico-artísticos o incluidos en el Patrimonio Artístico y Arqueológico de España, antes de la entrada en vigor de la Ley de Patrimonio Histórico Español.

---

23 Ley 49/2002, de 23 de diciembre, de régimen fiscal de las entidades sin fines lucrativos y de los incentivos fiscales.

- Los Castillos de España protegidos de acuerdo con el Decreto de 22 de abril de 1949 sobre protección de los castillos españoles.
- Los monumentos de antigüedad superior a cien años incluidos en el Decreto 571/1963, de 14 de marzo sobre protección de los escudos, emblemas, piedras heráldicas, rollos de justicia, cruces de término y piezas similares de interés histórico-artístico.
- Los "hórreos" y "cabazos" con antigüedad superior a cien años de acuerdo con el Decreto 449/1973, de 22 de febrero, por el que se colocan bajo protección del Estado los "hórreos o "cabazos" existentes en Asturias y Galicia.
- Inmuebles que puedan incluirse en el Patrimonio Histórico Español por tener interés histórico, artístico, paleontológico, arqueológico, etnográfico, científico o técnico[24], entre los que se encuentra el palacio real de Oriente y el parque del Campo del Moro, el palacio real de San Lorenzo del Escorial, el convento de las Descalzas Reales o el Monasterio de las Huelgas en Burgos.
- Bienes urbanos ubicados dentro del perímetro de zonas arqueológicas y sitios y conjuntos históricos con una antigüedad superior a cincuenta años y objeto de protección integral.
- Bienes afectos actividades económicas que se hagan al amparo de la Ley 49/2002, de 23 de diciembre, de régimen fiscal de las entidades sin fines lucrativos y de los incentivos fiscales[25].

La finalidad de esta medida es claramente extrafiscal, tal es, garantizar la protección y conservación de los bienes inmuebles que están integrados en el patrimonio histórico Español y compensar las limitaciones en el derecho de la propiedad y de uso de los bienes con protección, sin embargo, como aspecto negativo se pone el acento en el impacto que supone para la recaudación municipal sobre todo en las ciudades declaradas Patrimonio Universal que tienen un alto porcentaje de inmuebles que se pueden acoger a esta exención, pudiendo afectar a la suficiencia financiera local. Otras voces, como Ramos Prieto[26], consideran que la disminución de ingresos por el IBI se puede compensar con la actividad económica generada por el turismo (sostenible) que puede traducirse en la proliferación de negocios en inmuebles que estaban vacíos, cerrados y en peligro de degradación. Esta vía de retorno es fundamentalmente indirecta porque como ya se ha explicado, los impuestos que gravan los beneficios y las actividades económicas son

---

24 Artículos. 4 y 5 Ley 23/1982, de 16 de junio, reguladora del Patrimonio Nacional

25 Ley 16/2012, de 27 de diciembre, por el que se adoptan diversas medidas tributarias dirigidas a la consolidación de las finanzas públicas y al impulso de las actividad económica.

26 Ramos Prieto, J. (2015). "El IBI y el patrimonio histórico y cultural". *Haciendas locales y patrimonio histórico y cultural,* Dykinson.

estatales aunque no se debe desmerecer el ingreso vía tasas que ha propuesto el profesor Lago[27].

Esta exención es muy criticada porque tiene una redacción muy farragosa que induce a confusión y con constantes remisiones a disposiciones de patrimonio histórico y de urbanismo. Plantean dudas sobre qué bienes están incluidos dentro de este beneficio fiscal lo que ha derivado en una ingente casuística a través de resoluciones de los tribunales y de la Dirección General de Tributos[28].

Es decir, y este es el principal problema, no todos los propietarios de bienes inmuebles que estén dentro de un conjunto histórico se pueden aplicar la exención del artículo 62.2.b Real Decreto Legislativo 2/2004, de 5 de marzo, por el que se aprueba el texto refundido de la Ley Reguladora de las Haciendas Locales sino solo aquellos que estén calificados como bienes de interés cultural o cumplan las condiciones impuestas en la norma. Por tanto, los propietarios de esos bienes tienen una serie de cargas pero no se pueden aplicar esta exención en concreto. De hecho, el artículo 69 Ley 16/1985, de 25 de junio, del Patrimonio Histórico Español establece que la aplicación de los beneficios fiscales exige que sean bienes de interés cultural inscritos en el Registro General.

Esta exclusión es criticable porque hay una diferencia de trato para determinados propietarios que, por la calificación o falta de calificación de su inmueble, no se pueden aplicar los beneficios a pesar de soportar una serie de cargas y limitaciones como la necesidad de autorización previa por el órgano competente para cualquier obra porque tiene que cumplir con las condiciones impuestas por la legislación de patrimonio histórico. Esto puede derivar en el incumplimiento de algunas de las obligaciones de mantenimiento y conservación.

Es especialmente interesante para el estudio, como una concreción de la situación expuesta, la problemática de la aplicación de la exención a los inmuebles situados en zonas arqueológicas o sitios o conjuntos históricos. En esas áreas, como ya se ha explicado, no todos los bienes pueden disfrutar de los beneficios tributarios aunque si llevan consigo las cargas y las obligaciones. En este caso, el problema añadido está en la individualización y en la dificultad que acarrea. Además ha tenido jurisprudencialmente pronunciamientos contradictorios; por mencionar un ejemplo de esta complejidad está una resolución del Tribunal Superior de Justicia de Extremadura[29]que desestima

---

27 Lago Montero, J. M.(2015). "Tasas y contribuciones especiales y patrimonio histórico y cultural". *Haciendas locales y patrimonio histórico y cultural,* Dykinson.

28 Consulta de la Dirección General de Tributos V0476-18, de 21 de febrero de 2018; Consulta Vinculante V0966-21, de 19 de abril de 2021 de la Subdirección General de Tributos Locales; Consulta Vinculante V1194-22, de 27 de mayo de 2022 de la Subdirección General de Tributos Locales y Consulta Vinculante V2530-24, de 10 de diciembre de 2024.

29 Sentencia de 31 de octubre de 2001 del Tribunal Superior de Justicia de Extremadura.

la exención del artículo 62 Texto Refundido de la Ley Reguladora de las Haciendas Locales al Parador de Plasencia a pesar de estar incluido dentro de un área de protección susceptible de practicarse la exención mencionada porque, a pesar de que la construcción tiene una antigüedad superior a 50 años, no tiene reconocida una garantía integral según el plan de urbanismo.

En este sentido y en una futura revisión de la norma y, en concreto, del artículo 62 Texto Refundido de la Ley Reguladora de las Haciendas Locales y apoyando la idea de Casas Agudo[30], se debería modificar el artículo para incluir algún tipo de beneficio para aquellos inmuebles que estén dentro de zonas arqueológicas o sitios y conjuntos históricos y que no tengan la calificación o las condiciones exigidas en el texto actualmente en vigor para aplicarse la exención. Como explica este autor debe hacerse por el principio de equidad fiscal con respecto a los propietarios de esos bienes inmuebles y a las cargas que sufren.

Respecto a las bonificaciones obligatorias y potestativas del Impuesto de Bienes Inmuebles, el artículo 73, en su apartado 1 regula una bonificación de entre el 50 y el 90% en la cuota íntegra del impuesto por los conceptos de urbanización, construcción y promoción inmobiliaria tanto de obra nueva como de rehabilitación en inmuebles afectos a actividades económicas. Tomando como referencia esta bonificación sería interesante plantearla en los mismos términos para los inmuebles con nivel de protección que no se puedan aplicar la exención del artículo 62 Texto Refundido de la Ley Reguladora de las Haciendas Locales cuando se realicen obras de rehabilitación, conservación o mantenimiento, habida cuenta de que es unas de las obligaciones de los propietarios de inmuebles que están en zonas de protección histórico-patrimonial e independientemente de las ayudas que perciban para la realización de dichas obras.

El artículo 74.2 ter regula la posibilidad de que los Ayuntamientos, mediante ordenanza, puedan regular una bonificación potestativa de hasta el 90% de la cuota íntegra para aquellos inmuebles que no se pueden aplicar la exención del artículo 62.2 por estar afectos a actividades económicas y en el siguiente apartado regula una bonificación también potestativa de hasta el 95% en la cuota íntegra del impuesto "a favor de inmuebles en los que se desarrollen actividades económicas que sean declaradas de especial interés o utilidad municipal por concurrir circunstancias sociales, culturales, histórico artísticas o de fomento del empleo que justifiquen tal declaración. Corresponderá dicha declaración al Pleno de la Corporación y se acordará, previa solicitud del sujeto pasivo, por voto favorable de la mayoría simple de sus miembros". Se pretende que los Ayuntamientos puedan incentivar y apoyar ciertas actividades que consideren beneficiosas para la comunidad, es decir, que tengan un impacto positivo en la sociedad, la cultura,

30 Casas Agudo, D. (2016). "Patrimonio histórico y extrafiscalidad en el ámbito de la Hacienda Municipal", ob. cit., pág. 12.

la historia, el arte o la creación de empleo. Lo más interesante de esta bonificación es que el Ayuntamiento puede adaptarlo a sus necesidades o prioridades y singularizarla adaptándola a las peculiaridades de su territorio, como puede ser que ese municipio en cuestión tenga un elevado interés histórico o cultural.

Es decir, con estas bonificaciones se abre la posibilidad de que los Ayuntamientos pueden aplicar algún incentivo fiscal a los bienes inmuebles que no puedan aplicarse la exención por no estar inscrito como bien de interés cultural o no cumplir alguna de las condiciones que establece el artículo 62 Texto Refundido Ley Reguladora de las Haciendas Locales. La declaración de interés o utilidad municipal tiene que ser determinada por el Ente Local y, en este sentido, habría dos propuestas: primero, actividades económicas que contribuyan al desarrollo de un turismo sostenible en la ciudad patrimonio histórico y/o segundo, actividades económicas que ayude al mantenimiento y conservación de la zona de protección histórico-patrimonial, toda vez de que esos inmuebles que no gozan de protección "per se" pero están ubicados en una zona protegida. La finalidad es compensar a los propietarios por las obligaciones exigidas a los propietarios y de esta forma, se fomente el cumplimiento de los deberes y, por tanto, se evite el deterioro del centro histórico.

¿Y cómo se aplica en la práctica? Es verdaderamente interesante comprobar como estas bonificaciones, así como la exención del IBI del artículo 62 Texto Refundido de las Haciendas Locales se han recogido (o no) en las ordenanzas fiscales de algunas de las ciudades patrimonio de la humanidad.

Cáceres, en la Ordenanza Fiscal reguladora del Impuesto de Bienes Inmuebles[31] recoge la exención del artículo 62, remitiéndose al Texto Refundido de la Ley Reguladora de las Haciendas Locales, pero no recoge las bonificaciones potestativas del artículo 74.2 ter y quáter del mismo texto a las que se ha aludido en los párrafos precedentes.

Córdoba[32] recoge explícitamente en su ordenanza fiscal la exención total y parcial de los "inmuebles con los niveles de protección de Monumento, Edificio y Conjunto, incluidos en el Anexo II: Catálogo de Bienes Protegidos del Plan Especial de Protección del Conjunto Histórico de Córdoba (PEPCH), que cuenten con una antigüedad igual o superior a cincuenta años"[33], estableciendo los criterios para el cálculo del porcentaje exento.

Se regula la bonificación potestativa de carácter rogado de los inmuebles que desarrollen actividades económicas que sean declaradas de especial interés o utilidad municipal, tomando como criterio el fomento de empleo y el aumento de la plantilla y

31 Publicado en el BOP de la provincia de Cáceres el 2 de diciembre de 2024.

32 Ordenanza fiscal 300_2025 Ayuntamiento de Córdoba.

33 Artículo 3º apartado 9 Ordenanza Fiscal 300_2025 Ayuntamiento de Córdoba.

una bonificación potestativa del 95% de la cuota íntegra del impuesto de aquellos inmuebles que cuenten con patios admitidos al Concurso Oficial de patios de Córdoba por considerarse "una actividad económica considerada de especial interés o utilidad municipal al concurrir circunstancias culturales e histórico artísticas de que justifican tal declaración, actividad declarada por la Unesco como Patrimonio Inmaterial de la Humanidad"[34]

El Ayuntamiento de Cuenca en su ordenanza fiscal reguladora del Impuesto sobre bienes inmuebles establece en su articulado la exención sobre monumentos o jardines históricos de interés cultural reproduciendo el texto del artículo 62.2.b Texto Refundido de la Ley Reguladora de las Haciendas Locales. También se hace alusión a las entidades sin fines lucrativos tal y como establece la Ley 49/2002 del Régimen Fiscal de las Entidades sin fines lucrativos y de los incentivos fiscales al mecenazgo. Asimismo, se incluye la bonificación de inmuebles afectos a actividades económicas declaradas de especial interés o de utilidad municipal tomando como criterio el fomento del empleo.

La ordenanza fiscal número 1 del Impuesto sobre Bienes Inmuebles aprobada por el Ayuntamiento de Toledo, en su artículo 3, establece la exención prevista en el Texto Refundido de la Ley Reguladora de las Haciendas Locales delimitando que serán objeto de la exención los inmuebles que cuenten con nivel de protección "p" tal y como especifica la norma.

Al igual que en la normativa de los Ayuntamientos de Cuenca y Córdoba hay una bonificación potestativa a los bienes inmuebles afectos a actividades económicas consideradas de especial interés y de utilidad municipal cifrándose en el fomento de empleo.

Segovia no recoge en el articulado de la ordenanza fiscal del impuesto sobre bienes inmuebles ni la exención prevista en el artículo 62 ni las bonificaciones potestativas del artículo 74.2 ter y quáter del Real Decreto Legislativo 2/2005, del 2 de marzo, por el que se aprueba el Texto Refundido de la Ley Reguladora de las Haciendas Locales. Es bastante curiosa la parquedad de la norma reglamentaria en estas medidas de incentivo fiscal.

La Ordenanza Fiscal nº 1 del Impuesto sobre Bienes Inmuebles de Salamanca, en su artículo 4 apartado i, establece la exención de bienes de interés cultural en los mismos términos que el Texto Refundido de la Ley de Haciendas Locales. En esta norma si hay una novedad respecto a la bonificación potestativa por bienes inmuebles afectos a una actividad económica de interés municipal en el que además del criterio de la creación de

---

34 Artículo 3º apartado 8 Ordenanza Fiscal 300_2025 Ayuntamiento de Córdoba.

puestos de trabajo, se produzca una instalación u obra con una inversión igual o superior a seis millones de euros[35].

Ávila, en la Ordenanza Fiscal de 2024, en su artículo 3, regula la exención rogada de bienes de interés cultural con el mismo tenor literal que el Texto Refundido de la Ley Reguladora de las Haciendas Locales, mientras que la bonificación potestativa por bienes afectos a actividades económicas de especial interés es de un 50%, añadiendo como condición que deben estar incluidas en el "el Programa Territorial de Fomento para Ávila y su Entorno aprobado en el Pleno Corporativo del 29 de julio de 2020, que sean declaradas de especial interés o utilidad municipal por el Pleno de la Corporación"[36], basándose en criterios de fomento de empleo.

En todas las ordenanzas fiscales se recoge la bonificación prevista en el artículo 73.1 Texto Refundido de la Ley Reguladora de las Haciendas Locales sobre inmuebles en los que recaigan obras de urbanización, construcción o rehabilitación. Como ya se mencionado, podría ser una solución abrir este supuesto a las obras de mantenimiento y rehabilitación de los inmuebles que estén en zonas protegidas en razón de su patrimonio histórico y monumental pero no cumplan las características para aplicarse la exención del artículo 62 Texto Refundido Ley Reguladora de las Haciendas Locales.

Las bonificaciones potestativas del artículo 74.2 ter y quáter Texto Refundido de la Ley Reguladora de las Haciendas Locales puede ser una alternativa para bienes inmuebles que no pueden aplicarse la exención del artículo 62 Texto Refundido de la Ley Reguladora de las Haciendas Locales, pero no han tenido excesivo eco en los Ayuntamientos de las ciudades analizadas. Las únicas menciones son de la bonificación del artículo 74.2 quáter Texto Refundido de la Ley Reguladora de las Haciendas Locales respecto a actividades económicas de utilidad municipal, traduciendo esa utilidad municipal exclusivamente en la creación de empleo.

La pregunta es por qué no se introduce en las ordenanzas fiscales estas bonificaciones fiscales y la respuesta podría ser por el impacto en la recaudación y la falta de vías de compensación que tienen los Ayuntamientos. Estos incentivos fiscales pueden ser una ayuda para el mantenimiento y conservación del patrimonio histórico por los propietarios, cuestión especialmente interesante si se pretende esa preservación en condiciones óptimas. Además, es un camino para el desarrollo de actividades económicas de utilidad municipal y el fomento de la colaboración jurídico-privada y en definitiva, el desarrollo económico del municipio, que indirectamente pueda ser una vía de retorno de ingresos interesante.

35 Artículo 5 apartado 7 Ordenanza Fiscal número 1 Impuesto Bienes Inmueble Ayuntamiento de Salamanca.

36 Artículo 5 Ordenanza Fiscal 2024 Ayuntamiento de Ávila.

Ahora bien, no se debe olvidar que los beneficios fiscales tienen que ser diseñados de tal forma que sirvan al propósito para el que se establecieron ya que no deja de ser una excepción a los principios tributarios del artículo 31. Y más en este caso que puede impactar de forma importante sobre los ingresos locales de los Ayuntamientos. Es por ello que, en este y otros casos el análisis debe ser ex ante y sobre todo ex post para comprobar su efectividad.

IV. CONCLUSIONES Y ALGUNAS PROPUESTAS

En este último epígrafe se van a plasmar las reflexiones y algunas propuestas que han ido surgiendo a raíz del proceso de elaboración de este trabajo y se van a estructurar de lo más concreto a lo más general.

La exención del IBI sobre los bienes de interés cultural que entran dentro del radio de acción del artículo 62.2 Texto Refundido de la Ley Reguladora de las Haciendas Locales debe ser modificada en varios aspectos: en primer lugar, debe tener una redacción más clara para que no haya dudas de cuáles son las condiciones o cuál es el nivel de protección que deben tener los bienes objeto de la aplicación de esta exención y, sobre todo, qué bienes están incluidos y segundo, el ámbito de la exención debería ampliarse o, al menos, establecer una exención parcial a los bienes que lleven aparejadas deberes de conservación y mantenimiento.

Debería diseñarse una bonificación obligatoria por las obras que se deban realizar en cumplimiento de las obligaciones de mantenimiento, conservación y rehabilitación. Se podría tomar como modelo la bonificación del artículo 73 Texto Refundido de la Ley Reguladora de las Haciendas Locales o bien ampliar el radio de acción del mencionado precepto.

Las bonificaciones potestativas del artículo 74.2 ter y quáter Texto Refundido Ley Reguladora de las Haciendas Locales no son aprovechadas por los Ayuntamientos en el sentido de considerar el turismo como una actividad económica de utilidad municipal. El alquiler turístico, planteado de manera sostenible puede ayudar a dar una nueva vida a esos inmuebles y al desarrollo económico del municipio. Curiosamente, lo que plantea un problema en otros municipios por la falta de viviendas, en otros puede ser la solución para rehabilitar y recuperar inmuebles. Una matización importante es que ese alquiler de viviendas turísticas debe ser considerado una actividad económica, una ordenación por cuenta propia de medios de producción y de recursos humanos o de uno de ambos con la finalidad de intervenir en la producción o distribución de bienes y servicios[37] y no un

37 Art. 27 Ley 35/2006, de 28 de noviembre, del Impuesto sobre la Renta de las Personas Físicas.

particular que ofrece el servicio de manera ocasional, cuestión importante a efectos de la tributación del alquiler vacacional.

Las propuestas precedentes reman a favor de obra, pero implican un menoscabo más o menos importante en los ingresos de los Ayuntamientos que tienen a su cargo la protección del patrimonio histórico y cultural. Por eso, la singularidad de los Ayuntamientos de las ciudades patrimonio histórico debe ser reconocida. No se habla tanto de un régimen fiscal diferenciado como de establecer algunas medidas o algunas especialidades que ayuden a estos Entes Locales a asumir sus obligaciones de protección y mantenimiento del patrimonio histórico.

Sería también necesario que dentro de este reconocimiento fiscal de su singularidad se arbitrara una compensación de los gastos que soportan por la protección o el mantenimiento del patrimonio histórico en su municipio. La razón por la que no se produce esta compensación deviene del artículo 69 Ley Patrimonio Histórico y Español por lo que las soluciones pasan por flexibilizar estos preceptos y se admitiera la compensación vía presupuestos. En cualquier caso, se tienen que establecer medidas para que la pérdida de recaudación de estos municipios no afecte a su suficiencia financiera.

Los Entes Locales tienen poco margen de maniobra respecto a sus recursos propios por el principio de reserva de ley. Un ejemplo es el artículo 9 Texto Refundido de la Ley Reguladora de las Haciendas Locales que circunscribe los beneficios fiscales a los expresamente previstos en las normas con rango de ley o en Tratados Internacionales, así como los que se regulen por ordenanza fiscal en supuestos expresamente previstos por la ley. Las Haciendas Locales, por el mencionado principio de reserva de ley, se regulan por una ley estatal y el Ayuntamiento, vía ordenanzas fiscales, puede singularizar determinados elementos del tributo. Sin embargo, por la problemática de la vivienda se está comprobando que las realidades municipales son muy heterogéneas y que deberían tenerse en cuenta en la norma. Se necesita una mayor capacidad normativa por parte de los municipios en virtud de su autonomía financiera y respetando, en todo caso, el principio de reserva de ley. Esta idea puede traducirse en un mayor detalle por un lado y una mayor ampliación de los supuestos por otro. Implica, en definitiva, una revisión del Texto Refundido de la Ley Reguladora de las Haciendas Locales.

Todo lo anterior deben ser elementos que se incluyan en una política pública de vivienda coherente y ambiciosa que concite a todos las Administraciones competentes de forma coordinada y que en el ámbito local ofrezca respuestas a las distintas singularidades municipales. La fiscalidad debe ser un elemento que sume junto a otro tipo de medidas como pueden ser las administrativas y las urbanísticas.

V. REFERENCIAS BIBLIOGRÁFICAS

Casas Agudo, D. (2016). "Patrimonio histórico y extrafiscalidad en el ámbito de la Hacienda Municipal", *Revista Española de Derecho Financiero* (172), Sección Estudios.

Díaz Calvarro, J. M. (2025), "El Objetivo de Desarrollo Sostenible 11 y las ciudades patrimonio histórico. ¿Cómo se financia el cambio de paradigma?", *Fiscalidad y movilidad sostenible en las ciudades.* Tirant lo Blanch.

Guervós Maíllo, M. A. (2022). *Fiscalidad de las smarts cities*, Aranzadi.

Khametshin, D., López Rodríguez, D. y Pérez García, L., (2024) "El mercado del alquiler de vivienda residencial en España: evolución reciente, determinantes e indicadores de esfuerzo", *Documentos ocasionales* (2432). https://www.bde.es/wbe/es/publicaciones/analisis-economico-investigacion/documentos-ocasionales/el-mercado-del-alquiler-de-vivienda-residencial-en-espana-evolucion-reciente-determinantes-e-indicadores-de-esfuerzo.html Recuperado 9 de septiembre 2025.

Lago Montero, J. M. (2015). "Tasas y contribuciones especiales y patrimonio histórico y cultural". *Haciendas locales y patrimonio histórico y cultural.* Dykinson.

Mories Jiménez, M. T. (2017). "Beneficios fiscales al patrimonio histórico español". *Internacional Journal of Scientific Management and Tourism* (1).

Ramos Prieto, J. (2015). "El IBI y el patrimonio histórico y cultural". *Haciendas locales y patrimonio histórico y cultural.* Dykinson.

Rivero Moreno, L. D. (2022). "La ciudad compartida: el patrimonio cultural como herramienta para la recreación del relato urbano", *Ciudad y territorio* (213).

Sánchez Juanino, P. y Torres, R. (2024). "Las políticas de vivienda ante la escasez de oferta". *Fiscalidad de la vivienda*, FUNCAS, Estudios de la fundación (104).

Sierra Viú, J. (2015). "Problemática presupuestaria en la financiación de las corporaciones locales. Referencia a los Ayuntamientos Patrimonio de la Humanidad". *Haciendas locales y patrimonio histórico y cultural.* Dykinson.

UNESCO. Grupo de ciudades patrimonio de la Humanidad de España https://www.ciudadespatrimonio.org/ Recuperado el 10 de septiembre de 2025.

EL RECARGO DEL IBI SOBRE LAS VIVIENDAS TURÍSTICAS: ANÁLISIS JURÍDICO, PROPUESTA NORMATIVA Y SU ENCAJE EN LA FISCALIDAD LOCAL[1]

Albert Navarro García
Profesor Titular de Derecho Financiero y Tributario
Universitat de Girona
ORCID 0000-0001-8910-3329

---

1 El presente trabajo se ha desarrollado en el marco del proyecto de investigación "La financiación pública al servicio de políticas de vivienda: especial atención a la promoción inmobiliaria asequible y eficiente" (PID2024-158654NB-I00) dirigido por Mª Luisa Esteve Pardo y Albert Navarro García) y financiado por el MCIU/AEI/10.13039/501100011033/ y por FEDER Una manera de hacer Europa.

I. INTRODUCCIÓN

La expansión del **turismo urbano en España** durante las dos últimas décadas ha supuesto una transformación de alcance estructural en la configuración de las ciudades, alterando de manera profunda el equilibrio entre el derecho a la vivienda y la explotación económica del espacio urbano[2]. Este proceso, vinculado tanto a la globalización de las dinámicas turísticas como al despliegue de plataformas digitales de intermediación, ha tenido como consecuencia directa la intensificación de fenómenos de presión inmobiliaria, especialmente en los centros históricos y en los municipios costeros de alta demanda estacional.

En este contexto, las denominadas **viviendas de uso turístico (en adelante, VUT)** se han consolidado como una de las expresiones más visibles y conflictivas de dicha transformación. Se trata de inmuebles formalmente inscritos en el Catastro como residenciales, pero que en la práctica son explotados económicamente mediante **arrendamientos de corta duración**, orientados a una clientela no residente y sometidos a una elevada rotación. La irrupción de este tipo de alojamientos ha desdibujado la frontera entre el uso habitacional y el uso económico de la vivienda, situando en primer plano la necesidad de reconsiderar el alcance de la función social de la propiedad urbana y, correlativamente, el marco regulatorio y fiscal aplicable a este tipo de usos lucrativos de inmuebles residenciales[3].

---

2 En el conjunto del año 2024, el número de turistas alcanzó un máximo histórico cercano a los 93,8 millones de visitantes. Según los datos publicados por el Instituto Nacional de Estadística (INE), la tendencia continúa al alza: solo en el mes de julio de 2025 se registraron 11 millones de turistas internacionales, lo que supone un 1,6 % más que en el mismo mes del año anterior. Asimismo, en los siete primeros meses de 2025, el flujo turístico acumulado experimentó un incremento del 4,1 % respecto al mismo periodo del ejercicio precedente. Para más información *vid.* https://www.ine.es/dyngs/INEbase/es/operacion.htm?c=Estadistica_C&cid=1254736176996&menu=ultiDatos&idp=1254735576863 (Recuperado el 2 de noviembre de 2025).

3 Según datos recientes del (INE) y de la plataforma Dataestur, España se aproxima ya a la cifra de 400.000 viviendas de uso turístico (VUT) registradas oficialmente, lo que sitúa al país entre los primeros de Europa en número absoluto de este tipo de alojamientos alternativos. La distribución territorial de las VUT no es homogénea, sino que revela un marcado carácter concentrado y desigual, vinculado tanto a las dinámicas del turismo de sol y playa como al auge del turismo urbano en determinadas capitales.

Así, seis provincias superan la ratio de 20 viviendas de uso turístico por cada 1.000 habitantes: Girona, Málaga, Las Palmas, Alicante, Santa Cruz de Tenerife y Baleares. Estas cifras no son meramente estadísticas, sino que reflejan la intensidad con la que el turismo penetra en el tejido residencial de los territorios más dependientes de esta actividad. En el caso de Girona y las Illes Balears, la presión se concentra especialmente en zonas costeras de alta demanda estacional, mientras que en Málaga y Alicante se combina la atracción de turistas internacio-

Los impactos de esta proliferación son múltiples y de carácter acumulativo. Desde un punto de vista **socioeconómico,** la transformación de la vivienda residencial en activo turístico reduce de manera significativa la oferta destinada a residencia habitual, contribuye al incremento sostenido de los precios de compra y alquiler, y genera procesos de gentrificación que desembocan en la expulsión de vecinos de larga duración[4]. Desde una perspectiva **urbana**, este fenómeno reconfigura los tejidos comerciales y de servicios, favoreciendo la implantación de actividades orientadas al turista y debilitando el comercio de proximidad. Desde el ángulo **medioambiental y de servicios públicos**, la concentración de VUT en determinados barrios incrementa la presión sobre la limpieza, el transporte, la seguridad y el espacio público en general, generando costes colectivos que no siempre se ven compensados por una tributación diferenciada.

Todo ello plantea un serio interrogante en relación con la **función social de la propiedad** a la que se refiere el artículo 33 de la Constitución Española (en adelante, CE). La vivienda, como bien jurídico de especial relevancia y objeto del derecho reconocido en el artículo 47 CE, no puede ser entendida únicamente como un activo de inversión o como un recurso para la maximización de rentas privadas. La lógica constitucional, agudizada en los últimos años, con la aprobación, por ejemplo, de la Ley 12/2023, de 24 de mayo, por el derecho a la vivienda, exige que el uso de la vivienda se oriente a la satisfacción de necesidades residenciales y al aseguramiento de condiciones de vida dignas, sin perjuicio de su explotación económica legítima, pero siempre subordinada al interés general y a la función social de la propiedad[5]. En nuestra opinión, la prolife-

---

nales con una fuerte presencia de residentes extranjeros que adquieren vivienda para destinarla al alquiler turístico. Por su parte, en Las Palmas y Santa Cruz de Tenerife, el fenómeno se entrelaza con la importancia estructural del turismo en la economía insular, donde la oferta turística compite directamente con el mercado de la vivienda habitual. Para más información *vid.* https://www.dataestur.es/blog/datos-viviendas-uso-turistico-destinos-agosto-2024/ (Recuperado el 7 de noviembre de 2025).

4 Sánchez-Sánchez, F. J. y Sánchez-Sánchez, A. M. (2025). "Factores característicos del impacto de las viviendas de uso turístico en España: aproximación a escala provincial". *Investigaciones Turísticas*, (29), 303-333.

5 Por ejemplo, la STC 64/2025, de 13 de marzo, desestimó íntegramente el recurso de inconstitucionalidad interpuesto contra el Decreto-ley 3/2023 de la Generalitat de Cataluña, que regulaba el uso turístico de viviendas en municipios con problemas de acceso a la vivienda o riesgo de desequilibrio urbano. El Tribunal Constitucional consideró que la norma de urgencia estaba debidamente justificada al responder al crecimiento exponencial de las viviendas de uso turístico y sus efectos sobre el acceso a la vivienda y el entorno urbano. Asimismo, afirmó que no se vulnera el derecho de propiedad, ya que el uso turístico no constituye una facultad consustancial a la vivienda residencial ni forma parte del núcleo esencial de este derecho. También se avaló la exigencia de licencia urbanística previa, su limitación en número y duración (cinco años prorrogables) y su aplicación únicamente en municipios con problemas específicos, al considerarlas medidas proporcionales y necesarias. La sentencia subrayó, además, que

ración de las VUT, cuando se produce de manera masiva y sin contrapesos normativos eficaces, erosiona esa función social y amenaza con vaciar de contenido material el derecho a la vivienda.

Ante esta situación, los municipios —que son las administraciones más directamente expuestas a las consecuencias sociales y urbanísticas de este fenómeno— han comenzado a reclamar **instrumentos regulatorios y fiscales** que les permitan actuar con eficacia, si bien las medidas urbanísticas (moratorias de licencias, limitaciones territoriales o restricciones temporales) resultan necesarias, son insuficientes sin herramientas fiscales que internalicen las externalidades negativas del turismo residencial[6].

En este punto, el **Impuesto sobre Bienes Inmuebles (en adelante, IBI)** emerge como un instrumento particularmente relevante. Se trata del tributo local de mayor peso recaudatorio en el sistema de haciendas locales y está directamente vinculado a la propiedad del suelo y de la edificación. Ello lo convierte en un mecanismo idóneo para diferenciar entre usos residenciales y usos lucrativos de la vivienda. No obstante, el marco jurídico vigente —regulado por el Real Decreto Legislativo 2/2004, de 5 de marzo, por el que se aprueba el **texto refundido de la Ley Reguladora de las Haciendas Locales (en adelante, TRLRHL)**— presenta importantes limitaciones: solo prevé un recargo específico en relación con las viviendas desocupadas de manera permanente (art. 72.4 TRLRHL, tras la reforma introducida por la **Ley 12/2023, de 24 de mayo,**

---

el régimen respetaba la autonomía local, pues los ayuntamientos conservan la capacidad decisoria sobre la compatibilidad del uso turístico, el número de licencias a otorgar y su aplicación concreta. Finalmente, rechazó que existiera vulneración de principios constitucionales como la autonomía local, la igualdad, la unidad de mercado o la seguridad jurídica. Para más información, *vid.* Ponce Solé, J. (2025). "Del derecho a la vivienda al derecho a la ciudad, o «entorno urbano», como razón imperiosa de interés general para delimitar el derecho de propiedad sin expropiarlo: la Sentencia del Tribunal Constitucional 64/2025, de 13 de marzo, sobre uso turístico de viviendas". *Revista de Derecho Urbanístico y Medio Ambiente*, (378), 19-58.

6 Aunque a nivel estatal ya se han adoptado algunas medidas, estas resultan claramente insuficientes. Un ejemplo es la reforma del artículo 7 de la Ley de Propiedad Horizontal, en vigor desde el 3 de abril de 2025, a través de la disposición final cuarta de la Ley Orgánica 1/2025. Dicha reforma permite a las comunidades de propietarios prohibir o autorizar el uso turístico de las viviendas mediante acuerdo de tres quintas partes de propietarios y cuotas, sin necesidad de unanimidad. Asimismo, el nuevo artículo 7.3 introduce un régimen de autorización previa para iniciar la actividad. No obstante, la norma carece de efectos retroactivos, de modo que los usos turísticos ya existentes conforme a la normativa sectorial podrán continuar en las condiciones vigentes. Para más información, vid. Rey Muñoz, F. J. (2025). "El nuevo escenario del alquiler turístico tras la modificación de la Ley sobre Propiedad Horizontal". *Diario La Ley*, (10659); y Ávila Rodríguez, C. M. (2025). "La respuesta de los municipios al desafío de las viviendas de uso turístico". *Consultor de los ayuntamientos y de los juzgados: Revista técnica especializada en administración local y justicia municipal*, (7).

por el derecho a la vivienda), sin contemplar hipótesis alternativas de uso económico del parque residencial, como es el caso del turismo.

Esta insuficiencia normativa revela una contradicción estructural: mientras el legislador estatal ha reconocido la necesidad de gravar con mayor intensidad a las viviendas vacías, no ha articulado una respuesta fiscal para las viviendas turísticas, cuyo impacto económico y social resulta incluso más intenso. A falta de un impuesto turístico propio local de creación estatal aplicable por los ayuntamientos, el cauce más eficaz y jurídicamente disponible en el corto plazo es habilitar un recargo específico del IBI sobre VUT. En consecuencia, el debate sobre la introducción de un **recargo específico del IBI para las VUT** se inscribe en una reflexión más amplia acerca de la fiscalidad urbana, la justicia tributaria y la capacidad de los municipios para garantizar la efectividad del derecho a la vivienda y la función social de la propiedad en el contexto del turismo masificado[7].

En consecuencia, este trabajo examina de manera sistemática el fenómeno de las viviendas de uso turístico y su tratamiento desde la perspectiva de la fiscalidad local. Se analizan sus impactos urbanos y sociales, el marco actual del IBI y sus limitaciones, el debate parlamentario y la experiencia autonómica en fiscalidad turística para plantear una propuesta de reforma del TRLRHL orientada a habilitar un recargo específico sobre el IBI aplicable a las VUT, acompañada de su justificación constitucional, de sus elementos técnicos y de una propuesta de redacción normativa. Finalmente, se ofrecen unas conclusiones que sintetizan los principales argumentos y apuntan hacia la necesidad de dotar a los municipios de herramientas fiscales eficaces para compatibilizar la actividad turística con la garantía del derecho a la vivienda y la función social de la propiedad.

II. IMPACTO URBANO Y SOCIAL DE LAS VIVIENDAS DE USO TURÍSTICO

El fenómeno de las viviendas de uso turístico no puede abordarse únicamente desde una perspectiva inmobiliaria, sino que constituye, en nuestra opinión, un factor de

---

[7] En un sentido similar Becerra Fernández, D. (2025). “El recargo del IBI en las viviendas turísticas como una posible solución para la gestión de los residuos en temporada alta” en Navarro García, A. (dir.), Instrumentos fiscales locales para la sostenibilidad: retos en vivienda y gestión de residuos. Dykinson, 282, afirma que: “*(...)* este recargo no sólo contribuiría a la sostenibilidad financiera de las Haciendas Locales, sino que también garantizaría un reparto equitativo de las cargas derivadas del turismo, fortaleciendo el principio de justicia tributaria. Su implementación sería un paso decisivo hacia un modelo turístico más equilibrado, que combine el desarrollo económico con la protección del bienestar de las comunidades receptoras y el cuidado del medio ambiente”.

transformación estructural de la realidad urbana y social. En particular, su proliferación masiva en barrios céntricos y en zonas de fuerte atracción turística ha supuesto una clara desnaturalización de la función residencial, en la medida en que una parte significativa del parque de viviendas se destina a un uso temporal y lucrativo, en detrimento de la residencia habitual. Este fenómeno compromete la cohesión social, fragmenta los vecindarios y erosiona el derecho de acceso a una vivienda, elementos que forman parte del contenido material de la función social de la propiedad a la que se refiere el artículo 33 CE.

Desde un punto de vista socioeconómico, el efecto más inmediato es el incremento sostenido de los precios de arrendamiento y compraventa, consecuencia directa de la mayor rentabilidad de la explotación turística y de la retirada del mercado de viviendas residenciales[8]. A nuestro juicio, este proceso induce a retirar viviendas del mercado residencial y restringe de manera significativa el acceso a la vivienda asequible, especialmente para jóvenes, familias con rentas medias o bajas y colectivos en situación de vulnerabilidad. La consecuencia última es la configuración de un mercado dual: por un lado, una vivienda convertida en activo de inversión con altísimas rentabilidades; por otro, una población residente cada vez más excluida del centro urbano[9].

---

[8] Es constante la aparición en la prensa de noticias que reflejan la escalada de precios tanto en la compraventa como en el alquiler de viviendas. Por ejemplo, durante el primer trimestre de 2025**, los precios de la vivienda en España se encarecieron un 12,3 %**, más del doble de la media de la zona euro (5,4 %), según datos de Eurostat recogidos por *El País* (https://elpais.com/economia/2025-07-05/el-precio-de-la-vivienda-sube-en-espana-mas-del-doble-que-en-la-zona-euro.html) (Recuperado el 14 de noviembre de 2025). El mercado inmobiliario español atraviesa una situación de presión extrema, que se refleja también en el crecimiento acelerado de la compra de viviendas y el número de hipotecas firmadas, alcanzando cifras récord desde 2007.

[9] En este sentido, De La Encarnación Valcárcel, A. M. (2023). “Las cicatrices de la vivienda turística: reducción del mercado residencial inmobiliario y encarecimiento de precios”. *Revista de Estudios de la Administración Local y Autonómica: Nueva Época*, (20), 107-123, afirma que: “La masificación turística tiene una enorme incidencia sobre el tejido urbano, sobre la ciudad y sobre quienes la habitan, produciendo numerosas consecuencias negativas, como el creciente desplazamiento espacial de los residentes y su desposesión material y simbólica. Esta expansión sin límite de la vivienda turística está contribuyendo a la gentrificación y a la consiguiente desnaturalización de los espacios urbanos, que han experimentado una pérdida de calidad del hábitat. Aunque la consecuencia más grave en el actual contexto de crisis económica es la del encarecimiento de los precios de adquisición de vivienda y de tenencia en alquiler de larga duración, derivado de la reducción de oferta de inmuebles en el mercado inmobiliario tradicional. La alta rentabilidad que se obtiene cuando son arrendados a través de plataformas online propicia que el volumen de viviendas destinadas a esta actividad se incremente de forma exponencial, detrayendo un gran número de viviendas del mercado tradicional para destinarlas a una finalidad turística”.

No menos relevante es el impacto sobre la composición social de los barrios. Los procesos de gentrificación asociados al despliegue de la actividad turística favorecen el desplazamiento de la población tradicional, sustituida progresivamente por usuarios temporales con mayor capacidad adquisitiva[10]. A nuestro juicio, ello debilita la identidad cultural de los barrios, genera una pérdida de capital social acumulado durante generaciones y diluye los vínculos comunitarios que sostienen la vida urbana. En definitiva, la vivienda deja de cumplir una función social estable para convertirse en un mero soporte de actividad económica volátil.

En paralelo, se produce una transformación del tejido comercial y de servicios urbanos. A nuestro juicio, la sustitución de comercios de proximidad por negocios orientados al turismo —restauración de rotación rápida, tiendas de conveniencia para visitantes, servicios ligados al ocio— altera profundamente la funcionalidad de los barrios para los residentes permanentes. Esta mutación comercial no es inocua: debilita el acceso cotidiano a bienes y servicios básicos, aumenta la dependencia de cadenas globales y refuerza un modelo urbano orientado a la maximización del consumo turístico en lugar de al bienestar vecinal.

La dimensión fiscal de este fenómeno tampoco puede pasarse por alto. La proliferación de VUT genera un incremento evidente de los costes para las haciendas locales, especialmente en materia de limpieza viaria, transporte, seguridad ciudadana y mantenimiento de infraestructuras urbanas[11]. A nuestro juicio, resulta contradictorio que tales costes adicionales recaigan sobre el conjunto de contribuyentes locales, mientras los titulares de viviendas turísticas no asumen una carga fiscal diferenciada acorde con los beneficios privados extraordinarios que obtienen de esta explotación. El marco actual del IBI, configurado como un impuesto de devengo anual uniforme para todas las viviendas de uso residencial, se muestra claramente insuficiente para dar respuesta a esta realidad.

En nuestra opinión, resulta imprescindible internalizar estas externalidades negativas mediante la adopción de instrumentos fiscales que distingan entre el uso residencial estable y el uso turístico intensivo. Tal diferenciación no debe entenderse como una penalización arbitraria, sino como la materialización del principio de justicia tributaria y

---

10 Según Rodríguez-Barcón, A., Calo, E. y Otero-Enríquez, R. (2021). "Una revisión crítica sobre el análisis de la gentrificación turística en España". *Rotur: revista de ocio y turismo*, (15-1), 1-21, la gentrificación turística en España se articula en torno a la Airbnbización del mercado de alquiler, la transformación del tejido comercial, las políticas públicas de regeneración urbana y las resistencias sociales, todo ello con efectos de encarecimiento, pérdida de identidad urbana y desplazamiento vecinal.

11 Entre otros, *vid.* Solé Ollé, A. (2021): *Cuantificación del impacto del turismo sobre el presupuesto municipal de Barcelona*, Institut d'Economia de Barcelona.

de capacidad económica recogido en el artículo 31 CE. Quien utiliza la vivienda como un recurso económico intensivo y obtiene rentas superiores de dicha explotación, debe contribuir en mayor medida a sufragar los costes colectivos que genera su actividad.

En definitiva, a nuestro juicio, el turismo residencial plantea un reto estructural para la política urbana y la fiscalidad local. Ignorar sus impactos equivale a permitir que la función social de la vivienda quede subordinada a dinámicas puramente especulativas. Frente a ello, sostenemos que la fiscalidad, y en particular el IBI, puede y debe convertirse en una herramienta decisiva para reequilibrar la balanza entre el derecho a la vivienda reconocido en el artículo 47 CE y la legítima explotación económica del espacio urbano, garantizando que esta última no vacíe de contenido material un derecho esencial para la cohesión y la sostenibilidad de nuestras ciudades.

III. EL MARCO ACTUAL DEL IBI Y SUS LIMITACIONES

Como hemos señalado, el IBI, regulado en los artículos 60 a 77 del TRLRHL, constituye el principal recurso tributario de los municipios españoles y uno de los pilares básicos de la financiación local. Su diseño responde a la lógica clásica de un tributo patrimonial vinculado a la titularidad de los bienes inmuebles, con una estructura estable y previsible que garantiza la suficiencia financiera de las haciendas locales. A nuestro juicio, esta configuración presenta limitaciones sustantivas cuando se trata de responder a realidades urbanas dinámicas, como la proliferación de las VUT, en las que el uso residencial se convierte en un activo de explotación económica intensiva. En nuestra opinión, esta disfunción pone de manifiesto la necesidad de repensar el alcance del impuesto, adaptándolo a los nuevos escenarios de mercantilización del parque habitacional y dotando a los municipios de herramientas fiscales acordes con los principios constitucionales de capacidad económica y función social de la propiedad.

En la actualidad, el legislador estatal únicamente ha previsto un recargo específico sobre las viviendas desocupadas con carácter permanente, regulado en el artículo 72.4 TRLRHL. Se trata de una figura ya existente desde hace años, pero que había tenido escasa aplicación práctica debido a las dificultades para acreditar la situación de desocupación y a la falta de un marco normativo claro que facilitara su gestión por los ayuntamientos[12]. La reforma introducida por la Ley 12/2023, de 24 de mayo, por el

---

12 Entre los estudios recientes que abordan la introducción, evolución y aplicabilidad del recargo previsto en el artículo 72.4 TRLRHL cabe destacar el trabajo de Varona Alabern, J. E. (2025). "El recargo del IBI sobre los inmuebles de uso residencial desocupados con carácter permanente". Revista técnica tributaria, (148), 335-347; el de Urbano Sánchez, L. (2024). La imposición sobre la desocupación de la vivienda. Tirant lo Blanch, 262 y ss.; y el de Navarro García, A. (2024). "La Ley 12/2023, por el derecho a la vivienda, y su impacto en el recargo del

derecho a la vivienda, vino a reforzar este instrumento al incrementar el límite máximo del recargo hasta el 150 % de la cuota líquida del impuesto, modulable en función del tiempo de desocupación y de la ubicación del inmueble, y al pretender dotarlo de mayor operatividad para las entidades locales. No obstante, a nuestro juicio, la eficacia de la reforma sigue siendo limitada, ya que muchos municipios carecen de medios técnicos e información suficiente para acreditar de forma fehaciente la desocupación, lo que dificulta su generalización. En todo caso, este recargo tiene como finalidad penalizar la infrautilización del parque residencial e incentivar su incorporación al mercado, pero no guarda relación alguna con el uso económico intensivo derivado de las VUT. De este modo, el legislador ha atendido parcialmente a la problemática habitacional vinculada a la vivienda vacía, pero ha dejado sin respuesta fiscal un fenómeno que, a nuestro juicio, genera impactos sociales y urbanos incluso más graves: la turistificación residencial.

Por otra parte, el marco normativo vigente **no habilita expresamente a los ayuntamientos para aplicar tipos diferenciados o recargos en función del destino económico de un inmueble cuando este mantiene la calificación catastral de uso residencial**. Es decir, mientras que los bienes inmuebles de naturaleza urbana pueden tributar en función de su valor catastral y de la categoría del uso asignado (residencial, comercial, oficinas, industrial, etc.), no existe base legal que permita discriminar dentro del uso residencial entre vivienda de residencia habitual y vivienda destinada a explotación turística.

A esta limitación normativa se añade la interpretación consolidada por la doctrina administrativa. El origen se encuentra en la Ordenanza fiscal del Ayuntamiento de Barcelona aprobada en 2017, que pretendía introducir una diferenciación en la aplicación del IBI a los inmuebles destinados a VUT. La medida se vinculaba a la aprobación de la Ponencia de Valores del municipio de Barcelona (2017), en cuyo "Catálogo de tipologías constructivas" se incluyó a las viviendas con licencia de uso turístico dentro de la categoría 7.1.2, correspondiente a los "aparthoteles". Con esta reclasificación, la administración permitía que los pisos turísticos quedaran sujetos a parámetros de valoración distintos —y más gravosos— que los de las viviendas residenciales ordinarias.

Frente a ello, diversas entidades y propietarios interpusieron reclamaciones económico-administrativas, alegando que las viviendas turísticas debían seguir siendo consideradas viviendas residenciales a todos los efectos, ya que la licencia de uso turístico no alteraba su naturaleza física ni urbanística. El caso llegó al Tribunal Económico-Administrativo Central (TEAC), que en su Resolución de 5 de diciembre de 2019 (RG 07074/2017) estimó en parte las reclamaciones y anuló la clasificación de las VUT como "aparthoteles".

IBI para viviendas desocupadas de manera permanente", en Patón García, G. (dir.), *Fiscalidad y economía circular: Sectores estratégicos de vivienda y transporte*. Atelier, 21-42.

El TEAC concluyó que las viviendas con licencia turística deben seguir considerándose jurídicamente como viviendas de uso residencial, lo que implica su tipificación en la clase 1.1 de "viviendas colectivas" y la correspondiente valoración del suelo como de "uso residencial". La resolución fundamenta esta conclusión en tres argumentos principales: en primer lugar, que la normativa catalana en materia de turismo —Ley 13/2002, de turismo, y Decreto 159/2012, de establecimientos de alojamiento turístico— exige que las viviendas de uso turístico dispongan de cédula de habitabilidad y cumplan en todo momento las condiciones técnicas y de calidad propias de cualquier vivienda; en segundo lugar, que el alojamiento turístico constituye una actividad económica desarrollada sobre la vivienda, pero no altera su naturaleza física ni urbanística, que sigue siendo la de un inmueble residencial; y, en tercer lugar, que no resulta posible clasificar en un mismo edificio unas unidades como "residenciales" y otras como "hostelería", ya que ello vulneraría los principios de uniformidad tipológica consagrados en el Real Decreto 1020/1993, de normas técnicas de valoración catastral de los bienes inmuebles urbanos.

En consecuencia, el intento del Ayuntamiento de Barcelona de aplicar un tratamiento fiscal diferenciado en el IBI a las VUT quedó neutralizado, pues la base catastral debía seguir calculándose como si se tratase de una vivienda ordinaria. De este modo, el marco estatal actual se revela manifiestamente insuficiente para dar respuesta al impacto que las VUT ejercen sobre la función social de la vivienda y sobre el equilibrio urbano. En ausencia de una reforma legislativa que habilite expresamente a los entes locales para establecer **recargos o tipos diferenciados en el IBI en atención al destino económico de la vivienda**, los municipios se ven privados de un instrumento fiscal idóneo para internalizar las externalidades negativas derivadas de la turistificación residencial y para garantizar un reparto más equitativo de los costes que dicha actividad genera sobre los servicios públicos municipales.

IV. INICIATIVAS LEGISLATIVAS EN CURSO Y DEBATE PARLAMENTARIO

Ante esta insuficiencia normativa, distintas fuerzas políticas han planteado propuestas de reforma del IBI con el objetivo de reforzar la suficiencia financiera de los municipios y de mejorar la equidad del tributo. Una de las más destacadas es la Proposición no de Ley presentada en 2024 por el Grupo Parlamentario Sumar, que plantea dos medidas principales: por un lado, habilitar a los ayuntamientos para establecer recargos de hasta el 50 % en el IBI de las viviendas turísticas situadas en zonas tensionadas; y por otro, introducir tipos de gravamen progresivos para los inmuebles urbanos con un valor catastral superior a 250.000 euros. Según su exposición de motivos, se trata de corregir la marcada regresividad del impuesto y de vincularlo de forma más estrecha con el principio de capacidad económica, recordando que el IBI supone más del 61 %

de los ingresos tributarios locales y cerca de una cuarta parte de los ingresos municipales totales. La iniciativa también subraya la importancia de extender el esquema de recargos ya previsto para las viviendas vacías en la Ley 12/2023, que elevó su cuantía hasta el 150 %, a las viviendas turísticas y de temporada[13].

En la misma línea, pero con un planteamiento más ambicioso, se sitúa la Proposición de Ley de medidas fiscales para combatir la especulación inmobiliaria presentada en julio de 2025 por el Grupo Republicano[14]. Este texto introduce la posibilidad de incorporar un nuevo artículo 72 *bis* en el TRLRHL, habilitando a los ayuntamientos a aplicar un recargo diferenciado del IBI sobre viviendas en mercados residenciales tensionados. La medida estaría sometida a límites y condiciones precisas: solo podría aplicarse en municipios que acrediten oficialmente dicha situación, respecto de un máximo del 30 % de su parque de viviendas, y tendría como principales destinatarios a los grandes tenedores y a los inmuebles de uso turístico. El recargo podría alcanzar hasta el 50 % de la cuota líquida del impuesto e incluso el 100 % cuando los titulares no acreditaran cinco años de residencia en España, incorporando un elemento de vinculación territorial. Además, la proposición contemplaba medidas complementarias, como la supresión de beneficios fiscales a las SOCIMI o la creación de un impuesto sobre la acumulación de viviendas, aunque el eje central en materia de fiscalidad local se articulaba en torno al recargo a las viviendas turísticas y a los grandes propietarios.

Más allá del plano parlamentario, existen ya alguna experiencia normativa aplicada en el ámbito municipal que ilustran la viabilidad de estas propuestas. El caso paradigmático es el del Ayuntamiento de Bilbao, que en el ejercicio de la capacidad normativa reconocida por el régimen foral de Bizkaia —y en virtud de la autonomía tributaria que la Constitución y el Concierto Económico confieren a los Territorios Históricos del País Vasco— ha regulado un recargo del 25 % en el IBI para las viviendas que no constituyen la residencia habitual de sus titulares. Dicho recargo, previsto en el artículo 11 de su Ordenanza Fiscal reguladora del impuesto[15], se devenga y liquida de forma conjunta con la cuota ordinaria y se hace constar expresamente en el padrón de contribuyentes. La norma, además, incorpora una presunción de residencia basada en el padrón municipal, permite acreditar la ocupación efectiva mediante contrato de arrendamiento y establece un detallado régimen de exclusiones que va desde las viviendas en

---

13 Disponible en: https://www.congreso.es/public_oficiales/L15/CONG/BOCG/D/BOCG-15-D-163.PDF (19 a 21) (Recuperado el 28 de octubre de 2025).

14 Disponible en: https://www.congreso.es/public_oficiales/L15/CONG/BOCG/B/BOCG-15-B-252-1.PDF (Recuperado el 28 de octubre de 2025).

15 Disponible en: https://www.bilbao.eus/cs/Satellite?cid=1279113294441&language=es&pagename=Bilbaonet%2FPage%2FBIO_ListadoCategorizado (Recuperado el 29 de octubre de 2025).

rehabilitación o en situación de ruina hasta aquellas vinculadas a programas de vivienda vacía o a supuestos de carácter social, como el ingreso del propietario en una residencia o situaciones de dependencia. Con este diseño, Bilbao ha materializado de forma pionera una política fiscal dirigida a penalizar la infrautilización de viviendas y a incentivar su puesta en uso, anticipándose en cierto modo al debate estatal.

A nuestro juicio, el fundamento constitucional de estas iniciativas se encuentra en el artículo 31 CE, que establece el principio de capacidad económica y la exigencia de progresividad del sistema tributario, y en el artículo 33 CE, que reconoce la propiedad privada, pero sujeta su contenido al cumplimiento de la función social. La explotación turística de un inmueble revela una capacidad económica superior a la derivada del uso residencial ordinario y, además, genera costes sociales y urbanos adicionales, lo que justifica un tratamiento fiscal diferenciado.

Los objetivos principales de esta reforma serían: reforzar la equidad tributaria, evitando que el uso intensivo y lucrativo de la vivienda tribute igual que el uso residencial estable; compensar el beneficio privado obtenido de la explotación turística internalizando parte de sus externalidades negativas; y dotar a los municipios de instrumentos eficaces de regulación para complementar sus competencias urbanísticas y de vivienda.

Desde un punto de vista jurídico-constitucional, las propuestas resultan defendibles. El Tribunal Constitucional ha reconocido reiteradamente y desde hace bastantes años, por ejemplo, en su STC 37/1987, de 26 de marzo, que la función social de la propiedad legitima la imposición de cargas específicas siempre que sean razonables, proporcionales y no confiscatorias. Ahora bien, una medida que elevara excesivamente la tributación podría interpretarse como limitación desproporcionada al derecho de propiedad o incluso como obstáculo a la libertad de empresa (art. 38 CE). Por ello, el diseño del recargo debería incorporar límites claros y justificación objetiva vinculada al mayor beneficio privado y a los costes públicos derivados de las VUT.

En el plano competencial, conviene subrayar, como es sabido, que solo el legislador estatal puede habilitar la creación de recargos o tipos diferenciados en el IBI, en virtud del artículo 133.1 CE y de la reserva de ley tributaria. La experiencia del Ayuntamiento de Barcelona y la resolución del TEAC de 2020 confirman que sin una reforma expresa del TRLRHL, los ayuntamientos carecen de base legal para actuar en este ámbito.

Desde la perspectiva europea, cabe considerar el artículo 56 del Tratado de Funcionamiento de la Unión Europea, relativo a la libre prestación de servicios. Un recargo específico sobre las viviendas de uso turístico podría ser objeto de impugnación si se entendiera como una medida discriminatoria o desproporcionada contra los prestadores de servicios turísticos. No obstante, la jurisprudencia del Tribunal de Justicia de la Unión Europea ha admitido restricciones cuando están justificadas por razones imperiosas de interés general, siempre que sean proporcionadas y no discriminatorias. Así lo declaró, entre otros, en la Sentencia de 28 de abril de 2009, *Comisión c. Italia*

(C-518/06), donde subrayó que los Estados miembros pueden imponer limitaciones a la libertad de prestación de servicios si están objetivamente justificadas y diseñadas de manera adecuada y proporcionada al objetivo perseguido.

Finalmente, desde una óptica política, el debate sobre la fiscalidad de las VUT refleja tensiones entre intereses contrapuestos: de un lado, los municipios con alta presión turística que demandan instrumentos eficaces para preservar el mercado residencial; de otro, los sectores vinculados al turismo y la inversión inmobiliaria que alertan sobre el riesgo de desincentivar la actividad económica. El equilibrio parece encontrarse en un modelo flexible y descentralizado, que permita a cada ayuntamiento graduar los recargos en función de la presión turística y residencial de su territorio, respetando los principios de autonomía local recogidos en el artículo 137 CE y en la Carta Europea de Autonomía Local.

V. EXPERIENCIAS AUTONÓMICAS EN FISCALIDAD TURÍSTICA

Ante la insuficiencia del marco estatal en materia de fiscalidad de las viviendas de uso turístico —que impide a los ayuntamientos aplicar un impuesto propio turístico o recargos diferenciados en el IBI sin habilitación legal expresa o incluso— han sido las comunidades autónomas las que, en el ejercicio de sus competencias en turismo y, en algunos casos, en vivienda, han diseñado figuras tributarias propias[16]. Estas figuras permiten canalizar parte de los beneficios privados generados por la actividad turística hacia la financiación de servicios públicos y, de forma creciente, hacia políticas de acceso a la vivienda.

El ejemplo paradigmático lo constituye Cataluña. La Ley catalana 5/2017, de 28 de marzo, creó el Impuesto sobre estancias en establecimientos turísticos (IEET), extendiéndolo también a las viviendas de uso turístico reguladas por la normativa sectorial catalana. El impuesto se articula como una tarifa por persona y noche, modulada según la categoría del alojamiento y su localización. La gran innovación se produjo con la

[16] Para una mayor información sobre los impuestos por estancias turísticas puede consultarse Ballarín Espuña, M. (2025): "Municipalizando el *occupany tax*: el caso de Barcelona y el impuesto catalán sobre estancias en establecimientos turísticos" en Navarro García, A. (dir.), Instrumentos fiscales locales para la sostenibilidad: retos en vivienda y gestión de residuos. Dykinson, 227-268; López Llopis, E. (2025) Tributación del arrendamiento de vivienda para uso turístico en España. Tirant lo Blanch, 333-411; García Novoa, C. (2023). "Las llamadas tasas turísticas y la hacienda municipal". Tributos Locales, (164), 11-48; y Soto Moya, M. M. (2019). "El carácter impositivo de las 'tasas por estancias en establecimientos turísticos': una llamada a su posible implementación por las entidades locales". Tributos Locales, (142), 117-128.

introducción del artículo 34 *bis* mediante la Ley 5/2020, de 29 de abril, que facultó por primera vez al Ayuntamiento de Barcelona a aplicar un recargo adicional sobre las tarifas del IEET. Dicho recargo podía alcanzar hasta 4 euros por noche, modulándose en función de la tipología del alojamiento y del código postal en que se ubicase, lo que otorgaba a la capital catalana una herramienta singular para adaptar la tributación turística a la presión territorial diferenciada de la ciudad. Con esta medida, se reconocía explícitamente la especial incidencia del turismo urbano en Barcelona y se reforzaba su autonomía local, aunque la gestión y recaudación del impuesto seguía correspondiendo a la Generalitat, que debía transferir al municipio los importes recaudados, minorados en los costes de gestión asumidos por la Agencia Tributaria de Cataluña.

El esquema fue posteriormente ampliado por el Decreto-ley 6/2025, de 25 de marzo, que reformó el artículo 34 *bis* elevando el límite del recargo en Barcelona hasta 8 euros por noche y, al mismo tiempo, introdujo el artículo 34 ter. Este último habilita a todos los municipios de Cataluña a aplicar, mediante ordenanza, un recargo adicional de hasta 4 euros por noche en las estancias turísticas, incluidas las viviendas de uso turístico. La norma mantiene la posibilidad de modular el recargo por zonas de la ciudad y por periodos de liquidación, pero añade una novedad relevante: impone que al menos un 25 % de la recaudación se destine obligatoriamente a políticas de vivienda, estableciendo una conexión directa entre la tributación del turismo y el cumplimiento del derecho constitucional a una vivienda digna y adecuada.

En Baleares, la Ley 2/2016, de 30 de marzo, creó el Impuesto sobre estancias turísticas, también aplicable a las VUT, con tarifas de hasta 4 euros por persona y noche y con reducciones en temporada baja. Aunque inicialmente su recaudación se destinaba prioritariamente a proyectos medioambientales, en los últimos años se ha reforzado la orientación hacia actuaciones en materia de vivienda, especialmente en un territorio marcado por la presión del mercado inmobiliario. La Comunidad Valenciana siguió la senda con la Ley 7/2022, que aprobó la creación de un impuesto turístico aplicable igualmente a las VUT, con recaudación finalista para sostenibilidad y vivienda. Sin embargo, su entrada en vigor, prevista para 2024, fue suspendida tras las elecciones autonómicas de 2023, lo que pone de relieve las tensiones políticas que acompañan a este instrumento[17]. Y en Canarias, el debate ha sido más complejo por la fuerte dependencia

[17] En relación con el impuesto valenciano, Becerra Fernández, D. (2025). *op. cit.* 280, señala que el frustrado modelo de este, regulado en la Ley 7/2022, de 16 de diciembre, ofrece un ejemplo muy ilustrativo de cómo articular un tributo combinando competencias autonómicas y locales en un ámbito tan sensible como el turismo. Aunque formalmente concebido como un tributo autonómico, su estructura normativa resultaba peculiar: la propia ley preveía una bonificación general del 100 % de la cuota íntegra a nivel autonómico (art. 10), dejando en manos de los municipios la decisión de activar o no el gravamen mediante la aplicación de un recargo municipal voluntario (art. 11). En la práctica, ello convertía al tributo valenciano en un impuesto cuya

del turismo. Aunque no se ha aprobado un impuesto autonómico general, varios cabildos insulares han planteado fórmulas fiscales vinculadas a la presión sobre infraestructuras y servicios, abriendo la puerta a futuros desarrollos.

En conjunto, el mosaico autonómico evidencia una tendencia clara: la fiscalidad turística ya no se concibe solo como instrumento de recaudación, sino también como mecanismo para internalizar las externalidades negativas del turismo urbano y reforzar el derecho a la vivienda. Cataluña, como se ha dicho, ha dado el paso más avanzado al fijar un destino mínimo obligatorio del 25 % de la recaudación a políticas de vivienda, marcando un precedente normativo de gran relevancia que podría inspirar futuras reformas estatales.

Ahora bien, a nuestro juicio estas figuras presentan una limitación fundamental: desplazan el protagonismo hacia las comunidades autónomas, cuando son los ayuntamientos quienes soportan directamente los efectos del turismo residencial. Son los municipios los que deben reforzar sus servicios de limpieza, seguridad, transporte o vivienda social, y por tanto, deberían ser también quienes dispongan de los recursos derivados de la tributación turística[18]. En nuestra opinión, la recaudación autonómica, aunque legítima en términos competenciales, corre el riesgo de generar una desconexión entre

---

exigencia real quedaba supeditada a la voluntad de los ayuntamientos, que podían optar por su aplicación en función de la intensidad turística de su territorio, de sus prioridades financieras y de las externalidades generadas en cada caso. En este sentido, *vid.* también Borja Sanchís, A. (2023). "Los impuestos turísticos: en particular, el Impuesto Valenciano sobre Estancias Turísticas". Quincena Fiscal, (17), 25-54.

18 Muy ilustrativa resulta la aportación de Ballarín Espuña, M. (2025), *op. cit.*, 263, cuando señala que: "A lo largo de este trabajo hemos visto cómo Barcelona ha conseguido que las personas que realizan estancias en establecimientos o equipamientos turísticos ubicados en su término municipal hayan pasado, en poco más de una década, de no contribuir en absoluto al presupuesto municipal, a hacerlo en una cuantía y porcentaje significativos. Este hecho es importante desde el punto de vista del fortalecimiento de los ingresos tributarios y de la suficiencia financiera municipal, pero también en tanto que los turistas contribuyen a financiar servicios públicos utilizados por ellos, aportan recursos para mantener el atractivo turístico y la proyección de Barcelona y, además, promueve que los residentes perciban el turismo como un factor que contribuye al bienestar colectivo. El camino que ha recorrido Barcelona hasta llegar aquí no ha resultado sencillo, dada la inexistencia de un marco legislativo estatal que le permitiera establecer directamente mediante ordenanza fiscal municipal un impuesto sobre las estancias en establecimientos turísticos. Hasta el momento, la legislación estatal solo permite que los municipios perciban recursos derivados de las estancias turísticas mediante la participación en la recaudación de un impuesto propio autonómico sobre las estancias turísticas o bien, si una ley autonómica así lo permite, mediante el establecimiento de un recargo municipal sobre el impuesto autonómico". A nuestro juicio, esta reflexión pone de relieve la paradoja del modelo español: los municipios, que son las administraciones más directamente afectadas por el impacto del turismo en su territorio y quienes deben financiar los servicios públicos necesarios

quienes gestionan el problema en primera línea —los ayuntamientos— y quienes concentran la capacidad de recaudación —las comunidades autónomas—.

Por ello, consideramos que la fiscalidad turística debe orientarse a fortalecer la autonomía financiera municipal, conforme al artículo 142 CE y a la Carta Europea de Autonomía Local. La experiencia autonómica ha demostrado que es posible vincular la tributación turística con el derecho a la vivienda, pero el paso decisivo debería ser otorgar a los municipios una verdadera capacidad normativa y recaudatoria en este ámbito, de forma que los recursos se reinviertan allí donde se producen los impactos sociales y urbanos del turismo.

VI. PROPUESTA DE REFORMA DEL TRLRHL: RECARGO SOBRE EL IBI A VIVIENDAS TURÍSTICAS

En primer lugar, creemos que, desde la perspectiva de la gestión municipal, especialmente en municipios pequeños, la opción del recargo sobre el IBI resulta más operativa que la creación de un impuesto turístico propio. Ello se debe fundamentalmente a que los ayuntamientos ya disponen de estructuras administrativas consolidadas para la gestión y recaudación del IBI, mientras que un impuesto turístico requeriría desarrollar nuevos procedimientos, sistemas de control y tareas adicionales de inspección. Aprovechar un tributo existente reduce costes administrativos y facilita una implantación rápida y eficaz.

A falta, además, de una reforma profunda del sistema de financiación local que dote a los municipios de mayores recursos y les permita diversificar sus instrumentos tributarios, creemos que la mejor medida para afrontar el fenómeno de las viviendas de uso turístico pasa por reforzar los mecanismos ya existentes y, en particular, el IBI. La introducción de un recargo específico sobre dicho tributo aplicable a las viviendas de uso turístico constituye, en nuestra opinión, una medida necesaria para responder al impacto urbano, social y fiscal de esta actividad. Se trata de adaptar el principal tributo local —que ya representa la fuente más importante de ingresos municipales— a una realidad económica emergente y de dotar a los ayuntamientos de un instrumento flexible y proporcionado para gestionar los efectos de la turistificación. Ahora bien, esta opción no deja de poner de relieve una carencia estructural: la ausencia de una reforma global del sistema de financiación local obliga a los municipios a apoyarse en medidas parciales como el recargo del IBI, convirtiéndolo en una herramienta imprescindible pero insuficiente para garantizar una respuesta integral a los retos que plantea la turistificación residencial.

para absorberlo, carecen todavía de una habilitación plena para diseñar y gestionar de manera autónoma tributos turísticos propios.

1. ENCAJE CONSTITUCIONAL Y COMPETENCIAL

En nuestra opinión, la reforma encuentra su anclaje en los principios constitucionales de capacidad económica y progresividad establecidos en el artículo 31 CE. A nuestro juicio, la explotación de una vivienda como alojamiento turístico revela una capacidad contributiva mucho mayor que el uso residencial ordinario, lo que justifica plenamente la aplicación de una carga fiscal diferenciada y modulada. El artículo 33 CE, al reconocer el derecho de propiedad, establece que este debe ejercerse conforme a su función social, lo que, en nuestra opinión, autoriza la imposición de cargas tributarias orientadas a proteger el parque de vivienda y facilitar su acceso efectivo.

Consideramos igualmente que la medida se sostiene en el artículo 47 CE, que garantiza el derecho a una vivienda digna y adecuada e impone a los poderes públicos el deber de promover las condiciones necesarias para hacerlo efectivo. Desde nuestra perspectiva, permitir que los municipios apliquen recargos sobre VUT resulta coherente con este mandato: dota a las haciendas locales de un instrumento preciso para contrarrestar los desequilibrios que esta actividad genera en el mercado residencial y en la cohesión urbana.

En términos competenciales, estimamos que el artículo 133.1 CE atribuye al Estado la potestad originaria para establecer tributos, de modo que corresponde al legislador estatal habilitar expresamente este recargo mediante una reforma del TRLRHL. Una vez creada la figura, los ayuntamientos, en ejercicio de su autonomía local (arts. 137 y 142 CE), deberían poder decidir su aplicación y graduación mediante ordenanzas fiscales. Creemos que esta combinación entre marco estatal y ejecución local garantizará la coherencia del sistema tributario, al mismo tiempo que respeta la pluralidad territorial y la distinta intensidad del fenómeno turístico.

Finalmente, a nuestro juicio, la doctrina del Tribunal Constitucional ha sido clara al afirmar que recargos y gravámenes adicionales son compatibles con el derecho de propiedad y la libertad de empresa siempre que se basen en criterios objetivos, se apliquen con proporción y no sean confiscatorios (STC 37/1987, de 26 de marzo). Consideramos que el diseño propuesto —con límites máximos preestablecidos y posibilidad de modulación según ubicación e intensidad— se ajusta plenamente a dichos parámetros constitucionales.

2. ELEMENTOS TRIBUTARIOS DEL RECARGO

El diseño del recargo sobre el IBI aplicable a las viviendas de uso turístico debe reunir, en nuestra opinión, una serie de elementos técnicos que garanticen su eficacia, proporcionalidad y seguridad jurídica, evitando al mismo tiempo cualquier solapamiento con las figuras ya existentes en el sistema tributario local. En este sentido, resulta especialmente útil tomar como referencia el recargo actualmente previsto en el artículo 72.4

TRLRHL para las viviendas desocupadas, cuya estructura puede servir de modelo para configurar el nuevo recargo aplicable a las VUT, aunque con las adaptaciones necesarias para reflejar su singularidad.

El primer elemento esencial es el hecho imponible, que debe delimitarse con precisión para no generar incertidumbre. A nuestro juicio, debe centrarse en la titularidad de inmuebles residenciales inscritos en el Catastro como tales y destinados total o parcialmente a la actividad de vivienda de uso turístico, según la definición que proporcionen las normativas sectoriales autonómicas o estatal. De este modo, se establece una base objetiva que distingue claramente entre vivienda con uso residencial habitual y vivienda con uso turístico lucrativo, evitando así que el gravamen recaiga sobre supuestos que no revelan capacidad económica adicional.

En segundo lugar, los sujetos pasivos del recargo han de coincidir con los del IBI, conforme al artículo 61 TRLRHL, es decir, los titulares de los derechos constitutivos del hecho imponible. En nuestra opinión, no debe crearse una categoría nueva de contribuyente, sino que corresponde al mismo obligado tributario soportar tanto el IBI ordinario como el recargo derivado del uso turístico. Ahora bien, para garantizar la efectividad de la medida es necesario articular mecanismos de identificación objetiva de los inmuebles sujetos, apoyados en los registros autonómicos de VUT, en las licencias o declaraciones responsables municipales, en los datos derivados de la inspección urbanística y, eventualmente, en la información que las plataformas digitales deben suministrar en virtud de las obligaciones de cooperación administrativa.

En tercer lugar, en cuanto a la cuantificación del recargo, esta debería configurarse como un porcentaje sobre la cuota líquida del IBI, siguiendo la lógica prevista para las viviendas desocupadas de manera permanente. Ahora bien, en el caso de las viviendas de uso turístico resulta imprescindible introducir mecanismos de modulación que reflejen la diversidad real de situaciones y eviten un tratamiento homogéneo de realidades claramente distintas. La carga fiscal puede graduarse atendiendo a la localización territorial del inmueble, de forma que los ayuntamientos dispongan de la facultad de aplicar tipos distintos según distritos, barrios, códigos postales o zonas declaradas tensionadas por la legislación de vivienda. También debe tenerse en cuenta la intensidad de la explotación turística, puesto que no es equiparable una cesión ocasional con una explotación intensiva de carácter empresarial; por ello, el número de días de cesión anual constituye un criterio adecuado para ponderar la dimensión económica del uso. A ello se suma el valor catastral del inmueble, que introduce un elemento de progresividad fiscal plenamente coherente con el principio de capacidad económica consagrado en el artículo 31 CE, garantizando que los inmuebles de mayor valor soporten una carga superior y reforzando con ello la equidad del sistema.

En cuarto lugar, debe fijarse con claridad el devengo. A nuestro juicio, lo más razonable es que coincida con el propio devengo del IBI, de manera que el recargo se liquide conjuntamente y figure en el padrón anual aprobado por el ayuntamiento. Esto facilita la gestión, reduce cargas administrativas y otorga seguridad jurídica al contribuyente.

Por último, la gestión del recargo corresponde necesariamente a los ayuntamientos, en el marco de su autonomía financiera reconocida en los artículos 137 y 142 CE. Serán las ordenanzas fiscales municipales las que concreten los tipos aplicables dentro de los márgenes legales, los criterios de modulación y los mecanismos de control. En nuestra opinión, la legitimidad de la figura exige además una afectación finalista de la recaudación: al menos un porcentaje mínimo debería destinarse de forma obligatoria a políticas de vivienda asequible, rehabilitación y regeneración urbana. Ello refuerza la conexión del tributo con la función social de la propiedad reconocida en el artículo 33 CE y con el derecho constitucional a la vivienda del artículo 47 CE.

En suma, el diseño del recargo debe articular de manera conjunta los elementos esenciales de todo tributo —hecho imponible, sujetos pasivos, cuantificación, devengo y gestión—, inspirándose en la técnica ya utilizada en el recargo de viviendas vacías pero adaptándola a las particularidades de las VUT. Solo de este modo podrá configurarse una figura equilibrada, proporcionada y ajustada a los principios constitucionales, lo que justifica la necesidad de introducir un precepto específico en el TRLRHL para dotar de cobertura legal a esta medida.

3. PROPUESTA DE REDACCIÓN DEL ARTÍCULO 72 BIS TRLRHL

En el sentido que hemos indicado, y sobre la base de los principios constitucionales de capacidad económica, progresividad y función social de la propiedad, se propone añadir un nuevo artículo 72 *bis* al TRLRHL con el objetivo de habilitar expresamente a los municipios para aplicar un recargo diferenciado sobre el IBI a las VUT se formula la siguiente propuesta de redacción:

Artículo 72 bis. Recargo sobre viviendas de uso turístico.

1. Los Ayuntamientos, mediante ordenanza fiscal, podrán establecer un recargo sobre la cuota líquida del Impuesto sobre Bienes Inmuebles correspondiente a los bienes inmuebles de uso residencial que se destinen, total o parcialmente, a actividad de alojamiento turístico en vivienda definida en la normativa sectorial aplicable.

2. La identificación de los inmuebles sujetos se efectuará, en su caso, a través de los registros autonómicos de viviendas de uso turístico, de las licencias o declaraciones responsables municipales, de los mecanismos de comprobación e inspección que establezca la entidad local y de la información suministrada por plataformas digitales cuando así lo prevea la normativa aplicable. Mediante ordenanza fiscal y, en su caso, reglamento, los Ayuntamientos podrán concretar los criterios técnicos para determinar la intensidad del uso turístico, así como los procedimientos de declaración, comprobación e inspección de la actividad.

3. El recargo no podrá exceder del ciento cincuenta por ciento de la cuota líquida del impuesto. Las ordenanzas fiscales podrán modularlo atendiendo a criterios tales como la localización del inmueble —barrios, distritos o zonas declaradas tensionadas conforme a la legislación de vivienda—, la intensidad de la explotación medida en función de los días de cesión anual, el valor catastral del bien, o cualesquiera otros parámetros objetivos que permitan graduar el recargo de forma proporcionada.

4. El recargo se devengará y liquidará anualmente, juntamente con la cuota del impuesto, y figurará en el padrón de contribuyentes. Cuando concurran simultáneamente las circunstancias del artículo 72.4 (vivienda desocupada con carácter permanente) y las de este artículo, las ordenanzas determinarán su compatibilidad o prelación, pudiendo establecerse un límite agregado a los recargos aplicables.

5. Una parte no inferior al treinta por ciento de la recaudación obtenida por este recargo deberá destinarse a la financiación de políticas públicas de vivienda asequible, rehabilitación y regeneración urbana, en los términos que se establezcan en la legislación autonómica y estatal.

En definitiva, la introducción de este precepto permitiría cerrar una laguna evidente del sistema tributario local y otorgar a los municipios una herramienta eficaz, legítima y proporcionada para internalizar los costes derivados de la turistificación residencial. Se trata, en nuestra opinión, de un instrumento indispensable para avanzar hacia un modelo fiscal más justo y sostenible, que refuerce la autonomía local y asegure la compatibilidad entre la actividad turística y la efectividad del derecho a la vivienda.

VII. CONCLUSIONES

La fiscalidad local en España se encuentra, a nuestro juicio, en un momento decisivo frente a la expansión de las VUT, un fenómeno que ha alterado de manera profunda la dinámica del mercado inmobiliario y ha intensificado los problemas de acceso a la vivienda en numerosos municipios. La progresiva transformación de viviendas residenciales en alojamientos turísticos ha puesto en evidencia no solo las insuficiencias del marco normativo estatal en lo relativo al IBI, que sigue gravando de manera uniforme tanto a los inmuebles destinados a residencia habitual como a aquellos explotados con fines lucrativos a través de plataformas de alquiler turístico, sino también otras limitaciones estructurales de la hacienda local, como la ausencia de tributos propios específicamente diseñados para captar los beneficios privados del turismo urbano o la escasa capacidad normativa de los ayuntamientos para adaptar sus ingresos a la realidad social y económica de su territorio.

A este panorama se suma un hecho que, a nuestro juicio, agrava aún más la situación: en los últimos años los municipios han visto cómo distintas leyes estatales y autonómicas les imponían nuevas obligaciones en materia de servicios públicos esenciales —particularmente en relación con la gestión de residuos, donde se ha implantado la tasa o la prestación patrimonial de carácter público no tributario bajo el principio de "pago por generación"— sin que estas exigencias hayan ido acompañadas de recursos adicionales. Ello significa que los ayuntamientos no solo deben afrontar los costes crecientes derivados de la turistificación residencial, sino también cubrir con medios limitados nuevas cargas normativas que tensan todavía más la suficiencia financiera del sistema local.

En nuestra opinión, resulta imprescindible avanzar hacia un modelo fiscal que reconozca las externalidades negativas derivadas de la turistificación residencial, no solo en términos de encarecimiento de precios y desplazamiento vecinal, sino también en relación con la sobrecarga que esta actividad genera sobre los servicios públicos municipales de limpieza, seguridad, movilidad o gestión de residuos. La actual previsión de un recargo sobre viviendas desocupadas permanentes (art. 72.4 TRLRHL) constituye un primer paso en la dirección adecuada, pero se muestra claramente insuficiente para dar respuesta a la complejidad y a la intensidad de los impactos de las VUT.

La experiencia comparada, tanto autonómica como internacional, demuestra que es posible diseñar instrumentos fiscales específicos que graven las estancias turísticas y vinculen su recaudación a finalidades sociales. Cataluña ha avanzado en este camino, configurando impuestos o recargos que, en mayor o menor medida, canalizan parte de los beneficios privados generados por la actividad turística hacia proyectos de sostenibilidad y, más recientemente, hacia políticas de vivienda. Ahora bien, a nuestro juicio, no debería ser únicamente la Comunidad Autónoma quien recaude estos tributos, puesto que son los municipios quienes asumen de manera directa la prestación de servicios y quienes sufren en primera línea los efectos de la presión turística sobre el parque residencial y sobre el espacio urbano.

Sobre esta base, consideramos que una reforma del TRLRHL que habilite recargos específicos del IBI aplicables a las VUT permitiría avanzar hacia un modelo de fiscalidad local más justo, progresivo y funcional. La introducción de esta figura respondería al mandato constitucional del artículo 31 CE (capacidad económica y progresividad), reforzaría la función social de la propiedad reconocida en el artículo 33 CE y garantizaría un mayor margen de autonomía financiera para los municipios, en coherencia con los artículos 137 y 142 CE y con la Carta Europea de Autonomía Local.

El recargo sobre las VUT, diseñado con criterios de objetividad, proporcionalidad y territorialización, permitiría a los ayuntamientos disponer de recursos adicionales y, al mismo tiempo, consolidaría la afectación finalista de parte de la recaudación a políticas de vivienda asequible, rehabilitación y regeneración urbana. Este destino específico es, a nuestro juicio, lo que convierte al tributo en un verdadero instrumento de gobernanza urbana y de justicia social, más allá de su mera dimensión recaudatoria, pues se orienta a corregir los desequilibrios estructurales derivados de la mercantilización intensiva del parque residencial.

En definitiva, la reforma del TRLRHL para introducir un recargo del IBI sobre las viviendas de uso turístico supondría un cambio estructural en la fiscalidad local española. A nuestro entender, se trata de una medida indispensable para alinear los instrumentos tributarios con las nuevas realidades socioeconómicas de las ciudades, permitiendo compatibilizar la actividad turística con la efectividad del derecho constitucional a una vivienda digna (art. 47 CE). Una medida de estas características contribuiría a restablecer el equilibrio entre la libertad de empresa y la protección de los intereses colectivos, reforzando así el papel de la fiscalidad como palanca de transformación urbana, cohesión social y sostenibilidad económica.

VIII. REFERENCIAS BIBLIOGRÁFICAS

Ávila Rodríguez, C. M. (2025). "La respuesta de los municipios al desafío de las viviendas de uso turístico". *Consultor de los ayuntamientos y de los juzgados: Revista técnica especializada en administración local y justicia municipal,* (7).

Ballarín Espuña, M. (2025): "Municipalizando el occupany tax: el caso de Barcelona y el impuesto catalán sobre estancias en establecimientos turísticos" en Navarro García, A. (dir.), *Instrumentos fiscales locales para la sostenibilidad: retos en vivienda y gestión de residuos.* Dykinson, 227-268.

Becerra Fernández, D. (2025). "El recargo del IBI en las viviendas turísticas como una posible solución para la gestión de los residuos en temporada alta" en Navarro García, A. (dir.), *Instrumentos fiscales locales para la sostenibilidad: retos en vivienda y gestión de residuos.* Dykinson, 269-284.

Borja Sanchís, A. (2023). "Los impuestos turísticos: en particular, el Impuesto Valenciano sobre Estancias Turísticas". *Quincena Fiscal,* (17), 25-54.

De La Encarnación Valcárcel, A. M. (2023). "Las cicatrices de la vivienda turística: reducción del mercado residencial inmobiliario y encarecimiento de precios". *Revista de Estudios de la Administración Local y Autonómica: Nueva Época,* (20), 107-123.

García Novoa, C. (2023). "Las llamadas tasas turísticas y la hacienda municipal". *Tributos Locales,* (164), 11-48.

López Llopis, E. (2025) *Tributación del arrendamiento de vivienda para uso turístico en España.* Tirant lo Blanch.

Navarro García, A. (2024). "La Ley 12/2023, por el derecho a la vivienda, y su impacto en el recargo del IBI para viviendas desocupadas de manera permanente", en Patón García, G. (dir.), *Fiscalidad y economía circular: Sectores estratégicos de vivienda y transporte.* Atelier, 21-42.

Ponce Solé, J. (2025). "Del derecho a la vivienda al derecho a la ciudad, o «entorno urbano», como razón imperiosa de interés general para delimitar el derecho de propiedad sin expropiarlo: la Sentencia del Tribunal Constitucional 64/2025, de 13 de marzo, sobre uso turístico de viviendas". *Revista de Derecho Urbanístico y Medio Ambiente,* (378), 19-58.

Rey Muñoz, F. J. (2025). "El nuevo escenario del alquiler turístico tras la modificación de la Ley sobre Propiedad Horizontal". *Diario La Ley.* (10659).

Rodríguez-Barcón, A., Calo, E. y Otero-Enríquez, R. (2021). "Una revisión crítica sobre el análisis de la gentrificación turística en España". *Rotur: revista de ocio y turismo,* (15-1), 1-21.

Sánchez-Sánchez, F. J. y Sánchez-Sánchez, A. M. (2025). "Factores característicos del impacto de las viviendas de uso turístico en España: aproximación a escala provincial". *Investigaciones Turísticas*, (29), 303-333.

Solé Ollé, A. (2021): *Cuantificación del impacto del turismo sobre el presupuesto municipal de Barcelona*. Institut d'Economia de Barcelona.

Soto Moya, M. M. (2019). "El carácter impositivo de las 'tasas por estancias en establecimientos turísticos': una llamada a su posible implementación por las entidades locales". *Tributos Locales*, (142), 117-128.

Urbano Sánchez, L. (2024). *La imposición sobre la desocupación de la vivienda*. Tirant lo Blanch.

Varona Alabern, J. E. (2025). "El recargo del IBI sobre los inmuebles de uso residencial desocupados con carácter permanente". *Revista técnica tributaria*, (148), 335-347.

¿PUEDE SER LA TASA LOCAL DE RESIDUOS DOMÉSTICOS DE LA LEY 7/2022 UN SIMPLE GRAVAMEN SOBRE LA PROPIEDAD INMOBILIARIA?

Juan Ignacio Gomar Sánchez
Técnico de Administración General, rama jurídica, del Ayuntamiento de Madrid
ORCID 0009-0003-6488-0609

I. LA TGR, DARWIN Y EL IBI

El artículo 11.3 de la Ley 7/2022, de 8 de abril, de residuos y suelos contaminados para una economía circular[1] dispone que en el caso de los costes de gestión de los residuos de competencia local, de acuerdo con lo dispuesto en el texto refundido de la Ley reguladora de las Haciendas Locales, aprobado por Real Decreto Legislativo 2/2004, de 5 de marzo, las entidades locales establecerán, en el plazo de tres años a contar desde la entrada en vigor de esta ley, una tasa o, en su caso, una prestación patrimonial de carácter público no tributaria, específica, diferenciada y no deficitaria, que permita implantar sistemas de pago por generación y que refleje el coste real, directo o indirecto, del ciclo completo de la gestión de los residuos domésticos.

Lo así expuesto constituye el régimen legal básico de la nueva tasa municipal de gestión de residuos (TGR) que deben implementar con carácter preceptivo los ayuntamientos españoles. No hay mucho más. La autonomía local deberá desarrollar todo lo que venga a continuación mediante ordenanza fiscal, en caso de tasa[2] o mediante una ordenanza ordinaria, en caso de prestación patrimonial pública no tributaria[3] (pppnt) teniendo en cuenta algunos otros aspectos que la misma ley 7/2022 contempla[4].

Si el IBI proporcionó a los ayuntamientos españoles 14.821 millones de euros de recaudación líquida en el ejercicio 2023[5], y el IVTM otros 2.400 millones, la nueva tasa/pppnt de residuos domésticos está llamada a convertirse en el segundo ingreso tributario municipal si hacemos caso a las fuentes que apuntan que el coste de la gestión

---

1 Texto de la ley disponible en https://www.boe.es/buscar/act.php?id=BOE-A-2022-5809

2 Como el Ayuntamiento de Madrid, que aprobó su Ordenanza Fiscal 8/2024, Reguladora de la Tasa por prestación del servicio de gestión de residuos de competencia municipal, por acuerdo del Pleno del 23 de diciembre. Publicación en el Boletín Oficial de la Comunidad de Madrid núm. 308, págs. 361-375, de 27 de diciembre de 2024.

3 Como el Ayuntamiento de Málaga, que tiene aprobada una ordenanza reguladora de la prestación patrimonial de carácter público no tributaria por los servicios y actividades relacionadas con la recogida de residuos sólidos urbanos generados por la realización de actividades económicas realizadas por Limpieza de Málaga, S.A.M. 2022, pendiente de modificación para su adaptación a la Ley 7/2022.

4 Como por ejemplo que el ciclo completo de la gestión de residuos exige tener en cuenta en el diseño de la tasa o PPPNT los costes no solo de las operaciones de recogida, transporte y tratamiento de los residuos, sino también los de vigilancia de estas operaciones y el mantenimiento y vigilancia posterior al cierre de los vertederos, las campañas de concienciación y comunicación, así como los ingresos derivados de la aplicación de la responsabilidad ampliada del productor, de la venta de materiales y de energía.

5 HACIENDAS LOCALES EN CIFRAS, AÑO 2023. Ministerio de Hacienda, página 41. https://www.hacienda.gob.es/cdi/sgfal/hhll%20en%20cifras/hhll-en-cifras-2023.pdf

de dichos recursos se estimaba en 2021 en 3.000 millones de euros[6], 5.325 millones en 2025 según los datos del Observatorio de la fiscalidad de los residuos, iniciativa de la fundación ENT[7]. Singular resulta que estas fuentes no sean públicas porque los datos no están todavía cuantificados por la Administración General del Estado.

Qué conexión, además de la relacionada con su apuntada eficacia recaudatoria, vincula la nueva tasa de gestión de residuos domésticos (TGR) de la ley 7/2022 con un gravamen sobre la propiedad, o el mismo IBI, es cuestión que exige citar a Darwin y la teoría de la evolución, si bien en su versión inversa. Charles Darwin sostuvo que los organismos pueden ser modificados a lo largo del tiempo porque el ambiente en el que viven selecciona características hereditarias ventajosas y, como consecuencia, se va produciendo un perfeccionamiento por adaptación al medio. A la inversa podríamos imaginar que esa adaptación, en relación a un medio desordenado o insano, puede conducir al organismo a ser irreconocible y defectuoso. Dejando en este punto las referencias a Darwin (que me disculpen los científicos por esta burda simplificación de sus teorías) las tasas de residuos son un buen ejemplo jurídico de cómo una figura con contornos aparentemente definidos puede evolucionar, para adaptarse a su medio, hasta convertirse en otra muy distinta y degradada que no se parece desde luego a la primera, de modo que lo que debería ser una tasa de servicios se convierte en un auténtico gravamen sobre la propiedad.

Pues bien, esta degradación se esta manifestando en numerosos municipios de nuestro país con las ordenanzas que están aprobando para implantar la citada tasa/pppnt municipal de la Ley 7/2022. Con ironía podríamos decir de alguna de estas que son ectoplasmas del impuesto de bienes inmuebles. Si el diccionario de la mencionada RAE define en este sentido ectoplasma como la "emanación visible del cuerpo de un médium", las TGR diseñadas por muchos municipios son precisamente eso, auténticos ectoplasmas del citado impuesto. La verdad es que tal afirmación no suena nada rigurosa pero la idea que se quiere transmitir queda gráficamente expuesta.

---

6 ECOEMBES apunta que según el Observatorio Sectorial DBK sobre servicios urbanos en 2019 el coste de la gestión de los residuos generados en España fue de 3.740 millones de euros. sin el reciclado. La Fundación para la Economía Circular, en su informe de diagnóstico y escenarios de cumplimiento de los objetivos de residuos municipales 2025-2030-2035 concluyó que el coste total crecería un 28%, desde los 2.896 millones de 2021 (1.885 millones de recogida y 1.011 millones de tratamiento) hasta los 3.705 millones en 2035, con 2.487 millones de recogida y 1.217 millones de tratamiento.
https://www.eleconomista.es/empresas-finanzas/noticias/11008598/01/21/La-basura-subira-casi-un-30-para-cumplir-con-la-nueva-Ley-de-residuos.html#:~:text=Los%20servicios%20de%20basuras%20municipales,residuos%2C%20que%20traspone%20normativa%20comunitaria

7 https://www.fiscalidadresiduos.org/wp-content/uploads/2025/10/Tasas_2025.pdf

Ahora bien, esos ectoplasmas ¿han venido a visitarnos ahora o más bien llevan bastante tiempo entre nosotros y es la ley 7/2022 la que les ha dado nueva visibilidad y forma? Como examinaremos a continuación, y adelantamos así parte de la conclusión de este breve estudio, nuestro ordenamiento y jurisprudencia han venido admitiendo desde hace tiempo la existencia de tasas municipales de residuos que solo pueden definirse como autenticas tasas sobre la propiedad, pues fueron establecidas y reguladas sobre criterios que solo atendían a las características de los inmuebles a los que se prestaba el servicio, es decir, con una mera finalidad de reparto. Sin embargo, la ley 7/2022, al exigir el pago por generación, reintroduce en la tasa/pppnt de residuos domésticos con carácter preceptivo el principio sinalagmático propio de las tasas, siendo por tanto necesario plantearse si aquellas otras que recaían en realidad sobre la mera propiedad de los inmuebles pueden subsistir, si los criterios sobre los que se basaban pueden permanecer.

Del mismo modo es necesario plantearse si en materia de tasas de residuos domésticos la capacidad económica puede ser el instrumento único que sirva para arbitrar el reparto del gasto del servicio entre los contribuyentes, o debe considerarse (y limitarse) a complemento, especialmente cualificado, del carácter retributivo de este tipo de tributo.

Partamos de la base de que la tasa es, en términos del artículo 2 de la Ley General Tributaria, un tributo "cuyo hecho imponible consiste en la utilización privativa o el aprovechamiento especial del dominio público, la prestación de servicios o la realización de actividades en régimen de derecho público" y los impuestos son "tributos exigidos sin contraprestación cuyo hecho imponible está constituido por negocios, actos o hechos que ponen de manifiesto la capacidad económica del contribuyente".

Las tasas por prestación de servicios tienen una clara naturaleza sintagmática o retributiva, que no excluye una sana presencia, en cuanto sea posible, del principio de capacidad económica, pero que se basan en el "do ut des" de la actividad prestacional. Son por eso sujetos pasivos de las tasas de los servicios locales, como indica el artículo 23.1.b del Texto Refundido de la Ley Reguladora de las Haciendas Locales (TRLRHL) las personas que "soliciten o resulten beneficiadas o afectadas por los servicios o actividades locales que presten o realicen las entidades locales" disponiendo el artículo 24.2 de la misma norma que "en general...el importe de las tasas por la prestación de un servicio o por la realización de una actividad no podrá exceder, en su conjunto, del coste real o previsible del servicio o actividad de que se trate o, en su defecto, del valor de la prestación recibida".

En la medida en que nos alejemos de este esquema y la tasa no responda a este fórmula prestacional deja de parecerse a la tasa. Si además se centra de modo exclusivo en la capacidad económica del sujeto pasivo se aleja aún más, debiendo recordarse de nuevo que para las nuevas tasas de gestión de residuos domésticos el derecho de la Unión

Europea[8] reclama la aplicación de sistemas de pago por generación, lo que implica una clara reivindicación de su reiteradamente citado carácter sinalagmático.

II. DE LA LEY 7/2022 A LAS OOFF

Comencemos por afirmar que el principal problema de la nueva TGR derivada de la ley 7/2022 no se encuentra tanto en el desarrollo efectuado por los ayuntamientos como en la muy deficiente regulación efectuada por un legislador completamente ignorante de la problemática local, y específicamente de la tributaria municipal. De la local en todo lo que tiene que ver con las muy diferentes características físicas, sociales, económicas y poblacionales que tienen los ayuntamientos españoles[9]. De la tributaria municipal por la gran inseguridad jurídica y litigiosidad que rodea sus tasas/pppnt, mayor cuanto más complejo sea el servicio prestado o el dominio público utilizado, cuestión vinculada con la notable dificultad de elaborar los estudios económicos que deben sostenerlas, sobre los que por cierto en ninguna parte encontraremos rastro normativo alguno de su forma y modo de elaboración. Es la autonomía local mal entendida, utilizada como arma arrojadiza.

El artículo 11.3 de la Ley 7/2022, de 8 de abril, de residuos y suelos contaminados para una economía circular, citado literalmente al comenzar este trabajo, es el único que establece el marco general y obligaciones en torno a las características que de tener esta tasa. Cierto es que el artículo 11.4 describe algunas posibles particularidades que pueden contemplarse y que el 11.5 establece una obligación de comunicación a las comunidades autónomas de los cálculos utilizados para su confección, pero es el 11.3 el que define su carácter obligatorio y no deficitario, el que indica que debe permitir la implantación de sistemas de pago por generación, y el que señala el plazo de tres años a contar desde la entrada en vigor de la ley para su establecimiento. Como la ley se publicó en el BOE el 9 de abril de 2022 y entró en vigor al día siguiente, fue el 10 de abril de 2025 cuando finalizó el plazo otorgado a los ayuntamientos para su establecimiento.

---

8 El considerando 15 de la Directiva (UE) 2018/851 del Parlamento Europeo y del Consejo de 30 de mayo de 2018 por la que se modifica la directiva 2008/98/CE sobre los residuos indica que "a fin de contribuir a alcanzar los objetivos establecidos en la Directiva 2008/98/CE, los estados miembros deben recurrir a instrumentos económicos y otras medidas a fin de proporcionar incentivos para la aplicación de la jerarquía de residuos, como los instrumentos económicos y otras medidas indicados en el anexo IV bis que incluye entre otros, tasas de vertedero y de incineración, sistemas de pago por generación de residuos («pay-as-you-throw»), regímenes de responsabilidad ampliada del productor, facilitación de la donación de alimentos e incentivos para las autoridades locales, u otros instrumentos y medidas apropiados".

9 "Algunos factores singulares que inciden en la tasa de residuos domésticos y lo que se deduce de ellos", Juan Ignacio Gomar Sánchez, Tributos locales Nº. 170, 2024, págs. 210-235.

Es la completa ausencia de cualquier criterio legal orientador lo que ha provocado que las entidades locales hayan optado, para el desarrollo normativo de sus tasas, por fórmulas conservadoras que no parecen alineadas con las exigencias comunitarias. Se han utilizado así antecedentes admitidos bajo la normativa anterior, que no sabemos si conservaran su validez, como el consumo de agua potable[10], y se ha optado por estrategias que buscan facilitar la gestión y el cobro de la tasa, no la consecución de los objetivos UE de reducir la generación de residuos y el incremento del reciclaje[11]. La contestación social esta siendo intensa. Lógico, la ciudadanía no aprecia en general que la gestión de sus residuos domésticos haya mejorado, sigue siendo la misma en la mayoría de los ayuntamientos, con excepciones[12], pero ahora se paga una tasa/prestación sustancial donde antes no la había, o una tasa de importe más elevado allí donde ya existía.

Todo ello sin perjuicio del intenso debate que se viene suscitando sobre la obligatoriedad o no de la utilización de la fórmula "tasa", o cualquier otra, y de la responsabili-

10 El Tribunal Supremo ha validado que para el cálculo de la cuota de la tasa de recogida de residuos municipales se vincule el valor del servicio con el contador del agua y el volumen consumido, aunque puntualizando expresamente que no estaba aplicando la ley 7/2022: "Atendiendo a la normativa aplicable en el momento de la aprobación de la tasa de recogida de residuos (AÑO 2020) el principio de quien contamina paga no exige la determinación previa e individualizada del volumen de residuos generados por cada individuo sujeto a la tasa por el servicio de recogida, eliminación o tratamiento de residuos sólidos urbanos a los efectos del cálculo de la cuota tributaria. En este sentido, resulta suficiente que el informe técnico económico de la tasa de recogida de residuos se fundamente en informes que vinculen el valor de dicho servicio con el volumen de agua consumida y el caudal nominal de cada vivienda", STS 818/2024, de 13 de mayo.

11 El artículo 26.1 de la ley 7/2022 indica que, con objeto de cumplir los objetivos de la ley y de contribuir hacia una economía circular europea, las autoridades competentes deberán adoptar las medidas necesarias, para garantizar que la cantidad de residuos domésticos y comerciales destinados a la preparación para la reutilización y el reciclado alcancen, en conjunto, como mínimo el 50 % en peso. La cantidad de residuos no peligrosos de construcción y demolición destinados a la preparación para la reutilización, el reciclado y otra valorización de materiales, hasta un 70% en peso. Para 2025 la preparación para la reutilización y el reciclado de residuos municipales hasta un mínimo del 55% en peso; con al menos un 5% en peso respecto al total de residuos textiles, de aparatos eléctricos y electrónicos, de muebles y otros residuos susceptibles de ser reutilizados. Para 2030, se aumentará este porcentaje hasta un mínimo del 60%/10%, y para 2035 hasta un mínimo del 65%/15%.

12 El Ayuntamiento de Valencia, por ejemplo, anunció en 2023 que ponía en marcha el contrato de recogida de residuos y limpieza urbana más ambicioso de su historia, lo que lógicamente debería implicar un mayor gasto a la vez que abriría las expectativas a un servicio más eficaz y una ciudad más limpia y sostenible, objetivos que siempre agradecerán los ciudadanos, por más que a nadie le guste tener que pagar impuestos aunque sean necesarios. https://www.abc.es/espana/comunidad-valenciana/valencia-pone-marcha-contrato-recogida-residuos-limpieza-20231120174705-nt.html

zación política que recae sobre alcaldes y concejales cuando es la Ley 7/2022 la que la impone, norma estatal de la que son otros los responsables, situados en otro plano, lejos de la calle.

A continuación examinaremos los diversos elementos que caracterizan esas tasas de residuos que hemos definido como tributos inmobiliarios. Una modalidad de degradación jurídica que señalaría Darwin, en sentido inverso.

III. DE GENERADOR DE RESIDUOS A TITULAR DE INMUEBLES

El artículo 2.ab de la Ley 7/2022 define básicamente como «productor de residuos» a cualquier persona física o jurídica cuya actividad produzca residuos (productor inicial de residuos) o cualquier persona que efectúe operaciones de tratamiento previo, de mezcla o de otro tipo que ocasionen un cambio de naturaleza o de composición de esos residuos. El epígrafe 2.at define a su vez como «residuos domésticos» a los residuos peligrosos o no peligrosos generados en los hogares como consecuencia de las actividades domésticas, asimilando a los domésticos los similares en composición y cantidad a los anteriores generados en servicios e industrias, que no se generen como consecuencia de la actividad propia del servicio o industria y algunos otros conceptos[13].

En estos términos toda persona física es una potencial generadora de residuos domésticos, y por tanto sujeto pasivo potencial de la TGR. Sin embargo, la posibilidad de determinar de modo preciso y directo los residuos producidos por todas y cada una de las personas que viven en un municipio, cada determinado periodo de tiempo no es factible en gran parte de nuestros ayuntamientos con el estado actual de la tecnología y de los contratos de servicios ya pactados.

La lógica nos indica sin embargo que es fácil identificar el lugar principal de producción de los residuos domésticos, que como su mismo término indica, es el domicilio o lugar donde residen las personas físicas. En tales términos allí donde tengamos un domicilio en el que resida una sola persona podremos identificar a la vez el lugar y el productor de residuos, y donde tengamos varias personas podremos agrupar a los productores de residuos en función del mismo inmueble, siendo posible la atribución de esos residuos a todos los que allí habitan o a uno de ellos pero ¿a quien y en virtud de que conexión hacer esto último?

---

13 Se incluyen según la ley también en esta categoría los residuos que se generan en los hogares de, entre otros, aceites de cocina usados, aparatos eléctricos y electrónicos, textil, pilas, acumuladores, muebles, enseres y colchones, así como los residuos y escombros procedentes de obras menores de construcción y reparación domiciliaria. Tendrán igualmente la consideración de residuos domésticos, los residuos procedentes de la limpieza de vías públicas, zonas verdes, áreas recreativas y playas, los animales domésticos muertos y los vehículos abandonados.

En estos casos la posibilidad de determinar fácilmente a quien se considera sujeto pasivo de la tasa pasa por una sencilla solución, la de considerar como tal al propietario del inmueble, ya sea a titulo de contribuyente o de sustituto. He aquí un claro punto de aproximación entre la TGR y un tributo inmobiliario, como el IBI.

De este último impuesto dice el artículo 63.1 del TRLRHL que son sujetos pasivos, a título de contribuyentes, quienes ostenten la titularidad del derecho que, en cada caso, sea constitutivo del hecho imponible de este impuesto, pudiendo ser tales derechos, según el artículo 61.1 de la misma norma, los de una concesión administrativa, derecho real de superficie, derecho real de usufructo o derecho de propiedad. Es lógico que las facilidades que proporciona conocer con precisión a través de la matricula del IBI a los titulares de los mencionados derechos simplifique notablemente la gestión de esta tasa.

Ahora bien ¿tales derechos identifican a sus titulares como generadores de residuos domésticos? La contestación es clara: no necesariamente. El propietario o usufructuario, al igual que el superficiario o concesionario pueden residir en el inmueble, y por tanto ser el generador de los residuos, o no serlo en absoluto si reside en otra parte, en cuyo caso puede a su vez haber allí otro productor de residuos (como inquilino), o ninguno (y no producirse ningún residuo). La tentación de atribuir la condición de sujeto pasivo de la tasa a quien lo sea del IBI es clara, pero no se caracteriza por buscar en sentido estricto al productor de los residuos. No obstante y estadísticamente hablando, es muy probable que a través de este criterio lo encuentre. Considerar por eso al titular del inmueble como sujeto pasivo de la tasa es identificarlo como productor de residuos porque "probablemente" lo sea, pero implica saber desde un principio que el número de supuestos en los que no lo va a ser también será significativo (viviendas vacías, arrendatarios, usufructuarios o titulares de derechos análogos). De hecho, autores como Ruiz Garijo sostienen que "en la medida en que la nueva tasa de residuos debe exigirse a partir de la cantidad generada y del tipo de residuo, no creemos que sea conveniente identificar el residuo generado con el inmueble, sino que la tasa debería tener carácter personal. Solamente así, en nuestra opinión, puede incentivarse el reciclado y la separación de residuos"[14].

Que el uso de la matricula del IBI para gestionar la TGR es una tentación es evidente pero ¿es tal uso realmente necesario? La contestación es que facilita la gestión de la tasa, pero no es imprescindible. Existen otras posibles opciones, como las derivadas del padrón o del consumo de agua potable. En el primer caso pueden ser los empadronados en cada domicilio los identificados como sujetos pasivos, al margen de la relación que tengan con el inmueble que ocupan. En este caso, y salvo error de empadronamiento, son con certeza productores de residuos. La ley bien hubiera podido considerar esa co-

14 Ruiz Garijo, M (2023), "Cuenta atrás para el establecimiento de gravámenes por el servicio de gestión de residuos municipales", *Revista Tributos Locales*, número 165. Página 26

munidad de residentes en cada domicilio, normalmente familiar, un supuesto análogo, a efectos de la TGR, a los que prevé el artículo 35.4 de la LGT, en cuyo caso, con arreglo al artículo 45.3 de la misma norma, hubiera podido considerarse como su representante (y responsable) al que ostentase tal condición, al que aparentemente ejerciera su dirección (que podría entenderse es el titular del inmueble) o a cualquiera de sus miembros o partícipes. Esta idea suena posible, pero también de gestión complicada.

El padrón contiene además errores, por lo que solo un padrón bien actualizado evitaría problemas litigiosos[15]. No obstante, en cuanto tuviera los datos bien actualizados sería un excelente identificador de los productores de residuos y un buen predictor del volumen de los allí producidos, siendo evidente que este será mayor en aquel domicilio en donde haya cinco o seis personas que donde haya solo una, o ninguna, empadronada.

En el caso del consumo de agua potable considerar sujeto pasivo al titular del contrato de suministro tiene sentido. No se trata en tal caso de identificar al titular del inmueble, sino al responsable del consumo de agua potable, sea o no el propietario. A este efecto y según indica el Tribunal Supremo en su sentencia 818/2024, de 13 de mayo, existe una razonable relación entre ese consumo y la generación de residuos.

Si el titular del contrato de suministro coincide con el titular del dominio no se le considerará sujeto pasivo por la segunda condición sino por la primera. Inquilinos, poseedores, usufructuarios y otros titulares de estos contratos serán los sujetos pasivos. Este dato es fácilmente localizable, lo proporcionará la empresa suministradora. Puesto que todos los inmuebles que tengan uso residencial están obligados a tener ese suministro de agua sus usuarios formales estarán identificados como potenciales productores de residuos. Los que pudieran tener varios contratos a su nombre, en cuanto tributaran en función del agua consumida, abonaran la tasa por cada contrato en función de ese consumo y, por tanto, si en alguno de los lugares no hay consumo la tasa será muy reducida o inexistente, y si el sujeto gasta agua en todos ellos se entenderá que genera residuos

---

15 A titulo de ejemplo en el informe del Padrón Municipal de Habitantes de la Ciudad de Madrid, explotación estadística de 2021 (página 31), se refleja como durante 2020 la administración municipal efectuó 20.748 altas de empadronados por omisión. Hubo "bajas por inscripción indebida' que sumaron 35.701, entre las que se cuentan las bajas por 'no confirmación de la inscripción de extranjeros comunitarios' y las "bajas dadas de oficio referidas a ciudadanos españoles y no españoles". Las 'bajas por caducidad de la inscripción de extranjeros no comunitarios sin autorización de residencia permanente' alcanzaron los 4.444, y "si agregamos todas las bajas de ciudadanos extranjeros, ya sean estas por inscripción indebida o por caducidad o no confirmación de la inscripción, la cifra total alcanza 40.145, un 68,6 % de las bajas no comunicadas por los ciudadanos. Esto es consecuencia de que los ciudadanos extranjeros raras veces avisan a su Ayuntamiento cuando abandonan el país".

en varios lugares y pagará por los residuos generados (agua consumida) en todos y cada uno de los mismos.

Podemos concluir que es muy comprensible que los ayuntamientos se inclinen por los titulares del dominio como sujetos pasivos de la tasa por la facilidad que el uso de la matricula del IBI les proporciona pero tal cosa no es imprescindible. La utilización de esa matrícula muestra en todo caso una primera adaptación de la tasa, evolutivamente hablando, a tributo dominical, al inclinarse no tanto por quien recibe la prestación del servicio sino por el titular del lugar, el inmueble, en el que se presta, adaptación inducida por claras razones de practicidad de gestión.

IV. FÓRMULAS POLINÓMICAS Y PAGO POR GENERACIÓN

El artículo 25 del TRLRHL establece, bajo la rúbrica "acuerdos de establecimiento de tasas: informe técnico-económico" que los acuerdos de establecimiento de tasas por la utilización privativa o el aprovechamiento especial del dominio público, o para financiar total o parcialmente los nuevos servicios, deberán adoptarse a la vista de informes técnico-económicos[16]. en los que se ponga de manifiesto el valor de mercado o la previsible cobertura del coste de aquellos, respectivamente. Dicho informe se incorporará al expediente para la adopción del correspondiente acuerdo. La ausencia de este informe o su insuficiencia determina la nulidad de la ordenanza[17].

---

16 Múltiples sentencias del Tribunal Supremo como las de 25 de junio de 2015 (rec. 1424/2013), la de 20 de febrero de 2009 (rec. cas. 5110/2006) o la STS 427/2024-ECLI:ES:TS:2024:427 (Id Cendoj: 28079130022024100026) indican que "la Memoria económico-financiera" no solo "ha de contener todas las precisiones y justificaciones del desarrollo articulado de la Ordenanza Fiscal, de modo que de su lectura se desprenda no sólo cual es el coste real o previsible del servicio en su conjunto, o, en su defecto, el valor de la prestación recibida, sino además la justificación razonada que ha llevado a la determinación, en su caso, de los criterios de cuantificación de la cuota para la elaboración de las liquidaciones, debiendo contener la explicación procedente que justifique el cumplimiento de los principios tributarios a los que hace referencia el art. 31.1 de la CE y al resto del ordenamiento jurídico.

17 Como indica la STS 2596/2021, de 24 de junio (Cendoj: 28079130022021100266). "los informes técnico-económicos no son simples requisitos formales sino requisitos esenciales que han de preceder siempre a los acuerdos de aprobación de las ordenanzas fiscales reguladoras de las tasas, determinando su omisión la nulidad de aquellos acuerdos al no permitir esa omisión el control del cumplimiento del límite global del coste del servicio o actividad y del principio de reserva de ley, la relación existente entre cuantía de la tasa y costes provocados al ente público y el respeto de la capacidad económica de los administrados, bien entendido que la omisión no viene determinada sólo por la total inexistencia de unos documentos calificados como tales informes, sino también por la falta de un mínimo rigor en el planteamiento y formulación de los mismos".

En ninguna parte se encuentra reglado la forma, características o procedimiento a través de los cuales deben aprobarse estos informes que quedan al arbitrio y buen hacer de cada ayuntamiento[18]. Estos informes son el punto débil de las ordenanzas fiscales, pero no tanto por la relación de gastos e ingresos que deben contener para poner de manifiesto el coste del servicio sino por las fórmulas polinómicas y criterios de reparto que contienen y deben tener reflejo en la propia ordenanza. Es a través de estos como el coste global que tiene el servicio para el ayuntamiento se traslada a cada contribuyente en forma de cuota tributaria individualizada.

Este problema se agudiza en la tasa de gestión de residuos domésticos prevista por la Ley 7/2022 por dos razones, la primera es que, como ya se ha indicado, la norma obliga a que dicha tasa no sea deficitaria y la segunda que ordena atender al principio del pago por generación. El primer problema es de orden cuantitativo y determina que las tasas/ prestaciones de residuos puedan alcanzar importes elevados.

Es no obstante la segunda exigencia, la del pago por generación, la que ahora nos interesa, y es que este principio tiene dos implicaciones a tener en cuenta. La primera, propia del servicio de recogida y tratamiento de residuos, exige que este se efectúe de manera que puedan conocerse los residuos que generan y los que entregan para reciclaje sus productores, cuantificándolos e individualizándolos del modo más preciso posible. La segunda, que el pago por generación debe manifestarse en la cuota de cada contribuyente, a través de una formula polinómica que reparta el coste total del servicio en función, principalmente, de lo que cada productor genere y recicle. Solo si el PxG opera en la fórmula polinómica contenida en la ordenanza, de modo que pague más o menos tasa/pppnt quien más recicle y menos residuos genere, podremos afirmar que el PxG se aplica de modo real. En otro caso será pura ficción.

Si la actividad se desarrolla correctamente, y el municipio conoce con un razonable grado de precisión lo que se genera y recicla por cada sujeto pasivo la implementación del PxG a nivel de informe económico y ordenanza, y su traducción en la cuota indi-

---

18 Álvarez Dumont, A.; (2011), "El informe económico-financiero y las tasas locales: Aspectos económicos", en *Las tasas locales*, Chico de la Cámara, P y Galán Ruiz, J (Dirs), págs. 175-204. Claro ejemplo de esta dificultad es que las sentencias 197 y 202, de 26 de marzo de 2026, del TSJ de Madrid, anulan la ordenanza de la tasa del servicio de gestión de residuos de la capital, de 23 de diciembre de 2024, por considerar que algunos anexos técnicos tendrían que haber sido incluidos con el informe en el trámite de información pública. Cabe indicar que esos anexos contemplan la metodología seguida para obtener ciertos datos, que sí aparecen en el citado informe. Un ejemplo más de que, al margen de lo que finalmente decida el Supremo, ni siquiera las lindes de lo que debe ser objeto de información pública están bien definidas en estos casos. Sobre estas y otras cuestiones similares ver Álvarez Dumont, A.; (2011), "El informe económico-financiero y las tasas locales: Aspectos económicos", en Las tasas locales, Chico de la Cámara, P y Galán Ruiz, J (Dirs), págs. 175-204.

vidualizada, es sencilla. En un municipio que por sus características, experiencia y/o concienciación social el ayuntamiento conozca con un razonable grado de certeza los residuos generados y los entregados para reciclaje no hay excusa ninguna para que el PxG no se aplique correctamente imputando a cada sujeto pasivo la parte de coste que le sea atribuible. El problema viene, precisamente, cuando esa primera faceta que exige el PxG no se puede o quiere aplicar correctamente. Cuanta mayor imprecisión exista en la imputación a cada sujeto pasivo de los residuos que genere o recicle mayor dificultad habrá en la implementación del principio en la ordenanza. El incumplimiento en la recogida de los residuos de la faceta prestacional del PxG, incumplimiento puramente servicial, condiciona la posibilidad de aplicar correctamente el PxG en la fórmula polinómica tributaria.

La recogida defectuosa de los residuos, aunque sea por pura imposibilidad técnica de hacerlo, convierte en arbitraria la aplicación del PxG en la cuota y aquí es donde podemos decir, con toda claridad, que tenemos un grave problema. Aunque el ayuntamiento sea diligente, si no puede recoger los residuos de modo compatible con el PxG no podrá aplicar este principio después.

Son pues las características del sistema de recogida de residuos que tenga el municipio las que condicionan la posibilidad de implementar el PxG en la tasa. Ese es el problema. La ley 7/2022 de residuos y suelos contaminados para una economía circular conoce este inconveniente, al que no da la menor relevancia cuando en su Disposición adicional undécima indica de forma patética que "las entidades locales adaptarán los contratos de prestación de servicios, concesión de obras, concesión de obra y servicio o de otro tipo, para los servicios de recogida y tratamiento de residuos de competencia local al objeto de dar cumplimiento a las nuevas obligaciones de recogida y tratamiento establecidas en esta ley en los plazos fijados, siempre que ello resulte posible en virtud de la Ley 9/2017, de 8 de noviembre, de Contratos del Sector Público".

¿Siempre que ello resulte posible? ¿Y si no lo es? ¿Quien se hace cargo de las implicaciones contractuales, presupuestarias y de todo orden que pueden conllevar las posibles modificaciones sustanciales que puedan necesitar los contratos que tengan los municipios para posibilitar una recogida adecuada de los residuos domésticos en los términos que se han expuesto, contratos normalmente de larga duración dados sus elevados costes y gastos de amortización?

Pues bien, volviendo al ámbito tributario, cuando la recogida no permite un conocimiento detallado e individualizado de los residuos generados y reciclados es cuando los ayuntamientos se ven obligados a buscar criterios de reparto que se alejaran más del PxG cuanto más defectuosa sea la recogida, y aquí es donde el valor catastral, parámetro angular del IBI, y otras características de los inmuebles como su superficie o ubicación en la ciudad hacen su aparición.

El fenómeno ofrece así una lógica evidente: si uno de los elementos a tener en cuenta en la relación que implica esta tasa, la cuantía de los residuos generados/para reciclar no se conoce o se conoce defectuosamente, el otro elemento, el coste del servicio que se presta para gestionarlos no se podrá cuantificar correctamente de modo individualizado o será difícil de cuantificar a ese nivel. Por tanto el carácter sinalagmático del tributo se debilita y surge como posible solución la de acudir al principio de capacidad económica.

Ahora bien, cuanto más se refuerce este último principio como consecuencia de las deficiencias (a efectos tributarios) del servicio, más se debilitará su carácter retributivo, siendo así que el PxG se vincula directamente a este último. La realidad demuestra que cuanto más se atiende a la capacidad económica que se pone de manifiesto en la propiedad de los inmuebles y sus características a la hora de diseñar la ordenanza de la tasa, menos presente está el PxG. En este sentido es preciso observar que los ayuntamientos que se han inclinado por reforzar el principio de capacidad económica en el diseño de sus tasas lo han tenido que hacer obligados, normalmente, por las circunstancias de su sistema de gestión de residuos o sus posibilidades reales en la materia.

Si hemos indicado que se ha producido una amplia identificación general en la mayoría de los municipios entre productor de residuos domésticos y titular de los inmuebles, considerando a su vez estos últimos como el lugar natural donde se generan los residuos, es también tentador apuntar al valor de dichos inmuebles como el elemento revelador de capacidad económica más próximo al juego de estos conceptos. Este valor, en el sentido de valor catastral, es un criterio que además fue validado por el Tribunal Supremo para las tasas de basuras en el pasado, con arreglo a la legislación anterior.

En este sentido, si bien la jurisprudencia siempre ofrece alguna sentencia diversa, son múltiples las resoluciones del Tribunal Supremo que han venido admitiendo la utilización del valor catastral de los bienes inmuebles como parámetro de la cuantificación de la tasa de basuras, ya sea como criterio único o en conjunción de otros. La sentencia de 4 de enero de 2013, de cita frecuente, en relación a la tasa de basuras que estaba vigente en el Ayuntamiento de Madrid en 2008 indica que “es evidente que la superficie de los inmuebles y su valor es, en este caso, más que un criterio que fija la capacidad económica del sujeto pasivo un mero mecanismo, ciertamente sofisticado, de determinar el importe del servicio recibido en cada caso”. En el mismo sentido la sentencia del TSJ de Madrid 1184/2010, de 17 de noviembre, rec. 261/2009, recordaba que “el TS no ha considerado desajustada a los principios que rigen las tasas la cuantificación de la cuota en virtud del criterio único de la capacidad económica del contribuyente determinada por el valor catastral de los bienes inmuebles, e incluso en determinados casos ha declarado inequívocamente la validez del uso de tal parámetro, sobre todo en relación con la tasa de alcantarillado (SSTS de 15-7-1994, 23-10-1995, 2-2-1996 y 6-3-1999 sobre tasa de alcantarillado, y de 14-7-1992 y 8-3-2002 sobre licencias de apertura)”.

Estos precedentes, sólidos pero basados en normas anteriores a la ley 7/2022, han sido por ahora la tabla de salvación a la que se han agarrado aquellos ayuntamientos incapaces o imposibilitados de aplicar correctamente el PxG. Sin embargo, no parece aventurado afirmar que desvirtúan claramente este principio y aproximan la tasa, como se viene indicando, a un mero gravamen sobre el dominio en cuanto utilizan de forma estructural los elementos que describen y cuantifican este, y en modo alguno los que caracterizan el servicio, cuyo mayor o menor consumo o demanda se ignora por completo.

¿Hasta que punto puede considerase que el PxG se exige por la ley 7/2022 en términos que puedan modificar la mencionada jurisprudencia? Resulta llamativo que la sentencia del Tribunal Supremo 2668/2024, de 13 de mayo (Id Cendoj: 28079130022024100141), que validó la Ordenanza fiscal del Ayuntamiento de Barcelona reguladora de la Tasa para el servicio de recogida de residuos municipales generados en los domicilios particulares para 2020 y ejercicios sucesivos, considerase oportuno "insistir que, en este momento, no corresponde evaluar la tasa bajo el parámetro de las nuevas exigencias introducidas a través de la Directiva 2018/851 y de la Ley 7/2022 en lo que atañe a la determinación previa del volumen de residuos generados respecto de cada actividad individualmente considerada". Lo que reitera en su fundamento jurídico cuarto al advertir que "atendiendo a la normativa aplicable en el momento de la aprobación de la tasa de recogida de residuos (2020), el principio de quien contamina paga no exige la determinación previa e individualizada del volumen de residuos generados por cada individuo sujeto a la tasa por el servicio de recogida, eliminación o tratamiento de residuos sólidos urbanos a los efectos del cálculo de la cuota tributaria" concluyendo que "en este sentido, resulta suficiente que el informe técnico económico de la tasa de recogida de residuos se fundamente en informes que vinculen el valor de dicho servicio con el volumen de agua consumida y el caudal nominal de cada vivienda".

Si en esta sentencia el Tribunal manifiesta sus dudas, no tiene claro lo que dirá más adelante o lanza una advertencia a navegantes es cuestión que valoraremos cuando empiece a dictar sentencias sobre las nuevas tasas de residuos, pero en todo caso nos esta recordando que sus interpretaciones pasadas no le vinculan en relación a la nueva norma.

Que el Tribunal admita la correlación entre consumo de agua y producción de residuos es en si mismo extraordinariamente relevante, pues se trata de la valoración de un hecho que, aunque puede cambiarse si se prueba otra cosa, no tendría que verse afectado por los cambios normativos derivados de la ley 7/2022. En este sentido el Tribunal afirma que "el consumo de agua presenta una correlación positiva con la generación de residuos. Esta correlación se basa en que el consumo de agua depende, entre otros factores, del número de personas que habitan en un domicilio y su nivel de renta, y ambos son indicios explicativos racionales y suficientes de la generación de residuos"[19].

Maraña Sánchez[20], en un trabajo del año 2013, se planteó si con arreglo a la doctrina del TJUE en materia de gestión residuos era forzoso, o no, aplicar las tasas en función del real residuo generado (sistema pay as you throw) y no sólo el potencial o estadístico, concluyendo en base a la STJUE de 16 de julio de 2009, C-254/08, asunto Futura Immobiliare, que "el estado actual del Derecho comunitario, no se opone a una normativa nacional que establece, a efectos de la financiación de un servicio de gestión y eliminación de residuos urbanos, una tasa calculada sobre la base de una evaluación del volumen de residuos generado por los usuarios de dicho servicio y no sobre la base de la cantidad de residuos que realmente han generado y entregado para su recogida". Este autor comparó además el mandato que contenía la Directiva 2006/12/CE y la Directiva 2008/98/CE (vigente hoy día) para mostrar que proclamaba de similar forma el principio "quien contamina paga" sin que el TJUE considerase imprescindible, al interpretar la de 2006, que el PxG operase sobre la cantidad de residuos exactamente producida. Diciendo lo mismo la de 2008 no tendría tampoco porque exigirlo.

Esta doctrina del TJUE favorece desde luego la aplicación de criterios de estimación objetiva de los residuos generados al no exigir su cuantificación real pero nada dice de la posible utilización de criterios que se limiten a tener en cuenta de modo exclusivo la capacidad económica. Concluía no obstante el citado autor que conforme a la legislación y doctrina actual "nada impide que el Ayuntamiento opte con arreglo al principio de capacidad económica, por utilizar el valor catastral por sí solo o junto a cuota de generación de residuos, para fijar la cuota de la tasa de basuras, siempre que se respete el principio de equivalencia. Es decir, que el importe estimado de las tasas por la prestación de un servicio o por la realización de una actividad no exceda, en su conjunto (equilibrio global coste-rendimiento), no en cada liquidación, del coste real o previsible del servicio o actividad de que se trate", aunque advierte que en todo caso sería preferible "que todas las tasas se cuantificaran en función del... parámetro de cuota de generación, pero no teórica o potencial, sino real, para responder al principio de quien contamina paga" y por tanto al PxG.

---

19 Esta correlación aparecía también en el análisis sobre "El funcionamiento del metabolismo urbano metropolitano de Barcelona", elaborado en diciembre de 2016, el que se afirmaba que "pel que fa a les variables socioambientals es constata la relació entre el consum domèstic d'aigua i el consum domèstic d'energia i també, tot i que en menor grau, amb la generació de residus", página 114. https://www.institutmetropoli.cat/wp-content/uploads/2017/03/16028.pdf

20 Maraña Sánchez Serrano, J.; (2013), "Tasa de basuras y principio de capacidad económica. STS de 4 de enero de 2013", *El consultor de los Ayuntamientos y de los Juzgados* nº 4.

La doctrina de los tribunales, al menos hasta ahora, no solo permite a los ayuntamientos acudir a parámetros que están alejados de una interpretación medianamente estricta del PxG sino que es una auténtica coartada para algunos de ellos, ya que tal doctrina no solo ha validado el criterio del valor catastral, también como se ha expuesto el de la superficie, o el de situación de la calle. Puede llegar a afirmarse que esta doctrina, que viene de tiempo atrás y en la mayoría de las ocasiones enjuicia tasas referidas a una realidad en la que no existían ni los avances tecnológicos modernos ni las capacidades de recogida y tratamiento actuales podría llegar a constituir un inconveniente para la aplicación de la moderna concepción del PxG. Que el Tribunal Supremo en su citada sentencia 2668/2024 advierta que su doctrina pasada no le vincula ante una nueva ley como la 7/2022 abre interesantes posibilidades pero no las predefine.

Conviene observar, pues es especialmente relevante, que la validación por el mismo Tribunal Supremo de algunos criterios como el número de empadronados, el consumo de agua potable, la sección de la acometida de agua y el cálculo técnico de cuotas de generación de residuos, entre otros, no debería interpretarse en términos del principio de capacidad económica sino de estimación objetiva, en ocasiones indirecta, de los residuos realmente generados. Estos criterios operan en el sentido buscado por el PxG si bien de forma no tan rigurosa y precisa como la identificación singularizada de los residuos que realmente se producen.

Si regresamos al valor catastral, la superficie o la situación del domicilio, volveríamos a hablar de factores que describen el dominio, el primero directamente, al valorarlo, y los demás también, indirectamente, al hacer referencia a las características físicas de los inmuebles, aspectos que a su vez también habrán sido tenidas en cuenta por el Catastro al fijar el valor catastral.

Estos factores, como se viene reiterando, hacen depender la tasa de las estrictas características de los inmuebles, y de ninguna forma de los residuos generados en ellos. Si un impuesto como el IBI tiene en cuenta como elemento cuantificador el valor catastral que se atribuye al inmueble, y dicho valor, con el desglose de su suelo y construcción, se establece precisamente en atención a las características físicas y jurídicas del inmueble, su situación, y otros factores inherentes al objeto, y admitimos que la TGR pueda hacer lo mismo, parece claro que la tasa sobre lo que recae es sobre ese mismo dominio, sobre el derecho de propiedad.

V. EL PROBLEMA DE LAS CUOTAS FIJAS Y VARIABLES

Numerosos ayuntamientos han optado por establecer en sus TGR una cuota tributaria que se descompone en una parte de cuota fija y otra variable, de modo que la primera se establece con arreglo a parámetros de capacidad económica y la segunda intenta aplicar criterios de pago por generación, en alguna modalidad directa, objetiva o indirecta. De esta forma se pretende garantizar una recaudación que sufrague la existencia misma del servicio, tanto si se utiliza como si no se hace, con cargo a esa cuota fija, y otra variable en función de los residuos generados y/o preparados para su reciclaje.

Esta idea resulta razonable en la medida en que la misma existencia del servicio implica siempre un gasto, aunque no se utilice, que es necesario financiar. La parte de la cuota fija no se construye por tanto sobre el coste que cada productor de servicios genera con sus residuos sino sobre el coste que la misma existencia del servicio implica, lo que entronca con la consolidada doctrina jurisprudencial que obliga al pago de la tasa a cualquier potencial beneficiario de un servicio por el solo hecho de prestarse, tanto si se usa como si no se hace. La utilización de parámetros de capacidad económica ha sido aquí ampliamente admitida en el pasado por el TS, como ya se ha expuesto, en cuanto no era necesaria la aplicación del PxG. Sirve además para resolver de modo sencillo la situación de los inmuebles en los que no se generan residuos, por ejemplo los que se encuentren deshabitados, que abonaran la cuota fija pero no la variable.

Esta cuota fija, como ya se expuso con anterioridad, puede obedecer a criterios basados en las características de los inmuebles. No obstante, deberá acompasarse en el conjunto de la TGR con la otra parte de la cuota, a través del cual se aplica el PxG. Si la cuota fija absorbiera la practica totalidad de la liquidación, volveríamos a estar ante un gravamen sobre el dominio.

El problema se centra entonces en la relación que tenga la parte de cuota fija y de cuota variable en el total de la cuota de la TGR. Si estamos analizando los supuestos en los que la tasa de residuos se convierte en gravamen sobre el dominio es evidente que allí donde la parte de cuota fija sea desproporcionada sobre la variable el "elemento tasa" cede sobre el "componente impuesto". Dicho de modo gráfico con un ejemplo, por más que una ordenanza municipal proclame solemnemente la existencia de dos componentes en la cuota si el elemento fijo representa el 95% del global de la misma, volvemos a encontrarnos con un auténtico gravamen sobre la propiedad y no con una tasa de servicios.

La ley 7/2022, fiel a su mutismo e indefinición, no menciona la posible existencia de esos dos componentes de la cuota[21] ni mucho menos, como es lógico, que proporción pueda representar cada uno. De este modo, lo que puede admitirse como razonable,

---

21 Herrera Molina, P ya indicaba sobre el proyecto de ley que dio lugar a la 7/2022 que ese proyecto "podía haber exigido directamente que la cuota individual de la tasa (o una parte de ella) estuviera en función de los residuos generados. En su lugar parece mencionar la posibilidad ("permita") de implantar sistemas de pago por generación. Quizá se trate de un mero defecto de redacción, aunque también podría interpretarse como una ambigüedad calculada, dado que la inmensa mayoría de las vigentes tasas de residuos municipales no contemplan mecanismos de pago por generación y la transición al nuevo modelo será compleja". *Revista Tributos*

la existencia dos elementos en la cuota, que operen sobre distintos parámetros, queda sujeto al desarrollo normativo municipal. Por ejemplo, una parte fija del 20% y otra del 80% (PxG) resultaría probablemente equilibrada. O una parte fija y otra variable que esté normativamente previsto que evolucionen en el tiempo en beneficio de la segunda. Ahora bien, entre los extremos que se han puesto como ejemplos ¿dónde esta el punto de equilibrio?

La Asociación Nacional de Inspectores de Hacienda Pública Local (ANIHPL[22]), en su "Libro blanco para la reforma de la tributación local. 100 propuestas en defensa de la seguridad jurídica y la justicia tributaria" plantea en su propuesta 82, tras la plasmación legal expresa de la posible existencia de un elemento fijo y otro variable en la cuota de la tasa, que ese "elemento fijo" pueda cubrir hasta un máximo del 80% del coste del servicio en el periodo comprendido desde la entrada en vigor de la ley hasta el 1 de enero de 2030, porcentaje que debería reducirse progresivamente hasta el 50% antes del 1 de enero de 2035. De este modo se otorga configuración legal expresa a esta posibilidad, que dota de existencia real al PxG, cuantificándolo desde un principio en, al menos, el 20% de la cuota, a la vez que se introduce un calendario que llevaría en 2035 a una tributación efectiva, con arreglo a cualquier criterio que permita el PxG[23], de al menos la otra mitad de la cuota.

Locales, número 152, página 21, en "Incidencia de la futura ley de residuos sobre las tasas y tarifas locales".

22 La Asociación Nacional de Inspectores de la Hacienda Pública Local, se constituye al amparo del artículo 22 de la Constitución Española y de la Ley Orgánica 1/2002, de 22 de marzo y demás disposiciones vigentes. Esta Asociación "pretende aunar criterios de valoración en el desarrollo de las actividades de los Inspectores de la Hacienda Pública Local, coordinar sus actuaciones e intentar mejorar día a día en el desempeño de las funciones propias de la Inspección, manteniendo un nexo o vinculo común de contacto entre los asociados". Incorpora a estos efectos a los empleados públicos que vienen ejerciendo estas funciones inspectoras en las entidades locales. https://www.inspectoreshaciendalocal.org/

23 El Observatorio para la fiscalidad de los residuos diferencia entre supuestos de identificación del recipiente y de identificación del usuario.
La categoría de identificación por recipiente presenta cuatro modelos: pago por cubo con conteo individual (cada usuario o comunidad de usuarios dispone de un receptáculo de volumen conocido identificable a través de un chip o etiqueta que es leído por el servicio de recogida al vaciarlo). Pago por cubo con frecuencia predeterminada (los usuarios deben elegir de antemano el volumen del contenedor y/o la periodicidad de recogida que prefieren entre las diferentes opciones que ofrece el Ayuntamiento, hecho que determina el importe a pagar. El cubo asignado se recoge siguiendo un calendario prefijado). Identificación y pesaje del cubo (la tasa se calcula sobre el peso de los residuos en el receptáculo entregado, que dispone de chip o tag, dispositivo electrónico detectado por el camión) y pago por bolsa (el usuario paga la tasa por adelantado mediante la compra de bolsas estandarizadas para la entrega de los residuos, que son las únicas aceptadas por el servicio de recogida. Las bolsas son distribuidas por el propio

Probablemente esta propuesta se quede corta en ambición al fijar esos porcentajes progresivos en materia de PxG, pero plantea un escenario realista y asumible, a la par que exigente con los ayuntamientos, que aleja desde luego a la TGR de un mero gravamen sobre la propiedad.

VI. OBSERVACIÓN DE ALGUNAS ORDENANZAS FISCALES

Llegados a este punto es muy ilustrativo el examen que realiza CHICO DE LA CÁMARA[24] sobre la implantación de los parámetros de pago por generación y la existencia de cuotas fijas y variables en las tasas municipales de residuos de los municipios capitales de provincia.

De las 49 ciudades que analiza, 39 tienen solo cuotas fijas, que se calculan sobre la superficie del inmueble, la categoría fiscal de la calle, el valor catastral, las personas empadronadas, el consumo de agua, el servicio de saneamiento o la combinación de algunos de los factores anteriores. De estas 39 en 22 la cuota se establece en atención al valor catastral, la superficie o la categoría fiscal de la calle. En estos últimos municipios la TGR se calcula por tanto en atención exclusiva a las características de cada inmueble, y no al servicio. Esas características modulan la tasa directa o indirectamente en función del valor del inmueble. Directamente si se utiliza el valor catastral. Indirectamente si se utiliza la superficie o la categoría de la calle, pues cuanto más amplio sea el inmueble o mejor la categoría mayor valor tendrá normalmente ese inmueble y se abonará más TGR. De este modo es el inmueble y su valoración, que es la del derecho de propiedad, la que determina la cuota.

Ayuntamiento o bien mediante comercios colaboradores y suelen ser diferentes según la fracción a recoger. Por lo general, las bolsas no están vinculadas a cada usuario, si bien también existe esta opción, utilizando bolsas con un tag, que identifica al usuario que las ha pagado).
En la categoría de la identificación del usuario los contenedores cuentan con un sistema de detección de usuario que permite la apertura de la tapa (mediante una tarjeta, un móvil o una llave). Encontramos dos modelos diferenciados: Chamber system (el contenedor dispone de una cámara en la que se depositan los residuos, que pueden ser medidos por volumen, con una cámara simple de un volumen máximo depositable, o por peso, con sistema de pesaje incorporado en el contenedor) y de registro de entregas (opción más económica, aunque con menos precisión, es contar el número de entregas que realizan los usuarios al contenedor directamente, aunque se pierde el registro de la cantidad depositada). Asociada a este último modelo, una variante es lo que se conoce como pago por participación, que consiste en establecer una tasa elevada sobre la que ir descontando en función de la cantidad de veces que se participe en la recogida selectiva de las fracciones reciclables.
https://www.fiscalidadresiduos.org/pxg/

24 Chico de la Cámara, P.; (2025), "Observatorio de la implantación del "pago por generación" en los municipios capitales de provincia", *Revista Tributos Locales* nº 174, páginas 6 a 15.

No se tributa por tanto en atención a los residuos generados sino a la capacidad económica que se muestra con los inmuebles. Es por tanto el dominio sobre esos bienes, en función de su valor, lo que determina la tasa. Si un señor frugal y extraordinariamente concienciado con el medio ambiente genera el mínimo de residuos posibles, reciclando todo lo que es posible, pero vive solo en un amplio piso de la mejor calle de nuestra ciudad pagará mucha mas TGR que una familia numerosa que resida en un piso discreto en el extrarradio, aunque el reciclado no les importe nada y la minoración de residuos domésticos menos. Podemos acudir a todo tipo de subterfugios jurídicos interpretativos pero lo cierto es que el primero pagará su TGR en función del valor de su inmueble, de su derecho de propiedad, con completa indiferencia de los residuos producidos, y los segundos harán lo mismo, según el valor del suyo, por más que generen un enorme volumen de desechos. La TGR grava así el dominio como lo puede hacer, salvando su estructura impositiva, cualquier otro tributo dominical.

En el informe[25] del Observatorio de la fiscalidad de los residuos sobre "Las tasas de residuos en España 2025", elaborado a iniciativa de la Fundación ENT, se indica sobre una muestra de 131 municipios un 37.4% de presencia de cuotas fijas. En cuanto a las variables aplicadas se utilizan como criterios más frecuentes "la localización de la vivienda de acuerdo con la tipología de la calle (25,3 % de los municipios), el valor catastral (6,5 %), el servicio recibido (4,7 %) o el consumo de agua (4,7 %)".

De lo expuesto puede observarse, en línea con lo que viene sosteniéndose, la distinta estrategia seguida por los municipios españoles. Por una parte están los que con cuotas fijas o fijas/variables optan por criterios propios de las tasas, aquellos que atienden al servicio prestado, ya sea cuantificándolo directamente a través de la aplicación con mejor o peor fortuna de alguna modalidad del PxG, o mediante fórmulas objetivas como las establecidas por tramos del consumo de agua. En estos casos se opera al margen de las características de los inmuebles, o se da a estas características una reducida o moderada intervención en la determinación de una parte de la posible cuota fija.

Por otra se encontrarían los municipios en los que, como ya se ha expuesto, se ha creado un tributo a medida del dominio gravado. Debe en este sentido advertirse que es el examen detallado del texto de cada ordenanza el que finalmente nos permitirá considerar si se establece una autentica tasa o una de esas especiales modalidades de tributo sobre la propiedad de los que venimos hablando.

---

25 https://www.fiscalidadresiduos.org/wp-content/uploads/2025/10/Tasas_2025.pdf

Así por ejemplo, en la ordenanza[26] de la TGR del Ayuntamiento de Bilbao[27] se aprecia una cuota compuesta por la suma de "un componente básico, justificado por la propia existencia del servicio y que atenderá al principio de capacidad económica" que cubrirá el cuarenta por ciento del coste del servicio y un "componente específico que se calculará en función de la generación potencial de residuos", que alcanzará el sesenta por ciento restante. Tras esta descripción se observa que para los inmuebles residenciales el componente básico se fija "en base al valor catastral" y el específico "en función del número de personas empadronadas en la vivienda, cuyo titular será quien esté obligado al pago". Por tanto, el cuarenta por ciento de la cuota gravará el dominio, y el sesenta la generación potencial de residuos.

En clara diferenciación otros ayuntamientos, como el de Barcelona, establecen una TGR ajena a la tributación sobre la propiedad que se viene analizando. Así, el artículo 9 de su ordenanza fiscal[28] expone que la cuota tributaria de la tasa del servicio de recogida de residuos municipales generados en las viviendas particulares se establece en función del tipo de vivienda y los tramos de consumo establecidos en la propia ordenanza. Ciertamente el tipo de vivienda se tiene en cuenta, pero es el tramo de consumo el que determina la cuota, siendo el titular del contrato de suministro doméstico de agua potable el obligado a su abono, con carácter general. En este sentido el "tipo de vivienda" es, según el artículo 8 de la misma norma, el definido en el Reglamento del servicio metropolitano del ciclo integral del agua[29], que las clasifica en función del caudal nominal de acceso de agua, dato ajeno a las características del inmueble mismo.

26 Ordenanza Fiscal reguladora de las Tasas por prestación del servicio de Recogida de Basuras, modificada el 27 de junio de 2024, para surtir efectos a partir del día 1 de enero de 2025. Anuncio y texto completo de esta modificación, publicado en el Boletín Oficial de Bizkaia número 220, de 14 de noviembre de 2024.

27 "Bilbao aprueba congelar los tributos municipales de 2026 y aplicar, por primera vez, la tasa de residuos urbanos" https://www.bilbao.eus/cs/Satellite?c=BIO_Noticia_FA&cid=1279242314369&language=en&pageid=3012565033&pagename=Bilbaonet%2FBIO_Noticia_FA%2FBIO_Noticia

28 Ordenanza fiscal nº 3-18 de la tasa por el servicio de recogida de residuos municipales generados en los domicilios particulares, aprobada definitivamente por el Plenario del Consejo Municipal en fecha 20 de diciembre de 2024, en vigor a partir del 1 de enero de 2025.

29 Reglamento del servicio metropolitano del ciclo integral del agua, Aprobado en sesión del Consejo Metropolitano del Área Metropolitana de Barcelona en fecha 6 de noviembre de 2012. Publicado el 20 de noviembre de 2012 en el BOP núm. 222. https://bop.diba.cat/anuncis/antic/022012025895.

En análogo sentido la ordenanza del Ayuntamiento de Valencia[30] dispone en su artículo 6 que "la base imponible de esta tasa se determinará teniendo en cuenta las características de utilización u ocupación de los inmuebles por los distintos sujetos pasivos en base a los consumos de m^3 de agua".

Frente a estos supuestos, el Ayuntamiento de Alicante dispone en el artículo 6 de la ordenanza fiscal reguladora de la tasa por recogida, transporte y tratamiento de residuos sólidos urbanos[31] que las viviendas y establecimientos e instalaciones asimilados a ellas tributarán por una cuota única formada por la suma de la denominada cuota de recogida, establecida en función de su valor catastral/m^2 y m^2 construidos, y una cuota de tratamiento, determinada en función de los m^2 de superficie construida. En definitiva, en base a elementos relacionados estrictamente con el inmueble y sus características.

VII. CONCLUSIONES

A la vista de todo lo expuesto podemos afirmar que hasta la ley 7/2022 la jurisprudencia de nuestro país ha venido admitiendo que las locales tasas de residuos se pudieran establecer por los ayuntamientos atendiendo a criterios estrictamente relacionados con las características de los inmuebles en los que se consideraban producidos tales residuos, y a cargo principalmente de los propietarios de dichos inmuebles.

En estos casos las fórmulas polinómicas por las que se calculaban las cuotas tributarias se limitaban a distribuir el gasto de prestación del servicio, que podía ser deficitario, entre los usuarios descritos como sujetos pasivos en atención exclusiva a los elementos de capacidad económica que se deducían de las características de los inmuebles, siendo totalmente indiferente el volumen, peso o características de los residuos producidos, su presentación o reciclaje. Así lo admitía la jurisprudencia, de la que se han citado varios ejemplos.

Este tributo no dejaba de ser formalmente una tasa. Respondía a la prestación de un servicio público local, precisaba de una ordenanza fiscal local con su correspondiente estudio económico financiero, y se abonaba por los propietarios, considerados usuarios, en función de las características de los inmuebles y por tanto de la capacidad económica que revelaban. De ninguna forma favorecían la reducción de residuos y facilitaban el reciclaje ni su importe guardaba relación con el esfuerzo municipal generado para la

30 Ordenanza fiscal reguladora de la tasa por la prestación del servicio de recogida y transporte de residuos sólidos urbanos de aprobación definitiva el 20 de diciembre de 2024. Publicación BOP: 30 de diciembre de 2024, aplicable a partir del 01 de enero de 2025.

31 Texto definitivo aprobado por el Pleno de 30 de diciembre de 2024. Publicación en el BOP: nº 250, de fecha 31 de diciembre de 2024.

recogida, gestión y tratamiento de los residuos domésticos, pero fueron validadas por la jurisprudencia. Eran autenticas tasas sobre la propiedad, pues se abonaban y cuantificaban en atención a las estrictas características de las propiedades, y no por el servicio prestado. La capacidad económica se erigía así en mera fórmula de reparto del gasto.

La ley 7/2022 quiebra esta posibilidad al reclamar la aplicación de sistemas de PxG. Las tasas o pppnt de residuos ya no pueden obedecer exclusivamente a factores relacionados con la propiedad misma, deben tener en cuenta elementos de PxG. Este principio rompe la posibilidad de utilizar factores que solo atiendan a las características del dominio. Como indica Ruiz Garijo[32] "la entrada en vigor de la Ley de Residuos deberá motivar un cambio de jurisprudencia de los tribunales" de modo que "a partir de abril de 2025 deberá considerarse que la producción de las basuras o de los residuos, y la medida en que son producidos, es una condición sine qua non para la exigencia de la tasa o de la PPPNT", exigencia que debe trasladarse también a la fórmula de individualización de la tasa misma. En el mismo sentido Carro Marina afirma: "el establecimiento de tasas municipales o locales que se atengan al principio de pago por generación ha dejado, en suma, de ser voluntario y se ha convertido en una obligación legal de los entes locales. Esto significa que las corporaciones que establezcan nuevas tasas en cumplimiento de lo dispuesto en el artículo 11.3 de la Ley 7/2022 de residuos deberán cumplir los objetivos marcados por el legislador y disponer mecanismos que aseguren la adecuada relación entre la cuota de la tasa y el volumen de residuos generado por su sujeto pasivo"[33].

En una interpretación moderada de la exigencia que impone la aplicación del PxG podría admitirse que los factores caracterizadores de los inmuebles pudieran ser utilizados en las formulas de calculo de la parte de la cuota fija de la TGR siempre que su papel no fuera determinante, de modo nuclear, de la liquidación tributaria global resultante de añadir la parte de cuota variable.

El problema grave de esta interpretación es que la ley 7/2022 no menciona esta posibilidad (como no menciona casi nada) y tampoco dispone, como es lógico, qué porcentaje máximo de la liquidación podría fijarse en atención a esos factores inmobiliarios. Más litigiosidad, por tanto.

Toda tasa de gestión de residuos derivada de la ley 7/2022 debe contemplar de modo relevante el PxG. A partir de aquí podríamos discutir, con espíritu flexible, sobre las fórmulas más ortodoxas del PxG (con estimación directa de la recogida de residuos) y sobre las fórmulas objetivas como el consumo de agua. Podemos también hacerlo so-

---

32 Ruiz Garijo, M. (2023), "Cuenta atrás para el establecimiento de gravámenes por el servicio de gestión de residuos municipales", Revista Tributos Locales 165, página 25.

33 Carro Marina, M.; (2023), "¿Hacia una revisión de la jurisprudencia del Tribunal Supremo sobre las ordenanzas de residuos?", *Diario del Derecho*, edición del 19/04/2023. https://laadministracionaldia.inap.es/noticia.asp?id=1513847

bre ciertas fórmulas que calculan los residuos a nivel de comunidad o barrio, siempre que atiendan a los residuos realmente generados y solo de modo complementario, en su caso, a las características de los inmuebles. Veremos que dicen los tribunales.

Cabe finalmente agradecer desde estas líneas al Estado legislador su extraordinaria sensibilidad, siempre pendiente de proporcionar entretenimiento a los funcionarios locales, recordándole que de vez en cuando no nos importa aburrirnos con normas seguras, estables y bien hechas. Aunque esto último, probablemente, sea pedirle demasiado.

VIII. REFERENCIAS BIBLIOGRÁFICAS

Álvarez Dumont, A (2011). "El informe económico-financiero y las tasas locales: Aspectos económicos", "Las tasas locales", obra colectiva dirigida por Pablo Chico de la Cámara y Javier Galán Ruiz (dir.), *Thomson Reuters-Civitas*, páginas. 175-204.

Carro Marina, M. (2023). "¿Hacia una revisión de la jurisprudencia del Tribunal Supremo sobre las ordenanzas de residuos?", *Diario del Derecho*, Edición del 19/04/2023.

Chico de la Cámara P. (2025). "Observatorio de la implantación del "pago por generación" en los municipios capitales de provincia", *Revista Tributos Locales* nº 174, páginas 6 a 15.

Gomar Sánchez, J. I. (2024). "Algunos factores singulares que inciden en la tasa de residuos domésticos y lo que se deduce de ellos", *Revista Tributos Locales,* nº 170, páginas. 210 a 235.

Herrera Molina, P. (2021) "Incidencia de la futura ley de residuos sobre las tasas y tarifas locales". *Revista Tributos Locales*, nº 152, página 13 a 41.

Maraña Sánchez Serrano J. (2013). "Tasa de basuras y principio de capacidad económica. STS de 4 de enero de 2013". *El consultor de los Ayuntamientos y de los Juzgados* nº 4, páginas 514 a 524.

Ruiz Garijo, M (2023) "Cuenta atrás para el establecimiento de gravámenes por el servicio de gestión de residuos municipales", *Revista Tributos Locales* nº 165, página 11 a 34.

MEDIDAS FISCALES EXCEPCIONALES ORIENTADAS AL ACCESO A LA VIVIENDA ANTE EL USO TURÍSTICO INTENSIVO

Daniel Ortiz Espejo
Profesor Facultad Derecho y Relaciones Internacionales
Universidad Nebrija
Doctor en Derecho
Abogado
ORCID 0009-0004-4859-5581

I. INTRODUCCIÓN

Las sucesivas crisis económicas, los efectos de la pandemia y la situación de incertidumbre en los mercados, sin duda están afectando particularmente a la población juvenil.

La juventud ha sido la gran perjudicada de la dualidad crisis-recuperación, de la última década con la Gran Recesión, la pandemia de la COVID-19 y la actual crisis de precios. Un mercado laboral disfuncional y un sistema de protección social que ha olvidado a las generaciones más jóvenes son dos de las principales causas por las que, en 2021, una de cada tres personas con edades comprendidas entre 16 y 29 años está en riesgo de pobreza y/o exclusión social.

Son datos que reveló el informe, denominado "La maldición de la eterna juventud", del Consejo de la Juventud de España y Oxfam Intermón y que analiza la situación socioeconómica de las personas jóvenes en España en el año 2022[1].

Tal y como señala el citado informe, estamos asistiendo a un retraso importante en la edad a la que los jóvenes accedían a las experiencias tradicionalmente asociadas a la edad adulta, como es el acceso a un trabajo estable que aporte los recursos necesarios para conseguir una independencia residencial, tener hijos si se desea o emprender un negocio propio. Hoy la distancia con los coetáneos europeos es la más grande de la década. La edad estimada de emancipación en España es de 29,8 años (en 2021), mientras que la media de la Unión Europea se sitúa en 26,5 años. Si en 2008, el 54% de los jóvenes independientes tenían vivienda en propiedad, hoy sólo lo tienen el 32,5%. Mientras, el alquiler a precio de mercado ha aumentado 32,5 puntos porcentuales y la cesión gratuita ha aumentado 6,4 puntos porcentuales para este grupo de edad. Siendo esto último un indicativo importante a tener en cuenta, ya que podría estar reproduciéndose el ciclo de desigualdad en función de la riqueza de la familia en la que hayas nacido, haciendo evidente la falta de efectividad del ascensor social.

El observatorio de emancipación, del Consejo de la Juventud de España en su informe relativo al primer semestre del año 2024, señala que la tasa de emancipación juvenil, cayó al 14,8%, uno de los niveles más bajos desde el 2022. El esfuerzo de un joven para alquilar una vivienda supone el 93% de su salario medio, lo que lo hace prácticamente inaccesible[2].

---

1 *Vid*. Informe "la maldición de la eterna juventud", Documento de análisis del Consejo de la Juventud de España - OXFAM file:///D:/DESCARGAS/la-maldicion-de-la-eterna-juventud.pdf Consultado el 05/11/2025.

2 Vid Consejo de la Juventud de España Consultado 02/12/2025 a las 19:30h. file:///D:/DESCARGAS/2024-1SEM_Resumen-ejecutivo.pdf

La escasez de vivienda, el alto precio de los alquileres en las grandes ciudades, la imposibilidad de la población de acceso a viviendas en forma de alquiler o compra, la "okupación" y la "inquiokupación" así como la proliferación excepcional de los apartamentos turísticos, hace necesaria la articulación de medidas fiscales que coadyuven a la solución o a la disminución de los graves problemas relativos al acceso a la vivienda.

Es evidente que la resolución de estos problemas pasa por establecer, medidas legislativas, administrativas y procesales, si bien en este momento nos proponemos esbozar con trazo grueso algunas propuestas para su consideración.

En este contexto, el presente trabajo analiza en qué medida determinados instrumentos tributarios —estatales y locales— pueden configurarse como medidas excepcionales orientadas a facilitar el acceso de los jóvenes a la vivienda y corregir, parcialmente, los efectos del uso turístico intensivo

El artículo 47 de la CE[3], establece un mandato a los poderes públicos que deben de poner en marcha normativa y los medios necesarios para conseguir que el derecho a disfrutar de una vivienda digna y adecuada sea real y efectivo[4]. No en vano existen autores que defiende incluso que el citado precepto reconoce y protege un derecho de los ciudadanos, y no se limita a una función programática, entendiendo que no se está ante una directriz, que enmarca un conjunto de obligaciones prestacionales por parte de los poderes públicos, sino ante un derecho que, en determinados casos, podrá ser alegado ante los tribunales de justicia y aplicado por éstos[5].

---

3 Vid. apdo. 1 del art. 47 Constitución Española "*Todos los españoles tienen derecho a disfrutar de una vivienda digna y adecuada. Los poderes públicos promoverán las condiciones necesarias y establecerán las normas pertinentes para hacer efectivo este derecho, regulando la utilización del suelo de acuerdo con el interés general para impedir la especulación*".

4 El derecho "constitucional" a la vivienda no pasa de ser, en realidad, un falso derecho fundamental" que no va más allá de ser un principio rector de la política social y económica, una suerte de "pauta" que habrán de seguir los poderes públicos. La STC 152/1988, de 20 de junio recuerda el deber que tiene el Estado español de adoptar políticas de promoción de la vivienda con acento social, en el marco del principio rector del art. 47 CE, si bien como recuerda también en su Sentencia 32/2019, de 28 de febrero, "la protección del derecho a disfrutar de una vivienda digna y adecuada (art. 47 CE) es la dispensada por el art. 53.3 CE, pues no se trata de un derecho subjetivo exigible, sino un mandato constitucional programático. En tal sentido se trae a colación el auto del Tribunal de Justicia de la Unión Europea de 16 de julio de 2015, asunto C-539/14, § 49, que afirma de forma tajante que el art. 34.3 de la Carta de derechos fundamentales de la Unión Europea no garantiza el derecho a la vivienda, sino el derecho a una ayuda social y a una ayuda de vivienda en el marco de las políticas sociales basadas en el art. 153 del Tratado de funcionamiento de la Unión Europea."

5 Herranz Castillo, R. "Consideraciones sobre el derecho a la vivienda en la Constitución", Diario La Ley, Nº 5823, Sección Doctrina, 14 de julio de 2003, Año XXIV, Ref. D-166

Dentro de los poderes públicos están incluidas tanto la Administración del Estado como las Comunidades Autónomas, que ostentan competencias en materia de vivienda. Por otra parte, dadas las competencias que en materia de vivienda otorga la Ley de Bases del Régimen Local a las Administraciones locales, hay que incluir dentro de los poderes públicos implicados a la Administración Local.

La Administración Estatal, como las distintas CC.AA. y Entidades Locales, en el marco de sus competencias, han venido y están tomando diversas medidas para resolver el problema de la vivienda y minimizar el actual problema a su acceso. Medidas diversas, entre las que destacan, la promoción, construcción y rehabilitación de viviendas, subvenciones, líneas de avales, beneficios fiscales, o incluso tributos a las viviendas vacías.

Mediante el presente trabajo señalamos algunas medidas excepcionales y limitadas en el tiempo, para el debate y su discusión, estas propuestas —junto con otras medidas— entendemos que servirían para combatir los dos desafíos con lo que nos encontramos actualmente para el acceso a la vivienda: poca oferta de alquiler asequible y desajustes creados por el uso turístico intensivo.

II. INCENTIVOS FISCALES PARA FACILITAR EL ALQUILER DE VIVIENDA

La Administración Estatal[6], como las distintas CC.AA. y Entidades Locales, en el marco de sus competencias, han venido y están tomando diversas medidas para resolver el problema de la vivienda y minimizar el actual problema a su acceso a la vivienda en alquiler[7]. Medidas diversas, entre las que destacan, la promoción, construcción y rehabilitación de viviendas, subvenciones, líneas de avales, beneficios fiscales, o incluso impuestos a las viviendas vacías[8].

Tal y como viene recordando la Airef con relación a los beneficios fiscales, es necesario, una planificación integral del gasto público, una coordinación administrativa y una evaluación *ex ante* y *ex post*[9].

---

6 *Vid*. Plan Estatal de Vivienda 2022-2025 https://www.mitma.gob.es/vivienda/plan-estatal-de-vivienda/plan-2022-2025/objetivos-a-corto-plazo#pagina-menu-interior

7 Vid. Borgia Sorrosal, S. y otros, "La vivienda en alquiler en España y la política tributaria estatal" *Diario LA LEY*, Nº 7545, Sección Doctrina, 12 de enero de 2011, Año XXXII, Ref. D-12

8 País Vasco, Cataluña, Valencia y Navarra. Se recomienda para profundizar en esta cuestión la consulta de Ruiz Garijo, M.: "Derecho a un vivienda e impuestos autonómicos sobre viviendas vacías en España. Una perspectiva constitucional. *Crónica tributaria*, 161 pág. 185-207.

9 Informe julio 2020. Conclusiones y propuestas generales. AIReF (Autoridad Independiente de Responsabilidad fiscal https://www.airef.es/wp-content/uploads/2020/10/Docus_Va-

Tal y como señala el citado informe, la creación o cualquier modificación que se articule de los beneficios fiscales debe enmarcarse en la planificación estratégica de las políticas públicas con las que esté relacionado, de manera que se pueda valorar la eficacia de los diferentes instrumentos en su conjunto y comparar la eficiencia de distintas alternativas para alcanzar el objetivo propuesto.

En cuanto a la coordinación administrativa, debe mejorarse la coordinación entre diferentes niveles de la administración y, en particular, sobre aquellos beneficios fiscales y otros instrumentos de política económica estatales y autonómicos que persiguen objetivos similares, con la finalidad de alcanzar la máxima eficacia y eficiencia en la consecución de las necesidades generales del conjunto de la población y las particulares de cada territorio.

Y, por último, la formulación y reformas de los beneficios fiscales, al igual que el resto de las políticas públicas, deben venir acompañadas de una evaluación *ex-ante* que permitan aproximar los potenciales efectos de las medidas antes de su adopción y de evaluaciones *ex-post* que midan el grado de cumplimiento de los objetivos que persiguen y, siempre que sea posible, la eficiencia con la que se alcanzan.

Bajo estas premisas a continuación, realizamos algunas propuestas de *lege ferenda* que tratarían de encajar, al menos en su diseño, en estas exigencias de planificación, coordinación y evaluación,

1. IRPF: RECUPERACIÓN DE LA REDUCCIÓN DEL RENDIMIENTO NETO HASTA 100% DESTINADO A VIVIENDA

La Ley 12/2023, de 24 de mayo, por el derecho a la vivienda, introdujo modificaciones relevantes en la Ley 35/2006, de 28 de noviembre, del IRPF, en relación con los arrendamientos de inmuebles destinados a vivienda. Para los contratos de arrendamiento de vivienda celebrados a partir de la entrada en vigor de la Ley 12/2023, el rendimiento neto positivo derivado del alquiler de vivienda puede beneficiarse de las siguientes reducciones establecidas en el artículo 23.2 de la LIRPF:

- Reducción del 90% cuando se formalice un nuevo contrato sobre una vivienda situada en una zona de mercado residencial tensionado y la renta inicial se rebaje en más de un 5% respecto a la última renta del contrato anterior, una vez aplicada la actualización anual correspondiente.
- Reducción del 70% en dos supuestos: (i) cuando se alquile por primera vez la vivienda en una zona tensionada y el arrendatario tenga entre 18 y 35 años (aplicable proporcionalmente si hay varios arrendatarios y solo algunos cumplen el

rios_SR/Estudio_Beneficios_Fiscales_Spending_Review.pdf

requisito de edad); (ii) cuando el arrendatario sea una Administración Pública o entidad sin fines lucrativos que destine la vivienda al alquiler social con renta inferior a la establecida en el programa de ayudas al alquiler del plan estatal de vivienda, o al alojamiento de personas en situación de vulnerabilidad económica, o cuando la vivienda esté acogida a un programa público de vivienda o calificación que limite la renta.

- Reducción del 60% cuando la vivienda haya sido objeto de una actuación de rehabilitación finalizada en los dos años anteriores a la celebración del contrato.
- Reducción del 50% en cualquier otro caso.

Sería necesario en virtud de las circunstancias actuales, recuperar la reducción del rendimiento neto en el IRPF hasta el 100% con relación al arrendamiento de inmuebles destinado a vivienda, tal y como estaba prevista y que fue suprimida desde el 1 de enero de 2015[10]. Esta reducción la disfrutaban los arrendamientos de viviendas para jóvenes inquilinos entre 18 y 30 años, o entre 18 y 35 años si el contrato de arrendamiento era anterior al 01/01/2011, con unos rendimientos superiores al IPREM.

Esta medida fiscal que se propone recuperar, dio como resultado un aumento del porcentaje de contribuyentes que declaraban ingresos por alquileres y aumentó el número de vivienda que se alquilaban a jóvenes. Cabe recordar en este sentido, que la Airef en su informe sobre beneficios fiscales de julio de 2020[11], señalaba que el objetivo del fomento de la oferta de vivienda en alquiler sí se cumplía, "aunque no se puede identificar la diferencia entre la nueva oferta de vivienda y las rentas que emergen de la economía informal. Además, la evaluación identifica la creciente dificultad para el acceso a la vivienda de los hogares de rentas bajas, especialmente en las grandes áreas metropolitanas", por lo que se proponía reformular el incentivo reorientando su diseño para facilitar el acceso al alquiler a colectivos vulnerables, teniendo en cuenta las especiales necesidades en áreas metropolitanas. Por ejemplo, mediante la modulación de la intensidad del incentivo en base al índice de alquiler de vivienda por sección censal del Ministerio de Transportes, Movilidad y Agenda Urbana o la inscripción como vivienda de alquiler social.

Sería necesario, "segmentar" o "delimitar temporal y espacialmente" para no premiar contratos de alquiler que de todos modos se habrían firmado. Igualmente deberían de establecerse reglas de compatibilidad con beneficios similares en las CC.AA.

---

10 Según análisis publicado por BBVA Research 11 de agosto de 2023, la eliminación de la reducción del 100% aumentó la probabilidad de retirar la vivienda del mercado. El 12% de los alquileres que tenían la reducción del 100% en 2014 salieron del mercado tres años después, frente al 9% de los que tenían del 60%.

11 https://www.airef.es/wp-content/uploads/2022/01/CORRECION-ENLACES/Presentacion-Spending-Review-BF_.pdf

Así las cosas, la CCAA de Madrid mediante la Ley 5/2024, de 20 de noviembre, ha ampliado hasta los 40 años (hasta ahora era hasta 35 años) el beneficio fiscal actual de deducción en IRPF del 30 por 100 de los importes satisfechos por arrendamiento de viviendas hasta un máximo de 1.237,20 euros, y siempre que superen el 20 por 100 de la base imponible del arrendatario[12]. La Comunitat Valenciana, regula igualmente una deducción para el arrendador por obtención de rentas derivadas de arrendamientos de vivienda, cuya renta no supere el precio de referencia de los alquileres privados de la Comunitat Valenciana[13].

Igualmente, la Comunidad de Madrid, mediante la Ley 5/2024, de 20 de noviembre, incorporó un nuevo artículo 8 ter, donde incorpora una deducción de 1.000.-€ en el tramo autonómico del IRPF, por el arrendamiento de viviendas vacías para propietarios o usufructuarios que alquilen una vivienda que haya estado vacía al menos 1 año antes del contrato de arrendamiento[14].

---

12 *Vid.* Ley 5/2024, de 20 de noviembre, art. 8 Deducción por arrendamiento de vivienda habitual.
"Los contribuyentes menores de cuarenta años podrán deducir el 30 por ciento, con un máximo de deducción de 1.237,20 euros, de las cantidades que hayan satisfecho en el período impositivo por el arrendamiento de su vivienda habitual. Solo se tendrá derecho a la deducción cuando las cantidades abonadas por el arrendamiento de la vivienda habitual superen el 20 por ciento de la base imponible, entendiendo como tal la suma de la base imponible general y la del ahorro del contribuyente."

13 Art. 4. Uno. j) Ley 13/1997, de 23 de diciembre, por la que se regula el tramo autonómico del Impuesto sobre la Renta de las Personas Físicas y restantes tributos cedidos, de la Comunitat Valenciana.
"j) Por obtención de rentas derivadas de arrendamientos de vivienda, cuya renta no supere el precio de referencia de los alquileres privados de la Comunitat Valenciana: el 5 % de los rendimientos íntegros en el periodo impositivo, siempre que se cumplan los requisitos siguientes:
1) El rendimiento íntegro derive de contratos de arrendamiento de vivienda, de conformidad con la legislación de arrendamientos urbanos, iniciados durante el periodo impositivo.
2) En el caso de que la vivienda hubiese estado arrendada con anterioridad por una duración inferior a tres años, la persona inquilina no coincida con la establecida en el contrato anterior.
3) La renta mensual pactada no supere el precio de referencia de los alquileres privados de la Comunitat Valenciana.
4) Se haya constituido antes de la finalización del periodo impositivo el depósito de la fianza a la que se refiere la legislación de arrendamientos urbanos, a favor de la Generalitat.
La base máxima anual de esta deducción se establece en 3.300 euros."

14 *Vid.* Ley 5/2024, de 20 de noviembre, art. 8 ter.
"Artículo 8 ter. Deducción por el arrendamiento de viviendas vacías.
1. Los contribuyentes propietarios o usufructuarios de viviendas vacías, durante al menos un año anterior a la celebración de un contrato de arrendamiento de vivienda sujeto a la Ley 29/1994, de 24 de noviembre, de Arrendamientos Urbanos, podrán deducir en la cuota íntegra autonómica

En parecidos términos, el artículo 16 del Texto Refundido de las disposiciones legales vigentes dictadas por la Comunidad Autónoma de Canarias en materia de tributos cedidos, aprobado por Decreto-Legislativo 1/2009, de 21 de abril, regula, por la puesta de viviendas en el mercado de arrendamiento de viviendas habituales[15].

Por tanto, esta medida, esto es —la reducción del rendimiento neto en el IRPF hasta el 100% con relación al arrendamiento de inmuebles destinado a vivienda dirigía a los arrendadores—, debería limitarse a nuevos contratos, exigir precios bajos con índices o topes, exigir la obligación del registro en programas públicos de vivienda, focalizarlo en zonas tensionadas o espacios donde existe una necesidad real de acceso a la vivienda, limitarla temporalmente y ser evaluada *ex post*, y claro está, todo ello, acompañado de medidas que garanticen la seguridad jurídica y la estabilidad del mercado de alquiler.

1.000 euros por cada uno de los bienes inmuebles destinados al arrendamiento de una vivienda, en el ejercicio en que se formalice el correspondiente contrato de arrendamiento.

2. A estos efectos, se entenderá que una vivienda se encuentra vacía cuando no esté habitada, arrendada, en uso ni afecta a actividades económicas.

3. El importe de la deducción se prorrateará en función del porcentaje de participación en la propiedad del inmueble.

4. Para aplicar esta deducción deberán cumplirse los siguientes requisitos:

a) El contrato de arrendamiento deberá tener una duración efectiva de al menos tres años. No obstante, no se perderá el derecho a la deducción en caso de que el contrato de arrendamiento tenga una duración inferior a tres años cuando dicho inmueble pase a estar en situación de expectativa de alquiler y vuelva a ser objeto de un nuevo contrato de arrendamiento de vivienda dentro del plazo de seis meses desde la finalización del anterior contrato, siempre que la suma de los períodos de duración de los contratos de arrendamiento sea de, al menos, tres años.

b) El arrendatario de la vivienda no podrá ser el cónyuge ni un pariente, por consanguinidad o por afinidad, hasta el tercer grado inclusive, del contribuyente.

c) Sólo podrán aplicar esta deducción los contribuyentes titulares de un máximo de cinco inmuebles destinados a vivienda (excluidos garajes y trasteros).

5. El incumplimiento de cualquiera de los requisitos exigidos originará la pérdida del derecho a la deducción, procediéndose a la regularización de acuerdo con lo establecido en la normativa estatal del Impuesto sobre la Renta de las Personas Físicas.

6. Esta deducción es compatible con la regulada en el artículo 8 bis."

15 Se concede una deducción de 1.000 euros por cada inmueble, hasta un máximo de cinco sin contar garajes y trasteros. Los inmuebles cuentan como una unidad indivisible y la deducción es única para cada inmueble.

El arrendamiento no puede suponer una actividad económica y el contrato debe tener una duración efectiva de al menos tres años. En el caso de que sea inferior, será válido si pasa a estar en una expectativa de alquiler y se firma un nuevo contrato antes de seis meses. Ni el cónyuge ni ningún pariente hasta tercer grado pueden firmar el contrato para arrendar la vivienda.

2. RECARGO A LOS INMUEBLES DE USO RESIDENCIAL DESOCUPADOS EN EL IMPUESTO SOBRE BIENES INMUEBLES. DISPOSICIÓN FINAL TERCERA DE LA LEY 12/2023, DE 24 DE MAYO POR EL DERECHO A LA VIVIENDA

El régimen jurídico del impuesto sobre bienes inmuebles se encuentra recogido entre los artículos 60 al 76 del Real Decreto Legislativo 2/2004, de 5 de marzo, por el que se aprueba el texto refundido de la Ley Reguladora de las Haciendas Locales.

En la actualidad se recogen bonificaciones obligatorias, en las que los Ayuntamientos no tiene poder de decisión sobre su aplicación, y que se reflejan en el artículo 73[16], y una serie de bonificaciones potestativas que los Ayuntamientos podrá decidir su aplicación y que se recogen en el artículo 74. De tal forma que deberán aprobarla en la correspondiente ordenanza fiscal y regular en ella las circunstancias y requisitos para tener derecho a su disfrute.

---

16 Artículo 73. Bonificaciones obligatorias.

"1. Tendrán derecho a una bonificación de entre el 50 y el 90 por ciento en la cuota íntegra del impuesto, siempre que así se solicite por los interesados antes del inicio de las obras, los inmuebles que constituyan el objeto de la actividad de las empresas de urbanización, construcción y promoción inmobiliaria tanto de obra nueva como de rehabilitación equiparable a ésta, y no figuren entre los bienes de su inmovilizado. En defecto de acuerdo municipal, se aplicará a los referidos inmuebles la bonificación máxima prevista en este artículo.

El plazo de aplicación de esta bonificación comprenderá desde el período impositivo siguiente a aquel en que se inicien las obras hasta el posterior a su terminación, siempre que durante ese tiempo se realicen obras de urbanización o construcción efectiva, y sin que, en ningún caso, pueda exceder de tres períodos impositivos.

2. Tendrán derecho a una bonificación del 50 por ciento en la cuota íntegra del Impuesto, durante los tres períodos impositivos siguientes al del otorgamiento de la calificación definitiva, las viviendas de protección oficial y las que resulten equiparables a éstas conforme a la normativa de la respectiva comunidad autónoma.

Dicha bonificación se concederá a petición del interesado, la cual podrá efectuarse en cualquier momento anterior a la terminación de los tres períodos impositivos de duración de aquella y surtirá efectos, en su caso, desde el período impositivo siguiente a aquel en que se solicite.

Los ayuntamientos podrán establecer una bonificación de hasta el 50 por ciento en la cuota íntegra del impuesto, aplicable a los citados inmuebles una vez transcurrido el plazo previsto en el párrafo anterior. La ordenanza fiscal determinará la duración y la cuantía anual de esta bonificación.

3. Tendrán derecho a una bonificación del 95 por ciento de la cuota íntegra y, en su caso, del recargo del impuesto a que se refiere el artículo 153 de esta ley, los bienes rústicos de las cooperativas agrarias y de explotación comunitaria de la tierra, en los términos establecidos en la Ley 20/1990, de 19 de diciembre, sobre Régimen Fiscal de las Cooperativas.

4. Las ordenanzas fiscales especificarán los aspectos sustantivos y formales de las bonificaciones indicadas en los apartados anteriores, así como las condiciones de compatibilidad con otros beneficios fiscales".

A través de la disposición final tercera de la Ley 12/2023, de 24 de mayo, por el derecho a la vivienda se modula el recargo a los inmuebles de uso residencial desocupados con carácter permanente en el IBI, que podrá aplicarse a aquellas viviendas vacías durante más de dos años, con un mínimo de cuatro viviendas por propietario, salvo causas justificadas de desocupación temporal tasadas por la Ley.

Para ello, se modifica el artículo 72.4 de la Ley Reguladora de las Haciendas Locales[17], de tal forma que los ayuntamientos podrán establecer para los bienes inmuebles urbanos, excluidos los de uso residencial, tipos diferenciados atendiendo a los usos esta-

---

17 El apartado 4 del artículo 72 queda redactado así, "*4. Dentro de los límites resultantes de lo dispuesto en los apartados anteriores, los ayuntamientos podrán establecer, para los bienes inmuebles urbanos, excluidos los de uso residencial, tipos diferenciados atendiendo a los usos establecidos en la normativa catastral para la valoración de las construcciones. Cuando los inmuebles tengan atribuidos varios usos se aplicará el tipo correspondiente al uso de la edificación o dependencia principal.*
Dichos tipos solo podrán aplicarse, como máximo, al 10 por ciento de los bienes inmuebles urbanos del término municipal que, para cada uso, tenga mayor valor catastral, a cuyo efecto la ordenanza fiscal del impuesto señalará el correspondiente umbral de valor para todos o cada uno de los usos, a partir del cual serán de aplicación los tipos incrementados.
Tratándose de inmuebles de uso residencial que se encuentren desocupados con carácter permanente, los ayuntamientos podrán exigir un recargo de hasta el 50 por ciento de la cuota líquida del impuesto.
A estos efectos tendrá la consideración de inmueble desocupado con carácter permanente aquel que permanezca desocupado, de forma continuada y sin causa justificada, por un plazo superior a dos años, conforme a los requisitos, medios de prueba y procedimiento que establezca la ordenanza fiscal, y pertenezcan a titulares de cuatro o más inmuebles de uso residencial.
El recargo podrá ser de hasta el 100 por ciento de la cuota líquida del impuesto cuando el periodo de desocupación sea superior a tres años, pudiendo modularse en función del periodo de tiempo de desocupación.
Además, los ayuntamientos podrán aumentar el porcentaje de recargo que corresponda con arreglo a lo señalado anteriormente en hasta 50 puntos porcentuales adicionales en caso de inmuebles pertenecientes a titulares de dos o más inmuebles de uso residencial que se encuentren desocupados en el mismo término municipal.
En todo caso se considerarán justificadas las siguientes causas: el traslado temporal por razones laborales o de formación, el cambio de domicilio por situación de dependencia o razones de salud o emergencia social, inmuebles destinados a usos de vivienda de segunda residencia con un máximo de cuatro años de desocupación continuada, inmuebles sujetos a actuaciones de obra o rehabilitación, u otras circunstancias que imposibiliten su ocupación efectiva, que la vivienda esté siendo objeto de un litigio o causa pendiente de resolución judicial o administrativa que impida el uso y disposición de la misma o que se trate de inmuebles cuyos titulares, en condiciones de mercado, ofrezcan en venta, con un máximo de un año en esta situación, o en alquiler, con un máximo de seis meses en esta situación. En el caso de inmuebles de titularidad de alguna Administración Pública, se considerará también como causa justificada ser objeto el inmueble de un procedimiento de venta o de puesta en explotación mediante arrendamiento.

blecidos en la normativa catastral para la valoración de las construcciones y, cuando los inmuebles tengan atribuidos varios usos, se aplicará el tipo correspondiente al uso de la edificación o dependencia principal.

Dichos tipos solo podrán aplicarse, como máximo, al 10 % de los bienes inmuebles urbanos del término municipal que, para cada uso, tenga mayor valor catastral, a cuyo efecto la ordenanza fiscal del impuesto señalará el correspondiente umbral de valor para todos o cada uno de los usos, a partir del cual serán de aplicación los tipos incrementados.

En el caso de inmuebles de uso residencial que se encuentren desocupados con carácter permanente, los ayuntamientos podrán exigir un recargo de hasta el 50 % de la cuota líquida del impuesto.

Ha de entenderse como inmueble desocupado con carácter permanente aquel que permanezca desocupado, de forma continuada y sin causa justificada, por un plazo superior a dos años, conforme a los requisitos, medios de prueba y procedimiento que establezca la ordenanza fiscal, y pertenezcan a titulares de cuatro o más inmuebles de uso residencial.

No obstante, el recargo podrá ser de hasta el 100 % de la cuota líquida del impuesto cuando el periodo de desocupación sea superior a tres años, pudiendo modularse en función del periodo de tiempo de desocupación.

Paralelamente, se establecen las siguientes causas justificadas de desocupación:

- Traslado temporal por razones laborales o de formación.
- Cambio de domicilio por situación de dependencia o razones de salud o emergencia social.
- Inmuebles destinados a usos de vivienda de segunda residencia con un máximo de 4 años de desocupación continuada.
- Inmuebles sujetos a actuaciones de obra o rehabilitación.
- Viviendas objeto de un litigio o causa pendiente de resolución judicial o administrativa que impida su uso.

El recargo, que se exigirá a los sujetos pasivos de este tributo, se devengará el 31 de diciembre y se liquidará anualmente por los ayuntamientos, una vez constatada la desocupación del inmueble en tal fecha, juntamente con el acto administrativo por el que esta se declare.

La declaración municipal como inmueble desocupado con carácter permanente exigirá la previa audiencia del sujeto pasivo y la acreditación por el Ayuntamiento de los indicios de desocupación, a regular en dicha ordenanza, dentro de los cuales podrán figurar los relativos a los datos del padrón municipal, así como los consumos de servicios de suministro."

- Inmuebles cuyos titulares, en condiciones de mercado, ofrezcan en venta, con un máximo de un año en esta situación, o en alquiler, con un máximo de seis meses.
- Inmuebles de titularidad de alguna administración pública con un procedimiento de venta o de puesta en explotación mediante arrendamiento.

El recargo, que se exigirá a los sujetos pasivos de este tributo, se devengará el 31 de diciembre y se liquidará anualmente por los ayuntamientos, una vez constatada la desocupación del inmueble en tal fecha, juntamente con el acto administrativo por el que esta se declare.

La declaración municipal como inmueble desocupado permanente exigirá la previa audiencia del sujeto pasivo y la acreditación por el ayuntamiento de los indicios de desocupación, a regular en dicha ordenanza, dentro de los cuales podrán figurar los relativos a los datos del padrón municipal, así como los consumos de servicios de suministros.

Es necesario que más Ayuntamientos se sigan sumando a esta medida.

3. PROPUESTA DE BONIFICACIÓN EN EL IBI

Dada la situación descrita en relación a los jóvenes a su emancipación y acceso a la vivienda, sería interesante analizar una posible bonificación fiscal obligatoria en el IBI[18], en razón que el propietario incluya el inmueble en las iniciativas públicas municipales y autonómicas de gestión de arrendamientos, o en su caso que el arrendador propietario del inmueble dedicado a vivienda, lo alquile a jóvenes, y justifique y acredite que el precio del alquiler se mantenga en los márgenes o límites que se establezca por parte del Municipio en cuestión.

De tal modo, que quizás sería necesario, introducir en el artículo 73 esta bonificación, o inclusive, si no se quiere incluir como una bonificación obligatoria, introducir una modificación en el artículo 74 del TRLRHL, en su apartado 6, en el que en la actualidad se señala, "6. Los ayuntamientos mediante ordenanza fiscal podrán establecer una bonificación de hasta el 95 por ciento en la cuota íntegra del impuesto para los bienes inmuebles de uso residencial destinados a alquiler de vivienda con renta limitada por una norma jurídica",

En todo caso, abogamos por que se incluya un precepto *ad hoc*, en relación a una bonificación de hasta el porcentaje que se determine en razón de lo anteriormente expresado, de tal modo que podría modularse el porcentaje de reducción, en la medida

---

18 Con relación a los beneficios fiscales el Informe de la Comisión de Expertos para la revisión del modelo de Financiación puso de manifiesto dos posturas divergentes en cuanto a la inclusión o no de beneficios fiscales que puedan personalizarse, puesto que, entre otras cosas, pueden complicar excesivamente la gestión, liquidación y control del tributo

que el alquiler se realice a jóvenes con unas condiciones económicas limitadas. Aunque una parte de la doctrina y de los trabajos de reforma del IBI rechaza las bonificaciones por motivos de capacidad económica, en este punto consideramos justificada una excepción.

III. BENEFICIOS FISCALES QUE PUEDAN FACILITAR EL ACCESO A LA VIVIENDA EN PROPIEDAD[19]

1. IRPF. DEDUCCIÓN POR INVERSIÓN EN VIVIENDA HABITUAL. LA REINTRODUCCIÓN FINALISTA Y TEMPORAL DE LA CUENTA AHORRO-VIVIENDA PARA JÓVENES

La eliminación, con efectos desde 2013, de la deducción estatal por inversión en vivienda habitual supuso la desarticulación integral de la Cuenta Vivienda como instrumento de apoyo a la fase de ahorro previo. Como es sabido, el legislador consideró entonces que el incentivo presentaba efectos regresivos y un escaso rendimiento social, al haber sido absorbido, en gran medida, por contribuyentes de renta media-alta y con capacidad de ahorro estructural. En coherencia, parte de la doctrina sostuvo que la medida había devenido en un beneficio fiscal de carácter patrimonialista, alejado de su justificación originaria, y carente de evaluación ex post rigurosa.

Desde luego, uno de los principales problemas de los jóvenes para acceder a la vivienda hoy, es la falta del capital necesario para cubrir el importe que no financia la hipoteca, que generalmente suele estar entre el 20% o 25% del valor de inmueble. De tal modo que con el objetivo de facilitar este montante se han propuesto diferentes medidas en el mercado inmobiliario, pero pocos se han planteado recuperar la cuenta ahorro vivienda, al menos hasta ahora.

El contexto socioeconómico actual difiere sustancialmente del precedente:

i) la emancipación juvenil en España continúa situada en mínimos históricos,

---

19 En concreto, y según la última Encuesta Financiera Familiar del Banco de España que hace referencia a 2020, sólo el 36% de hogares menores de 35 años son ahora propietarios. El dato, además, contrasta sobremanera con el de hace apenas 10 años: en el mismo trabajo del Banco de España, pero con referencia a 2011, la cifra era de casi un 70%. Según este informe, entre las razones, se encuentra la evolución del mercado crediticio (los créditos hipotecarios no cubren ya el 100% y los gastos), las incertidumbres de las rentas y la eliminación de los beneficios fiscales por compra de primera vivienda. En este sentido, cabe destacar que la tasa de propiedad de los hogares más jóvenes ha caído de forma acumulada desde 2011 en 37 puntos. Encuesta Financiera de las Familias (EFF) 2022: métodos, resultados y cambios desde 2020. Documentos Ocasionales Nº 2413. Consultado el 11 de diciembre de 2025.

ii) el acceso a la propiedad se ve obstaculizado no tanto por la capacidad de pago mensual, sino por la imposibilidad de constituir el ahorro inicial exigido por las entidades financieras (normalmente entre el 20 % del valor del inmueble y los gastos asociados), y iii) el uso turístico intensivo en determinadas áreas urbanas ha detraído una parte significativa del parque residencial disponible.

De tal forma que una medida que quizás sería necesario plantearse —al menos de forma excepcional—, sería la recuperación de las cuentas ahorro-vivienda, como medida que podría facilitar el ahorro de los jóvenes con la intención de adquirir su primera vivienda. En muchas ocasiones, parece focalizarse los beneficios e incentivos fiscales, en el momento del alquiler o la compra, y no se repara que quizás debe de ayudarse justo en la fase previa, esto es, en el ahorro mínimo y necesario para poder comprar una vivienda y decidir su emancipación residencial.

Las cuentas vivienda tuvieron una gran acogida durante los años del boom inmobiliario en España, dados los beneficios fiscales que ofrecían para la adquisición o rehabilitación de un inmueble. En este caso, podría ser interesante recuperar esta figura en similares términos a los establecidos en el artículo 68 de la LIRPF, con anterioridad a su eliminación. La finalidad de la cuenta ahorro vivienda era disponer de ese 20% que el banco no financiaba.

Estas cuentas permitían deducirse de las cantidades ingresadas, con un límite de euros al año, que suponía un ahorro en el IRPF.

Posteriormente, se modificaron las condiciones fijando las desgravaciones en función de la base imponible. Solo quienes ingresaban menos de 17.000 euros podían beneficiarse de la desgravación del 15%, y esta se iba reduciendo hasta el máximo de la base imponible, fijado en los 24.000 euros. Finalmente, en 2013 se eliminó esta deducción, al igual que, la deducción por compra de vivienda habitual.

La celebración de elecciones generales convocadas para el día 23 de julio de 2023 precipitaron promesas electorales[20], entre las que, se encontraban la recuperación de la cuenta vivienda, el PSOE, propone recuperar las cuentas de ahorro cuenta de ahorro bonificada para la compra de una primera vivienda para jóvenes de hasta 39 años. El PP también anunció está medida de recuperación de la cuenta vivienda, si bien de la consulta de su programa no hemos podido verlo, pudiendo señalar con relación a los jóvenes y el acceso a la vivienda, la puesta en marcha de un programa de avales para jóvenes de hasta 35 años, para garantizar la concesión de créditos hipotecarios de hasta un 95% del precio de la vivienda.

20 *Vid.* Comparador programas electorales de RTVE https://www.rtve.es/noticias/elecciones-generales/comparador-programas-electorales/. Consultado el 4/12/2025.

El partido VOX, abogaba por la recuperación de la deducción por vivienda habitual, modificar la Ley del IVA para eliminarlo en la adquisición de la primera vivienda habitual.

A diferencia del modelo suprimido en 2013, la medida se podría circunscribir a jóvenes menores de 35 años —excepcionalmente hasta 40 en supuestos tasados de vulnerabilidad—, con límites de renta que eviten la captura del incentivo por perfiles con elevada capacidad de ahorro. De esta forma, se abandona la técnica indiscriminada y se adopta una configuración selectiva y socialmente orientada, amparada constitucionalmente en los arts. 47 y 31 CE, en tanto instrumento fiscal de acceso a la vivienda y de justicia tributaria material.

La reintroducción limitada de la Cuenta Vivienda se debería configurar, por tanto, como una medida fiscal extraordinaria de carácter finalista, circunscrita al colectivo juvenil, evaluable, temporal y dotada de mecanismos de control reforzado. No comporta un retorno acrítico al modelo precedente, sino una reformulación estructural alineada con las exigencias contemporáneas de evaluación de beneficios fiscales, capacidad económica y eficacia social.

2. BONIFICACIÓN EN EL IMPUESTO SOBRE BIENES INMUEBLES JÓVENES QUE ADQUIERAN UN BIEN INMUEBLE COMO RESIDENCIA HABITUAL

Con relación al Impuesto sobre Bienes inmuebles, a la anterior bonificación señalada con anterioridad, —que entendemos que podría ayudar a aumentar la oferta de alquiler y facilitar también el acceso a la vivienda de los jóvenes—, se uniría otra bonificación encaminada a los jóvenes que hayan podido adquirir una vivienda.

El artículo 73.2 TRLRHL, señala que *"tendrán derecho a una bonificación del 50 por ciento en la cuota íntegra del Impuesto, durante los tres períodos impositivos siguientes al del otorgamiento de la calificación definitiva, las viviendas de protección oficial y las que resulten equiparables a éstas conforme a la normativa de la respectiva comunidad autónoma.*

Dicha bonificación se concederá a petición del interesado, la cual podrá efectuarse en cualquier momento anterior a la terminación de los tres períodos impositivos de duración de aquella y surtirá efectos, en su caso, desde el período impositivo siguiente a aquel en que se solicite.

Los ayuntamientos podrán establecer una bonificación de hasta el 50 por ciento en la cuota íntegra del impuesto, aplicable a los citados inmuebles una vez transcurrido el plazo previsto en el párrafo anterior. La ordenanza fiscal determinará la duración y la cuantía anual de esta bonificación".

De tal manera, podría resultar interesante, incluir una bonificación (similar a la establecida en este artículo 73.2 TRLRHL[21] para el caso de viviendas de protección oficial o equiparables), de tal modo, que los tres primeros años los propietarios jóvenes de las viviendas con un nivel de renta limitado y con una edad determinada pudieran obtener una bonificación en los primeros años de la compra o adquisición de la vivienda independientemente de la calificación de la vivienda.

Si bien la actual bonificación acogería a los jóvenes que adquieran viviendas de protección oficial o régimen equiparable, no acoge ni contempla a jóvenes que adquieran viviendas de renta libre o que no estén acogidas a regímenes de protección, de tal manera que sería interesante poder ampliar este beneficio fiscal.

De tal forma que, al igual que sucede con los propietarios de las viviendas de protección oficial o regímenes equiparables, en el que disfrutan de una bonificación del 50% en la cuota del IBI, los jóvenes que hayan adquirido y sean propietarios de una vivienda con unos ingresos máximos anuales, podrían obtener esta bonificación en sus primeros años de emancipación. Esta bonificación sería de carácter rogado en los mismos términos que la actual bonificación sobre las viviendas protegidas.

En relación a esta bonificación en el IBI y la anterior, no desconocemos la opinión mayoritaria de la Comisión de Expertos para la revisión de sistemas de financiación local, de 26 de julio de 2017, donde se planteó someter a examen los dictados beneficios fiscales tras advertir que, siendo el IBI, un impuesto real, objetivo y de producto, por su propia naturaleza, al tratarse de un único elemento patrimonial y no acumularse con otros activos patrimoniales, no para medir la efectiva capacidad económica del contribuyente, no admite técnicamente elementos de personalización de la carga tributaria sin complicar excesivamente la gestión, liquidación y control del tributo.

Esta opinión mayoritaria, considera que el impuesto debe cumplir con los principios de suficiencia, flexibilidad y generalidad que permitan una recaudación óptima, dejando a las políticas sociales municipales, vía gasto público, cualquier elemento redistributivo y de carácter social.

En consecuencia, considera esta parte mayoritaria de la Comisión que tener en cuenta las circunstancias personales y familiares puede introducir diferencias sustan-

---

21 Resulta interesante la lectura de los siguientes trabajos donde se describe con relación a esta bonificación algunas cuestiones controvertidas, su carácter rogado, período de disfrute de la bonificación y el alcance y condiciones en lo que respecta a la extensión de los Ayuntamiento de este beneficio, Ruiz Garijo, M "Beneficios fiscales y bonificaciones obligatorias en el IBI", *El Consultor de los Ayuntamientos,* Nº IV, septiembre de 2019, Editorial Wolters Kluwer y Orón Moratal, G.: "Las bonificaciones obligatorias y una potestativa en el Impuesto sobre Bienes Inmuebles", El Consultor de los Ayuntamientos, Nº I V, septiembre de 2020, Editorial Wolters Kluwer.

ciales en la carga tributaria entre Municipios, que distorsionen fiscalmente decisiones económicas y personales, lo que puede comprometer la recaudación del tributo y complicar su gestión, liquidación y control.

Sin embargo, la otra opinión, divergente y minoritaria, y que en este sentido consideramos conveniente y necesaria —con relación al acceso de la vivienda de los jóvenes—, es la que debe de someterse a una revisión integral de los beneficios fiscales en los impuestos locales, bajo la premisa de concesión de los verdaderamente esenciales en atención al grado de cumplimiento del artículo 2.1 de la Ley 58/2003, de 17 de diciembre, General Tributaria, que prevé la utilización de los tributos "como instrumentos de la política económica general", con los que "atender a la realización de los principios y fines contenidos en la Constitución".

De tal modo, en cuanto al IBI, resulta necesario en atención a las especiales circunstancias que afectan a la población juvenil, un análisis para utilizar los beneficios fiscales, como instrumentos de modulación de la capacidad económica y de realización de los principios de justicia tributaria e igualdad contenidos en el artículo 31 de la CE. La remisión que realiza la LGT a los principios y fines contenidos en la Constitución avala la concesión de beneficios fiscales que incidan, entre otros, en el acceso a la vivienda por parte de los jóvenes.

IV. MEDIDAS FISCALES APARTAMENTOS TURÍSTICOS

1. INMUEBLES URBANOS DE USO TURÍSTICO. APARTAMENTOS TURÍSTICOS. TIPOS DIFERENCIADOS

En virtud de la habilitación legal recogida en el artículo 72.4 del TRLRHL (modificado por el apartado 4 por la disposición final 3 de la Ley 12/2023, de 24 de mayo), sería deseable que los Ayuntamientos de las Ciudades con mayor tensión en relación con la existencia de apartamentos turísticos, puedan establecer, tipos diferenciados, en los términos señalados en el TRLRHL, "Dentro de los límites resultantes de lo dispuesto en los apartados anteriores, los ayuntamientos podrán establecer, para los bienes inmuebles urbanos, excluidos los de uso residencial, tipos diferenciados atendiendo a los usos establecidos en la normativa catastral para la valoración de las construcciones. Cuando los inmuebles tengan atribuidos varios usos se aplicará el tipo correspondiente al uso de la edificación o dependencia principal"

De tal forma que el uso turístico de un bien inmueble urbano podría habilitar para que previa —reclasificación coordinada con la Dirección General de Catastro y aprobación de la Ordenanza fiscal—, se estableciera tipos de gravamen diferenciando para los apartamentos turísticos respetando lo señalado en la normativa, "Dichos tipos solo podrán aplicarse, como máximo, al 10 por ciento de los bienes inmuebles urbanos del término municipal que, para cada uso, tenga mayor valor catastral, a cuyo efecto la ordenanza fiscal del impuesto señalará el correspondiente umbral de valor para todos o cada uno de los usos, a partir del cual serán de aplicación los tipos incrementados".

2. ACTIVIDAD ECONÓMICA POR INTENSIDAD DE USO EN EL IRPF

En la actualidad, un alquiler turístico, puede tributar como rendimiento del capital inmobiliario salvo que haya organización empresarial (recepción, servicios hoteleros, etc.).

Actualmente en el IVA (art. 20. Uno.23. e) LIVA) la delimitación entre rendimiento de capital inmobiliario y actividad económica no está en el número de días que se alquile, sino si se oferta dicho alojamiento con servicios complementarios a los del propio alquiler (v.gr. restauración, limpieza diaria, lavado de ropa, excursiones, etc.). Dicho criterio se podría aplicar por analogía en IRPF (Rs. DGT 12.6.2018 (V-1651/2018) y 6.6.2023 (V1599-23).

En la actualidad, los rendimientos derivados del alquiler turístico pueden calificarse en el IRPF como rendimientos del capital inmobiliario, salvo que concurran los elementos propios de una actividad económica, conforme a lo dispuesto en el artículo 27 de la Ley 35/2006 del IRPF.

La doctrina de la DGT ha venido señalando que la mera puesta a disposición de un inmueble amueblado para uso turístico —con servicios accesorios indispensables para su utilización (suministros, mantenimiento ordinario, gestión de reservas o entrega y recogida de llaves)— no supone, por sí misma, la existencia de una actividad económica, de modo que estos arrendamientos quedan en el ámbito del capital inmobiliario, sin posibilidad de aplicar la reducción por alquiler de vivienda habitual.

No obstante, esta línea doctrinal presenta un contraste relevante con el criterio seguido en el ámbito del IVA. El artículo 20. Uno. 23º.e) de la LIVA distingue entre:

- Arrendamientos exentos, que atribuyen al arrendatario el uso del inmueble sin servicios complementarios propios de la industria hotelera, y
- Alojamientos turísticos sujetos y no exentos, cuando el arrendador presta servicios propios de la hostelería tales como; limpieza periódica durante la estancia, cambio de ropa de cama y toallas, restauración o desayunos, custodia de equipajes, recepción permanente, servicios de ocio organizados.

En este ámbito, lo decisivo no es la temporalidad del alquiler sino la naturaleza y entidad de los servicios prestados, lo que lleva a considerar empresarios o profesionales a quienes los prestan, independientemente del número de días de arrendamiento.

La Dirección General de Tributos ha apuntado en varias consultas (entre ellas, V1651-18, de 12 de junio de 2018, y V1599-23, de 6 de junio de 2023) que este criterio de la LIVA puede trasladarse —al menos de forma analógica o interpretativa— al IRPF, a los efectos de determinar si existe o no una actividad económica.

En dichas resoluciones, la DGT recuerda que la clave es la organización empresarial de medios, consistente no solo en disponer de un empleado con contrato laboral (requisito tradicional del art. 27.2 LIRPF), sino en la efectiva prestación de servicios propios de la industria hotelera. Se aprecia así una tendencia doctrinal hacia un enfoque funcional de la actividad económica, no puramente formal.

Este desplazamiento del criterio formal al material permitiría diferenciar con mayor claridad dos modelos:

(i)Arrendamiento turístico sin servicios hoteleros, lo que daría lugar al rendimiento del capital inmobiliario.

(ii) Alojamiento turístico con servicios añadidos significativos, estaríamos ante una actividad económica.

Tomar este criterio como referencia normativa reforzaría la coherencia del sistema tributario, permitiría evitar planteamientos elusivos y contribuiría a aproximar nuestro sistema al modelo seguido por otros países europeos (Francia, Italia o Portugal), donde la calificación como "actividad profesional turística" depende esencialmente de la intensidad del uso y de los servicios complementarios ofertados, y no únicamente del número de inmuebles o empleados.

Desde el punto de vista de política fiscal, esta delimitación resulta especialmente relevante en zonas tensionadas. Convertir el alquiler turístico intensivo en actividad económica obligatoria cuando concurran ciertos servicios o una elevada rotación permitiría:

(i)incrementar la recaudación mediante la aplicación de los regímenes de estimación directa o módulos específicos;

(ii)mejorar la trazabilidad de los ingresos mediante obligaciones registrales reforzadas;

(iii)favorecer la competencia leal con el sector hotelero;

(iv)desincentivar usos especulativos en áreas con déficits severos de vivienda habitual.

Por ello, podría valorarse una modificación normativa expresa del artículo 27 LIRPF, incorporando criterios materiales semejantes a los del art. 20 LIVA, que permitan calificar automáticamente como actividad económica los alojamientos turísticos que, presten servicios propios de la hostelería, que superen un determinado umbral de actividad o rotación anual, o que dispongan de sistemas profesionales de gestión continuada.

Ello supondría armonizar el tratamiento fiscal del alquiler turístico en IVA e IRPF, reforzar la seguridad jurídica y permitir un tratamiento diferenciado, y más exigente, para las explotaciones turísticas intensivas, alineado con los objetivos de política pública en materia de acceso a la vivienda.

V. CONCLUSIONES

La presente propuesta de configuración fiscal de apoyo al acceso juvenil a la vivienda parte de una premisa que debe ser explícita: la fiscalidad no puede —ni debe— sustituir a la política pública de vivienda, pero sí puede desempeñar un papel instrumental complementario cuando se dirige a segmentos concretos de necesidad, se formula con carácter temporal y se somete a controles rigurosos de eficacia.

La experiencia histórica en España, tanto en el ámbito de los incentivos a la propiedad como a los beneficios asociados al alquiler, demuestra que la expansión indiscriminada del gasto tributario, desprovista de evaluación y de delimitación subjetiva, ha derivado en beneficios inerciales estructurales que escasamente han contribuido a la reducción de las tensiones del acceso residencial.

En este sentido, las propuestas señaladas entienden el beneficio fiscal no como privilegio, sino como técnica de articulación social del art. 31 CE y, por extensión, como instrumento facilitador del art. 47 CE, en tanto el legislador ha reconocido de forma reiterada la relevancia del acceso a la vivienda en condiciones dignas como presupuesto de integración socioeconómica. A diferencia de etapas previas, en las que el tratamiento fiscal de la vivienda obedeció más a lógicas de estímulo generalizado de la propiedad, el enfoque actual —propositivo y corrector— se circunscribe a jóvenes en fase de emancipación, atendiendo a un contexto demográfico y salarial que ha erosionado de forma severa la posibilidad de conformar el ahorro inicial exigido por el mercado hipotecario.

Los instrumentos fiscales planteados comparten tres características estructurales esenciales:

1. Temporalidad limitada y evaluación periódica.

   El incentivo fiscal deja de ser estructural para convertirse en medida excepcional, caduca y condicionada a resultados verificables, de modo que su mantenimiento no derive de inercias políticas, sino de su impacto real en la emancipación juvenil y el reequilibrio del parque residencial.

2. Orientación finalista y delimitación subjetiva.

   La delimitación por edad, renta y primera vivienda no constituye una restricción arbitraria, sino un mecanismo de racionalización que evita la captura del beneficio por perfiles ajenos al objetivo social pretendido. La intensidad inversa de la deducción y los topes de renta permiten corregir la tradicional crítica de regresividad elevada sobre la fiscalidad de la vivienda.

3. Coherencia con el principio de capacidad económica.

   La Cuenta Vivienda —reformulada— y las bonificaciones finalistas en IBI no erosionan, sino que matizan el principio de capacidad económica en contextos constitucionalmente cualificados, sin fracturar el carácter objetivo de los tributos patrimoniales ni convertir el incentivo en vía paralela de planificación fiscal.

A ello se suma un cuarto elemento, de naturaleza institucional, la coordinación obligatoria entre niveles de gobierno. No es sostenible, en términos de eficiencia financiera ni de coherencia política, una multiplicación de incentivos autonómicos y locales desvinculados del diseño estatal. La AIReF insiste en que la falta de evaluación y coordinación ha sido la causa principal de la ineficiencia recaudatoria y social de los beneficios fiscales sobre vivienda en los últimos veinte años.

Asimismo, la incorporación de medidas fiscales disuasorias en el ámbito del uso turístico intensivo responde no a un planteamiento sancionador, sino a la constatación empírica de que la transformación masiva de vivienda en apartamiento turístico supone una externalidad negativa directa sobre el mercado residencial, elevando precios, reduciendo oferta y desplazando a los jóvenes hacia la periferia funcional de las ciudades. La fiscalidad, en este escenario, opera como instrumento de reequilibrio, no de penalización moral, alineada con el principio de proporcionalidad y con la función moduladora del tributo en contextos de extraordinaria tensión territorial.

Desde una perspectiva estrictamente dogmática, las conclusiones alcanzadas permiten sostener que:

(i)la fiscalidad de la vivienda puede aplicarse con rigor constitucional, compatibilizando justicia tributaria y función social;

(ii)los beneficios fiscales solo son defendibles si se conciben como gasto tributario tasado, excepcional, controlado y sujeto a reversibilidad;

En suma, el capítulo evidencia que no existen soluciones fiscales omnipotentes, pero sí puede lograrse un uso terapéutico del tributo: limitado, coherente, técnicamente medido, y funcionalmente orientado a la emancipación juvenil como núcleo de política pública transversal. La vivienda no es aquí objeto de privilegio fiscal, sino categoría constitucionalmente digna de tutela tributaria específica, siempre que dicha tutela se ejerza con precisión, control y caducidad.

El reto no reside ya en debatir si deben existir incentivos, sino cómo deben existir, cuántos, para quiénes, durante cuánto tiempo, bajo qué condiciones y con qué mecanismos de rendición de cuentas. Si el diseño propuesto cumple esa exigencia, el tributo habrá servido a su fin sin quebrar sus principios.

VI. REFERENCIAS BIBLIOGRÁFICAS

Argelich Comelles, C. (2023) "Novedades de la Ley 12/2023, de 24 de mayo, por el derecho a la vivienda, o las medidas habitacionales que reducirán su oferta", *Actualidad Civil*, Nº 6.

Borgia Sorrosal S.: (2023) "¿Escasa oferta de vivienda en alquiler? Estímulos fiscales para reducir la vivienda vacía" HUMAN REVIEW | 2023 | ISSN 2695-9623. *International Humanities Review / Revista Internacional de Humanidades*.

Borgia Sorrosal S. y otros, (2011) "La vivienda en alquiler en España y la política tributaria estatal" *Diario LA LEY*, Nº 7545, Ref. D-12.

Calzada, I. - Del Pino E. (2019) "Jóvenes y actitudes hacia los impuestos en España", Número 30. Segundo semestre. *Panorama SOCIAL*.

Cubero Truyo, A (Dir.), García Berro, F. (Dir.), Toribio Bernárdez (Dir.), (2022) *Adaptación de la normativa tributaria a las nuevas realidades familiares*. Tirant lo Blanch.

Del Amo Galán, O. (2017) "Bonificación en el Impuesto sobre Bienes Inmuebles para las viviendas de protección oficial", *Carta Tributaria* nº 24, págs. 12-15.

Echaves-García, A.-Martínez Del Olmo, A. (2011), "Emancipación residencial y acceso de los jóvenes al alquiler en España: un problema agravado y su diversidad territorial" *Ciudad y Territorio Estudios territoriales*, págs. 27-42.

González-Cuellar Serrano, Mª. L. (2018) "Una reflexión sobre la política fiscal en materia de vivienda", *Aspectos financieros y tributarios del patrimonio inmobiliario*, CISS.

Herranz Castillo, R. "Consideraciones sobre el derecho a la vivienda en la Constitución", *Diario La Ley*, Nº 5823, Sección Doctrina, Ref. D-166.

Orón Moratal, G. (2020) "Las bonificaciones obligatorias y una potestativa en el Impuesto sobre Bienes Inmuebles", *El Consultor de los Ayuntamientos*, NºI V, págs. 92-101.

Rodríguez Jiménez, L. (2018) "La juventud como colectivo en el Sistema Tributario Español: análisis de los impuestos y el principio de capacidad económica en España y Extremadura". *Cuadernos de Investigación en Juventud*. Nº 4. e017. ISSN: 2530-0091. doi: 10.22400/cij.4.e017.

Ruíz Garijo, M. (2016) "Derecho a un vivienda e impuestos autonómicos sobre viviendas vacías en España. Una perspectiva constitucional. *Crónica tributaria*, 161, pág. 185-207.

Ruiz Garijo, M. (2019) "Beneficios fiscales y bonificaciones obligatorias en el IBI", *El Consultor de los Ayuntamientos*, Nº IV.

Soler Belda, R. R. (2013) "Vivienda, tributación y dinámica social. En torno a la eliminación de la deducción por adquisición de vivienda", *Actualidad Civil*, Nº 1.

LA CONCURRENCIA DEL ICIO CON LA TASA POR SERVICIOS URBANÍSTICOS: ALGUNAS PROPUESTAS DE MODIFICACIÓN PARA SALVAR SU ILEGALIDAD

Pablo Chico de la Cámara
Catedrático de Derecho Financiero y Tributario
Universidad Rey Juan Carlos
ORCID 0000-0001-5721-7217

I. PLANTEAMIENTO

La fiscalidad inmobiliaria siempre ha sido un *terreno* hermanado de las Haciendas Locales. El Texto refundido de la Ley estatal del suelo y rehabilitación urbana[1], aprobado por el Real Decreto Legislativo 7/2015, de 15 de octubre, da una nueva redacción al art. 22.2. c) de la Ley 7/1985, Reguladora de las Bases de Régimen Local (en adelante, LRHL), prescribiendo que corresponde al Pleno del Ayuntamiento, "la aprobación inicial del planeamiento general y la aprobación que ponga fin a la tramitación municipal de los planes y demás instrumentos de ordenación previstos en la legislación urbanística, así como los convenios que tengan por objeto la alteración de cualesquiera de dichos instrumentos", y en su art. 25.21 en su párrafo 2º, apartado a), reconoce en esta línea como competencia propia de los Ayuntamientos, la materia urbanística, a saber, "planeamiento, gestión, ejecución y disciplina urbanística; protección y gestión del Patrimonio histórico; promoción y gestión de la vivienda de protección pública con criterios de sostenibilidad financiera; y conservación y rehabilitación de la edificación". Ahora bien, se trata de una materia que comparte también con las Comunidades Autónomas, por cuanto el art. 148.1.3ª de la Constitución Española reconoce así mismo la delegación del Estado de competencias en favor de la regulación estatutaria de las primeras respecto de la "ordenación del territorio, urbanismo y vivienda".

Así las cosas, el Estado a través de la promulgación del Real Decreto Legislativo 1/2005, que aprueba la Ley Reguladora de las Haciendas Locales, ha reservado dentro del amplio "objeto tributario" inmobiliario el hecho imponible de la titularidad de los bienes inmuebles, a través del "Impuesto sobre bienes inmuebles" (en adelante, IBI); la ejecución de "construcciones, instalaciones y obras", a través del Impuesto sobre construcciones, instalaciones y obras (en adelante, ICIO); así como la transmisión de terrenos de naturaleza urbana, mediante el pago del Impuesto sobre el incremento de valor de los terrenos de naturaleza urbana (en adelante, IIVTNU).

Nótese que dicho "nicho tributario" en puridad también se grava por parte del resto de Entes territoriales, por cuanto el Estado somete a gravamen en el IRPF, esos mismos inmuebles con ocasión de su "desocupación", tomándose como referencia un porcentaje (2 por 100, o 1,1 por 100) del valor catastral (parámetro que es el que se utiliza precisamente para determinar la base imponible del IBI); o en el Impuesto sobre grandes fortunas, así como las Comunidades Autónomas mediante el impuesto sobre el Patrimonio, a través de distintos elementos patrimoniales del administrado, y en el que se grava también la "titularidad de bienes inmuebles" al igual que sucede con el hecho imponible del IBI. Dichas manifestaciones de riqueza no se agotan en estos tributos,

[1] En la Exposición de motivos de la citada Ley, se aclara cómo bajo el término "rehabilitación" se engloba también la materia de "regeneración y renovación del tejido urbano".

pues en los últimos años han aflorado también por parte de determinadas Comunidades Autónomas, impuestos autonómicos sobre alojamientos turísticos, o sobre la explotación comercial de áreas comerciales, así como la desocupación de inmuebles por entidades jurídicas. Precisamente estos últimos tributos apuntados no se han declarado inconstitucionales, gracias a la reforma operada por la Ley 3/2009, de 18 de diciembre, de reforma de la Ley Orgánica de Financiación de las Comunidades Autónomas (LOFCA), ampliando el ámbito competencial de las Comunidades Autónomas con el fin de que la limitación que establece el art. 6.3 quede circunscrita únicamente a "hecho imponibles" y no a "objetos tributarios", como aparecía en su redacción original, lo que ha llevado al Tribunal Constitucional a salvar numerosos gravámenes autonómicos que descansaban en el objeto inmobiliario[2]. A partir de esta importante modificación, y de acuerdo a la doctrina del Tribunal Constitucional, solo operara dicho límite del art. 6.3 respecto de la competencia originaria que asumen las Comunidades Autónomas *ex* art. 133.2 CE en relación a las que asumen también las Corporaciones Locales a través de la creación de estos tres impuestos locales creados por el Estado en favor de los municipios para cumplir con la autonomía y suficiencia financiera que proclama también el art. 142 de Nuestra Carta Magna al permitirlas que puedan allegar recursos públicos a través de determinados tributos propios.

Así las cosas, la competencia de los Ayuntamientos no se agota en los distintos impuestos obligatorios y potestativos (de entre los cuales, de corte inmobiliario se encuentran el IBI, entre los primeros, y el ICIO y la denominada "plusvalía municipal" (es decir, IIVNTU) entre los segundos, que puedan imponer a sus ciudadanos, pues también ostentan una potestad reglamentaria en materia de tasas (ya sea mediante la ocupación del dominio público como es entre otras, las derivadas del aprovechamiento especial que se produce con ocasión del paso a través de la vía pública de vehículos a propiedades privadas; así como las relativas a prestaciones de servicios que afecten igualmente a bienes inmuebles, como sucede con la tasa de residuos sólidos urbanos —más conocida por su denominación informal de "tasa de basuras"—, y la tasa por servicios urbanísticos, sobre la que nos detendremos en este original.

Pues bien, en las páginas que siguen abordaremos la relación "parental" existente entre el ICIO y la tasa de licencia urbanística[3], propugnando la revisión de todas aque-

---

2 Vid. entre otras, SSTC. 208/2012, 90 y 200/2013, y 53/2014 (sobre el impuesto sobre grandes áreas comerciales); STC 4/2019 (sobre el impuesto sobre viviendas vacías); y STC 125/2021 (impuesto sobre estancias en establecimientos turísticos).

3 Esta situación se colige por cuanto la exigencia del ICIO se vincula a aquellas construcciones, instalaciones u obras que requieran de la solicitud de la preceptiva licencia (o en su caso de declaración responsable o comunicación previa) *ex* art. 100.1 LRHL condicionando su devengo a un rasgo inherente propio de las tasas caracterizadas por dicha relación medial provocada por la actividad administrativa realizada por el ente público que constituye la causa de di-

llas ordenanzas municipales que mantengan como parámetro de la base imponible de las citadas tasas el "coste de ejecución material de la obra", por tratarse de un elemento inherente propio de los impuestos, y por producirse técnicamente en estos casos de superposición tributaria sobre este mismo objeto tributario (el citado inmueble) una doble exacción que resultará ilegal por cuanto la acumulación de gravámenes puede exceder de la alícuota del 4 por 100 que establece como límite máximo el art. 102.3 de la LRHL. Téngase presente que no cabe cuestionar desde un punto de vista teórico que nos encontramos ante tributos nominalmente y hechos imponibles distintos. Ahora bien, como nos ha recordado el Tribunal Constitucional[4]; con independencia del *"nomen iuris"* empleado por el legislador tributario, lo relevante desde el punto de vista técnico son sus elementos técnicos, en orden a determinar que su denominación y el presupuesto de hecho gravado sea coherente con la cuantificación de su hecho imponible, pues en estos casos, podría producirse una superposición de gravámenes invadiendo una materia que podría afectar a su legalidad[5]. Nótese que la doble imposición no es *per se* inconstitucional, solo lo será si afecta a alguno de los principios que anidan en Nuestro Texto Fundamental (v.gr. cuando el grado de intensidad en la superposición de gravámenes sea de tal calado que incida en el alcance confiscatorio que proscribe el art. 31.1 de Nuestra Constitución[6]). Así mismo, junto a las circunstancias anteriores sobre las que nos detendremos más adelante, no debe olvidarse la posible vulneración de los

---

cho gravamen. Precisamente Cobo Olvera se cuestiona la vinculación de dicha acción de la Administración local para el origen del impuesto por cuanto no era necesaria al tener origen frente a los supuestos de tasas en la capacidad económica del administrado. En efecto, "no llegamos a comprender por qué no se gravan las construcciones, instalaciones y obras, en las que la expedición de las licencias, no corresponde al Ayuntamiento. ¿No es una manifestación de riqueza igual, quien construye con la autorización del Ayuntamiento que el que construye sin esa autorización? ¿No sería que en este último supuesto el legislador estaría pensando para la exclusión del impuesto, que el ayuntamiento no soporta gasto alguno, por no prestar tampoco actividad alguna? Por otra parte, ¿por qué sólo grava este impuesto las construcciones, instalaciones y obras que necesiten licencia, es que las demás no son manifestaciones de riqueza de los sujetos pasivos?; cfr. T. Cobo Olvera, (1991), *Impuesto sobre construcciones, instalaciones y obras e Impuesto sobre vehículos de tracción mecánica,* Impredisur (taller de edición), Granada, pág. 25.

4 Vid. entre otras, las SSTC 296/1994, de 10 de noviembre, —FJ 4—; 164/1995, de 13 de noviembre, —FJ 4—; 185/1995, de 5 de diciembre —FJ 6—; 134/1996, de 22 de julio, —FJ 6—; 276/2000, de 16 de noviembre, —FJ 3—; 102/2005, de 20 de abril, —FJ 4—; 121/2005, de 10 de mayo, —FJ 5—, y 73/2011, de 19 de mayo, —FJ 4—; y 44/2015, de 5 de marzo —FJ 5º—).

5 En esta línea, vid. la STC 35/2012, y en la que el Alto Tribunal calificó tributariamente la originaria "tasa sobre rifas", como un auténtico "impuesto".

6 Precisamente, en esta línea, el Tribunal Constitucional en la STC. 182/2021, de 26 de octubre, ha declarado inconstitucional la presión fiscal excesiva (al alcanzar el 60 por 100) so-

apartados 2º (cuando una Comunidad Autónoma establezca un "tributo" que recaiga sobre hechos imponibles gravados por el Estado); y 3º (a través de una superposición de hechos imponibles de "tributos autonómicos y locales" —en este caso, sin la adopción de una previa compensación económica a los segundos—) en atención al art. 6 de la Ley 8/1980, Orgánica de Financiación de las Comunidades Autónomas —en adelante, LOFCA. En efecto, como nos ha recordado el Tribunal Constitucional no debe confundirse el "objeto tributario" (que es más amplio) frente al "hecho imponible"[7]. Así las cosas, por "materia imponible u objeto del tributo debe entenderse toda fuente de riqueza, renta o elemento de la actividad económica que el legislador decida someter a imposición, realidad que pertenece al plano de lo fáctico. Por el contrario, el hecho imponible es un concepto estrictamente jurídico que, en atención a determinadas circunstancias, la ley fija en cada caso "para configurar cada tributo y cuya realización origina el nacimiento de la obligación tributaria" (...). De ahí que, en relación con una misma materia impositiva (es decir, lo que venimos definiendo nosotros como "objeto tributario"), el legislador pueda seleccionar distintas circunstancias que den lugar a otros tantos hechos imponibles, determinantes a su vez, de figuras tributarias diferentes"[8].

En conclusión, cabe denunciar aquellos casos en los que frente a un mismo "objeto tributario" (obra, construcción e instalación de un bien inmueble) se proyecten formalmente distintos hechos imponibles (derivados propiamente de su ejecución material, así como del control administrativo que haya de exigirse para garantizar su viabilidad jurídica, adoptando la forma de "impuesto", así como de "tasa" respectivamente), pero empleen en el diseño normativo de esta última un método de cuantificación que es en puridad propio de las figuras impositivas, por lo que lisa y llanamente nos encontramos no ante tributos diferentes, sino ante un "clon" o "avatar" (si seguimos una terminología más vanguardista), al que cabrá predicarle todas las limitaciones que se establece para el citado impuesto, y de entre las cuales, sin duda, afecta con toda intensidad la contenida en el apartado 3º del art. 101 LRHL imponiendo a todos los municipios una alícuota máxima de un 3 por 100 que ha de satisfacer el sujeto pasivo del impuesto sobre construcciones, instalaciones u obras con ocasión del nacimiento de la obligación tributaria.

---

portada por un transmitente de un bien inmueble con ocasión del pago del Impuesto sobre el incremento de valor de los terrenos de naturaleza urbana.

7 También el maestro Sáinz de Bujanda hizo referencia a dicha delimitación frente al presupuesto de hecho gravado en la Ley, afirmando que "el objeto del tributo en su significación material —ya que, como sabemos puede tener un significado teleológico— es la manifestación de la realidad económica que trata de someterse a imposición-"; cfr. Sáinz de Bujanda, F, (1966), *Hacienda y Derecho,* tomo IV, Instituto de Estudios Políticos, pág. 356.

8 Vid. las SSTC. pioneras 37/1987, de 26 de marzo; y 186/1993, de 7 de junio.

II. LA TASA POR SERVICIOS URBANÍSTICOS

Dentro de los dos grandes bloques de tasas que establece la LRHL, dicha tasa se encuadra en el régimen general de tasas por prestación de servicios públicos que recoge el párrafo 4º, y en particular en el apartado h) se hacer referencia al «Otorgamiento de las licencias urbanísticas exigidas por la legislación del suelo y ordenación urbana o realización de las actividades administrativas de control en los supuestos en los que la exigencia de licencia fuera sustituida por la presentación de declaración responsable o comunicación previa».

Esta habilitación es esencial por dos motivos. En primer lugar, delimita el hecho imponible en términos de actividad administrativa referida, afectante o beneficiaria de modo particular al sujeto pasivo, excluyendo tasas carentes de correlato real con una actividad municipal. En segundo lugar, permite sostener la exigencia de la tasa en escenarios de simplificación administrativa, en los que la actividad municipal se desplaza desde el examen previo al control posterior.

Desde la óptica de la vivienda, estas tasas se proyectan sobre el coste transaccional de acceder a una licencia o de formalizar una actuación urbanística, y su diseño puede ejecutar actuaciones de rehabilitación, así como cambios de uso (siendo cada vez más frecuente, la modificación del cambio de uso como "local de negocio" a un posterior uso "residencial".

III. LA IMPLEMENTACIÓN DEL ICIO CON OCASIÓN DE LA PROMULGACIÓN DE LA LRHL

La LRHL de 1988 incorporó como impuesto potestativo de naturaleza indirecta el ICIO, al someter a gravamen cualquier gasto de inversión sobre un bien inmueble que requiera de licencia urbanística[9], o presentación de declaración responsable, o comunicación previa.

---

[9] Así por ejemplo, el artículo 152 de la Ley 9/2001, del Parlamento de la Comunidad Autónoma de Madrid, del suelo, reza de la siguiente forma:

"Actos sometidos a licencia urbanística. Únicamente estarán sujetos a licencia urbanística municipal los siguientes actos de uso del suelo, construcción y edificación:

a) Los movimientos de tierra, excavaciones, explanaciones y terraplenado en cualquier clase de suelo cuando no formen parte de un proyecto de urbanización, edificación o construcción autorizado.

b) Los actos de edificación y uso del suelo, subsuelo y vuelo que, con arreglo a la normativa general de ordenación de la edificación, precisen de proyecto, salvo los recogidos en el artículo 155.e) de esta Ley.

Su justificación residía en promover en estos casos la eliminación por parte de los Ayuntamientos de exigir en estos casos la tasa por servicios urbanísticos determinando su base imponible en función del "coste de ejecución de la obra, instalación o construcción", que es un parámetro propio de las figuras impositivas. Así las cosas, introducido un impuesto cuyo diseño normativo gravitara en el coste real de dicho gasto de inversión, lo coherente sería no exigir la tasa sobre el mismo concepto. Sin embargo, el legislador local pecó de ingenuo, por cuanto, la generalidad de los ayuntamientos, tomaron este hecho como una nueva oportunidad para coadyuvar a la financiación de las competencias propias e impropias que asumen los municipios. Es cierto, que cualquier ayuntamiento podría incorporar en sus ordenanzas la posibilidad de desgravarse en la liquidación definitiva del ICIO la cuota de la tasa abonada, si bien, se trata de una previsión potestativa de los municipios, que muy pocos han ejercitado apelando a su infrafinanciación respecto del resto de entes territoriales.

Aunque debe reconocerse que ambos tributos descansan sobre hechos imponibles diferentes, solo cabe justificarse en aquellos casos en los que la tasa financie una prestación de un servicio real acometido por el ayuntamiento, y éste es evidente que se producirá en toda su intensidad con ocasión de la tramitación (y en su caso, otorgamiento) de la correspondiente licencia. En el resto de casos, el Ayuntamiento al no realizar una verificación tan minuciosa, descansando el riesgo sobre el administrado, cabe entender que el coste de la tasa no puede presentar la misma magnitud, debiendo justificarse fehacientemente en la memoria económica de la tasa[10].

---

c) Cualquier actuación que tenga el carácter de intervención total en edificaciones catalogadas o que dispongan de algún tipo de protección de carácter ambiental o histórico-artístico, regulada a través de norma legal o documento urbanístico y aquellas otras de carácter parcial que afecten a los elementos o partes objeto de protección.

d) Los actos de parcelación, segregación y división de terrenos, en cualquier clase de suelo, salvo cuando formen parte de un proyecto de reparcelación debidamente aprobado.

e) Las talas y el trasplante de árboles, de masas arbóreas o de vegetación arbustiva.

f) La ubicación de casas prefabricadas e instalaciones similares, ya sean provisionales o permanentes, en cualquier clase de suelo.

g) Las obras y los usos provisionales que se regulan en esta Ley".

[10] Así, parece desprenderse también del Informe técnico-económico de costes y rendimientos de las tasas y precios públicos municipales elaborado por la Agencia Tributaria de Madrid desglosado a través del libro II (estudios particularizados).

Vid. sobre el particular el análisis de los gastos desglosados de la "declaración responsable" (págs. 132 y ss.) a través del siguiente enlace:

https://transparencia.madrid.es/FWProjects/transparencia/InformacionJuridica/HuellaNormativa/Fiscales/2023/ServUrbanisticos/Ficheros/InformeTecnEcon_20221019.pdf

IV. RELACIONES DE COMPATIBILIDAD ENTRE EL ICIO Y LA TASA POR SERVICIOS URBANÍSTICOS

La coexistencia del ICIO y la tasa sobre servicios urbanísticos es estructural: ambos tributos pueden recaer sobre la misma actuación edificatoria, pero gravitan sobre hechos imponibles diferentes. El ICIO grava la realización material de la construcción, instalación u obra; la tasa somete a tributación la actividad administrativa de control (mediante la solicitud de licencia o control urbanístico equivalente). En consecuencia, la concurrencia no constituye *per se* ilegalidad, siempre que cada exacción se cuantifique en función de sus características intrínsecas.

A esta conclusión ha llegado el Tribunal Supremo cuando ha tenido ocasión de enjuiciar esta cuestión. De acuerdo con la doctrina del Alto Tribunal la exigencia conjunta de una tasa de licencia urbanística junto con el ICIO constituye una práctica perfectamente legítima en cuanto se produce el nacimiento tributario de dos exacciones que se devengan por conceptos distintos. Por un lado, ha de exigirse una tasa de licencia de obras por la prestación del servicio municipal de verificación de los requisitos administrativos de validez de toda obra civil, y con posterioridad se liquida el ICIO (una vez autorizada por la autoridad administrativa competente) por la realización de la construcción, instalación o la obra. En consecuencia, para el Tribunal Supremo se trata de dos presupuestos de hecho diferentes por lo que técnicamente no existe doble imposición. Así, a juicio del Alto Tribunal existe una capacidad económica puesta de manifiesto por la realización de la obra, mientras que por otro lado, se grava la actividad administrativa que realiza el ente público con ocasión de la concesión de la licencia[11].

En efecto, conforme a la doctrina del Tribunal Supremo, en la concepción legal no existe coincidencia entre el hecho imponible de la tasa y el del impuesto sobre construcciones, instalaciones y obras porque el primero viene constituido por la prestación de servicios administrativos de verificación de la legalidad de la obra proyectada, previos a la concesión de la correspondiente licencia, y en el segundo por la realización, dentro del término municipal, de cualquier construcción, instalación u obra para la que se exija la obtención de la correspondiente licencia municipal de obras urbanísticas, se haya obtenido o no la preceptiva licencia.

En nuestra opinión se trata de una doctrina ciertamente discutible que pretende salvar los problemas de doble imposición tributaria que se produce en este tipo de situaciones. Resulta cierto —y en este punto compartimos plenamente la postura del Alto

[11] Vid. las SSTS. 17 de enero de 1994 (*Tol 1691993*), de 11 de octubre de 1994 (*Tol 1695460*), de 5 de mayo de 1997 (*Tol 5149022*), de 18 de junio de 1997 (*Tol 194764*), 27 de noviembre de 1997 (*Tol 196197*), 26 de noviembre de 1999 (*Tol 1700375*) y 21 de mayo de 2001 (RC 1306/1996).

Tribunal— que nos encontramos ante dos hechos imponibles diferentes. Por un lado, el pago de la tasa tiene su causa en la *actividad administrativa desplegada* por el ente municipal con objeto de verificar que las obras que se pretenden ejecutar se ajustan a la legalidad urbanística a los efectos de conceder la licencia de obras, o en el caso de haberse ya ejecutado la construcción que se adecúan al proyecto presentado. Por otro, mediante el ICIO se grava la *realización de una construcción, instalación u obra* para la que se exige la obtención de la correspondiente licencia municipal de obras. Sin embargo, lo que resulta criticable es que la tasa tal como está diseñada grave la misma materia imponible que el ICIO (pese a que de la dicción formal de la normativa nos encontremos ante dos hechos imponibles diferentes). Ahora bien, si la base imponible de la tasa configurada por un ayuntamiento determinado —al igual que en la liquidación provisional del ICIO— mediante un porcentaje del presupuesto de ejecución material de la obra se estará gravando dos veces el mismo objeto tributario lo que resulta difícilmente explicable y esconde bajo la denominación nominal de "tasa" lo que desde el punto de vista de su configuración técnica se acerca más a la naturaleza de un mismo "impuesto".

No debe olvidarse que la justificación de que el legislador local en el año 1988 crease *"ex novo"* este nuevo impuesto potestativo no era otra que tratar de paliar la práctica viciada de algunos Ayuntamientos de exigir a través de la tasa de licencia de obras una cuota tributaria que excedía con creces del verdadero coste de la actividad administrativa desplegada por el ente público con ocasión de la prestación del servicio[12]. La creación de este impuesto salvaría los problemas a los que se enfrentaba la tasa de licencia urbanística al exigirse cuotas muy por encima del coste del servicio. El Diario de sesiones del Congreso de los Diputados con ocasión de la aprobación de la Ley Reguladora de las Haciendas Locales de 1988 se hizo eco precisamente de esta problemática y de la justificación de la aparición de ese nuevo impuesto (ICIO) para salvar dicha limitación legal (Diario de sesiones del Congreso de los Diputados de 8 de noviembre de 1988, págs. 12463-121475).

---

12 Sobre esta cuestión controvertida ya se hizo eco años atrás el profesor Simón Acosta al reconocer que la "aparición de este impuesto no fue más que la consagración legal de una costumbre viciada, que arranca de un uso indebido de las tasas por parte de los Ayuntamientos; cfr. Simón Acosta, E.; (1989), "El Impuesto sobre construcciones, instalaciones y obras", *Revista de Hacienda Autonómica y Local,* núm. 57, pág. 356. Por el contrario, Marín Barnuevo-Fabo, D., sostiene la no existencia de motivos legales ni constitucionales que cuestionen su compatibilidad, si bien, critica la regulación actual por la multiplicación de tributos sobre dicho objeto tributario al generar costes externos que podrían evitarse fácilmente suprimiendo la tasa e incrementando la presión fiscal del ICIO con objeto de eliminar costes de gestión tributaria de las Administraciones Locales y de los sujetos pasivos, lográndose en consecuencia, una mayor simplificación y transparencia del sistema tributario; cfr. Marín Barnuevo-Fabo, D., *El ICIO. Teoría y práctica en el Impuesto sobre Construcciones, Instalaciones y obras,* Colex, pág. 237.

Entendemos que el efecto "cuasi confiscatorio" de esta sobreimposición de tributos queda minimizado en cuanto que el artículo 103.3 LRHL establece la posibilidad de que el Ayuntamiento permita en la liquidación definitiva del ICIO la deducción de la cuota pagada por la tasa de licencia de obras que entendemos debe compensar al Ayuntamiento de los costes efectivos soportados desglosados en su memoria económico-financiera (y no a tanto alzado) en pro de la tramitación de la licencia. Téngase presente que la deducción del coste de la tasa con ocasión de la liquidación definitiva del ICIO viene a ser un reconocimiento expreso del legislador estatal a la doble imposición que realiza el ente local sobre un mismo objeto tributario. Es cierto que el artículo 103.3 LRHL utiliza la forma verbal "podrá" lo que de una manera intencionada "podría" llevar a pensar que si la norma se emplea en esos términos es porque no concurre en dicha situación tal sobreimposición. Sin embargo, entendemos que la razón puede deberse a que el legislador es consciente de que creado el ICIO paulatinamente tendría que ir desapareciendo la tasa de tal forma que solo en aquellos municipios donde "pudieran" todavía convivir tasa e impuesto sería deseable que se dedujera el coste de la tasa liquidada[13].

En todo caso, entendemos que estas limitaciones en orden a que la tasa cubra el coste real de la prestación del servicio puedan salvarse con el simple hecho de que la Corporación Local optara por la derogación de la tasa compensando la pérdida de recaudación elevando el tipo de gravamen del ICIO hasta el límite del 4 por 100 que fija el art. 102. 3 LRHL.

Así las cosas, cabe concluir que nos encontraremos ante una *praxis* contraria a Derecho siempre que con ocasión de las distintas ordenanzas reguladoras de la tasa de licencia urbanística y del ICIO concurra la siguiente doble circunstancia:

- Primero. Que la forma de determinar la tasa de licencia urbanística lejos de cuantificarse en base a un parámetro que atienda al coste administrativo que genera el servicio de verificación de su legalidad, sin embargo se ajuste al presupuesto económico de la obra, con lo que coincidirá con el que suele emplearse para la determinación de la base imponible del ICIO; y
- Segundo. Que la cuota de ambos tributos supere el límite del 4 por 100 que proscribe el art. 102.3 LRHL, por lo que sobrepasando dicha cláusula de salvaguarda para evitar el exceso de presión fiscal, este "clon" de ICIO (disfrazado de "tasa") lisa y llanamente resultaría en nuestra opinión ilegal[14].

13 Vid. Chico de la Cámara, P, (2024), *Propuestas de reforma para un nuevo modelo de financiación local*, Tirant lo Blanch, pág. 147 y ss.

14 Vid. también sobre el particular, el original de Chico de la Cámara, P y Fraile Fernández, R, (2019), "La tasa de licencia urbanística & el ICIO": matrimonio bien avenido o un buen ejem-

Pues bien, resaltamos en color rojo aquellos casos detectados en municipios de gran población en los que la cuota de la tasa por servicios urbanísticos se determinará a través de una base imponible configurada a través del coste de ejecución material de la obra recogido en el presupuesto presentado en la concejalía de urbanismo por los solicitantes[15]:

CIUDAD	Tipo de gravamen del ICIO	Base imponible de la tasa por licencia de obras	Gravamen / cuota de la tasa
Albacete	3,84%	Coste de ejecución material de la obra.	0,26% obra mayor (cuota mínima: 624,93 €) / 0,16% obra menor (cuota mínima: 143,64€)
Alcalá de Henares	4,00%	Coste de ejecución material de la obra.	Cuantía fija por tramos
Alcorcón	4%	Metros cuadrados.	Cuantía fija por tramos
Alicante	3,25%	Metros cuadrados.	euros/ m2
Almería	4%	Coste de ejecución material de la obra.	1,39%
Badajoz	4%	NO HAY TASA	***
Badalona	4%	Obras mayores, metros cuadrados/ obras menores, tipología	Euros/m2, menores cuantía fija
Barcelona	3,35%	Metros cuadrados/ Cuantía fija en las comunicaciones de obra menor.	euros/ m2, o cuantía fija
Burgos	3,30%	Coste de ejecución material de la obra.	0,18% / Obra menor, cuantía fija.
Cartagena	4%	Tipo de obra.	Cuantía fija aumentada en 1,02 ‰
Castellón	3,50%	Coste de ejecución material de la obra.	0,50%
Córdoba	3,25%	Metros cuadrados/ coste de ejecución material.	Obras mayores euros/m2. Obras menores: 1,6%
Dos Hermanas	4,00% (cuota mínima: 4€)	Coste de ejecución material de la obra	1,00% (cuota mínima según obra desde 3 hasta 140 €).

plo de pareja en crisis", *Aspectos de interés para una futura reforma de las Haciendas Locales,* Tirant lo Blanch, págs. 341 y ss.

15 Información extraída de las distintas webs de los ayuntamientos. Ultima consulta: 4 de enero de 2026.

CIUDAD	Tipo de gravamen del ICIO	Base imponible de la tasa por licencia de obras	Gravamen / cuota de la tasa
Elche	2,70%	Coste de ejecución material de la obra.	0,25%
Fuenlabrada	4%	Coste de ejecución material de la obra.	1,11%
Getafe	4%	Metros cuadrados.	Cuantía fija por tramos y tipo de obra
Gijón	4%	Tipo de obra.	Cuota fija en función del tipo de obra.
Granada	4%	Coste de ejecución material de la obra.	1,14%
Hospitalet de Llobregat	4%	Metros cuadrados.	euros/ m2
Huelva	4%	Coste de ejecución material de la obra.	2% (cuota mínima: 41,94€)
Jerez de la Frontera	4%	Coste de ejecución material de la obra.	1,55%. Se establece una cuota mínima.
La Coruña	4%	Metros cuadrados.	euros/ m2
Las Palmas de GC	4%	NO HAY TASA	***
Leganés	4%	Coste de ejecución material de la obra.	1%, con un mínimo de 27,33 euros.
Lérida	3,28%	Coste de ejecución material de la obra.	1%
Logroño	3,07%	NO HAY TASA	***
Madrid	3,75%	Metros cuadrados.	Cuota fija tramos según ms. Cuadrados y tipo de obra (cuota mínima: 123,70 €)
Málaga	3,8%	Coste de ejecución material de la obra	2,5% (cuota mínima: 47,17€).
Marbella	4,0%	Coste de ejecución material de la obra	0,719%
Móstoles	4%	Coste de ejecución material de la obra.	2,68% (cuota mínima: 51,04 €)
Murcia	3,75 %	NO HAY TASA	***
Oviedo	4%	Metros cuadrados/ coste de ejecución material.	Tarifa fija: Obras menores: 24€. Obras mayores: tarifa/ m2
Palma de Mallorca	4%	Coste de ejecución material de la obra.	2,61%

CIUDAD	Tipo de gravamen del ICIO	Base imponible de la tasa por licencia de obras	Gravamen / cuota de la tasa
Sabadell	4%	NO HAY TASA	***
Salamanca	3,75%	Coste de ejecución material de la obra.	0,26% (cuota mínima: 11,42 €)
San Cristóbal de La laguna	3,75%	Obras mayores/ Obras menores: proyecto de instalaciones conforme al coste de ejecución material de la obra.	Euros/m2 Instalaciones: 1,43%
Santa Cruz de Tenerife	1,8%	Coste de ejecución material de la obra.	Cuantía fija por tramos.
Santander	4%	Coste de ejecución material de la obra.	2% (cuota mínima: 30 euros)
Sevilla	3,22%	Coste de ejecución material de la obra.	1,85% / menores, con requisitos, cuota mínima: 122,29 €
Tarragona	4%	m2	Coef. Por tipo y uso €/m2
Tarrasa	4%	Tipo de obra, metros cuadrados o vivienda construida.	Cuota fija.
Valencia	3%	Coste de ejecución material de la obra.	Cuantía fija por tramos.
Valladolid	4%	Coste de ejecución material de la obra.	1,59%
Vigo	3,50%	Coste de ejecución material de la obra.	0,95%
Zaragoza	4%	Coste de ejecución material de la obra.	Obras mayores 1% (cuota mínima: 200 €) /menores cuota fija (cuota mínima: 12 €)

V. CONCLUSIONES

La *praxis* municipal revela una doble zona de fricción con alto riesgo de litigiosidad:

1º) En primer lugar, cabe mencionar un nicho de «sobreimposición» en actuaciones residenciales, ya sea respecto de licencias urbanísticas que tengan como finalidad realizar construcciones, obras o instalaciones de inmuebles destinados a vivienda, así como de alojamiento turístico, pues en ambos casos, cabe que el administrado tenga que solicitar la preceptiva licencia, o en su caso, comunicación previa o declaración responsable.

Nótese que cuando un ayuntamiento exija a sus ciudadanos el ICIO con un importe de una gran intensidad (partiendo de que la normativa vigente permite establecer alícuotas hasta el 4 por 100) y la tasa se cuantifique igualmente mediante tipos de gravamen elevados (también anudados —y aquí reside la clave— al presupuesto de ejecución de la obra presentando por el solicitante), el resultado acumulado de tipos de gravamen por la suma agregada de alícuotas de ambos tributos, además de que puede resultar disuasorio para la rehabilitación o para pequeñas actuaciones de reforma, puede desde el punto de vista técnico resultar ilegal por concurrir un doble "impuesto" (el propio ICIO, así como un "clon" de ese mismo ICIO (eso sí disfrazado de "tasa de licencia urbanística") por cuanto dichos tipos de gravamen acumulados superarán ampliamente el límite legal del 4 por 100 para la imposición de alícuotas de ICIO.

Así las cosas, habrá que realizar un análisis caso por caso para reconfigurar aquellas bases imponibles de tasas "desnaturalizadas" en aquellos municipios que han sido puestas en tela de juicio en estas páginas al ser catalogados como «impuestos encubiertos». Si la base imponible de la tasa se ha configurado como un apéndice del ICIO sin mecanismos de ajuste que permitan la deducción de la cuota pagada[16], puede ser así mismo impugnable por tropezar con el principio de equivalencia que es la esencia para garantizar la justicia tributaria en materia de tasas al no poder superar el coste total del servicio[17]. En todo caso, nótese que como ha advertido el Tribunal Supremo (STS de 28 de febrero de 2007 —RC 984/2002—) el coste total del servicio opera como límite de carácter global, aplicable al conjunto de la recaudación obtenible por cada tasa en su conjunto, y no a cada una de las liquidaciones practicadas singularmente a cada sujeto pasivo, por lo que dicho control jugará a favor del ayuntamiento presuntamente incumplidor por la complejidad para que pueda ser acreditado.

2º) Por otro lado, debe prestarse igualmente especial atención respecto de la coordinación de devoluciones en obras no ejecutadas o ejecutadas parcialmente. Nótese que la tasa puede resultar igualmente exigible, aunque la licencia se deniegue (si puede acreditarse que ha existido actividad administrativa para la verificación del cumplimiento

16 Esta solución de deducción del coste de la tasa en el ICIO es la que propone el profesor Álvarez Arroyo para salvar la doble imposición existente entre estas dos figuras tributarias; cfr. Álvarez Arroyo, F. (1996), *El Impuesto municipal sobre construcciones, instalaciones y obras,* Aranzadi, pág. 51.

17 Precisamente, el profesor Pagés I Galtés pone el acento en el principio de equivalencia cuya virtualidad impide que pueda exigirse al administrado una cuota superior al coste total del servicio a efectos de evitar la doble imposición tras la acumulación de cargas tributarias derivadas del pago del ICIO y de la tasa sobre el mismo administrado. En efecto, "si bien el ICIO representa un cierto solapamiento impositivo con respecto a la tasa, su distinto hecho imponible y naturaleza atemperan en gran medida la duplicidad impositiva que pudiera predicarse respecto a la exacción conjunta de ambos tributos, sobre todo, si se tiene en cuenta que a raíz del principio de equivalencia la recaudación por tasas no podrá superar el coste del servicio"; vid. Pagés y Galtés, J., (1993), *La impugnación del Impuesto sobre Construcciones. Doctrina y jurisprudencia,* Enia, pág. 26.

de los requisitos administrativos), mientras que el ICIO, por su conexión con la realización de la obra, resulta legitimo su devolución cuando finalmente pueda acreditar el administrado que no ha habido ejecución. El conflicto se intensifica cuando el municipio comunique la liquidación provisional de ambos tributos, pero el administrado ulteriormente desista. En estos casos, no puede decirse que haya doble imposición por cuanto en aquellos casos en los que no se haya finamente ejecutado la construcción, instalación u obra, no puede devengarse el ICIO por cuanto no se ha dado el presupuesto de hecho que da origen al nacimiento del citado impuesto. En esta línea, se ha manifestado el Tribunal Supremo en SSTS de 4 de noviembre de 2020 (RC 1869/2018) y de 23 de octubre de 2023 (RC 3935/2022) afirmando que en aquellos casos en los que la obra no se ejecute por desistimiento del solicitante, se requiere un acto expreso de desistimiento, o un acto formal de declaración de la caducidad de la licencia por parte del Ayuntamiento, pues tales actos suponen la constancia de que la obra no se va a ejecutar y que, por tanto, no se va a realizar el hecho imponible del citado impuesto.

Distinta solución cabe inferir respecto de la exigencia de la tasa por servicios urbanísticos, por cuanto la renuncia por parte del administrado (una vez que la actividad administrativa se ha realizado) no impide el nacimiento de la obligación tributaria[18]. Por el contrario, solo estaremos en casos de no sujeción con ocasión del desistimiento temprano del administrado, o por caducidad de la licencia cuando quede acreditado que no ha existido actividad administrativa debido al carácter sinalagmático de dicha prestación tributaria. Téngase presente que el carácter "sinalagmático" de dicha prestación implica el nacimiento de obligaciones inmediatas recíprocas para ambas partes (frente a las figuras impositivas), a saber, la Administración local se obliga a prestar un servicio público. A cambio, el administrado tendrá que abonar una prestación pecuniaria equivalente al beneficio económico obtenido por el servicio público recibido, o la ocupación individualizada del dominio público frente al resto de ciudadanos. Abogamos en consecuencia para que el legislador tributario estatal modifique el art. 20.4.h) LRHL, sustituyendo el término "otorgamiento", por "tramitación", más acorde con la causa del tributo, y la actividad administrativa desplegada por el ente público en orden a la ejecución del servicio con ocasión de su devengo que no es otro que la "tramitación", en lugar del "otorgamiento".

---

18 A esta conclusión con buen criterio ha llegado la STSJ de Cantabria de 15 de marzo de 2023 (Nº 267/2022) al afirmar que "en los casos de renuncia de la licencia concedida, ha de tenerse en cuenta que se ha desarrollado la actividad municipal, tanto técnica como administrativa, tendente al otorgamiento de la licencia y que sobre la base de que se dan los presupuestos del hecho imponible de la tasa, se ha exigido y efectuado el pago de la tasa. Nada obliga pues a la Administración municipal a tener que reintegrar, total o parcialmente, la cuota satisfecha en su totalidad".

VI. REFERENCIAS BIBLIOGRÁFICAS

Álvarez Arroyo, F. (1996), *El Impuesto municipal sobre construcciones, instalaciones y obras,* Aranzadi.

Cobo Olvera, T. (1991), *Impuesto sobre construcciones, instalaciones y obras e Impuesto sobre vehículos de tracción mecánica,* Impredisur (taller de edición).

Chico de la Cámara, P., (2024), *Propuestas de reforma para un nuevo modelo de financiación local,* Tirant lo Blanch, pág. 147 y ss.

Chico de la Cámara, P., (2025), *Manual práctico de fiscalidad (parte general),* CEF, 7ª edición.

Chico de la Cámara, P.; y Fraile Fernández, R. (2019), "La tasa de licencia urbanística & el ICIO": matrimonio bien avenido o un buen ejemplo de pareja en crisis", *Aspectos de interés para una futura reforma de las Haciendas Locales,* Tirant lo Blanch.

Marín Barnuevo-Fabo, D., (2001), *El ICIO. Teoría y práctica en el Impuesto sobre Construcciones, Instalaciones y obras,* Colex.

Pagés I Galtés, J. (1993), *La impugnación del Impuesto sobre Construcciones. Doctrina y jurisprudencia,* Enia.

Simón Acosta, E., (1989), "El Impuesto sobre construcciones, instalaciones y obras", *Revista de Hacienda Autonómica y Local,* núm. 57.